ISBN 978-1-332-35891-5
PIBN 10328817

Tropische und nordamerikanische

Waldwirtschaft und Holzkunde.

Handbuch

für

Forstleute, Holz-Techniker und Händler

in

Deutschland und im Auslande.

Von

Heinrich Semler

in San Francisco.

Mit einem Porträt und 62 Textabbildungen.

BERLIN.
VERLAG VON PAUL PAREY.
Verlagshandlung für Landwirtschaft, Gartenbau und Forstwesen.
1888.

Vorwort der Verlagshandlung.

Zu Beginn dieses Jahres erhielten wir von Herrn Heinrich Semler in San Francisco das Manuscript zu dem vorliegenden Werke mit dem Antrage, dasselbe in unserem Verlage erscheinen zu lassen. Da uns der Verfasser nicht nur durch sein bedeutendes Werk „Tropische Agrikultur“ bekannt war, sondern wir uns auch überzeugten, dass dieses neue Werk des weit gereisten und erfahrenen Mannes, welcher sich sein ganzes Leben mit diesem Gegenstand eifrig beschäftigt hat, für unsere deutschen Forstwirte, Botaniker und Holzindustrielle von grossem Werte sei, glaubten wir diesem Antrage entsprechen zu können und entschlossen uns den Verlag zu übernehmen. —

Der Zweck des Werkes ist zunächst der, die Errungenschaften der modernen Forstwirtschaft und Forstwissenschaft, wie sie besonders im deutschen Vaterlande sich im Laufe dieses Jahrhunderts entwickelt haben, auf die Tropen und Nordamerika zu übertragen in der Weise, dass durch strenge Arbeit, gepaart mit Nachdenken und Vernunft, der dortigen systematischen Raubwirtschaft endlich ein wünschenswertes Ende bereitet werde und zum Wohle des gesamten Wirtschaftslebens rationelle Kultur und Ausnutzung an deren Stelle treten. Unseren deutschen Forstwirten und Holzindustriellen bietet das Werk mit besonderer Rücksicht darauf, dass man jetzt bemüht ist, nordamerikanische

Waldbäume und amerikanisches Holz hier einzuführen, eine Fülle von Belehrung und Erfahrung.

Ein deutscher Fachmann, dem das Manuscript vorgelegen und der es mit grösstem Interesse gelesen hat, schreibt uns, dass der Verfasser in diesem Werke völlig neues Material von einem erfahrungsreichen, weitblickenden und vielseitigen Standpunkt behandelt und eine von vielen Fachleuten empfundene Lücke in der Kenntnis von den Bewaldungszuständen der Erde ausfüllt. —

Noch bevor der Druck des Werkes begonnen, wurde Heinrich Semler von der Deutsch-Ostafrikanischen Gesellschaft nach Ostafrika zur Leitung ihrer Plantagen-Anlagen berufen. Aber schon nach kurzem Aufenthalte in Sansibar, nachdem er erst seit einigen Wochen eine vielversprechende Thätigkeit begonnen, erlag er am 7. Juli dieses Jahres einem Fieberanfalle.

Es war ihm leider nicht vergönnt, dieses Buch gedruckt zu sehen, obgleich es schon vor seinem Tode fertig vorlag. Infolge seiner Reise von San Francisco nach Sansibar, welche auf dem Umwege über Berlin erfolgen musste, war Herr Semler nicht in der Lage, die Korrektur des Buches selbst zu besorgen, aber Herr Hofmarschall von Saint Paul-Illaire, Vorsitzender der Deutsch-Ostafrikanischen Gesellschaft und Herr Hermann Haché hatten die Güte, uns bei Drucklegung des Werkes zu unterstützen, wofür wir ihnen unsern Dank an dieser Stelle aussprechen.

In Heinrich Semler betrauern wir einen echten deutschen Mann, der, wenn auch von harten Schicksalsschlägen verfolgt, stets mit eiserner Kraft und Ausdauer gearbeitet und durch Wort und Schrift unendlich viel Gutes gewirkt hat. Es wird deshalb auch für unsere Leser von Interesse sein, seinen Lebensgang kennen zu lernen. Die nötigen Unterlagen verdanken wir einer im „Hamburgischen Correspondenten“ veröffentlichten Biographie.

Heinrich Semler ist am 18. Mai 1841 in Grünberg in Oberhessen als Sohn eines Landmannes geboren und erhielt in einem in der Nähe liegenden grösseren Fabrikgeschäft seine kaufmännische Ausbildung. Während dieser Lehrzeit förderte Semler eifrig sein Wissen durch Privatunterricht und Selbststudium. Dann war er als Handlungscommis in hervorragenden en gros-Häusern in Hamburg, Genua, Neapel und London thätig, und ging endlich als Agent eines grossen Londoner Hauses übers Meer. Nun kamen Jahre des Wanderns in allen Zonen und er lernte im Verlaufe derselben viele Länder und Völker kennen. Mehrere Male durchkreuzte er den Grossen Ozean, und wenn wir nicht irren, ist er in allen fünf Weltteilen gewesen, in mehreren wiederholt, stets beobachtend und sammelnd für die Aufgabe, die ihm schon damals vorschwebte: einst seinen deutschen Landsleuten — die er so häufig als Ansiedler in der allerprimitivsten Weise, ohne Kenntnis dessen, was zu wissen nötig, mit Sichel und Spaten, diesen beiden Kraft- und Zeitverschwendern, hatte wirtschaften sehen — eine Anleitung zu schaffen, aus der sie lernen sollten, einerseits, wie es drüben nicht gemacht werden müsse, und anderseits, was zu beobachten sei, wenn der in altem ererbten Aberglauben gar so häufig noch für unerschöpflich gehaltene tropische Boden dauernd nutzbar gemacht werden sollte.

Als Semler nach vieler, Jahre langer Wanderschaft in seine Heimat zurückgekehrt war, übernahm er sein elterliches Gütchen und heiratete. Bald aber fand er, dass er in zu enge Verhältnisse geraten war und entschloss sich, nach Amerika zu gehen, sich dort sesshaft zu machen und erst, nachdem ihm dies gelungen, seine Familie nachkommen zu lassen. Seit diesem Beginnen hatte Semler eine Reihe von Unglücksschlägen und Enttäuschungen zu erleben. Es gelang ihm nach mancherlei Schwierigkeiten, im südöstlichen Oregon eine Heimstätte zu finden. Er richtete sich ein, machte den Boden urbar, baute ein Haus für sich und die Seinen, und es schien sein Unternehmen prächtig gelingen zu wollen. Es war eine Lust, erzählte er, wie alles gedieh! Nun war die Zeit da. die Seinen kommen zu lassen; schon waren die Reisepläne festgestellt — da brach der „Bannock-Krieg“ aus, und eines Tages, als Semler bei der versuchten, aber misslungenen Überrumpelung eines Kupferbergwerks mit knapper Not dem Tode entronnen war, ging sein Haus in Flammen auf, seine Felder wurden verwüstet, und anstatt seiner Familie entgegeneilen zu können, traf er. mit nur so vielen Habseligkeiten beladen, als er tragen konnte, als armer Flüchtling an der Küste ein.

Später siedelte Semler sich in einem Thale Kaliforniens an. Es war ein prächtiges Fleckchen Erde, wie er berichtete, das seinen Mühen schönen Lohn versprach. Er wendete auf dieses Unternehmen alle Mittel, die ihm geblieben waren, treue Freunde halfen dazu, und wieder wuchsen seine Hoffnungen, wieder gediehen unter seiner kundigen Hand die unternommenen Kulturen; es wuchs und blühte, und in kürzerer Zeit, als er selbst gehofft, begannen seine Felder Erträgnisse abzuwerfen. Nun glaubte er nicht länger zögern zu dürfen, die Seinen zu sich kommen zu lassen — doch abermals vertrieb ihn ein unvorhergesehenes Unglück von seinem neuen Heim. Semler hatte bei dem Ankauf des Geländes in der Abfassung des Vertrages alle üblichen Vorsichten angewendet, er glaubte sich vollkommen sicher in seinem Besitz; auch kümmerte sich niemand um ihn, solange das Land nicht urbar gemacht war; als aber Semler die Früchte seiner Arbeit ernten wollte, da trat plötzlich ein reicher Mann auf und sagte: „Das Land gehört mir.“ — Die aus mexikanischer Zeit ererbten unsicheren Bodenrechtsverhältnisse und die jeder Schurkerei Thür und Thor öffnenden Gesetze Kaliforniens gaben ihm leider Recht. Semler, der vermögenslose Mann, konnte den Kampf gegen den Millionär nicht weiter kämpfen, der ihn, die claim in der Hand, von deren Existenz bis dahin niemand eine Ahnung gehabt, von Haus und Hof vertrieb. Nur seine geringe bewegliche Habe blieb dem armen, abermals um die Früchte seines Schweisses betrogenen Mann.

Noch einmal hat Semler versucht, ein eigenes bodenwirtschaftliches Unternehmen durchzusetzen. Mit einem Zweiten zusammen hatte er in einem kleinen Orte, nicht weit von San Francisco, eine Champignonzucht in grossem Massstabe angelegt. Die nötigen wirtschaftlichen Baulichkeiten standen bereits, die erforderliche Verbindung mit den Absatzmärkten, was die Hauptsache war, bot der kleine an einer Bahn gelegene Ort, den Unternehmern blühten die besten Aussichten. Da brach in einer Nacht in dem gänzlich aus Holzbauten bestehenden Ort Feuer aus, und am nächsten Morgen war derselbe vom Erdboden verschwunden. Die Champignonzucht musste aufgegeben werden.

Nach dem harten Verlust, den Semler erlitt, als ihm seine Farm in Kalifornien genommen wurde, dürften ihm die Mittel gefehlt haben, sich noch einmal anzukaufen. Er liess sich dauernd in San Francisco als Schriftsteller nieder. Mehrere Male machte er von dort aus grössere Ausflüge, einmal auch nach Australien, um sich grössere Spezialkulturen anzusehen, wie er denn auch zum Zwecke der Förderung seines Werkes: „Die Tropische Agrikultur“, an dem er vor nun zehn Jahren zu arbeiten begann, mit einer Reihe angesehener Pflanzer und Botaniker in lebhaftem schriftlichen Verkehr stand.

Mit tiefem Schmerz musste die Nachricht von dem plötzlichen Ende dieses Mannes berühren. Jahrzehnte lang hat er in tropischen und subtropischen Ländern gelebt, hat allen klimatischen Einflüssen und mehrere Male auch Fieberanfällen glücklich widerstanden, durch zahlreiche Fährlichkeiten, Unglücksschläge und Enttäuschungen hat er sich hindurchgerungen, und nun, da er kaum ein Arbeitsfeld betreten, welches so recht wie geschaffen schien für seine Kenntnisse und Erfahrungen, seinen praktischen Blick und seinen ausdauernden Fleiss, ein Arbeitsfeld, auf dem er nach allem menschlichen Ermessen mit reichem Erfolge gewirkt haben würde, nun raffte ihn jäh der Tod hinweg, und er ruht in der fernen fremden Erde — wieder einer der

Braven. die hinauszogen für das Vaterland und im Wirken für die Bedeutung und den Wohlstand Deutschlands in entlegenen Zonen ihr Leben liessen.

Ehre seinem Andenken!

Berlin. im August 1888.

Inhalt.

Inhalt.

Verzeichnis der Abbildungen.

Rundschau über die Wälder der Erde.

Die Kulturgeschichte unseres Geschlechts lehrt uns die traurige, eine tiefernste Warnung einschliessende Thatsache, dass die heimatsuchenden Wanderer, einerlei nach welcher Richtung sie sich von ihren Ursitzen über die Erde verbreiteten, und ob einzeln, in Gruppen oder in Völkerschaften, ihre Ansiedelung mit einer planlosen Vernichtung der Wälder einleiteten, und in schwer erklärlicher Verblendung mit Axt und Feuer fortsetzten, bis die Natur ihre rächenden Strafgerichte durch's Land ziehen liess, oder gar, bis es nichts mehr zu vernichten gab. So ist es gewesen beim ersten Dämmern der Geschichte, so ist es geblieben bis zum heutigen Tage. Dabei lässt sich dieser so rätselhaften wie betrübenden Wahrnehmung nicht aus dem Wege gehen: auf je höherer Kulturstufe die Wäldervernichter stehen, um so schonungsloser, beharrlicher und ich bin versucht zu sagen, grimmiger arbeiten sie an der Zerstörung, die in bildlichem Sinne einer Selbstzerfleischung gleichkommt. Am wuchtigsten trifft dieser Vorwurf die beiden grössten Kolonisationsvölker der Neuzeit. Schwer wie sich die Spanier in dieser Hinsicht versündigt haben, tief in den Schatten gestellt werden sie durch die Angelsachsen, zumal wenn man, dem Sprachgebrauche folgend, ihnen das Mischvolk der Nordamerikaner beizählt.

Es wird eingewandt: der Ansiedler in der Wildnis müsse Wald roden, um Gelände zu gewinnen für seine Felder und Weiden. Einverstanden! Wäre es bei den zu Zwecken der Landeskultur notwendigen Rodungen geblieben, dann würde keine begründete Klage über Wäldervernichtung geführt werden können Ist doch in dieser Frage fest und unverrückbar im Auge zu halten: wohlthätig und wertvoll wie die Wälder sind, dürfen sie doch nur in einer gewissen Beschränkung auftreten. In den reichen Niederungen, in den tiefgründigen Thälern, auf fruchtbaren Ebenen, wie überall wo des Landmanns Fleiss gut belohnt wird, soll der Pflug Furchen ziehen. Es bleibt noch genug Gelände für die Wälder übrig, denn ihr richtiger Platz ist auf den Bergen, an steilen Hängen, auf sandigen und felsigen Bodenanschwellungen; selbst auf den Steppen der neuen wie alten Welt sind sie nach diesem Grundsatze nicht ausgeschlossen, denn der flüchtige Blick des Reisenden über die unbegrenzte Grasflur täuscht: auch hier ist die Bodenqualität nicht gleich, es finden sich neben tiefen, humusreichen Erdschichten, gewöhnlich in Muldenform, kiesige oder thonige Rücken, bestanden mit spärlichem Grase, die zweckdienlicher dem Forstmanne wie dem Ackerbauer überwiesen werden.

Nein, es ist nicht die Verwandelung des Waldes zum Acker, welche die Klage hervorruft, der ich Ausdruck gegeben habe, sondern die Zerstörung, welche über die Deckung des Bedürfnisses weit hinausgreift, und zurückzuführen ist, teils auf Gedankenlosigkeit und Leichtsinn, teils auf Unwissenheit und kurzsichtige Gewinnsucht. Die Axt des Raubwirtschaft treibenden Holzfällers, das Feuer, das der Jäger oder Wanderer, auch wohl die vorbeisausende Lokomotive entfacht, die Herde des Schaf- und Ziegenhirten, die rasch das Schicksal des Nachwuchses besiegelt — das sind die Verwüster im grossartigen Stile, die das Unheil stiften, welches zu schweren Vorwürfen herausfordert.

Erst wenn die Wälder verschwunden sind, lernen die Menschen ihren Wert erkennen, nicht allein für ihr eigenes, wirtschaftliches Leben, sondern für den Haushalt der Natur, erst dann kommt es ihnen zum Bewusstsein, der Verlust der Wälder bedeute mehr wie Mangel an Holz, weil er auch tiefgreifende, klimatische Veränderungen in ungünstiger Richtung zur Folge hat, die Strömungen der Gewässer zu den schroffsten Gegensätzen ausschärft: in der einen Jahreszeit treten sie in verheerenden Ueberschwemmungen über ihre Ufer, in der andern versagen sie Lasten zu tragen und das Rad der Mühle zu treiben, und es für den Flugsand kein Hindernis mehr gibt, um im Spiele mit dem Winde todbringend gegen die Felder des Ackerbauers vorzurücken.

Völker, die im Niedergange sind, unterwerfen sich, die Hände im Schosse, mit Duldermiene den Folgen der Wälderverwüstung, anders aber diejenigen. welche, von Thatkraft beseelt, den Blick weitschauend in die Zukunft richten. Sie schaffen ein Seitenstück zur Geschichte ihres Ackerbaus, denn wie sie jahrhundertelang den Boden durch Raubwirtschaft erschöpften, um ihn dann einer weiter und weiter ausgebildeten Hochkultur zu widmen, so lassen sie ab von der Wälderverwüstung, um an ihre Stelle eine auf wissenschaftlicher Grundlage ruhende Forstkultur treten zu lassen. Nach Lage der Dinge musste sich dieser Wandel zunächst in Europa vollziehen, wo es heute keinen Kulturstaat im wahrhaften Sinne dieses Wortes gibt, der sich nicht zu dem Grundsatze bekennt: die Erhaltung der Wälder gehört zu den wichtigsten Interessen der menschlichen Gesellschaft, daher ist sie eine der vorzüglichsten Pflichten der Regierung. Zur Begründung dahin zielender Gesetze dient nicht allein der gebotene Holzreichtum, sondern auch die Wohlthaten, welche die Wälder einfach durch ihr Dasein üben. bilden sie doch den Mutterschos der Quellen und verhindern das Wegschwemmen der fruchtbaren Erde von den Bergen, sie wirken ausgleichend auf die Temperatur und helfen das richtige Verhältnis zwischen Kohlensäure und Sauerstoff in der Luft aufrecht halten. Die Wälder erzeugen Humus und brechen die den Kulturgewächsen feindlichen Stürme; sie schützen Felder und Wohnungen und stellen Wasserspeicher dar, die den Überschuss der atmosphärischen Niederschläge aufnehmen, um ihn allmählich abzugeben, wodurch sie Überschwemmungen verhindern, die Dürren abkürzen und bis zu einem gewissen Grade die Feuchtigkeit der Luft regeln.

Auf diese wissenschaftlich festgestellten Thatsachen stützt sich die Gesetzgebung, die am weitesten in Deutschland und Frankreich ausgreift, denn hier legt sie selbst der Verfügung über das Privateigentum, in Rücksicht auf das Gemeinwohl, gewisse Beschränkungen auf. Das Beispiel Europa's ist nicht ohne Einfluss geblieben auf die fortgeschrittensten Staaten und Kolonien der andern Erdteile, eine entschiedne Nachahmung aber hat es, ausser etwa in Indien und Japan, noch nirgends gefunden. Es zeigt sich auch hier wieder die Übereinstimmung in der Geschichte des Ackerbau's und der Forstwirtschaft. Langsam und zögernd, wie die von Europa ausgehende Hochkultur des Bodens sich über den Erdball verbreitet, so auch, genau ihren Bahnen folgend, nur weit zurückbleibend, die Kultur des Waldes.

Nordamerika setzt zwar seine in der ältern wie neuern Geschichte ohne Gleichen dastehende Wälderverwüstung vorläufig noch ungeschwächt fort, allein schon lange rufen die Besten und Einsichtsvollsten der Nation um Abhülfe und in jedem Jahre wurzelt das Bewusstsein im Volke tiefer, ein Halt auf der seither gewandelten Strasse sei geboten, müssen doch auch die heraufbeschworenen Übel dem blödesten Auge erkenntlich sein. Ein Verein von Waldfreunden hat sich gebildet, dessen belehrender und mahnender Thätigkeit es gelungen ist, manche Grundbesitzer zur Aufforstung von Oedland zu bewegen und die Bundesregierung wie eine Anzahl Regierungen von Sonderstaaten zu Schutzmassregeln für die Wälder zu veranlassen. Es ist indessen bis jetzt bei einem unklaren, unsichern Umhertasten nach Mitteln und Zielen geblieben und bei den herrschenden Ansichten über die dem Staate wie den Privatpersonen zuzumessenden Aufgaben, wird wahrscheinlich die Wälderverwüstung zu Ende geführt werden, bevor man den Glauben an die Heilwirkung einer starren, einseitigen Lehrmeinung aufgibt.

Als Europa der nordamerikanischen Union seine tausendjährige Kultur als Wiegengeschenk überreichte, gab es auch seine Forstwissenschaft mit und alle Erfahrungen, welche sich an dieselbe knüpfen. Mit diesem Kenntnisschatze wäre es ihr leicht. mit sicherer Hand eine Forstkultur zu schaffen, allein sie zieht es vor, von eignem Gutdünken geleitet, umherirrend das Ziel zu suchen. Das in allen Tonarten besungene Gesetz über Landverschenkungen unter der Bedingung der Aufforstung wurde aufgehoben, der schreienden Missbräuche wegen und nun verspricht man sich alles Heil von den amtlichen Anordnungen von jährlichen Baumpflanzungstagen (Arbordays) für die Schuljugend. Diese Massnahme ist gut gemeint und wird insoferne nicht spurlos bleiben, als sie dem aufwachsenden Geschlecht die Notwendigkeit der Bewaldung eines Teils des Bodens zum Bewusstsein bringt. Wer aber einem solchen Feste der Jugend beigewohnt und die Bedingungen einer, wenn auch noch so rohen Forstkultur kennt, dem muss der kindliche Glaube an die bahnbrechende Wirkung der Baumpflanzungstage ein Lächeln abnötigen.

Australien hatte weder im Gesamt noch im Verhältnis so viele Wälder zu verwüsten wie Nordamerika, auch bringen seine klimatischen Verhältnisse die Störungen, welche das Verschwinden der Wälder hervorruft, schärfer zur Geltung. Und es trat auch

Einer für die Wälder ein, vor dem sich alle achtungsvoll verneigen: unser berühmter Landsmann Baron von Müller in Melbourne. Nicht nur in Australien, auf dem ganzen Erdenrund sollten seine trefflichen Worte beherzigt werden: „Ich betrachte den Wald als ein Erbe von der Natur uns gegeben, nicht um es zu verderben oder zu verwüsten, sondern um es weise zu benutzen, ehrerbietig zu betrachten und sorgfältig zu erhalten.“ „Ich betrachte die Wälder als ein Geschenk, das uns nur zur Bewahrung für einen kurzbemessenen Zeitraum anvertraut wurde, um es unsern Nachkommen als unbeschädigtes Eigentum zu übergeben mit erhöhtem Werte und vermehrten Segnungen, damit es als heiliges Erbgut von einer Generation zur andern übergehe.“

Mahnungen und empfindlich auftretende Folgen haben zusammengewirkt, um in den Kolonien Viktoria, Neu-Süd-Wales, Queensland und Südaustralien gesetzliche Massregeln zum Schutze der Wälder hervorzurufen, ja es sind auf Kosten der Regierungskassen hier und da Aufforstungen vorgenommen worden, hervorgegangen aus Pflanzschulen, die Kolonialeigentum sind. Anerkennenswert wie dieses Vorgehen ist, fehlt ihm doch der sichere, gross angelegte Plan mit festgesteckten Zielen. Von durchgreifenden Massnahmen schreckte man bis jetzt zurück, wohl weil sich zur Zeit andere Sorgen vordrängen, unter denen die Geldsorgen nicht am leichtesten wiegen. — In Neuseeland wird kräftiger an der Waldzerstörung gearbeitet wie auf dem australischen Festlande, weil die Transportbedingungen günstiger sind, infolge dessen die Sägemühlenindustrie eine grössere Ausdehnung gewann. So bedeutende Lücken sind indessen schon in den Holzreichtum gerissen worden, dass ernste Besorgnisse um die Zukunft auftauchten und sie haben dazu geführt, dass ein Forstwart bestellt wurde, der die vorhandenen Wälder, soweit sie nicht in Privatbesitz übergegangen sind, kartiren, dem Holzdiebstahl wehren und sich noch in anderer Weise nützlich machen soll. Tasmanien folgte im verflossenen Jahre diesem Beispiel. Dieser Schritt will zwar nicht viel bedeuten, immerhin zeigt er eine aufdämmernde Einsicht in das verderbliche der seitherigen schrankenlosen Raubwirtschaft, er ist das erste verheissungsvolle Anzeichen zur Umkehr auf dem abschüssigen Wege.

Auch in Ceylon ist ein schüchterner Anfang gemacht worden, dem schonungslosen Kriege gegen die Wälder Grenzen zu ziehen.

doch wird wahrscheinlich das Beispiel des nahen Indiens von solchem Einflusse sein, dass seine Nachahmung in näherer oder fernerer Zukunft sicher zu erwarten ist. Indien — das ist das Vorbild für alle Länder, welche Urwälder zu schützen und in Kulturwälder umzuwandeln haben. Ausserhalb Europa's hat man nur in diesem Reiche, soweit es unter direkter britischer Herrschaft steht, erkannt, dass nur wenn der Staat die Wälderbewirthschaftung in die Hand nimmt, die im Interesse des Gemeinwohls notwendigerweise zu steckenden Ziele erreichbar sind. Wo man sich dieser Einsicht verschliesst, wird es bei gut gemeinten Vorschlägen und Ermunterungen bleiben und jede gesetzgeberische Massregel ein Schlag ins Wasser sein. Damit ist nicht gesagt, Forstkultur und Privatbesitz seien unverträglich; im Gegenteil die Mitwirkung von Privatpersonen in der Erhaltung und Pflege der Wälder kann nur erwünscht sein, allein dem Staate muss ein ausreichender Grundstock von Wäldern zufallen, um das Bedürfnis decken zu können, unabhängig von dem Belieben und Können der Privateigentümer des Bodens. Die Masse der Letzteren zeigt, wie die Erfahrung in allen Ländern lehrt, keine warme Anteilnahme an der Forstkultur, wofür die Erklärung gesucht und gefunden wird: der Wald wirft erst mehrere Jahrzehnte nach seiner Anpflanzung eine Rente ab; wohl kann der Staat so lange warten, der Privateigentümer aber kann oder will es nicht; ferner muss die Beschützung kleiner Waldflächen entweder unterbleiben, oder sie steht ausser Verhältnis zu den zu erhoffenden Erträgen. Auch die Unsicherheit des Besitzes wird hervorgehoben, am häufigsten in Nordamerika. Hier werden mit zuverlässigster Regelmässigkeit jährlich viele tausend Hektar bewaldete Flächen durch Feuer zu öden Brandstätten verwandelt. Schwebt nicht mithin das Resultat jahrzehntelanger Wartung und Zinsenanschwellung in steter Gefahr, eines Tages in Rauch aufzugehen?

Der Nachweis wäre nicht schwierig, dass diese Darstellung in vielen Fällen haltlos, in anderen übertrieben ist, allein sie herrscht und die indische Regierung that wohl daran, mit dieser Thatsache zu rechnen und anstatt kostbare Zeit zu vergeuden, die Aufgabe der Forstkultur unwilligen Grundbesitzern auf die Schultern zu wälzen, selbst zu übernehmen. Und sie machte sich keiner Halbheit schuldig: nach breit angelegtem Plane ging sie entschlossen vor und der Lohn liess nicht auf sich warten

Freilich harrt noch eine grossartige Arbeit der Bewältigung, allein die Leistungen während der kurzen Zeitspanne, die verfloss, seit die indische Forstverwaltung ins Leben trat, verdient rückhaltlose Anerkennung.

Zu nennen ist nun noch höchstens Britisch Guiana, wo an jedem der vier Hauptflüsse des Landes ein sogenannter Holzinspektor eingesetzt wurde, der sorgen soll, dass der Waldfrevel nicht ins Schrankenlose gehe, aber nach Lage der Dinge sich nur wenig nützlich machen kann. In allen übrigen tropischen Ländern ist noch nicht der Wille zur That vorhanden und niemand vermag zu sagen, in welcher Reihenfolge sie sich dem Verständnis für den Segen der Forstkultur anschliessen werden. Hoffen wir, dass die deutschen Kolonien den Vortritt nehmen. Kommt es anders, dann müssen wir Deutsche unsere Ansprüche auf die Fähigkeit zur Kolonisation bedeutend herabstimmen. Doch die deutschen Kolonien bilden nur einen kleinen Bruchteil des Tropengürtels, was ist von dem grossen Rest zu erwarten? Hoffnungsvoll sind die Aussichten nicht, ausgenommen vielleicht für die holländischen und französischen Kolonien; gilt es doch Berge von Unwissenheit, Gleichgültigkeit und Vorurteilen wegzuräumen, um der Forstkultur Bahn zu brechen. Auch hier trifft wieder der Vergleich mit der Hochkultur des Bodens zu. Wann wird sie in die tropischen Länder ihren Einzug halten, diejenigen gemeint, welche nicht unter europäischer Herrschaft stehen? Fast ist's gewiss: zu allerletzt auf ihrem Zuge um die Erde. So auch die Forstkultur. Wahr mögen die Behauptungen von den Einwirkungen der Wälder auf das Klima sein, für die kalte und gemässigte Zone, vielleicht auch für die halbtropische, aber nicht für unsern Erdgürtel, so hört man die Tropenbewohner sagen. Und am hartnäckigsten hängen sie an dem Wahne, für die klimatischen, wie Ackerbauverhältnisse einer Tropeninsel sei es vollständig gleichgültig, ob Wälder vorhanden seien oder nicht. Als ob das westindische Santa Cruz, als ob Mauritius und Havaii nicht in scharfer Schrift das Gegenteil lehrten! Warum sollen wir uns mit Wäldern abmühen, so fragen Jene weiter — wir, die wir unter einem Ueberfluss von Pflanzenwachstum leiden? Hauen wir heute einen Wald ab, dann beginnt schon morgen die unermüdlich schöpferische Tropennatur ihn wieder aufzubauen, ob wir es wünschen oder nicht. Als ob das Pflanzengewirr, das als Urwald aufwächst, in allen seinen Teilen, einen verwertbaren Holzreichtum darstellte, als ob durch die Raubwirtschaft die edeln Hölzer nicht seltener und seltner werden und schliesslich verschwinden müssten!

Da vernichtet der Eine den Wald, weil er wilde Tiere beherbergt, der Andere thut das Gleiche, um den Rundblick auf den Horizont zu gewinnen und der Dritte, da er ihn gesundheitsgefährlich hält. Warum legen Sie diesen schönen Wald nieder? fragte ich einst einen Ansiedler. Weil die Wälder zu ihrer Ernährung Luftfeuchtigkeit bedürfen und indem sie diese Feuchtigkeit aus ihrer Umgebung an sich ziehen, wird die Luft über meinen Feldern trocken, die Kulturpflanzen leiden not. Nicht selten forscht man vergeblich nach der Triebfeder der Zerstörungswut, es ist als entspränge sie einer angeborenen Abneigung gegen alles, was Wald heisst, als sei so wenig Rechenschaft von ihr zu geben, wie von einer ererbten Feindschaft. Dieses Zeugnis ist am häufigsten Spaniern und ihren Abkömmlingen zu geben und wenn das Urteil auch zu hart und weitgehend ist, welches dieser Rasse einen Widerwillen gegen Wälder und Haine als Eigentümlichkeit beimisst, so kann es doch nicht weiter gemildert werden, als dass den Menschen mit spanischem Blut in den Adern kalte Gleichgültigkeit gegen Bäume beseelt. Es ist, als schaue er viel lieber auf nackte, scharf umrissene Berge wie auf grüne, bewaldete Höhenzüge.

Noch einer Ursache ist zu gedenken, welche hindert, dass die Forstkultur nicht überall die verdiente Würdigung findet. Die falsche Vorstellung hat weite Verbreitung gefunden, der vielfältige und in jedem Jahr umfangreichere Ersatz des Holzes durch Metalle in den Gewerben, wie durch Kohlen und Petroleum zu Brennzwecken, mindere den Bedarf so sehr, dass in ganz naher Zukunft die Holzproduktion nicht mehr lohnen könne. Die Zeit nahe, wo Holz nur eine örtliche Verwendung zum Brennen fände, würden doch selbst die Farbhölzer durch die sich mehrenden Darstellungen von Farbstoffen aus Mineralien, namentlich aus Kohlen, überflüssig werden. Als vermeintlich unanfechtbarer Beweisgrund wird die dauernde Ueberfüllung der europäischen Holzmärkte und die darauf gegründeten Klagen der deutschen, österreichischen und französischen Forstleute angeführt, die Wälderbewirtschaftung werfe nur noch unter günstigen, örtlichen Verhältnissen eine schwache Rente ab.

Weiter unten soll nachgewiesen werden, wie es sich mit der Ueberfüllung der Märkte verhält, hier sei nur hervorgehoben, dass die Beweisführung auf trügerischem Grunde ruht. Wohl sind Metalle, zumal das Eisen, in manchen Verwendungen an Stelle des Holzes getreten, in keinem Fache massenhafter wie im Schiffbau, allein dadurch ist der Holzbedarf nicht im mindesten geschmälert worden; im Gegentheil, er ist gewachsen und fährt fort zu wachsen als Folge der lebhaften Bauthätigkeit in allen Kulturländern, der vervielfältigten Benutzung des Holzes, wodurch die angeführte Verdrängung durch die Metalle mehr wie ausgeglichen wird, und schliesslich der Vermehrung von Fabriken, welche doch alle, in geringerm oder höherm Grade, zum Holzverbrauche beitragen. Ja, die an die Zukunft gerichtete Frage ist gerechtfertigt: wird, nach der in absehbarer Zeit zum Abschluss kommenden riesigen Raubwirtschaft in den nordamerikanischen Wäldern, ein ausreichender Holzvorrat zur Deckung der vielseitigen und wachsenden Bedürfnisse, zur Verfügung stehen? Im Anschluss sei auf die Farbhölzer verwiesen, von denen so oft geweissagt wurde, ihre Benutzung würde bald der Erinnerung angehören. Wohl haben die Chemiker entdeckt, wie man brillantere Farben, als man bis dahin gekannt, aus dem Steinkohlentheer gewinnt, und mit der Bereicherung unseres Farbenschatzes aus dieser Quelle scheinen sie noch nicht am Ende zu stehen, allein geschwächt haben sie dadurch die Nachfrage nach Farbhölzern nicht; der Farbenverbrauch ist aber ein vielfältigerer und vermehrterer geworden. Noch wird eifrig in den Wäldern Mexiko's, Südamerika's, Westafrika's und Südasien's nach Rot-, Gelb- und Blauhölzern gesucht und in Indien und Ceylon haben es in der Neuzeit Grundbesitzer sogar rentabel gefunden, Napanwälder anzulegen. Bis zur Stunde verdient die Behauptung, die Farbhölzer würden überflüssig für die Gewerbe werden, jeder Begründung.

Wer jene Fragestellung für die Zukunft glaubt nicht ernstlich nehmen zu dürfen, der ist daran zu erinnern, dass es bis jetzt nur die mitteleuropäischen Staaten sind, welche sich, mit Hülfe einer hochentwickelten Forstwissenschaft, bemühen, nicht allein den Bestand ihrer Wälder zu erhalten, sondern zu erweitern, doch bilden dieselben offenbar zu beschränkte Holzquellen, um für den Weltbedarf eine ausgiebige Stütze bilden zu können. Auch bitte ich, den Blick auf die Thatsache zu richten, dass den edeln, langsam wachsenden Hölzern in der Forstkultur aller Länder, eine Aschenbrödelrolle zugewiesen wurde, Deutschland nicht ausgenommen, dessen Wälder Gefahr liefen, gänzlich dem Wechselanbau von Kiefern und Buchen zu verfallen, ein beklagenswertes Geschick, von dem sie, durch die in allerjüngster Zeit zum Durchbruch gelangten erleuchteteren Anschauung, hoffentlich bewahrt bleiben. Gelegentlich wird viel Lärm gemacht von Aufforstungen in Nordamerika und Australien, deren wahrer Wert aber sehr herabsinkt im Lichte der Thatsache, dass, mit wenigen Ausnahmen, schnellwachsende, weiche Hölzer zur Anpflanzung gewählt werden, vorzugsweise Pappeln, Weiden, Aspen, Tannen, der silberlaubige und der eschenlaubige Ahorn, der Tulpenbaum, die Linde, und in geeignetem Klima mit besonderer Vorliebe, der australische blaue Gummibaum, dessen Anbau sogar zur Manie ausartete, die aber nun im Erlöschen begriffen ist, weil sich die Ueberzeugung Bahn bricht, man habe sich einer Geschmacksverirrung schuldig gemacht, als man die Schönheit dieses Baumes pries, er verdiene keinen Platz in Alleen und Parks, schon weil er das ganze Jahr durch Blätter abwirft, er tauge nicht zum schützenden Windbrecher für Obsthaine und Gärten, weil er selbst des Windschutzes bedarf und durch seine seicht laufenden Wurzeln weithin die Erdkrume erschöpft, er sei als Waldbaum nicht lohnend, weil sein Holz weder zum Bauen noch in den Gewerben Beachtung fände und nur einen mittleren Brennwert habe.

Höchst wichtig für die Zukunftsbetrachtung ist, den weit klaffenden Unterschied zwischen Kulturwald und Urwald im Auge zu behalten. Der Letztere bietet oft auf meilenlangen Strecken kein verwertbares Holz, selbst nicht einmal versprechenden Anwuchs, umfasst ausgedehnte Blössen, die in der Angabe seiner Grösse einbegriffen sind und zeigt auch in seiner üppigsten Entfaltung einen Stoffvorrat von buntestem Wertwechsel. Und ferner: ein ganz bedeutender Bruchteil der Urwälder muss für lange Zeit hinaus als der Ausbeute entrückt betrachtet werden, weil die Transportspesen nach aufnahmefähigen Märkten nicht in Einklang mit der Rentabilität zu bringen sind. Die Tragweite dieser Verkehrsungunst beleuchtet das folgende Beispiel. Australien, noch so reich an Urwäldern und dünn besiedelt, importiert beträchtliche Mengen Holz von der pazifischen Küste Nordamerika's. Gefällt wird es an Buchten und Flussmündungen der Küste, wo seine

Verladung auf die nahe ankernden Schiffe mittelst kurzer, schmalspuriger Bahnen, Flumen oder Rutschbahnen möglich ist, und transportiert wird es auf dem billigsten aller Verkehrswege, dem Ocean. So kann es geschehen, dass Sidney und Melbourne vorteilhaftere Holzbezüge von der Mündung des Columbia und vom Pugetsund machen können, obgleich der grösste Ocean, der stille, sich bis dorthin dehnt, als aus den Binnengebirgen Australiens.

Doch liegt nicht dem Europäer ein Beispiel viel näher: verfaulen nicht mächtige Holzbestände inmitten seines Erdteils, im Karpathengebirge, weil keine Beförderungsmittel vorhanden sind, und solche allein um der Wälder willen in's Leben zu rufen sich nicht lohnt?

Wohl berechtigt ist mithin die besorgte Frage nach der Holzversorgung in absehbarer Zukunft, sie sollte jedes Kulturvolk beschäftigen, sowohl für den eigenen Haushalt, wie für den der Kolonien. Das Heil kann nur in der planvoll angewandten, auf wissenschaftlicher Grundlage ruhenden Forstkultur gesucht werden, selbst da, wo jetzt noch Urwälder zur Raubwirtschaft einladen mehr noch: wo Urwälder in engere Grenzen zurückgedrängt werden müssen. Denn es ist ein Irrtum, die Forstkultur lohne nicht neben vorhandenen Urwäldern. Nahe liegt der Vergleich mit der Kautschukproduktion. Als der Vorschlag auftauchte, diesen stets wichtiger werdenden Stoff durch eine planmässige Kultur seiner botanischen Quellen zu gewinnen, wurde er belächelt und verspottet. Wie kann sich die Anpflanzung von Kautschukbäumen lohnen, wenn man nur in den Urwald hineinzugehen und die da bereit stehenden Bäume anzuzapfen braucht? Es waren Theoretiker. die so fragten, nicht Männer der Praxis, daher wussten sie nicht zu beurteilen, was es heisst, wenn der Kautschuksammler erst tage-, ja wochenlang reisen muss, bis er in ein Ausbeuterevier gelangt, wenn er sich, bäumesuchend, durch das Dickicht Bahn brechen und im Sammeln des Saftes seine Runde nur besten Falls während eines mühsamen Tages abgehen kann, denn seine Becher hängen weit zerstreut im pfadlosen Urwalde und glücklich preisst er sich schon, wenn die Bäume in Gruppen stehen. Er arbeitet unter fortwährender Bedrohung des Lebens und der Gesundheit, unter Leiden und Ungemach vieler Art. Und wenn die Ernte eingeheimst ist, folgt die lange, beschwerliche Reise nach dem Markte.

Welcher Zeit- und Kraftgewinn lässt sich durch eine geschlossene Anpflanzung von Kautschukbäumen in der Nähe einer Verkehrstrasse erzielen! Die Produktion muss zur Konkurrenz befähigen, und der Beweis ist bereits unwiderleglich in Ceylon erbracht worden.

Wer jemals mit den Holzfällern in den Urwald eindrang, wer beobachtete, welche Zeit sie verloren im Suchen nach einem Baume, der verwertbares Holz lieferte, wie mühsam sie sich mit ihren Geräten zu ihm Bahn brechen mussten, welcher Vorbereitung durch Auslichtung der Umgebung zum Fällen es bedurfte und schliesslich die Hauptsache: wie beschwerlich, gefährlich und zeitraubend und mit welchem Kräfteaufwand der Transport der Blöcke nach dem Flusse stattfand — wer das sah und rechnen kann, dem leuchtet es leicht ein, dass die Holzproduktion in einem Kulturwalde billiger sein muss. Und alle Einsprache muss verstummen vor dem Hinweise auf das glänzende Beispiel, welches Indien bietet.

Entmutigen darf auch nicht die Bewohner der heissen Zone eine wenn auch noch so grossartig betriebene Waldwirtschaft in den kälteren Erdgürteln — und umgekehrt. Denn der Welthandel verlangt Hölzer von verschiedener physikalischer Beschaffenheit, und da diese Eigenschaft auf klimatische Ursache zurückzuführen ist, so steht die Notwendigkeit der Arbeitsteilung in der Forstkultur für alle Zeiten unverrückbar fest. Wäre jeder Quadratfuss des Tropengürtels mit Wald bedeckt, die Forstkultur in der gemässigten und kalten Zone würde dadurch nicht im mindesten überflüssig oder nur weniger lebensfähig gemacht werden, und wenn die nordischen Forstleute weit über die Nachfrage hinaus Holz produzierten, es würde ohne Einfluss bleiben auf die tropische Waldwirtschaft.

Wie gegenwärtig Westindien, Zentral- und Südamerika, die Südseeinseln, Südchina und Südafrika nordisches Tannen-, Fichten- und Cypressenholz, und daraus gefertigte Waaren, einführen, wie jetzt, Verfrachtungen in grossem Masstab von Farbhölzern verschiedener Art, von Eben-, Rosen-, Jacaranda-, Mora- und Grünherzholz aus tropischen Häfen nach nordischen Märkten stattfinden, so wird es immerdar bleiben. So lange es einen Welthandel gibt, werden holzbefrachtete Flotten die Ozeane nach allen Richtungen der Windrose durchkreuzen, denn für die schöpferischen Einflüsse klimatischer Verhältnisse gibt es keinen Ausgleich, keinen Ersatz. Dieses wohlthätige Naturgesetz kann nicht aufmerksam genug in seinen Wirkungen erforscht und klar gelegt werden, stellt es doch die Zonen des Erdballs in gegenseitige Abhängigkeit, verknüpft es doch die Interessen der gesamten Menschheit und verhütet es eine ungesunde, dauernde Ueberhäufung weniger Völker mit materiellen Gütern und muss es die Bewohner jedes Breitegrades und jeder Höhenlage mit Mut und Hoffnung erfüllen, einen Siegespreis zu erringen in dem allgemeinen Wettbewerbe um nationale Reichtümer, welche die Grundfesten eines hohen, geistigen Kulturlebens sind und ewig bleiben werden.

Die Darlegung der Notwendigkeit einer planmässigen Forstkultur in allen Zonen und Ländern fordert als Ergänzung eine Rundschau über die Wälder der Erde und ihren gegenwärtigen Zustand als Grundlage entsprechender Folgerungen. Nachstehend wird sie gegeben.

Man hat versucht, die Gesamtfläche der bewaldeten Erde zu berechnen und ist dabei zu dem Resultate von verschiedenen Millionen geographischer Quadratmeilen gekommen, indem man Amerika mit 21%, die übrigen Erdteile mit 20% als bewaldet annahm. Es wird übrigens kaum des Hinweises bedürfen, dass bei unsern gegenwärtigen Kenntnissen von der Pflanzendecke Zentral- und Südamerika's, Australiens, Afrika's und Asiens, eine solche Berechnung vollständig in der Luft schwebt und besser unterlassen wird, da sie zu irrigen Vorstellungen führt.

Europa's Waldflächen und ihre Verteilung auf die einzelnen Staaten, konnten mit grösserer, doch nicht mit umfassender Zuverlässigkeit ermittelt werden. Die folgende Tabelle enthält das Ergebnis.

	Hektar Wald	Von der Gesamtfläche sind bewaldet, in Prozenten.
Russland	190,684,000	40
Finnland	10,868,000	
Schweden	17,358,170	34,1
Norwegen	7,568,200	
Oesterreich	18,123,760	29,4
Deutschland	13,987,900	26,1
Türkei	8,201,300	22,2
Rumänien	976,000	
Italien	5,691,590	22

	Hektar Wald	Von der Gesamtfläche sind bewaldet, in Prozenten.
Schweiz	715,500	18
Frankreich	9,075,100	17,3
Griechenland	688,400	14,3
Belgien	200,500	13
Spanien	3,133,450	7,3
Holland	227,600	7
Portugal	466,100	5,1
Grossbritannien u. Irland	1,004,100	4,1
Dänemark	185,700	3,4

Diese Statistik leidet an Mängeln, die bei einer vergleichenden Beurteilung nicht übersehen werden dürfen. Es berechnen nämlich einige Staaten den Prozentsatz der Waldungen an der Gesamtfläche mit Einschluss der Binnengewässer, andere mit Ausschluss derselben. Sodann ist die Frage zu stellen: was wird als Wald betrachtet? Nicht in allen Staaten deckt dieses Wort denselben Begriff. Als Beispiele des Gegensatzes mögen Deutschland und Norwegen dienen. Die in den deutschen statistischen Tabellen angeführten Waldflächen sind einer sorgsamen Forstkultur unterworfen mit der Zielrichtung der möglichst höchsten Ausnutzung jedes Quadratmeters Boden. Keine Raumverschwendung, keine Bodenruhe wird geduldet. In Norwegen gilt dagegen alles Gelände, das nicht als Acker, Wiese oder Wildweide dient, als Wald. Gesträuch, Berge, die nur mit wenigen verkrüppelten Kiefern bestanden sind, nicht zu bewirtschaftender wilder Wald, der grosse Blössen und Moräste einschliesst; Gehölzgruppen, die mit Steingerölle abwechseln, niemals eine forstmässige Pflege empfingen und keinen Nutzen abwerfen — alles das wird als produktiver Wald angeführt. Dieselbe Anschauung herrscht in Schweden und Russland, in Rumänien und der Türkei. In England zählt man alle im Felde stehenden Baumgruppen, auch wenn sie Teile eines Parkes bilden, vorausgesetzt nur, dass sie nicht der Obstzucht dienen, zusammen, um die bewaldeten Flächen des Staates zu berechnen. Erinnert man sich noch, welche weiten Wertabstände die Wälder zeigen können und thatsächlich zeigen, in Folge ihrer Zusammensetzung aus edleren oder gemeineren Hölzern, so wird man sich bei der vergleichenden Beurteilung auf Grund der statistischen Tabellen einer vorsichtigen Zurückhaltung befleissigen.

In Deutschland beträgt die forstwirtschaftlich benutzte Fläche 25·73% der Gesamtfläche. davon entfallen 34,5% auf Laubholz und 65,5% auf Nadelholz.

Von der Laubholzfläche kommen 10,1% auf Eichen. 9,7% auf Birken, Aspen und Erlen. 42,6% auf Buchen und sonstiges Laubholz. 9% auf Eichenschälholz und der Rest auf sonstige Nutzungen. während von der Nadelholzfläche 65,1% auf Kiefern, 0,5% auf Lärchen und 34,4% auf Fichten und Weisstannen zu rechnen sind.

Von der Gesamtwaldfläche befinden sich 32,7% in den Händen des Staates. 16.5% sind Gemeinde- und Stiftungsforsten. 2,5% Genossenschaftswälder und 48,3% Privatforsten.

Die Dichtigkeit des Waldlandes ist am grössten in den bayerischen Bezirken Garmisch, Tölz, Miesbach und Berchtesgaden im Hochgebirge, in den Ämtern Kötzting, Regen und Grafenau im bayerischen Walde, im nördlichen Teile des Bezirkes Kronach (Frankenwald). im Schwarzwalde, im Haardtgebirge, im Spessart und Thüringerwaldgebirge, im sächsischen Erzgebirge, in Teilen der Vogesen, im rheinischen Schiefergebirge (Taunus, Hundsrück, Eifel und Westerwald), im ganzen westfälischen Sauerlande, im Harze und Erzgebirge, dann in Oberschlesien rechts der Oder, im westlichen Schlesien zwischen Görlitz und Grüneberg und in den angrenzenden Teilen der Provinz Brandenburg, in Posen und Brandenburg an der untern Warthe, im Spreewalde, dann bei Amberg, Eichstädt, Schwabach, Nürnberg und Erlangen. Am geringsten ist das Waldland verbreitet in Schleswig-Holstein, Oldenburg, dem nordwestlichen Hannover, bei Erfurt und der Saale entlang bis Magdeburg, in der Kreishauptmannschaft Leipzig, in Mecklenburg, zwischen Worms und Mainz, bei Ochsenfurt, Dachau, Erding und Straubing, in Posen an der oberen Warthe, zwischen Liegnitz, Breslau und Neisse in Schlesien, auf dem rechten Weichselufer bei Kulm und Marienburg in Westpreussen, bei Gumbinnen und Stallupönen in Ostpreussen.

Nach dem Prozentverhältnisse des bewaldeten Geländes gegenüber der Gesamtfläche sind die waldreichsten Länder Schwarzburg-Rudolstadt und Sachsen-Meiningen, die Provinz Hessen-Nassau, die bayerischen Kreise mit Ausnahme von Schwaben, das Grossherzogtum Baden, die hessischen Provinzen Starkenburg und Oberhessen, die mitteldeutschen Kleinstaaten, Hohenzollern, Württemberg, die Provinzen Brandenburg, Rheinpreussen, Schlesien und Westfalen, Sachsen mit Ausnahme der Gegend um Leipzig und das Elsass.

Die Laubhölzer sind im Verhältnisse zur Forstfläche am verbreitetsten im Rheinlande, in Hessen-Nassau, Schleswig-Holstein und Westfalen, in der Pfalz und in Unterfranken, im württembergischen Neckarkreise, im Kreise Mannheim, in Rheinhessen und Oberhessen, in Braunschweig, Waldeck und Lippe, im Ober-Elsass und in Lothringen, während die Nadelholzwaldungen ihre hervorragendste Verbreitung in den Provinzen Brandenburg, Posen, Pommern, Ost- und Westpreussen, Schlesien und Sachsen, in Bayern mit Ausnahme von Unterfranken und der Pfalz, im sächsischen Erzgebirge, im Schwarzwalde und in Thüringen aufweissen.

Die Buche und Eiche sind die herrschenden Waldbäume der Höhen des westlichen mitteldeutschen Berglandes, während die Kiefer vorwiegend im norddeutschen Tieflande, auf dem Sandboden in Franken und in der Oberpfalz auftritt, die Fichten und Tannen sind in den Alpen, dem Schwarzwalde, dem bayerischen Walde, dem Fichtelgebirge, dem Franken- und Thüringerwalde und im Riesengebirge in ausgezeichneten Beständen vertreten. Vorwiegend Staatswaldungen haben die preussischen Regierungsbezirke Gumbinnen, Danzig, Kassel, Hildesheim und Aurich, die Kreishauptmannschaft Dresden, Mecklenburg-Strelitz, das Fürstentum Lübeck, Braunschweig und Thüringen. Die Privatforsten sind in den Provinzen Westfalen, Schlesien, Posen, Pommern, Brandenburg, Sachsen und Schleswig-Holstein, in Ober- und Niederbayern, Ober- und Mittelfranken und in der Oberfalz vorherrschend.

Die Gemeindeforsten überwiegen in den Regierungsbezirken Wiesbaden, Koblenz, Trier und Sigmaringen, in Hohenzollern, im Neckarkreis, in den Bezirken Karlsruhe und Mannheim und im Ober-Elsass. Viele Gemeindewälder haben ferner: die Pfalz, Unterfranken und das Grossherzogtum Hessen.

Die meisten Genossenschaftsforsten kommen vor in den Regierungsbezirken Hannover und Hildesheim, sowie in Braunschweig und Schwarzburg-Sondershausen.

In runder Zahl wird die Waldfläche Deutschlands mit 13500000 Hektar und die jährliche Holzproduktion mit 1870000000 Kubikfuss angegeben. Das jährliche Bruttoeinkommen beträgt durchschnittlich 400000000 M., das Nettoeinkommen 240000000 M.

Von den Auslagen entfallen 16% auf Kulturkosten und Wegbauten. 32% auf die Holzgewinnung und 42% auf die Verwaltung. Das jährliche Nettoeinkommen pro Hektar beträgt annähernd 17,50 Mark, welcher Betrag als die Bodenrente zu betrachten ist. Nimmt man den Zinsfuss mit 3% und die Anbauperioden mit 90 Jahren an, so würde sich der Kapitalwert der deutschen Wälder auf etwa 8 000 000 000 Mark mit einer Holzsumme, der nur der jährliche Zuwachs entnommen wird, von 80 000 000 000 Kubikfuss, berechnen.

Von dem Kapitalwert entfallen 1 600 000 000 Mark auf den Boden und 6 400 000 000 Mark auf das Holz, das letztere besitzt demnach den vierfachen Wert des ersteren.

Bei der Betrachtung dieser Zahlen muss man in Erinnerung halten, dass die weitaus meisten Wälder auf Böden stehen, die für Ackerbauzwecke ungeeignet sind.

England hat sich unter den europäischen Staaten der verhältnismässig grössten Wälderverwüstung schuldig gemacht, und ist für die Erhaltung und Vermehrung seiner Forsten am gleichgültigsten geblieben. Die rasche Bevölkerungszunahme seit dem letzten Viertel des vorigen Jahrhunderts führte zu ausgedehnten Rodungen, um die Produktion von Brodfrüchten zu erhöhen, es trat die Leichtigkeit von Holzbezügen aus dem Norden Europa's und Amerika's hinzu, die Forstkultur als wirtschaftlich unbedeutend, wenn nicht gar als gegen das Landesinteresse verstossend, zu betrachten. Der Kohlenreichtum, sowie in klimatischer Hinsicht das Inselklima, liessen die Wälderarmut weniger empfindlich erscheinen, wie es im übrigen Europa der Fall gewesen sein würde. Gegenwärtig wird der Holzbedarf nur zu einem geringfügigen Bruchteil im eignen Lande gedeckt, die Hauptmasse muss das Ausland liefern, wofür es jährlich 380 Millionen Mark empfängt. Von den prächtigen Staatsforsten, in welchen die früheren Könige so manche grosse Jagd veranstalteten, sind nur etwa 50 000 Hektar übrig geblieben, von welchen auf die wichtigsten Wälder entfallen: Windsorpark 6000 Hektar, Deanforest in Gloucestershire 9000 Hektar, der neue Wald in Hampshire 30 000 Hektar, Parkhurst in der Insel Wight 500 Hektar. Ein bedeutender Teil dieser Staatsforsten ist mit Eichen bestanden, die gepflanzt wurden, um das für die Kriegsflotte nötige Bauholz zu gewinnen. Eppingforest, der bekannte Lustplatz der Londoner an Feiertagen, gehört einer Gesellschaft: er ist einer der schönsten Wälder Englands. Wenn man von den

Staatsforsten absieht, gibt es kaum einen grössern Wald in England; Gehölze, Baumgruppen, Lohschläge und Waldstreifen bilden vorzugsweise den Holzbestand und geben den Landschaften durch ihr zerstreutes Auftreten das oft geschilderte parkähnliche Aussehen. Dasselbe gilt von Irland. Hier wie dort herrschen Eichen und Buchen vor, Eschen, Birken, Kastanien, Ulmen, Linden, Fichten und Tannen sind nur eingestreut, um die Eintönigkeit zu brechen, denn der Engländer hat ein Auge für landschaftliche Schönheit.

Grössere Aufmerksamkeit wird der Forstkultur in Schottland zugewandt, wovon die Ausstellung von Forsterzeugnissen in Edinburg, die erste und bis jetzt einzige ihrer Art, Zeugnis ablegt. Die grösseren Wälder gehören adligen Grossgrundbesitzern, mit Ausnahme des etwa 8000 Hektar grossen Upper Deesideforest in der Nähe des Schlosses Balmoral, welchen die Königin Victoria vor einigen Jahren erstand, um ihn vor dem geweihten Untergang durch die Axt eines Holzhändlers zu retten. Die ausgedehntesten Wälder liegen in Perthshire, Invernesshire und Aberdeenshire, davon hat der 4000 Hektar grosse Lärchenwald des Herzogs von Atholls, nahe Dunkeld, am meisten von sich reden gemacht. Der grösste Wald, aus Kiefern bestehend, gehört dem Grafen von Seafield; er umfasst 24 000 Hektar, von welchen 400 Hektar in jedem Jahr zur Abholzung gelangen, sodass also ein 60jähriger Umtrieb stattfindet.

Im Süden Schottlands herrschen Buchen, Eschen und Ulmen vor, für die übrigen Landesteile ist neben der Birke die Kiefer (Pinus sylvestris) so charakteristisch, dass sie im ganzen englischen Sprachgebiet schottische Föhre (scotsch fir) genannt wird.

Ueber die Verteilung der bewaldeten Flächen, mit Gegenüberstellung der Gesamtflächen in den Vereinigten Königreichen, gibt die folgende amtliche Statistik Aufschluss.

	Gesamtfläche in Hektar (einschliesslich Binnengewasser)	bewaldete Fläche in Hektar
England	13 038 960	530 306
Wales	1 888 729	50 729
Schottland	7 798 452	292 996
Irland	8 327 930	130 070
	31 054 071	1 004 101

Nach dieser Zusammenstellung würden die bewaldeten Flächen nur 3,22 % der Gesamtfläche betragen, der Rang für Grossbritannien und Irland wäre demnach noch unter Dänemark, mit andern Worten, auf der untersten Stufe in der europäischen Staatengruppe. In der obigen Tabelle ist der Prozentsatz mit 4,1 % angegeben, was jedenfalls ausschliesslich der Binnengewässer gemeint sein soll.

Gesetze, welche das Verfügungsrecht über den Grundbesitz zu Gunsten der Forstkultur beschränken, oder die Letztere zu fördern suchen durch staatliche Beihülfe, gibt es in den Vereinigten Königreichen nicht. Ein übereinstimmendes Betriebssystem besteht nicht und kann auch nicht beim Mangel einer Forstschule vorhanden gedacht werden.

Schweden und Norwegen sind immer noch stark bewaldet, doch hat bei dem Fehlen einer forstlichen Fürsorge eine beträchtliche Entwertung der Bestände stattfinden können. Während die beiden Reiche früher in ihren südlichsten Provinzen so viel Eichenholz erzeugten, um einen Ueberschuss ausführen zu können, müssen sie jetzt solches aus den baltischen Provinzen Russlands einführen. Die wichsten Waldbäume sind: die Kiefer (Pinus sylvestris), die norwegische Fichte (Picea excelsa) und die Birke (Betula alba). Die Letztere rückt fast bis zum Nordkap vor, wo an Stelle des Baumwuchses niedriges Weidengebüsch tritt. Hartes Holz wächst nur in den südlichen Distrikten.

Das westliche Norwegen ist bereits stark entblösst von Wäldern, vorzugsweise in Folge von beträchtlichen Waldankäufen britischer Holzhändler zum Zwecke der Abholzung. Sowohl der Bedarf der Seeküste wie des Exports wird von der östlichen Staatshälfte gedeckt, wo sich die ausgedehntesten und bestbestandensten Wälder befinden. Von den weiten Flächen, welche nach der bereits dargelegten Anschauung als Wald angeführt werden, gehören neun Zehntel dem Staat und staatlichen Institutionen. In dem grössten Teile dieser Wälder darf die Bevölkerung uralte Weide- und Holzschlagrechte ausüben und selbst da, wo der Staat oder Privatpersonen Miteigentümer sind, gehen die erwähnten Rechte der ländlichen Bevölkerung, falls sie überhaupt vorhanden sind, allen andern Rechtsansprüchen vor. Es muss einleuchten, dass bei dieser Lage der Dinge an eine geordnete Forstkultur nicht gedacht werden kann, und obgleich sich die norwegischen Staatsmänner darüber klar sind, müssen sie es doch beim Alten lassen, da selbst die schüchternsten Reformversuche auf den einmütigen Widerstand der Landbevölkerung stiessen.

Es giebt eine beschränkte Anzahl genossenschaftlicher Waldungen. die von Vertrauensmännern verwaltet werden, welche die Besitzer aus ihren Reihen wählen. Auf diese Wälder übt die Forstverwaltung nicht die mindeste Einwirkung aus, kann doch dieselbe nicht einmal den Staatsforsten die nötige Pflege angedeihen lassen. Ihr Beamtenpersonal besteht nur aus 27 Köpfen, die allerdings über ein ziemlich starkes Hülfspersonal verfügen, doch besteht dasselbe ausschliesslich aus Holzfällern und Flössern.

Der Holzexport Norwegen's geht hauptsächlich über den Skeen Fjord und die Häfen zwischen Kap Lindesnaes und der schwedischen Grenze. Im Durchschnitt beträgt die jährliche Menge 80 Millionon Kubikfuss im Werte von 48 Millionen Mark. Davon nimmt mehr wie die Hälfte, nämlich für 28 Millionen Mark, den Weg nach Grossbritannien und Irland.

Von den 50 250 000 Hektar, welche die Gesamtfläche Schwedens bilden, sollen nach amtlicher Angabe 35 520 000 bewaldet sein, davon gehören 5 000 000 dem Staat, der Rest ist Privateigentum. In Wirklichkeit ist aber kaum die Hälfte dieser Fläche mit Waldbäumen bestanden, die andere Hälfte sollte richtiger als Oedland bezeichnet werden. Von den Staatswaldungen stehen nur 1 600 000 Hektar unter forstlicher Verwaltung, annähernd eine gleiche Fläche ist noch zu kartieren, der Rest ist öffentlichen Institutionen zur Benutzung überwiesen oder zeitweilig verpachtet.

Schweden besitzt dieselben Waldbäume wie Norwegen, nur des Unterschieds ist zu gedenken, dass in den südlichen Bezirken Eichen, Ulmen, Linden, Erlen und Buchen zahlreicher auftreten. Als Brennstoff dient vorzugsweise Birkenholz, für die hochentwickelte Fabrikation von Zündhölzern kommt Aspenholz zur Verwendung.

Die Forstbehörde besteht aus einem Direktor und etwa 700 Beamten verschiedener Grade, deren Pflichten mühevoll sind. Denn das wertvollste Holz steht tief im Innern des Landes, nach der Grenze von Norwegen zu, wo die gebirgige Bodengestaltung und der Mangel guter Wasserstrassen dem Transport grosse Hindernisse bereiten. Teils auf Schlitten gefahren, teils geflösst, wie es die Jahreszeiten und Verkehrsverhältnisse gebieten, erreichen die Holzblöcke nicht selten erst nach 4 bis 5 Jahren den Exporthafen. Ausser der Verwaltung der Staatswälder liegt der Forstbehörde auch eine, bisher freilich nicht weit gehende Ueberwachung der

Privatwälder ob. Es steht aber zu erwarten, dass die Beaufsichtigung eine durchgreifendere wird, denn in Schweden ist man in der jüngsten Zeit zur Erkenntnis gekommen, der seitherigen Raubwirtschaft müsse energisch Halt geboten werden, um die vorzüglichste Hülfsquelle des Landes zu retten. Wie arm würde auch Schweden sein, ohne seine Wälder!

Der durchschnittliche Holzexport Schweden's wird auf 80 Millionen Mark bewertet, davon entfallen 65 Millionen auf das englische Geschäft. Die Forstverwaltung erzielt eine durchschnittliche Bruttoeinnahme von 1 200 000 Mark, davon ab die Kosten von 715 000 Mark, bleibt ein Ueberschuss von 485 000 Mark.

Schweden besitzt eine Forstschule in Stockholm, der sich 6 Provinzialschulen anschliessen zur Heranbildung von Beamten niederer Grade. Ausserdem ist eine Privatforstschule vorhanden, welche Staatsunterstützung empfängt.

In Dänemark, das sich mit England um den Rang streitet, der waldärmste Staat Europa's zu sein, ist in den letzten Jahrzehnten ein entschiedener Wandel zum Besseren eingetreten. Auch seine prächtigen Wälder wurden abgeholzt, um Schiffbauholz und Ackerland zu gewinnen, allein nicht überall konnten Aehrenfelder an Stelle des Baumwuchses treten, sondern weite Strecken verwandelten sich zur Heide oder wurden vom windgepeitschten Triebsand bedeckt, ausgeworfen von den nimmer ruhenden Meereswogen. Einst war ganz Dänemark von Eichwäldern bedeckt, jetzt finden sich solche nur noch auf den Inseln Falster und Laaland. Aus einer noch nicht nachgewiesenen Ursache musste die Eiche der aus Süden einwandernden Buche weichen, die fast von dem ganzen Forstgrund Besitz nahm, und weil sie ihre Wachstumsbedingungen in hohem Masse vorfand, so stattliche, prächtige Wälder bildete, selbst hart an der Brandung der See, dass behauptet wird, sie fänden nur in der Normandie und im Karpathengebirge ihres Gleichen.

Wohl wurden im 15., 16. und 17. Jahrhundert Gesetze gegen die Wälderverwüstung erlassen, allein sie blieben tote Buchstaben auf Papier. Erst 1805 wurde mit wirksamen Massregeln zur Erhaltung des geringen Holzbestandes begonnen, indem eine Forstverwaltung in's Leben trat, welcher auch die Beaufsichtigung der Privatwälder oblag. Diese Behörde veranlasste, dass den Abholzungen Aufforstungen folgten und es kamen nun neben der Buche.

Aspe, Kiefer auch andere Nadelhölzer zur Anpflanzung. Im letzten Vierteljahrhundert ist man zur Ausdehnung des Wälderbestandes übergegangen, durch Aufforstung von Heiden und Dünen, im Umfange von etwa 26 000 Hektar. Ungefähr der fünfte Teil Dänemarks ist als Oedland verzeichnet, doch ist dasselbe teilweise zur Bewaldung untauglich. Im Westen Jütlands ist die Aufforstung der Heiden und Dünen am kräftigsten gefördert worden, vorzugsweise mit Pinus montana, Picea excelsa und Abies pectinata. In manchen Fällen forstete der Staat auf, indem er die betreffenden Flächen in seinen Besitz brachte, in andern gewährte er Privatpersonen und Genossenschaften Beihülfe.

Von dem gefällten Holz gelangen 81 % zur Verbrennung. Der durchschnittliche Holzimport wird mit 20 Millionen Mark bewertet, davon ist eine Wiederausfuhr im Werte von 2 760 000 Mark abzurechnen. Allerdings findet die Wiederausfuhr in verarbeitetem Zustand statt, schliesst also die Fabrikationskosten ein. Mit den betreffenden Artikeln, vorzugsweise Fässer und andere Küferwaaren, beschickte Dänemark sehr stark die Ausstellung in Edinburg, in der Hoffnung, einen Markt für sie in Grossbritannien und Irland zu finden.

Eine Forstschule in Kopenhagen bildet alle erforderlichen Beamten aus.

Holland besitzt nicht, was wir Wälder zu bezeichnen pflegen. In der Umgebung von Arnheim wie von Haag giebt es kleine Gehölze, was im Uebrigen als bewaldete Flächen in der Statistik erscheint, setzt sich aus Baumgruppen und Baumstreifen zusammen, welche die Strassen, Flüsse und zahlreichen Kanäle besäumen, auch auf den Deichen zu finden sind. Zur Anpflanzung kommen Buchen, Pappeln, Weiden und Eschen, auf hohen Dämmen auch die Ulme. In ihrer Zusammenfassung bilden diese Bestände immerhin einen ansehnlichen Holzvorrat, der aber so wenig genügt, dass ein jährlicher Holzimport im Werte von 40 Millionen Mark stattfinden muss. Es ist fast überflüssig hinzuzufügen, dass es in Holland weder eine Forstverwaltung noch eine Forstschule gibt.

Die Bodengestaltung Belgiens ist, mit Ausnahme im nördlichen Teile, ganz verschieden von derjenigen Hollands, daher auch ausgedehntere Waldungen auftreten können. An der Südgrenze zieht sich noch, wie ehedem, der alte berühmte Ardennenwald hin, im Uebrigen sind die Provinzen Brabant und Flandern in dieser Beziehung am reichlichsten bedacht. Die etwa 30000 Hektar umfassenden Staatsforsten werden von einer Forstbehörde verwaltet, welche ausserdem die Gemeindewaldungen im Gesamt von 120000 Hektar zu kontrolieren hat. Belgien exportiert wohl Holz im jährlichen Werte von 2 Millionen Mark, importiert dagegen aber für 36 Millionen Mark, was für diesen industriereichen, dicht bevölkerten Staat, dessen Gesamtfläche nur zu 13 % bewaldet ist, nicht auffallend erscheinen kann.

In Frankreich begann die Wälderverwüstung während der grossen Revolution von 1789 und wurde fortgesetzt bis zur Mitte der fünfziger Jahre; wo endlich die Einsicht durchdrang, es könne nicht so weiter gewirtschaftet werden. Die verheerenden Ueberschwemmungen, welche in immer kürzeren Pausen auftretend Millionen Werte verschlangen, mahnten schon längst zur Erhaltung der Wälder, allein es blieb bei gutgemeinten Vorschlägen, bis sich die Regierung Napoleon III. das Verdienst erwarb, den aus Gleichgültigkeit und Mangel an Gemeinsinn erwachsenden Widerstand zu brechen. Durch die Gesetze von 1860 und 1864 wurde die Aufforstung von Ödland geregelt und kräftig unterstützt, seitdem ist die Forstkultur auf eine Stufe gehoben worden, wie eine höhere nur in Deutschland zu finden ist. Die auffälligsten Resultate sind durch Aufforstungen an den südwestlichen Abhängen der Alpen erzielt worden, denn der unbändigste Fluss Frankreich's, die Durance, ist dadurch in ihrer Wasserführung so geregelt worden, dass sie nur selten, und dann kurzzeitig, über ihre Ufer tritt. Einen andern, oft erwähnten Triumph beanspruchen die französischen Forstleute in der Aufforstung der Dünen der Gascogne mit der Strandkiefer (Pinus pinaster), deren Anfänge allerdings weit zurückliegen. Diese Sandhügel bedecken eine Fläche von etwa 85000 Hektar, sie sind bis zu 80 Meter hoch und 5 bis 6 Kilometer breit. Bevor ein Verfahren entdeckt wurde, sie festzulegen, trieb sie der Wind unausgesetzt landeinwärts, infolge dessen sie Felder, Dörfer, ja Kirchen mit ihren Türmen begruben. Im Jahre 1780 wurde ihre Festlegung durch Bepflanzung unternommen, was auch, nach manchen misslungenen Versuchen, glückte. Von da ab ist das begonnene Werk beharrlich fortgesetzt und erst kürzlich vollendet worden. Diese 85000 Hektar Dünen, welche früher die ganze angrenzende Landschaft bedrohten, sind nun mit einem Walde bedeckt, der eine Fortbewegung nicht zulässt. Eine grosse öffentliche Gefahr ist in eine Wohlstandsquelle verwandelt worden.

Nach dem Verluste von Elsass-Lothringen fand die erste statistische Aufnahme der Wälder 1872 statt, mit dem folgenden Resultat:

Staatswaldungen	900 000	Hektar
Gemeindewaldungen	2 000 000	„
Privatwaldungen	6 000 000	„
	8 900 000	Hektar

Anfangs der achtziger Jahre waren die Staatswaldungen auf 985 100 Hektar angewachsen, die Gemeindewaldungen waren dagegen auf 1 919 600 Hektar zurückgegangen, auch die Privatwaldungen hatten eine kleine Einbusse erlitten. Der Gesamtbestand von Frankreichs Wäldern mag demnach mit rund 9 Millionen Hektar angenommen werden. In diesen Zahlenschwankungen ist die Schwäche der französischen Forstkultur gezeigt: weder die Gemeinden noch die Privatgrundbesitzer können gehindert werden, ihre Wälder zu veräussern wie es ihnen gutdünkt. Einen festen Stützpunkt bilden nur die kaum den neunten Teil des ganzen Bestandes bildenden Staatswaldungen. Dieselben stehen unter der Forstverwaltung, die zusammengesetzt ist aus einem Generaldirektor, mit dem Sitze in Paris, und einem ihm beigegebenen Verwaltungsrat, der sich zweimal wöchentlich versammelt, um Betriebspläne zu entwerfen, von den Berichten des Beamtenpersonals Einsicht zu nehmen, die finanziellen Geschäfte zu regeln und Gesetze im Interesse des Forstwesens vorzuschlagen. In den Provinzen sind verteilt: 36 Revierförster, 174 Aufseher, 310 Unteraufseher, 420 Oberforstschützen. Die Zahl der Forstschützen schwankt, je nach den Bedürfnissen des Dienstes.

Eine Forstlehranstalt, nach deutschem Muster, besteht in Nancy.

Als die vorzüglichsten Waldbäume Frankreichs sind zu betrachten: die Eiche in verschiedenen Arten, auch die Korkeiche wird im Süden und in Corsika kultiviert; ferner die Buche, Esche, Ulme, Pappel, Birke und der Ahorn; an den Küsten spielt die Strandkiefer eine Rolle, während die Aleppo- und Bergkiefer auf den Hängen des Südens und Südostens vorherrscht.

Frankreichs jährlicher Holzexport wird mit 25 Millionen Mark bewertet, der Holzimport dagegen mit 240 Millionen. Nicht ausser Betracht sollte bleiben, dass der Letztere zu einem ansehnlichen Teile tropischer Herkunft ist.

Spanien ist, ausser England, der einzige westeuropäische Staat, in welchem nicht die geringste Fürsorge für Erhaltung der Wälder getroffen ist; wenn sein Bestand doch noch rund 3 Millionen Hektar umfasst, so ist die Ursache nur in der Schwierigkeit zu suchen, das Holz der vielen, einer Wasserstrasse wie einer Eisenbahn entbehrenden Gebirgsgegenden zu verwerten. An Bereitwilligkeit, auch mit dem Rest aufzuräumen, fehlt es nicht, besitzt doch der Spanier keine Sympathie für die Wälder, noch erkennt er deren hohe Bedeutung für die Bodenkultur, trotz der bittern Lehren, welche die verheerenden Überschwemmungen, zumal in den Südprovinzen, gegeben haben. Es ist allen Ernstes behauptet und mit Beweisen zu begründen gesucht worden, die Wälderarmut Spaniens in seinen mittlern und südlichen Provinzen sei auf die zahlreichen Scheiterhaufen zurückzuführen, welche der religiöse Fanatismus des Mittelalters errichtete. Was auch wahr an dieser Behauptung sei: jedenfalls trifft die grösste Schuld an der dauernden Entwaldung der fruchtbaren Gegenden jenes bis über den Anfang unseres Jahrhunderts hinaus geltende Gesetz, welches den Schafherden der Adeligen und Klöster ein solches bevorzugtes Weiderecht einräumten, dass sie, in Anpassung an die Jahreszeiten, von den Gebirgen des Innern durch die fruchtbaren Niederungen nach den Küsten wandern konnten. Der Schafzucht wurden alle andern Interessen der Bodenbewirtschaftung rücksichtslos untergeordnet, und keiner Erläuterung wird es bedürfen, dass die von riesigen Schafherden schonungslos beweideten Wälder allmählich aussterben mussten, selbst wenn, was natürlich nicht geschah, die Holzfällung nach forstlichen Regeln stattgefunden hätte.

Die meiste Aufmerksamkeit wird noch den Korkeichwäldern zugewandt, weil die Preise der Korkrinde im Laufe dieses Jahrhunderts bedeutend in die Höhe gegangen sind, trotzdem ist ihre Zahl zurückgegangen, angeblich weil es vorteilhafter befunden wurde, den Boden mit Feldfrüchten oder Reben zu bebauen. Neben der Korkeiche (Quercus suber) findet sich häufig die immergrüne Steineiche (Quercus ilex) und an der Küste, zumal an der nördlichen, auch die Strandkiefer (Pinus pinaster). In der Sierra de las Albujarres, südlich von Granada, finden sich viele Gehölze von Pinus laricio, die offenbar Überbleibsel grosser Wälder sind. An den Abhängen der Pyrenäen und in den Mittelprovinzen treten Pinus pyrenaica und Pinus halepensis (Aleppokiefer) häufig auf.

In dem bekannten königlichen Schlosse Escurial ist eine Forstschule errichtet worden, von deren Einfluss und Wirksamkeit aber nicht viel verlautet.

Portugal ist verhältnismässig noch etwas waldärmer wie Spanien, was jedenfalls eine Folge der bessern Transportgelegenheit ist, denn überall ist die Küste nicht fern und Tajo und Duro mit ihren Nebenflüssen lassen sich zur Flösserei benutzen. Indessen ist jetzt Vorkehrung getroffen, dass die vorhandnen Wälder nach einem System bewirtschaftet werden, das zwar nicht viel bedeuten will, aber doch immerhin ein System ist, das auf Erhaltung des Besitzes abzielt.

Der Küste entlang herrscht die Strandkiefer vor, die auch zur Terpentingewinnung dient, nur südlich von Lissabon macht sie der Steinkiefer, Pinie (Pinus pinea) Platz. Im Innern finden sich mehrere kleine Korkeichwälder, deren Rindenproduktion die übliche Verwertung findet. Mehr in Gruppen wie in geschlossenen Wäldern tritt die Steineiche auf.

In der Schweiz hat die Erhaltung und Pflege der Wälder nicht überall die Beachtung gefunden, welche sie gerade in diesem Gebirgslande verdient. Mehrere Kantone haben in rückhaltloser Abholzung unverzeihlich gefehlt, sind dafür aber auch angemessen von der Natur bestraft worden. Gesetze zum Schutze der Wälder haben jetzt alle Kantone gegeben, allein sie sind im allgemeinen ungenügend, wie denn von der ganzen Schweiz gesagt werden kann, ihre Forstkultur liesse viel zu wünschen übrig. Nur einige Kantone haben Anstrengung gemacht, Ödland aufzuforsten, namentlich da, wo es gilt die Wasserführung der Bäche und Flüsse zu regeln.

Der vorherrschende Waldbaum der Schweiz ist die Weisstanne (Abies pectinata), welche bis zu Erhebungen von 1200 Meter grosse Wälder bildet. Die Lärche kommt häufig mit der Buche im Mischwalde bis zu Erhebungen von 900 Meter vor. Seltener treten Eiche und Wallnussbaum auf, beide steigen nicht höher wie 550 Meter. Die, ausgenommen in Tessin, noch seltene Kastanie verschmäht höhere Standorte wie 250 Meter.

Italien bietet bei näherer Betrachtung kein erfreuliches Bild, denn wenn auch seine amtliche Statistik von über 5 Millionen Hektar Waldland spricht, so vergisst sie hinzuzufügen, dass in diesem Flächengehalt Gesträuch und meilenweite Blössen eingeschlossen sind. Es werden ferner Zusammenstellungen gegeben. deren Schwankungen sich nicht anders erklären lassen. als durch Zweifel. was als Wald zu betrachten ist. So diese:

	1870.		1877.
Gemeindewaldungen	2169914	Hektar	1580000
Privatwaldungen	2662178	„	2040400
Staatswaldungen	215801	„	durch Verkäufe stark reduziert.

Wie liesse sich. ohne jene Annahme. eine so starke Abminderung in 7 Jahren erklären? Italiens Gesamtfläche würde demnach zu etwa 12 % bewaldet sein. Tüchtige Landeskenner behaupten. mit wirklichem Wald seien nur 1500000 Hektar bestanden und so mag es sein. Und nur weil dieser Rest in unwegsamen Teilen der savoyischen Alpen und entlegenen Gegenden der Apenninen liegt, ist er erhalten geblieben. Wie nur in einem Lande, so ist in Italien gegen die Wälder gesündigt worden. In Apuliens Eichwäldern jagten mit Vorliebe die deutschen Kaiser. wenn sie auf der Romfahrt nach Italien kamen. Jetzt ist die ganze Landschaft nackt und kahl. Noch vor 50 Jahren reichte der Wald bis zu den Thoren Mailands, gegenwärtig ist er verschwunden. Die Provinz Como besitzt nur noch einige traurige Waldreste. nicht besser sieht es im italienischen Tirol aus. Der berühmte Ravennawald aus Steinkiefern. Pinien. ist zwar noch nicht verschwunden, aber auf ein Drittel seiner früheren Grösse geschrumpft. Die sizilianischen Wälder sind längst verschwunden. ausgenommen einige Überbleibsel am Fusse des Ätua's. Gut bewaldet ist nur die Insel Sardinien und zwar zu etwa 20 % der Gesamtfläche. Es sind einige Korkeichwälder vorhanden. und zahlreich treten mehrere andere Eichenarten auf. Auf dem festländischen Italien setzen sich die Wälder vorzugsweise aus Steinkiefern, Bergkiefern. Eichen, Buchen, Eschen und Kastanien zusammen. Auch der Olivenbaum gilt hier als Waldbaum. wenn er nicht um seiner Früchte willen kultiviert wird

Eine Forstschule wurde vor mehreren Jahren zu Vallombrosa in Toscana gegründet. Das Verwaltungspersonal der Forsten besteht aus 3 Revierförstern, 35 Förstern und etwa 300 Forstwarten.

Österreich. einschliesslich Ungarn, ist nach amtlichen Angaben zu rund 30 % seiner Gesamtfläche bewaldet. wobei aber auch berücksichtigt zu werden verdient, dass Gelände eingeschlossen ist, welches deutsche Forstleute nicht als Wald anerkennen würden. Dem Staate gehören 932 000 Hektar, die zum grössern Teil in Kroatien, Slavonien, Ungarn und Galizien liegen; in Deutsch-Österreich und Böhmen eignet der Staat nur 7% des Wälderbestandes. Dalmatien, Istrien, Krain und das südliche Tirol sind sehr holzarm und zwar, wie wir bestimmt wissen, infolge der Wälderverwüstung. Zur Zeit von Roms Herrschaft waren diese Länder mit herrlichen Wäldern bedeckt, die im wesentlichen noch erhalten waren, als die deutschen Kaiser auf ihren Romfahrten über die Alpen stiegen Noch zur Zeit, als sich Venedig die Königin des Meeres nannte, liess es sein gesamtes Schiffbauholz auf dem hinter Triest aufsteigenden Karst fällen. Gegenwärtig lässt sich kein öderes, kahleres Gebirge denken, wie der Karst, welchen Eindruck gewiss alle Reisenden empfangen haben werden, die mit der Semmeringbahn, vom schönen Steiermark kommend, nach dem adriatischen Meere fuhren. So nackt und windgepeitscht ist der Karst, dass für einige, wie es scheint erfolglos verlaufene Aufforstungsversuche Erde aus tieferen Thälern Kärnthens in Bahnwagen herbeigeführt werden musste, um den Fichtenpflänzlingen ein Pflanzenbett zu geben. Wie schwer sich in Tirol die Wälderverwüstung gerächt hat, das haben furchtbare Überschwemmungen mit grauenhafter Schrift in seine Leidensgeschichte eingetragen.

Viele Wälder Österreichs, wie namentlich die schon erwähnten in den Karpathen, sind wegen Mangel an Verkehrsmitteln dem Holzhandel verschlossen, so erklärt es sich, warum Ungarn Holz importiert, freilich aus Bosnien, das man nun als einen dauernden Bestandteil dieses Staatswesens betrachten darf. Am besten sind wir über den Waldbestand Böhmens unterrichtet, dank den Bemühungen „des Komité's für die land- und forstwirtschaftliche Statistik des Königreichs Böhmen“, das damit ein nachahmungswürdiges Beispiel gegeben hat. Ich lasse die wichtigsten Angaben folgen:

Die Waldfläche Böhmens wurde 1850 auf 1 507 730 Hektar geschätzt, 1875 dagegen auf 1 474 518 Hektar. Hiervon befanden sich 1850 in den Händen des Grossgrundbesitzes, worunter alle Fideikommiss und Lehngüter, sowie alle jene Allodialgüter verstanden sind, deren Gesamtgrösse 115,1 Hektar (200 Joch) und darüber beträgt, 920 189 Hektar oder 62,4%. Der bezügliche Waldbesitz ist verhältnismässig am stärksten im Beraungebiete mit 72,6%, am schwächsten im Pilsener Gebiet mit 48,6%. Vom Walde des Grossgrundbesitzes entfallen auf Allodialgüter, deren Gesamtbesitz über 200 Joch beträgt, 559611 Hektar, auf Fideikommissgüter 352629 Hektar (1880 bereits 381613 Hektar), während der Rest sich auf Lehngüter verteilt.

Die zweite Klasse der Waldbesitzer, die Gemeinden und Genossenschaften, worunter alle Gemeinde-, Kirchen-, Schul- und Stiftungsgründe begriffen sind, hatten 283296 Hektar oder 18,7% inne, und zwar die Gemeinden 183577 Hektar, die Bistümer, Kirchen und Klöster 69298 Hektar, die Schulen 1148 Hektar und die Stiftungen 29273 Hektar. Von den Gemeinden hatte die Stadt Pisek mit 5863 Hektar, von den Kirchen, Klöstern und Stiftungen das Erzbistum Prag mit 15725 Hektar den grössten Waldbesitz. Auf den gesamten Kleingrundbesitz endlich, worunter alle Besitzungen von weniger wie 200 Joch oder 115,1 Hektar verstanden werden, entfiel eine Waldfläche von 306607 Hektar.

Nach den in Näherungszahlen über das Vorkommen der einzelnen Holzarten erfolgten Schätzungen bestockte 1875 das gesamte Laubholz in Böhmen 134000 Hektar, oder 9,1%, das gesamte Nadelholz 1340000 Hektar oder 90,9% der Waldfläche, wenn man den Mischwald im Umfange von 179257 Hektar einbezieht, von welchem etwa 44174 Hektar oder 25% mit Laubholz und 135083 Hektar oder 75% mit Nadelholz bedeckt waren. Herrschende Nadelhölzer sind in Böhmen die Fichte, Tanne, Kiefer und Lärche. Die Prozentzahlen für diese Holzarten lassen sich nicht angeben, doch überwiegt unter ihnen die Fichte weitaus und bedeckt in den meisten Gebieten über 50%, in manchen — wie in den höheren Lagen des Riesengebirges, Erzgebirges und Böhmerwaldes — über 80% des Waldbodens; schwächer, mit annähernd 10% ist die Tanne vertreten, während die Kiefer in ausgedehnten Beständen verbreitet ist und in manchen Gegenden 30 bis 35% des Waldbodens in Anspruch nimmt.

Der durchschnittliche jährliche Holzzuwachs wurde 1875 für die Fläche von 1474518 Hektar im Ganzen auf 4253741 Festmeter, d. i. 2,9 Festmeter vom Hektar geschätzt. Hiervon entfallen auf Brennholz 2509707 Festmeter oder 59%, auf Nutzholz 1744034 Festmeter oder 41%. Beim Hochwalde, mit einer Fläche von 1405991 Hektar, beziffert sich der jährliche Holzzuwachs auf 4901709 Festmeter oder rund 3 Festmeter vom Hektar, wovon

2414108 Festmeter oder 59°/₀ als Brennholz und 1677601 Festmeter oder 41°/₀ als Nutzholz dienen. Dagegen beträgt der jährliche Holzzuwachs beim Niederwalde etwa 2,4 Festmeter vom Hektar, also auf einer Gesammtfläche von 68527 Hektar 162032 Festmeter. Hiervon sind 129626 Festmeter oder 80°/₀ zu Brennholz und 34206 Festmeter oder 20°/₀ zu Nutzholz geeignet.

Die durchschnittliche Holznutzung vom Hektar ist in den Waldungen der Gemeinden, Genossenschaften und Kleingrundbesitzer bedeutend niedriger als in denjenigen der Grossgrundbesitzer, weil jene durch übermässige Entnahme von Bodenstreu entkräftet sind und die Aufforstung der abgeholzten Flächen in der Regel nur mangelhaft geschieht, die Kleingrundbesitzer ihre Wälder auch stets als Weiden benutzen, wobei der junge Holzwuchs durch Tierverbiss und Vertreten sehr beeinträchtigt wird. Es betrug nämlich die Verteilung nach Prozenten:

	Gesamtholzproduktion.	Holzproduktion vom Hektar.
Grossgrundbesitz	69,5 °/₀	3,4 Festmeter
Gemeinden u. Genossenschaften	16,6 „	2,7 „
Kleingrundbesitz	13,9 „	2,2 „

Im Verhältnis zur Bevölkerung entfällt auf je 100 Köpfe die grösste Waldfläche im Böhmerwald mit 57 Hektar, im Beraungebiete mit über 45 Hektar und im Erzgebirge mit über 38 Hektar; die geringsten Waldflächen finden sich im böhmischen Tieflande mit etwa 10, im untern Egerlande mit über 17 und in den Sudeten mit 22 bis 23 Hektar auf je 100 Bewohner. Während die meisten Einwohner auf je 100 Hektar der Gesamtfläche überhaupt in den Sudeten, im böhmischen Tieflande und im Erzgebirge treffen, entfallen die meisten Bewohner auf je 100 Hektar Waldfläche im böhmischen Tieflande, im untern Egerlande und im Sudetengebirge.

Die durch Naturereignisse, besonders durch Windbruch und Schneedruck, wie durch Insektenfrass entstandenen Waldschäden wurden wie folgt abgeschätzt: Verlust durch Windbruch und Schneedruck auf 23258 Hektar 611442 Festmeter zum Werte von 5354544 Mark; durch Insektenfrass auf 2636 Hektar 400349 Festmeter zum Werte von 2049166 Mark.

Wie in den Gebirgsgegenden Böhmens, so herrschen auch in denjenigen Deutsch-Österreichs Tannen (Abies pectinata), Fichten (Picea excelsa) und Kiefern (Pinus sylvestris, laricio und montana) vor. In den tiefern Lagen der Alpen, in den Karpathen und den ungarischen Gebirgen, ist die Buche der vorzüglichste Waldbaum. Auf guten Böden im nordwestlichen Österreich, in Ungarn und Bosnien treten verschiedene Eichenarten zahlreich auf, in Croatien und Slavonien ist die Esche, Ulme und Kastanie neben dem Wallnussbaum ziemlich häufig zu finden.

Österreich besitzt eine Hochschule für Bodenkultur in Wien (Forstakademie) sowie mehrere Forstlehranstalten bezw. Forstschulen, Ungarn eine Forstschule in Schemnitz.

Über die Wälder Griechenlands sind wir nur dürftig unterrichtet, wie es bei dem Mangel einer Forstverwaltung und einer geordneten Wirtschaftsstatistik nicht anders zu erwarten ist. Die Angabe, der gesamte Wälderbestand betrüge 688 400 Hektar, muss daher mit Vorbehalt entgegengenommen werden. Die Inseln und Morea sind schon längst entwaldet, dagegen besitzen die nördlichen Provinzen noch wertvolle Bestände von verschiedenen Eichenarten, Kastanien, Pinien, Buchen und wilden Olivenbäumen. Ihr Vorhandensein ist aber einzig auf die Unmöglichkeit zurückzuführen, bei dem vollständigen Mangel an Strassen und flössbaren Wasserläufen Holz an den Markt zu bringen, fällt doch dieses Hindernis so schwer ins Gewicht, dass es die südlichen Provinzen billiger finden, Holz aus dem Auslande zu importieren, als von den nördlichen Provinzen zu beziehen.

Für ganz Griechenland aber gilt, dass die Waldbestände zusammenschmelzen und nicht wieder erneuert werden. Das ist eine Folge der Weidewirtschaft. Die Hirten, welche meist nicht selbst Eigentümer der Herden sind, sondern dieselben gegen eine monatliche Bezahlung von 10 Leptas für ein Schaf oder eine Ziege und für 5 Leptas (1 Lepta = 1 Centimi = 0,8 Pfennig) für ein Lamm in Kost nehmen, erwerben vom Staat oder von Privateigentümern das Recht, ihre Herden in den Wäldern weiden zu lassen. Es fallen daher alle jungen Schösslinge dem gefrässigen Vieh zum Opfer, mehr noch: die Nachlässigkeit der Hirten beim Kochen, auch wohl das Bestreben sich für das nächste Jahr neue Triebe zu sichern, führt zu weitausgreifenden Waldbränden.

Nächst Holz bildet der Gerbstoff Vallonea das wichtigste Waldprodukt Griechenlands. Diesen Namen führen die Eichelkelche von der Knoppereiche (Quercus aegilops), welche in Attica, Arcadia und der Insel Zea häufig auftritt, mehr in Gruppen wie in zusammenhängenden Wäldern.

Eine zwergige Eichenart, Quercus coccifera, die am Berge Taygetus grosse Flächen bedeckt, bildet die Wohnung des Kermesinsekts, das, getrocknet, wie eine Beere aussieht und zum Rotfärben benutzt wird.

Womöglich noch trauriger ist es in der Türkei mit der Erhaltung und Statistik der Wälder bestellt. Die Albanesen haben schon längst mit ihren Wäldern bis auf winzige Reste aufgeräumt, weil ihnen ihre langgestreckte, buchtenreiche Küste eine gute Gelegenheit bot, Holz zu exportieren. In Rumelien befinden sich dagegen noch ausgedehnte Wälder, hauptsächlich von Eichen, Buchen, Cypressen, Steinkiefern und Kastanien, doch hat noch niemand auch nur eine annähernde Ermittelung gewagt, welchen Prozentsatz des Bodens sie bedecken. Die Angabe, die Türkei sei zu 22,2 % bewaldet, ist nur eine Schätzung, richtiger Vermutung. Ihr Vorhandensein ist einzig durch die seitherige Unmöglichkeit der Holzverwertung zu erklären, nun aber an einem Bahnnetz gebaut wird, das Absatzgelegenheit nach Saloniki, Konstantinopel und Ungarn eröffnet, wird es mit der Waldesherrlichkeit bald vorüber sein. Denn nicht die geringste Fürsorge ist getroffen, dass im Abholzen Mass gehalten oder nach bestimmten Regeln verfahren wird, es herrscht eben auch auf diesem Gebiete — echte Türkenwirtschaft. Hat erst die Abholzung stattgefunden, dann ist eine Wiederbewaldung fast unmöglich, was leicht einleuchtet, wenn man sich erinnert, dass die ländliche Bevölkerung ihre Herden, die einen hohen Prozentsatz Ziegen enthalten, halbnomadisch auf den Weiden umherführt und als Weide wird alles Land betrachtet, das nicht mit dem Pflug bebaut wird. Aus derselben Ursache kann in Albanien und Montenegro kein Wald aufwachsen, denn auch hier ziehen die Hirten mit ihren aus Schafen und Ziegen gemischten Herden das ganze Jahr bergauf und bergab, ohne eine andere Beschränkung als die, das wenige kultivierte Gelände meiden zu müssen.

Bulgarien ist, mit Ausnahme im Balkan, wo sich ausgedehnte, aber ganz ungepflegte Buchwälder befinden, waldarm, die grosse Donauniederung ist sogar vollständig entblösst. Man geht wohl nicht fehl, wenn man die Ursache ebenfalls in der halbnomadischen Viehzucht sucht.

Serbien ist im Vergleiche zu seinen Nachbarländern gut bewaldet, leider hat sich die Regierung dieses jungen, eroberungssüchtigen Königreichs noch nicht bemüssigt gefunden, eine Statistik oder doch eine einigermassen zuverlässige Schätzung dieses Besitzes anzuordnen, wahrscheinlich, weil ihr die Träume von einem Grossserbien keine Zeit zu solchen nebensächlichen Dingen lässt. Buche und Eiche sind die hauptsächlichsten Waldbäume Serbiens und in welcher Zahl sie vorhanden sind, mag man aus der Thatsache folgern, dass dieser Staat ansehnliche Mengen Holz und ferner zahlreiche Herden Schweine exportiert, die auf dem Weidegang nach Bucheckern und Eicheln gemästet wurden. Die Erhaltung der serbischen Wälder ist wohl dem Umstande zuzuschreiben, dass in diesem Lande die Schweinezucht ganz überwiegend vorherrscht und bekanntlich ist das Schwein das einzige Nutztier, welches durch eine Beweidung des Waldes nicht nur nicht schädlich, sondern entschieden vorteilhaft wirkt.

In Rumänien hat so etwas stattgefunden, was Wälderstatistik genannt wird und es soll dabei eine Gesamtfläche von etwas über 900 000 Hektar ermittelt worden sein. Diese Angabe, einerlei wie man zu der Zahl gekommen ist, hat schon deshalb keinen Wert, weil Moräste, Blössen und Gestrüpp in Bausch und Bogen in die bewaldeten Flächen einbezogen wurden. Die Dobrutscha ist gänzlich unbewaldet und in der Donauniederung steht nur hier und da etwas Eichgehölz. Dagegen sind in den Karpathen schöne Buchwälder zu finden, auf ihren Ausläufern finden sich noch kleine Bestände von Eichen, Fichten und Tannen, doch schmelzen sie zusammen und eine Wiederbewaldung ist bei dem herrschenden Weiderecht für das halbnomadische Vieh nicht zu erwarten. Vor wenigen Jahren sind einige Forstbeamte ernannt worden; die Zukunft muss lehren, ob sie Wandel schaffen können.

Russlands Wälderbesitz ist auffallend ungleich verteilt. Im Norden sind das Gouvernement Perm und das Grossfürstentum Finnland sehr stark bewaldet, was auch durch ihren bedeutenden Holzexport über Petersburg und Archangel dargethan wird. In den mittleren Provinzen giebt es auch noch grosse Wälder, allein je weiter nach Süden, desto spärlicher wird der Baumwuchs, um schliesslich in den ungeheuren Steppen vollständig zu verschwinden. In Bessarabien treten wieder einige Wälder auf und verhältnismässig zahlreicher sind sie im Kaukasus, wo die bewaldete, zum grössten Teil an der Küste des schwarzen Meeres liegende Gesamtfläche amtlich zu 4 800 000 Hektar geschätzt worden ist. Die Bruttoerträge aus diesen Wäldern bezifferten sich 1884 auf rund 1 Million Mark oder 4,80 Mark pro Hektar. Da die Betriebskosten 500 000 Mark verschlangen, so blieb der bescheidene Ueberschuss von 2,40 Mark pro Hektar.

Die baltischen Provinzen waren einst stärker bewaldet wie jetzt, doch enthalten sie noch wertvolle Bestände von Eichen und Kiefern, wie denn hier mehr wie im übrigen Russland für Erhaltung der Wälder geschehen ist. Die Wälder Polens, aus welchen sich der grossartige Holzhandel von Memel, Tilsit und Danzig versorgt, sind stark geschrumpft und in manchen Gegenden soll die Ausführung von Holzlieferungen bereits sehr schwierig geworden sein. Auch die weitere Umgebung von Petersburg hat die Axt entblösst, wie es denn mit dem Wälderbestand Russlands überhaupt stark rückwärts gegangen ist. Erst in neuester Zeit hat die Regierung einige Energie gezeigt, dem Fortschreiten des Uebels zu steuern.

Wenn amtlich angegeben wird, das europäische Russland, einschliesslich Finnland, besässe eine Waldfläche von über 200 Millionen Hektar, so darf auch hier wieder nicht vergessen werden, dass ausgedehnte Sümpfe, Wildland mit Gesträuch bewachsen, verkrüppelte Fichtenbestände u. s. w., einbezogen wurden. Eine derartige Statistik hat offenbar wenig Wert. Die nordöstlichen Distrikte werden zu zwei Drittel bewaldet angegeben; es folgen die nordwestlichen Distrikte mit 30 bis 50 %. An der mittlern Wolga, in den baltischen und westlichen Provinzen beträgt der Prozentsatz 27,2; in den südwestlichen Provinzen 2,5 und in der Krim 0,7.

Die Kiefer, Fichte und Lärche sind die vorherrschenden Nadelholzbäume. Die Fichte dringt am weitesten nach Norden vor, die Kiefer ist in Polen und den baltischen Provinzen häufig, ebenso im Kaukasus, hier hat sie die Lärche zur Nachbarin, welche ausserdem längs des Urals vorkommt. Diese 4 Bäume liefern die Hauptmasse des russischen Holzexports, der durchschnittlich mit 125 Millionen Mark bewertet wird. Die Birke ist vorzugsweise im hohen Norden zu finden, sie ist bis nach Kamschatka verbreitet. Im mittlern Russland giebt es ansehnliche Bestände von Eichen, Buchen, Eschen, Linden und Ahorn; die Eiche überschreitet den Ural nicht. Im Kaukasus sind an Laubhölzern vorzugsweise vertreten: die Buche, der Wallnussbaum und der

Buchsbaum, dessen Bestände aber so stark zusammengeschmolzen sind, dass an die Holzschneidekünstler die ernste Sorge herantritt, wie und wo in der Zukunft ihr Bedarf an Buchsbaumholz befriedigt werden wird. Die Krim besitzt sehr wenig Laubholz, ihr schwacher Waldbestand wird vorzugsweise von der corsischen Meerstrands-Kiefer (Pinus laricio) gebildet.

Ein hervorragender Zweig der Waldindustrie ist die Theergewinnung, von welchem Artikel jährlich 7000 Tonnen exportiert werden.

Russland besitzt eine Forstschule zu Nowo Alexandria in Polen und eine andere zu Evois in Finnland.

Wenden wir uns nach dem asiatischen Russland, dann sind wir auf Schätzungen in's Blaue hinein angewiesen. Die sibirischen Wälder sind nicht einmal vollständig durchforscht, wie es mit der Vermessung aussieht, lässt sich demnach leicht folgern. Am besten unterrichtet sind die Russen noch über die Wälder Westsibiriens, doch wenn sie deren Gesamtfläche auf rund 80 Millionen Hektar angeben, so darf man, ohne sich einer Uebertreibung schuldig zu machen, die Hälfte als verkrüppelte Weiden-, Birken- und Fichtenbestände, Moräste und Blössen annehmen. Die dichtesten und ausgedehntesten Wälder sind in der Nachbarschaft von Tobolsk, Tomsk und Jekaterinenburg zu finden. Fichten, Lärchen, Cypressen und Birken sind die vorherrschenden Waldbäume nördlich der grossen Steppen und sumpfigen Ebenen. Auf den Letztern haben sich Weiden, Erlen und Pappeln angesiedelt, welche die benachbarten Steppenbewohner mit Holz versorgen. Reisende, welche Sibirien durchquerten, erwähnen die Ulme und den wilden Aprikosenbaum, aber nicht die Eiche, die, allen Ermittelungen zufolge, dort nicht heimisch ist.

Welchen geringen wirtschaftlichen Wert die westsibirischen Wälder gegenwärtig haben, geht aus der amtlichen Angabe hervor, dass sie 1884 ein Reinerträgnis von nur 70 840 Mark lieferten.

Das südöstliche Sibirien und, wie sofort hinzugefügt werden kann, das ganze südöstliche Asien, ist trostlos arm an Wäldern. Eine Waldinsel findet sich zunächst auf dem persischen Ufergebiet des kaspischen Meeres bis zu den Ausläufern des angrenzenden Gebirges. Diese Waldungen werden als tropisch-üppig bezeichnet, allein in wirtschaftlicher Hinsicht sind sie nahezu wertlos. Der stark versumpfte Boden macht sein Bewohnen sehr gesundheitsgefährlich und die Holzausfuhr nach den benachbarten waldlosen Gebieten stösst auf unüberwindliche Transportschwierigkeiten.

Im mittlern Kleinasien finden sich hier und da verkrüppelte Eichen- und Fichtenbestände, deren Vorhandensein Verwunderung erregen muss, angesichts der grossartigen Ziegenzucht, denn hier liegt der Distrikt Angora, der jener Ziegenart den Namen gab, welche das Mohär liefert. Ausserdem durchziehen die Kurden, mit ihren zahlreichen Herden gemeiner Ziegen, nomadisirend diese Gebirge.

Auf dem Libanon erzählen mehr oder minder misshandelte Buchengehölze und zerstreute Kiefern- und Cederngruppen von einstiger Waldesherrlichkeit. Planloses Abholzen, Sorglosigkeit für die Zukunft und weidende Ziegenherden in grosser Zahl, haben vereint diesen traurigen Zustand geschaffen. Geschützt wird von den Behörden nur die berühmte, oft geschilderte Gruppe Cedern in Palästina, von welcher man annimmt, sie sei das Überbleibsel jenes in der Bibel erwähnten Waldes, in dem Salomo Holz für den Bau des Tempels schlagen liess. Ohne Schutz würden auch diese letzten Zeugen einer reichen Bewaldung verschwunden sein. Erwähnenswert sind ausserdem noch die zerstreut stehenden Gruppen von Quercus aegilops, deren Eichelkelche den Gerbstoff Vallonea bilden.

Ein gleiches Schicksal wie Syrien mit seinem Libanon traf Cypern, einst eine der fruchtbarsten Inseln des Mittelmeers. Als es in die Hände der Türkei fiel, wurden seine Wälder rücksichtslos verwüstet, mit der traurigsten Wirkung. Der Regenfall wurde weniger, Quellen und Wasserläufe versiegten, die Erdkrume wurde von den Feldern geschwemmt und in den Niederungen bildeten sich Sümpfe, die tödliche Fieberdünste aushauchen. Als die Engländer die Verwaltung dieser Insel übernahmen, erachtete es der Gouverneur als erste Pflicht, die wenigen vorhandenen Waldreste zu schützen und australische Gummibäume zu hunderttausenden in den versumpften Distrikten anpflanzen zu lassen, in der Absicht die gesundheitlichen Verhältnisse zu bessern. Obgleich dieser Baumwuchs erst 6 bis 7 Jahre alt ist, soll er doch schon einen wohlthätigen Einfluss üben. Cypern glaubte auf der Ausstellung in Edinburg nicht unvertreten sein zu dürfen, allein was es schickte, hatte nur ein antiquarisches Interesse, denn es erzählte nur von dem, was war. Der häufigste der alten Waldbäume ist die Aleppokiefer (Pinus halepensis), hier und da steht noch eine Cypresse (Cupressus fastigata), gelegentlich mit der Libanonceder als Nachbarin. Diese Insel besitzt die nur ihr gehörige Eichenart Quercus alnifolia.

Arabien besitzt keine Wälder, ebenso nicht Mesopotamien Beludschistan, Afghanistan und Persien, mit Ausnahme des erwähnten Ufergebietes am kaspischen Meer. Khiwa ist ein Steppenland und Buchara ist es seit etwa 100 Jahren geworden. Ältere Reisende erzählen von ausgedehnten Wäldern, die sie in Buchara sahen, jetzt sind sie bis auf die letzten Reste verschwunden. Als Strafe rückt die Wüste mit ihrem windgepeitschten Sande weiter und weiter in das Kulturland vor. Tibet und die Tartarei sind nicht allein waldlos, sondern sogar nahezu baumlos. Dagegen treten in der Mandschurei zusammenhängende Wälder auf, hauptsächlich aus Nadelhölzern bestehend. An der Ostküste werden Eichen auf den Bergen und Ahorne, Maulbeerbäume und Weiden im Tieflande gefunden. Das jüngst erschlossene Korea scheint gut bewaldet zu sein, zumal mit Laubhölzern, doch lassen über ihren Umfang und Wert die dürftigen Kenntnisse, welche wir bis jetzt über dieses Land besitzen, ein Urteil nicht zu.

Über die Wälder des eigentlichen China's wissen wir noch wenig, zumal was die nördlichen Provinzen betrifft. Die mittlern und südlichen Provinzen scheinen schwach bewaldet zu sein, wohl in Folge der dichten Besiedelung, die allen Boden für den Ackerbau in Anspruch nahm, der diesem Zwecke dienen konnte. Grosse Wälder besitzen dagegen, nach Berichten von Reisenden, die südwestlichen Provinzen, es sollen in denselben zn finden sein: Ebenholz-, Santal-, Kampferbäume und Talgbäume (Stillingia sebifera), Maulbeerbäume, Papiermaulbeerbäume (Broussonetia papyrifera), Lackbäume und Cypressen. Die Gebirge der Inseln Formosa und Heinau sind ohne Yweifel gut bewaldet, die erstere besitzt noch so viele Kampferbäume, dass sie, nächt Japan, die vorzüglichste Bezupsquelle für den im Handel erscheinenden Kampfer bildet.

Als in der zweiten Hälfte der siebziger Jahre eine langandauernde Hungersnot das nördliche China so schrecklich heimsuchte, ass die Zahl ihrer Opfer auf 7 Millionen Menschenleben angegeben wird, was vielleicht übertrieben sein mag, wurde ein britischer Konsul zur Berichterstattung nach den Unglücksstätten entsendet. Auf Grund seiner Ermittelungen hielt er sich zur Folgerung berechtigt, die dreijährige Dürre, welche diese grauenhafte Menschenverheerung hervorrief, sei eine Folge der Wälderverwüstung. Die nackten Gebirgszüge, welche er sah, waren nach den Aussagen alter Leute früher dicht bewaldet; seit ihren rücksichtslosen Abholzungen wurde der Regenfall spärlicher, Quellen und Wasserläufe versiegten, die aus den nördlich liegenden Steppen kommenden, trocknen Winde wurden den Kulturgewächsen verderblicher und Dürren traten häufiger und von längerer Dauer auf. Erklärlich erscheint, dass im Innern des grössten Festlandes die schädlichen Wirkungen der Entwaldung im denkbar schärfsten Grade auftreten müssen.

Über die einschläglichen Verhältnisse in Anam, Cochinchina, Kambodscha und Siam liegen so ungenügende Berichte vor, dass sie hier übergangen werden können. Von Siam sei nur erwähnt, dass es die Ausstellung in Edinburg mit 500 Holzmustern beschickte, von welchen genannt zu werden verdienen: Teak, Eben-, Santal- und Adlerholz (Aquilaria agallocha). Auf dem asiatischen Festland bleiben mithin nur noch die Wälder Indiens zur Betrachtung übrig.

Die der direkten britischen Herrschaft unterstehenden Teile Indiens werden amtlich mit rund 870 000 englische Quadratmeilen angegeben, davon sind 246 400 Quadratmeilen oder 28 %, unter Kultur, der Rest von 623 600 Quadratmeilen besteht aus Wäldern, Ödland und Wildweide. Welcher Anteil im besondern auf die Wälder entfällt, werden wir in naher Zukunft hören, da deren Vermessung kräftig gefördert wird, gilt es doch auch lange Versäumtes nachzuholen. Nicht allein unter der Herrschaft der mohamedanischen und Hindufürsten, sondern auch unter derjenigen der englisch-ostindischen Handelsgesellschaft, blieb der wirtschaftliche Wert der Wälder und ihre Wichtigkeit für den Haushalt der Natur vollständig unbeachtet, in Folge dessen ging ihre Zerstörung durch Holzfäller, Kohlenbrenner, Viehherden und vor allem durch die nomadisirenden, halbwilden Gebirgsstämme, ungehindert vorwärts. So lange die Handelsgesellschaft zu gebieten hatte, stand die Ausdehnung des Kulturlandes im Vordergrunde der Regierungsthätigkeit, wobei es ganz gleichgiltig blieb, ob sie auf Kosten der Wälder oder des Ödlandes geschah. Als aber manche Distrikte durch die üblen Folgen der Wälderverwüstung zu Wüsten zu werden drohten, und als durch den Ausbau des Bahnnetzes ein bedeutender, dauernder Holzbedarf, nicht allein für Schwellen, sondern auch für Heizung der Lokomotiven, zu befriedigen ins Auge zu fassen war, da drängte sich die Notwendigkeit der Erhaltung und Pflege der Wälder auf und zur Ehre der Kolonialregierung muss gesagt werden, dass sie es Ernst nahm mit ihrer Pflicht: „Das Erbe der Väter vollerhalten der Nachkommenschaft zu überliefern.“ Der Wandel von ungehinderten Zerstörungen zur sorgfältigen Pflege der Wälder kann sich unabwendbar nur langsam vollziehen: Rechte und Bräuche, aus vordenklichen Zeiten stammend, sind auf die eine oder andere Weise zu beseitigen, ein Beamtenpersonal mit Fachkenntnissen ist heranzubilden und Erfahrungen sind zu sammeln, die zum Aufbau einer, den indischen Verhältnissen angepassten Forstkultur dienen müssen.

Trotz dieser Hindernisse sind bedeutende Fortschritte zu verzeichnen. Die ersten Anfänge des Wandels zum Bessern reichen zum Jahr 1847 zurück, wo die Regierungen der Präsidentschaften Bombay und Madras zum ersten Mal die Mittel und Wege erwogen, welche zur Erhaltung des derzeitigen Wälderbestandes führen könnten. Es scheint aber bei Beratungen geblieben zu sein, bis 1850 die british Association in Edinburg einen Ausschuss ernannte mit der Aufgabe die Wirkungen der Zerstörungen der tropischen Wälder in wirtschaftlicher wie physikalischer Hinsicht zu ermitteln. Der 1851 gedruckte und in Indien verteilte Ausschussbericht wies schlagend nach, dass auch in einem tropischen Lande Wälder nötig sind, um verderbliche Schwankungen der Temperatur und des Feuchtigkeitsgehaltes der Luft und des Bodens zu verhüten, ferner, dass das Verschwinden der Wälder gleichbedeutend sei mit wirtschaftlicher Verarmung. Das war eine gewichtige Stütze für die indisch-englischen Botaniker, welche, zu ihrer Ehre sei's gesagt, schon lange die Regierung drängten, der Wälderverwüstung Einhalt zu thun. Dazu kam, dass mit der fortschreitenden Zivilisation in vielen Distrikten die Holzarmut immer empfindlicher wurde, und so entschloss sich denn 1855 die Kolonialregierung zum Versuche, eine Forstverwaltung ins Leben zu rufen und zwar in der Weise, dass den Regierungen der Präsidentschaften die ausführenden Anordnungen übertragen wurden. In Bombay und Madras wurde je ein Forstverwalter ernannt, der für sich allein dastand, ohne fachmännische Beihülfe, und auf solche Unterstützungen angewiesen war, wie er sie bei den örtlichen Verwaltungsbehörden finden konnte. Nach der grossen Meuterei von 1857 wurden in jeder dieser Präsidentschaften ein halbes Dutzend Försterstellen geschaffen und besetzt, und nun begann auch die Kartierung der Wälder, wie die statistischen Ermittelungen über ihre Produkte.

Den nächsten bedeutungsvollen Schritt unternahm die Kolonialregierung, indem sie 1862 ein forstliches Verwaltungswesen für ganz Indien, soweit es der britischen Herrschaft unterstand, organisierte und einen Oberforstmeister (Inspector general of forests) an die Spitze stellte. Ein Gesetz von 1864 gab den Verwaltungsbehörden der Präsidentschaften oder Provinzen das Recht, die Staatswälder abzugrenzen, gewisse Baumarten zu Gunsten des Staates zu reservieren, die Schadenansprüche bei Waldbränden festzustellen und noch mehrere ähnliche Massregeln zu treffen.

Manche der ersten Forstbeamten waren ernannt worden, um ihrer örtlichen Kenntnisse der Waldbenutzung wegen, als aber das Verwaltungsnetz weiter und weiter ausgesponnen wurde, machte sich der Mangel an forstwissenschaftlich geschulten Beamten bald fühlbar. Da es eine Forstschule weder in Indien noch in Grossbritannien giebt, so wurden von 1867 an einige entsprechend vorgebildete junge Männer zur Ausbildung nach deutschen Forstschulen gesendet, weit mehr aber wurden der französischen Forstschule in Nancy zugewiesen, von der gesagt werden kann, sie sei in letzter Zeit zugleich die Forstschule für Indien gewesen. Nach einem Regierungsbeschlusse von 1885 sollen fortab weder nach Nancy noch nach deutschen Schulen Forstzöglinge entsendet werden, da man sie in einer Ingenieurschule, in der Nähe von Kew in England, ausbilden lassen will. Es bleibt abzuwarten, ob bei dem Mangel eines Waldes zur praktischen Belehrung die gehegten Erwartungen in Erfüllung gehen können.

Gegenwärtig besteht das indische Forstpersonal aus 1 Oberforstmeister, 15 Revierförster für die 15 Forstreviere, in welche Indien eingeteilt ist. Jedes Revier besteht aus einer nicht übereinstimmenden Anzahl Bezirke, welchen je ein Forstbeamter vorsteht, der einen Titel trägt, welchen man mit Hülfsrevierförster übersetzen kann. Die Bezirke sind in Kreise eingeteilt, dessen Grösse zwischen 8000 Hektar und 30 englischen Quadratmeilen schwankt und welche je unter Aufsicht eines Försters stehen. Der Kreis ist eingeteilt in Distrikte, welche je ein Forstwart zu beaufsichtigen hat. Dieser Beamtenstand ist in zwei Gruppen zu trennen: in die kontrolierende (Oberforstmeister, Revierförster und Hülfsrevierförster) die vollziehende (Förster und Forstwarte).

Nur die kontrolierenden Beamten sind britischer Abkunft, alle vollziehenden Beamten rekrutieren sich aus den einheimischen Völkerschaften. Für die Heranbildung von Förstern ist eine Schule im nördlichen Indien gegründet worden, der vier Waldkreise zugeteilt sind, welche teils in der Ebene, teils in den Vorbergen des Himalaja liegen. Nach dem Lehrplan sind 8 Monate des Jahres dem praktischen Unterricht in den Schulwäldern gewidmet, die übrigen 4 Monate, die in den Mittsommer fallen, werden mit theoretischem Unterricht in Mathematik und Naturwissenschaften ausgefüllt. Die Vermessungskunde wird sowohl in der Anstalt wie im Walde gelehrt. Alle Zöglinge werden im Englischen unterrichtet, da sie aus verschiedenen Provinzen kommen und verschiedenen Volkstämmen angehören. In neuester Zeit ist eine unterste Klasse errichtet worden, zur Ausbildung von Forstwarten; in derselben wird nur in Hindostani unterrichtet.

Vom forstamtlichen Standpunkt aus werden alle Wälder in reservierte und offene geteilt. Als reservierte Wälder gelten diejenigen, welche unter der direkten Bewirtschaftung der Beamten stehen, sie werden als Staatseigentum behandelt, mit der einzigen Zielrichtung, auf ihre Erhaltung und fernere Entwickelung als Nationalwohlstandsquelle. Ihre Grenzen sind durch Vermessungen festgestellt, den nomadisierenden Gebirgsstämmen ist der Zutritt verwehrt, weidendes Vieh ist ausgeschlossen, die Schmarotzergewächse werden unterdrückt und die Holzfällung findet nach strengen Regeln statt. In den Zentralprovinzen gibt es auch reservierte Wälder zweiter Klasse, als deren unterscheidende Merkmale nur anzuführen sind, dass ihre Grenzen weniger bestimmt festliegen und die Kontrole nicht so streng gehandhabt wird, wie in denjenigen erster Klasse. Gesetzlich sind sie reservierte Wälder erster Klasse, Gewohnheitsrecht kann irgendwelche Ansprüche an sie erheben und ohne Einwilligung der obersten Behörde darf nicht die Veräusserung eines geringfügigen Bruchtheils stattfinden. Wahrscheinlich ist ihr derzeitiger Zustand nur vorübergehend, in naher Zukunft werden sie wohl der ersten Klasse einverleibt werden.

Die offenen Wälder sind noch nicht vermessen und werden

nur oberflächlich überwacht, vorzugsweise, um gewisse Baumarten vor der Vernichtung zu schützen. Die indischen Forstleute sprechen ausserdem noch von „Plantations“, das sind Aufforstungen von Odland. hauptsächlich mit eingeführten Hölzern. Grosse Summen sind bereits zu diesem Zwecke aufgewandt worden, mit Resultaten, die namentlich an der Grenze von Beludschistan und Afghanistan sehr befriedigten. In diesem früher sehr baumarmen Gebietsstrich ist nicht allein jetzt die Holzversorgung gut, sondern die Wirkung der Bewaldung macht sich auch in reichlicherm Regenfall und in andauernder Wasserführung der Bäche und Flüsse bemerklich. Welche ehrenvolle, zivilisatorishe That würde es sein, die Bewaldung über die Grenzen hinaus nach Beludschistan und Afghanistan auszudehnen, damit in diesen halbwüsten Ländern der Fleiss des Landmanns lohnte und ihre Bewohner aus rohen Räubernomaden zu gesitteten sesshaften Ackerbauern würden!

Bis zum Schlusse von 1885 waren 29 371 Quadratmeilen reservierte Wälder erster Klasse und 16 842 Quadratmeilen reservierte Wälder zweiter Klasse vermessen. In jedem Jahre werden fortab etwa 3000 Quadratmeilen vermessen und kartiert, so kräftig wird diese Aufgabe gefördert. Welche Ausdehnung die offenen Wälder besitzen, entzieht sich noch der Schätzung, sind doch nicht alle unvermessenen Wälder Staatseigentum, sondern teilweise Privateigentum. Vorauszugehen hat der Vermessung eine sorgfältige und oft langwierige Untersuchung des Besitzrechtes, wie des Gewohnheitsrechtes der Weide und ähnlicher Nutzniessungen, welches über ganz Indien verbreitet ist. Begreiflich erscheint daher, dass die Forstbeamten mit viel Takt und grosser Umsicht handeln mussten, um den gegenwärtigen Bestand an reservierten Wäldern zu sichern. Die grösste Schwierigkeit bot und bietet noch jetzt die Unterdrückung des nomadenhaften Bodenbau's der Gebirgsstämme, welcher als der grösste Feind der Wälder zu betrachten ist.

In allen grossen Urwäldern Indiens, die wir gewöhnlich als Dschungeln bezeichnen hören, denn dieser Name bedeutet nicht Röhricht oder Gesträuch wie häufig geglaubt wird, in Arakan, an der nordöstlichen Grenze von Assan und Chitagong, in allen Zentralprovinzen und längs den westlichen Ghâts, züchten die Urbewohner Reis, Hirse u. s. w. nach dem urwüchsigsten Verfahren, von welchem uns die Kulturgeschichte der Menschheit erzählt.

Gekannt als Toungya in Burmal, Júm an der nordöstlichen Grenze, Dahya in Zentralindien. Kil in Himalaja und Kumari an den westlichen Ghâts, und ausgeführt von Stämmen der verschiedensten Abkunft, zeigt das Verfahren doch nirgens wesentliche Abweichung. Es besteht im Abbrennen einer geeignet erscheinenden Waldfläche und im Ausstreuen von Samen auf diese so entstandene Lichtung, ohne vorherige Bodenbearbeitung oder höchst einer sehr oberflächlichen. Die Stämme an der westlichen Küste brechen den Boden mit einer rohen Hacke auf, die sie aus einem Ast schneiden, der am Fussende gegabelt ist, in andern Gegenden wird der Boden mit einem zugeschärften Aststück geritzt und wieder in andern wird selbst diese einfache Vorbereitung unterlassen und der Samen einfach ausgestreut, nachdem die Asche kühl geworden ist. Zuweilen wird auf derselben Lichtung 2 oder 3 aufeinander folgende Jahre gesäet und geerntet, viel häufiger aber geschieht es, dass der Stamm in jedem Jahre weiter wandernd, neuen Anbauboden sucht. Wir werden ein milderes Urteil fällen, wenn wir uns erinnern, dass uns Tacitus erzählt, unsere Vorfahren seien als Ackerbaunomaden in den Wäldern des alten Germaniens umhergewandert. Sollen wir auch milde urteilen, so müssen wir doch die Unhaltbarkeit dieser Zustände für die Jetztzeit klar und bestimmt erkennen und mit unserer Sympathie auf Seite einer Regierung stehen, welche durch scheinbare Härte Wandel zu schaffen sucht.

Die Zerstörungen, welche diese Ackerbaunomaden verursachen, sind geradezu unberechenbar. Das angezündete Feuer hält sich selten innerhalb der gedachten Grenzen, sondern greift in der Regel über dieselben hinaus, oft quadratmeilenweit. Wo Holz durch die Nähe eines Waldes Wert hat, lässt es die Forstverwaltung ihre erste Sorge sein, die Brandstiftung zu verhindern, zu welchem Zwecke sie mit schweren Strafen droht. Der Erfolg der jährlichen Bewirtschaftung der Wälder hängt vorzugsweise von dem Grade der Wirksamkeit ab, welchen die Massregeln zur Verhütung der Brände erzielen. Allein weite Waldflächen sind noch vorhanden, von welchen den nomadischen Ackerbau fern zu halten, jetzt und wohl für eine lange Reihe von Jahren unmöglich ist. Die Forstverwaltung lässt hier vorläufig geschehen, was sie nicht ändern kann, hat sie doch die Hände voll zu thun, um von den reservierten Wäldern ein uraltes Gewohnheitsrecht fern zu halten, das um so verführerischer ist, weil diese Erntegewinnung ein viel reichlichere ist, als diejenige, welche auf Kulturboden mit Hülfe des Pflugs hervorgerufen wird. Ein jungfräulicher Waldboden, mit einer dicken Aschenschicht gedüngt und reichlich durchfeuchtet von den tropischen Regengüssen, vervielfacht 40 bis 50 mal die ausgestreute Saat von Reis, der das Stapelprodukt dieser Gebirgsstämme bildet. Häufig wird Samen von Reis, Mais, Sorghum, Hirse, Sesam und Baumwolle zu gleicher Zeit im Gemenge gesät, die Aberntung findet in der Reihenfolge der Reihe dieser Nutzpflanzen statt.

Unter diesen Umständen muss die Ueberwachung der Wälder die Forstkasse beträchtlich beschweren, dazu gesellt sich, dass der Wegebau und die Sprengung von Felsen in Flüssen, welche zur Flössung dienen, grosse Summen verschlingen. Um so anerkennenswerter für die indische Forstverwaltung, und so beachtenswerter für die Ausbreitung der tropischen Forstkultur, sind die jährlich wachsenden Betriebsüberschüsse. Vor 1848 waren die Einnahmen welche den Regierungskassen aus den Wäldern zuflossen, kaum nennenswert. Für das Fiskaljahr 1872/73 belief sich der Überschuss auf 3 640 000 Mark, für das Fiskaljahr 1877/78 auf 4 282 040 Mark, für das Fiskaljahr 1881/82 auf 6 340 000 Mark.

In den abhängigen Fürstentümern befinden sich ebenfalls grosse und wertvolle Wälder, deren Erhaltung die Kolonialregierung durch Pachtung anstrebt. Entweder bezahlt sie den Fürsten, welche sich zu einem Übereinkommen bereit finden liessen, eine bestimmte jährliche Pachtsumme, oder ein Entgelt für jeden gefällten Baum. Auch dieser Pachtbetrieb hat Überschüsse geliefert, namentlich in Mysore und Berar, sie sind indessen in den obigen Summen enthalten.

Die Einnahmen der Forstverwaltung entstammen nicht allein von Holzverkäufen, sondern noch anderen Productionen. Wichtig ist der Kautschuk, den Ficus elastica liefert. Assam und Vikkim sind die hauptsächlichsten Erzeugungsgebiete, in neuerer Zeit wird auch in Burmah gesammelt. Um diese Nutzungsquelle zu vermehren, wurden in Assam grosse Wälder mit dieser Feigenart angelegt. Im Fiskaljahr 1881/82 betrug die Kautschukgewinnung 534 000 Kilogramm im Werte von 2 176 860 Mark. Kugellack und Schellack sind andere Waldprodukte, sie bringen ein jährliches Bruttoerträgniss von rund 7 Millionen Mark. Catechu bringt $2^1/_2$ Millionen Mark und der Gerbstoff Myrabolan 800 000 Mark.

An der Spitze der Hölzer steht Teak, dessen Ausfuhr 1829 nach Unterwerfung von Tennasserim, und zwar zunächst von britischem Gebiet, begann. Von 1835 an wuchsen die Zufuhren von jenseits der Grenze stetig, hauptsächlich von Pegu, wo, nach dessen Eroberung, sofort die indischen Forstgesetze eingeführt wurden, vorzugsweise im Hinblick auf die Teakwälder. Gegenwärtig beträgt der Export aus den Wäldern von Indien und britisch Burmah jährlich 24000 Tonnen, von je 50 Kubikfuss englisch. Aus dem kürzlich eroberten Königreich Burmah werden dagegen 145000 Tonnen ausgeführt. Nahezu zwei Drittel dieser Mengen gehen nach Kalkutta, Madras und Bombay, den Rest kauft England.

Die indische Forstverwaltung hat es sich angelegen sein lassen, den Teakbaum als ihren wertvollsten Waldbaum zu schützen und zu vermehren. Besonders glücklich ist sie gewesen in der Anlage des sog. Conollywaldes in Malabar, am Beypurfluss, eine Gegend, in welcher der Regenfall 375 Centimeter jährlich beträgt. Die bewaldete Fläche umfasst bereits 2000 Hektar und wird fortgesetzt vergrössert. Einen kräftigen Ansporn zur Kultur des Teakbaumes geben die steigenden Preise seines Holzes, die bereits auf dem Londoner Markte mit 300 bis 320 Mark per Tonne notiert werden.

Nun das Königreich Burmah unter britische Herrschaft gefallen ist, wird voraussichtlich die Ausbeute seiner Teakwälder forstlichen Regeln unterstellt werden, welche auf Erhaltung abzielen. Allein wenn es auch nicht geschähe, so würde die in Indien getroffene Vorsorge verhüten, dass eines Tages vergeblich auf den Handelsmärkten nach Teak gefragt würde.

Das Holz von Acacia catechu ist zu manchen Zwecken recht brauchbar, wird aber nicht exportiert und wenn dieser Baum fürsorglich angepflanzt wird, so geschieht es nur um seines Harzholzes wegen, aus dem der Gerb- und Farbstoff Catechu gewonnen wird. Butea frontosa und Schleichera trijuga liefern ebenfalls brauchbares Holz, werden aber nur angepflanzt, weil sie die bevorzugten Wohnungen der Lackinsekten sind. Eine wichtige Stellung in den Wäldern, namentlich in Mysore und Coorg, nimmt der Santalbaum (Santalum album) ein, denn sein Holz findet eine lebhafte Nachfrage in allen Teilen Indiens und wird zum Werte von 500000 Mark jährlich exportiert. In Mysore entfallen mehr wie die Hälfte der Forsteinkünfte auf diesen Baum.

Indien besitzt mehr wie 2000 Baumarten, allein wie in allen

Ländern, so sind auch hier verhältnismässig wenige Arten zur Forstkultur würdig befunden worden. Sie werden vorzugsweise da angepflanzt, wo sie ihr bestes Gedeihen finden und zwar:

In Bengalen: Toon und Teak;
„ Mysore und Curg: Teak und Santalbaum;
„ den nordwestlichen Provinzen: Deodar, Wallnuss und Rosskastanie;
„ Berar: Teak und Babul (Acacia arabica);
„ Punjab: Deodar, Sissu, Kikor, Ber und Maulbeere;
„ Oudh: Sal;
„ Burmah: Teak;
„ den Nilgiri: Chinchona, verschiedene Arten;
„ Assam: Kautschukfeige;
„ Madras: Teak, roter Sandersbaum, Casuarina und Eucalyptus.

Der Teakbaum (Tectona grandis) kann der König der indischen Waldbäume genannt werden. Heimisch ist er in Hindostan, Burmah und Siam, wo er gewöhnlich in Gesellschaft von Bambus oder solchen Bäumen wächst, die bei hoher Luftfeuchtigkeit einen trockenen Standort lieben. Zur grössten Vollkommenheit wächst er in Malabar und dem westlichen Burmah, weil hier der Regenfall am stärksten ist. Die Grenze seiner Verbreitung nach Norden liegt ungefähr beim 25. Breitegrad. Das Holz dieses Baumes wird im Schiffbau höher wie ein anderes geschätzt und ist namentlich da wertvoll, wo es in Berührung mit Eisen verarbeitet werden soll. Es ist ausserordentlich dauerhaft, verarbeitet sich leicht, nimmt eine feine Politur an und wirft sich nicht.

Der Sal (Shorea robusta), ebenfalls ein wichtiger Baum, bildet ausgedehnte, unvermischte Wälder am Fusse des Himalaja, von Assan bis Sutlej, wie in den östlichen Teilen von Zentralindien. Er liefert ein schweres, dauerhaftes Holz, das lebhaft begehrt wird für Bauzwecke, Wagnerarbeiten und Bahnschwellen. Der wertvollste Baum des nördlichen Indiens ist aber doch wohl der Deodar (Cedrus deodara), welcher unter günstigen Verhältnissen eine Höhe von 60 Meter erreicht und für die Dauerhaftigkeit seines Holzes berühmt ist. Nur wenige Hölzer Indiens widerstehen dem Klima und den Angriffen der Insekten länger wie wenige Jahre nach ihrer Fällung, und Deodar gehört zu diesen wenigen. In Bezug auf Dauerhaftigkeit muss es an die Seite des Teak gestellt werden. Dieser Baum ist heimisch in dem nordwestlichen

Himalaja und bildet ausgedehnte Wälder in den Thälern der Flüsse Indus, Tonse, Jumma und Bhagirati. Der im Punjab heimische Sissu (Dalbergia sissu) liefert ein für Tischler- und Wagnerarbeiten begehrtes Holz, das eine schöne Politur annimmt. Ferner sind noch als wichtigere Waldbäume zu nennen: Schwarzholz (Dalbergia latifolia), Toon (Cedrela toona), Seidenholz (Chloroxylon swietonia), Santalbaum (Santalum album), roter Sandersbaum (Pterocarpus santalinus) und verschiedene Arten Ebenholzbäume (Diospyros).

Die Ausstellung in Edinburg beschickte die indische Forstverwaltung mit etwa 800 Mustern von Holzarten. Darunter fiel durch seine Schönheit ein von den Indiern Toon genanntes, von Calophyllium inophyllium stammendes Holz auf. Mit mehreren Holzmustern von Pterocarpus indicus wurde gezeigt, wie die Farbenschattirung in verschiedenen Bäumen wechselt, von feinem mahagonybraun zu tief scharlachrot. Ferner war das in der Möbeltischlerei geschätzte Marmorholz von Diospyros Kurzii vertreten; es ist abwechselnd grau und schwarz gestreift. Diese 3 Hölzer fanden ausser den bereits oben genannten allgemeine Anerkennung, während der übrigen grossen Masse der Muster keine besondere Beachtung zu Teil wurde. Bei dem erwähnten Reichtum an Baumarten muss es überraschen, dass die Forstverwaltung viele Einführungsversuche mit fremden Bäumen gemacht hat. Das mag vielleicht darauf zurückzuführen sein, dass die zahlreichen, heimischen Baumarten zum weitaus grössten Teile noch nicht gründlich auf ihren Wert untersucht worden sind, geschieht es doch auch häufig, dass das Gute, vom Auslande dargebotene, bevorzugt wird auf Kosten des Besseren, welches heimisch im eigenen Lande ist. Dafür liessen sich viele Beweise beibringen aus der Geschichte der Bodenbewirtschaftung aller Kulturländer. Der Prophet gilt nichts in seinem Vaterlande, das darf auch in Bezug auf die Pflanzenwelt gesagt werden. Ich möchte nur nicht so verstanden sein, als ob ich die Einführung fremder Pflanzen in einem Lande tadle. Im Gegenteil: für alle dahin gehenden Versuche habe ich Worte der Anerkennung, ich tadle nur, wenn dabei „die Propheten des eigenen Landes“ vernachlässigt oder verdrängt werden.

Indien war das erste Land, welches von der Gummibaummanie ergriffen wurde und eine kurze Zeit schien es, als ob alle Aufforstungen von Ödland mit diesem von den Australiern weit über seinen wahren Wert aufgepufften Baum vorgenommen werden sollten. Man suchte nach einem schnell wachsenden Baum, namentlich für Madras und das Punjab, um Brennholz für die Eisenbahnen und Dampfschiffe zu gewinnen, und glaubte ihn in dem blauen Gummibaum gefunden zu haben, wie er selbst den hochgespanntesten Anforderungen entspräche. Die alte Anpflanzung, im Jahre 1843 ausgeführt, liegt in der Nähe von Octacamund; es sollen dort Bäume von 33 Meter Höhe und 3,8 Meter Umfang zu finden sein. Indische Forstleute wollen berechnet haben, der jährliche Holzzuwachs in dieser Anpflanzung betrüge 25 Tonnen zu 50 Kubikfuss per Hektar, was 5 mal mehr sei, als die von den Waldbäumen Europa's im Durchschnitt erzeugte Holzmenge. Wie dem auch sei: offenbar darf man bei solchen Vergleichen den Gebrauchswert der verschiedenen Hölzer nicht unberücksichtigt lassen. Wie in andern Ländern, so ist auch in Indien in neuerer Zeit eine gesunde Entnüchterung in bezug auf den Gummibaum eingetreten.

Etwas später wie die empfehlenswertesten Arten Gummibäume, wurden die verschiedenen Gerberakazien aus Australien eingeführt, obgleich Indien bereits in der nahe verwandten arabischen Akazie einen Baum besass, dessen Rinde gerbsäurereich ist und ausgedehnte Verwendung in den Gerbereien findet. Am gerechtfertigsten ist wohl die Einführung des Casuarina, ebenfalls aus Australien, denn er dient zur Bepflanzung öder, sandiger Küstenstrecken, also zu einem Zwecke, welchem nur wenige Bäume der Erde dienen können.

Aus Europa und Amerika, hier wie dort aus dem Norden, wurde eine Anzahl Waldbäume eingeführt, mit unbefriedigenden Erfolgen, was wohl mit Recht auf klimatische Ursachen zurückgeführt wird. Der Mahagonybaum wird schon seit 100 Jahren in Indien als Parkbaum angepflanzt und in der Nähe von Kalkutta soll er Holz liefern, das so gut wie das westindische ist. Die Forstverwaltung hat grosse Anstrengungen gemacht, Mahagonywälder anzulegen, jedoch mit Misserfolgen, ausgenommen in Pegu, wo das Unternehmen wahrscheinlich lohnend sein wird. Der schnellwachsende Regenbaum (Pithecolobium saman) aus dem tropischen Amerika, gedeiht vorzüglich in den feuchten Gegenden des tropischen Indiens. Der aus Brasilien stammende Kautschukbaum (Manihot glaziovii) verspricht von derselben wirtschaftlichen Wichtigkeit zu werden, wie die aus Peru und Ecuador überführten

Chinarindenbäume (Chinchonaarten). Aus Japan wurde der Papiermaulbeerbaum nach Assam übertragen, wo er gedeiht, doch ist noch abzuwarten, ob er eine Verwertung findet wie in seiner Heimat.

Wurde oben gesagt, die indische Forstverwaltung habe die Wälder verschiedener abhängiger Fürsten gepachtet, so soll hier hinzugefügt werden, dass der Fürst von Johore einen solchen Vertrag nicht abgeschlossen hat. Derselbe beschickte die Edinburger Ausstellung reichlich, in Begleitung eines Kommissärs, des Engländers James Meldrum, welcher in einer Versammlung der in Edinburg anwesenden Kommissäre einen Vortrag hielt, dem ich die folgenden interessanten Bemerkungen entnahm. Die Wälder Johore's liegen in der Halbinsel Malacca, der äussersten Südspitze des asiatischen Festlandes. Für ein tropisches Land ist das Klima Johore's sehr gesund, das Thermometer zeigt im Mittel 25° C. im Schatten. Diese vergleichsweise niedrige Temperatur ist ohne Zweifel durch die grossen Waldungen im Innern der Halbinsel zu erklären, die stets so viel Feuchtigkeit bergen, dass die Verdunstung kühlend auf die Luft wirkt. Seuchen, Orkane und Wirbelwinde sind der Halbinsel fremd. Fast das ganze Innere von Johore ist mit Urwald bedeckt, da aber keine Wege vorhanden sind, mit Ausnahme kurzer Strecken an der Seeküste und an den Flussufern, so ist bis jetzt die Ausbeute dieses Holzreichtums eine beschränkte geblieben, ist es doch wohlbekannt, dass über eine gewisse Entfernung von den Wasserstrassen hinaus die Transportkosten den Wert des Holzes überragen.

Ausgestellt waren in Edinburg 350 Holzarten aus den Wäldern Johore's. Die nützlichsten derselben finden Verwendung im eigenen Lande und werden exportiert — China, Indien und Mauritius sind die wichtigsten Märkte, aber auch Java, Sumatra, Neuseeland und Australien machen Bezüge. Nach Europa hat die Ausfuhr keine Bedeutung gewinnen wollen, teils der hohen Frachten, teils der Abneigung wegen, bisher unbekannte Hölzer in Gebrauch zu nehmen. Früher oder später wird sich aber doch ein Handel in Ballow, zuweilen Johoreteak genannt, und Kampferholz entwickeln. Beide Hölzer sind in Loyd's Klassifikation zum Bau aller Schiffsteile zugelassen. Das Erstere leistet ausgezeichnete Dienste, wenn grosse Stärke verlangt wird, während das Kampferholz unübertrefflich dauerhaft ist.

Die Dampfsägemühlen Johore's liegen da, wo einst der Saum des Urwaldes war. Gegründet wurden sie 1860 und durch fortgesetzte Erweiterungen sind sie zu den ausgedehntesten Anstalten dieser Art in Asien geworden. Die Stadt Johore Baru, welche als eine Sägemühlenstadt bezeichnet werden darf, ist bereits rundum von Wald entblösst und fängt an unwichtig zu werden. Die Erlaubnis zur Errichtung dieser Sägemühlen wurde vom Fürsten von Johere einigen Privatpersonen gewährt, und da diese Mühlen tiefer in's Innere der Halbinsel gerückt werden müssen, sehnt sich der Fürst, der ein erleuchteter Mann sein soll, nach kapitalkräftigen Unternehmern, die Bahnen und Wege in seinem Lande bauen.

Britisch Burmah besitzt eine eigene Forstverwaltung seit einigen Jahren, die bis zum Schlusse von 1885 3346½ Quadratmeilen Wälder vermessen und kartiert hat. Ein bedeutendes Stück Arbeit bleibt aber noch zu thun, denn diese Kolonie umfasst 87 220 Quadratmeilen und wird wahrscheinlich mit dem neuereroberten Königreich Burmah vereinigt werden. Trotzdem alles noch in den ersten Anfängen liegt, wurde doch für 1885 bereits ein Betriebsüberschuss von 32 000 Mark erzielt.

Wie in Indien, so sind auch in britisch Burmah mit fremden Baumarten Einführungsversuche unternommen werden, aber mit Resultaten, die wenig ermutigen. Die verschiedenen Arten Kautschukbäume, vom tropischen Amerika stammend, wollen nicht recht gedeihen, ein Mahagonywald hat stark unter den Angriffen von Insekten zu leiden und wird wohlkein hohes Alter erreichen. Die Forstverwaltung hat auch versucht, die Waldkultur mit der Vanillekultur zu verbinden, um jene rentabeler zu machen, allein die Vanilleschoten wurden von Eichhörnchen und Ameisen gefressen. Das war vorauszusehen, denn die Vanillekultur erfordert mehr Aufmerksamkeit, als ihr eine Forstverwaltung zuwenden kann, sie ist eine jener Kleinindustrien, geeignet für vielköpfige Familien. Grosse Schwierigkeiten scheinen sich der Heranbildung einheimischer Förster entgegenzustellen. Zu diesem Zwecke ist eine Schule in Dehra Dun gegründet worden, die aber, wie ich in der Rangoon Gazette lese, 1883 nur von 5 Zöglingen besucht war; 3 davon traten am Schlusse des Jahres aus, aber nur einer erhielt ein Abgangszeugnis. Dieser augenscheinliche Misserfolg ist vielleicht in Beziehung zu bringen mit dem Ausspruche eines höhern englisch-indischen Beamten, enthalten in einer Darstellung indischer Verhältnisse, die anfangs 1887 in einer der hervorragendsten englischen Zeitschrift veröffentlicht wurde. Hier die Wiedergabe: Der Förster indischer Abstammung betrachtet das Pult und die Schreiberei als sein Paradies. Er hegt eine grössere Abneigung, sich dem Sonnenschein und Regen auszusetzen, wie sein weisser Kollege, dem er es daher gern überlässt, den Wald zu beaufsichtigen, wo immer er nur kann.

Nun noch einen Blick auf den Himalaja, weil er in den vorstehenden Erörterungen nur teilweise eingeschlossen ist. An seinen östlichen Abhängen ist dieser gewaltige Gebirgszug bis zu Erhebungen von 4000 Meter fast überall mit dichtem Urwald bedeckt; manche tropische Bäume steigen hier bis zu 2000 Meter. Am Fusse und auf den Vorbergen treten verschiedene Feigen- und Palmenarten auf, ferner sind vertreten die Gattungen Terminalia, Shorea (Salbaum) und Artocarpus. Einige Eichenarten finden sich so tief wie 100 Meter über dem Meeresspiegel, treten aber in der Erhebung von 1000 bis 1200 Meter am zahlreichsten auf, wo auch Magnolien, Ahorne, Erlen, Birken und mehrere Arten von Aucuba uud Pyrus erscheinen. Von den Nadelhölzern steigen nur Podocarpus und Pinus longifolia bis zu den warmen Vorbergen herab. Tsuga Brunoniana und Picea Morinda (Ab. Smithiana Forb.), sowie die Lärche, wohnen in der Erhebung von 2200 bis 2400 Meter, von hier bis zu 3000 Meter treten Abies Webbiana und die Eibe auf. Pinus excelsa kommt in Bhotan vor und meidet das feuchte Klima von Sikkim.

Die westliche Abdachung ist spärlich bewaldet und zwar vorzugsweise mit Cypressen und anderen Nadelhölzern wie Pinus longifolia; hier und da sind Eichen eingesprengt. In den Thälern im Innern des Himalaja, in bedeutender Erhebung, finden sich Haselnusssträucher und Wallnussbäume in beträchtlichen Beständen, ebenso treten hier auf: Rosskastanie, Eibe, Abies Webbiana, Pinus excelsa, Picea Morinda und Cedrus deodora. Damit sind die Umrisse eines gewaltigen Holzreichtums gegeben, der aber nur zu einem kleinen Teile verwertbar ist. Einmal, weil es an Transportmitteln mangelt und wohl noch auf lange Zeit mangeln wird, und dann, weil nur wenige der vielen Holzarten dauerhaft sind. Von den wenigen sind bis jetzt zur forstlichen Holzproduktion nur würdig befunden worden, die bereits genannten Arten: Sal, Toon, Sissu und Deodar.

Ceylons Gebirge sind noch mit ausgedehnten Urwäldern bedeckt, die sich, wie überall unter den Tropen, aus zahlreichen Baumarten zusammensetzen, von welchen aber auffallend wenige Nutzholz liefern. Die Anzahl der nützlichen Waldbäume wird zuweilen auf 30 oder 40 angegeben, allein tüchtige Landeskenner behaupten, es seien höchstens 9 Baumarten in der Insel zu finden, welche als nützliche Waldbäume betrachtet und der Kultur gewürdigt werden könnten. Ausser Betracht sind dabei geblieben die Palmenarten, welche um ihrer Früchte willen kultiviert werden und deren Holz nur Nebenprodukt ist. Die wichtigsten Holzarten sind: Eben-, Seiden- und Calamanderholz. Teak findet sich in Ceylon nicht.

Erst vor 2 oder 3 Jahren ist für Ceylon eine Forstverwaltung in's Leben gerufen worden, welche die seitherige Raubwirtschaft beschränken, reservierte Wälder nach dem indischen Vorbild formieren und auch die Dorfwälder beaufsichtigen soll. Zur Unterstützung dieser Behörde wurde ein Gesetz erlassen, welches die Beweidung der reservierten Wälder verbietet, unter folgenden Strafandrohungen: für eine Ziege $^1/_2$ Rupie, für eine Kuh 1 Rupie, für einen Büffel 2 Rupien und für einen Elephanten 10 Rupien. Diese Abstufung ist in der Tagesliteratur Ceylons scharf kritisiert worden, mit Recht wurde hervorgehoben, die Ziege sei das dem Walde schädlichste Tier, und wenn man nach Beweisen suche, könne man sie in der Präsidentschaft Madras suchen, deren Wälderarmut allgemein auf die Verheerungen der zahlreichen Ziegen zurückgeführt würde. Wenn diese Tiere sich einem jungen Waldbaume nahen könnten, sei sein Schicksal besiegelt.

Java ist noch etwa zum vierten Teil bewaldet, trotz der langjährigen rücksichtslosen Wälderverwüstung. Die Erklärung bietet die das ganze Jahr hindurch herrschende hohe Boden- und Luftfeuchtigkeit, welche nicht allein das Wachstum ausserordentlich begünstigt, sondern auch die Ausbreitung der Brände verhindert, welche die Eingeborenen entzünden, um Acker- und Weideland zu gewinnen. Die grössten Wälder finden sich in den Bezirken Bantam, Preanger, Banyames, Pasuruan, Kediri, Besecki und Banyuwangi. Bis zur Erhebung von 600 Fuss bilden den Hauptbestandteil der Wälder Arten der Familien Magnoliaceae und

Anonaceae, allein die höchsten Bäume sind Mimusops acuminata, Spathodea gigantea und Jirina glabra. In der zweiten Zone, von 600 bis 1300 Meter Erhebung, muss der erste Rang dem Rasamala (Liquidambar Altingia) eingeräumt werden, dessen Stamm 27 bis 30 Meter astfrei bleibt. Von seinen Nachbarn sind zu nennen: der Puspa (Schima Norenhae), welcher ein feines, rotes, schweres Holz liefert, der Ki-sapi (Gordonia excelsa), der Gadok (Bischofia javanica), der Bayur (Pterospermum Blumeanum) und Epicharis densiflora. Der Banyanbaum und verschiedene verwandte Formen sind sehr häufig.

Bis jetzt ist der javanische Holzreichtum vergleichsweise wenig verwertet worden. Wenn die abhängigen Fürstentümer ausser Betracht bleiben, werden alle Wälder, welche nicht mit einer Eigentumsurkunde an Privatpersonen abgetreten wurden, als Regierungsbesitzung betrachtet, und gemäss des neuen Verwaltungssystems von 1874 behandelt. Auf Grund desselben sind vorläufig die Teakwälder ausgeschieden, um besonderen Anordnungen zu unterstehen. Sie finden sich in den Distrikten Tagal, Samarang, Japara, Surabaya, Madiun und Kediri, über ihren Umfang sind aber noch keine genauen Ermittelungen angestellt worden. Der Export aus diesen und anderen Wäldern geht vorzugsweise über die Häfen Batavia, Samarang und Gresik, scheint indessen der Regierung nicht viel einzutragen, denn ihre Zuflüsse aus dieser Quelle betrugen nur 1 bis $1^1/_2$ Millionen Mark pro Jahr.

An einigen Orten ist mit der Aufforstung begonnen worden, namentlich in Sumbing, Sendara, Merbabu und Unarang. Der blaue Gummibaum, der in Sumatra heimische, schnellwachsende Juar (Cassia florida) und der Surian (Cedrela febrifuga) werden zu diesem Zwecke bevorzugt.

Alle übrigen Inseln des malayischen Archipels sind zu einem geringern oder höhern Prozentsatz ihrer Gesamtfläche mit Urwald bedeckt, da derselbe aber weder bewirtschaftet noch beaufsichtigt, sondern beraubt wird, wenn sich Veranlassung zur Verwendung oder Gelegenheit zum Verkauf bietet, so fehlt es an Angaben über den Umfang wie über den innern Wert. Artenreichere Wälder können auf der Erde nicht gefunden werden, wie auf diesem Archipel, allein bezüglich nützlicher Waldbäume gilt das von Ceylon und Indien Gesagte. Eine besondere Erwähnung verdient übrigens Borneo, weil es sich durch eine ausnahmsweise reiche Bewaldung auszeichnet, welche viele wertvolle Bäume einschliesst. Mit Ausnahme von Java findet auf keiner Insel eine ausgedehntere und auf regelmässigen Handel gegründete Holzgewinnung statt. Eisen-, Eben- und Santalholz nehmen in diesem Geschäfte den ersten Rang ein. Sapanholz, Drachenholz und Mastholz (Calophyllum) wird ebenfalls exportiert. Als Waldprodukte müssen auch genannt werden: Borneokampfer, Kautschuk, Guttapercha und Sago. Die beiden in Südasien am höchsten geschätzten Früchte: der Mangostan und Durion kommen in diesen Wäldern wild vor.

Die Philippinen sind ohne Zweifel reich gesegnet mit Wäldern, die wertvolle Hölzer enthalten, allein die spanische Regierung hat die Durchforschung dieser Kolonie so sehr vernachlässigt, dass wir über die Ausdehnung wie Zusammensetzung dieser Wälder auf Vermutungen angewiesen sind; weiss doch die spanische Regierung nicht einmal genau anzugeben, aus wie vielen Inseln die Philippinen bestehen. Mindanao, Mindoro und Palawan sind in Bezug auf Holzreichtum die drei wichtigsten Inseln, in das Innere aber ist noch kein Europäer vorgedrungen. Der Küstensaum von Mindanao ist abgeholzt; die nicht unmittelbar am Meere gelegenen Wälder können nicht in Angriff genommen werden, weil es an Gewässern zum Flössen fehlt. Auch unter den Inseln der Bisayasgruppe sind viele dicht bewaldet, wo noch nie die Axt des Holzhauers geklungen hat.

Nach einer Behauptung soll die Baumwelt der Philippinen 32 Arten enthalten, welche Farbholz aller Schattierungen liefern, doch ist der Zweifel sehr berechtigt, ob sie alle zur gewerblichen Verwendung tauglich sind. An der Spitze steht das Sapanholz, welches vorzugsweise von den Chinesen gekauft wird. Gleichmässig und tief schwarz ist das Ebenholz, welches häufiger in Luzon und Negros wie in den übrigen Inseln gefunden wird; es dient für feine Möbelarbeiten und wird teuer bezahlt. Ebenfalls zur Familie Ebenaceae gehört der Camagonbaum, der nie in grössern Beständen, sondern vereinzelt unter andern Baumarten vorkommt und selten hoch wächst; sein Holz ist noch gesuchter wie das vorhergehende, mit dem es von Unkundigen leicht verwechselt werden kann. Das Camagonholz ist wohl schwarz aber nicht so tief wie das Ebenholz, von welchem es sich auch durch ein bräunliches oder rotgelbes Geäder unterscheidet. Diese schöne Färbung, sowie die Eigenschaft, eine herrliche Politur anzunehmen, machen das Camagonholz so wertvoll für die Luxustischlerei. Die Möbel Manila's sind meist aus dem Holze der Narra verfertigt, eines ungemein stattlichen Baumes, welcher auf keiner der grössern Philippineninsel fehlt. Das Holz besitzt eine rötliche Färbung, die sich mitunter bis zur Farbe des Blutes vertieft. Der angenehme Geruch dieses Holzes, sowie die schöne Politur, welche es annimmt, sind Eigenschaften, welche seine häufige Verwendung für Möbel und Luxusarbeiten hinreichend erklären. Weniger geschätzt wird das Amarillaholz, welches diesen Namen seiner ockergelben Farbe verdankt, die später nachdunkelt.

Japan, dessen Gesamtfläche rund 38 400 000 Hektar beträgt, besitzt Waldungen im Gesamt von 11 600 000 Hektar — eine Angabe, auf die wir uns verlassen dürfen, — denn dieses Volk bietet ein Lichtbild in Bezug auf Forstwirtschaft. Schon die alten Feudalherren wussten den Wert der Wälder zu würdigen, was sie durch strenge Schongesetze bewiesen; so wurde beispielsweise schwer bestraft, wer nach anbrechender Nacht im Walde betroffen wurde, selbst wenn ihm kein Frevel nachgewiesen werden konnte. Als in dem letzten Bürgerkriege die Regierung des Mikado die Feudalherrschaft vernichtete, erklärte sie die Waldungen, soweit sie Lehnsgüter der Feudalherren waren, für Staatseigentum und erliess ein für das ganze Reich geltendes Forstgesetz, das wohl manche Härte der frühern Sondergesetze aufhob, aber doch noch sehr streng ist. Durch diesen Besitzwechsel ist ein Verhältnis hergestellt, nach welchem die Wälder Japan's ungefähr zur Hälfte dem Staat und zur Hälfte Privatpersonen gehören. Der Staat lässt seine Wälder durch eine Forstverwaltung bewirtschaften, deren Vorstand in der Hauptstadt Tokio seinen Sitz hat. In jedem der 44 Ken oder Distrikte, in welche Japan geteilt ist, amtirt ein Förster mit der nötigen Anzahl Gehülfen. Vor etwa 6 Jahren wurde in Tokio eine Forstschule gegründet, die von durchschnittlich 150 Zöglingen besucht wird. Nur ein Teil beabsichtigt in den Staatsdienst zu treten, der Rest besteht aus Söhnen von Grundbesitzern, die sich befähigen wollen zur Bewirtschaftung ihrer eignen Wälder. Botanik, Bodenchemie, Geologie, Vermessungskunde und praktische Baumzucht bilden die Unterrichtsfächer. Die Oberleitung liegt in den Händen eines Professors, der sich auf deutschen Forstschulen ausgebildet hat.

Die Forstverwaltung begnügt sich nicht mit dem derzeitigen Wälderbestand, sondern beschäftigt sich lebhaft mit Aufforstungen, mit welchen sie Einführungsversuche fremder Baumarten verbindet. Einige sind gelungen, andere sind misslungen, wie beispielsweise die Anpflanzung von Chinchonabäumen. Als voraussichtlich wichtige Erwerbungen werden betrachtet: Tannen, Eichen und Ahorne in mehrern Arten, amerikanische Birken, Weissbuche, Lärche, Linde, Esche und Abies Webbiana.

Da sich Japan über 15 Breitegrade ausdehnt und die grössern Inseln bedeutende Erhebungen zeigen, müssen ihm bedeutende klimatische Unterschiede eigen sein und zwar ist dies so stark ausgeprägt der Fall, dass der Pflanzenwuchs der halbtropischen und gemässigten Zone reichlich vertreten ist. Auf einer sorgfältig ausgearbeiteten Karte, welche die japanische Forstverwaltung in Edinburg ausstellte, war der Staat in 4 Baumzonen gegliedert. In der ersten ist die Temperatur so hoch, dass die Wälder aus breitblätterigen, immergrünen Bäumen bestehen können; Ficus Wightiana wurde als typisch angegeben. Dann kommt die Zone der Eichen, Buchen und anderer breitblätteriger Bäume, die ihr Laub abwerfen. Es folgt die Zone der Cryptomerias, Thuyas und Retinisporas (Chamaecy paris), dann diejenige der Tannen und Fichten mit Abies Veitchii und Picea Alcockiana als Typus. Fragt man nach den wichtigsten Waldbäumen, dann werden Cryptomeria japonica (japanische Zeder) und Chamaecy paris (Retinispora) obtusa genannt; beide erreichen eine Höhe von 35 Meter und einen Umfang von 6 Meter. Ferner die lorbeerblätterigen Eichen (Quercus cuspidata, acuta und glauca), deren Holz übrigens an Qualität dasjenige der europäischen Winter- und Sommereiche nicht erreicht. In ihrer Gesellschaft wächst der wichtige Lorbeerkampferbaum, dessen Holz für Tischlerarbeiten sehr gesucht ist und den bekannten Lorbeerkampfer enthält. Mehrere Ahornarten sind so schön, dass sie in Nordamerika und Europa als Zierbäume eingeführt wurden, doch besitzt das Holz keine besonders schätzenswerten Eigenschaften. Das härteste Holz Japans liefert die auch in Europa bekannte Paulownia imperialis; es ist rötlich angehaucht und dient vielen Zwecken, namentlich zu Geräten. Noch zu nennen sind: der Papiermaulbeerbaum, aus dessen Rinde die Japaner ihr Papier bereiten, der Lackbaum (Rhus vernicifera) und der Wachsbaum (Rhus succedanea).

Es mag noch erwähnt werden, dass die Japaner häufig, bevor sie einen Baum fällen, seine Wurzeln entblössen, um ein Feuer auf denselben anzuzünden. Der Saftfluss hört damit natürlich auf und wenn der Stamm auf dem Stand austrocknet, wird das Holz nach Ansicht der Japaner fester und dauerhafter, als wenn es während eines, wenn auch noch so unbedeutenden Saftflusses gefällt wird.

Eine andere Eigentümlichkeit zeigt die japanische Holzpräservierung. An den Mündungen der Flüsse sind viele Teiche angelegt, welche sowohl mit Süsswasser wie Salzwasser gespeist werden können; es geschieht im Verhältnis: 6 Teile Salzwasser und 4 Teile Süsswasser. Ein grösseres Übergewicht des Salzwassers würde das Holz schwärzen, ein grösserer Anteil Süsswasser könnte zur Folge haben, dass das Holz von Würmern angegriffen würde.

Die Teiche sind etwa $1^1/_2$ Meter tief und häufig sind mehrere durch Kanäle verbunden. Das Holz wird in Form von gezahnten Würfeln eingelegt, und 2 bis 5 Jahre belassen. Ein Teil dieses Verfahrens besteht in zweimaliger gründlicher Abwaschung und Umsetzung im Jahre. Am häufigsten wird das Holz von Chamaecyparis obtusa und Cryptomeria japonica in dieser Weise behandelt. Mehrere Teiche sind so gross, um 10000 Blöcke aufnehmen zu können.

Japan stellte in Edinburg 302 Holzmuster aus, davon 271 aus dem eigentlichen Staat und der Rest von den Lutschu- und Bonininseln. Nach China findet ein nennenswerter Holzexport statt, dagegen importieren die Japaner Holz von Nordamerika, doch glauben sie diese Zufuhren bald entbehren zu können.

Von Afrika wissen wir, dass grosse Gebiete baumlos, andere reich bewaldet sind; über weite Strecken sind wir noch zu dürftig unterrichtet, um uns einen Begriff über die Pflanzendecke bilden zu können. Das Atlasgebirge ist zum grössern Teil mit prächtigem Wald bedeckt, es finden sich hier ausser 8 Eichenarten, Acacia arabica, Pistacia in einigen Arten, Cedrus atlantica, die nahe Verwandte von Cedrus Libani und Cedrus Deodora, und noch einige andere nützliche Waldbäume.

Die Wälder Algiers bestehen hauptsächlich aus der Aleppokiefer (Pinus halepensis), der Korkeiche (Quercus Suber), der Steineiche (Quercus Ilex), der Atlasceder, der Atlascypresse (Callitris quadrivalvis), der Strandkiefer (Pinus pinaster) und den beiden Eichenarten Quercus castaneaefolia und Quercus ballota. Der Staat besitzt 1 863 000 Hektar Waldfläche, den Gemeinden gehören 76 590 Hektar, das Gesamt beträgt also 1 939 590 Hektar. Grosse Gefahren drohen den Wäldern durch Brände, welche in diesem trocknen Klima sehr verderblich werden, wie durch die Herden der nomadisierenden Araber. Mit der grössten Sorgfalt werden die Korkeichenwälder gehegt und gepflegt, weil sie die beste Rente abwerfen.

Reisende, welche vor etwa 100 Jahren Tunis besuchten, erwähnen Wälder, vorzugsweise aus der Aleppokiefer bestehend, in welchen Teer und Pech gewonnen würde. Diese Wälder sind vollständig verschwunden, auch das benachbarte Tripolis ist waldlos, so ist es Egypten, die lybische Wüste und die Sahara. Das Sudangebiet hat nur wenige Bäume, darunter der Baobab, die Tamarinde, Sycomore, Feige, Daum- und Ölpalme, wie einige dornige Akazien. Abessinien besitzt in seinen Gebirgen Wälder, doch ist deren Ausdehnung und Zusammensetzung noch zu erforschen.

Ueber die Bewaldung des tropischen Afrikas muss das endgültige Urteil wohl noch lange ausstehen. Im Osten, in der ausgedehnten Besitzung der Deutsch-ostafrikanischen Gesellschaft, scheinen viele Uferwälder, aber nur wenige Urwälder oder „Regenwälder“, wie sie von den wissenschaftlichen Reisenden genannt werden, vorhanden zu sein; noch waldärmer ist wahrscheinlich das nördlich angrenzende Somaliland. Zur Gepflogenheit ist geworden, das Congobecken als üppig bewaldet darzustellen, weil es Stanley so geschildert hat. Es ist im höchsten Grade auffallend, dass die Männer der Wissenschaft, welche doch sonst ihre kritische Sonde herzhaft und nicht selten bis zur Uebertreibung gebrauchen, die Angaben Stanley's kindlich-gläubig entgegennahmen, trotzdem sie sich bei kühler Ueberlegung sagen mussten, sie hätten es mit den Erzählungen eines Visionärs zu thun. Das zeigt: wie die übrigen Menschen, so werden auch die Gelehrten von dem Erfolg geblendet. Allen Respekt vor der Pionierfahrt Stanley's, allein wenn er, der auf einem Kahn den Fluss entlang reiste, ohne Rast, und dabei nichts sah wie die Ufer, uns von einer üppigen Bewaldung des Congobeckens berichtet und gar ausrechnet, wie viele Millionen Menschen dort wohnen, dann liegt es klar zu Tage, dass er seiner Phantasie die Zügel schiessen liess und glaubwürdigere Nachrichten zur Beurteilung des Congobeckens abzuwarten sind. Auch die Reisenden, welche nach ihm den Congo und seine Nebenflüsse durchforschten, haben, eine Ausnahme abgerechnet, nur von Uferwäldern berichtet. Was hinter denselben liegt, ist noch mit dem Schleier des Geheimnisses bedeckt.

Die Westküste des tropischen Afrika's ist ununterbrochen bewaldet, allein wie tief landeinwärts, vermag noch niemand zu sagen. Hier finden sich Hölzer, welche Veranlassung zur Handelsthätigkeit gegeben haben, wie Camholz (Baphia nitida), afrikanisches Mahagonyholz (Swietenia sinegalensis), afrikanisches Teak (Oldfieldia africana). Wichtiger jedoch ist die Oelpalme, da sie den begehrtesten Handelsartikel der Küste, das Palmöl, liefert. Kautschuk, Kopal und Colanüsse sind ebenfalls Waldprodukte, deren Bedeutung im Wachsen begriffen ist.

Sierra Leone und Gambia stellte in Edinburg eine Anzahl Holzmuster aus, die sämtlich rauhfaserig waren und offenbar besser dem Zimmermann wie dem Tischler dienen konnten. Zu ihren Gunsten wurden ausserordentlich billige Preise angeführt.

Südafrika ist, sieht man von den Buschwäldern in einigen Gegenden des Innern ab, unbewaldet, mit Ausnahme einiger Küstenstrecken in Natal und der östlichen Kapkolonie. Von einer Bewaldung kann in Natal im strengen Sinne des Wortes keine Rede sein, denn es besitzt nur zerstreute Baumgruppen. Diese werden nur von wenigen Arten gebildet, welche aber fast alle mehr oder minder wertvolles Nutzholz liefern. Genannt zu werden verdienen: der Gelbholzbaum (Podacarpus elongatus), der Niessholzbaum (Pteroxylon utile), der Stinkholzbaum (Oreodaphne bullata), der schwarze Eisenholzbaum (Olea laurifolia), der weisse Eisenholzbaum (Vepris lanceolata), der Mangrovebaum (Rhizophora). Die vier ersten Bäume liefern ein Holz, das eine schöne Politur annimmt und in der Faserung und Farbe dem Wallnussholz gleich steht.

Die Kapkolonie besitzt nur einen grossen Wald, der sich in einer Länge von 150 Kilometer zwischen der Tafelbai und der Algrabai an der Küste von Knysna hinzieht; er soll das Überbleibsel eines mächtigen Urwaldes sein, der sich einst tief ins Innere der Kolonie erstreckte. Ausserdem sind noch einige kleine, in der östlichen Hälfte der Kolonie zerstreute Wäldchen vorhanden, die fast alle Staatseigentum sind. Die Kapkolonie hat im letzten viertel Jahrhundert von Dürren und Überschwemmungen so gelitten. dass es dem erleuchteteren Teil ihrer Bewohner unabweisbar erschien. Massregeln, nicht allein zur Erhaltung der wenigen Wälder. sondern auch zu umfassenden Aufforstungen von Ödland zu treffen. Ein dahin zielendes Gesetz erregte den allgemeinen Unwillen der farbigen Bevölkerung und wohl noch manches Jahr wird vergehen bis der Widerstand von dieser Seite gebrochen ist. Damit das Gesetz kein toter Buchstabe bleibe, wurden Forstwarte ernannt, die den gesetzgebenden Körperschaften regelmässige Berichte über den Zustand der unter ihrer Obhut stehenden Wälder zu erstatten haben. Aufgabe dieser Beamten ist es hauptsächlich. zu verhüten, dass niemand ohne einen Erlaubnisschein Holz schlägt und der berechtigte Holzschlag auf reife Bäume beschränkt bleibt. Um auch Privatbesitzer von Ödland zur Aufforstung zu ermuntern, werden Prämien verteilt, wenn die Anpflanzung ein gewisses Mindestmas überschreitet. Ein anderer Ansporn wird durch das Beispiel der Regierung gegeben, die jährlich Aufforstungen vornehmen lässt, zu welchem Zwecke Pflanzschulen gegründet wurden, aus welchen auch Privatgrundbesitzer Bezüge zu billigen Preisen machen können. Die grösste Pflanzschule befindet sich zu Tokai. nahe der Kapstadt, sie enthielt zur Zeit der Edinburger Ausstellung 120 000 Pflänzlinge, darunter befanden sich: 12 500 Casuarinas, 20 000 blaue Gummibäume, 20 000 Hakias, 5000 Niessholzbäume, 4000 Keräpfelbäume (Aberia caffra), 10 000 Strandkiefern. ferner 10 000 Mahagonybäume — eine Benennung, die meinen Zweifel erregt, ob echte Mahagonybäume gemeint sind, denn es ist sehr unwahrscheinlich, dass dieselben in dem Klima Südafrika's gedeihen können. Der Name Mahagony ist in mehrern halbtropischen und tropischen Gegenden Hölzern beigelegt worden, die mit dem echten Mahagonyholz Ähnlichkeit besitzen.

Die Edinburger Ausstellung beschickte die Kapkolonie mit 50 Holzmustern, davon wurden als die wertvollsten Stinkholz und Niessholz bezeichnet. Von dem Letztern, das spezifisch sehr schwer ist, wird behauptet, es könne erfolgreich den Angriffen der Teredo widerstehen.

Die Kapkolonie exportiert kein Holz, im Gegenteil, sie ist zu Einfuhren gezwungen und wie es gegenwärtig noch mit der Holzproduktion beschaffen ist, geht am klarsten aus der Thatsache hervor, dass norwegische Dielen in Kapstadt billiger gekauft werden können, wie Holz aus dem eigenen Lande.

Mauritius besass einst, begünstigt von seinem feuchten Inselklima, einen üppigen Waldwuchs, der bis in die unmittelbare Nähe der See trat. Allein er wurde bis auf wenige Reste zerstört, vorzugsweise um Zuckerpflanzungen Platz zu machen und die Insel ist gezwungen jährlich für eine halbe Million Mark Holz zu importieren. In neuester Zeit veranlasste die Regierung einige Aufforstungen auf den höchsten Erhebungen mit dem unvermeidlichen blauen Gummibaum. Der wichtigste Waldbaum der Insel war nnd ist noch der Ebenholzbaum (Diospyros ebenum), der zu einer beträchtlichen Höhe wächst. Ihm folgt der Benzoin (Croton Benzoe).

Feuer und Ziegen, unterstützt von Raubwirtschaft, haben die Urwälder von Rodriguez und St. Helena bis auf einige traurige Überreste vernichtet.

Viel ist über den üppigen Pflanzenwuchs Madagaskars gesagt und geschrieben worden, allein nur im Osten und Norden ist das Klima feucht genug, um grosse zusammenhängende Wälder entstehen zu lassen. Im Süden und Westen umgürtet nur ein Waldsaum die Küste, während das gebirgige Innere teils baumlos, teils baumarm ist. Es bleibt näherer Erforschung vorbehalten, welchen Reichtum an wertvollen Hölzern die Wälder Madagaskars bergen.

Australien ist vorzugsweise ein Steppenland, dem es allerdings nicht an bewaldeten Flächen fehlt; welchen Umfang dieselben besitzen, ist noch nicht durch Vermessungen ermittelt worden. Im Innern befinden sich weite Strecken sogenannten Buschlandes, wirkliche Wälder scheinen aber nur in verhältnismässig beschränktem Umfange vorhanden zu sein. Als Regel gelangen die Bäume im Osten zu einer kräftigeren Entwickelung wie im Norden und Nordwesten. Die Belaubung ist grösstenteils immergrün und die Blätter einer Anzahl Arten hängen senkrecht. Die hauptsächlichen Wälder sind auf solchem Ufergelände zu finden, das sich zu fruchtbaren Ebenen ausweitet und sind zusammengesetzt aus Arten der Gattungen Acacia, Eucalyptus, Callitris, Casuarina, Banksia, Melaleuca, Xanthorrhaea und Exocarpus. Im Durchschnitt soll der Bestand zu vier Fünftel aus Arten der beiden ersten Gattungen gebildet sein.

In den beiden bestbewaldeten Kolonien, Viktoria und New-South-Wales, werden von der Gattung Eucalyptus am nützlichsten erachtet: der blaue Gummibaum, der rote Gummibaum (E. rostrata), der Messmate (E. amygdalina), welcher vorzügliches Bauholz liefert; Black Box (E. bicolor); Holz sehr hart und dauerhaft; der Blutholzbaum (E. corymbosa), Holz ausserordentlich dauerhaft im Boden, aber von geringem Brennwert; Stringybark (E. obliqua), Holz zur Bretterverschneidung geeignet und liefert eine gute Kohle; der Eisenrindenbaum (E. paniculata); Holz fest und dauerhaft, lässt sich aber leicht in Schindeln und Pfosten spalten, welchen Zwecken es vorzugsweise dient; der kleinblätterige Eisenholzbaum (E. paniculata var. mycrophylla) liefert ein Holz wie das vorige, nur von grösserm Brennwert; der breitblätterige Eisenholzbaum (E. siderophloia) liefert das für Bahnschwellen und alle Zwecke, welche Dauerhaftigkeit und Stärke fordern, geschätzte Holz; Schindeln aus demselben sollen 40 Jahre gedauert haben. Kein anderes ostaustralisches Holz kommt diesem an Stärke gleich und keins findet vielfältigere Verwendung, wie für Speichen, Telegraphenstangen, Zäune, Wagnerarbeiten, Radzähne u. s. w.; ausserdem hat es einen hohen Brennwert; der graue Gummibaum (E. tereticornis), liefert ein starkes, besonders im Boden dauerhaftes Holz von geringem Brennwert. Andere geschätzte Waldbäume sind: die rote Zeder (Cedrela toona), die Moretonbaifichte (Araucaria Cuninghamii), die Moretonbaikastanie (Castanospermum australe) und Gmelina Leichardti.

Spärlich wie Westaustralien bewaldet ist, besitzt es doch 3 Bäume, welche ihm einen Holzexport möglich machen, nämlich die himbeerduftende Akazie (Acacia acuminata), der Santalbaum (Fusanus spicatus) und der Jarrahbaum (Eucalyptus marginata). Die beiden ersten Hölzer dienen der Luxustischlerei, das Jarrahholz aber hat im letzten Jahrzehnt eine hohe Anerkennung im Schiffbau gefunden, weil es eine bedeutende Tragkraft besitzt, vom Teredo nicht angegriffen wird und ausserordentlich dauerhaft ist. In steigenden Mengen wird es nach England exportiert, wo es die Schiffbauer nur dem Teak nachstehend schätzen. Indien macht ebenfalls Bezüge zu Bahnschwellen und Telegraphenstangen, weil das Jarrahholz von den Termiten verschont bleibt und der Bodenfeuchtigkeit sehr lange widersteht. Es scheint, im Jarrahbaum sei der wertvollste Waldbaum Australiens gefunden.

Unerwähnt dürfen übrigens nicht bleiben die verschiedenen Arten Gerberakazien, welche im Osten wie im Westen Australiens vorkommen, und den wichtigen Ausfuhrartikel Mimosarinde liefern. Ausgedehnte Anpflanzungen dieser Arten haben in den jüngsten Jahren stattgefunden.

Den Bemühungen des Baron von Müller, des Direktors des botanischen Gartens in Melbourne, ist es zu danken, dass Viktoria seinen Schwesterkolonien mit gutem Beispiel in der Einführung und weitern Entwickelung der Forstkultur voranging. Zunächst wurde 1867 ein Forstrat gebildet, mit der Aufgabe eine Karte auszuarbeiten, auf welcher die Verteilung der wichtigsten Waldbäume gezeigt ist und ferner Vorschläge für reservierte Wälder, nach dem indischen Vorbilde, einzureichen. Ein Gesetz zur Ermutigung von Aufforstungen wurde 1872 erlassen, es folgte die Ernennung eines Forstmeisters, mit Sitz und Stimme im Forstrat, dessen Beschlüsse er auszuführen hat, zu welchem Zwecke ihm die nötigen Gehülfen beigegeben werden. Nun wurden reservierte Wälder abgegrenzt und einige grössere Aufforstungen vorgenommen, Hand in Hand mit Einführungsversuchen fremder Bäume, von welchen mehrere gute Erfolge versprechen, wie Pseudotsuga Douglasii, Cedrus Deodara, Sequoia gigantea und Crupessus torulosa. Eine umfangreiche Pflanzschule ist gegründet worden, aus welcher auch Privatgrundbesitzer zu sehr billigem Preise Bezüge machen können.

Am schnellsten war Südaustralien bereit, das Beispiel Viktoria's nachzuahmen, hatte es auch sehr nötig und in der Person des Regierungsbotanikers Dr. Schomburgh besass es einen ebenso eifrigen wie sachkundigen Anwalt der Forstkultur. Es ist bereits manches in dieser Kolonie zur Erhaltung und Ausdehnung der Wälder geschehen, auch die Einführung fremder Bäume wurde versucht und ist, nach Schomburgh, als besonders gelungen zu betrachten, für die amerikanische Esche (Fraxinus americana), die europäische Ulme (Ulmus camprestis) und die Platane (Platanus orientalis).

New-South-Wales und Queensland schlossen sich noch in den siebziger Jahren dem Vorgehen Viktoria's an, Westaustralien ist, wie in allem, so auch hierin zurückgeblieben, gezögert hat auch Tasmanien, allein 1885 sah es sich doch bemüssigt, einen Schritt zu thun mit der Ernennung eines Forstmeisters.

Aus dessen ersten Jahresbericht mache ich den folgenden Auszug. Der Holzexport Tasmaniens in 1884 betrug 1 012 460 Mark, derjenige Viktoria's 199340 Mark, derjenige von New-South-Wales 2016100 Mark, von Queensland 243060 Mark, von Westaustralien 2081320 Mark, von Neuseeland 3054750 Mark, von Südaustralien Null. Tasmanien exportierte ausserdem 12054$^{3}/_{4}$ Tonnen Mimosarinde zum Werte von 1733780 Mark.

Es sind 8 reservierte Wälder abgegrenzt worden, mit einem Gesamtflächeninhalt von 20420 Hektar. In demselben sind als erhaltungswerte Bäume zu bezeichnen: die Huonfichte, die König-Wilhelmsfichte, die Selleriewipfelfichte, der blaue Gummibaum und der Schwarzholzbaum.

Der blaue Gummibaum ist auf den südlichen Teil der Insel beschränkt. Der Schwarzholzbaum ist im nördlichen Teil am häufigsten. Die Huonfichte übertrifft alle importierten Hölzer und ist durchaus ohne einen Rivalen bezüglich der Dauerhaftigkeit für Schiffbauzwecke, sowie der Widerstandsfähigkeit gegen Nässe, Insekten und Pilze, während seine Schönheit, wenn zu Möbeln verarbeitet, allgemein anerkannt ist. Zunächst im Range kommt die König Wilhelmsfichte — keine nützlichere Fichte ist in den australischen Kolonien zu finden; ihr Holz ist in jeder Hinsicht gleichwertig mit dem nordamerikanischen und baltischen Bauholz; es zeichnet sich vorzugsweise durch Leichtigkeit und Spaltbarkeit aus. Die Selleriewipfelfichte ist in den nordöstlichen Distrikten am häufigsten; ihr Holz ist glatt und schrumpft nicht ein. Ein Stück dieses Holzes, welches vor 11 Jahren in das Wasserrad eines Bergwerks eingesetzt wurde, ist jetzt noch so fest und gesund, wie am Tage, wo es geschlagen wurde.

Der Herr Forstmeister mag, wie es in sogenannten neuen Ländern üblich ist, in seinen Lobpreisungen etwas zu weit gehen. Da er die wissenschaftlichen Namen nicht beifügt, so sei bemerkt, dass es sich keineswegs um wirkliche Fichten handelt. Die Engländer sind im allgemeinen recht unglücklich in der Benennung fremder Dinge; sie übertragen Namen aus ihrer Inselheimat, ohne die entfernteste innere Berechtigung, wodurch sie natürlich Begriffsverwirrungen hervorrufen. Es muss das ein triftiger Grund für uns Deutsche sein, unsere seitherige blinde Aneignung englischer Namen für tropische Gegenstände, teils in Übersetzung, teils nicht, fallen zu lassen und unsere eigenen Wege zu wandeln. Ich habe bereits in meinem Werke: „Die tropische Agrikultur", vorgeschlagen und wiederhole hier den Vorschlag, wo immer es nur angänglich ist, für tropische Gewächse einen volkstümlichen Namen in möglichster Übereinstimmung mit dem wissenschaftlichen Namen zu prägen. Unter König Wilhelmsfichte ist ohne Zweifel Arthrotaxis cupressoides zu verstehen. Die Selleriewipfelfichte kann wohl keinen andern botanischen Namen tragen wie Phyllocladus rhomboidalis. denn die Gattung der sog. sellerieblätterigen Fichten besteht aus 5 Arten. von welchen nur die genannte in Tasmanien heimisch ist.

Neuseeland. mit einem Klima. das demjenigen Südeuropa's gleicht. gehört zu den gesegnetsten Ländern der Erde in bezug auf Menge, Artenzahl und inneren Wert des Baumwuchses. Etwa 1000 Pflanzenarten sind dieser Kolonie eigen, davon 113 stattliche Waldbäume bilden — gewiss eine hohe Zahl. Der hervorragendste dieser Bäume ist die Kaurifichte (Dammara australis), welche nur auf der nördlichen Insel vorkommt. Unter günstigen Verhältnissen erreicht sie eine Höhe von 48 Meter und nicht selten bleibt der Stamm 30 Meter astfrei; 3 bis 6 Meter beträgt der Durchmesser. Das Holz ist für viele Zwecke verwendbar, besonders aber für Masten, Raastangen und andere Schiffsteile, Hausbauten und, wenn schön geadert, was nicht regelmässig der Fall ist, für Möbelarbeiten Nach England findet ein lebhafter Export dieses Holzes statt. Ein anderes wertvolles Produkt der Kaurifichte ist das Kauriharz, von dem jährlich eine Ausfuhr nach Europa und Amerika im Werte von 6 Millionen Mark stattfindet.

Andere wertvolle Bäume sind der Totara (Podocarpus totara) und sein Gattungsverwandter Matai (P. spicata), welche beide in der ganzen Kolonie vorkommen, und ebenfalls starkes, dauerhaftes Holz liefern. Vitex littoralis oder Neuseelandteak, gilt als das dauerhafteste Holz der Kolonie. Auch Buchwälder sind vorhanden, bestehend aus mehreren Arten dieses Baumes. Die in Australien vorherrschenden Gattungen Eucalyptus und Acacia fehlen in Neuseeland gänzlich.

Die bewaldete Fläche der Kolonie wurde 1830 auf 814 800 Hektar und 1873 auf 485 200 Hektar geschätzt. Das sind allerdings Schätzungen, vielleicht nur oberflächliche, allein sie lassen doch erkennen, welche gewaltige Lücke in einer verhältnismässig kurzen Zeitspanne in den Waldreichtum Neuseelands gerissen wurde. Das konnte geschehen, weil gegen eine geringe Abgabe jedem die Erlaubnis erteilt wurde, die Wälder nach Herzenslust zu plündern, so fand eine Zerstörung statt, die sich derjenigen in

Nordamerika, im Verhältnis gedacht, ebenbürtig anreiht. Dem letzten statistischen Berichte zufolge sind 125 Dampfsägemühlen grossen Stils mit Bahngeleisen nach den benachbarten Wäldern in Thätigkeit. Zieht man des weiteren den bedeutenden Brennholzbedarf der Bevölkerung in Betracht, und ferner die Rodungen zur Gewinnung von Kulturland, so wird man die Besorgnis der gesetzgebenden Körperschaften begreiflich finden, es könne in naher Zukunft eine der besten Hilfsquellen Neuseelands versiegen. Zunächst begnügten sie sich mit dem Erlass eines Gesetzes von 1872, mit welchem Landschenkungen zugesichert wurden als Belohnung für Aufforstungen, auch wurde das Holzschlagerecht an strengere Bedingungen geknüpft. Die Erfahrung lehrte indessen, dass mit diesen Massregeln dem Verschwinden der Wälder nicht vorzubeugen sei und so entschloss man sich noch zur rechten Stunde, dem Beispiele der ostaustralischen Kolonieen zu folgen, zur Abgrenzung von reservierten Wäldern zu schreiten und dieselben unter Aufsicht eines Forstmeisters mit einigen Gehülfen zu stellen. Das ist zwar noch keine durchgreifende Massnahme, allein es ist doch ein Grund gelegt, auf dem sich eine geordnete Forstkultur aufbauen lässt. Privatgrundbesitzer haben bereits einige ansehnliche Aufforstungen vorgenommen, und da dieses Vorbild voraussichtlich nachgeahmt werden wird, hat der Forstmeister eine Liste derjenigen heimischen Bäume zusammengestellt und empfehlend veröffentlicht, welche verdienen angepflanzt zu werden. Nachfolgend gebe ich sie unverkürzt wieder.

Kaurifichte (Dammara australis)			
Schiff- und Hausbau	36—48 m hoch	1,5—3	m Durchm.
Totara (Podocarpus totara)			
Pfosten und Schwellen	12—21 " "	1,2—1,8	" "
Matai (Podocarpus spicata)			
Pfosten und Schwellen	12—21 " "	0,6—1,2	" "
Kawaka (Libocedrus Doniana)			
Mobel und Zäune	18—30 " "	0,9—1,5	" "
Pahautea (Libocedrus Bidwellii)			
Brücken und Zäune	18—24 " "	0,6—0,9	" "
Tanekaha (Phyllocladus trichonomoides)			
Schwellen und Bretter	15—24 " "	0,9 —	" "
Manoas (Dacrydium colensoi)			
Pfosten und Hausbau (sehr dauerhaft)	9—12 " "	— —	" "
Manoas (Dacrydium westlandium)			
Pfosten und Brücken	12—15 " "	0.3—0.6	" "

Manoas (Dacrydium intermedium)		
Pfosten und Brücken	12—15 m hoch	0,3—0,6 m Durchm.
Tawai (Fagus Menziesii)		
schön zu Luxusarbeiten	12—18 „ „	0,9—1,5 „ „
Puriri (Vitex littoralis)		
Pfosten und Schwellen	18—27 „ „	0,9—2,4 „ „
Hututawhai (Fagus fusca)		
Schiff- und Dockbau	kurzer, massiver Stamm.	
Pohutukawa (Metrosideros tomentosa)		
Schiff- und Dockbau	„ „	„
Rata (Metrosideros robusta)		
Schiff- und Dockbau, Schwellen . .	18—30 m hoch	1,5—3,6 m Durchm.
Rata (Metrosideros lucida)		
Schiff- und Dockbau	9—18 „ „	0,6—1,5 „ „
Rawiri (Leptospermum ericoides)		
Werftarbeiten	12—15 „ „	0,3—0,6 „ „
Kowhai (Sophora tetrapera)		
Pfosten und Schwellen		
Maire-raumii (Olea apetala)		
wertvoll aber wenig gekannt . . .	15—21 „ „	0,6—1,2 „ „
Maire-tawhake (Eugenia maire)		
Pfosten und Zäune	12—15 „ „	0,3—0,6 „ „

Es würde zu weit führen, die vielen Inseln des stillen und indischen Oceans alle zu besprechen und auch zu keinem Ergebnis führen, denn wir wissen nur, dass die grössern bewaldet, teilweise üppig bewaldet sind, allein wie es sich mit dem innern Werte dieser Wälder verhält, ist eine noch unbeantwortete Frage. Ein Urwald kann aus Farren. Schlinggewächsen, nutzlosen Palmen und vielartigem Gesträuch bestehen, ohne nur ein wertvolles Holz zu enthalten. Die Angabe: diese oder jene Insel ist mit Urwald bedeckt, ist daher viel zu unbestimmt, um für die hier massgebenden Gesichtspunkte zu Schlüssen zu berechtigen. Zwei Gruppen sollen aber doch eine kurze Erwähnung finden. Die Fidschis besitzen einige wertvolle Waldbäume, wie der Vesi (Afzelia bijuga), den Dilo (Calophyllum inophyllum), den Dakua (Dammara Vitiensis) den Jovi oder die Tahitikastanie (Inocarpus edulis), den Papiermaulbeerbaum (Broussonetia papyrifera) und die Casuarina. Eine Anzahl minder wichtiger Bäume gehören zu den Familien Leguminosae Guttiferae und Myrtaceae. Früher waren die Inseln stark bewaldet, seit Einführung des Plantagenbaues ist aber der

Holzreichtum in einem solchen Grade zusammengeschmolzen, dass sich die Colonialregierung genötigt sah, Massregeln zu Neuanpflanzungen zu ergreifen. Durch eine Verordnung von 1885 verpflichtete sie jeden Eingeborenen über 16 Jahre alt, 2 Fruchtbäume und 2 nützliche Waldbäume zu pflanzen, unter Strafandrohung von 4 Shilling oder 14 Tage Gefängnis. Es scheint, als habe das ehemalige Waldgesetz von Japan zum Vorbild gedient, nach welchem jede grundbesitzende Familie, je nach ihrem Range, 40 bis 100 Bäume als Mindestmass züchten und gegebenen Falls nachpflanzen musste.

Auch die Wälder Hawaii's sind durch den Plantagenbau stark gelichtet worden, doch begann ihre Verarmung schon, als in der „guten, alten Zeit“ handeltreibende Schiffskapitäne kamen, um Santalholz einzutauschen. Die Häuptlinge dieser Inselgruppe waren als die eifrigsten Santalholzkaufleute bekannt und die meisten haben auch ansehnliche Vermögen in diesem Geschäft erworben. Gegenwärtig kann der Waldbestand auf der ganzen Gruppe als schwach bezeichnet werden, auf einigen Inseln herrscht sogar Holzmangel, trotzdem ist noch nichts geschehen, um dem weitergreifenden Übel zu steuern. Von den noch vorhandenen Waldbäumen sind zu nennen: Aleurites moluccana, Alphidoxia excelsa, Dodonaea viscosa, Cordia subcordata, Paritium tiliacsum, Broussonetia papyrifera.

Sprüchwörtlich ist der Waldreichtum Südamerika's, mit Ausnahme der Steppenstaaten Uruguay und Argentinien. Die ganze Andeskette ist mit Wäldern bekleidet, die je nach Bodenerhebung, Lage und Breitegrad eine wechselnde Zusammensetzung haben. Grosse Lücken sind noch nirgends in diesen Reichtum gerissen worden, teils weil alle Länder Südamerikas noch dünn besiedelt sind, teils — und dieser Grund wiegt schwer — weil verhältnismässig wenig Wasserstrassen vorhanden sind, welche sich zum Holztransport nach der Küste eignen. Noch in keinem Staate ist der Umfang der Wälder ermittelt oder ein anschauliches Bild ihres Wertes entworfen worden. Bei der grossen Verschiedenheit des Klima's und der Bodengestaltung müssen selbstverständlich die Waldprodukte eine reiche Mannigfaltigkeit zeigen.

Auf der östlichen Seite Südamerika's, südlich vom Rio de la Plata bis zur Magellansstrasse, ist der Baumwuchs ausserordentlich spärlich. Nur hier und da finden sich einige dornige Akazien, an den Flüssen wachsen vereinzelte Weidengruppen, selten bilden die antarktische Buche und der Wintersrindenbaum grössere Gehölze. In merkwürdigem Kontrast hierzu stehen die Inseln des Feuerlandes, welche, nach Darwin, vollständig mit Wald bedeckt sind.

Nördlich vom Rio de la Plata stossen wir zunächst auf die „Montes“ von Uruguay, darunter sind schmale, selten über 25 Meter breite Uferwälder verstanden, denn wo die Überschwemmung nicht hinreicht, wächst kein Baum. Für den Holzbedarf der wenigen Menschen, welche im Innern des Landes wohnen, genügen diese Baumstreifen, welche keinen Handelswert darstellen. Vorherrschend ist der schöne Ombu (Phytolaca divica), der so weich und schwammig ist, dass er nur ganz geringen Brennwert hat und andern Zwecken nicht dienen kann.

Ein ganz anderes Bild bietet Paraguay, dessen Abdachung nach dem Parana mit fast undurchdringlichem Urwald bedeckt ist, der bis jetzt wilden Indianerstämmen überlassen ist. Auf der Abdachung nach dem Paraguay liegen die Ansiedlungen, hier ist viel offenes Grasland, allein die Hügel sind in der Regel mit Wald gekrönt. Einer Behauptung zufolge, die aber doch wohl der Bestätigung bedarf, sollen die Wälder dieses Landes etwa 70 Hölzer enthalten, welche für gewerbliche Zwecke geeignet sind, davon wurden zwei, der Lapacho und Quebracho, von den Jesuiten zum Bau ihrer Missionen benutzt, und sind in diesen Ruinen noch so wohl erhalten, dass sie als ausnehmend dauerhaft gelten müssen. Nicht weniger wie 15 Bäume sollen Farbholz und 8 Fasern liefern. Den grössten wirtschaftlichen Wert haben aber bis jetzt noch die verschiedenen Arten Ilex, welche die Yerba Maté oder den Paraguaythee liefern.

Brasiliens Wälder bedecken eine Fläche etwa von der Hälfte Europa's. Der Amazonas fliesst 3000 Kilometer durch brasilianisches Gebiet und bildet mit seinen Zuflüssen die einzige Unterbrechung eines Urwaldes, der sich 1800 Kilometer von Ost nach West und 1200 Kilometer von Nord nach Süd dehnt. Einen Begriff von dem Reichtum dieser Wälder mag gewähren, dass die brasilianische Regierung die verschiedenen Weltausstellungen mit ungefähr 300 Holzmustern beschickte, davon eine beträchtliche Anzahl von ausgezeichneten Eigenschaften. Geschehen ist übrigens noch nicht das mindeste für Erhaltung der wertvollen Holzarten, weder durch Regelung des Schlages, noch durch Abgrenzung reservierter Wälder, noch durch geschlossene Anpflanzungen. Ein Ausfuhrzoll auf Holz mag als Schutz betrachtet werden, obgleich er als solcher nicht beabsichtigt ist, denn er lähmt wirkungsvoll die Ausbeute der Wälder.

Als die wertvollsten Hölzer Brasiliens gelten: Pernambukholz (Caesalpinia echinata), Fustik (Maclura tinctoria), welche beide nur in der Nähe der Küste gefunden werden, Jacaranda, dessen botanische Quelle noch nicht mit Zuverlässigkeit festgestellt ist, Eisenholz (Caesalpinia ferrea), Zeder (Cedrela brasiliensis). Den Hölzern reihen sich andere wichtige Waldprodukte an, wie Kautschuk, Brasilnüsse, Paraguaythee, Guarana, Gummi und Harz, Sarsaparilla, Ipecacuanha und Jalapa.

Guiana ist verhältnismässig ebenso holzreich wie Brasilien, ganz besonders gilt dies von der britischen Besitzung, welche sich ausserdem des Vorteils der meisten Wasserstrassen erfreut. Die 4 grossen Flüsse, von welchen sie durchströmt wird: Corentyn, Demerara, Berbice und Essequibo mit den meisten Zuflüssen, eignen sich vorzüglich zur Flösserei, daher sich ein so lebhaftes, fast ausschliesslich nach England gerichtetes Exportgeschäft, wie 1000 Tonnen Holz und 50 000 Fässer Kohlen im Jahr entwickeln konnte. Es wurde bereits erwähnt, dass in jüngster Zeit einige Schutzmassregeln für die Wälder getroffen wurden, hauptsächlich auf Betrieb des berühmten Direktors der Kewgärten, Dr. Hooker, der sich, worauf ich in anderen Arbeiten schon hingewiesen habe, um das wirtschaftliche Wohl der britischen Kolonieen ausserordentlich verdient macht.

Britisch Guiana liefert zwei der wertvollsten Schiffbauhölzer: Grünherz (Nectandra Rodiaei) und Mora (Mora excelsa). Beide Bäume erreichen eine riesige Grösse. Grünherz ist das wichtigere Holz, es ist so hart, dass es die Axt des Holzhauers schartig macht und seine Dauer im Wasser wird auf 100 Jahre angegeben. Aus den Wäldern dieser Kolonie kommt ein sehr wertvolles Gummi. Gum animi, produziert von Hymenaea courbarel, welches gesucht wird zur Herstellung des feinsten Wagenlacks.

Das wichtigste Holz in holländisch Guiana ist Purpurherz (Copaifera bracteata), zu Dauben, Wagner- und Tischlerarbeiten geeignet; es reihen sich an Braunherz (Vouacapua americana) und Rindenlack (Lecythis collaria), welches niemals von Würmern angegriffen wird.

Im französischen Guiana ist von allen das violette Holz (bois violet oder Amaranthe; Copaifera bracteata), als Werkholz geeignet, sehr geschätzt. Als wertvoll werden noch bezeichnet: die schwarze Zeder (Nectandra pisi), der Guayac (Coumarouna odorata) und der stattliche, 20 bis 24 Meter astfrei bleibende Courbaril.

Den drei Guiana's gemeinschaftlich ist der Balatabaum (Mimusops balata), dessen Saft zu Balata eingedickt wird, welches gewöhnlich als Guttapercha erster Qualität in den Handel kommt und der ausserdem ein vorzügliches Bau- und Werkholz liefert. Ferner ist ihnen gemeinschaftlich der Carappabaum (Carapa Guianensis), von den Engländern Crabwood genannt, dessen Früchte zur Oelgewinnung dienen und der ein gräuliches oder rötliches Holz liefert, das sich leicht bearbeiten lässt und von Tischlern, Wagnern und Zimmerleuten so lebhaft begehrt wird, dass es in den besiedelten Distrikten bereits spärlich ist.

Venezuela ist zu einem grossen Teile Steppenstaat, seine ausgedehntesten Wälder liegen am unteren Laufe des Orinoko. Die Holzgewinnung geht aber kaum über den heimischen Bedarf hinaus, für den Handel beschränkt sie sich fast ganz auf Lignum vitea (Zygophyllum arboreum), obgleich Pernambukholz so häufig ist, dass es zur Herstellung von Zäunen benutzt wird. Der häufig erwähnte Kuhbaum (Galactodendron utile), dessen milchiger Saft ein Nahrungsmittel bildet, kann nicht als Waldbaum betrachtet werden, da er vereinzelt auf trockenem, steinigem Gelände wächst.

Obgleich auch Columbia teilweise Steppenstaat ist, besitzt es doch einen grössern Waldreichtum wie Venezuela, dessen Ausbeute für Handelszwecke aber ebenfalls unbedeutend ist, der Transportschwierigkeiten wegen. Der Baumwuchs steigt in Columbia bis zu 3100 Meter über den Meeresspiegel, aber nur bis zur Mitte dieser Erhebung wächst der geschlossene Urwald mit riesigen Bäumen. An der Bildung desselben nehmen Palmen einen bemerkenswerten Anteil. Ausser einigen der verbreitetsten Palmenarten des nördlichen Südamerika's, welche bis zu 750 Meter über den Meeresspiegel steigen, sind es 2 Arten von auffallender Schönheit und einer Höhe von 45 bis 55 Meter, welche bis zu Erhebungen von 1800 bis 2400 Meter, im Vereine mit mehreren Eichenarten, weiten Strecken des Urwaldes das Gepräge geben. Wie viele Palmenarten, so liefern auch diese ein festes, zu mancherlei Zwecken brauchbares Holz, jedoch erst dann, wenn sie alternd im Absterben begriffen sind. Der Holzexport Columbia's beschränkt sich fast auf die Farbhölzer Fustik, Blau- und Pernambukholz. Als Waldprodukte haben ferner zu gelten und sind von Wichtigkeit: Kautschuk, gewonnen von Castilloa elastica, Chinchonarinde, gewonnen von 6 Arten. Balsam von Tolu, gewonnen von Myroxylon toluifera.

Ecuador und Peru sind in der Gebirgsregion der Andes mit ausserordentlich üppigen, ausgedehnten Urwäldern bedeckt, die aber für die Holzgewinnung als nicht vorhanden zu betrachten sind, wenn man von dem geringen örtlichen Bedarf absieht. Beide Staaten importieren geschnittenes Holz aus Nordamerika, ist es doch nur dürftig lohnend, weil mit ausserordentlichen Transportschwierigkeiten verknüpft, Waldprodukte wie Chinchonarinde, Kautschuk, Copaibabalsam, Palmwachs, Ipecacuhua den Hafenstädten zuzuführen.

Chili ist im Norden ohne Wald, nur im Süden von San Jago, hauptsächlich in den Provinzen Arauco, Valdivia und Chiloé ist ein wirklicher Holzreichtum vorhanden, der aber rasch zusammenschmilzt, nicht weil der heimische Bedarf oder eine Exportnachfrage den Ansporn giebt, sondern weil neues Kulturland durch Abbrennen von Wäldern gewonnen werden soll und der Chilene mit der Axt gegen alle wilden Bäume wütet, als sei er von einem grimmigen Hass gegen dieselben erfüllt — er zeigt eben, dass ihm spanisches Blut in den Adern rollt. Die üblichen Folgen der Wälderverwüstung sind natürlich auch in Chili nicht ausgeblieben und die bezüglichen Klagen haben zu einem Gesetze geführt, welches den Holzschlag regelt, allein nie ausgeführt wurde und vollständig der Vergessenheit anheimgefallen ist. Einige Grundbesitzer, so wenige, dass man sie an den Fingern einer Hand herzählen kann, haben Aufforstungen vorgenommen mit europäischen Eichen, Kiefern, Strandkiefern, blauen Gummibäumen und Araukarien, scheinen aber damit kein anregendes Vorbild gegeben zu haben. Die Wälder Chili's enthalten wenige Hölzer von schätzbaren Eigenschaften, was, im Vereine mit den Transportschwierigkeiten erklärt, warum dieser Staat jährlich für mehrere Millionen Mark Holz aus Nordamerika importiert.

Chili besitzt etwa 100 heimische Bäume, welche, mit Ausnahme von 13, immergrün sind. Zum überwiegenden Teile bestehen die Wälder aus Laubholz, nur hier und da tritt Nadelholz in kleinen Gruppen auf. Als der grösste und wichtigste Waldbaum wird die chilenische Ceder oder Alerce (Fitzroya patagonica) betrachtet, sie erreicht eine Höhe von 55 Meter und liefert ein rötliches, weiches, aber dauerhaftes Holz, das sich nicht wirft. Die chilenische Buche (Fagus oliqua), welche 30 Meter hoch wird, eignet sich zum Schiffbau, im Wasser dauert ihr Holz lange Zeit

Der Lingue (Persea lingue) liefert das beste Holz für Möbel, was aber nur im Vergleiche mit andern Bäumen dieser Wälder zu verstehen ist, zugleich ist seine Rinde brauchbar in der Gerberei. Der Peumo (Cryptokarya peumus) liefert ebenfalls eine Gerberrinde. Dem Quillajabaum (Quillaja saponaria) entstammt die in Frankreich und Nordamerika begehrte Seifenrinde. Ein festes, zum Schiffbau geeignetes Holz liefert der Lumo (Myrtus luma); ebenfalls fest, aber dem Werfen so sehr ausgesetzt, dass es nur zu ganz groben Arbeiten Verwendung findet, ist das Holz des Lorbeers (Lauretia aromatica). Die beiden Zypressen Libocedrus chilenis und L. tetragona liefern Werkholz von mittlerm Wert. Die südlich von Biobio vorkommende, 45 Meter hoch wachsende Auracaria imbricata, ist weniger ihres Holzes als ihrer Früchte wegen bemerkenswert. Die 2 Jahre reifenden Zapfen enthalten 50 bis 100 etwa 5 Zentimeter lange Samen, welehe gekocht, delikater wie Kastanien schmecken sollen.

Das allgemein gehaltene Urteil lautet: die Wälder Chili's enthalten einige Hölzer, welche sich zum Schiffbau eignen, aber keine, welche für Bauzwecke, das Fichten-, Kiefern- und Tannenholz ersetzen können. Die Luxushölzer sind selten und zu weich zur Herstellung von dauerhaften Möbeln.

Westindien bietet durchaus ein trübes Bild der Wälderverwüstung. Beraubt ihres einstigen Holzreichtums sind die kleinern Inseln und die grössern, wie Jamaica, San Domingo und Cuba, zeigen nur noch Ruinen. Welchen Schatz besass namentlich Cuba an seinen Wäldern, wie sind sie vernachlässigt und der schonungslosesten Plünderung preisgegeben! Die vorhandenen Reste gehören fast alle Privateigentümern, für ihre Erhaltung könnte die Regierung daher schwerlich etwas thun, selbst wenn sie wollte, allein sie hat noch niemals gewollt. Etwas Mahagony, Hustik und Cedernholz, richtiger Cypressenholz, bleibt immer noch für den Export übrig. Ebenso rücksichtslos ist in den Wäldern San Domingo's gehaust worden, wie man es übrigens von den beiden verlotterten Republiken, welche sich in diese Insel teilen, nicht anders erwarten kann. Geblieben ist noch ein schwacher Mahagonyexport.

Die fünf zentralamerikanischen Republiken und Mexiko besitzen ausgedehnte Wälder, die aber noch so unvollkommen durchforscht sind, dass weder der Flächengehalt noch der innere Wert annähernd beurteilt werden kann. Zieht man in Betracht, dass diese Staaten nicht einmal mit Sicherheit anzugeben wissen, wie viele Bewohner sie haben, so wird man die herrschende Unkenntnis über ihre Wälder als selbstverständlich hinnehmen. Eher mag es Verwunderung erregen, dass die Wälder noch vorhanden sind und nicht schon längst das Schicksal der westindischen Wälder geteilt haben. Diese Thatsache mit der wirtschaftlichen Einsicht der Bewohner, oder ihrer Sympathie für den Wald in Zusammenhang bringen zu wollen, wäre die denkbar irrigste Erklärung. An gutem Willen mit dem Holzreichtum aufzuräumen, und an Gleichgültigkeit bezüglich der Folgen, fehlt es ihnen wahrlich nicht. Es sind ja spanische Abkömmlinge. Nein, nur der gebirgigen Bodengestaltung, den Mangel an Wegen und Stegen, an Bahnen und Wasserstrassen ist die Erhaltung der Wälder zu danken. Die Natur hat der Verkehrsbewegung in Mexiko und Zentralamerika sehr grosse Hindernisse entgegengestellt. Wenige Häfen und wenige Flüsse und von diesen wenigen nur eine ganz kleine Zahl, die von der Mündung eine kurze Strecke schiffbar sind. Das ganze Land von Gebirgen durchzogen, welchen Längsthäler mangeln, die kunstlosen Pfade führen bergauf, bergab. So erklärt es sich, dass nur Hölzer von hohem Wert, wie Mahagony und Campeche, zum Export gelangen können und auch nur dann, wenn die Fundorte nicht entfernt von der Küste liegen.

Britisch Honduras ist die wichtigste, aber nun versiegende Bezugsquelle für Mahagony. Bekanntlich ist es ein Küstenland, und am besten von dem in Rede stehenden Theile Amerika's mit Wasserstrassen versehen. In unserer Zeit versteht man es wohl, Verkehrshindernisse wie die erwähnten, zu besiegen und ein Anfang ist auch bereits in jenen Ländern gemacht, allein der weite Transport mit der Bahn, belastet den Verkaufswert des Holzes so schwer, dass nicht anzunehmen ist, Mexiko und Zentralamerika werden jemals eine beträchtlich wichtigere Rolle als Bezugsquelle für Holz spielen wie in der Gegenwart. Das ist um so wahrscheinlicher, weil die auflebende, tropische Forstkultur für eine weite Verbreitung der nützlichsten Baumarten dieser Länder sorgen wird. Der Mahagonybaum hat bereits die Wanderung angetreten.

Die Frage ist, selbst mit einem Blick auf Brasilien berechtigt: gab es ein Land auf der Erde, das reicher mit Wäldern von hohem Werte gesegnet war, wie die nordamerikanische Union? Als die ersten Europäer ins Land drangen, fanden sie es von der atlantischen Küste bis zum Mississippi, vom Golf von Mexiko bis hinauf zur Grenze Canada's mit einem herrlichen Urwald bedekt, der wenige Lichtungen zeigte. An der entgegengesetzten Seite, an der Küste des stillen Ozean's waren, das nördliche Kalifornien, Oregon und Washington so dicht bewaldet, als seien sie ein Stück der Tropenwelt. Zwischen diesen Waldgebieten lagen allerdings die grossen, baumlosen Prärien, allein da dehnte sich auch das Felsengebirge mit vielen, stattlichen Wäldern bedeckt, und westlich von ihm trugen alle Höhenzüge teils spärliche, teils reiche Holzbestände. Und welche Mannichfaltigkeit! Die Botaniker belehren uns, dass in den nordamerikanischen Wäldern 158 Pflanzengattungen, davon 142 in der atlantischen und 59 in der pazifischen Region vertreten seien; von den erstern werden 48 nicht ausserhalb des halbtropischen Floridas gefunden.

An wirklichen Waldbäumen sind 412 Arten entdeckt worden, davon gehören 292 der atlantischen und 153 der pazifischen Region an. Es sei gleich hier bemerkt, dass Alaska von dieser Darstellung ausgeschlossen bleibt, weil nur seine Küste, und selbst diese unvollkommen, erforscht ist.

Das „Rückgrat des nordamerikanischen Festlandes," das Felsengebirge, bildet die Scheide für die Pflanzenwelt im allgemeinen und für die Waldbäume im besondern; zwischen den atlantischen und pazifischen Waldbäumen bestehen weite Unterschiede. Agassiz machte zuerst auf die interessante Thatsache aufmerksam, wie ähnlich die Waldbaumarten des östlichen Nordamerika's und diejenigen Ostasiens seien. Als Beweise mögen dienen: Magnolien, Sumach, eschenblätteriger Ahorn, Gleditschia, Sassafras, Wallnüsse, Haselnüsse, Birken, Aspen, Taxus — eine Liste, die bedeutend verlängert werden könnte. Ferner wies Agassiz die Verwandtschaft mit dem Pflanzenwuchs der europäischen Alpen nach, durch Hinweis auf Ahorne, Kirschen, Pflaumen, Buchen, Lärchen u. s. w. Nicht minder interessant ist, dass existierende nordamerikanische Wälder eine Verwandtschaft, ja sogar Übereinstimmung mit untergegangenen, europäischen Wäldern der Tertiärepoche zeigen, beispielsweise Sequoien, Cypressen und Hickorys.

Als charakteristisch ist ferner noch hervorzuheben, dass in den Wäldern der atlantischen Region die Laubhölzer, in denjenigen der pazifischen Region die Nadelhölzer vorwiegen.

Den Flächengehalt des einstigen Waldreichtums zu ermitteln, ging natürlich über die Kräfte des Einzelnen hinaus und bis die Staaten der Union es zu einer so geordneten Verwaltung gebracht hatten, um sie mit statistischen Ermittelungen betrauen zu können, war schon ein guter Teil der Wälder verschwunden. Ein klares Bild dieses Gegenstandes hat zum ersten Mal der Census von 1880 gegeben, über die weitere Gestaltung bleiben wir nun im Dunkeln bis zum Census von 1890. Die jüngsten umfassenden und zuverlässigen Angaben datieren also aus dem Jahre 1880, sie müssen mir zur Grundlage meiner Darstellung dienen. Nach dieser Quelle beträgt die Gesamtfläche der nordamerikanischen Union 742 443 520 Hektar. Davon waren im Censusjahr 1880 bewaldet 76 102 297 Hektar, als Farmland sind verzeichnet 214 432 734 Hektar, der Rest von 451 908 489 Hektar bestand aus Ödland, Wildweiden und verlassenen Feldern. Von der bewaldeten Fläche gehören rund 34 000 000 Hektar der Bundesregierung.

Ich glaube auch hier wieder darauf aufmerksam machen zu sollen, dass unter bewaldeten Flächen nicht durchgehends Wälder im wahren Sinne des Wortes verstanden werden dürfen. Unter diesen Begriff fällt vielmehr alles Gelände, welches, wenn auch noch so spärlich, mit holzigen Gewächsen bestanden ist und wer den Urwald kennt, weiss, dass nicht selten ganze Geviertmeilen keinen Stamm enthalten, der im Handel verwertbar ist. Beispielsweise sind an der Pazifikküste viele Berghänge mit einem buntscheckigen Sträuchergemisch bedeckt, für welche der spanische Name Caparral in die Landessprache herübergenommen wurde. Dieses Gestrüpp hilft die „bewaldeten Flächen“ beträchtlich vermehren, allein der Holzhauer könnte da nur Reisigbündel machen. Selbst an den wirklichen Wald darf nicht ein Gleichmass angelegt werden, da er in seinem verwertbaren Gehalt bedeutende Abweichungen zeigt, wie die folgende Gegenüberstellung veranschaulicht. In den Wäldern Maine's, die viel Schiffbauholz liefern, schätzt sich der Holzfäller glücklich, wenn er auf einen Acre (40,47 Ar) 15 000—20 000 Kubikfuss Holz gewinnen kann; er betrachtet das als das Höchstmass. In den Rotholzwäldern Kaliforniens werden auf der gleichen Fläche 100 000 Fuss gewonnen; hat doch — freilich ein seltener Ausnahmefall — ein Baum 75 000 Fuss Holz geliefert.

Mit alledem will ich nur begründen, wie unzulässig es ist, aus der Massangabe der bewaldeten Flächen, auf das Vorhandensein von wirklichen Wäldern zu schliessen und wie sinnlos es ist. Urwälder mit Kulturwäldern in Vergleich zu bringen.

An keinem Lande der Erde kann so schlagend nachgewiesen werden, wie an der nordamerikanischen Union, von welcher hohen nationalen Bedeutung die Wälder sein können, zugleich sucht man vergeblich nach einem Seitenstück riesig fortschreitender Vernichtung dieser Volkswohlstandsquelle. Der Census von 1860 gibt die Ausbeute der Wälder nicht nach Mass und Stückzahl an. nur der Gesamtwert ist mit 406 206 450 Mark angeführt. Der Census von 1870 giebt die Sägemühlenproduktion mit 12 755 543 000 Fuss an, darunter ist „boardmeasure“ verstanden, eine Masseinheit von 1 Quadratfus 1 Zoll dick; ferner 3 265 516 000 Schindeln. Die Gesamtproduktion hatte einen Wert von 882 669 200 Mark. Beschäftigt waren 63 928 Fabriken mit 393 383 Arbeitern in der Anfertigung von Artikeln ganz aus Holz und 109 512 Fabriken mit 700 915 Arbeitern mit Artikeln teilweise aus Holz.

Der Census von 1880 gibt die Sägemühlenproduktion an mit 18 091 356 000 Fuss und 5 555 046 000 Schindeln, 1 761 788 000 Latten, 1 248 226 000 Dauben, im Gesamtwert von 980 154 450 Mark. Das ist das Resultat von 25 708 Sägemühlen.

Die Roherträge der Wälderausbeute giebt der Census mit folgenden Zahlen an:

gesägte Blöcke	587 314 800	Mk.
Brennholz für häuslichen Gebrauch	1 289 290 200	„
„ „ Eisenbahnen	21 533 100	„
„ „ Dampfboote	7 610 800	„
„ „ die Backsteinfabrikation	16 908 800	„
„ „ die Wollfabrikation	986 000	„
„ „ die Salzfabrikation	511 100	„
Holzverbrauch in der Edelmetallproduktion	12 073 000	„
„ zu andern Bergwerkszwecken	2 729 500	„
„ zur Fabrikation von Stielen für Äxte, Schaufeln u. s. w.	2 968 200	„
Latus	1 941 925 500	Mk.

Transport	1 941 925 500	Mk.
Holzverbrauch zur Fabrikation von Wagenrädern .	6 715 700	„
Holzverbrauch zur Produktion von Holzpapier . .	8 292 100	„
Holzverbrauch zur Fabrikation von Körben . . .	1 319 300	„
„ „ „ „ Booten u. Rudern	972 000	„
Holzverbrauch zur Fabrikation von Schuhnägeln . .	304 000	„
Holzverbrauch zur Fabrikation von Schindeln handgemacht	200 000	„
Holzkohlenverbrauch 74 008 972 Bushels	22 162 300	„
	1 981 889 900	Mk.

Diese Zusammenstellung ist dem speziellen Censusbericht über die Wälder entnommen, allein es ist klar, dass sie unvollständig ist, denn beispielsweise fehlt die Angabe des Schiffbauholzes, ferner ist nur der Holzverbrauch für die Wagenräder angegeben, aber nicht für die Ackerbaugeräte im Ganzen, es wird nichts von Telegraphenstangen, Bahnschwellen u. s. w. gesagt. Das Ackerbaudepartement glaubte sich daher nach sorgfältiger Abschätzung berechtigt, den Gesamtwert der Waldprodukte, zu welchen natürlich auch Terpentin, Theer u. s. w. gehören, mit 2 940 000 000 Mark annehmen zu können. Diese enorme Summe wird erst durch einen Vergleich mit andern Bodenprodukten ins rechte Licht gestellt. An der Spitze der Ackerbauerzeugnisse steht Mais, dessen Wert zwar mit rund 2 800 000 000 Mark ermittelt wurde, allein es wurde nachträglich erkannt, dass man einen Irrtum begangen und ungedroschenen statt gedroschenen Mais zur Grundlage der Berechnung angenommen hatte. Zunächst an Wichtigkeit kommt Weizen im Werte von 1 992 022 700 Mark. Es folgen Heu im Werte von 1 561 605 000 Mark, Baumwolle im Werte von 1 177 118 000 Mark, die gesamte Mineralienproduktion im Werte von 927 218 000 Mark. Das sind die wichtigsten Bodenprodukte, keines der übrigen ist mit einem höhern Wert wie 700 Millionen Mark verzeichnet. Zieht man die Erntewerte von Roggen, Hafer, Gerste, Buchweizen, Kartoffeln und Tabak zusammen, dann erhält man noch nicht ganz die Hälfte der Summe, welche die Waldprodukte bringen. Was ist so viel von den reichen Gold- und Silberminen Nordamerika's gesprochen worden und doch beträgt ihre Ausbeute nur den zehnten Teil derjenigen der Wälder. Zehnmal wird auch die Wollernte von der Holzernte übertroffen. Voll ermessen lässt sich indessen erst die weittragende Bedeutung der nordamerikanischen Wälder durch einen Blick in das industrielle Leben dieses Landes. So hat im Censusjahr 1880 für Küferarbeiten ein Holzverbrauch im Werte von 141 602 030 Mark stattgefunden. Etwa 300 Körbefabriken brachten Waaren im Werte von 7 869 500 Mark in den Handel. Welche Anforderungen die wichtige Lederfabrikation an die Wälder stellt, erhellt aus der Thatsache, dass sie in jenem Jahre 2 909 542 Cords (zu 128 Cubikfuss) Gerberrinde zum Werte von 73 520 450 Mark verbrauchte. Es ist hierbei in Betracht zu ziehen, dass die Rinde nicht Lohschlägen, sondern hochstämmigen Bäumen entnommen wird, die in den meisten Fällen auf dem Standort verfaulen. Um diesen Verbrauch zu decken, müssen jährlich 116 400 Hektar Wald der Rinde entkleidet werden. Von den Hemlocktannen wird stets nur die Rinde verwertet, das Holz geht verloren. Nun werden jährlich in der Union 100 000 Fässer Hemlockrindenextrakt bereitet, davon entfallen 72 000 auf eine Bostoner Firma, welche 9 Extraktwerke und 23 Gerbereien eignet. Der Verbrauch zu Extrakt wie zu Lohe beträgt 1 250 000 Cords, die in 9 Staaten gewonnen werden. Da auf einem Hektar etwa 17 Cords Rinde gewonnen werden, so gehen durch diese Industrie jährlich rund 73 000 Hektar Hemlockwälder zu Grunde. Im engen Zusammenhang mit der Lederfabrikation steht die Schuhfabrikation. Dieselbe verlangt Leisten, mit deren Herstellung sich 62 Anstalten beschäftigen; ihre Gesamtproduktion ist mit 4 000 000 Mark bewertet, ihr jährlicher Holzverbrauch stellt sich auf 500 000 Cords. Welcher unscheinbarer Artikel sind die hölzernen Schuhnägel und doch hielt er im letzten Censusjahr 26 Fabriken in Betrieb, die 100 000 Cords Holz, grösstenteils Birken, verbrauchten. In der Fabrikation von Streichhölzern verschwinden jährlich 300 000 Cords Holz; für Zahnstocher verbraucht eine Fabrik allein 10 000 Cords Holz im Jahr, eine andere versendet täglich 500 Gross Waschklammern. Mit der Anfertigung gewöhnlicher Packkisten beschäftigten sich 1880 7772 Personen, die für rund 30 Millionen Mark Bretter verschnitten. Mit der Anfertigung von Wagenteilen, wie Speichen, Felgen, Naben u. s. w. beschäftigten sich 412 Fabriken, deren Produktion einen Wert von 42 Millionen Mark hatte. Die Zahl der Wagenfabriken betrug 3841, ihr Produktionswert bezifferte sich auf 272 796 500 Mark, wobei allerdings zu berücksichtigen ist, dass noch andere Stoffe wie Holz zur Verwendung kamen, immerhin war der Holzwert hervorragend. Die Fabrikation von Kinderwägelchen und Schlitten setzte nicht weniger wie 67 Fabriken in Betrieb, mit einer Gesamtproduktion von 8 Millionen Mark. Der Fabrikationswert der Ackerbaugeräte, doch ebenfalls zu einem grossen Teile aus Holz, betrug 425 Millionen Mark. Die Dreher und Holzschneider verbrauchten Holz im Werte von 12 350 500 Mark und die Spielwaarenfabrikanten im Werte von 2 502 400 Mark. Den Zwirnspulen fallen in jedem Jahr mehrere tausend Hektar Birkenwälder zum Opfer und um den Bedarf an Zigarrenkistchen zu decken, wurde 1880 für 5 478 800 Mark „Cedernholz", richtiger Cypressenholz in den Handel gebracht. Wie unwichtig erscheint der Artikel Sägemehl! Und doch giebt es allein in New-York etwa 500 Verkäufer dieses zum Bestreuen der Fussböden, Verpacken von Glassachen und Ausstopfen von Puppen benutzten Stoffes, mit einem Gesamtgeschäftskapital von 8 Millionen Mark

Das ist nur ein Blick in das industrielle Leben, keine erschöpfende Betrachtung, allein er genügt schon, um erkennen zu lassen, welche hohe Wichtigkeit den Wäldern für „die Entwickelung ohne Gleichen" der nordamerikanischen Union zugemessen werden muss, welche massive Grundlage sie bilden zur Erhaltung einer Erwerbsthätigkeit, welche die Konkurrenz der Nordamerikaner im Auslande gefürchtet macht. Aber auch die Frage drängt sich auf, was soll aus vielen der wichtigsten Industriezweige der Union werden, wenn ihr Wälderreichtum erschöpft ist? Denn wenn die Nordamerikaner Holz importieren müssen, hören sie auf in Holzwaaren concurrenzfähig zu sein, zumal sie in Verlegenheit kommen müssen, wo sie Ersatz finden sollen, für ihre geschätztesten Hölzer, wie Hickory, schwarze Wallnuss, Gelbkiefer und Cypresse, deren innerem Werte sie ja zu einem guten Teile ihr Übergewicht in der Fabrikation von Holzwaaren verdanken.

Mit den Industrien wetteifern die Telegraphen- und Eisenbahngesellschaften in den Anforderungen an die Wälder. Die Zahl der Telegraphenstangen beträgt zur Zeit etwa 1 Million und zum Ersatze müssen jährlich 300 000 Bäume geschlagen werden, Kastanien und Cypressen (gewöhnlich Cedern genannt) werden bevorzugt und mit dem höchsten Preis von 8 Mark das Stück bezahlt. Doch dieser Bedarf ist verschwindend gering, gegenüber demjenigen der Eisenbahnen. Um diesen Gegenstand aufzuhellen, versendete das Ackerbaudepartement Fragebogen an die etwa

300 Bahngesellschaften des Landes, von welchen 63 % beantwortet zurückkamen. Auf Grund dieses starken Bruchteils wurde das Gesamt berechnet mit folgendem Resultat.

Die Länge der Schienengeleise beträgt 112 000 Meilen (1 Meile = 1,6 Kilometer) und da im Durchschnitt die Schwellen in einem Abstand von 3 Fuss gelegt werden, so sind von denselben 2640 für die Meile oder 295 680 000 für das ganze Bahnnetz erforderlich. Die Ingenieure verlangen durchgehends, dass junge, gutwüchsige Bäume zur Schwellengewinnung gewählt werden und zwar solche, welche nicht mehr wie eine Schwelle von einer Schnittlänge liefern und in der Regel in nicht mehr wie 2 Schnittlängen zu zerlegen sind. Folglich mussten dem Bau des bestehenden Bahnnetzes 147 840 000 Bäume zum Opfer fallen. Die nordamerikanischen Urwälder liefern im Durchschnitt nicht mehr wie 250 Schwellen pro Hektar, mithin sind 1 182 720 Hektar Waldland ihres besten Holzbestandes für diesen Zweck beraubt worden. Die Durchschnittsdauer der Schwellen wird von den Bahngesellschaften mit 7 Jahren angegeben. Folglich ist der siebente Teil der ursprünglichen Zahl als jährlicher Ersatz nötig, also 42 240 000, das will sagen das Produkt von 168 960 Hektar. Diese Waldausbeute fällt um so schwerer in's Gewicht, weil sie ausschliesslich Bäume trifft. welche an der Schwelle ihres besten Wachstums stehen, ist es doch wohl bekannt, dass die meisten Waldbäume nach ihrem 30. Lebensjahre zu einem verhältnismässig grösseren Holzzuwachs gelangen, wie in ihrem jüngern Alter und ihr Holz für die meisten Zwecke brauchbarer wird. Beispielsweise können aus einem Stamme von 40 Zentimeter Durchmesser doppelt so viel Bretter geschnitten werden, wie aus einem, der nur 30 Zentimeter Durchmesser hat.

Angenommen, die zur Schwellengewinnung dienenden Bäume verlangten ein 30jähriges Wachstum, so würde zur dauernden Ersatzbeschaffung eine 30 Mal grössere Waldfläche nötig sein, wie sie oben für ein Jahr berechnet war, mithin 5 041 500 Hektar — ein Gebiet, das gleich ist den Staaten New-Hampshire und Vermont.

Als 4 Jahre nach Versendung jener Fragebogen der Kongress der Waldfreunde in Washington tagte, war das nordamerikanische Bahnnetz, einschliesslich der Seitengeleise, auf 150 000 Meilen angewachsen. Dadurch gewann die Berechnung eine wesentlich andere Gestalt. Die Zahl der zum Bau dieser Bahnlänge erforderlichen Schwellen stellte sich nun auf 396 000 000. Der Ersatz, sowie der Bedarf für den jährlichen Neubau von 10 000 bis 12 000 Meilen (stets die Seitengeleise einbegriffen) fordern 92 400 000 Schwellen in jedem Jahr, das will sagen für die allernächste Zukunft, wie klar zu Tage liegt. Nimmt man selbst eine stärkere Ausbeute wie 250 Schwellen pro Hektar an, hält man sich an die mässigste Zahl, so wird man doch eine Waldfläche von 246 400 Hektar zur Beschaffung des jährlichen Schwellenbedarfs annehmen müssen. Ermässigt man ferner das 30 jährige Wachstum auf ein 25 jähriges, so erhält man als ein nicht zu überschreitendes Mindestmass eine Waldfläche von 6 260 000 Hektar, welche die Bahnen zur dauernden Deckung ihres Schwellenbedarfs in Anspruch nehmen. Diese Fläche ist gleich den gesamten Staatgebieten von Vermont, New-Hampshire, Connecticut- und Rhode-Island. Da die Bahngesellschaften durchschnittlich den Lieferanten 35 Cents oder 1,47 Mark für die Schwelle zahlen; so macht der Jahresbedarf von 92 400 000 Schwellen eine Auslage von 135 828 000 Mark nötig. Zur richtigen Würdigung dieses Gegenstandes muss man sich das rapide Fortwachsen des Bahnnetzes vor Augen halten, und ferner die Thatsache, dass alle Eisenbahnbrücken von Holz gebaut werden. Der Wert des von den Bahnen jährlich verbrauchten Brennholzes wurde oben mit 21 532 100 Mark angegeben; eine Summe, die jedenfalls weit übertroffen wird von dem Werte des Holzes, das zum Bau des rollenden Materials dient und über welches leider statistische Ermittelungen fehlen. Doch man denke nur an den ungeheuern Wagenpark, der zum Betriebe einer Bahnlänge von 184 000 Kilometer erforderlich ist!

Der von der Welt angestaunte Bahnbau ist ohne Frage eine der wichtigsten Ursachen für das rasche Zusammenschmelzen der Wälder Nordamerika's geworden. Einem Landesunkundigen mag die Behauptung übertrieben erscheinen, der Bedarf an Zaunholz stelle sich demjenigen an Bahnschwellenholz ebenbürtig zur Seite. Ich bitte aber zu erwägen, dass in allen Teilen der Union die verschwenderische und unpraktische Gepflogenheit herrscht, die Grundbesitzungen nicht allein mit Zäunen zu umgrenzen, sondern auch mehrfach abzuteilen. Und in den meisten Fällen sind die Zäune aus Holzriegeln gebildet, beanspruchen also verhältnismässig weit grössere Holzmassen, wie die in Deutschland üblichen Lattenzäune. Der Wert der sämtlichen Zäune der Union ist auf 425 Millionen Mark geschätzt worden, als jährliche Erhaltungskosten ist der siebente Teil dieser Summe anzunehmen. Das will mir nicht als Übertreibung erscheinen.

Dem unvergleichlichen heimischen Holzverbrauch steht ein unvergleichlicher Holzexport zur Seite, er bildet im Aussenhandel der Union eine sehr bedeutende Rolle. Nach dem letzten Census betrug der Wert der 1880 zur Verschiffung gelangten Waldprodukte, roh und veredelt 88 801 190 Mark. Davon entfielen auf Bretter und Bohlen 17 737 646 Mark, auf Küfermaterial 14 746 100 Mark, auf gesägte und beschlagene Balken 9 320 920 Mark, auf Möbel 6 946 400 Mark, auf andere Holzwaren 8 651 000 Mark, auf Gerberrinde 882 504 Mark, auf Harz und Terpentin 9 945 750 Mark, auf Terpentinspiritus 8 955 050 Mark, der Rest verteilt sich auf Potasche, Teer, Pech, Brennholz, Telegraphenstangen, Masten u. s. w.

Die Waldausbeute, wie sie bis hierher in rohen Zügen als nationale Wohlstandsquelle dargestellt wurde, genügt übrigens nicht, um einen Begriff zu geben von der unaufhaltsam grössere Masse annehmenden Wäldervernichtung. Gelegentlich wird es versucht, den Rückgang der bewaldeten Flächen in Zahlen auszudrücken, allein dieses Bemühen schwebt in der Luft, weil es an richtigen Angaben zur Grundlage der Berechnung fehlt; nur der Census von 1890 kann uns Aufklärung über diese Frage geben. So werden jährlich bedeutende Flächen Waldland gerodet, um unter den Pflug genommen zu werden, allein es würde zu gewagt sein, auch nur eine bezügliche Schätzung anzustellen. Ferner: wer vermag den Schaden auch nur annähernd zu beurteilen, welchen die grossen Schaf- und Ziegenherden an der Pazifikküste, in Texas, Georgia und Ohio anstiften? Dagegen sind wir in der Lage die Verheerungen des grimmigen Waldfeindes Feuer ermessen zu können, denn nach den Ermittelungen, welche im letzten Censusbericht niedergelegt sind, wurden 1880 bewaldete Flächen im Gesamt von 4 109 635 Hektar durch Feuer zerstört — eine Fläche, die den Staatsgebieten von Massachusetts und New-Jersey zusammengenommen gleichkommt.

Major Powell, dessen Name in wissenschaftlichen Kreisen einen guten Klang hat, sagt in seinem Berichte über die Ländereien der trocknen Region der Union: Der Schutz der Wälder in der ganzen trocknen Region der Union ist in die eine Frage zusammengedrängt: können diese Wälder vor Brand bewahrt werden? Zwei

Waldbrände habe ich in Colorado beobachtet, welche mehr Holz verzehrten, als die Bewohner dieses Staates seit seiner Besiedelung verbrauchten. Und mindestens drei beobachtete ich in Utah, welchen ebenfalls mehr Holz zum Opfer fiel, als seit der Besiedelung dieses Territoriums von seinen Bewohnern verbraucht wurde. Ähnliche Brände sind von andern Mitgliedern des Vermessungskorps beobachtet worden. In der ganzen Region des Felsengebirges stösst der Forscher, fern von den ausgetretenen Pfaden der Zivilisation, auf ausgedehnte, tote Wälder; Fichten, mit nackten Ästen und verkohlten Stämmen, bezeugen die vormalige Anwesenheit ihres Zerstörers. In Zeiten grosser Dürre sehen die Gebirgsbewohner den Himmel mit Rauchwolken überzogen. Soweit Powell.

In Oregon und Californien habe ich Waldbrände erlebt, welche ihren Rauch 150 Kilometer weit entsendeten, von 14 tägiger Dauer waren und ganze Höhenzüge entblössten. Auch nach Europa sind die Berichte über die schrecklichen Waldbrände in Michigan und Wisconsin gedrungen, die sich über viele Geviertmeilen verbreiteten, Städte, Farmen und Menschenleben vernichteten, und die Sonne wochenlang verdunkelten.

Häufig werden die Klagen über die Wäldervernichtung der Übertreibung geziehen, mit der Betonung, der Ausbeute stände ein jährlicher Holzzuwachs, der gänzlichen Vernichtung, eine Anpflanzung gegenüber. Der jährliche Zuwachs ist sicherlich nicht zu leugnen, aber doch nur im Walde, der am Leben bleibt. Wenn das Feuer durch den Wald wütet, zerstört es nicht allein das vorhandene Holz, sondern auch auf viele Jahre — vielleicht auf 50 — die Zeugungskraft des Bodens, und wenn sie wieder auflebt, fordern häufig Gräser und Sträucher das Erstgeburtsrecht und lassen es zu einem Baumwuchs nicht kommen. In einem Walde, wo Schafe und Ziegen den Nachwuchs verkrüppeln, ist es hinfällig, nach Entfernung der alten Bäume einen Holzzuwachs zu berechnen. Kein Bedenken würde die Holzfällung erregen, so enorm sie ist, wenn sie sich auf die reifen Bäume beschränkte, denn der Wald ist da, damit er Nutzen gewähre. Die in Zahlen angegebene Holzgewinnung gibt keinen Massstab für die Wäldervernichtung, denn das Holzfällen ist begleitet von einer so grossartigen Zerstörung des Nachwuchses, wie sie Unkundigen unglaublich erscheinen muss. Gleich Andern habe ich das aufs Schärfste verurteilt, bis ich, im Urwalde lebend, das Treiben der Holzfäller vor Augen hatte. Nun denke ich milder. Wohl könnten diese Leute manchmal schonender verfahren, es ist wahr, allein ändern können sie ihr Verfahren nicht. Man vergegenwärtige sich nur immer den Unterschied zwischen Kulturwald und Urwald. In dem letztern findet der Holzfäller auf einer Fläche, vielleicht von einer Ar, nur einen Baum, der ihm wert dünkt, dass er die Axt an ihn legt. Die Umgebung desselben ist dicht bestanden mit Nachwuchs, gewöhnlich verschiedener Holzarten in verschiedenen Grössen. Um jenen Baum fällen zu können, muss er sich durch Abhauen von Unterholz genügend Platz schaffen; wenn der Baum liegt, muss er mit der Axt freien Raum an beiden Seiten machen, um den Stamm zersägen zu können. Dann treffen 4 bis 8 Joch Ochsen ein, welche die aneinander geketteten Blöcke nach der nächsten Verladungsstelle, an einer Bahn oder einem Wasserlaufe, schleifen sollen. Da gilt es eine Rutschbahn frei zu machen, manchmal mehrere Kilometer lang und selbstverständlich bahnt der Holzfäller einen Weg durch junges Holz und schlägt zu diesem Zwecke nicht dicke Bäume um. Diese Verwüstung muss als unvermeidlich betrachtet werden und ist unlöslich verknüpft mit dem Wesen des Urwaldes.

Der Gedanke wird nahe liegen, der Nachwuchs könne durch das Abhauen nicht für immer vernichtet sein. Das wird er zwar nicht in allen Fällen, häufig gewinnt aber nutzloses Gesträuch so sehr die Beherrschung des Bodens, dass der Nachwuchs der Waldbäume unterdrückt bleibt. An der Pazifikküste kenne ich viele Berghänge, die früher mit prächtigen Rotholzbäumen und Douglastannen bestanden waren; nach deren Abholzung aber so stark von Brombeer- und Heidelbeersträuchern überwuchert wurden, dass die Abholzung die Ausrottung des Waldes bedeutete. Gewinnt in dem Ringen ums Dasein der Nachwuchs der Bäume die Oberhand, so bleibt ein bedeutender Teil doch für die ganze Lebensdauer verkrüppelt, in Folge des vorhergehenden Abhauens der jungen Stämme, das in bald bedeutenderer, bald geringerer Höhe über dem Boden geschicht, wie grade die Axt des an keine Rücksicht gebundenen Holzfällers trifft. Es ist klar, dass aus den Schösslingen, die solchen Stumpfen entspriessen, keine schöne Stämme erwachsen können. Ferner ist wohl zu beachten, dass nur die im Handel gesuchten Hölzer gefällt werden und der nordamerikanische Urwald von der oben aufgestellten Regel keine Ausnahme macht: die wertvollen Baumarten bilden der Zahl nach eine winzige Minderheit.

Von den 412 Arten Waldbäumen Nordamerika's ist nur etwa ein Dutzend erster Qualität, worunter ich ihre empfehlenswerten Eigenschaften zur Forstkultur verstanden wissen möchte. Ein weiteres Dutzend wird benutzt, weil es vorhanden ist, der Anpflanzung würde aber jeder erfahrene Forstmann Bedenken entgegensetzen. Wenn also nicht einer der wenigen Fälle vorliegt, wo der Wald aus einer Holzart besteht, wie beispielsweise die Rotholzwälder Kaliforniens und die Douglastannenwälder Washingtons, dann nehmen die nutzlosen Hölzer die Stelle der ausgehauenen wertvollen Hölzer ein, was so natürlich ist, dass es auch dem Nichtkenner einleuchten muss. Der Wald mag in seinem seitherigen Umfang bestehen bleiben, allein er verarmt bis zur Nutzlosigkeit.

Was nun die Aufforstungen betrifft, von welchen so viel Lärm gemacht wird, so schaffen sie durchaus keinen Ersatz für den Abgang aus den Wäldern, so weit die Handelshölzer in Frage kommen. Ausschliesslich Privatgrundbesitzer haben sich mit diesem Gegenstand beschäftigt und ihnen ist es um rasche Gewinnung von Brennholz zu thun, wie in den Präriestaaten, oder um eine baldige Rente, auf die, entsprechend dem Volkscharakter, in Nordamerika ein noch grösseres Gewicht gelegt wird, wie in andern Ländern. Aus diesem Grunde wurden nur schnellwachsende weiche Hölzer angepflanzt, vorzugsweise die schwarze Pappel (Populus monilifera, das „Cottonwood“ der Nordamerikaner), der silberblätterige Ahorn (Acer dascycarpum), der rote Ahorn (Acer rubrum), der eschenblätterige Ahorn (Negundo aceroides), die Linde (Tilia americana), die Hemlockstanne (Tsuga canadensis), im Süden der unvermeidliche Gummibaum, in den Präriestaaten ein von den russischen Mennoniten mitgebrachter Maulbeerbaum, ausserdem verschiedene Weidenarten.

Sieht das nordamerikanische Volk dem Verschwinden seiner Wälder gleichgültig zu? Von einer einsichtsvollen Minderheit darf das wahrlich nicht behauptet werden, denn dieselbe, mit dem Verein der Waldfreunde an der Spitze, ist unablässig bemüht, die Regierungen zu waldschützenden Massregeln zu drängen und die Privatgrundbesitzer zu Aufforstungen anzufeuern. Nach Lage der Dinge kann nur die Bundesregierung wirksam helfen und sie glaubte geholfen zu haben mit dem viel erwähnten „Timberlaw“, welches Landschenkungen gewährte unter der Bedingung der Anpflanzung mit Waldbäumen, allein der krasse Missbrauch dieses Gesetzes hat zu seinem Widerruf geführt. Seitdem beschränkt sich die Bundesregierung darauf, zu verhüten, dass der Holzdiebstahl aus ihren Wäldern nicht zu schamlos getrieben wird und um sich dieser Mühe zu entledigen, schlägt sie die Wälder zum Spottpreise von 5 bis 10 Mark per Acre (40,47 Are), an jeden los, der sie kaufen will. Alle Sonderregierungen der sogenannten Waldstaaten haben Gesetze zum Schutze der Wälder gegen Feuersgefahr erlassen, mit welchem Erfolg wurde oben in Zahlen dargelegt. Der Holzschlag muss geregelt werden! so lautet die neueste Forderung der Waldfreunde. Das hat schon der kluge, umsichtige William Penn vor mehr wie 200 Jahren versucht, zu einer Zeit also, wo fast ganz Pennsylvanien mit Wald bedeckt war. Durch eine Verordnung vom 11. Juli 1682 bestimmte er, dass von je 6 Acre Wald nur 5 gerodet werden dürften, namentlich sollte auf Erhaltung der Eichen und Maulbeerbäume Rücksicht genommen werden, und Rücksicht auf die Seidenzucht und den Holzexport. Unterm 10. März 1683 erliess er eine andere Verordnung, nach welcher zum Schadenersatz verurtheilt wurde, wer vor einem bestimmten Tag im Jahre Feuer im Wald enzündete, ferner sollte der Holzdiebstahl mit 5 Pfund Sterling für jeden Baum bestraft werden. Diese Massregeln des braven Quäkers blieben so wirkungslos, wie alle spätern bis auf unsere Tage, welche zum Schutze der Wälder erlassen wurden. Was können auch Gesetze helfen, wenn ihre Befolgung nicht von geeigneten Organen überwacht wird? Welche Mühe macht es dem musterhaften deutschen Verwaltungsorganismus, den Waldfrevel zu unterdrücken, und nun denke man sich Wälder von einer Grösse, wie sie in Deutschland nicht zu finden sind, in spärlich besiedelten Gegenden, wo man Flurschützen und Waldschützen selbst dem Namen nach nicht kennt, wo die Gesetzesübertretung nur in Folge Angeberei von Privatpersonen geahndet wird! Und wie in Nordmerika, so ist es in Canada, in Australien und überall, wo Urwälder vorhanden und nicht wie in Indien, wo reservierte Wälder unter Bewachung von Forstleuten gestellt sind. Alles, was die Nordamerikaner bis jetzt für Erhaltung ihrer Wälder gethan und geplant haben, ist nur ein blindes Umhertappen gewesen, die Einsicht blieb ihnen noch verschlossen, dass die geordnete, nachhaltige Forstkultur eine Aufgabe ist, die nur der Staat erfüllen kann. Wenn ihnen diese Erkenntnis wird, sind wahrscheinlich alle wertvollen Bestandteile ihrer Wälder verschwunden.

Dann wird sich auch die Reue einstellen über die Selbstschädigung durch Überfüllung der Holzmärkte, denn darüber herrscht nur eine Stimme, dass die vielen tausend Sägemühlen weit über den Bedarf hinaus Holz in den Handel bringen. Selbstverständlich werden dadurch die Preise gedrückt und Vorräte angehäuft, die Zinsen verschlingen. Die dieser Industrie gewidmeten Zeitschriften haben schon lange gemahnt, die Produktion einzuschränken, damit die Holzbestände länger dauerten und die Preise eine Besserung erführen. Es haben auch einige Versammlungen der Sägemüller stattgefunden, um über die Produktionseinschränkung zum Einverständnis zu gelangen, allein es kam niemals zu einem andern Resultat als dem, an jeden Einzelnen gerichteten Rat, in seinem Geschäftsbetriebe auf die Gesamtlage Rücksicht zu nehmen. Die kurzsichtige Habsucht liess es zu keinem einträchtigen Handeln kommen, es wird in der alten Weise fortgewirtschaftet, bis die Erschöpfung der Holzbestände Halt gebietet. Diese, auf allen Holzmärkten der Erde fühlbare Überproduktion ist es, von welcher ich oben sagte, sie wirke entmutigend auf die Forstkultur anderer Länder. Den Blick in die Zukunft sollte sie aber nicht trüben, denn nach Ablauf von 25 Jahren wird die nordamerikanische Union wohl noch Wälder haben, aber auf die fremden Holzmärkte keinen Einfluss mehr üben; wahrscheinlich gehört sie von da ab zu den holzimportierenden Ländern, worunter natürlich der Import von tropischen, der zur Zeit schon stattfindet, nicht inbegriffen ist. Dafür spricht einerseits das rasche Zusammenschmelzen der Wälder, andererseits das rasche Wachsen der Bevölkerung und der steigende Holzverbrauch pro Kopf.

In vier Regionen liegt das Schwergewicht der nordamerikanischen Sägemühlenindustrie, die hier vorzugsweise in Betracht zu ziehen ist. Die Erste, gewöhnlich die nordwestliche genannt, umfasst die Staaten Michigan, Wisconsin und Minnesota, mit andern Worten das Quellengebiet und den obern Lauf des Mississippi. Hier ist der tonangebende Baum die Weisskiefer (Pinus strobus), in Deutschland und England gewöhnlich Weymouthkiefer genannt. Ihr recht brauchbares Holz wird häufig über Verdienst gepriesen, denn es ist weich, nicht besonders stark, nur dauerhaft in trockner Luft und schwillt und schrumpft stark bei einem bedeutenden Feuchtigkeitswechsel der Luft. Die Abwesenheit von Astknoten, die Leichtigkeit der Bearbeitung, die geraden Fasern und die Armut an Harz sind Vorzüge, welche für manche Tischler- und Bauarbeiten sehr geschätzt sind. Es würde irrig sein, zu folgern, ein Holz, weil es massenhaft in den Handel komme, sei aus diesem Grunde das beste, welches die Wälder eines Landes bergen. Häufig bleibt das bessere Holz unangetastet aus Rücksicht auf die Transportschwierigkeiten, und das weniger gute wird in den Handel gebracht, weil es in der Nähe einer Wasserstrasse gewonnen werden kann. Eine triftigere Ursache, warum das Weisskiefernholz massenhaft an den Markt kommt, und zugleich warum die nordwestliche Region der raschen Erschöpfung entgegeneilt, ist das unvergleichliche Netz von Wasseradern am obern Mississippi, mit dem gewaltigen Strom als Transportmittel nach grossen, allezeit aufnahmefähigen Holzmärkten. Hinzufügen will ich, dass der Reichtum an Wasserstrassen, nicht allein in dieser Region, sondern durchgehends in der Union ein gewaltiger Hebel der Wäldervernichtung ist. Der Segen wird zugleich zum Fluch — freilich nur durch menschlichen Missbrauch. Die Pazifikküste ist allerdings arm an flössbaren Wasserläufen, trotzdem liegen hier die Verhältnisse noch günstiger wie im Osten, da die wertvollsten Wälder sich der Küste entlang ziehen. Am Pugetsund nehmen die Seeschiffe direkt an den Werften der Sägemühlen ihre Ladungen ein, während sie an der kalifornischen Küste in den Buchten ankern, wohin auf kurzer Bahnstrecke die zugerichteten Bretter und Balken gebracht werden. Wir sehen also einen merkwürdigen Gegensatz: Armut an Wasserstrassen ist eine wesentliche Ursache der Erhaltung der südamerikanischen Wälder, Reichtum an Wasserstrassen ist eine wesentliche Ursache für Vernichtung der nordamerikanischen Wälder.

Mit welcher fieberhaften Hast die nordwestliche Region ausgebeutet wird, zeigt die folgende Gegenüberstelltung:

		1873	1883
Bretter und Bohlen	Fuss	3 993 780 000	7 624 789 786
Schindeln	Stück	2 277 433 550	3 964 756 639

In 10 Jahren hat also nahezu eine Verdoppelung der Produktion stattgefunden. Einen Begriff von derselben zu bilden, ist keineswegs ganz leicht. Für 1883 werden etwas mehr wie $7^1/_2$ Milliarden Fuss Bretter genannt. Auf Bahnwagen geladen, würden sie einen Zug von 12 000 Kilometer Länge bilden und wer sie kaufen wollte, müsste über die Summe von 525 000 000 Mark verfügen.

Der grösste Teil dieser Produktion entfällt auf den Staat Michigan, mit einem Werte von etwa 255 000 000 Mark; der Wert seiner jährlichen Ackerbauproduktion stellt sich auf 380 000 000 Mark, aus diesem Vergleiche möge man ermessen, was diesem Staate seine Wälder sind.

Es ist berechnet worden, dass am Schlusse dieses Jahrhunderts, also etwa in 13 Jahren, die nordwestliche Region erschöpft sein muss, freilich nicht ohne Widerspruch zu erfahren, doch kann die Wahrheit nicht ferne liegen, denn die grössten Sägemüller und Holzspekulanten fangen bereits an, jene Region zu verlassen, wie die Ratten das sinkende Schiff, um sich der zweiten, der südlichen Region zuzuwenden. Eine solche Wanderung ist leichter ausführbar, wie man in der Ferne denken mag, da die nordamerikanischen Sägemühlen, ausschliesslich aus Holz erbaut, ein halbnomadisches Gepräge tragen. Man sieht es ihnen auf den ersten Blick an, sie sind für Ortsveränderungen, mit andern Worten für die Wälderberaubung, berechnet.

Die südliche Region liegt mit ihrem Schwergewicht in Nordcarolina und umfasst Teile der Staaten Südcarolina, Georgia, Alabama, Mississippi und Louisiana. Hier ist der geschätzteste Baum die östliche Gelbkiefer (Pinus australis oder auch nach der neuesten Klassifikation P. palustris), sie wird sogar von den meisten Kennern als das wertvollste Nadelholz Nordamerika's betrachtet. Fragt man nach der Ursache, warum die südliche Region, trotz ihres bessern Holzes, viel massvoller ausgebeutet wurde, wie die nordwestliche, so wurde die Erklärung bereits gegeben: die Transportverhältnisse liegen ungünstiger. Darin ist allerdings seit Ausbau des südstaatlichen Bahnnetzes eine wesentliche Besserung eingetreten, allein unersetzbar sind und bleiben die ausgezeichneten Wasserstrassen des obern Mississippigebiets.

Die östliche Gelbkiefer hat nur wenig Splint, das Kernholz ist von sehr gleicher Qualität und von den harzigen Stoffen regelmässig durchsetzt. Kein anderes Nadelholz kommt diesem an Stärke, Dauerhaftigkeit und Härte gleich. Es wird, wo Leichtigkeit und Festigkeit vereint erwünscht sind, dem Holz der Weisseiche vorgezogen, dessen Elastizität es zwar nicht besitzt, mit dem es aber eine gleiche Belastung trägt. Vorzugsweise findet das Gelbkiefernholz Verwendung im Schiff-, Haus- und Brückenbau. Der Baum wird bis zu 45 Meter hoch, bei einem Durchmesser von

1.2 Meter und liefert nicht allein ein vorzügliches Holz, sondern auch das nordamerikanische Terpentin, von welchem durchschnittlich für 8 Millionen Mark jährlich exportiert wird.

Der nächstwichtigste Baum dieser Region ist die Pechkiefer (Pinus rigida), welche ein astfreies, elastisches, schweres, weil harzreiches Holz von grosser Stärke und Dauerhaftigkeit liefert. Dasselbe ist dichter wie das vorhergehende, dem aber entschieden der Vorzug gegeben wird, wenn ein farbiger Anstrich beabsichtigt ist.

Es folgt die Sumpf-Cypresse (Taxodium distichum), welche eine Höhe von 40 Meter bei einem Durchmesser von $3^1/_2$ Meter erreicht; in dem tiefen, schwarzen Sumpflande Südcarolina's und Lousiana's findet sie ihr bestes Gedeihen. Das Holz ist leicht, geradfaserig, dicht, nicht stark, leicht bearbeitbar und nahezu unzerstörbar im Wasser. Von der vielseitigen, örtlichen Verwendung abgesehen, dient es hauptsächlich zu Küferarbeiten. Die von Nordamerika exportierten Eimer, Kannen, Bütten u. s. w. sind zu einem bedeutenden Teile aus diesem Holze gefertigt.

Ein ähnliches Holz liefert die weisse Zeder (Chamaecy paris sphaeroidea), die indessen ein weiteres Verbreitungsgebiet besitzt. Auch dieser Baum bevorzugt sumpfiges Gelände, und zwar darf es von solcher weicher Beschaffenheit sein, dass es den Wurzeln kaum Halt gewährt. So erklärt es sich, warum in den Morästen New-Jersey's tausende dieser Bäume, vielleicht schon seit Jahrhunderten, begraben liegen, und da sie gesund und verkäuflich sind, so hat sich aus dem unterirdischen Abbau dieser Holzvorräte eine eigene Industrie gebildet. Das Holz ist wohlriechend, weich, feinfaserig, leicht bearbeitbar und nimmt getrocknet eine rötliche, oft bräunliche Farbe an. Da es ausserordentlich wetterfest ist, wird es in Mengen zu Schindeln verarbeitet, ausserdem zu Bahnschwellen, die ganz vorzüglich sind, wenn dem Verkehr grosse Belastungen fernbleiben, wie beispielsweise auf vielen schmalspurigen Bahnen; andernfalls sind sie zu weich. Ferner ist das Holz sehr brauchbar für Telegraphenstangen, Zäune und manche häusliche Geräte.

Ein anderer nützlicher Baum südlicher Region ist die schon vor geraumer Zeit, um der Bleistiftfabrikation willen, in Bayern eingeführte rote Ceder (Juniperus virginiana), deren Verbreitung sich übrigens über das ganze atlantische Küstengebiet der Union erstreckt. Das Holz ist spröde, geschlossen, dauerhaft, leicht, rötlich unter dem weissen Splint. Es hat einen starken, charakteristischen Geruch und einen bittern Geschmack, welche es vor den Angriffen der Insekten schützt. Geschätzt für Schubladen und Luxuskästchen, dient es doch so überwiegend zur Bedeckung von Bleistiften, dass der Baum häufig Bleistiftzeder genannt wird.

Die dritte Region umfasst das mittlere und nördliche Californien, mit dem Rotholzbaum als „König“ und Lawsons Lebensbaum-Cypresse der Zuckerkiefer und der westlichen Gelbkiefer als Gefolgschaft. Das Rotholz wird, auf Grund seiner gegenwärtigen Wichtigkeit für den Markt, häufig als die wertvollste Holzart Californiens betrachtet, was aber auf einer Verkennung beruht. Das Holz der Edeltanne (Abies nobilis) zeigt für die Elastizität doppelt und für die Tragfähigkeit 50 % höhere Zahlen wie das Rotholz, ausserdem ist es viel dauerhafter. Kommt es trotzdem nicht an den Markt, so bietet die weite Abgelegenheit der Wälder von Verkehrsmitteln die einzige Erklärung. Im Gegensatze sind die Rotholzwälder am denkbar leichtesten auszubeuten, denn sie umsäumen die Küste in nicht tieferer Breite wie 35 Kilometer, scheinen doch diesem Baume die Seenebel Lebensbedürfniss zu sein. Nur seiner billigen Gewinnbarkeit wegen dient dieses Holz zum Bau der meisten californischen Häuser, obgleich es für diesen Zweck keine empfehlenswerten Eigenschaften besitzt, ausgenommen seine leichte Bearbeitbarkeit. Es ist leicht, weich, nicht stark, sehr spröde, leicht spaltbar, von hellrötlicher Farbe; im Trocknen schrumpft es stark der Länge nach ein. Der Witterung ausgesetzt, fault es rasch, weil es sehr porös ist und nur einen geringfügigen Gehalt an Harz besitzt. Im Boden ist es dagegen ziemlich dauerhaft. Es nimmt eine schöne Politur an, weshalb es in neuerer Zeit häufig zu Möbeln verarbeitet wird. Seit 2 Jahren gehen bedeutende Mengen Rotholz nach England und Schottland; es hat sich sogar eine schottische Gesellschaft mit einem Kapital von 40 Millionen Mark zur Ausbeutung der californischen Rotholzwälder gebildet, doch scheint man sich in dem feuchten Britannien noch nicht klar zu sein, welche massenhafte Verwendung man diesem Material geben will. Glaubt man es zu Bauzwecken benutzen zu können, dann wird die Enttäuschung nicht lange auf sich warten lassen.

Ausser zu Möbeln ist das Rotholz zu Zigarrenkisten und zur innern Auskleidung von Häusern, zu Särgen und Modellen recht brauchbar. In Californien findet es auch zu Weinfässern und Weinbütten Verwendung, da hierfür sein unbedeutender Harzgehalt nicht stört, doch darf daraus eine Gleichwertigkeit mit Eichenholz zu diesem Zwecke nicht gefolgert werden.

Beängstigt von dem sichtbaren Zusammenschmelzen der Wälder, setzte die californische Regierung 1886 eine Forstkommission ein, welche den gegenwärtigen Zustand der Wälder untersuchen und Vorschläge zu ihrer Erhaltung machen sollte. In ihrem Berichte verbreitete sich die Kommission, wie zu erwarten war, am eingehendsten über die Rotholzwälder, indem sie aus ihren Ermittelungen den Schluss zieht, diese nationale Wohlstandsquelle würde noch 100 Jahre dauern, wenn sie nach dem derzeitigen Masse ausgebeutet würde, bliebe aber die Ausbeute in der Steigerung der letzten Jahre, dann würde das Ende schon nach 50 Jahren eintreten.

Das beste Holz, welches gegenwärtig in Californien gewonnen wird, entstammt der Lawsons Lebensbaum-Cypresse (Chamaecyparis [Cupressus] Lawsoniana), ein schöner, 60 Meter hoch werdender Baum, der von den Sägemüllern weisse oder Oregonzeder genannt wird. Das Holz ist leicht, aber hart, stark, geschlossen, dauerhaft, leicht bearbeitbar; es ist mit wohlriechendem Harz durchsetzt und nimmt eine schöne Politur an. Verwendung findet es im Schiff- und Hausbau, ferner zu Zäunen und zu solchen Möbeln, welche nicht lackiert werden, denn es fliesst gelegentlich Harz aus, der den Lack zerstört. Die Californier haben ihr Zuckerkiefernholz dem östlichen Weisskiefernholz gleich zu stellen gesucht, doch machten sie sich damit einer Uebertreibung schuldig. Das Zuckerkiefernholz besitzt weder die Elastizität noch die Tragkraft des Weisskiefernholzes, steht indessen nicht bedeutend nach, ein wichtigerer Nachteil aber ist sein Harzgehalt, der so bedeutend ist, dass er den Anstrich, wenn gerade nicht verbietet, so doch mangelhaft macht. Das Holz der westlichen Gelbkiefer (Pinus ponderosa) ist dem vorhergehenden so ähnlich, dass es oft unter seinem Namen in den Handel kommt. Indessen ist seine Qualität viel grösseren Schwankungen unterwerfen.

Die vierte Region setzt sich aus den Küstengebieten von Oregon und Washington zusammen, mit der Douglastanne (Abies Douglasi oder wie die neuere Klassifikation will Pseudotsuga Douglasi) als vorherrschenden Baum. Sein Holz kommt als Oregonpine in den Handel und bildet mit Lawsonzedern von geringeren Mengen den Ausbeutegegenstand dieser Wälder. Das Douglastannenholz besitzt eine Tragkraft fast so gross wie das Eichenholz, deshalb wird es vorzugsweise zum Schiff- und Brückenbau, auch zu Tragpfeilern im Hausbau verwendet. Es ist hart, rauhfaserig, schwierig zu bearbeiten und zeigt in seinen Qualitäten bedeutende Abweichungen, gemäss Alter und Standort.

In neuester Zeit ist die Douglastanne auch in Deutschland eingeführt worden, mit Empfehlungen von Reisenden, die an Überschwänglichkeit litten und, wie mir dünkt, nicht mit der nötigen Vorsicht entgegengenommen wurden.

Voraussichtlich werden die Wälder dieser Region, von allen nordamerikanischen, am längsten ergiebig bleiben. Dafür sprechen die Begünstigung des Wachstums von Boden und Klima, die schwach voranschreitende Besiedelung und die einseitige Zusammensetzung der Wälder aus Douglastannen, stellenweise durchsprengt mit Lawsoncedern.

Holzreich wie die Pazifikküste ist, sieht sie sich doch zu Holzimporten aus den östlichen Unionsstaaten gezwungen, weil sie kein Holz erzeugt, hart genug, um als Werkholz dienen zu können. Kalifornien besitzt ein halbes Dutzend Eichenarten, es finden sich an der Küste zwei Ahornarten, eine Wallnussart, eine Eschenart — allein keine liefert zu jenem Zwecke brauchbares Holz. Alles an der Pazifikküste zur Verwendung kommende Wagnerholz und mit geringer Ausnahme, welche auf das Rotholz entfällt, auch das Küferholz, wird, vorgerichtet, aus den östlichen Staaten bezogen. Der Waldreichtum der letzteren gewinnt, von diesem Gesichtspunkt aus betrachtet, sehr an Bedeutung. Hier Einseitigkeit, dort Vielseitigkeit der Eigenschaften des Holzreichtums. Ist aus diesem Grunde der innere Wert der östlichen Wälder ein höherer wie derjenige der westlichen Wälder, so liegt darin eine Ursache für das rasche Verschwinden der ersteren, müssen sie doch mit ihren wertvollsten Hölzern, durchgehends von langsamem Wachstum, die entsprechenden Bedürfnisse der ganzen Union decken.

Da ist zunächst zu nennen das für Wagnerarbeiten unübertreffliche Hikoryholz (Carya alba), ferner das Wallnussholz (Juglans nigra), welches fast so hoch wie Mahagonyholz bezahlt wird, das Holz der amerikanischen und Felsenulme (Ulmus americana und U. racemosa), welches hochgeschätzt wird für Radnaben. Bahnschwellen, Küferarbeiten und Werkzeugstiele. Ferner das elastische Eschenholz (Fraxinus americana), das Holz des Zuckerahorns, (Acer saccharinum), welches für Tischlerarbeiten als das schönste der lichtgefärbten Hölzer betrachtet wird, das gleichem Zwecke dienende Kastanienholz (Castanea americana) und schwarze oder Mahagonybirkenholz (Betula lenta). Von Eichen mögen nur die Weisseiche (Quercus alba), Eiseneiche (Quercus obtusiloba) und Lebenseiche (Quercus virens) genannt werden. Die letztere liefert das vorzüglichste Schiffbauholz, welches auf nordamerikanischem Boden wächst; Holz der Eiseneiche übertrifft alle Eichenhölzer Nordamerika's an das Stärke, Dauerhaftigkeit und Feinfaserigkeit; seine Verwendung ist nur beschränkt, weil der Baum verhältnismässig klein bleibt; der Durchmesser geht selten über 40 Zentimeter hinaus, bei einer Höhe von 15 Meter. Das Weisseichenholz ist namentlich in der Fabrikation von Ackerbaugeräten geschätzt, ferner gelangt es im Schiffbau massenhaft zur Verwendung.

Vor dieser glänzenden Reihe von edlen Hölzern muss die Pazifikküste die Flagge streichen. Ein schwacher Trost liegt für sie darin, dass sie eine Eichenart (Quercus densiflora), besitzt, deren Rinde einen Gerbsäuregehalt aufweist, wie keine andere Eichenrinde, wie überhaupt keine andere Rinde Nordamerika's, nämlich $16^1/_2$ %.

Dem letzten Census wurde auch zur Aufgabe gestellt, zu ermitteln, welche Holzvorräte in den Wäldern auf dem Stamme vorhanden wären. Diesem Teile des Berichts messe ich nur einen sehr geringen Wert bei, zunächst weil dem betreffenden Beamten viel zu wenig Kräfte beigegeben waren, um diese ungeheure Aufgabe bemeistern zu können und sie erledigten sich derselben so zu sagen im Fluge. Und dann: um die Holzmenge eines Urwaldes einigermassen zuverlässig zu schätzen, dieses Gemisch verschiedenster Arten und Altersstufen, hier undurchdringlich dicht stehend, dort weite Lichtungen lassend, dazu gehören ganz anders geschulte Männer, als jene Hilfskräfte. Ich beschränke mich, nur um die Probe zu zeigen, auf die folgenden Angaben.

In Georgia standen 1880 16778 Millionen Kubikfuss Nadelhölzer, in Florida 6615 Millionen Kubikfuss, in Alabama 18800 Millionen Kubikfuss, in Mississippi 17200 Millionen Kubikfuss, in Minnesota 6100 Millionen Kubikfuss, in Michigan 29000 Millionen Kubikfuss, in Wisconsin 41000 Millionen Kubikfuss, in Louisiana

48 000 Millionen Kubikfuss, in Pennsylvanien 1800 Millionen Kubikfuss, in Arkansas 41 325 Millionen Kubikfuss, in Californien 25 325 Millionen Kubikfuss, in Südcarolina 3316 Millionen Kubikfuss, in Maine 5000 Millionen Kubikfuss.

Obgleich es unmöglich ist, den Holzwert eines weiten Urwaldgebietes annähernd richtig zu schätzen, so hat man sich doch an die Berechnung des Holzreichtums der nordamerikanischen Pazifikküste gewagt, deren Resultat ich mitteile, nicht weil ich ihm Zuverlässigkeit beimesse, sondern um zu zeigen, wie die Zahlen bei einer solchen Aufgabe unter der Feder anwachsen und zugleich, um zu einer verständnisvollern Würdigung des Handelswertes der Wälder anzuregen.

Das in Rede stehende Waldgebiet wird auf 62 500 englische Quadratmeilen geschätzt, mit einem durchschnittlichen Holzbestande von 50 000 Fuss per Acre, im Gesamt also 2000 Millarden Fuss. Zum Preise von 5 Dollars pro 1000 Fuss in der Mühle berechnet, ergibt eine Summe von 10 Milliarden Dollars oder 42 Milliarden Mark. Nach dem Bestimmungsorte gebracht und dort mit dem üblichen Nutzen des Holzhändlers verkauft, lässt die Summe auf 30 Milliarden Dollars oder 126 Milliarden Mark anschwellen. Nach Umwandelung des Rohstoffes in Fabrikate, hat eine Wertsteigerung auf 70 Milliarden Dollars oder 254 Milliarden Mark stattgefunden, oder nahezu auf die doppelte Summe, welche als das gegenwärtige, versteuerbare Eigentum der nordamerikanischen Union angegeben wird. Dieser Holzreichtum verteilt sich auf Arizona, Californien, Nevada, Oregon, Washington, Idaho, Britisch Columbia und Alaska. In welchem Masse er ausgebeutet wird, zeigen die folgenden Tabellen.

Nach dem Census von 1880 betrug die Sägemühlenproduktion in jenem Jahre:

In Californien . . .	304 795 000	Fuss
„ Oregon	177 170 000	„
„ Washington . . .	160 176 000	„
„ Idaho	18 204 000	„
„ Nevada	21 545 000	„
„ Arizona	10 715 000	„
	692 606 000	Fuss.

Diese Produktion beschäftigte 4784 Arbeiter.

Für Britisch Columbia sind etwa 50 000 000 Fuss anzuset so dass die Gesamtproduktion der Pazifikküste 742 000 000 F betrug.

Für 1886 werden nach annähernd zuverlässigen Ermittelun einer Handelszeitung folgende Zahlen angegeben.

Washington . . .	500 000 000	Fuss
Oregon	250 000 000	„
Californien . . .	350 000 000	„
Der Rest	60 000 000	„
	1 160 000 000	Fuss.

Das wäre also eine Produktionserhöhung von etwa 65 % dem kurzen Zeitraum von 6 Jahren; doch nimmt man ihn siche mit 50 % an, da die letzte Tabelle etwas in Bausch und Bo aufgestellt ist.

Von der Gesamtproduktion von 1886 empfing San Franzi nur 298 897 888 Fuss, das Übrige wurde von den Sägemüh direkt nach den Konsumtionsplätzen verschifft.

Interessant ist ein Blick auf den Export nach frem Ländern. Von der Pazifikküste, soweit sie zur nordamerikanisc Union gehört, wurden 1886 zur See ausgeführt an gesägtem H

ab Pugetsund	106 178 673	Fuss
„ Humboldtbai . . .	8 800 000	„
„ San Franzisco . . .	15 352 649	„
„ Mendocino	1 100 000	„
	131 431 322	Fuss.

Davon gingen:

nach Australien	57 675 693	Fuss
der Westküste von Südamerika .	21 735 332	„
China	4 009 769	„

Nur die Verschiffung von San Franzisco ist spezifiziert gegeben, nämlich:

Export von Schindeln:

Hawaii	11 172	Stück
Zentralamerika	71	„
Latus	11 243	Stück

Transport	11 243	Stück
Mexiko	864	„
Samoa	132	„
Deutschland	2 460	„
New-Bedford	1 647	„
Mangarewa	200	„
Chili	12	
Japan	40	„
Asiatisches Russland . . .	160	„
Marschallinseln	45	„
Tahiti	392	„
	17 195	Stück,
Wert	105 752	Mark.

Export von Brettern und Balken:

Marschallinseln	159 142	Fuss
Mexiko	2 745 107	„
Zentralamerika	348 639	„
China	5 129	
Hawaii	1 583 927	„
Neuseeland	10 610	„
Britisch Columbia . . .	13 919	„
Japan	84 495	„
Frankreich	594 000	„
Belgien	105 000	„
Australien	1 521 510	„
Deutschland	15 000	„
Chili	36 042	„
Columbia	75 565	„
Samoa	965 000	„
England	2 279 000	„
Irland	2 397 000	„
St. Denis	17 000	„
New-Bedford	525 944	„
Mangarewa	44 852	„
Port Elizabeth	21 000	„
Gibraltar	72 000	„
Latus	13 719 881	Fuss

Transport	13 719 881	Fuss
Capstadt	2 800	„
Asiatisches Russland . . .	39 000	„
Schottland	39 000	„
Marquesasinseln	38 000	„
Tahiti	1 610 978	„
New-York	3 000	„
	15 352 649	Fuss.
	Wert 1 177 612	Mark.

Export von Thüren und Fensterläden:

Hawaii	2 031	Stück
Australien	28 830	„
China	88	„
Mexiko	468	„
Zentralamerika	201	„
Samoa	137	„
Asiatisches Russland . . .	12	„
Chili	30	„
Tahati	288	„
	31 959	Stück.
	Wert 248 760	Mark.

Für den Holzexport der nordamerikanischen Pazifikküste waren 1886 238 Schiffe dauernd beschäftigt und eigens zu diesem Zwecke erbaut. Ausserdem wurden noch 160 fremde und Küstenfahrzeuge gechartert, so dass eine Flotte von 398 Schiffen in diesem Geschäftszweige thätig war.

Es bleiben nun noch die Wälder Canada's zur Betrachtung übrig. Leider ist über dieselben eine viel dürftigere Aufklärung verbreitet worden, wie über die Wälder der Union. Ihr Gesamtflächengehalt wird mit rund 20 Millionen Hektar angegeben, die zum weitaus grössten Teile auf die östlichen Provinzen entfallen, denn die grosse Zentralprovinz Manitoba ist ein Steppenland und in Britisch Columbia ist nur das Küstengestade dicht bewaldet. Das östliche Canada betrachtet die Wälder als den grössten Reichtum des Landes und um ihn auszubeuten sind 637 Sägemühlen grossen Stiles thätig. In der Provinz Ontario sind bereits so gewaltige Lücken in den Waldbestand gerissen worden, dass die Vorsichtsmassregel geboten erschien, das Abhauen von Bäumen unter einem Fuss Durchmesser zu verbieten, welche aber, wie ich schon oben erläuterte, wirkungslos bleiben muss. Im Uebrigen ist in Canada nicht das Mindeste für Waldschutz und für Ermunterungen zur Aufforstung geschehen. Dabei wird es auch wohl sein Bewenden haben, so lange der Bevölkerungszuwachs ein so schwacher wie seither bleibt. Als die wichtigsten Waldbäume Canada's sind zu betrachten: die canadische Rotkiefer (Pinus resinosa), deren feinfaseriges, starkes, dauerhaftes Holz im Schiffbau geschätzt ist, die Hemlocktanne (Tsuga canadensis), welche rauhe Bretter und eine gerbsäurereiche Rinde liefert, die amerikanische Esche, die Felsenulme und der Zuckerahorn (Acer saccharinum).

Der Wald im Haushalte der Natur.

Erst in unsern Tagen hat sich das Bewusstsein Bahn gebrochen, dass den Wäldern ein weit über ihren direkten wirtschaftlichen Nutzen hinausgehender Wert zuerkannt werden muss, in Folge ihrer Thätigkeit im Haushalte der Natur. Ihr Daseinszweck beschränkt sich nicht auf die Holzerzeugung, sondern erstreckt sich auf die Regelung der klimatischen Verhältnisse, sie sind die Bewohner der Feuchtigkeit und ordnen den Stand der Gewässer. Dadurch üben sie einen wichtigen Einfluss auf die Gesundheit und die Behaglichkeit der Menschen, auf Ackerbau, Handel und Gewerbe aus. Feindlich bis zur Unerträglichkeit ist das Klima der grossen Steppen Asiens und Amerika's, weil keine Wälder die Schroffheit der Temperaturwechsel mildern und sich den Stürmen hindernd in den Weg stellen, bis zur Unbewohnbarkeit ungesund sind feuchte Gegenden geworden, weil die Bäume ausgerottet wurden, welche die Ausdünstung des Bodens förderten. Sind keine Wälder vorhanden, die als Wasserspeicher dienen, dann bleibt in der trocknen Jahreszeit das Mühlrad stehen, die Maschinen von tausend Fabriken bewegen sich nicht, ihren Eigentümern bleibt das Erträgniss versagt, welches der kostspieligen Anlage entspricht. Arbeiter in Massen sind gezwungen, müssig zu bleiben und können den Lebensunterhalt nicht erwerben für sich und ihre Familien. Zugleich müssen die Fluss- und Kanalboote ihre Fahrten einstellen, die Flösse müssen unterwegs liegen bleiben und so kann mancher Vertrag nicht erfüllt werden, manche Verbindlichkeit nicht eingelöst werden. Der ganze Geschäftsgang ist gestört, Ärger, Sorgen und Verluste sind unvermeidlich. Und dem Ackerbauer verdorrt die Weide, seine Tränke trocknet aus, seine Früchte verkümmern und wenn diese Witterungserscheinung regelmässig wird, muss er sein Wirtschaftssystem ändern, indem er es einseitiger gestaltet. Er muss die Zahl seiner Nutzgewächse beschränken und vielleicht gerade die einträglichsten fallen lassen. Ein entgegengesetztes, aber eben so unerquickliches Bild bietet die Zeit der grössten Niederschläge: da treten die Gewässer über ihre Ufer, hemmen den Verkehr auf Strassen und Brücken, zerstören hohe Werte, die menschlicher Fleiss erschuf, machen ihre Anwohner obdachlos und zurücktretend hinterlassen sie Moräste, die monatelang gesundheitsgefährlich bleiben.

Betrübend wie diese Erscheinungen sind, ist es doch noch betrübender, dass ihre Lehren wenig beherzigt, von den grossen Volksmassen nicht einmal verstanden werden. So nur ist es erklärlich, dass die Wälderverwüstung, der Wäldererhaltung gegenüber, immer noch das Übergewicht behauptet. Und diese unleugbare Thatsache macht es zur ernsten Notwendigkeit, die Verrichtungen der Wälder im Haushalte der Natur so oft zu beleuchten, bis sie in den weitesten Kreisen gekannt und gewürdigt werden.

Der Einfluss des Waldes auf die Luft.

Wie alle Pflanzen, so sind auch die Bäume aus verbrennlichen und unverbrennlichen Stoffen zusammengesetzt. Der verbrennende Teil ist eine verschiedenartig zusammengesetzte Verbindung von Kohlenstoff, Wasserstoff, Sauerstoff und Stickstoff. Der unverbrennliche Teil, welcher als Asche übrig bleibt, besteht aus mehreren Grundstoffen, wie Kalium, Calcium, Magnesium, Natrium, Eisen, Phosphor, Schwefel, Silicium und Chlor. Stets gefunden werden in der Asche: Phosphor, Schwefel, Kalium, Calcium, Magnesium und Eisen, es ist daher anzunehmen, dass diese Grundstoffe nebst den erstgenannten, zur Ernährung der Pflanzen unerlässlich sind, und zwar müssen sie in flüssiger Form zugänglich sein, also wässerig oder gasförmig.

Der wichtigste dieser Stoffe ist der Kohlenstoff, der vorzugsweise vom Holz aufgenommen wird. Die Blätter saugen Kohlensäure, aus Kohlenstoff und Sauerstoff bestehend, auf, scheiden, unter Mitwirkung des Blattgrüns und des Sonnenlichts, den Sauerstoff aus und behalten den Kohlenstoff zurück, um ihn den Ästen und dem Stamme zuzuführen, zu deren Aufbau er dient. Selten finden wir in der unbelebten Natur freien Kohlenstoff als Diamant und

Graphit, meist erscheint er in Verbindung mit Sauerstoff, etwa im Verhältnis von 6 : 16 Gewichtsteilen.

Die Pflanze kann nur von freier Kohlensäure, wie sie die Luft, etwa 4 Raumteile Kohlensäure auf 10 000 Raumteile Luft, enthält, Gebrauch machen. Diese Luftschicht, welche die Erde auf etwa 10 Meilen Höhe umgiebt, ist die Quelle der ganzen lebenden Welt.

Wenn nun die Pflanzenwelt, ganz besonders der Wald, von Kohlensäure lebt, durch Entzug aus dem Luftkreis, muss dem letztern dieser Stoff durch neue Zufuhr ersetzt werden. Das geschieht durch alle Verbrennungs-, Gährungs- und Verwesungsvorgänge, sowie durch Atmung von Menschen und Tieren. Ausserdem liefert die Erde Beiträge aus ihrem Schosse durch vulkanische Ausströmungen, Mineral- und Sauerstoffquellen. Auf diese Weise erhalten sich Tiere und Pflanzen gegenseitig und wir wissen durch Forschungen ganz genau, in welchem Verhältnis Produktion und Consumtion stehen. Ein Buchwald, der jährlich 3 Festmeter Holz per Hektar liefert, giebt während der jährlichen Wuchszeit 1718.7 Kubikmeter Sauerstoff per Hektar an den Luftkreis ab, das will sagen, so viel als 8 erwachsene Menschen im ganzen Jahre zum Atmen nötig haben. Würden die sämtlichen Wälder verschwinden, so würde allein der menschliche Verbrauch von Sauerstoff etwa in 303 Jahrtausenden der Atmosphäre allen Sauerstoff entzogen haben; in einem Zeitraum von 1000 Jahren würde der Kohlensäuregehalt verdoppelt sein. Es ergiebt sich daraus der Schluss: der Wald ist zur Erhaltung des Gleichgewichts der Bestandteile der Luft nicht allein von grösster Wichtigkeit, sondern unentbehrlich.

Gering sind dagegen noch unsere Kenntnisse von den Einwirkungen der Wälder auf die elektrischen Verhältnisse der Luft. Jeder Baum ist ein elektrischer Leiter in teils höherem, teils geringerem Grad und es ist nicht anzunehmen, dass Wolken, welche über einen grossen Wald ziehen, ohne Veränderung ihres Elektricitätsgehaltes bleiben. Indessen kommen hierbei so viele Umstände in Betracht, dass eine Klarstellung dieses Gegenstandes stets sehr schwierig bleiben wird. Unerwähnt darf indessen nicht bleiben, dass der Hagel, welcher von vielen Naturforschern als das Erzeugnis einer besonderen elektrischen Thätigkeit betrachtet wird, jedenfalls aber von elektrischen Störungen begleitet ist, nach einer weitverbreiteten Annahme mit zunehmender Häufigkeit fällt, je weiter die Entwaldung einer Gegend fortschreitet. Ein italienischer

Gelehrter sagt: als die Alpen und Apenninen noch von herrlichen Wäldern gekrönt waren, verwüstete der Maihagel viel seltener wie jetzt die fruchtbare Ebene der Lombardei; seit die allgemeine Entwaldung begann, erscheint diese Plage auch in den Gebirgen, deren ältere Bewohner kaum wussten, was Hagel ist. In andern Teilen Italiens will man ähnliche Beobachtungen gemacht haben. Eine Stütze finden sie in den über eine Reihe von Jahren ausgedehnten, 1885 zum Abschluss gebrachten Aufzeichnungen eines schweizerischen Witterungskundigen, aus welchen zuverlässig hervorgeht, dass die bewaldeten Gegenden der Schweiz weniger von Hagelschlag zu leiden haben, wie die unbewaldeten. In Wisconsin glauben Farmer erkannt zu haben, dass Hagelwolken sich über der Prairie entluden, im Hinziehen über einen grossen Wald die Entladung einstellten, um sie jenseits des Waldes fortzusetzen. Jedenfalls sollte dieser behauptete Hagelschutz der Wälder von den Naturforschern aller Länder, mit Hülfe der in jedem Jahre weiter ausgebildeten Statistik, auf seine Wahrheit untersucht werden, eine Aufgabe, die in Anbetracht der ungeheuren Verwüstungen, welche der Hagel bald in diesem, bald in jenem Lande anrichtet, gewiss wichtig erscheinen muss.

Der Wald als Wasserspeicher.

Wenn auch durch eine Reihe wissenschaftlicher Untersuchungen der vollständigste Beweis für die Bedeutung geschlossener Waldbestände in Bezug auf die Regelung klimatischer Verhältnisse geliefert ist, so muss die Frage, ob in den Waldungen auf gleicher Bodenfläche dieselbe Menge oder mehr Regen fällt, wie auf waldfreiem Boden, noch als offen betrachtet werden, denn die Ergebnisse bisheriger Untersuchungen sind sich mehr oder weniger widersprechend. Das aber ist zuverlässig: der Regenfall im waldigen Gelände bleibt grösstenteils nutzbringend, zum kleinsten Teil bleibt er es auf baumlosen oder nackten Flächen.

Es kann nicht im mindesten bezweifelt werden, dass die gesamten atmosphärischen Niederschläge auf unbedecktem, der Sonne und dem trockenen Winde preisgegebenen Boden in um so gefährlicherer Weise sich geltend machen, je schutzloser der Boden und je stärker der Regenfall ist. Der wirklich in den Boden dringende Regen fliesst entweder nur durch denselben (Sand- und Kiesboden), oder wird von dem Boden zurückgehalten (Thon-,

Lehm-, Kalkboden u. s. w.), um nach und nach an der Luft zu verdunsten oder einzusickern.

Die einzelnen Bodenarten sind bekanntlich, je nach ihrer Zusammensetzung und Lage, sehr verschieden in Bezug auf ihre Fähigkeit, Wasser aufzunehmen, durchsickern zu lassen, zu verdunsten und den Pflanzen zuzuführen.

Im Waldboden wird aber der bei weitem grösste Teil des Wassers zurückgehalten; das Zurückgehaltene fliesst nicht sofort, sondern nach und nach ab; es verdunstet nicht so rasch wie auf kahlem Boden und zirkuliert langsamer in den Pflanzen, aus welchen es zum Teil mittels der Blätter ebenfalls wieder in die Luft verdunstet.

Vielseitige Ermittelungen ergaben, dass von den jährlichen Regen- und Schneemengen 74 % auf den Boden eines geschlossenen Waldes fallen, gegenüber den im Freien niedergegangenen.

Je nach Holzart und geschlossenem Bestand fällt mehr oder weniger Wasser auf den Boden, in demselben Walde bleibt aber das Prozentverhältnis in den verschiedenen Jahrgängen ganz gleich. Unter gut geschlossenen Fichten fallen durchschnittlich nur 59 % Wasser auf den Boden, während in den Laubholzwäldern, die auf den Boden gelangte jährliche Regen- und Schneemenge, gegenüber jener auf freiem Felde, durchschnittlich 78 bis 80 % betrug, sie ist also grösser wie in den Nadelholzwaldungen, weil diese auch im Winter ihre auffangenden Nadeln behalten.

Der Boden in den Kiefernwaldungen erhält weniger Niederschläge als der in Fichtenbeständen. Da von den gesamten Niederschlägen durchschnittlich 26 % auf den Kronen der Bäume liegen bleiben, also dem Waldboden entzogen werden, so liegt die Annahme nahe, der Wassergehalt des letztern sei geringer als der des Ackerbodens. Das ist indessen nicht der Fall, denn es ist festgestellt worden, dass in einem mit Streu bedeckten Waldboden die Verdunstung des Wassers mehr als $6^1/_2$ mal geringer ist, als im freien Feldboden.

Bedenken wir aber andererseits, welche grosse Wassermengen die Bäume durch ihre Wurzeln dem Boden entziehen, deren Grösse durch Zahlen leider jetzt noch nicht auszudrücken ist, so kann es nicht überraschen, wenn namentlich während der Wuchszeit der

Wassergehalt des Waldbodens nicht so gross ist, als zufolge der verminderten Verdunstung anzunehmen ist.

Die Humusschicht im Walde kann eine sehr grosse Menge von Wasser aufnehmen und, was die Hauptsache ist, zurückhalten; sie verhindert fast vollständig das oberflächliche Abfliessen und schützt, gleich der Blättermasse der Bäume, gegen zu rasche Verdunstung; auch der Schnee schmilzt in den Wäldern viel langsamer wie auf freiem Felde. Es ist ermittelt, dass totes Buchenlaub 230 bis 330 % seines eignen Gewichts Wasser aufsaugt, Moos 280 bis 330 %. Fichtennadeln 150 bis 190 %, Kiefernadeln 140 bis 160 %. Ein Kubikmeter Buchenlaub hält fast 2 Hektoliter Wasser vollständig gebunden, so dass kein Tropfen wegfliesst und die Feuchtigkeit nur allmählich dem Boden zugängig wird.

Nach M. Deherain, der in den Wäldern Algiers Forschungen anstellte, enthält 1 Liter Waldhumus im Durchschnitt 0,935 Kilogramm Wasser und 0,493 Kilogramm Erde. In einer Humusschicht von 0,05 Meter Dicke würde also jeder Quadratmeter 50 Liter oder 47,75 Kilogramm Wasser und 24,65 Kilogramm Erde enthalten, und 1 Hektar dieser Schicht würde 478 Kubikmeter Wasser festhalten. Wenn die 2 000 000 Hektar Wälder Algiers durchgehends aus Kulturwäldern beständen, so würden sie einen Wasservorrat von 956 000 000 Kubikmeter aufnehmen. Nimmt man eine Humusschicht von 0,10 Meter Dicke an, so würde der Wasservorrat nahezu 2000 Millionen Kubikmeter betragen. Es ist interessant, einen Vergleich anzustellen mit den grossen Sammelbecken, die zur Abwehr der Dürren erbaut wurden, beispielsweise mit demjenigen von Hamiz. Dasselbe enthält, wenn ganz gefüllt, 14 000 000 bis 15 000 000 Kubikmeter Wasser, es müssten also 66 solcher Sammelbecken gebaut werden, um so viel Wasser aufzuspeichern, als eine Humusschicht von nur 0,05 Meter in den gesamten Wäldern Algiers aufbewahrt. Es entspricht aber mehr den thatsächlichen Verhältnissen, eine Humusschicht von 0,10 Meter Dicke anzunehmen. Eine solche hat dieselbe Fassungskraft wie 135 Sammelbecken, erbaut nach dem riesigen Massstabe wie dasjenige von Hamiz. Kaum schlagender kann die Bedeutung der Wälder für die regenarmen halbtropischen Länder, wie Algier, wo ausserdem die Niederschläge auf gewisse Monate im Jahre beschränkt bleiben, gezeigt werden, als durch diesen Vergleich.

Kann man nicht irre werden an der Vernunftbegabung ganzer Völker, wenn man sieht, wie sie ihre Wälder zerstören, um sich hier mit schweren Schulden zu belasten für den Bau von Sammelbecken, die gegen Wassermangel in Feld und Haus schützen sollen, und dort ebenfalls kostspielige Sammelbecken bauen, um die Ueberschwemmungen der Flüsse während der nassen Jahreszeit zu verhindern, und während der trockenen die Schiffahrt flott zu erhalten, wie es gegenwärtig am obern Mississippi geschieht?

Vorzugsweise ist es der Laubwald, welcher geeignet ist, krautartige Pflanzen und buschartige Gewächse zu beherbergen, zumal sein hochfeuchter Boden auch den zartern Pflanzen, die nur seichte Wurzeln treiben, das unentbehrliche Nahrungsmittel Wasser liefert. Zu gedenken ist namentlich des Moo es, das seinerseits in der gemässigten und kalten Zone ebenfalls viele Gewächse schützt. Das die Moose bildende Pflanzengewebe ist ausserordenlich wassersaugend, selbst in der trockensten Jahreszeit ist es feucht von dem Wasser, welches an der Oberfläche verdichtet und allmählich in den Boden sickert. Dadurch wird eine beständige Feuchtigkeit des Bodens und somit der Quellenreichtum desselben erhalten. Man überzeugt sich leicht von dieser Bedeutung des den Waldboden bedeckenden Pflanzenwuchses, wenn man die bewaldeten Gebirge besucht und sieht, wie diesen Quellen und Bäche entströmen und niemand wird die Wichtigkeit des Pflanzenwuchses überhaupt, namentlich aber der vollen Moosdecke, verkennen, wenn er die Wirkung der Regengüsse auf einer moosigen Felswand und einem kahlen Abhang beobachtet. Hier gelangt der Regen unmittelbar auf den Boden und fliesst entweder als ein reissender Wildbach ab oder wird durch Wind und Sonnenwärme aufgezehrt, bevor er eingedrungen ist, während da, wo Pflanzen stehen, das Regenwasser sich an den Blättern und Stengeln hängt und nach und nach zur Erde läuft, die es dadurch vollständig aufsaugen und bewahren kann. Die grösste Wichtigkeit in dieser Hinsicht besitzen die Moose, weil sie den Boden am dichtesten bedecken, und zugleich durch die feine Zerteilung ihrer Blättchen die grösste Durchlässigkeit besitzen.

Die Moose leisten den Wäldern fernere Dienste, indem sie den Boden vor dem zu starken Austrocknen durch den Wind und die Sonnenstrahlen bewahren, das fallende Laub festhalten und mit ihm eine schützende Decke bilden, welche das Keimen der Samen, wie überhaupt das Verjüngen der Bestände, fördert. Wenn man sich von der grossen Wichtigkeit des den Waldboden bekleidenden Pflanzenwuchses überzeugen will, hat man nur nötig, in einem mitteleuropäischen Lande die Staatsforsten und Privatforsten vergleichend zu beobachten. Die Erstern sind in schönem Gedeihen, die Letztern haben gewöhnlich ein kümmerliches Aussehen. Jene beherbergen in buntem Gemisch Kräuter, Gräser und zahlreiche Moosdecken, welche die Räume zwischen den Bäumen ausfüllen, den Privatwäldern sind dagegen der Baumabfall und die Bodenpflanzen entzogen worden, um als Stallstreu zu dienen. Gleichzeitig wurde mit der Harke und Hacke auch der junge aufgekeimte Holzwuchs vernichtet.

Wie gross der Einfluss ist, den die Wälder auf die Bildung und Erhaltung der Flüsse ausüben, lehrt ein Blick auf die Quellengebiete. Bergrücken, mit Wäldern bedeckt und Moos bekleidet, bilden in der Regel den Mutterschos der Flüsse, nur ausnahmsweise werden sie in waldlosen Gebirgen, bedeckt mit ewigem Schnee und Eis, geboren. Da wo hohe Gipfel von Gebirgsketten die Dünste des Meeres aufhalten, wo man, wie auf der dem Meere zugewendeten Seite des Atlasgebirges in Afrika, bedeutende Wälder erblickt, da sind sprudelnde Quellen, wasserreiche Flüsse, eine grosse Fruchtbarkeit des Bodens, üppiger Pflanzenwuchs, während auf der entgegengesetzten Seite dieser Gebirgskette fast kein fliessendes Wasser zu finden ist, da hier der Boden nackt und kahl ist und die Hitze der Wüste die rasche Verdunstung der Niederschläge bewirkt. Das scheint nicht immer so gewesen zu sein, denn Champollion entdeckte in der Sahara den Lauf früherer Flüsse und Bäche in Bodeneinschnitten und an der Form der Kieselsteine. Auch fand er Baumstumpfen, fast versteinert, bedeckt mit heissem Sande. Und so dämmert uns die erstaunliche Wahrheit auf, bemerkt er, dass diese Wüste einst mit Wäldern und Quellen gesegnet und die Wohnung von Millionen Menschen war. Gibt es ein schrecklicheres Verbrechen, als unsere Mutter Erde ihres Waldkleides zu berauben? Die Hand des Menschen hat diese Wüste geschaffen, und, wie ich glaube, jede andere Wüste auf der Erde.

Die Wolga kann als Beweis angeführt werden, dass nicht alle grossen Flüsse auf Gebirgen entspringen. Wohl wahr, allein ihr Quellengebiet, die Waldaiebene, ist von grossen Wäldern bedeckt.

Niemand wird die Quellen des Nils in den kahlen Gebirgen Egyptens suchen, ebenso nicht den Ursprung seiner regelmässigen Überschwemmungen, sondern in dem regenreichen Äthiopien, da vorzugsweise, wo die Quellen des blauen und weissen Nils mit dichten Urwäldern umgeben sind.

In so engem Zusammenhang stehen die Wälder mit den Quellen und Flüssen. Nicht überflüssig ist es, darauf hinzuweisen, wie so oft von dem Reichtum an Quellen der Wohlstand der Bewohner einer Landschaft abhängt, wie zunächst um die Quellen die Menschen sich anbauten und so an feste Wohnsitze und an ein geregeltes Leben sich gewöhnten, von welcher ausserordentlichen Bedeutung die Flüsse für die Ausbreitung der Kultur waren und noch sind, ebenso für den Betrieb der Gewerbe. Die Geschichte aller Völker liefert dafür Beweise und legt damit ein hochbedeutsames Zeugnis für die Wichtigkeit der Wälder ab. Es findet auf der ganzen Erde ein gleichförmiges Verhältnis zwischen der Ausdehnung der Wälder und dem Reichtum an fliessenden Gewässern statt, wie es auch eine Thatsache ist, dass in allen unbebauten, waldreichen Ländern die Flüsse häufiger und wasserreicher sind, als in den kultivierten Gegenden. Viele Thatsachen beweisen den innigen Zusammenhang zwischen Waldungen, Quellen, Bächen und Flüssen und die Abhängigkeit dieser von jenen. Weiter unten sollen darüber als „Folgen der Entwaldung“ Belege gegeben werden, hier sei nur Spanien als Beispiel aufgestellt.

In einem Teile dieses Landes findet man zwischen den Gebirgsketten weite wasserarme Hochebenen und Tafelländer mit Flüssen, welche fast das ganze Jahr versiegt sind und eigentlich Wildbäche genannt werden müssen. So ist ihr Zustand erst in den letzten Jahrhunderten geworden, weil in dieser Zeit die Wälder ihres Ursprunggebiets verschwanden und niemand bis zur Stunde an ihre Aufforstung dachte. Am schlimmsten ist es im südlichen Spanien, wo oft áuf stundenlangen Strecken kein Wasser zu sehen ist, und die meisten Flussbetten während eines grossen Teils des Jahres trocken liegen und nur nach längern Regengüssen von Strömen erfüllt sind. Die Provinz Cartagena war unter der Maurenherrschaft einem blühenden Garten vergleichbar. Doch damals war die aus zahlreichen Hügelketten gebildete Sierra Cartagena noch bewaldet.

während man sich jetzt nicht einmal einen Wanderstab schneiden kann und fast kein Tropfen aus den hundert Bergrinnen in die Thäler fliesst. Im Süden Spaniens fehlt es an Steinkohlen, infolge dessen die Sierra Cartagena blindlings abgeholzt wurde, so dass man jetzt nicht einmal ein Bäumchen von der Stärke einer Bohnenstange findet. Kahl, von allem Baumwuchs entblösst, sind auch die übrigen Sierren, mit Ausnahme der Sierra nevada, und die Bodenkultur ist nur in den Thälern möglich und zwar für alle Nutzpflanzen, welche nicht während der kurzen Regenzeit ihre Entwickelung abschliessen, nur mit Hülfe künstlicher Bewässerung. Die spanische Regierung wendet grade jetzt der Ausdehnung der Canalnetze eine besondere Aufmerksamkeit zu — eine Aufgabe, die Millionen verschlingt, wie wohl kaum nötig ist hinzuzufügen.

Besser sieht es im Norden Spaniens, in den baskischen Provinzen, aus, wo das Gebirge ausserordentlich zerstückelt und von engen Thälern durchschnitten ist, über die sich schroffe Kalksteingipfel bis zur Höhe von 1200 bis 1500 Meter über den Meeresspiegel erheben. Verhältnismässig sanft ist das Aufsteigen von der Küste in den Thälern zu den Passhöhen, als entzückend schön wird das Thal von Bilbao geschildert und trefflicher Anbau erhöht die Reize der Natur. Kastanien-, Buch- und Eichwälder bedecken in Guipuzcoa, Biscaya und Alava zum Teil die Berge und üppiger Graswuchs schmückt die Wiesen, so auch westwärts in Asturien und Galicien, längs der cantabrischen Küste, überhaupt so weit, wie die über den biscayischen Meerbusen streichenden feuchten und verhältnismässig kühlen Winde reichen.

Der ganze Abfall von Nordspanien steht unter dem Einflusse des Seeklimas, daher Gleichförmigkeit der Temperatur, deren jährliches Mittel etwa 16° C., während der Wintermonate 9° C. beträgt, wenn auch manchmal auf Stunden strengere Winterkälte, bis zu 9° unter Null eintritt. Eine Folge dieser Verhältnisse ist reichlicher Niederschlag, der auf diesen Teil Spaniens beschränkt ist. Hier trifft man die ansehnlichsten Wälder Spaniens, trotzdem sie, mit Ausnahme im westlichen Asturien, ausserordentlich gelichtet worden sind. Was von ihnen übrig geblieben ist, findet sich auf den mittlern Abhängen der Gebirge, die höhern Erhebungen sind aber nicht kahl, hier wächst u. A. eine der schönsten Heidearten des südlichen Europa's, mit einer Menge kleiner, glockenförmiger blendend weisser Blumen, die Erica arborea. Tiefer wie die Wälder stehen zahlreiche Bäume, einzeln und in Gruppen, namentlich immergrüne Steineichen (Quercus ilex), Eschen, Pappeln, Weiden und Obstbäume.

Auch hier zeigt es sich deutlich, wie der Wald für die Speisung der Quellen sorgt und im Verein mit diesen das Leben der Pflanzen fördert. Dagegen dehnt sich in den beiden Castilien und ganz Estremadura ein grosses nacktes Tafelland, welches, seiner einstigen schönen Wälder beraubt, nur kahle Hügel zeigt. Alt-Castilien, obwohl unterm 42. Breitegrad gelegen, ist im Winter ein kaltes Land, im Sommer ist diese Bergfläche wasserlos, heiss und verbrannt. Selten, wie hin und wieder am nördlichen Rande der Somosierra, am südlichen Fusse des Guadarramagebirges, wird das Auge durch ein kleines, kärgliches, aus verkrüppelten Eichen oder Kastanien bestehendes Gehölz überrascht, und nur an sehr wenigen, durch Wasser und Schutz vor Wind und Sonnenbrand begünstigten Stellen erfreut der Anblick hoher, schlanker, mit Epheu umrankter Ulmen. Übersteigt man den Rücken des castilischen Scheidegebirges und schreitet nach Neu-Castilien hinab, so zeigt sich an den Abhängen dünner Rasen mit Zwiebelgewächsen. An unbebauten Hügelhängen wächst hier und da die buschige Kermeseiche und der Badenstrauch. Die Ebene um Madrid ist nackt, mit kahlen Hügeln besetzt, ohne Bäume, den Olivenbaum ausgenommen, der aber wenig geeignet ist, eine Gegend zu erheitern. Hier fliesst der Manzanares, über den, zum Leidwesen der Madrider, unzählige Spöttereien in Umlauf gesetzt worden sind, denn er ist ein Fluss, der nur ausnahmsweise Wasser führt. Und so ist ganz Neu-Castilien, ganz Estremadura, man sieht nur schlecht bebaute Kornfelder, auf denen der gelb- und weissblühende Ginster wuchern, und in nächster Nähe der weit auseinander liegenden Dörfer Pflanzungen von Olivenbäumen und Weinreben, Gewächse, welche mit geringer Bodenfeuchtigkeit fürlieb nehmen. Wohin man auch in Spanien blickt: mit Ausnahme kleiner gepflegter Bestände von Kork- und Kermeseichen, findet man nur Wahrzeichen der Wälderverwüstung. Und die Strafe? Schwer genug lastet sie auf dem Lande. Zur Zeit der Maurenherrschaft galt Spanien als das getreidereichste Land Europa's und noch heute sind die Felsenmagazine erhalten, welche angelegt werden mussten, um die Bedarfsüberschüsse aufzunehmen, denn der Koran verbietet die Getreideausfuhr. Gegenwärtig ist das dünn bevölkerte Spanien ein getreideimportierendes

Land. Die edle Viehzucht ist verloren gegangen; berühmt waren die spanischen Pferde und Schafe, aber seit die Entwaldung im grossen Massstab stattfand, wurden Boden und Luft so trocken, dass die Weiden verkümmerten und die Folge war der Rückgang der Pferde- und Schafzucht. An die Stelle des Pferdes ist überwiegend das viel genügsamere Maultier getreten, und das Merinoschaf, welches die deutschen Schafherden veredelte, ist fast ganz verschwunden und ersetzt worden durch das gemeine Schaf mit ordinärer Wolle. Die Regierung gibt sich zwar einige Mühe, Ackerbau und Viehzucht zu heben, allein gewiegte Landeskenner behaupten, und wohl mit Recht, diese Bemühungen könnten keinen nennenswerten Erfolg haben, wenn sie nicht von ausgedehnten Aufforstungen unterstützt würden. Noch eins: Spanien ist nicht allein ein getreideimportierendes, sondern auch ein holzimportierendes Land geworden.

Der Wald als Wasserspeicher muss übrigens noch nach einer andern Seite beleuchtet werden: als Quelle der Luftfeuchtigkeit.

Wenn wir sagen, das Wasser verdunstet, so heisst das, es geht in Dampfform über und verbreitet sich, ohne sichtbar zu sein, in die Luft. Während beim Sieden die Dampfbildung schnell und unter Entwickelung von Dampfbläschen schon im Innern der Flüssigkeit vor sich geht, findet bei dem, allein dem Einflusse der Luft ausgesetzten Wasser, die Dampfbildung nur an der Oberfläche statt, und zwar um so reichlicher, je weniger Wasser die Luft in Dampfform enthält, je weniger sie mit Wasserdunst gesättigt ist.

Zunächst übt die Temperatur der Luft auf die Verdunstung des Wassers einen grossen Einfluss aus, da mit der steigenden Wärme das Wasser an der Oberfläche der Gewässer wie des feuchten Bodens um so leichter verdunstet. Es muss also, unter sonst gleichen Umständen, der Wassergehalt der Luft vom Äquator nach den Polen zu abnehmen, auch, wenn mit dem Aufgange der Sonne die Temperatur steigt, die Menge des Wasserdunstes in der Luft sich am Tage vermehren. Ebenso schwankt das Verhältnis in den verschiedenen Jahreszeiten. Im Sommer ist die Verdunstung am stärksten, stärker ist sie im Sonnenschein wie im Schatten. Ferner müssen unter sonst gleichen Umständen in wasserreichen Gegenden mehr Dünste entstehen, wie in wasserarmen, und die Luftfeuchtigkeit im Innern grosser Festländer muss geringer sein wie am Meeresgestade. Sehr befördern die Winde die Verdunstung, namentlich hat ihre Richtung auf die Dunstmenge grossen Einfluss, denn wenn sie über ein Meer ziehen, beladen sie sich mit Feuchtigkeit, streichen sie über ein ausgedehntes Land, dann verlieren sie ihre Feuchtigkeit und werden trocken und kalt.

Mithin steigen die meisten Dünste auf, wo hohe Temperatur und grosse Wassermengen vorhanden sind, es gehen daher von den Meeren, Flüssen, Seen und Sümpfen der heissen Zone die meisten Dünste in die Luft über. Auch die beständige Anwesenheit von Feuchtigkeit in den Wäldern muss eine fortwährende Verdunstung herbeiführen, also die Feuchtigkeit der Luft vermehren. Im allgemeinen muss die Luft in den Wäldern feuchter sein als im Freien, da dort das Wasser nicht so schnell verdunsten kann, denn es ist gegen die direkten Sonnenstrahlen geschützt, auch sind die Winde gehindert, die mit Wasserdunst gesättigten Luftschichten fortzuführen und sie durch trockene zu ersetzen.

Die Verdunstung der vorhandenen Bodenfeuchtigkeit ist indessen nicht die einzige Ursache der hohen Luftfeuchtigkeit in den Wäldern; eine andere ist in den Eigenschaften der Gewächse zu suchen, Wasser zu verdunsten. Vorzugsweise thätig in dieser Hinsicht sind die Blätter und jungen Triebe, über das Mehr und Minder entscheidet die Natur der Gewächse. So verdunsten die Laubhölzer mehr Wasser wie die Nadelhölzer, oder in andern Worten: Die Fähigkeit der Verdunstung ist vorzugsweise abhängig von der Grösse der Blattflächen. Dicht belaubte Wälder verdunsten stärker als lichteres Laubwerk. Selbstverständlich muss die Fähigkeit der Verdunstung in Übereinstimmung stehen mit dem Aufsaugungsvermögen der Wurzeln. Die Forstleute teilen daher die Bäume in nassbödige, trockenbödige und frischbödige. Nassbödig sind Weiden und Schwarzerlen, trockenbödig die Kiefer, frischbödig die Hainbuche, Rotbuche, Tanne, Fichte, Ulme, Linde, Espe, Weisserle, Eiche, Pappel, Birke und Lärche. Nach Hartig verdunsten:

1 Hekt. 20jähriger Mischwald in 5 Monaten 881 Kubikm. Wasser
1 „ 5jähriger Fichtenwald „ „ „ 340 „ „

Es muss leicht einleuchten, dass grosse, geschlossene Waldungen die Luft einer Gegend feucht erhalten müssen, denn die in die Höhe steigenden Dunstbläschen werden von dem Winde, je nach Umständen, auf eine geringere oder grössere Entfernung fortgetragen. Wie über einem Gewässer, so beladet sich auch der Wind über einem Walde mit Feuchtigkeit. Durch diese feuchten Luftströmungen wird die Thaubildung ausserordentlich begünstigt. Es kühlt sich nämlich durch die stärkere Wärmeausstrahlung während der Nacht die Luft über dem freien Felde bedeutender ab, als im Walde, und so wird durch das plötzliche Sinken des Sättigungspunktes eine Verdichtung von Wassertropfen bewirkt, die als Thau auf die Erde sinken und auf die Pflanzen, soweit sie sich in der Thauhöhe befinden. Diese Feuchtigkeitsniederschläge ermöglichen es namentlich den kraut- und grasartigen Pflanzen längerer Trockenheit des Wetters widerstehen zu können. Grössere Waldungen mässigen daher die Dürren, indem sie ihren Umgebungen das in ihrem Schosse verwahrte Wasser als Thau spenden.

Dieser Einfluss geht noch weiter. Wie oben nachgewiesen wurde, speisen die Wälder die Quellen und Flüsse dauernd, dieselben können daher auch unausgesetzt auf dem Laufe nach dem Meere Feuchtigkeit verdunsten, also zur Thaubildung beitragen, sie sind ferner jederzeit dienstbar zur künstlichen Bewässerung der Felder und Gärten, sie bilden eine Tränke für das Vieh und unterbrechen nicht die industrielle Thätigkeit, zu deren Hilfe sie herangezogen wurden. Also auch in dieser Weise mässigen die Wälder die Dürren. Als Wasserspeicher leisten sie in der entgegengesetzten Richtung kaum minder wichtige Dienste: durch das bedeutende Aufsaugungsvermögen ihrer Bodendecke, durch den mechanischen Widerstand, welchen ihre Stämme und Wurzeln dem abfliessenden Wasser entgegensetzen, verhindern sie die Ueberschwemmung der Thäler und das Wegwaschen der Erdkrume von den Berghängen.

Das Aufsaugungsvermögen der Humusschicht ist bereits ziffermässig dargelegt worden, doch ist hier noch daran zu erinnern, dass die Humusschicht, sobald sie gesättigt ist, einen Teil ihrer Feuchtigkeit an den Boden abgibt und sich damit zur weitern Aufnahme befähigt. Fallen stärkere Regenmengen, als die Humusschicht aufsaugen kann, so hindern die Stämme, das Unterholz, die Wurzeln, das Moos und die vielen Unebenheiten des Bodens, welche in jedem Walde vorhanden sind, den raschen Abfluss des Wassers, sie lassen es zu keiner starken Strömung kommen, sondern teilen die Rinnen immer und immer wieder, so dass das Wasser die nächsten Ansammlungsstellen, die Bäche, Flüsse und Seen seien mögen, nur allmählich und gewaltlos erreichen kann.

Die Provinz Brescia und die angrenzende Gegend der Provinz Bergamo litten früher nach jedem heftigen Regen durch Überschwemmungen der vier Flüsse, von welchen sie durchzogen werden. Ein Wendepunkt trat 1872 ein, denn von da ab machten sich die Wirkungen der Aufforstungen bemerklich, welche im Quellengebiet dieser Flüsse ausgeführt worden sind. Das französische Departement Lozère wurde 1866 von Wolkenbrüchen heimgesucht, die verheerende Überschwemmungen verursachten. Es wurde dabei beobachtet, dass der bewaldete Boden, selbst auf den steilsten Abhängen, keinen Schaden erlitt, während von den kultivierten Feldern die Erde weggeschwemmt und die Felsen von dem strömenden Regen nackt gelegt wurden.

Flüsse, welche zwischen Wäldern fliessen, bleiben verhältnismässig gleich in ihrer Wasserführung, ihrer Temperatur und chemischen Zusammensetzung. Ihre Ufer werden wenig abgespült, und das Bett erleidet nur geringe Veränderungen durch Zuführung von Sedimenten aus den Gebirgen. Ihr Lauf wird, wenn überhaupt, nur allmählich verändert und an ihren Mündungen häufen sie keine hemmenden Ablagerungen auf. Welchen Wechsel aber darin die Entwaldung hervorrufen kann, zeigt eine Mitteilung über die Seine, welche Kaiser Julian hinterlassen hat. Derselbe hielt sich 6 Jahre in Gallien auf, indem er vorzugsweise da residierte, wo das heutige Paris steht. Das war im 4. Jahrhundert, zu einer Zeit also, wo das Quellengebiet und der ganze obere Lauf jenes Flusses stark bewaldet waren. Julian bemerkt, die Seine sei frei von Überschwemmungen gewesen und habe das ganze Jahr einen gleichmässigen Wassergehalt geführt. Gegenwärtig beträgt der Unterschied zwischen Hochwasser und Niederwasser volle 9 Meter, und schon lange gehört die Seine nicht mehr zu den Flüssen, die frei von Überschwemmungen sind.

Der Italiener Doni gab in der Rivista forestale einen trefflichen Beweis von dem Einfluss der Wälder auf die Wasserführung der Flüsse. Er sagte: die Sestajone und die Lima sind zwei beträchtliche Bäche, welche die Wasser von zwei Thälern der toskanischen Apenninen sammeln und dem Serchio zuführen. An dem Vereinigungspunkt der beiden Bäche, welche von da ab den Namen Lima weiterführen, kann eine merkwürdige, aber leicht erklärliche Erscheinung beobachtet werden. Bei Regenwetter führt die Sestajone etwa nur die halbe Wassermenge wie die Lima und während das Wasser der Letztern trüb und schlammig ist, bleibt dasjenige der Erstern klar, ich möchte fast sagen trinkbar. Bei schönem Wetter beträgt dagegen die Wasserführung der Sestajone fast das doppelte der Lima. Die Ausdehnung der beiden Thäler ist nahezu gleich. allein die Sestajone windet sich zwischen Ufer, die von Fichten und Buchen beschattet sind, während das Thal der Lima seiner Bäume beraubt und grösstenteils unter Kultur gebracht wurde.

Die Provence und Dauphiné sind grösstenteils gebirgig, und einige Gipfel der letztern Landschaft reichen bis zur Grenze des ewigen Schnees. Die Hänge sind grösstenteils steil, also der Bildung von reissenden Wildbächen günstig. Um die Gewalt der Letztern zu brechen, errichteten die Römer lose gefugte Steindämme in den Betten, welche ein langsames Entweichen des Wassers gestatteten und die mitgeführten gröberen Sedimente zurückhielten. In einer spätern Zeit brachten die Kreuzfahrer, unter andern Kenntnissen, aus dem Morgenlande auch die Kunst der Araber heim, die Berghänge zu terrassieren und mit Hülfe künstlicher Bewässerung produktiv zu machen. Die Wälder, welche die Berge bedeckten, sicherten einen Reichtum an Quellen, und die Urbarmachung des Bodens schritt so langsam fort, dass während Jahrhunderte weder Holzmangel noch andere üble Folgen der Entwaldung bemerkbar wurden. Im ganzen Mittelalter waren diese Provinzen stark bewaldet und berühmt wegen ihrer Fruchtbarkeit, nicht allein der Thäler, sondern auch der Berge.

Aus dem siebzehnten Jahrhundert aber wird berichtet, dass wohl ein Wachsen der Bevölkerung und des Wohlstands in der untern Provence und Dauphiné bemerkbar sei, dagegen in der obern Provence und Dauphiné eine beunruhigende Abnahme sowohl der Bevölkerung wie des Wohlstandes stattgefunden hätte, obgleich das Kulturland durch Rodung von Wäldern bedeutend ausgedehnt worden sei. Ermittelungen ergaben, dass die immer gewaltiger gewordenen Wildbäche mehr Kulturboden weggeschwemmt oder mit Sand und Geröll bedeckt hatten, als durch die Rodung von Wäldern gewonnen worden war. Die Steuern mussten mehrmals beträchtlich ermässigt werden, weil die verarmte Bevölkerung allmählich ihren verwüsteten Boden preisgab. An der Rhone und der Küste blühten wichtige Handelsstädte auf, deren steigender Bedarf an Ackerbauprodukten die ländliche Bevölkerung und den Wert ihrer Ländereien hätte vermehren müssen, allein die Verwüstungen in den genannten Teilen der Provence und Dauphiné waren so weitgreifend. dass beträchtliche Strecken vollständig entvölkert wurden.

Um solche Zerstörungen begreiflich zu finden, muss man in Zahlen vor Augen haben, welche Erdmassen ein Fluss fortschwemmen kann. Der Po möge als Beispiel dienen. Plinius sagt: Der Po, welcher keinem andern Flusse in der Raschheit seiner Strömung nachsteht, kommt in Flut ungefähr mit dem Aufsteigen des Hundssternes, der Schnee schmilzt dann, und obgleich der Abfluss schnell vor sich geht, schwemmt er doch nichts von dem Boden weg, sondern hinterlässt ihn in erhöhter Fruchtbarkeit. In der ersten Hälfte des Mittelalters trugen die Quellengebiete des Po noch den grössten Teil ihres ursprünglichen Waldkleides, und die mässige jährliche Hochflut wurde veranlasst durch das Schmelzen des Schnee's in den niederen Gebirgshängen und erfolgte, wie uns Tasso wissen lässt, im Mai. In einem spätern Zeitalter fand eine zweite verheerendere Hochflut im Spätsommer oder Herbst statt, veranlasst durch heftige Regengüsse, deren Wasser nun nicht mehr von Wäldern zurückgehalten wurde, sondern direkt sich in die Zuflüsse des Po's ergossen. Indessen bedurfte es bis etwa 1780 eines achttägigen Regenfalls, um eine Ueberschwemmung herbeizuführen. 40 Jahre später konnte ein Regentag die Veranlassung zur Hochflut werden. Bei gewöhnlichem Wasserstande führt der Po offenbar keine beträchtlichen Mengen Sedimente mit, er ist dann verhältnismässig klar. Anders aber wenn er bis zur Hochflut schwillt, dann wird sein Wasser schlammig und es ist zu dieser Zeit, wo er den überwiegenden Teil der auf jährlich 42760000 Kubikmeter berechneten Erdmasse an seiner Mündung absetzt, wodurch diese Küstenstrecke um 60 Meter weiter in das Meer hinausgebaut wird. Ravenna, 65 Kilometer südlich von der Hauptmündung des Po's, war, wie Venedig, in einer Lagune erbaut, noch am Beginne der christlichen Zeitrechnung wurde es von den Wogen der Adria umflutet. Der Schlamm des Po's hat die Lagune ausgefüllt und Ravenna liegt nun 7 Kilometer vom Meere entfernt. Die Stadt Adria, in der gleichen Entfernung von 8 Kilometer vom Po und der Adige, zwischen beiden liegend, war einst ein so berühmter Seehafen, dass sie ihren Namen auf das adriatische Meer übertrug und noch zur Zeit des Augustus war sie für grosse Schiffe erreichbar, wenn auch nicht auf offenem Wasser, so doch auf einer Lagune. Die vereinte Thätigkeit der beiden Flüsse hat die Küste so weit hinausgeschoben, dass Adria gegenwärtig 22 Kilometer landeinwärts liegt.

Nächst dem Po führt die Adige die gewaltigsten Erdmassen der Adria zu. Keineswegs unbedeutend sind die Transportlasten der Brenta. Alle diese Abwaschungen kommen aus den italienischen Alpen und den nördlichen Abhängen der Apenninen, und doch bilden sie nur den kleinern Bruchteil des Erdverlustes jener Gebirgsregionen. Der grössere Teil wird den Seen Lago maggiore, Como, Garda, Lugano, Iseo und Idro zugeführt oder an den Ufern ihrer Zuflüsse abgelagert. Die Menge dieser Abwaschungen glaubt man auf das Zehnfache derjenigen veranschlagen zu können, welche der Adria zugeführt werden, also auf 427 600 000 Kubikmeter, immer im Laufe eines Jahres gemeint.

Die Ablagerungen an der Mündung des Po's in ihrer gegenwärtigen Stärke datieren etwa aus dem Jahre 1600, in den vorhergehenden 400 Jahren war der jährliche Küstenzuwachs zwei Drittel geringer. Die Vermehrung war eine Folge der ausgedehnten Entwaldung, welche im Anfange des siebzehnten Jahrhunderts im Stromgebiete des Po's begann. Keine Berichte liegen vor über die Ablagerungen vor dem Jahr 1200, doch mögen sie zeitweise recht beträchtlich gewesen sein. Denn auch in den Tagen des alten Roms ist viel gegen die Wälder gesündigt worden, so wurden während seiner Herrschaft manche Alpenthäler westlich vom Ticino ihrer Wälder beraubt, und da die lose Erde der abgeholzten Wälder leicht weggeschwemmt wird, so mag damals der Po in den der Entwaldung folgenden Jahren beträchtliche Erdlasten nach der Adria getragen haben. Es ist zwar nur eine Schätzung, allein sie ist gut begründet, dass in den letzten 2000 Jahren in dem Stromgebiet des Po's im jährlichen Durchschnitt 270 000 000 Kubikmeter Sedimente, in die Seen, an das Ufergelände und in die Adria geschwemmt worden sind, mithin im Gesamt 540 000 000 000 Kubikmeter. Diese Masse würde genügen das Stromgebiet des Po's, welches bis Ponte Lagoscuro — dem Punkte des letzten Zuflusses — 6 938 200 Hektar umfasst, und zwar 4 105 600 Hektar Bergland und 2 832 000 Hektar Ebene, mit einer etwa 14 Meter tiefen Erdschicht zu bedecken.

Der Einfluss des Waldes auf das Klima.

Es mag, in Anbetracht der verhältnismässig geringen Flächen, welche die Wälder auf dem Erdball bedecken, fraglich erscheinen, ob sie die klimatischen Verhältnisse der Erde in ihrer Gesamtheit beeinflussen, darüber aber kann kein Zweifel bestehen, dass sie einen bedeutenden örtlichen Einfluss auf das Klima, unter Umständen sogar auf eine weite Entfernung hin, ausüben. Würde beispielsweise die Sahara aufgeforstet werden, dann müsste die Erwärmung ihres Sandes, die gegenwärtig im Mittel 29° C. beträgt, abnehmen, in Folge dessen würden nicht mehr die starken, warmen Luftsäulen in die Höhe steigen, welche bei einer entsprechenden Windrichtung die Temperatur Europa's in sehr fühlbarer Weise erhöhen.

Die Temperatur wird von den Wäldern vorzugsweise durch 5 Ursachen beeinflusst:

durch die fortwährende Verdunstung;
durch die Hemmung der Wärmeausstrahlung des Bodens mittels des Laubdaches;
durch die verminderte Besonnung der Erde;
durch den mechanischen Widerstand, welchen die Wälder dem Winde entgegensetzen;
durch die Wärmeausstrahlung der Bäume.

Eine Folge der Verdunstung des Wassers und der Anwesenheit des Dunstes in der Luft, ist das Fallen der Temperatur, wie denn überhaupt bei dem Verdampfen eines tropfbar flüssigen Körpers Wärme gebunden wird. Während der Sommertage muss die Temperatur im Walde kühler sein, wie im freien Felde, weil die vorhandenen grösseren Feuchtigkeitsmengen eine stärkere Verdunstung stattfinden lassen. Wenn aber die Temperatur im Wald und im Freien sich ausgeglichen hat, hält sich die Kälte in den Wäldern auch dann länger, wenn, wie im Winter, der Unterschied in der Verdunstung, wenn nicht ganz wegfällt, so doch auf ein geringes Mass herabgeht. Es ist das auf die geringere Besonnung des Bodens zurückzuführen. Untersuchungen über die Durchschnittstemperatur des Waldbodens und Feldbodens in Deutschland haben zu den folgenden Ergebnissen geführt:

Die durchschnittliche Temperatur aller Bodenschichten betrug:

	Im Freien	Im Wald	Unterschied
im Frühling	5.84° C.	4.25° C.	1,59° C.
im Sommer	13.44 „	10.23 „	3.21 „
im Herbst	8.07 „	6,85 „	1.22 „
im Winter	2.16 „	2.14 „	0.02 „

Selbstverständlich müssen in wärmeren oder kälteren Ländern, wie Deutschland, andere Untersuchungsresultate gewonnen werden, allein wie stark auch die Verschiebung sein wird, ein Unterschied ist als unzweifelhaft vorauszusetzen.

In den Laubwaldungen ist der Unterschied zwischen der Temperatur der Feldluft und der Waldluft geringer, als in den Nadelwäldern, was begreiflicherweise mit der Belaubung zusammenhängt. Man muss sich dabei erinnern, dass die niedrigere Temperatur des Waldes, nicht allein von mangelnder direkter Bodenbesonnung herrührt, sondern auch von der durch die Verdunstung entwärmten Luft, welche aus der Belaubung abwärts sinkt, wie denn bekanntlich die kalten Luftschichten sinken und die warmen steigen.

Im Nadelwalde kann die den Winter über sehr eingeschränkte Verdunstung bei der steigenden Temperatur am Frühjahrsbeginn alsbald wieder anheben, weil er seine Verdunstungsorgane den Winter über nicht verloren hat. Der Laubwald dagegen kann von der Zeit, wo er seine Blätter verliert, bis er sie erneuert, nicht ausdünsten. Ferner kann er im Frühjahr den schon ziemlich warmen Sonnenstrahlen das Eindringen in sein entblättertes Kronendach keinenfalls in gleich hohem Masse verwehren, wie der Nadelwald. Erwärmung von Boden und Stämmen, und damit auch der Luft, ist also dort um diese Zeit nicht ausgeschlossen. Der Laubwald steht, in der fraglichen Hinsicht, während seines blätterlosen Zustandes zwischen dem unbedeckten Ackerlande und dem Nadelwalde. Nur im Sommer, zur Zeit des reichsten Blätterschmuckes, stehen sich Laubwald und Nadelwald gleich, sobald aber die Blätter des ersteren zu welken anfangen, beginnt die mehr und mehr sich erweiternde Kluft.

Für den Wald im allgemeinen, ohne Unterscheidung der einzelnen Holzarten, beträgt der abkühlende Einfluss auf die Temperatur im Frühjahr und Herbste knapp die Hälfte des Sommereinflusses, welcher viermal so stark ist, wie der winterliche Temperaturunterschied zwischen der Feld- und Waldluft.

Ausser in mässiger Abkühlung der Temperatur besteht eine weitere Leistung des Waldes darin, dass er die höchsten Wärmegrade (bei Tag) und die niedrigsten (bei Nacht) abschwächt, mit andern Worten die Temperaturextreme mässigt. Dabei ist zu bemerken, dass, ebenso wie die Abkühlung der Waldluft bei Tage numerisch viel bedeutender ist, als ihre nächtliche Erwärmung, auch die wohlthätige Milderung der Sommerhitze, die mässige Abschwächung der Winterkälte übersteigt.

Ein geschlossener Hochwald, wenn nicht von unbedeutender Ausdehnung, weist also innerhalb seines Umkreises ein eigentümliches Klima auf. Er gleicht mit seinem Einfluss auf die Temperatur einem Meere, wenn schon die Gründe der temperaturerniedrigenden Wirkung im Sommer, oder der Temperaturerhöhung in Sommer- und Winternächten, hier und dort in von einander ununabhängigen physikalischen Vorgängen liegen. Auch gelangt das Mass der zwei verschiedenen Thätigkeitsrichtungen, wie sie sich im Wald- und Küstenklima kundgeben, begreiflich nicht mit derselben ziffermässigen Wirkung zum Ausdruck.

Solange das erforderliche Zahlenmaterial nicht zur Verfügung stand, konnte man die Vergleichung des Einflusses der Wälder auf die Wärme eines Landes mit dem des Meeres als unbegründet hinstellen. In unsern Tagen ist das nicht mehr möglich. Heute, wo die Resultate genauer, mit dem Thermometer ausgeführter Temperaturmessungen vorliegen, kann es nicht mehr bezweifelt werden, dass die Wälder dahin wirken, das Klima einer Gegend gleichmässig zu machen, ohne sie würden die Temperaturextreme grösser sein.

Bewaldung mässigt sonach das schroffe Festlandklima einer Binnengegend, im Verhältnisse des dem Walde in dem betreffenden Lande eingeräumten Anteils an der gesamten Bodenfläche, so dass es sich dem gleichmässigeren der Küstenlandschaft nähert. Man kann für Mitteleuropa den Satz aufstellen: Waldklima heisst bis zu einem gewissen Grade Seeklima.

Die Frage nach dem Masse des durch die Wälder ausgeübten Einflusses auf das Klima ihrer Umgebung lässt allerdings erschöpfende Beantwortung nur bei Beurteilung der Wärmeverhältnisse der Atmosphäre, im Zusammenhang mit anderen klimatischen Faktoren, besonders dem Feuchtigkeitsgehalte der Luft, erwarten. Obige Ausführungen geben aber die hauptsächlichsten Gesichtspunkte wieder, die bei der Beeinflussung des Klimas durch den Wald mitspielen. Und dass sie nicht allein für das gemässigte Klima Europa's Geltung haben, sondern auch für den Tropengürtel, beweisen die Untersuchungen Boussingault's, die sich zwischen dem 11. Grad nördlicher und dem 5. Grad südlicher Breite bewegten. Dieser Gelehrte ermittelte die mittlere Temperatur von bewaldeten und freien

Flächen in gleichen Erhebungen und unter demselben Breitegrad. Als Resultat fand er, dass die mittlere Temperatur über freien Flächen 1° C. höher ist, wie über bewaldeten Flächen. Anzunehmen ist, dass in regen- und wasserarmen halbtropischen Ländern die Wälder einen noch bemerkbareren Einfluss ausüben, und darf man mit gespanntem Interesse bezüglichen Untersuchungsresultaten entgegensehen. Denn nirgends sind die Temperaturschwankungen so schroff, wie in den waldlosen Gegenden der halbtropischen Zone. In der Sahara steigt das Thermometer um Mittag auf 40° C., um in der Nacht auf den Gefrierpunkt zu fallen, und auf der nordindischen Ebene folgt nicht selten einer Tageswärme von 35° C. eine Nachtkälte, welche das Wasser zum Gefrieren bringt. Auch muss in Betracht gezogen werden, dass die höchsten Wärmegrade nicht in der tropischen, sondern in der halbtropischen Zone beobachtet werden. Professor Wallace berichtet, dass er im malayischen Archipel nie einen höheren Wärmegrad wie 33° C. beobachtet habe; in einigen Gegenden der halbtropischen Zone steigt dagegen das Thermometer nicht selten auf 55° C. Noch ist die Behauptung nicht umgestossen worden, dass die heisseste Oertlichkeit Amerika's an der Mündung des Colorado in den Golf von Kalifornien zu suchen sei.

Am untern Laufe dieses Flusses, in Arizona, liegt Fort Yuma, wo regelmässige Wetterbeobachtungen stattfinden. Fast in jedem Sommer wird von da für wenige Tage ein Thermometerstand von 57° C. berichtet, ich erinnere mich sogar eines solchen von 60° C. Ich selbst habe dort an einem Tage eine Temperatur von 50° C. erlebt und denke heute noch mit Schaudern daran.

In Asien liegt die wärmste Gegend am persischen Golf, also ebenfalls in der halbtropischen Zone. Dort steigert sich die Hitze ebenfalls bis zur Unerträglichkeit, sie wird zur „Höllenglut", wie Reisende berichtet haben. Es darf dabei nicht übersehen werden, dass die höheren Wärmegrade der halbtropischen Zone nur während des Sommers dauern, im Winter sinken sie tiefer wie diejenigen der tropischen Zone. Diese Erscheinung wird allerdings vorzugsweise durch stärkeren Regenfall im Tropengürtel hervorgerufen, der eine beträchtliche Verdunstung, also einen bedeutenderen Wärmeverbrauch, wie in der halbtropischen Zone bedingt, allein wesentlich mitwirkend sind auch die ausgedehnten, üppigen, tropischen Wälder, durch eine Thätigkeit, die bereits erklärt wurde. Dem Waldreichtum der tropischen Zone steht die Waldarmut der halbtropischen Zone gegenüber also, Regenreichtum gegenüber Regenarmut. Als Beweis, dass die mässigere Temperatur der tropischen Zone nicht allein durch den hohen Regenfall zu erklären ist, dient die Erhöhung der Wärme und ihr tieferes Fallen in Folge von Entwaldungen. Alle, welche auf der Halbinsel Malacca gelebt haben, rühmen ihr verhältnismässig kühles Klima. Es liegt nahe, das den Einwirkungen des Meeres zuzuschreiben, doch ist darauf hinzuweisen, dass das dieser Halbinsel sich anschliessende Küstengebiet des südlichen Indiens diesen Einwirkungen in demselben Masse zugänglich ist, aber doch ein heisseres Klima besitzt. Die Erklärung kann daher nur darin gefunden werden, dass die Halbinsel Malacca, mit Ausnahme eines schmalen Küstensaums und der wenigen Ansiedlungen im Innern, vollständig von Wald bedeckt ist. In Südasien dagegen sind die Wälder, ausgenommen in einigen unwegsamen Gebirgen, spärlich geworden. Das tropische Amerika hat ein kühleres Klima wie das tropische Afrika und Asien, vorzugsweise in Folge der Bodengestaltung und herrschenden Windströmungen, doch wird man sicher den Wäldern des tropischen Amerika's, die an Ausdehnung und Üppigkeit ihres Gleichen auf Erden nicht haben, eine Mitwirkung zusprechen müssen.

Die Beweisführung wird unterstützt, wenn wir nach den heissesten Gegenden der halbtropischen Zone blicken, denn wir finden sie vollständig waldlos. Die Umgebung von Fort Yuma ist eine Sandwüste, und die angrenzenden Gebiete nach allen Himmelsrichtungen sind nicht viel besser eigentliche Bäume fehlen, nur Yuccas und Misquitesträucher stehen in weit zerstreuten Gruppen. Ebenso trostlos ist das Küstengebiet des persischen Golfs und ebenso nackt sind die Küsten des roten Meeres, durch das in der heissen Jahreszeit zu segeln, den Reisenden ein Grauen ist. Der Sudan wurde von den englischen Soldaten als Hölle bezeichnet, wahrscheinlich ist er das heisseste Land Afrika's. Es ist nur jener von Nomaden bewohnte Teil des Sudans gemeint, der völlig waldlos ist.

Aus den vorstehenden Darlegungen ist leicht der Schluss zu ziehen, dass der Wald weder einen zu grossen, noch zu geringen Anteil der Gesamtfläche eines Landes bedecken darf, wenn seine Einflüsse für die Gesundheit der Bewohner und die Bodenbewirtschaftung günstig sein sollen. Manche Gegend in Ceylon und Indien, welche als „Grab des weissen Mannes“ verrufen war, wurde für Europäer erst bewohnbar, nachdem der übermässige Waldwuchs in engere Schranken gebannt war. Im nördlichen Oregon war, so lange es ein ununterbrochener Wald bedeckte, kaum des Bleibens für Menschen, wegen allzugrosser Feuchtigkeit des Bodens und der Luft, das führte auch zu dem Spottnamen seiner Bewohner: „Schwimmfüssler“. Erst seit die Wälder aus den Thälern verschwunden sind, ist Nordoregon ein Land, in dem es sich angenehm wohnen lässt. Die Region des Amazonenthals, welche die Kautschuksammler durchstreifen, bleibt unbewohnbar, so lange sich dort ein ununterbrochener Urwald dehnt. Selbst diese halbwilden Menschen scheuen den fiebergeplagten Aufenthalt und sind froh, wenn sie mit Beute beladen nach ihrer wohnlichen Heimat zurückkehren können. Von der Hafenstadt Greytown abgesehen, ist die Ostküste von Nicaragua nahezu unbewohnt, sie ist menschenarm, aber wald- und regenreich. Auch hier ist es nur der Kautschuksammler, welcher vorübergehend die Wälder bewohnt und den Tag der Heimreise ersehnt, die er nur zu häufig mit zerrütteter Gesundheit antreten muss.

Mögen auch die Schilderungen der alten Schriftsteller über das strenge Klima Deutschlands übertrieben sein, so kann doch nicht bezweifelt werden, dass das alte Germanien mit seinen ungeheuren Waldungen ein ganz anderes Klima hatte als das jetzige. Ebenso ist in Finnland das Klima milder und das Land der Kultur zugängiger geworden, seit die Wälder bedeutend gelichtet wurden, und infolge dessen viele Sümpfe austrockneten. Andererseits sind durch masslose Entwaldungen schwere klimatische Schäden entstanden, von welchen eine Anzahl in einem folgenden Abschnitt angeführt werden soll.

Der Einfluss des Waldes auf die Abkühlung der Temperatur würde unter Umständen, die sofort erörtert werden sollen, grösser sein, wenn er nicht während seiner Verdunstung Wärme erzeugte. Der Baum erzeugt durch seine Lebensthätigkeit Wärme in seinem Innern, die er ausstrahlt, gerade so wie es bei einem warmblütigen Tiere der Fall ist. Durch die Anwesenheit von einem halben Dutzend Kühe in einem Stalle wird die Temperatur in demselben durch Wärmeausstrahlung dieser Tiere erhöht, ebenso erhöht eine Gruppe Bäume, wenn auch vielleicht den Sinnen nicht wahrnehmbar, durch Wärmeausstrahlung die Temperatur in ihrer unmittelbaren Nähe. Boussingault bemerkt: in manchen Blumen ist eine beträchtliche Wärmeentwickelung beim Herannahen der Befruchtung beobachtet worden. In gewissen Arumen stieg die Temperatur auf 40 bis 50° C. Es ist sehr wahrscheinlich, dass diese Erscheinung allgemein ist und nur in der Hochgradigkeit der Wärme Abweichungen zeigt. Diese Annahme Boussingaults ist durch spätere Forschungen vollinhaltlich bestätigt worden, und wenn die Blüten der Waldbäume im Durchschnitt nur den zehnten Teil der wärmeproduzierenden Kraft jener Blumen besitzen, so müssen sie einen beträchtlichen Einfluss auf die Temperatur der Luftschichten üben, mit welchen sie in Berührung kommen.

Ebenso sind die von Meguscher in der Lombardei ausgeführten Untersuchungen bestätigt worden, nach welchen die Bäume in ihrem Innern eine Temperatur von 12 bis 13° C. bewahren, wenn die Temperatur der sie umgebenden Luft eine Temperatur von 3°, 7° und 8° C. über Null besitzt und ferner, dass die innere Temperatur der Bäume nicht im Verhältnis mit der Temperatur der Luft steigt und fällt. So lange die Letztere bis 18° C. beträgt, ist die Temperatur im Baume immer höher, sobald aber jener Grad überschritten wird, bleibt die Temperatur im Baume niedriger wie die Temperatur der Luft. Beispielsweise fand Bugeaud die Temperatur in einer Pappel 29,7° C., während die Temperatur der Luft 34,6° C. betrug. Es ist einleuchtend, dass in heissen Tagen die Bäume einen kühlenden Einfluss üben müssen, und einen entgegengesetzten in kühlen Tagen. Wahrscheinlich sind bezügliche Ermittelungen unter den Tropen noch nicht angestellt worden, allein die Folgerung ist gestattet, dass hier in Ländern mit niedriger Bodenerhebung, die Wälder den weitaus grössten Teil des Jahres einen mässigenden Einfluss auf die Luftwärme ausüben, da die Bäume eine niedrigere Temperatur bewahren, wie die sie umgebende Luft, welche mithin durch die Berührung mit ihnen gekühlt werden muss. Jedenfalls ist die dargelegte Eigenschaft ebenfalls dazu bestimmt, eine auf den Temperaturwechsel ausgleichende Wirkung zu äussern. Man muss sich dabei erinnern, dass auch während des strengsten Winters die Lebensthätigkeit der Bäume nicht vollständig stockt, sondern nur verlangsamt, also eine wenn auch geringe Wärmeentwickelung stattfindet. Den grössten erwärmenden Einfluss müssen die Bäume im Frühjahr ausüben, denn sie beginnen eine energische Lebensthätigkeit wenn der Saft steigt, vorerst bleibt aber ihre Verdunstung, also ihre kühlende Wirkung, wegen der unvollkommnen Blattentwickelung, eine geringe. Haben die Bäume die Vollkraft ihrer Verdunstung erreicht, dann übersteigt die kühlende die wärmende Wirkung, zu gleicher Zeit legt sich aber die Feuchtigkeit, welche sie verdunsten, wie ein Schleier über die Erde, der ihre jähe Wärmeausstrahlung während der Nacht verhindert. Dadurch wird die kühlende Wirkung bis zu einem gewissen Grade ausgeglichen, schätzenswerter aber ist die Mässigung der Temperaturwechsel, welche bei einiger Ausdehnung der Wälder beträchtlich ist.

Dem temperaturkühlenden Einflusse der Wälder steht ein temperaturerhöhender entgegen, der meines Erachtens noch nicht genug gewürdigt und in die wissenschaftlichen Untersuchungen hereingezogen worden ist. Ich meine den mechanischen Widerstand, welchen die Wälder den Winden entgegensetzen. Die Luft in den Wäldern ist nahezu ruhig und bewegt sich nur, wenn örtlicher Temperaturwechsel die spezifische Schwere ihrer Atome ändert. Daher ist oft eine gänzliche Windstille in einem Walde, wenn in der angrenzenden freien Landschaft ein heftiger Sturm wütet. Und während auf dem Felde der Schall in der Nähe seiner Entstehung verhallt, wird er in einem grossen Walde weithin fortgetragen, was zwar nicht ausschliesslich, aber vorzugsweise durch die Luftruhe zu erklären ist. Als Unterstützung ist die Abwesenheit von Geräusch zu betrachten. Je dichter der Wald ist, namentlich mit je mehr Unterholz er bestockt ist, desto auffallender ist die Wirkung der Windhemmung, und zugleich der Temperaturmilderung, denn der Wind kältet, indem er die Wärmeausstrahlungen der Lebewesen rasch entführt und durch kühlere Luft ersetzt. Der „Wärmemantel", welcher bei Luftruhe jedes Lebewesen umgibt, kann sich während des Windes nicht bilden.

Niemand kann diesen Einfluss unbeachtet lassen, der an einem kühlen, windigen Tage vom freien Felde in den Wald tritt. Recht bezeichnend ist ein Sprichwort der Schweden: der Wald ist des armen Mannes Jacke. Es ist wesentlich der Norden, wo wir diesen Wärmeunterschied dankbar empfinden, und zwar um so mehr, je näher wir der arktischen Region rücken. Von den mannigfachen Beobachtungen, die in kalten Ländern von dem temperaturmildernden Einflusse der Wälder gemacht worden sind, dürfte keine beweiskräftiger sein, wie die, von welchen die Locomotivführer in Michigan und Minnesota zu erzählen wissen. Wenn sie während kalter Tage von der Prärie in einen grossen Wald einfahren, müssen sie die Feuerung mässigen, da sonst der Dampf aus dem Ventil strömt, und während der Fahrt durch den Wald kommen sie mit dem halben Brennmaterial aus; sobald sie aber wieder auf die Prärie kommen, fällt der Dampf so rasch, dass sie nur mit Mühe den Zug in Bewegung halten können, und in strengen Wintertagen geschieht es sogar zuweilen, dass die Locomotive einige Minuten zum Stillstand gebracht werden muss, um die nötige Dampfspannung zu erzeugen. In dem erwähnten Staate Minnesota ist der Obstbau in den bewaldeten Distrikten noch möglich, in der südlicher gelegenen Prärie aber nicht, es sei denn, dass Schutzpflanzungen zur Hilfe genommen werden. Noch weiter nördlich, da wo die Hudsonsbaigesellschaft, trotz dem Erlöschen ihres Freibriefs, ihr Jagdrevier wie in alten Tagen ausbeutet, findet man die dürftige Kultur, welche sich bis jezt in dieser rauhen Region entwickelt hat, an die Wälder gebunden. Nehmt diese weg und es bleibt eine menschenleere Wildnis.

Als vor einigen Jahren ein scharfer Frost die Orangenhaine Florida's schwer schädigte, wurde die folgende interessante Beobachtung gemacht. Am Orangesee lagen zwei Orangenhaine neben einander in ganz gleicher Lage, und ohne Unterschied den Ausdünstungen des See's zugänglich. Der eine Besitzer hatte bei der Rodung des Waldes, die der Anpflanzung vorausgehen musste, alle Bäume vernichtet, der andere hatte auf 3 Seiten seines Hains einen dichten Waldsaum stehen gelassen. Nach jenem Freste zeigte der letztere Hain nicht den geringsten Schaden, der erstere aber sah aus, als sei er von Feuer versengt und sein Besitzer machte das Geständnis, er hätte einen Wert von 80 000 Mark gerettet, wenn er, gleich seinem Nachbar, einen Waldsaum geschont hätte. Auf den Höhen des Westerwaldes hat man vor etwa 30 Jahren begonnen, die dem Winde am meisten ausgesetzten Felder mit einem 10 Meter breiten Waldstreifen zu umgeben und der Erfolg ist ein so günstiger gewesen, dass der Wert dieser Grundstücke bedeutend gestiegen ist. In Mitteldeutschland liegt das als rauh verrufene Vogelsgebirge. Diesen Ruf verdient es nicht mehr. Dort erzählten mir alte Leute, dass in ihrer Jugend kein Weizen gebaut wurde, weil dieses Getreide zu unsicher war, es erlag den kalten Frühjahrswinden, wenn es nicht schon vorher von den schroffen Temperaturwechseln vernichtet wurde. Gegenwärtig bringt der Weizen dem Bauer das meiste Geld ins Haus, und seiner Qualität wird weit und breit ein vorzügliches Zeugnis ausgestellt. Wie das kam? Durch sinnlose Wälderverwüstung war das Vogelsgebirge lange Jahre nahezu nackt gelegt worden. Eine bessere Einsicht kam schliesslich zur Geltung, ausgedehnte Aufforstungen wurden durchgeführt und das Resultat ist eine Klimamilderung, die den Weizenbau rentabel macht. Allerdings haben dabei die Wälder eine mehrseitige Wirkung geübt, allein der Widerstand, welchen sie den Winden entgegensetzen, darf gerade in diesem Falle nicht unterschätzt werden.

Die Ebene von Crau im Departement Bouches-du-Rhône war seit vordenklichen Zeiten wüst, weil sie wasserarm war und gepeitscht wurde von dem gefürchteten Winde, Mistral von den Bewohnern genannt. In der Neuzeit sind, in grössern oder geringern Abständen, wie es der Bodengestalt und den Eigentumsverhältnissen anzupassen war, Waldstreifen angepflanzt worden, und nachdem noch von der Durance Wasser zugeführt wurde, entstanden Gärten und Äcker mit üppig gedeihenden Nutzgewächsen.

In Italien ist bemerkt worden, dass seit der Entwaldung der Apenninen, der heisse Sirocco, den die Schweizer als Föhn kennen, im Stromgebiete des Po's steigenden Schaden angerichtet hat; zuweilen ruiniert er sogar die Ernten. Aus derselben Ursache müssen in Modena die Dächer mit Ziegeln gedeckt werden; früher widerstanden Strohdächer den Angriffen des Windes. In einigen Gegenden genügten selbst die Ziegel nicht mehr, sondern mussten durch Steinplatten ersetzt werden. Nahe Porto bei Ravenna stand ein 30 Kilometer langer Fichtenwald, der abgeholzt wurde. Die Folge war, dass die Stadt vom Sirocco heimgesucht wurde, ein Übel, das erst wieder mit dem Aufwachsen des später aufgeforsteten Waldes allmählich verschwand.

An der Schelde, Antwerpen gegenüber, dehnte sich früher ein nacktes Ödland. Heute glaubt man aus der Ferne dort einen Wald zu erblicken, doch es ist eine Täuschung: systematisch angelegte Baumreihen sind es, die das Klima so gemässigt haben, dass die nackte Sandwüste in fruchtbare Felder verwandelt werden konnte. Während der vom Meere kommende Wind die Wipfel heftig bewegt, ist über dem Boden kein Luftzug zu bemerken. Der erwähnte Mistral, diese Plage des südöstlichen Frankreichs, soll erst entstanden sein, als zur Zeit der römischen Herrschaft die Wälder der Cévennes massenhaft verwüstet wurden. Ein bis dahin unbekannter Wind verbreitete Schrecken über das Land von Avignon bis zur Rhonemündung, dann weiter ausgreifend bis Marseille und schliesslich die ganze Küste peitschend, wenn auch, durch den langen Lauf abgeschwächt, in mildem Grade die westliche Hälfte. Die Bevölkerung wähnte, dieser Wind sei ein von Gott gesendeter Fluch, und errichtete daher Opferaltäre, um ihn zu versöhnen. Indessen soll diese Plage durch fortgesetzte Entwaldungen, erst vom Ende des 16. Jahrhunderts ab, ihre gegenwärtige Schärfe erreicht haben. Die Verschlimmerung machte rasche Fortschritte. Unter dem Konsulat hatten die andauernden Abholzungen dem Mistral solchen Vorschub geleistet, dass die Olivenkultur um mehrere Meilen nach Süden zurückrückte, und nach dem ersten Viertel unseres Jahrhunderts ist diese Industrie in manchen Gegenden aufgegeben worden, wo sie früher rentabel war.

Im westlichen Guatemala wird der vom Dezember bis Februar häufig wehende trockene Nordostwind gefürchtet, schädigt er doch zuweilen die Kaffeebäume so sehr, dass sie ihr Laub verlieren und infolge dessen nicht allein im laufenden, sondern auch im nächsten Jahre unfruchtbar bleiben. Die Erfahrung hat gelehrt, dass dieser Wind vollständig wirkungslos bleibt, wenn die Kaffeepflanzungen durch einen Waldstreifen geschützt sind, und es werden daher in neuerer Zeit bei Rodungen zum Zwecke einer solchen Anlage, die nördliche und östliche Grenze bewaldet gelassen, und wenn keine Wälder zu roden sind, werden mehrfache Baumreihen zum Schutze angepflanzt. Die Kaffeepflanzer Ceylons wissen, ihre Bäume können nicht gedeihen, wenn sie einen der beiden Monsume, und natürlich noch weniger, wenn sie beiden ausgesetzt sind. Gewährt keine Bodenerhebung Schutz, dann schonen sie als feststehende Regel den Saum des Waldes, welcher der Anlage Platz machen soll.

Südcalifornien wird gewöhnlich mehrmals im Jahre von einem aus der Mohavewüste kommenden Winde geplagt, der so heiss und trocken ist, dass er sich wie eine Glutwelle über das Land ergiesst und dem berüchtigten Sirocco in seinen Wirkungen sicher nichts nachgiebt. Um ihn von den Gärten abzuwehren, umgiebt man dieselben häufig mit einer Schutzanlage aus Montereycypressen (Cupressus macrocarpa), grössere Flächen könnten nur durch Wälder geschützt werden, die aber noch der Anpflanzung harren. In Algier schützt man die Gärten vor dem Winde der Sahara ebenfalls durch dichte Baumreihen, gewöhnlich wählt man den schnell wachsenden, aber im Üebrigen schlecht geeigneten blauen Gummibaum. Genug, in tausend Beispielen lassen sich die wohlthätigen Wirkungen des Waldes, und selbst nur von Baumreihen, durch Hemmung des Windes nachweisen. Freilich gilt auch hier wieder die Bedingung: am rechten Ort und in rechter Ausdehnung.

In geschlossenen, feuchten Thälern, oder bei einer über das richtige Mass hinausgehenden Ausdehnung, kann der Wald durch Verhinderung des Luftwechsels, und die dadurch begünstigte Miasmenbildung, krankheitserzeugend werden. Und in dumpfer Luft wollen die Nutzgewächse nicht freudig gedeihen.

Nicht zu bezweifeln sind die bis jetzt erörterten Einflüsse des Waldes, dagegen harrt die Frage noch der befriedigenden Antwort: stehen Regenfall und Wald in ursächlichem Zusammenhang? Gebildet wird der Regen, wenn die Temperatur der Luft so weit sinkt, dass die in ihr schwebenden Wasserdünste nicht mehr bestehen können, oder wenn diese, vom Wind getragen, in kältere oder schon mit Dünsten gesättigte Luftschichten gelangen. Ist das Höchstmass der aufnehmbaren Feuchtigkeit erreicht und sinkt die Temperatur, so behalten die Dünste nicht ihre unsichtbare Gestalt, sie verdichten sich, erscheinen als hohle, mit Luft gefüllte Wasserbläschen und werden eine Zeit lang von der Luft getragen, entweder als Nebel oder als Wolken — ein Unterschied, der nur durch die Höhe bedingt wird, denn die Wolken sind Nebel, die in hohen Luftschichten schweben, andererseits sind die Nebel Wolken, die unmittelbar über der Erde hängen. Wenn bei fortschreitender Verdichtung die Dunstbläschen sich vergrössern und schwerer werden, wenn eine kältere Luftschicht die Wolken berührt, dann nähern sich die Bläschen, fliessen zusammen, bilden Wassertropfen und fallen als Regen herab. Sie verdichten, wegen ihrer geringen Temperatur, die Wasserdünste der Luftschichten, durch welche sie fallen, und werden dadurch grösser. Die Untersuchungen, von welchen Umständen die Regenmenge abhängig ist, ergeben, dass sie sich nicht gleichmässig auf die Jahreszeiten verteilt, und abhängig ist von der geographischen Lage, der Bodengestalt, den herrschenden Windströmungen, dem Dasein von Gewässern und — was freilich Widerspruch erfährt — von Waldungen.

Die Gebirge halten die durch die Winde fortgeführten Wasserdünste auf, indem sie durch das Hindernis, welches sie den Luftströmungen bieten, denselben Zeit lassen, ihre Feuchtigkeit zu verdichten und eine Wolke zu bilden. Gefolgert darf nicht werden, es fände eine Anziehung der Wolken durch die Gebirge statt, denn in Gegenden mit armer Pflanzendecke, namentlich bei vorherrschendem sandigen Boden, steigt ein aus starker, rascher Ausstrahlung der Erde hervorgehender warmer Luftzug in die Höhe, welcher die in der Luft schwebenden Wasserdünste verhindert, sich zu verdichten, also auch keinen Niederschlag erfolgen lässt. Dieser Luftstrom wird aber mit der Höhe, also über den Gebirgen, schwächer, sodass sich Wolken bilden können; unbedeutende Höhen üben hierbei keinen Einfluss. Diese Wirkung wird vergrössert, wenn ein starker Pflanzenwuchs die Gebirge bedeckt, da er nicht allein das den Luftströmungen entgegenstehende Hindernis vermehrt, sondern auch aus bereits dargelegten Gründen die Temperatur kühlt, mithin die Verdichtung der Dünste begünstigt.

Vergleicht man die Tabellen über den Regenfall in bewaldeten und unbewaldeten Ländern, so ergibt sich kein bedeutender Unterschied in den Niederschlägen, natürlich bei sonst gleichen Verhältnissen. In den waldreichen Gegenden Norddeutschlands fällt keine grössere Regenmenge wie in den waldarmen. Dasselbe findet in dem stark bewaldeten Piemont und dem wenig bewaldeten Departement der Isère statt; in den waldreichen Gegenden von Stockholm und Upsala fällt weniger Regen wie in der Nähe von Kopenhagen. Unter den Tropen hat man dagegen andere Beobachtungen gemacht, die, wenn zuverlässig, sich nur durch die starken Gegensätze von Erhitzung und Abkühlung erklären lassen. In Indien hat sich beispielsweise ein beträchtlicher Unterschied des Regenfalls in bewaldeten und unbewaldeten Gegenden ergeben.

Führen die Winde in der warmen Jahreszeit Wasserdünste oder gar Nebel in die Wälder, so wird ein Teil der Feuchtigkeit durch Berührung mit der kältern Waldluft, den kälteren Bäumen und dem kälteren Boden, offenbar leichter verdichtet und ausgeschieden, als auf unbewaldetem Gelände. Ebenso entstehen in der feuchteren Waldluft leichter wässerige Niederschläge, als in der trockneren Luft des freien Feldes. Der Wald begünstigt somit auch die Bildung der Nebel, und das sogenannte Rauchen der Wälder an Tagen mit unterbrechendem Regen erklärt sich von selbst.

Der Wald mit seinen hohen Bäumen setzt in Gebirgen der Bewegung der Wolken und feuchten Luftmassen ebenfalls ein Hindernis entgegen, wodurch er seine mechanische Wirkung erhöht. Vorbeiziebende Wolken setzen einen Teil ihrer Feuchtigkeit im Walde ab, die Dunstbläschen, aus welchen die Wolken bestehen, werden an den Bäumen verdichtet, sie fliessen zusammen und fallen als Wassertropfen zur Erde. Besonders sind die Fichten- und Kiefernbäume durch ihre rauhen, bürstenartigen Bündeln von Nadeln geeignet, die kleinsten Wassertröpfchen aus den vorbeiziehenden Wolken aufzufangen.

Ist auch der Einfluss des Waldes auf den Regenfall nicht so bedeutend, als häufig angenommen wird und wenn auch der Wald gegenüber dem Gebirge in dieser Beziehung nur eine untergeordnete Rolle spielt, so darf man ihm daher keineswegs jede Einwirkung auf die Niederschläge absprechen. Bei der Abwägung des Für und Wider dürfen wir einen wichtigen Umstand nicht aus den Augen lassen. Es ist nicht anzunehmen, dass die Luft den grösseren Teil ihrer Feuchtigkeit in verdichteter Form an die ursprünglichen Empfangsstellen zurückgibt. Die Luft ist in fortwährender Bewegung und es ist daher wahrscheinlich, dass die Ausdünstungen eines See's, Flusses oder Waldes weniger in der nächsten Nähe des Aufstiegs, als in Entfernungen, die nach Meilen, vielleicht nach Breitegraden zu bemessen sind, in Form von Regen niederfallen.

Die in der Luft schwebenden Wasserdünste sind vor ihrer Verdichtung unsichtbar und hinterlassen kein Merkmal auf den Bahnen, welche sie ziehen. Wir wissen daher nicht, woher sie kommen und wohin sie ziehen. Verdanken wir den Regen, der unsere Wiesen erfrischt, einem fernen Meer, einem nahen Wald, oder beiden? Wo wird die heutige Ausdünstung des See's niederfallen, auf dem sich unser Schiffchen schaukelt — als Schnee im Hochgebirg, als Wolkenbruch über einer durstigen Wüste? Weil wir auf diese Fragen keine Antworten geben können, ist es unmöglich, den Einfluss des Waldes auf die Regenbildung klar und bestimmt festzustellen, aus demselben Grunde ist auch der Beweis hinfällig, mit welchem dieser Einfluss vollständig geleugnet werden soll: Durch Entwaldung sei der Regenfall einer Gegend nicht vermindert worden. Wer kann sagen, ob die verschwundenen

Wälder durch ihre Ausdünstung nicht andere Gegenden mit Regen oder Nebel erquickten? Was würde aus dem Pflanzenwuchs der Binnenländer werden, wenn die Ausdünstungen des Meeres auf ihm selber und dem Küstengestade, zu Regen verdichtet, niederfielen?

Trotz dieser Lücke unseres Wissens ist die Annahme berechtigt, dass in Ebenen von gleichem, allgemeinem Charakter der Einfluss des Waldes auf den Regenfall gering ist, eine steigende Bedeutung gewinnt er aber mit der Erhebung über den Meeresspiegel. Im Sommerhalbjahr ist die Einwirkung des Waldes auf den Regenfall viel grösser wie im Winterhalbjahr, sie ist bedeutungsvoller für heisse wie für kalte Länder, ebenso für das Innere der Festländer wie für die Küstengegenden. Wenn von England und Irland sowohl wie von Ceylon berichtet wird, die Entwaldungen hätten nicht den geringsten Einfluss auf den Regenfall ausgeübt, so klingt das glaublich, beweist aber durchaus nicht, dass diese Erfahrung sich auf einem Festland wiederholen müsse. Und selbst auf einem Festlande können verschiedene Umstände zusammenwirken, welche das Vorhandensein von Wäldern bezüglich des Regenfalls gleichgültig machen. So ziehen die im Mississippithal während des Sommers vorherrschenden Südwinde, feuchtigkeitsbeladen vom mexikanischen Golf herauf, dazu gesellt sich die Ausdünstung des gewaltigen Stromes, die namentlich in der Zeit der tropischen Hitze von Anfang Juni bis Ende August sehr bedeutend ist und in Folge davon ist die Luft stets so mit Feuchtigkeit gesättigt, dass ein leichter Temperaturwechsel Regengüsse erzeugt. Das Zurückdrängen der Wälder hat hier erfahrungsgemäss keinen Einfluss auf den Regenfall geübt und konnte es auch nicht. Anders dagegen in Australien. Der Regierungsbotaniker von Südaustralien sagt: Wenn man die Zeit, welche seit Besiedelung dieser Kolonie verfloss, in gleiche Hälften trennt, so findet man in der ersteren einen um 4 Zentimeter stärkeren jährlichen Regenfall, wie in der letzteren, eine Abnahme, die nur durch die ausgedehnten Wälderverwüstungen zu erklären ist.

Nach den Untersuchungen, welche die britische Gesellschaft in Indien anstellen liess, beträgt der jährliche Regenfall längs der Küste 218 Zentimeter, im Innern, auf bewaldeten, 600 bis 1200 Meter über dem Meere gelegenen Höhen 500 Zentimeter, auf der baumlosen Hochebene aber nur 25 bis 38 Zentimeter. Diese

Ermittelungen waren es hauptsächlich, welche die Regierung veranlasste, gegen die Wälderverwüstung einzuschreiten, eine erste Massnahme, aus welcher später die indische Forstkultur hervorging.

Californien ist ein langgestrecktes Küstenland und den gleichen Windströmungen ausgesetzt. Im vollständig waldlosen Südcalifornien fallen nur 20 bis 30 Zentimeter Regen, obgleich hier die Sierra Nevada zur höchsten Erhebung gelangt. Das mässig bewaldete Mittelcalifornien hat einen Regenfall von 50 bis 60 Zentimeter, und das stark bewaldete Nordcalifornien einen solchen von 100 bis 120 Zentimeter. Es folgt nordwärts das mässig bewaldete Südoregon, wo der Regenfall selten 60 Zentimeter übersteigt. Die allgemeine Erhebung des Bodens und die Gestaltung der Bergrücken mag zu einem Teile diesen auffallenden Unterschied erklären, allein eine Mitwirkung der Wälder kann man sich kaum als ausgeschlossen denken.

Zum Beweise, dass die Bäume regenbildend wirken können, ist schon oft die Insel Ferro angeführt worden, weil man auf ihren Höhen Baumgruppen sieht, die fortwährend von Wolken eingehüllt sind, welchen sie die Feuchtigkeit so wirksam entziehen, dass den Stämmen beständig Wasser herabfliesst. Diese Erscheinung habe ich übrigens häufig auf tropischen Inseln beobachtet, wenn sie auch nicht dauernd waren. An sonnigen Tagen verdichteten sich die Ausdünstungen des Meeres auf den Höhen, und zogen bei einiger Luftbewegung gleich weissen Riesenschlangen durch die Baumgruppen hin. Da konnte ich genau beobachten, wie die Dunstbläschen sich an den Zweigen und Stämmen zu Wasser verdichteten, das niedertroff, um sich zu einem Rinnsal zu vereinigen, das murmelnd nach dem Thale sprang, wo es die Felder befeuchtete.

Es ist zu bedauern, dass in Nordamerika, dem Lande der grossartigsten Wälderverwüstung, die regelmässigen Witterungsbeobachtungen noch so neuen Datums sind, dass weder bejaht noch verneint werden kann, ob der Regenfall abgenommen hat. Das Hörensagen und Schätzen müssen verbannt bleiben, wenn diese Frage zur Entscheidung gestellt wird. Nur die genau gemessenen Regenmengen während eines langen Zeitraumes, an mehreren Orten eines Staates, dürfen als Beweis erbracht werden.

Wohl zu beachten ist, dass jede der Naturerscheinungen, welche das Luftmeer darbietet: die chemische Zusammensetzung, der Luftdruck, die Temperatur, Feuchtigkeit, Elektrizität u. s. w. durch alle übrigen modificiert wird, dass alle in engem Zusammenhange stehen und man nicht einseitig von dem Einfluss der Wälder den Gehalt der Luft an Feuchtigkeit und die Menge der Niederschläge bestimmen darf. Nur die Mitwirkung der Wälder ist nachgewiesen, damit aber auch ihre grosse Bedeutung im Haushalte der Natur.

Eines Einflusses der Wälder auf das Klima muss noch gedacht werden, der häufig unerwähnt bleibt bei Erörterung dieses Gegenstandes, und doch ist er sehr wichtig. Die gewaltigen Störungen im Luftmeere, welche wir Sturm, Orkan, Wirbelwind und Windhose nennen, entstehen durch starke Erwärmung der unteren Luftschicht eines Ortes, die sich in Folge dessen rasch in die Höhe hebt, da aber das Luftmeer, gleich dem Wassermeer, stets nach Ausgleichung strebt, so drängen kalte Luftschichten in den frei gewordenen Raum. Je nach der Ausdehnung der erwärmten Luftschicht und der Heftigkeit, mit welcher die Erwärmung und damit der Aufstieg vor sich geht, bemisst sich die Gewalt der Störung. Nun ist schon erklärt worden, dass die Erwärmung des Bodens im freien Felde eine stärkere ist, wie im Walde, und zwar eine um so stärkere, je dürftiger die Pflanzendecke ist. Das ist fühlbar, wenn wir an einem heissen Tage über nacktes Sandland, dann über eine Wiese und schliesslich über einen von Bäumen oder Büschen beschatteten Platz gehen. Der nackte Boden, namentlich der Sandboden, erwärmt sich in viel höherem Grade bei Tag wie der pflanzenbewachsene, strahlt aber auch bei Nacht seine Wärme viel rascher aus.

Es ist nun begreiflich, dass die Annahme berechtigt ist, bewaldete Gegenden seien niemals der Ursprungsort heftiger Luftstörungen. Die schrecklichen Wirbelwinde, welche auf den nordamerikanischen Prärien unberechenbare Werte, viel Menschenleben und in manchen Jahren sogar ganze Städte zerstört haben, entstehen nachweisbar auf den Prärien, und zwar im Südwesten, da, wo sie den spärlichsten Pflanzenwuchs tragen, und bewegen sich nur auf der waldlosen Prärie. Ebenso sicher nachweisbar ist, dass die gefürchteten Sandstürme der Sahara und der syrischen Wüste sich innerhalb dieser Wüstengebiete entwickeln und da ihre grösste Heftigkeit bewahren.

Dagegen hat noch niemand den Ursprung eines Orkans in den Waldregionen Nordamerika's oder in den Urwäldern des Amazonenthals aufspüren können.

Der Wald in Beziehung zu den gesundheitlichen Verhältnissen.

Es ist in neuester Zeit so viel geschrieben und gesagt worden, von der „Entfieberung“ mancher Gegenden durch Anpflanzung von Gummibäumen und Sonnenblumen, dass es nicht überflüssig erscheint, auf die Mangelhaftigkeit der Forschungen auf diesem Gebiete hinzuweisen. Wenig wissen wir bis jetzt über das Wesen des Fiebers — ich spreche vorzugsweise von dem Sumpffieber oder der Malaria. Die neuesten Forschungen lassen zwar kaum einen Zweifel, dass diese Krankheit durch Pilze, zu winzig, um dem unbewaffneten Auge erkenntlich zu sein, erzeugt wird, und ihre Sporen Jahrhunderte lang keimfähig in der Erde liegen können. Und ferner: nur wo gewisse Mengen Wärme, Feuchtigkeit und Sauerstoff vereint vorhanden sind, können sich diese Pilze entwickeln. Das ist der Anfang der Erkenntnis — nicht mehr. Noch viele Aufhellungen zur vollen Erkenntnis sind nötig.

Der Franzose Bequerel, welcher sich viel mit klimatischen Studien beschäftigte, sagt: es ist beobachtet worden, dass feuchte Luft, mit Miasmen beladen, diese verlor, wenn sie durch einen Wald zog. Rigaud de Lille spricht von mehreren Gegenden in Italien, wo ein Waldstreifen die Ausbreitung des Fiebers verhindert, während in einer andern offnen Richtung diese Plage in voller Gewalt auftritt. Wenige europäische Länder bieten eine bessere Gelegenheit zu Beobachtungen über diesen Gegenstand wie Italien, weil es viele fieberische Gegenden besitzt, und zugleich genug Gehölze und selbst Wälder, um ihre bezügliche Wirkung ergründen zu können. Unter den gebildeten Italienern ist die Meinung weitverbreitet, einige Baumreihen bildeten einen vorzüglichen Schirm gegen die Ausbreitung des Fiebers, und auch in andern Ländern will man diese Erfahrung gemacht haben. Die Wahrscheinlichkeit spricht für die Richtigkeit dieser Beobachtung, denn die Pilze erheben sich nur wenig über ihren Mutterboden, und diese Luftschicht wird entweder gar nicht oder nur in sehr langsamer Bewegung von dem Winde durch den Wald fortgeführt. Während des schleichenden Zuges durch den Wald ist es wohl möglich, dass die Pilze auf den Stämmen und Blättern der Bäume und Sträucher hängen bleiben. Dass aber der Wald keine pilzzerstörenden Wirkungen besitzt, es sei denn, dass er dem Boden so viel Feuchtigkeit entziehen kann, um den Pilzen eine ihrer Lebensbedingungen zu nehmen, beweist das zahlreiche Vorhandensein von Fieberherden mitten in Wäldern, wie im Amazonenthal, an der Ostküste von Zentralamerika und der Westküste von Afrika. Wie es scheint, finden die Pilze in dem dichten Pflanzengewirr des Urwaldes ihr bestes Gedeihen, denn man will in Indien beobachtet haben, dass durch Umwandelung des Urwalds, in jenem Lande Dschungel genannt, in einen Hochwald, das Auftreten des Fiebers innerhalb seines Umkreises sehr gemildert wurde. Vielleicht weil dadurch der Boden besser austrocknete, vielleicht auch, weil die vollständige Luftruhe, welche ebenfalls die Entwickelung der Pilze zu begünstigen scheint, einer, wenn auch noch so leichten, Luftbewegung weichen musste. Doch das sind nur Vermutungen; Gewissheit kann nur die noch ausstehende wissenschaftliche Forschung bringen.

Wie ein Evangelium zog die von Australien ausgehende Nachricht um die Erde, in dem blauen Gummibaum sei ein Fieberzerstörer entdeckt worden; auf die chemische Wirkung seiner harzigöligen Ausdünstung wurde hauptsächlich diese Eigenschaft zurückgeführt. Die spätere Nachricht, im Bereiche vieler Gummiwälder seien Fieberherde nachgewiesen worden, verhallte im Winde; es entstand vielmehr eine Gummibaummanie in allen Gebieten, wo dieser Baum seine Wachstumsbedingungen fand. Wunderbare Erfolge wurden in der ersten Begeisterung berichtet, namentlich wurde das Trappistenkloster Tre fontane in der Campagna bei Rom, immer und immer wieder als leuchtendes Beispiel von der fieberzerstörenden Wirkung der Gummibäume vorgeführt. Die Anpflanzungen, welche die Mönche in diesem verrufenen Fiebernest ausgeführt, hätten alle Erwartungen erfüllt. Nun erklären einige italienische Gelehrte, welche die Malaria zu ihrem Spezialstudium gemacht haben, das Erlöschen des Fiebers in Tre fontane beruhe auf Einbildung und in anderen Gegenden Italiens habe der Gummibaum als Schirm gegen die Ausbreitung des Fiebers weniger befriedigt, wie sturmfeste, heimische Bäume. Auch in anderen Ländern ist die blinde Begeisterung der nüchternen Erkenntnis gewichen, dass von einer chemischen Thätigkeit des Gummibaums keine Rede sein kann, und eine fieberwidrige Wirkung nur in der starken Aufsaugung von Bodenfeuchtigkeit zu suchen ist. Er leistet also in dieser Beziehung nicht mehr wie andere schnellwachsende Pflanzen, beispielsweise Sonnenblumen und Weiden.

Es kann keinem Zweifel unterliegen, dasss manche überfeuchte Bodenart durch Bepflanzung so genügend entwässert werden kann, dass sie ihre Gesundheitsgefährlichkeit verliert. Wenn beispielsweise der Untergrund undurchlässig ist, mag sich über ihm ein Morast bilden. Durchbrechen starke Baumwurzeln den Untergrund, dann schaffen sie dem Wasser eine Abzugsbahn nach poröseren Erdschichten. Diese Entwässerungsmethode steht in naher Übereinstimmung mit einer in Holland, England und Irland üblichen, die darin besteht, dass mehrere hundert Pfähle auf jeden Hektar des zu nassen Geländes eingeschlagen werden. Das Wasser sickert an den Pfählen abwärts, und in manchen Fällen sind mit diesem Verfahren so gute Erfolge erzielt worden, wie mit wagrecht gelegten Entwässerungsröhren.

In der französischen Landschaft La Brenne liegt eine 80 000 Hektar grosse Fläche mit undurchlässigem Untergrund, welche vor tausend Jahren von einem Walde mit eingesprengten fruchtbaren Feldern bedeckt war. In Folge der Entwaldung ist dieses Gelände zu einem ungesunden Moraste geworden. In der Sologne wurden aus derselben Ursache 500 000 Hektar gut bewaldetes und fruchtbares Land der Kultur entzogen, zugleich verschlimmerten sich die gesundheitlichen Verhältnisse auffallend. Ebenso auffallend verbesserten sich die Letzteren in Folge der Aufforstung.

Es ist eine wichtige Beobachtung, dass die Kulturwälder eine grössere entwässernde Wirkung besitzen, wie die Urwälder. Als Erklärung ist anzuführen, dass in ersteren viel mehr grosse Bäume auf einer gegebenen Fläche stehen, wie in letzteren, also auch eine unverhältnismässig bedeutendere Anzahl Wurzeln abwärts treibt. Ferner treiben Bäume, wenn sie durch Zwischenräume getrennt sind, tiefere Wurzeln, als wenn sie geschlossen beieinander stehen, weil sie eines kräftigeren Haltes gegen den Wind bedürfen. Auch ist die Wasserverdunstung des Bodens im Kulturwalde eine stärkere, wie im Urwald, weil in jenem das tote Holz und die Sehmarotzergewächse weggeräumt werden, welche beide die verdunstungshemmende Bodendecke beträchtlich erhöhen, und der Luftzug ein stärkerer ist.

Ich betone übrigens, dass von einer entwässernden Wirkung des Waldes nur in dem nicht häufigen Boden die Rede sein kann, wo der Untergrund undurchlässig für Wasser und doch durchdringlich für Wurzeln ist. In den meisten Bodenarten wird die entwässernde und aufsaugende Thätigkeit des Waldes mehr wie ausgeglichen durch das Zusammenwirken verschiedener Einflüsse, so dass als Regel der Boden durch Bewaldung feuchter bleibt, als er andernfalls sein würde. Es ist, sagt Marsh, in der nordamerikanischen Union beobachtet worden, dass die Entwaldung nicht allein das Versiegen von Quellen verursacht, sondern auch das Vertrocknen stehender Pfützen und des schwammigen Bodens der Niederungen. Die ersten Strassen liefen den Bergrücken entlang, wenn ausführbar, weil dort nur der Boden trocken genug war, um den Bau zu gestatten, und aus demselben Grunde wurden die Hütten der ersten Ansiedler auf die Hügelgipfel gestellt. Mit dem Verschwinden der Wälder wurde die Erde der Sonne und Luft ausgesetzt, die Feuchtigkeit verdunstete und das Verlegen der Strassen und menschlichen Wohnungen von den rauhen Bergen nach den geschützten Thälern ist eine der angenehmsten der vielen Besserungen, welche die jüngeren Geschlechter im Innern Nordamerika's erlebt haben.

Die weisse Ceder (Chamaecyparis sphaeroidea), einer der wertvollsten Bäume des östlichen Nordamerika's, wird vorzugsweise in Sümpfen gefunden. Ihre Wurzeln dringen nicht tief in den Boden, sondern breiten sich so seicht aus, dass der Baum nicht selten den Halt verliert und umfällt. Entwässernd wirken daher diese Bäume nicht, wohl aber verhindern sie durch Beschattung das Vertrocknen des Sumpfes, der manchmal ohne andere als die gewöhnlichen Mittel der Entfernung der Cedern nicht urbar gemacht werden kann.

Das alles schliesst übrigens nicht aus, dass nassen Böden durch Bäume ein Teil der Feuchtigkeit mittels Aufsaugung entzogen werden kann. Je rascher diese Bäume wachsen, je mehr Blätter als Verdunstungsorgane sie besitzen, je dauernder dieselben thätig sind, immergrün bietet das erwünschte Höchstmass, um so entschiedener wird der Erfolg sein. Bedingung aber bleibt, dass die Bäume soweit auseinander gepflanzt werden, um dem Winde und selbst der Sonne Mitwirkung im Auftrocknen zu gestatten, und ferner die Bildung einer Humusdecke durch die abfallenden Blätter nicht gestattet wird.

Verschiedene andere Dienste der Wälder.

In Hochgebirgen mit bedeutendem Schneefall, wie die Alpen und Pyrenäen, bilden die Lawinen eine dauernde Gefahr während des Winters für die Bewohner. Nun kann allerdings kein Wald eine voll entwickelte, im Sturz begriffene Lawine aufhalten, allein er kann die Bildung derselben verhindern, denn die Entstehung findet stets auf nackten Berghängen statt. Es ist in den beiden genannten Gebirgen vielfach nachgewiesen worden, dass an Orten verderbliche Lawinenstürze stattfanden, wo man sie früher nicht kannte, als Folgen von Entwaldungen. Und häufig ist beobachtet worden. dass die seitherigen Lawinenstürze bedeutend an Verderblichkeit zunehmen, nachdem ein Wald abgeholzt worden war.

Einen ähnlichen Dienst leisten die Wälder im Festhalten von Felsgeröll, wovon man sich leicht überzeugen kann, wenn man einen Gebirgswald betritt. Beispielsweise in der Schweiz tötet fallendes Felsgeröll so häufig das weidende Vieh, dass dasselbe gegen diesen Unfall versichert zu werden pflegt. Der erwähnte Dienst ist mithin gebührend zu würdigen.

Dieselbe Erscheinung in riesengrossem Massstabe wird Erdrutsch genannt, und ist bis jetzt am häufigsten in den Alpen beobachtet worden. Die Stadt Plurs in Mairathal wurde 1618 mit ihren 2430 Bewohnern begraben, kein Rigibesucher versäumt es. hinüberzuschauen, wo 1806 der Erdrutsch von Goldau stattfand, der das Dorf mit 450 Menschen überschüttete. Im letzteren Falle ist es bestimmt nachgewiesen, dass der Abholzung eines Waldes bedeutende Mitschuld an dem Unglücke zugemessen werden musste. Hält doch das Wurzelgeflecht eines Waldes die Erddecke fest zusammen und schützt die unterliegenden Felsen vor den Einwirkungen der Kälte und Hitze — die beiden Factoren, welche am wirkungsvollsten an ihrer Zerstörung arbeiten. Ferner verhindern die Wälder während eines Regens die Bildung von Giessbächen, welche den Fuss der Felsen unterminieren und damit ihren Absturz beschleunigen. Nicht minder nützlich wie im Gebirge zeigen sich die Wälder an der Küste, denn hier gebieten sie den Dünen Halt, damit sie nicht das angrenzende fruchtbare Gelände überschütten. Es ist sehr bemerkenswert, dass aus dem Altertum keine Berichte über Dünen vorliegen; die Römer, welche doch sonst so scharf beobachteten und niederschrieben, was sie sahen, erzählen nichts von den riesigen Dünen an der französischen Küste, schweigen auch über die Dünen der Niederlande. die sie gewiss gesehen haben müssten, wenn sie vorhanden gewesen wären. Erst im Mittelalter wurde über das Vorhandensein und die Ausbreitung der Dünen geklagt, und wie das kam, lehren mehrere Erfahrungen. Die Dünen von Jütland haben sich erwiesenermassen nicht eher ausgebreitet, bis die Wälder in ihrem Rücken vernichtet waren. Dieselben hemmten den Wind von zwei Richtungen und bildeten die Behausung von Gräsern, welche von hier nach den Dünen vordrangen. und durch ihr Wurzelgeflecht die Bewegung des Sandes hemmten. Aus demselben Grunde sind die Dünen Ostpreussens zu ihrem gegenwärtigen Umfange angeschwollen, ebenso die Dünen Neu-Englands. die von den ersten Ansiedlern mit Heidelbeersträuchern und Sandgräsern bedeckt und im Rücken von Wäldern besäumt. vorgefunden wurden. Man schone den Wald hinter der Düne, halte weidendes Vieh von ihr fern. und sie wird ihre mässige Ausdehnung und ihre derzeitige Lage bewahren. Wie verderblich sie aber ohne den Waldschutz werden kann, lehrten die an anderer Stelle geschilderten Dünen der Gascogne, welche vor ihrer Bewaldung nicht allein Felder und Gärten, sondern auch Dörfer mit ihren Kirchtürmen verschütteten. Dort, wie in der Bretagne, ist das jährliche Vorrücken der Dünen mit 35 bis 50 Meter gemessen worden.

Schliesslich sei noch der Beachtung empfohlen, dass die gefürchtete Plage mancher Länder: die Heuschrecken, niemals in bewaldeten Distrikten brüten. Darüber haben die neuesten wissenschaftlichen Untersuchungen in Nordamerika und Cypern keinen Zweifel gelassen. Nur auf baumlosem. mit Gräsern oder spärlich mit Gebüsch bestandenen Gelände legen sie ihre Eier, und wie sie überhaupt den Schatten fliehen, so richten sie ihre verheerenden Züge nur nach waldlosen Gegenden. In Nordamerika sind sie niemals aus der Prärie in die Waldregion hinein vorgedrungen, und in Cypern kennt man diese Plage erst, seit unter der Türkenherrschaft die Entwaldung begann, und zwar hielt sie mit derselben gleichen Schritt. Vor der Besitzergreifung durch die Engländer wollten die Bewohner mehrmals in Verzweiflung den Ackerbau ganz aufgeben, da sie doch nur für die Heuschrecken ihre Felder bestellten.

Die Folgen der Entwaldung.

Gewöhnlich treten die Folgen der Entwaldung langsam ein, weshalb sie häufig geleugnet werden. Doch sie bleiben nicht aus und rächen die Sünde, das Gleichgewicht im Haushalte der Natur gestört zu haben. Zugestanden muss werden, dass die Folgen sich weit weniger fühlbar machen, wenn an Stelle des Waldes das gepflügte Feld tritt, anstatt die nackte Öde. Denn der gepflügte Boden ist fähig, eine viel bedeutendere Feuchtigkeit aufzuspeichern, wie der ungepflügte, kann also auch länger durch Verdunstung Feuchtigkeit an die Luft abgeben, uud eine viel stärkere Pflanzendecke ernähren, welehe die Verdunstung indirekt besorgt, zugleich aber den Boden vor zu schnellem Austrocknen bewahrt, indem sie ihn vor den Einwirkungen des Windes und der Sonne schützt. Trotzdem rächt sich die Entwaldung fühlbar, immer in ihrer Plan- und Masslosigkeit gemeint. Denn es heisst weit über das Ziel hinausschiessen, wollte man alle Entwaldungen in Bausch und Bogen verurteilen. Nur ein gewisser, nach der geographischen Lage und der Bodengestalt schwankender Prozentsatz des Landes ist den Wäldern einzuräumen und zwar in möglichst gleichmässiger Verteilung über das Gesammtgebiet.

Da die Theorien gewöhnlich weniger belehrend und mahnend wirken wie die Thatsachen, so stelle ich nachfolgend eine Reihe von Fällen zusammen, welche als Beweise für die nachteiligen Folgen der Entwaldung dienen sollen.

Mit berechtigtem Stolze dürfen wir Deutsche auf unsere Forstkultur blicken, vergessen sollten wir aber nicht, dass es eine Zeit gab, wo auch in Deutschland stark gegen die Wälder gesündigt wurde, und die Schäden immer noch nicht vollständig ausgeglichen sind. Wasserbauingenieure, die gehört zu werden verdienen, behaupten, die Wasserführung der deutschen Ströme im Sommer sei gegenwärtig eine geringere wie in früheren Zeiten, und die verheerenden Überschwemmungen der Oder, des Rheins und ihrer Nebenflüsse in den beiden letzten Jahrzehnten, reden laut genug, dass die Bewaldung noch nicht so ist, wie sie sein sollte.

Von der Römerzeit bis ins 14. Jahrhundert war die Eifel ein mit schönen Waldungen bedecktes, gut kultiviertes Gebirgsland. In Folge der Wälderverwüstung, die während der Raubzüge

Ludwigs XIV. und der französischen Besitznahme am Ende des vorigen Jahrhunderts ihren Höhepunkt erreichte, wurde die Eifel zum „rheinischen Sibirien," wo kaum der Hafer reif wurde. Ihre Bewohner verarmten und obgleich manches zur Abhülfe geschehen ist, so bleibt doch zur Wiederherstellung der früheren Zustände noch manches Ödland aufzuforsten. Auf der hohen Venn trug die Entwaldung hauptsächlich zur Versumpfung bei, aus einer Ursache, die oben schon durch Beispiele erläutert wurde.

Ein Kiefernwald befestigte mit seinen Wurzeln den Dünensand und die Haide ununterbrochen von Danzig bis Pillau; als man aber den ganzen Wald fällte, so weit er preussisch war, und die Winde über die kahlgelegten Hügel wehten, versandete das Frische Haff zur Hälfte. Gegenwärtig droht das weit über die Wasserfläche wuchernde Schilf einen ungeheuern Sumpf zu bilden. Die Wasserstrasse von Elbing und Königsberg ist gefährdet, der Fischfang im frischen Haff beeinträchtigt.

Als Napoleon I. die Kontinentalsperre dekretierte, wurden die Hochöfen in der Nähe von Bergamo erweitert, und bis zu ihrer äussersten Leistungsfähigkeit in Betrieb gehalten. Selbstverständlich wurde der Bedarf an Brennstoff bedeutend erhöht, und er musste in einer Zeit, wo man noch keine Eisenbahnen kannte und die Strassen mangelhaft waren, in der Nähe gedeckt werden. Bei Piazzatorre standen schöne Wälder, die rücksichtslos abgeholzt wurden. Diesem Frevel folgte die Strafe auf dem Fusse. Das Klima jener Gegend, die fortan nicht mehr gegen die eisigen Alpenwinde geschützt war, wurde so extrem, dass selbst der Maisbau aufgegeben werden musste. Um der Verödung der Gegend vorzubeugen, bildete sich eine Gesellschaft, welche die Wälder aufforstete. Erst als diese Massregel vollständig durchgeführt war, kehrten die alten klimatischen Verhältnisse zurück.

Bevor das Quellengebiet der Sorne entwaldet wurde, lieferte dieses Flüsschen, fasst unbeeinflusst von Regenwetter und Dürren, genügendes Wasser für die Eisenwerke von Unterwyl. Die Sorne ist nun zum Giessbach geworden, jeder Regen verursacht eine Hochflut, dagegen legen einige sonnige Tage das Flussbett fast trocken. Zuerst wurden andere Wasserräder eingeführt, weil die alten, von schwerfälliger Konstruktion, die Maschinen nicht mehr treiben konnten, schliesslich mussten aber Dampfmaschinen aufgestellt werden, damit die Werke wegen Wassermangels nicht still standen.

Als die Fabrik von St. Ursanne (Schweiz) gegründet wurde, lieferte das vorbeifliessende Flüsschen genügende Wasserkraft und hatte sie bereits seit vordenklichen Zeiten für eine andere Fabrik geliefert. Später wurden die Wälder im Quellengebiet abgeholzt und die Folge war, dass die Fabrik nur das halbe Jahr Wasser hatte und später aufgegeben werden musste.

Über die Folgen der Entwaldung der Alpen in der Provence äussert sich der Franzose Blanqui: In dem gemässigteren Klima Nordfrankreichs kann man sich keinen Begriff von diesen brennenden Berghängen machen, wo es nicht einmal einen Busch gibt, um einen Vogel zu schützen, wo der Reisende nur hier und da eine verwelkende Lavendelstaude trifft, wo alle Quellen versiegt sind und ein düsteres, kaum vom Summen der Insekten unterbrochenes Schweigen herrscht. Bricht ein Gewitter los, dann wälzen sich von den Höhen Wassermassen in diese geborstenen Thäler, welche verwüsten ohne zu begiessen, überschwemmen ohne zu erfrischen und den Boden durch ihre vorübergehende Erscheinung noch öder machen, als er aus Mangel an Feuchtigkeit war. Schliesslich zieht sich der Mensch aus dieser schrecklichen Wüste zurück, und ich habe in diesem Jahre (1843) nicht ein lebendes Wesen mehr getroffen, wo ich vor 30 Jahren Gastfreundschaft genossen zu haben, mich erinnere.

Zehn Jahre später richtete der Unterpräfekt des von Blanqui geschilderten Gebiets eine Denkschrift an die Regierung, in welcher diese Sätze standen: Es ist sicher, dass die fruchtbare Erdschicht der Alpen durch die steigende Gewalt des Fluches dieser Berge, der Giessbäche täglich mit schrecklicher Schnelligkeit vermindert wird. Alle unsere Alpen sind entweder vollständig oder zum grössten Teile ihrer Wälder beraubt. Ihr Boden, berstend unter der Sonne der Provence, zerstückelt von den Klauen der Schafe, welche den Boden aufkratzen und benagen im Suchen nach Wurzeln, da sie nicht genug Gras finden, um ihren Hunger zu stillen, wird von Zeit zu Zeit von dem schmelzenden Schnee und dem Sommerregen weggeschwemmt. Ein indirekter Beweis von der Verminderung der fruchtbaren Erde kann in der Entvölkerung des Landes gefunden werden. Im Jahre 1852 berichtete ich dem Generalrat, dass gemäss der Volkszählung jenes Jahres die Bevölkerung des Departements der untern Alpen in den 5 Jahren zwischen 1846 und 1851 um nicht weniger wie 5000 Seelen abgenommen hätte. Wenn nicht sofortige und energische Massregeln getroffen werden, ist es leicht, den Zeitpunkt zu bestimmen, wann die französischen Alpen eine Wüste sein werden. Im Jahre 1842 besass das genannte Departement 99000 Hektar Kulturland, 1852 nur noch 74000 Hektar. Von 1852 verminderten sich Kulturland und Menschen stetig bis 1862, wo Ernst mit der Aufforstung gemacht wurde. Dass dieselbe ausserordentliche Schwierigkeiten bieten muss, liegt auf der Hand, um so anerkennenswerter ist, was die französischen Forstleute bis jetzt geleistet haben. Schon haben sie die wilde Durance gebändigt durch ein methodisches Vorgehen, das für ähnliche Fälle mustergiltig bleibt.

Was Spanien an seinen Wäldern verloren hat, wurde schon oben dargelegt, manche gehen noch weiter und wollen sogar die Wälderverwüstung als die Ursache des politischen und wirtschaftlichen Niedergangs Spaniens betrachtet wissen. Für gewisse Gegenden trifft diese Behauptung sicher zu, wie das folgende Beispiel zeigt. Etwa 10 Kilometer nordöstlich von der Stadt Almeria liegt Pechina, einst eine wichtige Hafenstadt am Ausflusse der Almeria. Jetzt noch sind die Ruinen von Werften zu sehen, welche vor mehreren hundert Jahren dem Schiffsverkehre dienten. Das Flussbett ist jetzt eine ebene Sandwüste bis zum Mittelmeer, ausgenommen wenn ein Wolkenbruch eintritt, dann wälzt sich eine Hochfluth heran, die den Sand noch weiter in das Meer schiebt.

Einer französischen Forstzeitung entnehme ich die nachfolgende interessante Gegenüberstellung, welche den Verfall Buchara's in Folge von Wälderverwüstungen innerhalb 50 Jahren zeigt. Beide Berichte entstammen Reisenden; der von 1826 ist der Allgemeinen Geographie von Malte-Bruns entnommen.

1876.

Die Bucharei bietet ein schlagendes Beispiel von den Folgen der Entwaldung für ein Land. Noch vor 30 Jahren war die Bucharei eines der fruchtbarsten Gebiete von Mittelasien, das, gut bewaldet und bewässert, einem irdischen Paradiese glich. Allein in den letzten 25 Jahren hat sich der Bevölkerung die Entwaldungsmanie bemächtigt, alle grossen Wälder wurden abgeholzt und das Wenige, was übrig blieb, verzehrte das Feuer während eines Bürgerkrieges. Die Folgen liessen nicht lange auf sich warten, sie gaben dem Lande ein wüstenartiges Gepräge. Die Gewässer sind versiegt und die Bewässerungskanäle trocken. Der treibende Wüstensand, nicht mehr zurückgehalten von Wäldern, verbreitet sich jeden Tag weiter über das Land und wird dasselbe schliesslich in eine Wüste verwandeln, so öde wie diejenige ist, welche es von Khiwa trennt.

1826.

Die schönste Provinz der Tartarei bleibt noch zu beschreiben, sie ist gewöhnlich unter dem Namen grosse Bucharei gekannt.

Der bemerkenswerteste und fruchtbarste Distrikt heisst Sogd, so genannt nach dem Flusse, welcher ihn durchströmt. Acht Tage lang, sagt Iban Hankol, mag man in dem Districte Sogd reisen und stets in einem prächtigen Garten bleiben. Dörfer, reiche Kornfelder, fruchtbare Obsthaine, Landhäuser, Gärten, Wiesen, von Bächen durchschnitten, Sammelbecken und Kanäle bieten an jeder Seite ein lebensvolles Bild von Fleiss und Glück. Das reiche Thal von Sogd erzeugt eine solche Fülle von Trauben, Melonen, Birnen und Äpfel, dass sie nach Persien und selbst nach Hindostan exportiert werden. Ich bin oft in Kohandis gewesen, der alten Hauptstadt der Bucharei. Viel habe ich mich umgesehen, aber niemals fand ich eine frischere, üppigere und ausgedehntere grüne Landschaft. Der grüne Teppich verschwamm am Horizont in das Blau des Himmels. Das Grün diente als eine Art schmückender Untergrund für die Städte, welche in ihm standen. Zahlreiche Landhäuser zierten die Felder. Daher bin ich nicht überrascht, dass von allen Bewohnern der Tartarei keine ein höheres Alter erreichen, wie diejenigen der Bucharei.

Mag auch auf beiden Seiten einige Übertreibung unterlaufen, so bleibt doch noch genug übrig, um das Bild sehr trübe erscheinen zu lassen.

Die Entwaldungsmanie muss sich wohl von Buchara nach dem benachbarten nördlichen China verbreitet haben, denn auch hier ist im letzten Menschenalter mit Axt und Feuer so lange gegen die Wälder gewütet worden, bis alle Berge und Hügel nackt lagen. Als Rächer erschien der Würgengel Hunger in immer kürzeren Pausen zu längerem Aufenthalt, und als er im vorigen Jahrzehnt 3 Jahre lang verheerte, sollen ihm 7 Millionen Menschen zum Opfer gefallen sein. Mag das nun zu hoch gegriffen sein oder nicht — grauenhaft über alle Begriffe war diese Leidenszeit der Bevölkerung. Einem britischen Konsul, der zur Berichterstattung nach der Unglücksstätte gesendet wurde, gaben die älteren Bewohner Schilderungen, die keinen Zweifel aufkommen lassen, dass diese Hungersnot, gleich den früheren, eine Folge der Entwaldung war. Seit die Berge nackt sind, welche die alten Leute noch dicht bewaldet sahen, sind die Wasserläufe und viele Quellen versiegt. Der Wind ist heftiger geworden, und was schlimmer ist, viel trockener, er zehrt daher die Bodenfeuchtigkeit rasch auf. Der Frost tritt schärfer auf und später im Frühjahr; das Klima ist überhaupt viel extremer geworden, wie nicht anders zu erwarten war, da Nordchina weit vom Meere entfernt liegt. Ob eine Abnahme des Regenfalls stattfand, wie behauptet wird, muss dahingestellt bleiben, da keine Messungen stattfanden; mehr Glauben verdient die Angabe, früher habe man von der Heuschreckenplage nichts gewusst, jetzt trete sie häufig auf.

Seither trat regelmässig zweimal in einem Jahrzehnt die Hungersnot in Indien auf, bald hier bald dort in dem grossen Reiche. Jedesmal wurde sie durch eine Dürre veranlasst, und diese Dürre waren die Folgen von Entwaldungen, wie die Untersuchungen ergaben, welche die Regierung nach jeder Hungersnot anstellte. Das ist einer der triftigsten Gründe für die energischen Aufforstungen, gilt es doch nicht allein grauenhaftes Elend zu verhindern, sondern auch die vielen Millionen zu sparen, welche die Regierung zur Milderung einer Hungersnot verausgaben muss. Es würde ermüdend sein, die vielen Nachweise über die Folgen der Wälderverwüstungen wiederzugeben, welche die verschiedenen Untersuchungskommissionen gesammelt haben, nur eine Ausnahme möge stattfinden, weil sie einen wenig gekannten Gegenstand betrifft. In mehreren ausgedehnten Gegenden Indiens bildet ein hoher Gehalt an schädlichen Alkalien im Boden — Reh in der Hindusprache genannt — ein Fluch für den Ackerbau, weite Strecken macht er vollständig unfruchtbar. Der Direktor der geologischen Vermessungen von Indien, Mr. Medlicott, dem hohe Fachkenntniss nachgerühmt wird, spricht sich in einem Gutachten dahin aus, die Alkalien hätten sich in der Bodenkrume nur wegen Abwesenheit von Wäldern ansammeln können. Die scharfsinnige Begründung dieser Behauptung wiederzugeben, würde zu weit führen, es sei nur kurz bemerkt, dass ihr wesentlicher Inhalt darin besteht, das Regenwasser liefe so rasch, dass es nicht in den Untergrund eindringen könne, nach tiefen Stellen, wo es aber auch so rasch von Wind und Sonne aufgezehrt würde, dass es nicht tief einsickern könne. Als unverdunstbaren Teil liesse es in Form einer weissen Kruste das Produkt der Auslaugung auf dem Wege nach den Sammelstellen zurück. Als Beweisführung dient, dass „Rehland“ in grosser Ausdehnung nur auf den waldlosen, sonnverbrannten, windgepeitschten nordwestlichen Ebenen auftritt. Um es kurz zu fassen: Medlicott führt dieses Uebel auf die ungünstige Beeinflussung des Klima's durch Entwaldungen zurück. Was auch dagegen gesagt werden mag, beachtenswert ist es jedenfalls, dass auch die nordamerikanische Pazifikküste an jenem Übel leidet, und es auch hier nur in waldlosen Gegenden auftritt. Ich glaube dieselbe Erscheinung lässt sich noch in anderen Ländern beobachten.

Auch in Australien haben die Entwaldungen manche ungünstigen Veränderungen hervorgerufen, namentlich ist die Wasserführung der Flüsse in der trockenen Jahreszeit geringer geworden. Der Forstkommissär Brown von Südaustralien sagt in einem Bericht: der Torrensfluss sei wesentlich von den Entwaldungen beeinflusst worden. Früher führte er Wasser in allen Jahreszeiten, gegenwärtig sind alle tiefen Stellen von Sand und Kies aufgefüllt und da, wo vor Jahren die Leute mit einem Fährboot übersetzten, können sie jetzt die meiste Zeit trockenen Fusses kreuzen. Aus demselben Grunde ist auch der Thaufall in manchen Gegenden fast bis zur Unkenntlichkeit schwach geworden. Nicht die Holzfäller sind die Hauptzerstörer der Wälder in Australien, zumal in Südaustralien, sondern die Schäfer, denn dieselben ringeln die Bäume und stecken sie, wenn dürr geworden, in Brand, um mehr Weideland für ihre Heerden zu gewinnen.

Es wird so oft behauptet, das Inselklima schütze vor den Folgen der Entwaldungen, so dass es eine besondere Beachtung verdient, was man in Mauritius darüber weiss. Diese Insel war einst dicht bewaldet, allein schon gegen Ende des vorigen Jahrhunderts erregte das Verschwinden der Wälder so ernste Besorgniss, dass eine Reihe von Schutzmassregeln erlassen wurden. So sollten nur Steine zum Bauen verwendet werden, es wurde verboten, Feuer im Feld und Wald anzulegen, die Eigentümer einer Landfläche mussten Erlaubnis einholen, wenn sie Wald roden wollten, und niemals durften sie ein Flussufer abholzen. Noch andere Verordnungen folgten, die letzte datiert von 1826.

Nicht allein wurden die Waldrodungen nach Möglichkeit eingeschränkt, sondern auch Aufforstungen vorgenommen, welchem Zwecke vorzugsweise der neu eingeführte Bois d'oiseaux (Litsea chinensis) diente.

So blieb es bis zum Beginn der fünfziger Jahre, wo das Zuckerfieber ausbrach und alle Waldschutzgesetze über den Haufen stiess. Wie noch niemals in der Geschichte der Insel, wurde die Wäldervernichtung betrieben, um Raum für Zuckerplantagen zu gewinnen. Über die Folgen lasse ich den Direktor des Observatoriums von Mauritius, Charles Meldrum, sprechen.

Es ist der allgemeine Glaube, welchem ich zustimme, dass die Feuchtigkeit im Innern der Insel beträchtlich abgenommen hat, und wahrscheinlich auch der Regenfall, allein die Beobachtungen sind noch nicht lange genug geführt, um uns in den Stand zu setzen, sichere Schlüsse über die Stufenfolge und Menge der Abnahme zu ziehen. Die Regierung hat in jüngster Zeit begonnen, einige nackte Strecken aufzuforsten, und im Laufe der Zeit werden wir die Wirkung auf die Feuchtigkeit von Luft und Boden kennen lernen.

Ich zweifele kaum, dass die Zerstörung der Wälder schlimme Wirkungen auf die gesundheitlichen und landwirtschaftlichen Verhältnisse der Insel ausgeübt hat. Stets lagen Seen und Lagunen in den Niederungen an der Küste, gebildet durch Sickerwasser aus den Gebirgen des Innern. So lange die Insel dicht bewaldet war, wurde ein grosser Teil des Regenwassers zurückgehalten und die Sickerung fand allmählich statt, sodass selbst in den trockensten Jahren die Lagunen regelmässig mit frischem Wasser versorgt wurden. Jetzt aber läuft der grösste Teil des Regenwassers in das Meer, und daher strahlt bei trockenem Wetter die Sonne auf schlammige, faulige Moräste. Ferner werden während der Regenzeit die Niederungen überflutet, und viele Pfützen mit Pflanzenstoffen bleiben zurück. Die Folge ist, dass eine Insel, die einst als gesunder Aufenthalt berühmt war, zu einem Treibhause der Malaria geworden ist. In den letzten 10 Jahren ist die Sterblichkeit durch Fieber sehr gross gewesen. Während nach schweren Regen die Verdunstung vor sich geht, aber nur bei hoher Temperatur, wird das Fieber seuchenhaft. Eine schwere Dürre herrschte vom Januar bis April 1875, gefolgt von starkem Regen Ende April und im Mai, allein das Fieber trat nicht heftig auf, augenscheinlich, weil der Winter einsetzte, bevor der Regen aufhörte. Andererseits wurde eine vom November bis Januar 1876 währende Dürre, von starken Regengüssen abgelöst, diesmal wurde das Fieber allgemein und wütete während der Monate März, April und Mai. Während der letzten 15 Jahre sind manche Zuckerplantagen an der Windwärtsküste aufgegeben worden, hauptsächlich weil es an genügendem Regen fehlte.

Ähnliche Erfahrungen wie Mauritius hat auch seine Nachbarinsel Réunion gemacht. Nachdem die bewaldeten Hügel abgeholzt waren, versiegten die Bäche und viele Quellen, die Regengüsse überfluteten das Kulturland und die gesundheitlichen Verhältnisse verschlimmerten sich. Noch zur rechten Zeit wurden Massregeln getroffen, um die Bewaldung wenigstens teilweise wieder herzustellen.

Die Capkolonie leidet bald an einer Dürre, bald an einer Überschwemmung, ein Übelstand der von dem Regierungsbotaniker Brown auf das Verschwinden von Wäldern zurückgeführt wurde. Dieser Beamte veröffentlichte ein Buch „Forests and Moisture", welches einen Brief enthält, der so interessant ist, dass ich ihm hier eine Stelle einräume. Der Schreiber sagt: „Dieser Sommer ist an der Küste entlang ungewöhnlich heiss und trocken gewesen, und in der Umgegend von Grahamtown sind wir aus Mangel an Regen nicht im Stande gewesen etwas zu ernten, versiegten doch alle Quellen. Vielleicht kennen Sie den Platz von J. J. Stone auf dem Hügel an der Cowiestrasse nach der See zu. Er ist weithin gekennzeichnet durch eine Anzahl Gummibäume auf der Seite nach Grahamtown. Während des Sommers hatten wir nur Nebel, gerade genug um das Gras anzufeuchten, aber nicht genug um den Boden zu benässen, allein jene Bäume verwandelten den Nebel in Regen. An ihnen ist die Wirkung fast spurlos vorüber gegangen, dort wuchsen auch die Blumen und das Gemüse den ganzen Sommer ohne bewässert zu werden, auch war die Tränke stets gefüllt. Das ist der einzige Platz innerhalb 25 Meilen von Grahamtown, von welchem ich diesen Zustand vernommen habe."

Schlimmer wie im Süden ist im Norden Afrika's gegen die Wälder gewütet worden, standen doch auch hier mehr Wälder zur Vernichtung bereit. Vor tausend Jahren war das durch einen Gebirgszug von der Sahara getrennte Land, welches wir heute

Tripolis nennen, in einem so blühenden Zustand, dass seine Bevölkerung auf 6 Millionen Seelen geschätzt wurde; seitdem ist sie auf 45 000 zusammengeschmolzen.

Seit die Wälder verschwanden, versiegten die Wasserläufe, den Feldern konnte nicht mehr die nötige Feuchtigkeit zugeführt werden, und das Land nahm einen wüstenartigen Charakter an. Und das einst angenehme Klima ist so brennend heiss geworden, dass selbst der hartherzigste Despot seine Sklaven nicht zwischen 9 Uhr morgens und 5 Uhr nachmittags auf dem Felde arbeiten lässt.

Kaum besser ist es dem Nachbarstaate Tunis ergangen. Noch vor 100 Jahren berichteten Reisende von Fichtenwäldern, die eine ausgedehnte Terpentingewinnung ermöglichten, welche seitdem spurlos verschwunden sind. Eine trostlose Wüste dehnt sich jetzt, wo das alte Karthago in einer prächtig bewaldeten und bewässerten Landschaft stand. Ein armes, trockenes Land, nur noch gut genug für Nomaden, ist Tunis, und auch die Franzosen können es nicht umgestalten, es sei denn dass sie, wie in Algier, Aufforstungen vornehmen. Und lässt man den Blick rund um das Mittelmeer schweifen, so trifft er überall sonnverbranntes, kahles Gelände. So war es nicht immer: einst war dieses schönste Meer der Erde mit prächtigen Wäldern umrahmt. In Griechenland fliessen berühmte Quellen nur noch im Lied, historische Flüsse sind Bäche und der Lernäasee ist zu einem Pfuhl geworden, so mit Schilf bewachsen, dass manche Reisende an ihm vorbeizogen und ihn nicht bemerkten. In Italien ist der berühmte Rubicon so unbedeutend geworden, dass über seine Echtheit Zweifel entstanden. Palästina war ein Land der Quellen und Bäche. Die Läufe bestehen noch, allein sie sind trocken, ausgenommen in der Regenzeit. Lassen wir den Blick abschweifen, dann bietet sich wenigstens ein Lichtbild: bei Konstantinopel. Etwa 20 bis 30 Kilometer von dieser Stadt entfernt, sind alle Hügel mit Eichen und Kastanien bedeckt, die seit 1500 Jahren gesetzlich beschützt werden. Schon die alten griechischen Kaiser erkannten ihre Wichtigkeit, die auch den türkischen Sultanen nicht entging. Denn in diesen Hügeln entspringen die Quellen, welche Konstantinopel mit Wasser versorgen. Nur einmal wurde der Schutz unterbrochen: als Sultan Mahmut 1823 die Janitscharen vernichtete. Es galt um Sein und Nichtsein und so wurden diese Wälder in Brand gesteckt, um die hierher geflüchteten Janitscharen zu vertreiben. Die Folge war ein empfindlicher Wassermangel in Konstantinopel, der in dem Masse verschwand, wie das junge Gehölz aufwuchs.

Die Cap Verdischen Inseln sind trocken und unfruchtbar geworden mit dem Verschwinden ihrer Wälder. Madeira war bei seiner Entdeckung reich bewaldet, entstammt doch auch der Name dem portugiesischen Worte für Holz. Als die Europäer zur Besiedelung schritten, wüteten sie mit Feuer und Axt gegen die Wälder. Die portugiesische Regierung wollte Einhalt thun — vergeblich, das Verlangen nach neuen Weinbergen liess sich nicht unterdrücken. Als die Bäume auf den Bergen verschwunden waren, konnten sich nicht mehr Regen und Rinnsale in der oben geschilderten Weise bilden; Madeira wurde wasserarm und damit unfruchtbarer, sein grösster Fluss, der Socorridos, auf dem früher Flösse nach der See trieben, ist ein Bach geworden.

Ebenfalls reich bewaldet war St. Helena, als es 1502 entdeckt wurde. Die Rodungen, um Kulturland zu gewinnen, mehr noch die vielen Ziegen entblössten die ganze Insel von Wald. Es traten verheerende Dürren und kaum minder verheerende Überschwemmungen ein, so verderblich wurden diese Übel, dass Ende des vorigen Jahrhunderts, der Gouverneur Vergütungen für Aufforstungen gewährte und die schnellwachsende Kiefer mit der Ermunterung zur Anpflanzung einführte. Der Erfolg entsprach den Erwartungen: die alten klimatischen Zustände kehrten zurück. Die englisch-ostindische Gesellschaft musste 1836 diese Insel an das Mutterland übergeben, von da ab hörten die Vergütungen für die Bewaldungen auf, die Schutzgesetze geraten in Vergessenheit und allmählich scheinen die Wälder dem Untergange entgegen zu gehen.

Von den südamerikanischen Staaten hat Chili am ärgsten gegen die Wälder gesündigt. Der nördliche Teil des Staates war, zum wenigsten in geschichtlicher Zeit, niemals bewaldet, wohl war es aber der mittlere Teil, der jetzt nahezu entblösst ist. Im Süden sind zwar noch ausgedehnte Waldungen zu finden, die aber nach allen Mitteilungen wie Schnee vor der Märzsonne zusammenschmelzen. Hier sowohl wie im mittleren Chili, haben sich infolge der Wälderverwüstungen Übelstände eingestellt, welche die gesetzgebenden Körperschaften zum Erlass von Waldschutzgesetzen veranlasst haben, die indessen nur auf dem Papiere stehen. Erwiesenermassen sind viele Quellen versiegt, Wasserläufe sind zu

Giessbächen geworden, die verheerende Überschwemmungen stiften, das Klima wurde extremer und der Regenfall geringer, doch ruht diese letztere Behauptung nicht auf sicherem Grunde, da langjährige Regenmessungen fehlen. — Die Anwohner des See's Tacarigua im Thale in Aragua (Columbia) erzählten Humboldt, der See sei seit 30 Jahren in fortwährendem Fallen begriffen und aus den Schilderungen Oviedo's ging auch klar hervor, dass die Wasserfläche eine bedeutende Einengung erfahren hatte. Im Jahre 1796 erschienen neue Inseln, ein Zeichen fortdauernden Sinkens des Wassers. Die Anwohner wollten diese Erscheinung auf unterirdische Abzüge erklären, allein Humboldt führte sie auf die stattgehabten Entwaldungen zurück. Und dass er Recht hatte, bewiess 22 Jahre später Boussingault mit seinen Untersuchungen. Inzwischen war ein blutiger Bürgerkrieg ausgebrochen, die Sklaven suchten ihre Freiheit in der Flucht, in Folge dessen verwüstete das Kulturland, und die schöpferische tropische Natur bedeckte es wieder mit dem Pflanzengewirr, das wir Urwald nennen. Das wurde die Ursache der Ausdehnung des See's in sein früheres Bereich. Boussingault fand, was als weitere Bestätigung aufzufassen ist, 2 Seen bei Ubate, ebenfalls in Columbia, welche 100 Jahre früher eine Wasserfläche bildeten, aber in Folge von Rodungen zu Kulturland ihren derzeitigen Rückgang erreicht hatten.

Der westindischen Insel Santa Cruz ist durch Entwaldung ein ähnliches Schicksal zu Teil geworden, wie Mauritius. Ein Pflanzer, der sie seit 30 Jahren nicht gesehen hatte, war erstaunt, als er sie wieder betrat. Einst so blühend und fruchtbar — jetzt so ruinenhaft und verwahrlost. Das Regenwasser läuft in Giessbächen zur See, die Quellen und Wasserläufe versiegen in der trockenen Jahreszeit, und im Kulturboden bleibt nicht genügende Feuchtigkeit für sichere Ernten zurück. So konnte der starke, wirtschaftliche Rückgang nicht ausbleiben. Seitenstücke können in anderen westindischen Inseln gefunden werden. Der berühmte Direktor der Kewgärten, Dr. Hooker, sagt in einem Briefe an den Gouverneur von Ceylon, in welchem dringend die Schonung der Wälder befürwortet wurde: ich habe jüngst einen Bericht von der Verschlimmerung des Klima's auf einigen der Windwärtsinseln empfangen, welcher eine traurige Bestätigung meiner obigen Darlegungen gibt. Der Kontrast zwischen benachbarten Inseln ist höchst auffallend. Der Wandel zum Schlimmen, welcher sich auf den kleineren vollzogen hat, ist ohne Zweifel durch menschliche Vermittelung herbeigeführt. Früher waren sie dicht bewaldet und die älteren Bewohner erinnern sich der Zeit, wo genügender Regen fiel, und die Hügel und alle unkultivierten Plätze von Bäumen beschattet waren. Die Abholzung ist sicher die Ursache des gegenwärtigen Übelstandes. Auf dem entblössten Boden saugen die senkrechten Sonnenstrahlen die Feuchtigkeit rasch auf und verhindern den Regen, nach den Wurzeln der Pflanzen zu sickern. Die Regenzeit in diesem Klima besteht nicht aus einer Reihe bewölkter Tage, sondern plötzliche Regenschauer wechseln mit heissem Sonnenschein ab. Auf unbeschattetem Boden wird in den Pausen des Regenfalls die Feuchtigkeit rasch verdunstet; und auf jenen Inseln mussten daher die Quellen und Wasserläufe einen Rückgang erleiden.

Bei Sensulipek in San Salvador wurden viele Wälder gerodet, um Land für die Indigokultur zu gewinnen. In Folge dessen litt diese Gegend so sehr von Stürmen, dass Anpflanzungen mit den schnellwachsenden Gummibäumen ausgeführt wurden, um das Übel zu verbannen, was auch gelang.

Der Botaniker Berthold Seamann berichtet von einer kleinen Insel, an der Küste von Nicaragua: Das Klima ist unleugbar warm, allein die Passatwinde machen es in einem grossen Teil des Jahres angenehm gleichmässig. Es ist eine merkwürdige Thatsache in Bezug auf den Regenfall, dass während der Zeit, wo diese Insel eine grosse Baumwollpflanzung war, die Regenzeit von 7 auf 5 Monate zurückging, 7 Monate waren trocken, 5 nass. Allein nun, wo die Bäume und Sträucher den grössten Teil der Insel in ihren Naturzustand zurückgewandelt, haben sich die Witterungsverhältnisse umgekehrt: 7 nasse Monate ist jetzt die Regel.

Als in Guatemala zwischen San José und der Hauptstadt Guatemala viele Wälder gerodet wurden, um Kulturland zu gewinnen, wurde das Klima fieberischer und veränderlicher, die Stürme gewannen an Heftigkeit und in der Hauptstadt Guatemala fiel Schnee, ein Ereignis, das seit Menschengedenken nicht stattgefunden hatte. Erst als Kaffeebäume das meiste gerodete Land beschatteten, und manche Lichtung sich wieder bewaldet hatte, kehrten die früheren Zustände zurück, wenn auch nicht vollständig.

Es ist zu bedauern, dass in dem Lande der grossartigsten und eiligsten Wälderverwüstungen, in Nordamerika, die organisierte Witterungsbeobachtung eine zu kurze Zeit zurückreicht, um die erwünschte Grundlage für Schlüsse bezüglich des Einflusses der Entwaldungen auf den Regenfall und die mittlere Jahreswärme nicht bieten zu können. Andere Wirkungen aber stehen unzweifelhaft fest. Niemand bestreitet, dass das Klima extremer geworden: Die Sommer sind heisser, die Winter kälter wie früher. Der Herbst hat sich verlängert, der Winter hält später seinen Einzug, zieht sich dagegen länger in den Frühling hinein, und mehr noch: die Frühjahrsfröste sind häufiger und schärfer geworden. Diese mit heissen Tagen wechselnden Fröste, sowie die häufiger und länger auftretenden Dürren, sind jedenfalls die beiden empfindlichsten Folgen der Entwaldungen für den Landbau — Folgen, welche gar nicht zu leugnen sind. Vor 30 Jahren trat in Michigan von Anfang Mai bis Ende Oktober kein Frost auf, zuweilen blühten schon die Blumen im Februar. Jetzt ist bis Mitte Juni die Frostgefahr nicht vorüber, die Pfirsichzucht ist sehr unsicher geworden, Weizen und Mais erleiden häufig schwere Zerstörungen durch den Frost und in jedem Jahre friert ein Teil des Klee's aus. Die Winde sind heftiger, die Temperaturwechsel schroffer geworden.

Die ersten Ansiedler von Maine züchteten viele Pfirsiche, dieses Obst zog sich zunächst nach New-Hampshire zurück, dann nach Massachusetts, um schliesslich aus Neu-England zu verschwinden. Noch vor 50 Jahren blühte die Pfirsichzucht im Staate New-York, jetzt ist sie dort nicht mehr lohnend, selbst in dem südlichen Nachbarstaate New-Jersey ist sie unsicher geworden, ja in dem noch südlicheren Delaware wird sie von Frühjahrsfrösten bedroht. In Illinois musste die Pfirsichkultur als Erwerbszweig aufgegeben werden und selbst in Ohio hat sie aufgehört lohnend zu sein. Und als bezeichnend füge ich hinzu: der Sekretär des Obstzüchtervereins für das südwestliche Ohio forderte 1886 die Mitglieder durch ein Rundschreiben auf, sich mehr der Beerenobstkultur zuzuwenden, da die Obstkultur bis zur Entmutigung unsicher geworden sei.

In Ontario, der bevölkertsten kanadischen Provinz, wo die Wälder stärker gelichtet wurden, wie im übrigen Osten dieses Landes, müssen jetzt die Brunnenschachte 12 bis 15 Meter tief gegraben werden, früher wurde in einer Tiefe von 3 bis 4 Meter genügend Wasser angetroffen.

Im mittleren New-York sind die Bäche, welche vor 30 bis 40 Jahren die Mühlteiche mit einem niemals fehlenden Wasservorrat versorgten, nun im Sommer trocken, mit Ausnahme einiger Pfützen, die Dämme sind weggewaschen, die Mühlen verschwunden und die Gegend trägt das Gepräge der Verödung.

Philadelphia wird vom Flüsschen Schuykill mit Wasser versorgt, und da es in den letzten Jahren damit haperte, stellten die Wasserbaubeamten Untersuchungen an, welche ergaben, dass vor 60 Jahren die Wasserführung dieses Flusses im Sommer 1 900 000 000 Liter den Tag betrug, seitdem ist sie allmählich auf 950 000 000 Liter, in anderen Worten auf die Hälfte zurückgegangen. Diese unumstössliche Thatsache kann nur durch die Vernichtung der Wälder im Quellengebiete des Schuykill erklärt werden.

Ein ähnlicher Wasserrückgang lässt sich noch an vielen anderen Flüssen nachweisen, beispielsweise war der Cuyahoga, welcher sich in den Eriesee ergiesst, noch vor 50 Jahren ein allezeit schiffbarer Fluss, gegenwärtig trägt er im Sommer keinen Kahn mehr. Der Huronfluss in Michigan war einst bis Ypsylanti schiffbar, jetzt ist er bis zu seiner Mündung ein Mühlbach.

Als Oregon 1832 besiedelt wurde, war sein nordwestlicher Teil von einem zusammenhängenden Walde bedeckt. In den folgenden 40 Jahren blühten dort die Rosen noch um Weihnachten, eine Eisbildung fand nicht statt und der Temperatur blieb jeder schroffe Wechsel fern. Dann aber machten sich die Folgen der fortschreitenden Entwaldung bemerkbar. In jedem Jahre wurde der Seeverkehr Portland's, der kommerziellen Hauptstadt Oregons, durch Eisgang auf dem Willametti und Columbia unterbrochen, die Bäche frieren zu, der Schnee bleibt längere Zeit liegen, die Stürme richten Schaden an, was sie früher nicht thaten und Frühjahrsfröste, früher eine unbekannte Erscheinung, bedrohen den Landbau.

Die Regierung von Californien setzte 1886 eine sogenannte Forstkommission ein, mit der Aufgabe, über den gegenwärtigen

Zustand der Wälder zu berichten und Schutzmassregeln vorzuschlagen. In ihrem ersten Jahresbericht veröffentlicht die Kommission so viele Mitteilungen von Landbewohnern über versiegte Quellen und Wasserläufe, dass ihre Wiedergabe ermüden würde. Ich begnüge mich daher eine eigene Beobachtung anzuführen. Längere Zeit lebte ich im oberen Napathal, an einem Platze, wo es nur einen Büchsenschuss breit ist. Eingerahmt wird es dort von zwei Hügelzügen aus Basalt, von gleicher Höhe. Gestalt und Richtung. Der westliche war von dichtem Fichtenwald bestanden. der östliche war nackt. Am Fusse von jenem entsprang fast alle 500 Schritt eine klare, frische Quelle, am Fusse von letzterem waren nur vertrocknete Rinnsale zu sehen. Ältere Bewohner erzählten mir, dass beide Hügelzüge früher gleich dicht bewaldet und gleich quellenreich waren, seit aber der östliche nackt ist. gibt er nicht einer Quelle mehr das Leben. Am westlichen Hügelzug lag das Grundstück, welches ich bewirtschaftete, mit einer Quelle, von welcher ich mir wertvolle Dienste zu Bewässerungszwecken versprach. Aus Gründen, die nicht hierher gehören. musste ich auf dem Hügelkamme eine Entwaldung vornehmen — da war es um meine Quelle geschehen. Als ich 10 Jahre später den Platz wieder besuchte, war der Hügelkamm mit jungem Gehölz bewachsen und die Quelle sprudelte so lustig wie ehedem.

Und nun zum Schlusse noch ein Beispiel von der Wirkung des Pflanzenlebens auf die Feuchtigkeit der Luft, das ich nicht unerwähnt lassen mag. Die Willimantic Thread Company bedurfte einer gewissen immerwährenden Luftfeuchtigkeit in ihren Fabriksälen, die Natur der Fabrikation bedingte das. Zuerst wurden zwei Arbeiter mit Sprühmaschinen beschäftigt, da aber der Direktor wünschte, den Comfort des Personals zu erhöhen, liess er viele Bäume, Sträucher und Blumen in die Umgebung der Fabrik pflanzen und auch eine Anzahl in Kübeln, um sie in die Säle zu setzen. Alle wurden der Obhut eines Gärtners unterstellt. Fast unmittelbar nach Ausführung dieser Anordnung, waren die beiden Sprühmaschinen nicht mehr nötig; der Direktor sparte den Lohn eines Arbeiters, das Personal sah sich von Ziergewächsen und schönen Blumen umgeben — sein Leben war angenehmer und freundlicher geworden.

Die Grundzüge der Forstkultur.

Zur richtigen Auffassung der nachfolgenden gedrängten Abhandlung schicke ich diese beiden Bemerkungen voraus:

1) Klar möchte ich mich verstanden wissen, dass ich nicht für angehende Forstleute schreibe; geleitet werde ich nur von der Absicht, dem tropischen Pflanzer belehrend zur Seite zu stehen, wenn er sich die notwendigsten Kenntnisse zur forstwirtschaftlichen Benutzung eines Teils seines Besitztums aneignen will. Kein Forstmann möge deshalb, vom Standpunkte seines Berufes aus, Kritik an dem hier Gebotenen üben.

2) Eine tropische Forstkultur gibt es bis jetzt kaum dem Namen nach, wissen wir doch nicht einmal von manchen geschätzten Handelshölzern zuverlässig die botanische Quelle, und wie es da mit den Kenntnissen vom Werden und Wachsen der tropischen Waldbäume bestellt sein muss, lässt sich leicht folgern. So berechtigt der Stolz ist, mit welchem wir Deutsche auf unsere Forstkultur blicken, so dürfen wir doch nie vergessen, dass sie unserem Vaterlande, bildlich gesprochen, auf den Leib zugeschnitten ist und daher auf andere Länder nur in kleineren oder grösseren Bruchstücken übertragen werden kann. Erwies sie sich schon zu einem beträchtlichen Teile unanwendbar in dem nahen Italien, wie mangelhaft als Vorbild muss sie sich demnach in tropischen Ländern erweisen. Indien ist bis jetzt das einzige tropische Land, wo der Grund zu einer Forstkultur gelegt wurde, allein es sind doch erst nur Anfänge vorhanden, es fehlt selbst noch das rohe Gerüst des Aufbaues. Und dann: schätzenswert wie die in Indien gesammelten Erfahrungen auch sind, lassen sie sich doch nicht ohne weiteres auf andere tropische Länder übertragen.

Damit habe ich begründet, warum ich nur Grundzüge oder, wenn ein anderes Wort gewünscht wird, rohe Umrisse der Forstkultur biete. Was unabänderlich bleibt in allen Zonen, dränge ich in kurzer Fassung zusammen und füge nach Möglichkeit die unter den Tropen gesammelten dürftigen Erfahrungen bei. Damit muss sich vorläufig der Pflanzer behelfen, diese schmale Grundlage muss er zu verbreitern und auf ihr weiter zu bauen suchen, bis es eine wissenschaftlich ausgebildete tropische Forstkultur gibt.

Die Forstkultur im weitesten Sinne des Wortes ist der Zweig der Wissenschaft, welcher sich mit den Wäldern befasst: ihrer Anpflanzung, Erhaltung und Erneuerung, den Einflüssen auf ihr Gedeihen, den Methoden ihrer Behandlung, ihrer Abholzung und Verwertung, den Ersparnissen, welche durch eine umsichtige Bewirtschaftung erzielt werden können.

Die Forstkultur stützt sich auf verschiedene Wissenschaften:

1) Der Naturgeschichte entnimmt sie die Beschreibung und Einteilung der Bäume, wie der Tiere und Pflanzen, welche Einfluss üben auf das Gedeihen der Bäume.

2) Von der Geologie und Mineralogie lernt sie die Herkunft und mechanische Zusammensetzung des Bodens, wie der unterlagernden Felsgebilde.

3) Von der Chemie fordert sie Aufklärungen über die chemische Zusammensetzung des Bodens und des Holzes, wie über die Veränderungen, welche in dem letzteren während des Wachstums und Zerfalls stattfinden und ferner über die anzuwendenden Metheden bei Gewinnung von Nebenprodukten des Waldes.

4) Die Mathematik gewährt ihr Hülfe bei allen Messungen und Berechnungen, welche das Waldland, die Produkte und den Betrieb anbelangen.

5) Die Mechanik lehrt sie die verschiedenen Hülfsmittel zum Fällen, Transportieren und Zubereiten des Holzes, wie zum Bearbeiten des Bodens und zur Pflege der Bäume.

6) Physik und Meteorologie gewähren Aufklärung über die verschiedenen Fragen der Beziehungen des Klimas zu den Wäldern,

über die bezüglichen Einflüsse der letzteren, wie sie erhöht oder ermässigt werden können.

7) Der Volkswirtschaft entlehnt sie die Lehrsätze über Angebot und Nachfrage, über öffentliche Wohlfahrt und Nutzniessungen, ihre gegenseitige Abhängigkeit, über die Wirkung, welche die allgemeine Geschäftslage auf den Boden- und Produktenwert der Wälder ausüben, wie über alle wirtschaftlichen Fragen, welche mit der Anlage oder Benutzung der Wälder in Beziehungen stehen.

Alle diese Hülfswissenschaften hier in Anspruch zu nehmen, würde dem Zwecke dieser kurzen Abhandlung nicht angemessen sein. Fragen der Volkswirtschaft, Physik, Meteorologie, Mechanik und Chemie sind an anderen Stellen dieses Buches, je nach ihrer Wichtigkeit, kürzer oder länger erörtert worden; ich beschränke mich daher, einen Abriss der Pflanzen- und Bodenkunde zu geben, bevor ich zur praktischen Forstkultur übergehe.

Zur Pflanzenkunde.

1. Die Pflanze im allgemeinen.

Als Pflanzen im wissenschaftlichen Sinne betrachtet man alle Gewächse, vom Pilze, der nur dem bewaffneten Auge sichtbar ist, bis zum mächtigsten Baume Es sind Wesen, deren Lebensthätigkeit auf die Ernährung, das Wachstum und die Fortpflanzung beschränkt ist; wohl wird auch einigen Pflanzen eine gewisse Empfindung und willkürliche Bewegung zugesprochen, doch thun darüber weitere Aufstellungen not, jedenfalls kommen diese Eigenschaften höchst ausnahmsweise vor.

Jeder Teil der Pflanze, dem eine besondere Verrichtung obliegt, wird als Organ (Werkzeug) bezeichnet.

Die Verrichtungen der Organe und die Wirkungen, welche sie hervorrufen, werden von der Pflanzenphysiologie erforscht. Der Bau der Organe fällt dagegen in's Bereich der Pflanzenanatomie. Die Grundstoffe, ihre verschiedenen Verbindungen und Umwandelungen, bilden den Gegenstand der Untersuchung für die Pflanzenchemie. Mit den äusseren Formen der Pflanzen beschäftigt sich die beschreibende und systematische Botanik.

Die vollkommeneren Pflanzen besitzen als Ernährungsorgane Wurzeln, Stengel und Blätter, als Fortpflanzungsorgane Blüten und Früchte. So ausgerüstete Pflanzen werden Blütenpflanzen oder Geschlechtspflanzen (Phanerogamen) genannt, im Gegensatz zu den blütenlosen Pflanzen (Kryptogamen), wie Moose, Flechten, Farren und Algen, Pilze u. A., deren Fortpflanzungsorgane von anderer Beschaffenheit sind und denen auch das eine oder andere der genannten Ernährungsorgane, selbst zwei derselben, fehlen.

Die Blütenpflanzen werden eingeteilt in einfrüchtige und wiederfrüchtige. Zur ersteren Gruppe gehören die ein- und zweijährigen Pflanzen, welche nach einmaliger Fruchterzeugung absterben. der letzteren Gruppe werden die ausdauernden Pflanzen beigezählt, welche nach der Fruchterzeugung ganz oder teilweise lebenskräftig bleiben. Es gehören hierher die Stauden, welche nach der Sommerreife bis auf den Wurzelstock absterben, der später wieder neue Schosse ausstösst. Ferner die Halbsträucher, deren unterer Stengelteil verholzt und lebenskräftig bleibt, die Sträucher, welche nahezu ganz verholzen und gewöhnlich schon vom Boden aus Zweige treiben und die Bäume, deren Stengel sich zu einem holzigen Stamme ausbildet, sich am Grunde selten verzweigt und eine ansehnliche Höhe erreicht. Das Wort Busch deckt keinen fest umgrenzten Begriff; es wird darunter sowohl ein niedriger, stark vom Grunde aus verzweigter Baum, wie ein Strauch oder Halbstrauch verstanden, in keinem Falle darf jedoch die Höhe 4 Meter überschreiten.

Eine scharfe Umgrenzung der vorstehenden Beziehungen ist überhaupt schwierig, denn je nach der Spielart, dem Standort, Klima und sonstigen Verhältnissen halten sich einjährige Pflanzen 2 oder 3 Jahre, blühen ausdauernde Pflanzen schon im ersten Jahre, kommen Standen als Halbsträucher und Sträucher als Bäume vor. Eine andere Einteilung der Blütenpflanzen geschieht in Einsamenlappige (Monokotyledonen) und Zweisamenlappige (Dikotyledonen). Die ersteren keimen mit einem Samenlappeu, die letzteren mit zwei.

Landpflanzen werden die Pflanzen genannt, welche in der Erde wachsen, Wasserpflanzen diejenigen, welche im Wasser wohnen.

Als Epiphyten werden die Pflanzen bezeichnet, welche sich mit ihren Wurzeln an andere Pflanzen heften; sie sind echte Schmarotzer, wenn dabei eine Nahrungsberaubung stattfindet, zu welchem Zwecke natürlich die Wurzeln in die Pflanzen eindringen müssen; sie sind unechte Schmarotzer, wenn die Wurzeln nur äusserlich anhängen.

Bäume und Sträucher, um deren Betrachtung es sich fortan handeln sell, bestehen aus:

1. Der Wurzel oder der abwärts wachsenden Achse, die sich in der Erde verzweigt, die Nahrung aufnimmt und zur Befestigung dient; sie ist bei den Blütenpflanzen schon bei der Keimung des Samens vorhanden.

2. Dem Stamm oder der aufwärts wachsenden Achse, die sich verzweigt, Blätter treibt und Blüten und Früchte hervorbringt.

3. Den Blättern, welche meistens grün und wagerecht an den Zweigen in verschiedener Weise gestellt sind. Sie empfangen den aufsteigenden Saft, nehmen aus der Luft Kohlensäure auf, stossen den überflüssigen Sauerstoff aus, verbinden den zurückgehaltenen Kohlenstoff mit der Bodennahrung und geben den so umgewandelten Saft an die Zweige zurück — eine Thätigkeit, die im gewöhnlichen Leben atmen genannt wird; daher bezeichnet man auch die Blätter als die Lunge der Pflanze.

4. Den Blüten, die entweder an den Enden der Zweige, als Endblüten, oder an deren Seiten, als Seitenblüten erscheinen. Blätter wie Blüten entwickeln sich aus Knospen, die, in Uebereinstimmung mit vorstehender Einteilung, Endknospen und Seitenknospen genaunt werden. An anderen Stellen austretende Knospen werden Nebenknospen oder Adventivknospen genannt. Achselknospen ist nur ein anderer Name für Seitenknospen, er bezieht sich auf die Blattachseln oder Blattwinkel, an welchen die Knospen erscheinen. Wenn Nebenknospen längere Zeit ihre Form bewahren, werden sie zu Schlafknospen, die sich gewöhnlich erst dann öffnen, wenn die übrigen Knospen zerstört wurden, durch Frost beispielsweise. Inzwischen nehmen sie jedoch an Grösse zu, unter Umständen so sehr, dass sie in der Rinde dicke Kugeln bilden. Aus ihnen entwickeln sich am Stumpfe gefällter Bäume die Stockausschläge. Entstehen Knospen durch eine Umbildung der Blüten oder Früchte, so nennt man den Baum oder Strauch sprossend oder lebendig gebärend.

Die Blüten können getrenntgeschlechtlich oder zwitterig sein.

In ihrer vollkommensten Ausbildung ist die Blüte zwitterig und besitzt die folgenden Bestandteile:

a) Der Stempel (Pistill) im Mittelpunkte stehend, gebildet aus mehreren Fruchtblättern (Karpellen), von denen jedes ein oder mehrere Eichen oder Samenknospen trägt.

b) mehrere Staubgefässe, die rings um den Stempel stehen und den Blütenstaub (Pollen) zur Befruchtung der Samenknospen in dem Stempel erzeugen.

c) Die Blütenhülle (Perianthemum), welche in der Jugend die Befruchtungsorgane umschliesst, sich später erweitert und öffnet. Die vollkommene Blütenhülle ist doppelt, die äussere, welche gewöhnlich grün und blattähnlich ist, wird Kelch genannt, die innere, die Blumenkrone (Korolla), ist zarter und verschieden gefärbt. Grosse und auffallend gefärbte Blumenkronen nennt man im gewöhnlichen Leben Blumen.

5. Die Frucht entsteht aus dem untern Teil des Stempels, der Fruchtknoten genannt, welcher nach der Befruchtung und dem Verwelken der Blumenkrone sich vergrössert, sich in seiner Beschaffenheit ändert und Fruchtfächer bildet, welche den Samen einschliessen. Bei der Reife fallen die Samen entweder aus den geöffneten Fruchtfächern oder diese bleiben geschlossen und fallen mit ihrem Inhalte ab.

2. Die Wurzeln.

Die aus der Verlängerung des Keimwürzelchen hervorgehende Wurzel nennt man Hauptwurzel, die von ihr abzweigenden Wurzeln Seitenwurzeln und deren feine Ausläufer Haarwurzeln oder Wurzelhaare. Sind die Seitenwurzeln lang und dünn, werden sie auch Wurzelfasern genannt; sie treten unregelmässig an der Oberfläche der Hauptwurzel aus. Die letztere bezeichnet man als Pfahlwurzel, wenn sie senkrecht in die Erde dringt, sich rübenförmig verschmälert und verhältnismässig wenige, dünne Seitenwurzeln treibt. Thauwurzeln nennt man schlanke, feine Wurzeln, die seicht unter der Bodenoberfläche hinlaufen. Klammerwurzeln dienen, wie beim Epheu, zum Festhalten an Pflanzen, Gebäuden u. a., Luftwurzeln hängen frei in der Luft, Saugwurzeln sind warzenförmig, mit der am Ende erweiterten Scheibe schmarotzen sie auf anderen Pflanzen. Die von einem Wurzelstock austretenden Wurzeln werden Nebenwurzeln genannt.

3. Der Stamm.

Aufrecht wird ein Stamm genannt, wenn er aufstrebend in die Höhe wächst, niederliegend, wenn er ganz oder zum grössten Teil auf dem Boden liegt; treibt er zugleich an einigen Stellen Wurzeln aus, ist er kriechend. Treten mehrere dünne Stämme dicht beisammen aus dem Boden, wird die Bezeichnung büschelig angewendet. Schwache, unselbständige Stämme heissen windend, wenn sie sich schraubenförmig um ihre Stütze legen; rechtswindend, wenn die Stütze zur Rechten, linkswindend, wenn sie zur Linken bleibt. Kletternde Stengel sind solche, welche, ohne zu winden, sich mit Blättern, Dornen, Stacheln, besonderen Ranken oder Klammerwurzeln festhalten.

Ausläufer oder Sprösslinge sind junge Bäume oder Sträucher, welche aus dicht unter der Bodenoberfläche laufenden Wurzeln treten.

Die Stelle an dem Stamme, Stengel oder Zweige, wo ein oder mehrere Blätter oder Zweige entspringen, wird Knoten genannt. Der zwischen zwei übereinander liegenden Knoten befindliche Teil heisst das Stammglied, Zweigglied oder Stengelglied.

Der Stamm gilt als Hauptachse, die Äste und Zweige als Nebenachsen erster und zweiter Ordnung. Die Richtung der Äste und Zweige giebt der Tracht (Gesammtaussehen, Habitus) eines Baumes oder Strauches im Wesentlichen das Gepräge.

Die Zweige sind gegenständig, wenn zwei an demselben Knoten an entgegengesetzten Seiten entspringen; quirlständig oder wirtelig, wenn mehrere rings um denselben Knoten geordnet sind; büschelig, wenn zwei oder mehrere an einer Seite eines Knotens entpringen, wechselständig, wenn sie einzeln an den Knoten, aber abwechselnd an der entgegengesetzten Seite entspringen; zerstreut, wenn sie anscheinend unregelmässig verteilt aus den Ästen oder dem Stamme wachsen.

4. Die Blätter.

Was vorstehend von der Anordnung der Zweige gesagt ist, gilt auch für die Blätter. Es tritt noch hinzu: Kreuzständig werden die Blätter genannt, wenn sie nicht allein gegenständig sind, sondern jedes Paar mit den vorhergehenden und nachfolgenden einen rechten Winkel bildet. Zweireihig sind die Blätter, wenn sie in zwei entgegengesetzten Reihen regelmässig geordnet sind;

dreireihig, wenn sie in 3 Reihen geordnet sind u. s. f. Einseitig sind sie, wenn alle an einer Seite entspringen oder doch nach einer Seite hin gerichtet sind.

Sitzend wird ein Blatt genannt, das unmittelbar am Zweige hängt und gestielt wird es genannt, wenn es mit einem Stiel angeheftet ist. Derjenige Teil des Blattes, welcher am Stiel oder Zweig befestigt ist, heisst Grund (Basis), der entgegengesetzte Teil die Spitze.

Blattspreite ist eine andere Bezeichnung für Blattfläche — eine solche besitzt nur das Laubblatt.

Die Blätter sind einfach oder ganz, wenn die Blattfläche aus einem Stück besteht und der Rand unzerteilt ist. Der Gegensatz von einfach ist zusammengesetzt, derjenige von ganz: gezahnt, gekerbt, gelappt. gespalten oder geteilt und gewimpert.

Unter gewimpert versteht man einen Besatz des Blattrandes mit starken Haaren oder haarähnlichen Zähnen.

Gezahnt wird ein Blatt genannt, wenn der Rand mit spitzen, nicht über ein Drittel der Blattfläche eingeschnittenen Zähnen besetzt ist.

Sind Zähne und Winkel scharf, ähnlich wie die Zähne einer Säge, ist das Blatt gesägt.

Gekerbt ist es, wenn die Zähne abgerundet und die Winkel scharf sind.

Ausgeschweift ist es, wenn die Zähne und Winkel abgerundet sind.

Wellig ist es, wenn der Rand nicht in gleicher Fläche liegt, sondern abwechselnd gehoben und gesenkt ist.

Lappig oder geteilt ist es, wenn die Einschnitte tiefer als zur Hälfte der Blattfläche gehen, ohne die Mittelrippe zu erreichen. Die einzelnen Abteilungen werden Lappen genannt oder Zipfel, wenn sie schmal sind; die Buchten zwischen denselben heissen Ausschnitte.

Zerteilt oder zerschnitten ist es, wenn die Einschnitte auf die Mittelrippe oder den Blattstiel gehen, die Teile jedoch am Grunde verbunden bleiben, mit sich oder ohne besonderen Stiel mit der Mittelrippe oder dem Blattstiel.

Gefiedert oder zusammengesetzt ist es, wenn es aus ungestielten oder gestielten Fiederblättchen gebildet wird. Von dem gemeinsamen Blattstiele sind hierbei die gesonderten Blattstielchen zu unterscheiden.

Dem Blattstiele entspringen Rippen oder Adern, die sich in verschiedener Weise in der Blattfläche verzweigen. Tritt eine derselben in der Mitte des Blattes stark hervor, wird sie Mittelrippe genannt. Ihre Seitenrippen verästeln sich und wenn sie fein auslaufen, bilden sie ein Adernetz. Mehrere gleich starke, dem Blattstiel entspringende Rippen werden finger- oder handnervig genannt.

Der Form nach können die Blätter sein:

linealisch, wenn sie lang, schmal, einem Lineal ähnlich sind;

lanzettlich, wenn sie drei- oder mehrmal länger als breit, in der Mitte am breitesten sind und nach beiden Enden sich verschmälern, ähnlich einer Lanzenspitze;

keilförmig, wenn sie oberhalb der Mitte am breitesten und nach dem Grunde schmäler sind; wenn dabei sehr breit an der Spitze und abgerundet, sind sie fächerförmig;

spatelförmig, wenn die breiteste Stelle an oder bei der Spitze und kurz ist, von da bis zum Grunde eine Verschmälerung stattfindet;

eirund, wenn sie etwa doppelt so lang als breit und unterhalb der Mitte am breitesten sind, ähnlich dem Längsdurchschnitt eines Eies.

verkehrteirund ist dieselbe Form, nur mit der breitesten Stelle oberhalb der Mitte;

sichelförmig, wenn sie gekrümmt sind, wie die Klinge einer Sichel;

kreisrund, langrund, rautenförmig entsprechen den gleichnamigen mathematischen Figuren;

Mittelformen bezeichnet man durch Verbindung der beiden in Betracht kommenden Hauptformen, beispielsweise lineal-lanzettlich ist lang und schmal, gegen die Mitte breiter wie an beiden Enden; linealisch-langrund ist nicht so schmal um linealisch, nicht so breit um langrund zu sein, nach beiden Enden findet keine Verschmälerung statt.

Die Blattspitze kann sein:

spitz, wenn sie einen spitzen Winkel bildet oder sich zu einem Punkte verschmälert;

stumpf, wenn sie einen stumpfen Winkel bildet oder abgerundet ist;

zugespitzt, wenn sie sich nach der Spitze verschmälert, die linealisch, spitz oder stumpf sein kann;

abgestumpft, wenn die Spitze eckig ausläuft;

eingekerbt, wenn das Ende der Mittelrippe einen deutlichen Einschnitt zeigt;

verkehrtherzförmig, wenn das Blatt einem Herzen ähnlich sieht, das an der Spitze befestigt ist;

stumpfstachelig, wenn die Mittelrippe in Form eines stumpfen Stachels über die Spitze hinaustritt;

begrannt, wenn die Spitze einer Borste oder einem Haar ähnelt.

Der Blattgrund kann sein:

keilförmig, wenn er schmal zuläuft;

abgerundet, wenn er sich einfach abrundet;

herzförmig, wenn die beiden Blattlappen abgerundet und nach dem Stiele eingezogen sind; ist zugleich die Blattfläche eirundlich und zugespitzt, so wird das ganze Blatt herzförmig genannt;

spiessförmig, wenn die beiden Lappen sich in starken Winkeln abspreizen. Sind die Lappen etwas zugespitzt, heissen sie geöhrt, sind sie grösser und schärfer zugespitzt, werden sie pfeilförmig genannt;

ein schildförmiges Blatt besitzt strahlenförmige Rippen; der Blattstiel entspringt aus der Mitte der untern Blattfläche;

nierenförmig wird ein Blatt genannt, das breiter als lang, am Grunde schwach herzförmig ist und abgerundete Lappen hat;

nadelförmig ist ein Blatt, das schlank und zugleich zugespitzt ist, ähnlich einer Nadel.

Alle diese Formen gehen indessen so ineinander über, dass es oft schwer hält, die richtige Benennung zu finden.

Schuppen können als verkümmerte Blätter betrachtet werden; gewöhnlich sind sie von lederartiger Beschaffenheit und ähneln in Form und Anordnung den Schuppen des Fisches. Selten sind sie grün, können deshalb auch nicht die atmende Thätigkeit der Blätter ersetzen. Sie finden sich häufig als Schutzhülle der Knospen, die sie bei beginnendem Wachstum abstossen. Wenn eine Knospe nicht mit Schuppen bedeckt ist, wird sie nackt genannt.

Deckblätter werden die oberen Blätter einer blühenden Pflanze genannt, sie sitzen an den Blütenzweigen und weichen in Form, Farbe und Grösse von den gewöhnlichen Stengelblättern ab; sie sind gewöhnlich kleiner und mehr sitzend, sind nicht immer grün, sondern auch blumenartig gefärbt.

Nebenblätter sind blatt- oder schuppenähnliche Anhängsel am Grunde der Blätter. Meist sitzt eins an jeder Seite des Blattes. Ihre Bestimmung ist häufig, das junge Blatt vor seiner Entfaltung zu schützen. Zuweilen sind sie den echten Blättern vollständig ähnlich, nur dass sie keine Knospen in ihren Winkeln bilden, häufiger sind sie den Fiederblättchen eines zusammengesetzten Blattes ähnlich. In den meisten Fällen sind sie schmal und klein, mitunter verkümmert zu Schuppen, Knötchen, Dornen oder dütenförmige, stengelumfassende Gebilde.

5. Der Blütenstand.

Unter dem Blütenstand einer Pflanze versteht man die Anordnung ihrer Blütenzweige und Blüten. Es ist die blühende Spitze eines Zweiges, oberhalb der letzten Stengelblätter, mit Deckblättern, Blüten und Zweigen.

Gipfelständig ist ein Blütenstand, wenn er sich an der Spitze eines Zweiges befindet; achselständig, wenn in der Achsel (dem Winkel) eines Zweigblattes stehend, blattgegenständig, wenn er sich einem Zweigblatte gegenüber befindet. Begrenzt wird ein Blütenstand genannt, wenn er an seiner Spitze mit einer Blüte abschliesst, unbegrenzt, wenn die Blüten achselständig sind und mit Blättern enden.

Blütenstiel nennt man nicht allein den besonderen Stiel einer Blüte, sondern auch den gemeinsamen Stiel eines Blütenstandes, das will sagen, den obern Teil des blühenden Zweiges vom letzten Zweigblatte an. Das Stück des Zweiges, welches durch den Blütenstand geht, bezeichnet man als seine Achse oder Spindel.

Die Zweige eines Blütenstandes können wie die übrigen Zweige sein: gegenständig, wechselständig u. s. w., sind jedoch oft in abweichender Weise wie die Baum- oder Strauchzweige geordnet.

Der Blütenstand ist:

zentrifugal, wenn sich seine oberste Blüte zuerst öffnet, die tieferstehenden später;

zentripetal, wenn sich die untersten Blüten zuerst öffnen, der Hauptstiel inzwischen weiter wächst und Blüten entwickelt, die sich später entfalten.

Begrenzte Blütenstände sind in der Regel zentrifugal, unbegrenzte zentripetal, beide kommen an derselben Pflanze vor und zwar häufig, dass der Hauptzweig des Blütenstandes zentripetal ist und die Seitenzweige zentrifugal sind.

Der Blütenstand kann sein:

ährenförmig, wenn die Blüten an einer einfachen Achse sitzen; sitzen mehrere kleine Ähren an einer gemeinsamen Achse, so entsteht die zusammengesetzte Ähre;

traubenförmig, wenn die Blüten mit besonderen Stielen an einer gemeinsamen Achse sitzen; mehrere einfache Trauben an einer gemeinsamen Achse sitzend, bilden eine zusammengesetzte Traube;

rispenförmig, wenn die Achse in Zweige geteilt ist, von welchen mehrere an einer Stelle entspringen; diese Form unterscheidet sich kaum von der zusammengesetzten Traube;

kopfförmig, wenn mehrere beieinander sitzende Blüten zu einem kopfähnlichen Büschel zusammengedrängt sind. Die kurze, verdickte, gewölbte oder kegelfömige Achse, auf welcher die Blüten sitzen, wird der gemeinsame Blütenboden genannt, er wird zum Blütenkuchen, wie bei der Feige, wenn er fleischig ist und die Blüten eingesenkt trägt;

doldenförmig, wenn mehrere Blütenstiele oder Blütenzweige, ziemlich von derselben Länge, an einem Punkte zu entspringen scheinen.

Einfach ist eine Dolde, wenn jeder Zweig nur eine Blüte trägt; zusammengesetzt, wenn jeder Zweig ein Döldchen trägt. Vom Kopf unterscheidet sich die Dolde, dass ihre einzelnen Blüten gestielt sind.

Doldentraube, Schirmtraube, Schirm oder Ebenstrauss ist eine verzweigte, abgestutzte Traube. Die tiefer stehenden Blütenstiele verlängern sich so weit, dass ihre Spitzen mit den obersten in einer Linie stehen, die Blüten also eine Fläche bilden.

Eine Trugdolde ist eine verzweigte und zentrifugale Traube oder Doldentraube, deren mittelste Blüte sich zuerst öffnet, diejenigen der Seitenzweige folgen nach und nach; gewöhnlich sind die Letzteren gabelig oder gegenständig verästelt.

In zahlreichen Fällen hält der Blütenstand die Mitte zwischen zwei der genannten Formen und werden dann mit Bezeichnungen belegt wie ährenähnliche Trauben u. s. w.

Die Kätzchen der Kätzchenblütler sind eine Form der Achro.

Deckblätter sitzen gewöhnlich unter jedem Zweige eines Blütenstandes und unter jedem Blütenstiel. Deckblättchen zweiter Ordnung sitzen in der Regel paarweise, eins an jeder Seite des Blütenstils, unter einer Blüte oder auf dem Kelche selbst. Diese äussern Deckblättchen werden bei zusammengesetzten Blüten zum Füllkelch und zu Hüllchen an den Döldchen der zusammengesetzten Dolden.

6. Die Blüte im Allgemeinen.

Als vollständige Blüte bezeichnet man eine solche, welche aus Kelch, Blumenkrone, Staubgefässen und Stempel besteht, und als eine vollkommene eine solche, in welcher alle diese Organe ihre volle Ausbildung erreicht haben; sie müssen ihre Bestimmung erfüllen können. Einer unvollständigen Blüte fehlt ein oder mehrere jener Organe, eine unvollkommene besitzt ein oder mehrere jener Organe, die so verkümmert sind, dass sie für ihren Zweck untauglich sind. Solche Organe werden auch als fehlgeschlagene bezeichnet, wenn sie in Grösse und Gestalt verkrüppelt und als spurenhaft, wenn sie kaum bemerkbar sind.

Die Blüte kann sein:

Doppelt, wenn sie aus Kelch und Blumenkrone, deutlich von einander getrennt, besteht;

einfach, wenn Kelch und Blumenkrone verwachsen sind oder eins von beiden fehlt; fehlen beide, so ist die Blüte nackt;

zweigeschlechtig oder zwitterblütig, wenn sowohl Stempel wie Staubgefässe vorhanden sind;

geschlechtslos, wenn Stempel und Staubgefässe fehlen oder unvollkommen ausgebildet sind;

unfruchtbar, wenn sie aus irgend einer Ursache keinen Samen erzeugen; fruchtbar, wenn sie Samen erzeugen.

Eine männliche oder Staubblüte besitzt ein oder mehrere Staubgefässe, aber keine oder verkümmerte Stempel.

Eine weibliche oder Stempelblüte besitzt nur Stempel, aber keine oder verkümmerte Staubgefässe.

Eingeschlechtig oder getrennt geschlechtig werden die Blüten genannt, wenn sie nur einerlei Befruchtungsorgane besitzen, also männlich oder weiblich sind.

Einhäusig heissen sie, wenn die männlichen und weiblichen Befruchtungsorgane getrennt, aber auf derselben Pflanze sitzen.

Zweihäusig, wenn männliche und weibliche Befruchtungsorgane auf verschiedenen Pflanzen sitzen.

Wirrhäusig, wenn ausser männlichen und weiblichen Befruchtungsorganen noch zwitterige Blüten auf derselben Pflanze oder auf verschiedenen Pflanzen vorkommen.

Der Kelch bildet den untersten Wirtel, seine einzelnen Teile heissen Kelchblätter.

Die Blumenkrone bildet den nächsten Wirtel, ihre Teile, die Blumenblätter, sind in der Regel wechselständig mit den Kelchblättern, mit andern Worten: jedes Blumenblatt sitzt zwischen zwei Kelchblättern.

Die Staubgefässe bilden 1 oder 2 Wirtel innerhalb der Blumenkrone; im letzteren Falle wechseln diejenigen des äusseren Wirtels (Kreises) mit den Blumenblättern und sind in der Regel den Kelchblättern gegenübergestellt; sie decken die Mitte derselben, soll damit gesagt sein. Die inneren Staubgefässe wechseln mit den äussern und sind deshalb den Blumenblättern gegenübergestellt. Bilden die Staubgefässe nur einen Wirtel, so sind sie gewöhnlich mit den Blumenblättern wechselständig, manchmal auch gegenständig und mit den Kelchblättern gegenständig.

Der Stempel bildet den innersten Wirtel, seine Blätter sind gewöhnlich wechselständig mit dem inneren Wirtel der Staubgefässe.

Die Anzahl, in welcher die verschiedenen Blütenteile vorhanden sind, macht man von 1 bis 10 namhaft, grössere Mengen bezeichnet man als viel. Nach der Zahl der Staubgefässe nennt man eine Blüte 1 bis 10- und vielmännig; nach der Zahl der Stempel und getrennten Fruchtblätter 1 bis 10- und vielweibig. Nach dem Vorherrschen einer bestimmten Zahl in einer Blüte wird diese 2—3—4—5—6zählig genannt.

Unregelmässig wird eine Blüte genannt, wenn die Teile eines Wirtels von ungleicher Grösse oder abweichender Gestalt sind oder sich nicht in gleicher Entfernung rings um die Achse verteilen. Bei unregelmässiger Ausbildung der Blumenkrone wendet man diese Bezeichnung am häufigsten an, andere kleine Abweichungen lässt man gewöhnlich ausser Betracht, wenn nur die Blumenkrone regelmässig ist.

7. Der Kelch und die Blumenkrone.

Der Kelch ist in der Regel kleiner wie die Blumenkrone und grün, zuweilen sehr klein oder verkümmert, nicht selten fehlt er. In manchen Fällen bildet er zwei Wirtel, in andern gar keinen, noch in andern einen undeutlichen, wieder in anderen besteht er aus vielen Kelchblättern, von denen die äusseren in Deckblätter, die inneren in Blumenblätter übergehen.

Die Blumenkrone ist gewöhnlich von zarterer Beschaffenheit wie der Kelch und gefärbt. Ist sie dabei von ansehnlicher Grösse, so wird im gewöhnlichen Leben die ganze Blüte Blume genannt. Die Blumenblätter stehen selten in 2 Wirteln oder sind in unbestimmter Zahl vorhanden. Die gefüllten Blumen mit ihren zahlreichen Wirteln sind als Missbildungen zu betrachten; vermehrt haben sich die Blumenblätter auf Kosten der Kelchblätter, Staubgefässe und Fruchtblätter, auch wohl durch Zerteilung der Blumenblätter. Wie die Kelchblätter, so fehlen auch die Blumenblätter in manchen Fällen, oder sind sehr klein oder verkümmert.

Kelch und Blumenkrone bilden die Blütenhülle (Perianthemum), welche doppelt genannt wird, wenn beide vorhanden sind und einfach, wenn nur der Kelch oder die Blumenkrone da ist. Manchen Blüten wird eine einfache Blütenhülle zugeschrieben, weil Kelch und Blumenblätter von gleicher Form und Beschaffenheit sind und scheinbar einen Wirtel darstellen. Häufig zeigt indessen eine Untersuchung der jungen Knospe, dass die Hälfte der Teile mehr ausserhalb steht und kleine Abweichungen in der Beschaffenheit zeigt. Die Beschreibungen der Botaniker weichen daher von einander ab, die einen sprechen von einer einfachen, die andern von einer doppelten Blütenhülle.

Die Blütenhüllen werden einblätterig oder verwachsenblätterig genannt, wenn die Blumenteile verwachsen sind, entweder vollständig oder nur auf dem Grunde zu einer Glocke, Röhre oder Scheibe — mehrblätterig oder freiblätterig, wenn sie vom Grunde an frei sind.

Sind die Blumenblätter nur teilweise verwachsen, so wird der verwachsene Teil Röhre genannt, die freien Teile bezeichnet man je nach ihrer Grösse als Zähne oder Lappen. Eine sehr kurze Röhre ruft auf den ersten Blick die Täuschung hervor, die Blumenblätter seien frei; ihre niedrige Verbindung am Grunde verdient aber strenge Beachtung, da sie für die Klassifikation des Gewächses wichtig ist.

Die Anordnung der Blumenkrone muss ebenfalls beachtet werden; sie heisst klappig, wenn die Blätter nicht mit den Rändern übereinandergreifen; sind dabei die Ränder einwärts umgeschlagen, so nennt man sie eingefaltet, sind sie nach innen abgerundet und umgebogen, bezeichnet man sie eingerollt, sind sie im scharfen Winkel nach aussen gebogen, heissen sie zurückgefaltet, sind sie im Bogen auswärts umgelegt, bezeichnet man sie zurückgerollt, sind sie der Länge nach in mehrere Falten gelegt, nennt man sie gefaltet. Übergreifend heissen die Blumenblätter im allgemeinen, wenn sie mit den Rändern übereinandergreifen; wenn die Ränder stark übereinandergreifen, nennt man die Anordnung dachziegelig.

Die Blumenkrone kann der Gestalt nach sein:

röhrenförmig, wenn die Blätter ganz oder teilweise wie eine Röhre geformt sind;

glockenförmig, wenn sie sich vom Grunde aus wie eine Glocke erweitert;

krugförmig, wenn die Röhre unten nahezu kugelig ist, an der Spitze sich etwas zusammenzieht, um sich wieder zu erweitern;

radförmig oder sternförmig, wenn die Blätter vom Grunde oder fast vom Grunde aus wagrecht ausgebreitet sind;

präsentirtellerförmig, wenn die Blätter unten röhrig nnd oben ausgebreitet sind; der Saum mag ganz oder geteilt sein; die Röhrenöffnung wird als Schlund oder Mündung bezeichnet;

trichterförmig, wenn die Blätter am Grunde röhrig sind und nach dem Rande hin sich allmählich erweitern; die Stelle, wo die Erweiterung merklich wird, gilt als der Schlund, welcher indessen häufig schwierig zu bestimmen ist.

Ausserdem gibt es eine Anzahl unregelmässiger Formen, die nicht von allen Botanikern gleichmässig benannt werden. Am ehesten gelten als allgemeine Bezeichnungen: zweilippig, wenn bei einer 4 oder 5 teiligen Blume 2 oder 3 Lappen weiter ausstehen und den übrigen, die als Unterlippe bezeichnet werden, gegenüberstehen. Ist der Schlund der zweilippigen Blüte geschlossen durch einen Gaumen, das ist eine Leiste an der oberen oder unteren Lippe, so entsteht die Maskenblüte oder Larvenblüte. Stehen die beiden Lippen weit auseinander und ist die Röhre offen, so heisst die Blumenkrone rachenförmig. Hat die Röhre oder der untere Teil eines Blumenblattes eine kegelförmige, hohle Verlängerung, ähnlich einem Hahnensporn, so ist sie gespornt. Ist der Sporn kurz und abgerundet, entsteht die Sackform, höckerig ist die Benennung, wenn er nur in einer schwachen Anschwellung besteht. Der ausgebreitete Teil eines Blumenblattes heisst eine Platte und der stilartige Teil der Nagel. Ein gestieltes Blumenblatt wird ein genageltes genannt.

8. Die Staubgefässe.

Die Staubgefässe in ihrer gewöhnlichsten Form bestehen aus einem Stiel, dem Staubfaden (Filament), welcher den Staubbeutel (Anthere) trägt. Der letztere ist in der Regel in 2 Fächer geteilt, in welchen der Blütenstaub (Pollen) geborgen ist, der aus kleinen, staubförmigen, meist gelben Körnchen besteht, welche beim Öffnen der Staubbeutel ausfallen. Sind die beiden Staubbeutelfächer dicht verwachsen, so nennt man den verbindenden Teil Mittelband. Der Staubfaden darf fehlen, der sitzende Staubbeutel bildet deshalb doch ein vollkommenes Befruchtungsorgan, fehlt dagegen dem Staubfaden der Staubbeutel oder enthält derselbe keinen Blütenstaub, so ist das Staubgefäss unvollkommen oder fehlgeschlagen, also unfruchtbar.

Einmännig ist eine Blüte, wenn sie nur ein Staubgefäss enthält, vielmännig, wenn sie mehr wie 10 besitzt. Brüderig sind die Staubgefässe, wenn mehrere mittels der Fäden verwachsen sind. Einbrüderig (monadelphisch) sind sie, wenn ihre Fäden zu einem Bündel verwachsen sind, der eine Röhre um den Stempel bildet oder, wenn derselbe fehlt, die Mitte der Blüte einnimmt. Zweibrüderig (diadelphisch), dreibrüderig, fünfbrüderig u. s. f. sind sie, wenn die Fäden zu 2, 3, 5 u. s. f. Bündeln verwachsen sind.

Angeheftet oder ansitzend ist ein Staubbeutel, wenn er der ganzen Länge nach am Staubfaden angewachsen ist; aufsitzend, wenn er nur mit seinem Grunde auf der Spitze des Staubfadens sitzt, und beweglich, wenn er mit dem Rücken so auf der Spitze des Staubfadens befestigt ist, dass er sich leicht bewegt.

Die Fächer des Staubbeutels sind entweder gleichlaufend oder auseinanderfahrend, wenn sie fast eine gerade Linie bilden, indem sie sich nur an einem Ende berühren. Ausgespreizt sind sie, wenn sie einen Winkel bilden. Einfächerig kann der Staubbeutel erscheinen, wenn ein Fach verkümmert oder die Scheidewand verschwindet.

Der Staubbeutel öffnet sich, um den Blütenstaub austreten zu lassen, entweder in einem Längsspalt, in Löchern oder in Klappen; er öffnet sich entweder nach der Richtung des Stempels oder der Blumenkrone zu. In einigen Fällen ist der Blütenstaub wachsähnlich, nicht staubförmig.

9. Der Stempel.

Der Stempel besteht aus Fruchtblättern, die gewöhnlich sitzen, in manchen Fällen auch einen Stiel haben, dieser Fruchtblattstiel wird von dem Fruchtknotenstiel unterschieden, der den Kreis der Fruchtblätter, also den Stempel trägt.

Das Fruchtblatt besteht aus 3 Teilen:

1. Dem Fruchtknoten oder dem erweiterten Grunde, welcher ein oder mehrere Fächer umschliesst, in denen sich ein oder mehrere Samenknospen oder Eichen befinden, aus welchem sich später die Samen entwickeln; nach der Zahl der Samenknospen, die der Fruchtknoten enthält, richtet sich die Zahl der Samen in der Frucht, er erzeugt ihrer nie mehr, wohl aber weniger;

2. Dem Griffel oder Staubweg, welcher auf seiner Spitze die Narbe trägt;

3. Der Narbe, die entweder punktförmig oder kopfförmig ist und in manchen Fällen direkt auf dem Fruchtknoten als ein verbreiterter und verschieden gestalteter Teil sitzt.

Die Narbe ist locker gebaut und häufig mit kleinen Warzen bedeckt. Befindet sich nicht zum mindesten eine Samenknospe im Fruchtknoten und eine Narbe auf der Oberfläche, so ist der Stempel fehlgeschlagen, also unfruchtbar.

Die Bezeichnungen einweibig (einstempelig), zweiweibig u. s. f. werden von den Botanikern nicht übereinstimmend gebraucht, bald beziehen sie sich auf die Fruchtknoten, bald nur auf die Griffel oder Narben.

Sind mehrere Fruchtknoten zusammengewachsen, so bilden sie einen zusammengesetzten Fruchtknoten. Ein solcher kann einfächerig oder einzellig sein, wenn sich zwischen den Samenknospen keine Scheidewände befinden, oder wenn nur Ansätze von Scheidewänden vorhanden sind. Mehrfächerig ist er, wenn Scheidewände von der Mitte des Fruchtknotens aus strahlenförmig nach dem Umkreise gehen. Nach der Zahl der Fächer wird der Fruchtknoten 2. 3 bis vielfächerig genannt.

In den meisten Fällen ist die Zahl der Fächer übereinstimmend mit derjenigen der Fruchtblätter, welche den Stempel bilden. Es gibt aber auch Fälle, wo jedes Fruchtblatt vollständig oder unvollständig in zwei Fächer geteilt ist oder 2 Reihen Eichen trägt, es erscheint dann die Zahl der Fruchtblätter doppelt so gross wie sie in Wirklichkeit ist; andererseits gibt es Stempel, die scheinbar aus einem Fruchtblatte bestehen, so innig sind mehrere Fruchtblätter verwachsen; sie bilden ein Fach mit einer Samenknospe.

Verwachsenblätterige Stempel können haben:
einen einfachenGriffel mit einer gekerbten, gezahnten, gelappten oder ganzen Narbe;
einen einfachen Griffel mit mehreren Narben, wenn die Griffel bis zur Narbe vereinigt sind, diese sich aber trennt;
mehrere Griffel, wenn diese vom Grunde an frei bleiben.

Als Ausnahme von der Regel gelten: die Zahl der Narben und Griffel ist grösser wie die der Fruchtblätter; die Narben sind zweigabelig oder fiederig verzweigt oder auch pinselförmig. Diese Ausnahmen erschweren oft die Zahl der Fruchtblätter zu bestimmen, welche den Fruchtknoten zusammensetzen; ein Gegenstand. der aber wichtig ist, weil er die natürliche Verwandschaft der Pflanzen bestimmen hilft.

Als Samenleiste bezeichnet man diejenige Stelle im Innern des Fruchtknotens, wo die Samenknospen angeheftet sind.

Jede vollkommen entwickelte Samenknospe besteht gewöhnlich aus dem Eikern oder Knospenkern, welcher in die Eihülle, aus 2 sackförmigen Häuten bestehend, eingeschlossen ist, die als äussere und innere bezeichnet werden. Der Eigrund oder Knospengrund ist derjenige Teil der Samenknospe, an welchem der Eikern oder Knospenkern mit den Eihäutchen verwachsen ist. Der Eimund ist eine kleine Oeffnung in den Eihäutchen über der Spitze des Eikerns.

10. Der Blütenboden.

Das oberste Ende des Blütenstiels, über dem Kelche, auf welchem die Blumenkrone, Staubgefässe und Fruchtknoten befestigt sind, heisst der Blütenboden. Manchmal ist er nicht viel grösser wie ein Punkt, doch verbreitert oder verdickt er sich mehr oder weniger. Der Blütenboden einer einzelnen Blüte darf nicht ververwechselt werden mit dem gemeinschaftlichen Blütenboden einer zusammengesetzten Blüte, welcher eine Blütenstandsform ist.

Eine Scheibe (Diskus) ist eine kreisförmige Erweiterung des Blütenbodens, ähnlich einem flachen Ring oder polsterförmigem Wulst. Die Scheibe steht entweder am Rande des Blütenbodens oder sie befindet sich unmittelbar am Grunde des Fruchtknotens und der Staubgefässe oder auch zwischen den Staubgefässen und Blumenblättern oder sie trägt die Blumenblätter oder Staubgefässe oder beide auf ihrem Rand. Die Scheibe kann sein: ganz, gezahnt, gelappt oder getrennt in Teile, gewöhnlich so viele oder doppelt so viele als Staubgefässe oder Fruchtblätter vorhanden sind.

Honigdrüsen, Honiggefässe, Nektarien sind entweder Teile der Scheibe, umgeänderte Staubgefässe oder besondere Anhängsel am Grunde der Blumenblätter und Staubgefässe oder kleine Körper innerhalb der Blüte, welche mit anderen Teilen derselben keine Ähnlichkeit haben. Trägt die Scheibe die Blumenblätter und Staubgefässe, so ist sie häufig verwachsen mit dem Kelch oder nur mit der Kelchröhre oder sie ist verwachsen mit dem Fruchtknoten oder mit der Kelchröhre und dem Fruchtknoten.

Es werden demnach drei Stellungen des Blütenwirtels unterschieden:

Unterständig (hypogynisch), unter dem Fruchtknoten befindlich, sind Blumenblätter, überhaupt Blüten, wenn sie oder die Scheibe, welche sie trägt, sowohl vom Kelche wie vom Fruchtknoten getrennt, also frei sind. Der Fruchtknoten wird dann als frei oder oberständig, der Kelch als frei oder unterständig, die Blumenkronen als eingefügt auf dem Blütenboden bezeichnet.

Umständig oder mittelständig (perigynisch), soll bedeuten: rings um den Fruchtknoten, wenn die Scheibe, welche die Blumenblätter trägt, völlig getrennt vom Fruchtknoten, jedoch verwachsen mit dem Grunde der Kelchröhre ist. Der Fruchtknoten wird dann als frei oder oberständig bezeichnet. Die mit der Kelchröhre vereinigte Scheibe kann mit dieser ein tiefes Näpfchen bilden, auf dessen Boden der Fruchtknoten steht; der Kelch wird dann als frei und unterständig betrachtet, die Blumenblätter als dem Kelche eingefügt.

Oberständig (epigynisch) soll bedeuten: auf dem Fruchtknoten, wenn die Scheibe, welche die Blumenblätter trägt, verbunden ist mit dem Grunde der Kelchröhre und der Aussenseite des Fruchtknotens. Entweder schliesst sie sich oberhalb des Fruchtknotens, so dass sie nur den Griffel durchlässt oder sie lässt die Spitze des Fruchtknotens mehr oder weniger frei, ist aber mit letzterem unterhalb der Höhe der untersten Samenknospe verbunden, wenige Fälle ausgenommen, wo die Samenknospen an den Spitzen der Fächer hängen. Der Fruchtknoten wird hier als angewachsen oder unterständig, der Kelch als angewachsen und oberständig, die Blumenblätter als eingefügt auf und oberhalb des Fruchtknotens bezeichnet.

In einigen Fällen kann nicht sicher entschieden werden, ob die Blüten oberständig oder umständig, umständig oder unterständig sind.

Fehlen die Blumenblätter in einer Blüte, so wird die Einfügung der Staubgefässe benutzt, um die vorstehenden Bezeichnungen festzustellen.

Ein Fruchtknotenstiel entsteht, wenn sich der Blütenboden deutlich unter dem Fruchtknoten verlängert. Findet eine solche Verlängerung innerhalb des Staubgefäss- oder Blumenblattwirtels statt, so bezeichnet man die Staubgefässe und Blumenblätter als eingefügt in den Fruchtknotenstiel.

Eine oberständige Scheibe nennt man gewöhnlich die verdickte Spitze der Fruchtknoten bei oberständigen Blüten, selten bezeichnet man so die wirkliche Scheibe des Blütenbodens, welche sich über dem Fruchtknoten zusammenschliesst.

11. Die Frucht.

Die Frucht umschliesst die oder den Samen bis zur Vollreife derselben, um sich dann zu öffnen und den Samen austreten zu lassen oder mit letzterem zugleich abzufallen. Sie geht hervor aus den Fruchtknoten und anderen nach der Befruchtung bleibenden Teilen der Blüte.

Die Frucht kann sitzend sein oder an dem Fruchtstiel hängen.

Die Einzelfrucht entsteht aus einer Blüte, sie bildet den Gegensatz zu den Sammelfrüchten, die sich aus mehreren dicht zusammenstehenden Blüten mit einblätterigen Stempeln entwickeln, wie die Brombeere und Himbeere. Gewöhnlich wird die Einzelfrucht schlechtweg Frucht genannt, sie kann, wie der Stempel, aus verwachsenen oder getrennten Fruchtblättern bestehen. Die Füllblättchen und Deckschuppen dauern bei zusammengesetzten Blüten häufig bis zur Reife aus, selten aber bei Einzelfrüchten.

In manchen Fällen wird der Blütenboden gross, saftig, zu einem Teile der Frucht, mit der er nach der Reife abfällt, in anderen gewinnt er das Ansehen einer Frucht. In beiden Fällen entsteht die Scheinfrucht, wie die Ananas, Maulbeere, Erdbeere und Feige.

Bei oberständigen Blüten verwächst der angewachsene Teil des Kelches stets mit der Frucht. Bei denselben Blüten bleiben die freien Teile des Kelches entweder vollständig erhalten an der Spitze oder rings um die Frucht oder die freien Kelchlappen samt dem Teile des Kelches, welcher sich oberhalb der Einfügung der Blumenblätter befindet, fallen ab oder es fällt ab der ganze freie Teil des Kelches einschliesslich der Scheibe, welche die Blumenblätter trägt. Dasselbe gilt vom Kelch der umständigen Blüten. Der Kelch unterständiger Blüten fällt entweder ganz ab oder bleibt vollständig erhalten. Ein Kelch wird abfallend genannt, wenn er ganz oder teilweise abfällt. Ist er bleibend, dann vergrössert er sich entweder unter oder um die Frucht oder er verschrumpft.

Die Blumenkrone fällt gewöhnlich vollständig ab, bleibt sie, so verschrumpft sie, nur in sehr wenigen Fällen vergrössert sie sich um die Frucht.

Ebenso fallen die Staubgefässe in der Regel ab, nur selten bleiben Teile zurück, die verschrumpfen.

Der Griffel bleibt in manchen Fällen, um eine Spitze an der Frucht zu bilden, in anderen fällt er ab oder er verschrumpft oder er verlängert sich zu einem Anhängsel der Frucht.

Fruchthülle (Pericarpium) wird der Teil der Frucht genannt, welcher gebildet wird aus dem Fruchtknoten und was sonst demselben anhängt, mit Ausnahme der zurückgebliebenen oder nicht verwachsenen Kelchteile, des Samens und des Blütenbodens. Viele Früchte haben auffallende Anhängsel, die nach ihrer Ähnlichkeit benannt werden wie: Flügel, Kämme, Grannen u. s. w. Gebildet werden sie durch bleibende oder veränderte Teile der Blüte oder durch einen Auswuchs des Fruchtknotens. Im letzteren Falle entsteht mitunter ein Kranz von Haaren oder Schuppen an der Spitze der Frucht, welcher Krone genannt wird.

Die Früchte teilt man in die beiden Hauptklassen: saftige und trockene. Aufspringend heissen sie, wenn sie sich bei der Reife öffnen, um den Samen austreten zu lassen, geschlossen oder Schliessfrüchte, wenn sie samt dem Samen abfallen. Saftige Früchte bleiben gewöhnlich geschlossen.

Die wichtigsten Arten der saftigen Früchte sind: Die Beere, bei welcher die ganze Masse der Fruchthülle saftig oder fleischig ist, mit Ausnahme der äussern Fruchthaut (Epicarpium); die Samen sind gewöhnlich eingebettet in das Fruchtfleisch, bei einigen Beeren sind jedoch die Samen von dem Fruchtfleisch getrennt durch die innere Fruchthaut (Endoscarpium), welche die Fächer des Fruchtknotens auskleidet. Zu dieser Fruchtart gehören: die Heidelbeere, Weintraube, Johannistraube, Orange und Citrone.

Die Steinfrucht (Drupa), bei welcher die Fruchthülle aus zwei deutlich unterscheidbaren Bestandteilen besteht: der äusseren, fleischigen, saftigen Masse, dem Fruchtfleisch (Sarcocarpium), das aussen ähnlich wie die Beere überzogen ist, von der äusseren Fruchthaut (Epicarpium) und einer inneren, trockenen, harten Fruchtschicht oder Fruchthaut (Putamen), welche entweder pergamentartig oder holzig ist; in letzterem Falle heisst sie ein Stein und die Frucht eine Steinfrucht im engeren Sinne des Wortes. Hierher gehören Steinobst, Kernobst, Wallnüsse und Kokusnüsse.

Die wichtigsten Arten der trockenen Früchte sind:

Die Kapsel, wenn sie sich bei der Reife öffnet. In diesem Falle besitzt sie gewöhnlich so viele Klappen als sie Fächer besitzt. Nach der Art des Aufspringens bezeichnet man die Klappen als scheidewandlösend, wenn die Scheidewände stehen bleiben und die Kapselwand sich völlig von ihnen trennt; als fachspaltig, wenn die Scheidewände in der Mitte der Klappen stehen bleiben und samt diesen abfallen; scheidewandspaltig, wenn sich die Scheidewände in der Mitte trennen, an den Rändern der Klappen stehen bleiben und mit diesen abfallen.

In manchen Fällen hat die Kapsel Löcher, durch welche der Samen austritt, oder sie öffnet sich in einem wagerechten Spalt und zerfällt dadurch in 2 Teile; sie ist dann umschnitten, aufspringend und heisst eine Büchsenfrucht.

Die Schliessfrucht (Nuss, Achene), welche nicht aufspringt

und nur einen Samen enthält. Ist ihre Fruchthülle im Verhältnis zum eingeschlossenen Samen dunn, so erhält die ganze Frucht oder ihre einzelnen Teile das Ansehen eines Samenkorns und wird meistens im gewöhnlichen Leben so genannt. Ist die Fruchthülle dünn und umschliesst sie den Samen mehr lose, so wird die Frucht oft eine Schlauchfrucht genannt. Eine Flügelfrucht ist eine Nuss mit einem Flügel an ihrem oberen Ende.

Sind die Fruchtblätter der Frucht getrennt, so können sie, jedes für sich, die Beschaffenheit einer Beere, Steinfrucht, Kapsel oder Schliessfrucht erlangen. Getrennte Fruchtblätter sind gewöhnlich mehr oder weniger seitlich zusammengedrückt, haben mehr oder weniger hervortretende innere und äussere Ränder, Nähte genannt; an diesen Stellen springen sie gewöhnlich auf, falls sie sich überhaupt öffnen.

Eine Balgfrucht ist eine Kapsel, welche sich auf einer Längsspalte, an einer sogenannten Bauchnaht öffnet und einfächerig ist. In manchen Fällen, wenn die Fruchtblätter im Fruchtknoten vereinigt sind, trennen sie sich bei völliger Reife; sind sie dabei einsamig und bleiben geschlossen, so heissen sie häufig Körner oder Teilfrüchte.

Die Früchte mancher Pflanzenfamilien haben besondere Namen, wie: die Schoten der Kreuzblütler, die Hülsen der Schmetterlingsblütler, die Apfelfrucht der Rosen, die Zapfenfrüchte der Nadelhölzer, die Kürbisfrüchte der Gurkengewächse, die Grasfrucht der Gräser u. s. w.

12. Der Samen.

Bei den meisten blühenden Pflanzen ist der Same eingeschlossen in die Fruchthülle, sie werden hiernach verhülltsamige (Angiospermae) genannt. Nacktsamig (Gymnospermae) sind die Zapfenfrüchtler und einige verwandte Familien, weil ihre Samen ohne echte Fruchthülle sind. Die echten Nacktsamigen müssen unterschieden werden von den falschen Nacktsamigen, deren kleine Nussfrüchte das Ansehen von Samen haben, wie die Boretschgewächse und Lippenblütler.

Der reife Same besteht aus dem Keimling (Embryo), der völlig oder nahezu die Höhlung des Samens ausfüllt, aber nicht verbunden ist mit der äusseren Haut des Letzteren. In vielen Fällen liegt er eingebettet in einem mehligen, fleischigen, öligen oder hornähnlichen Körper, welcher Sameneiweiss (Perisperm) genannt wird, in anderen Fällen liegt er ausserhalb oder seitlich dieses Stoffes. Die Gegenwart oder Abwesenheit des Sameneiweisses ist von Wichtigkeit, kann jedoch, gleich der Beschaffenheit mancher Keimlinge, bei mehreren Samen erst deutlich während der Keimung erkannt werden.

Die Schale des Samens besteht gewöhnlich aus zwei trennbaren Häuten. Die Äussere (Festa) ist in der Regel die wichtigste, in manchen Fällen wird sie nur allein bei der Beschreibung der Samen berücksichtigt. Sie kann sein hart und krustenartig, holzig oder knochenähnlich, dünn oder zarthäutig, trocken oder fleischig (selten). Sie ist bei mehreren Samen erweitert zu Flügeln oder trägt ein Büschel Haare oder Fasern, die Samenwolle. Die innere Samenschale wird von den Botanikern Tegmen genannt.

Samenträger wird der Stiel genannt, mit dem der Samen befestigt ist. Er wird zum Samenmantel, wenn er, zu einem häutigen, saftigen oder fleischigen Anhang verbreitert, sich über einen ansehnlichen Teil des Samens ausdehnt oder denselben fest umschliesst. Keimwülstchen wird ein einfacher, warzenähnlicher Anhang an der Samenhaut an der Seite oder in der Nähe des Samenträgers genannt. Nabel nennt man die Narbe, welche bei Abtrennung vom Samenträger am Samen zurückbleibt. Der Keimmund ist am reifen Samen gewöhnlich als feiner, nadelstichartiger Punkt bemerkbar, der bald in der Nähe des Nabels, bald ihm gegenüber liegt, je nachdem der Same gradläufig, krummläufig oder gegenläufig ist.

Der Keimling besteht aus dem Würzelchen oder dem Anhange der künftigen Wurzel, aus 1 oder 2 Keimblättern oder Samenlappen und aus der Stammknospe oder dem Blattfederchen, dem Anfange zum künftigen Stengel. In manchen Samen, besonders in solchen, die kein Eiweiss enthalten, sind die verschiedenen Teile sehr deutlich, in anderen dagegen schwierig zu erkennen und werden mitunter erst bemerkbar, wenn der Samen zu keimen beginnt. Ihre Beachtung ist jedoch von Wichtigkeit, da sich auf die Verschiedenheit des Keimlings, ob derselbe 1 oder 2 Samenlappen besitzt, die beiden Hauptklassen des Pflanzenreichs: Einsamenlappige (Monokotyledonen) und zweisamenlappige (Dikotyledonen) gründen. Bei den einsamenlappigen Pflanzen, kürzer Spitzkeimer genannt, besitzt der Keimling nur einen Samenlappen, welcher meist als ein scheidenförmiges Blatt wie eine spitz nach oben zulaufende Kappe den Keimling ganz umfasst. Bei den zweisamenlappigen Pflanzen oder Blattkeimern, lassen sich zwei gegenüberstehende Samenlappen ganz bestimmt erkennen.

13. Nebenorgane.

Als Nebenorgane bezeichnet man solche Pflanzenteile, welche nicht zur Lebensthätigkeit notwendig, also nebensächlich sind, wie Ranken, Dornen, Stacheln, Haare, Drüsen und Blattschläuche.

Ranken sind fadenförmige Gebilde, bestimmt zum Halten und Klettern der Pflanzen. Hervorgegangen sind sie aus umgewandelten Zweigenden oder Blattstielen erster und zweiter Ordnung; sie können sein einfach oder verästelt.

Dornen und Stacheln, die „Waffen“ der Pflanzen, werden im gewöhnlichen Leben unterschiedlos betrachtet, nicht so von den Botanikern. Ein Dorn ist eine scharf zugespitzte, verholzte Spitze eines Zweiges oder umgewandelten Blattstieles und steht durch verholzte Gefässe im Inneren mit dem Stengel in Verbindung. Ein Stachel dagegen ist ein harter, scharf zugespitzter Auswuchs der Oberhaut, der also nicht durch Holzgefässstränge mit dem Stengel in Verbindung steht; er kann sich befinden am Stengel, am Blattstiel, an einem Zweige, an den Rippen der Blätter, am Blütenstiel, selbst am Kelch oder an der Blumenkrone. Wenn die Zähne eines Blattes oder Nebenblattes scharf zugespitzt und stechend sind, wie bei den Disteln, werden sie auch Stacheln genannt.

Haare nennt man zarte, dünne Anhänge der Oberhaut, welche einfache Zellenbildungen sind und je nach ihrer Ähnlichkeit als Borsten, als Haare im engern Sinne, Wolle, Flaum oder Filz bezeichnet werden. Oft sind die Haare verästelt, gewöhnlich von ihrem Befestigungspunkte aus; die Äste breiten sich dann dicht über der Oberfläche nach verschiedenen Richtungen aus.

Gefiedert werden sie genannt, wenn ihre Zweige an einer gemeinsamen Achse entlang, einer Feder ähnlich, geordnet sind; sternförmig, wenn mehrere Zweige strahlenförmig wagerecht ausgebreitet sind. Bei den sternförmigen Haaren sind mitunter die Seitenstrahlen am Grunde oder auch gänzlich mit einander verschmolzen und bilden kleine, kreisrunde Scheiben, die in ihrer Mitte befestigt sind. Sie werden als Schuppen bezeichnet, die Oberfläche gilt dann als schuppig. Als Klimmhaare werden solche Haare bezeichnet, welche sich an andere Gegenstände legen und dadurch der Pflanze beim Klettern helfen.

Die Oberfläche eines Pflanzenteils ist:

glatt, wenn sich keinerlei Auswuchs und Unebenheit vorfindet;

kahl, wenn sie keinerlei Behaarung hat;

gestreift, wenn sie gezeichnet ist mit gleichlaufenden Längslinien, die nur einfach erhaben oder zugleich verschieden gefärbt sind;

gefurcht oder gerippt, wenn die gleichlaufenden Linien hohlkehlig und deutlich erhaben sind;

runzelig, wenn gefurcht mit winkeligen oder unregelmässigen Erhebungen und Vertiefungen;

eingefressen, wenn versehen mit sehr unregelmässigen, tiefen, gedehnten Aushöhlungen;

punktiert, wenn versehen mit sehr kleinen, kreisrunden Vertiefungen;

genabelt, wenn versehen mit kleinen, runden ausgeflachten Vertiefungen;

klebrig, wenn bedeckt mit klebrigen Ausscheidungen;

rauh, wenn sie sich rauh anfühlt;

warzig, wenn bedeckt mit kleinen, stumpfen, warzenähnlichen Auswüchsen;

stumpfstachelig, wenn die Erhebungen mehr oder weniger erhaben und zugespitzt, dabei kurz und hart sind;

stachelig, wenn die Auswüchse länger und schärfer, meist stechend sind;

borstig, wenn bedeckt mit steifen, geraden Haaren;

drüsig behaart und drüsig borstig, wenn die Haare oder Borsten an der Spitze ein kleines, klebriges Köpfchen tragen;

hakig, wenn die Borsten oder Dornen an der Spitze hakenartig gebogen sind;

haarig, wenn besetzt mit langen, etwas straffen und entfernt stehenden Haaren, welche die Fläche nicht völlig bedecken;

zottig, wenn bedeckt mit langen, abstehenden Haaren, die so dicht stehen, dass sie die Oberfläche verdecken;

kurzborstig, wenn bedeckt mit kurzen, zerstreuten, oft gabeligen oder dreizackigen Borstenhaaren;

langborstig, wenn bedeckt mit ziemlich langen, nicht sehr entfernt stehenden Borstenhaaren;

flaumhaarig oder weichhaarig, wenn die Haare kurz, dünn und weich sind, dabei so verteilt, dass sie die Oberfläche nicht völlig verdecken;

striegelig, wenn die Borsten zerstreut auf Wärzchen stehen, dabei gerade, steif und meistens nach einer Richtung angedrückt sind;

filzig, wenn bedeckt mit niederliegenden, oft verzweigten, jedoch weichen Haaren, welche einen dicht verwebten Überzug bilden;

wollig, wenn bedeckt mit langen, weichen, abstehenden Haaren;

seidenartig, wenn die niederliegenden Haare zugleich glänzend sind;

mehlig oder mehlig bestäubt, wenn bedeckt mit kleinkörnigen Absonderungsmassen, die leicht abfallen und die Oberfläche weiss bestäubt erscheinen lassen;

schimmelig, wenn die Haare so kurz sind, dass sie sich mit blossem Auge nicht deutlich unterscheiden lassen und der Oberfläche einen weisslichen Schimmer verleihen;

graugrün, wenn graugrün gefärbt, was oft durch eine feine Haarbedeckung geschieht.

Die Bezeichnung Drüsen wird verschiedenartigen Erzeugnissen und Teilen der Pflanzen zugelegt, besonders nachstehenden vier:

1. kleinen, warzenähnlichen oder schildförmigen Körperchen, die mitunter sitzend, mitunter gestielt von schwammiger oder etwas fleischiger Beschaffenheit, welche gewöhnlich kleine Mengen von öligen oder harzigen Stoffen ausscheiden, mitunter jedoch auch ohne solche sind. Sie finden sich meistens in geringer Zahl, oft verschieden geformt und verteilt vorzugsweise am Blattstiel und an den Hauptadern der Blätter oder an den Zweigen des Blütenstandes, den Blütenstielen, auf den Hauptrippen der Deckblätter, Kelch- und Blumenblätter.

2. kleinen vorstehenden Flecken, welche meist schwarz, rot oder dunkel gefärbt und von öliger oder harziger Beschaffenheit sind. Sie sind oberflächlich und dem Anschein nach Aussenderungen der Oberhaut, finden sich oft zahlreich an Blättern, Deckblättern, Kelchblättern und jungen Zweigen, auch an Blumenblättern und Staubgefässen, selten dagegen am Stempel. Stehen sie erhaben auf dünnen Stielen, so nennt man sie gestielte Drüsen;

3. kleinen, kugeligen oder langrunden bis linealischen Bläschen, welche in die Masse des Blattes, der Blüten- und Fruchtteile

selbst eingebettet sind. Sie sind oft sehr zahlreich vorhanden, ähneln durchsichtigen Flecken, mitunter finden sie sich auch nur zu wenigen und in verschiedenartiger Verteilung. In der Fruchthülle der Doldengewächse sind sie auffallend regelmässig und in die Augen fallend und werden Striemen genannt; sie werden besonders beim Querschnitt und bei einiger Vergrösserung sichtbar;

4. Lappen der Blütenscheibe oder kleinen fleischigen Auswüchsen innerhalb der Blüte, entweder der am Blütenboden, Kelch, der Blumenkrone, an den Staubgefässen oder am Stempel.

Der Blattschlauch ist eine schlauchförmige Bildung, die an der Spitze eines rankenartigen Teiles, der Fortsetzung eines Blattes, sitzt. Der Schlauch ist an seinem Ende abgestutzt, offen und mit einer Art Deckel versehen. Im Innern entsteht eine schwach süssliche Flüssigkeit, welche die Insekten anlockt.

Es dünkt mir eine Pflicht, zu erklären, dass ich mich in meinen vorstehenden Darlegungen vorzugsweise an Hermann Wagners „Flora von Deutschland“ angeschlossen habe, weil mir die Verdeutschung der botanischen Kunstausdrücke und die Beschreibungsform in diesem trefflichen Werke mustergiltig erscheint.

Die Grundstoffe der Pflanzen.

Wenn die Chemiker eine Pflanze in ihre Grundbestandteile zerlegen, finden sie stets Kohlenstoff, Wasserstoff, Sauerstoff und Stickstoff, das sind die sogenannten Organogeen oder organische Grundstoffe. In einzelnen Pflanzenteilen kann der Stickstoff fehlen, sie heissen dann stickstofffreie, im Gegensatz zu den stickstoffhaltigen, welche alle vier Grundstoffe enthalten. Nur sehr wenige Pflanzenstoffe bestehen aus zwei Elementen oder Grundstoffen, keinem aber fehlt der Kohlenstoff, deshalb bezeichnet man die organische Chemie auch als Chemie der natürlichen und künstlichen Kohlenstoffverbindungen. Ausserdem finden sich stets 6 Mineralien oder unorganische Grundstoffe in schwachen Mengen vor: Kalium, Magnesium, Calcium, Eisen, Phosphor und Schwefel. Diese Mineralien, welche meistens in Form von Salzen, das will sagen, in Verbindung von Säuren, seltener in Form von Chloriden, also in Verbindung mit Chlor, gegenwärtig sind, werden als unerlässlich zum Wachstum der Pflanzen betrachtet. Andere Mineralien, wie Natrium, Silicium, Aluminium, Mangan und Chlor, werden in den meisten, aber nicht in allen Pflanzen gefunden, deshalb bezeichnet man sie als nebensächlich; durch Versuche wollen Pflanzenphysiologen nachgewiesen haben, dass die Pflanzen ohne diese nebensächlichen Mineralien ihre Bestimmung erfüllen können, doch thun über diesen Gegenstand noch weitere Aufhellungen not. Erwiesen ist indessen, dass Natrium, trotz seiner grossen Ähnlichkeit mit Kalium, dasselbe nicht ersetzen kann.

Aus diesen wenigen Grundstoffen also, denen einige unorganische Säuren und Basen hinzutreten, vermag die Schöpfungskraft der Natur die zahllosen Pflanzenformen, welche unsere Erde bedecken, zu erzeugen. Klar ist, dass die Mannigfaltigkeit der Pflanzenformen nicht aus der Mannigfaltigkeit der Grundstoffe hervorgehen kann. Die Erklärung liegt in der Mannigfaltigkeit der Gruppierung der Atome, die bei den unorganischen Körpern als Ausnahme, bei den organischen als Regel auftritt. Der Spielraum ist so gross, weil stets 3, 4 oder noch mehr Grundstoffe vorhanden sind, die sich mit einander verbinden und weil in der organischen Chemie das Gesetz gilt: die Atome der Grundstoffe vereinigen sich nicht einzeln, sondern immer gruppenweise, nämlich 2, 3, 4, 6, 8, 10 und mehr Atome von dem einen Grundstoff mit 2, 3, 4 u. s. w. Atomen von dem andern. In der unorganischen Chemie verbinden sich dagegen in der Regel nur zwei Grundstoffe. Die organischen Stoffe haben daher ungleich zusammengesetztere Moleculen als die unorganischen.

Unter Moleculen stellt man sich die kleinsten, unsichtbaren und unmessbaren Massenteilchen vor, welche im freien Zustand existieren können und aus denen man sich die Körper zusammengesetzt denkt. Ein Stück Eisen besteht aus einem Haufen von Eisenmoleculen, welcher durch Anziehungskraft der nur durch sehr kleine Zwischenräume von einander getrennten Moleculen zusammengehalten wird.

Durch physikalische Kräfte, wie Wärme oder mechanische Gewalt, lassen sich die Moleculen nicht weiter zerteilen, wohl aber durch die chemische Kraft; sie zerfallen hierbei in ihre, auch durch chemische Kraft nicht weiter zerlegbare Bestandteile, in Atome, die man sich also noch kleiner zu denken hat, wie die Moleculen. Einzelne Atome können für sich nicht bestehen, sondern nur in chemischer Verbindung mit anderen Atomen im Molecul. Atome sind die kleinsten Mengen chemischer Elemente, welche zur Bildung der Moleculen beitragen können.

Zur Veranschaulichung wird gewöhnlich auf das Schachbrett verwiesen. Auf demselben können wir durch Versetzung der weissen und schwarzen Felder aus einer gleichen Zahl derselben die mannigfachsten, regelmässigen Gruppierungen hervorbringen. Zählen wir die einzelnen Felder, so finden wir in jeder Figur 8 schwarze und 8 weisse, die wirkliche Zahl ist also gleich gross, ihre Gruppierung aber kann verschieden, sie kann 1 und 1, 2 und 2, 4 und 4 u. s. f. sein. Denken wir uns statt der Felder Atome, so können wir uns eine Vorstellung machen, wie es Körper geben kann, welche bei ganz gleicher Zusammensetzung, doch ein ganz verschiedenes Ansehen und verschiedene Eigenschaften haben.

Die Klassifikation der Pflanzen.

Um eine Übersicht über die etwa 100 000 Pflanzenarten der Erde zu gewinnen, hat man sie in Gruppen geordnet, indem man die Artumgrenzung als Grundlage dieser Gruppierung feststellte. Alle Pflanzen, welche in ihren wesentlichen Merkmalen übereinstimmen und deren aus Samen hervorgehende Nachkommen ein treues Ebenbild werden, betrachtet man als Art. Die unwesentlichen Merkmale, wie Grösse der Blätter und Früchte, Farbe der Blüten, Behaarung der Zweige können wechseln, ohne die Artumgrenzung zu durchbrechen. Treten solche durch Boden, Klima, Kulturmethode und andere Ursachen hervorgerufene Abweichungen bei einer Anzahl Individuen derselben Art (Species) auf, so betrachtet man sie als eine Spielart (Varietät). Charakteristisch ist es für die Spielart, dass sie auf längere Zeit durch Samen nicht treu ebenbildlich fortgepflanzt werden kann, da die Nachkommen stets die Neigung zeigen, auf die Stammart zurückzugehen. Um eine Spielart fortzuerhalten, ist daher die ungeschlechtliche Fortpflanzung durch Ableger, Stecklinge, Propfreiser, Wurzelschösslinge und Knollen notwendig. Dasselbe gilt von den Blendlingen (Hybriden), die hervorgehen aus der gegenseitigen Befruchtung von zwei Arten und nicht verwechselt werden dürfen mit den Kreuzlingen, den Produkten der Befruchtung zweier Spielarten — ein Vorgang der Kreuzung im Gegensatz zur Blendung (Hybridisation) genannt wird. Charakteristisch für die echte Art ist, dass sie sich durch Samen stets wieder mit ihren wesentlichen Merkmalen erzeugt.

Einflüsse des Bodens, Klimas, Standorts, der Nahrung, der Kulturmethoden und anderer noch nicht bekannter Ursachen sind im Stande, in jeder Art Veränderungen hervorzurufen. Diese Thatsache ist unanfechtbar. Streit aber herrscht zwischen den Naturforschern darüber, ob bei der Rückkehr in die alten Verhältnisse, die angenommenen Veränderungen verschwinden oder ob solche Veränderungen, wenn sie Gelegenheit haben, sich während langer Zeiträume zu erhalten, schliesslich feststehend werden, mit anderen Worten, ob aus einer Spielart sich eine Art herausbilden könne. Die letztere Annahme wird von den Anhängern Darwins verteidigt. Die Entscheidung muss späterer Forschung vorbehalten bleiben, ist doch noch nicht durch fortgesetzte Versuche zweifellos festgestellt worden, in wie weit die Merkmale einer Art bei der Fortzucht durch Samen vollständig gleich bleiben und daher als wesentliche Merkmale zu betrachten sind.

Weil darüber keine Klarheit herrscht, ist die Feststellung der Arten und Spielarten in der Pflanzenkunde schwankend, sind doch manche Botaniker so weit gegangen, jede neu auftauchende Form unserer Kulturgewächse als Art zu bezeichnen; ich führe als Beispiele nur den Olivenbaum und die Baumwollstaude an. Sie haben dadurch eine bedauerliche Verwirrung und Unsicherheit hervorgerufen. In neuester Zeit scheint übrigens die vernünftige Auffassung mehr Boden zu gewinnen, alle Formen, welche durch Zwischenglieder lückenlos verbunden sind, als Spielarten einer Art zu betrachten.

Diejenigen Arten, welche in den wesentlichsten Eigenschaften ihrer Befruchtungsorgane übereinstimmen, werden zu einer Gattung (Genus) vereinigt. Indessen wird nicht jede Gattung aus mehreren Arten gebildet, sondern in einigen Fällen besteht eine Gattung nur aus einer Art, weil andere Arten nicht vorhanden sind, oder bis jetzt noch nicht entdeckt wurden, welche gleichgeartete Befruchtungsorgane besitzen. Zuweilen wird eine Einteilung in Untergattungen vorgenommen, um die nähere und weitere Verwandtschaft zu sondern. Eine Pflanze bezeichnet man mit dem gemeinsamen Gattungsnamen, dem der betreffende Artname zugefügt wird. Die beiden Namen sind gewöhnlich dem Griechischen oder Lateinischen entnommen und bezeichnen häufig hervorragende Eigenschaften. Der Gattungsname ist öfter dem Griechischen wie dem Lateinischen entlehnt, das Umgekehrte ist bei den Artnamen der Fall. Der erstere beginnt stets mit einem grossen Buchstaben, der letztere nur dann, wenn er aus einem Eigennamen gebildet ist, beispielsweise aus dem Namen des Entdeckers oder ersten Botanikers, welcher die betreffende Pflanze beschrieb. Solchem Namen wird eine lateinische Endung angehängt. Werden mehrere Arten hintereinander erwähnt, so schreibt man nur den ersten Gattungsnamen voll aus, die folgenden bezeichnet man mit dem Anfangsbuchstaben. Beispielsweise: Pinus sylvestris, P. strobus, P. rigida.

Der Gattungen hat man etwa 6000 gebildet; um die Übersicht noch mehr zu erleichtern, gruppierte man sie in Familien oder natürliche Ordnungen, je nach ihrer Ähnlichkeit im Bau der Befruchtungsorgane. Auch die Familien werden zuweilen in Unterfamilien geteilt. Der Familienname ist gewöhnlich aus dem Namen derjenigen Gattung gebildet, welche die Familienmerkmale am deutlichsten besitzt. Etwa 400 Familien sind aufgestellt worden, welche in Klassen gruppiert sind, doch begnügt man sich gewöhnlich damit, Familie. Gattung und Art einer Pflanze anzugeben, da dadurch ihre Zugehörigkeit hinreichend klar gestellt wird.

Wird die Klassifikation vorgenommen auf Grund der Gesamtheit aller Ähnlichkeiten und Verschiedenheiten, so nennt man sie die natürliche, im Gegensatz zur künstlichen, die begründet ist auf einem Merkmale oder wenigen.

Was oben in bezug auf die Feststellung des Artbegriffs gesagt wurde, gilt auch für die Gattungs- und Familienbegriffe. Nicht selten wird dieselbe Art von verschiedenen Botanikern zu verschiedenen Gattungen, dieselbe Gattung zu verschiedenen Familien gezählt. Nicht allein, dass ein Botaniker die Klassifikation des andern umstürzt, vergrössern sie die Verwirrung auch noch durch Aufstellung neuer Namen an Stelle der älteren, häufig ohne eine Begründung zu geben. Da die volkstümlichen Namen unsicher sind und für bestimmte Arten in verschiedenen Gegenden wechseln, so ersetzte man sie durch wissenschaftliche Namen, die man dem Griechischen und Lateinischen entlehnte, damit sie zum Gemeingut der über die ganze Erde verbreiteten Wissenschaft würden. Diese Übereinkunft der Botaniker aller Völker erleidet in ihrer Ausführung und Wirkung eine bedeutende Abschwächung durch die häufigen Namenverwerfungen. Beispielsweise ist dadurch für die nordamerikanischen Waldbäume ein solcher Namenwirrwar hervorgerufen worden, dass es eines eingehenden Studiums bedarf, um sich in demselben zurechtfinden zu können, nicht zum wenigsten mit Hülfe der volkstümlichen Namen, was fast einer Ironie gleichkommt.

Weil es von besonderem Interesse für die Forstkultur ist, sei bemerkt, dass sich die Botaniker auch noch nicht haben einigen können, welche Pflanzenfamilien als Nadelhölzer gelten sollen. Bentham und Hooker führen in ihrer Genera Plantarum diese sechs an: Cupressineae, Taxodieae, Taxeae, Podococarpeae, Araucarieae und Abietineae.

Der Bau der Pflanzen.

Das sehr dünne Scheibchen einer Pflanze erscheint unter einem Vergrösserungsglas aus Bläschen zusammengesetzt, die, welche mehr an der Aussenfläche liegen, sind ziemlich rund, die nach innen zu eckig und noch weiter nach innen faserförmig; aber alle Gebilde sind blasenförmig, also durch Häutchen von einander geschieden und mit einem Inhalt versehen. Zellen ist ihr Name, ursprünglich rund, aber durch den Druck, den die neu hinzuwachsenden auf die älteren und inneren ausüben, eckig und länglich werdend und zum Teil ungefähr so aussehend wie die Wachszellen im Bienenstocke. Die Grösse der Zellen bewegt sich im allgemeinen zwischen 0,02 und 0,2 mm Durchmesser. Bedeutend kleinere Zellen finden sich in den Bakterien, dagegen sind die langgestreckten Holz- und Bastzellen im Durchschnitt 2 mm lang und die Haarzellen, auch die Zellen mancher Algen, erreichen eine Länge bis zu 2 cm.

Aus solchen Zellen besteht alles, was wächst. Das Wachstum selber ist nichts anderes als die fortwährende Vermehrung solcher Zellen und diese Vermehrung dauert, so lange die Pflanze lebt. Die Zahl dieser Zellen ist eine enorme, wie daraus hervorgeht, dass eine mittelgrosse Kartoffel aus etwa 2 Millionen derselben zusammengesetzt ist. Jede Zelle ist ein Individuum, bildet aber mit den benachbarten Zellen ein Gewebe, als dessen Glied es an der Lebensthätigkeit der Pflanze teil nimmt.

Je nachdem die Zellen rund, eckig oder lang gestreckt sind, und je nachdem sie mehr im äussern oder innern Teile der Pflanze liegen, nennt man dies Zellgewebe:

1. Füllgewebe (Parenchym), das sind die neueren und rundlichen Zellen, welche die weichen, saftigen Teile der Blätter, das Mark des Stengels, das Fleisch der Früchte und alle jungen, wachsenden Pflanzenteile bilden. Weil die einzelnen Zellen rundlich sind, muss es zwischen ihnen leere Stellen geben, die beispielsweise beim Blatt als Poren in die Luft münden und von welchen noch unten die Rede ist.

2. Fasergewebe oder Holzgewebe (Prosenchym) aus langen, zugespitzten, ineinandergeschobenen Zellen bestehend. Dasselbe bildet das Gerüst der Pflanze, das härtere Holz, die Rippen der Blätter u. s. w. Die Wand dieser Zellen ist dick, stark und elastisch.

3. Gefässgewebe oder röhrige Gewebe; da, wo der Saft am stärksten ab- und aufsteigt, entsteht aus einer Reihe senkrecht übereinander stehender Zellen, deren Scheidewände verschwinden, eine Röhre, Gefäss genannt. Die Blütenpflanzen besitzen ausnahmslos Gefässe, die blütenlosen Pflanzen dagegen nur in einigen vollkommenen Familien; diese wie jene werden daher Gefässpflanzen genannt. Die blütenlosen Pflanzen, welche nur aus Zellgeweben bestehen, bezeichnet man als Zellpflanzen. Die Grösse der Gefässe ist sehr verschieden; in einigen Pflanzen lassen sie sich mit nacktem Auge auf dem Querschnitt erkennen, in anderen nur mit einem starken Vergrösserungsglas. Ebenso sind sie in ihrem Aussehen sehr verschieden.

Zwischen den Faser- und Gefässgeweben liegen Räume (Zwischenräume, Intercellularräume oder wenn langgestreckt Kanäle oder Gänge) die in manchen Pflanzen leer bleiben, in anderen sich mit Harz, Öl oder anderen Stoffen füllen. indessen können diese Füllstoffe in besonders gross entwickelten Zellen enthalten sein.

Die junge lebensthätige Zelle besteht aus der Zellhaut oder Zellwand, einem Zellulose genannten Stoffe, welcher zusammengesetzt ist aus den drei Grundstoffen: Kohlenstoff, Wasserstoff und Sauerstoff, dem Mineralbestandteile beigemengt sind. Ferner aus einem schleimigen Inhalt, dem Protoplasma, der aus vier Grundstoffen besteht: Kohlenstoff, Wasserstoff, Sauerstoff und Stickstoff. In dem Protoplasma, in der Mitte oder seitlich, schwimmt der Zellkern, von dem angenommen wird, seine Bestimmung sei die Bildung neuer Zellen: hervorgegangen ist er aus einer dichtern Ansammlung des Zellinhalts. Auch dem Letztern sind Mineralbestandteile beigemengt, geht doch aus ihm die Zellhaut hervor.

Aus Zellen baut sich also die Pflanze auf, doch ist ihr anatomischer Aufbau nicht allein in den verschiedenen Wachstumsperioden, sondern auch in den verschiedenenen Organen nicht ganz gleich. Im ersten Lebensjahr besteht die Pflanze aus einem Gefässsystem, das sich von den Wurzeln bis zu den Blättern erstreckt und sich in das umgebende Zellsystem verästelt, das in wagrechter und senkrechter Richtung wächst. Ferner aus einer Oberhaut (Epidermis), bestehend aus wagrecht abgeplatteten, fest zusammenhängenden Zellen, deren Bestimmung ist, die weicheren, inneren Gewebe zu schützen. Trotz des festen Zusammenhanges lassen die Zellen sogenannte Spaltöffnungen oder Poren, mit lippenähnlichen Rändern, die aus zwei oder mehr elastischen Zellen gebildet wurden und die Fähigkeit besitzen, sich bei feuchtem Wetter zu öffnen und bei trockenem zu schliessen. In grösster Anzahl befinden sie sich an den Blättern, zumal an den unteren Seiten. Sie bewerkstelligen das Atmen der Pflanzen, zu welchem Zwecke sie mit den Höhlungen des Zellgewebes in Verbindung stehen. Die Grösse der Spaltöffnungen ist im Allgemeinen zwischen 0,0002 und 0,0008 Quadratmillimetern. Bei dem behaarten Günsel sind sie nur 0,0000137 Quadratmillimeter gross.

Im zweiten Lebensjahre tritt in den Blütenpflanzen ein bedeutungsvoller Unterschied hervor, der zu ihrer Teilung in zwei Klassen geführt hat: in aussenwüchsige (Exogenae) und innenwüchsige (Endogenae). Mit wenigen Ausnahmen stimmt diese Einteilung mit derjenigen überein in zweisamenlappige oder Blattkeimer

(Dikotyledonen) und einsamenlappige oder Spitzkeimer (Monokotyledonen). Die aussenwüchsigen (zweisamenlappigen) Pflanzen setzen neues Zellgewebe an ihrem jeweiligen äusseren Umfange an, sie wachsen in die Dicke vom Kern nach aussen, wie es am klarsten an den Holzringen eines Baumstammes beobachtet werden kann. Die innenwüchsigen (einsamenblätterigen) Pflanzen können ihren Durchmesser nicht merklich vermehren, denn ihre Zellenbildungen finden innerhalb des einmal angenommenen Umfanges des Stengels oder Stammes statt, und zwar so lange, bis derselbe gänzlich ausgefüllt ist und eine Neubildung von Zellen nicht mehr stattfinden kann. Das Absterben der innenwüchsigen Pflanzen pflegt man treffend als einen Erstickungstod zu bezeichnen. Häufig besitzen sie weder ein zentrales Mark noch eine besondere Rinde.

Die Wurzel hat keine Poren und Jahresringe sind gar nicht oder kaum bemerkbar, die Anordnung der Zellen ist unregelmässiger, wie in den übrigen Organen, oft hervorgerufen durch Anhäufung von Stärke und anderen Stoffen. Die Wurzeln enden in den Wurzelhaaren: kleine, länglichrunde Zellen, welche den nährenden Saft aus dem Boden aufnehmen und durch Ausscheidung einer freien Säure die Mineralbestandtheile des Bodens aufzulössn im Stande sind; sie umgeben sich mit einer Fülle von Bodenteilchen, welche sich selbst durch Schütteln nicht entfernen lassen.

Der Stengel oder Stamm der aussenwüchsigen Pflanze besteht nach dem ersten Lebensjahre aus:

dem cylinderförmigen Mark, welches genau in der Mitte liegt, nur in den jungen Stengeln und Zweigen an der Lebensthätigkeit teil nimmt, später vertrocknet und in älteren Baumstämmen vollständig verschwindet;

der Markscheide, welche ähnlich dem Mark später vertrocknet und verschwindet; sie steht in der Jugend mit dem Gefässsystem in Verbindung;

dem Holz, welches die Markscheide umgibt und gebildet wird aus holzigem Gewebe, durch das Gefässe in verschiedener Anordnung ziehen, ausgenommen bei den Nadelhölzern. Es ist in kreisähnlichen Ringen geordnet, welche nur einige Jahre lebensthätig bleiben, dann hart, dicht, dunkel und unthätig werden; in diesem Zustande bilden sie das Herz- oder Kernholz, im Gegensatz zu dem gewöhnlich heller gefärbten, thätigen Splint- oder Saftholz;

den Markstralen, das sind senkrechte, vom Marke ausgehende Platten, die sich strahlenförmig durch das Holz verbreiten, um in der Rinde zu enden; aus Zellengeweben gebildet, vermitteln sie den Saftaustausch zwischen den noch thätigen mittleren Teilen des Stengels und den äusseren. Wird das Kernholz unthätig, werden es auch die Markstralen, so weit sie von ihm eingeschlossen sind, verschwinden aber nicht; Spiegelfasern ist ein bei den Holzarbeitern gebräuchlicher Name für Markstrahlen;

der Rinde; dieselbe besteht aus dem Bast, der Borke und, so lange sie jung ist, der Oberhaut. Sie ist ebenfalls aus kreisähnlichen Jahresringen gebildet, von denen die äusseren hart und trocken werden, beim Dickerwerden des Stammes zerreissen und allmählich abfallen;

dem Bildungsring (Kambiumring), der zwischen der Rinde und dem Splint liegt und aus zartwandigen meist gestreckten Zellen besteht, die mit klarem oder körnigem Zellsaft strotzen. Der Bildungsring erscheint dem nackten Auge als eine gallertartige Masse; auf ihm beruht das Wachstum des Stammes und der Äste, wie weiter unten erklärt wird.

Der innenwüchsige Stamm zeigt niemals in seinem Innern kreisförmige Jahresringe. Das aus einer Grundmasse von Zellengeweben bestehende Holz wird unregelmässig durch senkrechte Bänder holziger Gefässe durchsetzt, welche in Verbindung mit den Blättern stehen und ihren Bau wie ihre Richtung ändern, indem sie abwärts ziehen, schliesslich laufen sie als lange Holzzellen aus. Am Umfange wird das Holz härter und dichter wie in der Mitte. Die Rinde verhindert entweder jede Zunahme des Umfangs oder sie reisst auf und gibt dadurch dem Stamme einige Freiheit zur Ausdehnung, die er übrigens wenig benützt.

Die Blattstiele und Blattrippen sind gebaut wie die Zweige, als deren weitergehende Verästelung sie zu betrachten sind. In der Blattfläche bildet das Gefässsystem ein sehr verzweigtes, feines Adernetz, das umgeben und ausgefüllt ist von einem saftigen, stark lebensthätigen Zellgewebe. Die meisten Blätter haben eine wagerechte Richtung und sind an der Oberseite anders gebaut wie an der Unterseite. An der Oberseite stehen die Zellen senkrecht, mit den dünnen Enden nach oben und so dicht gedrängt, dass wenige oder keine Poren bleiben. An der Unterseite liegen die

Zellen mehr oder weniger wagerecht, sind so locker gefügt, dass sie Hohlräume zwischen sich lassen, die mit den zahlreichen Poren der Oberhaut der Unterseite in Verbindung stehen. Bei den senkrecht gestellten Blättern, wie sie viele australische Pflanzen besitzen, sind beide Seiten von annähernd gleichem Bau. Die Blattrippen dienen zur Zuführung von Nährwasser in die Blattfläche, sowie der Rückleitung der umgewandelten Bildungsstoffe in den Blattstiel und den Bildungsring, selbstverständlich in gesonderten Kanälen.

Die Schuppen sind nach derselben Grundanlage wie die Blätter gebaut, sind sie doch, wie oben erwähnt, als verkümmerte Blätter zu betrachten, allein die Anordnung ist sehr vereinfacht. Poren fehlen gewöhnlich oder sind nur spärlich vorhanden, das Zellgewebe ist ziemlich gleichartig und die Gefässe sind wenig verzweigt.

Wenn die Deckblätter und Blütenhüllen grün und stark entwickelt sind, ähneln sie in ihrem Bau den Blättern, je mehr sie aber zu Schuppen verkümmern oder zu Blumenblättern werden. desto mehr verschwinden die Poren, das Zellsystem wie die Gefässe werden einfacher, dünner und zarter.

Die Staubgefässe und Stempel sind fast gleichartig gebaut. In den Staubfäden und Griffeln ist das von dem Zellgewebe umgebene und ausgefüllte Gefässsystem einfach, dagegen mehr verzweigt in den flächenförmigen Teilen, den Fruchtblättern, Staubbeuteln u. s. w. Der Blütenstaub besteht aus körnigen Zellen. in verschiedenen Formen gruppiert und übereinstimmend bei derselben Art, zuweilen selbst bei derselben Gattung und Familie. Die Narbe des Stempels besteht aus lockerem Zellgewebe ohne Oberhaut und ist gewöhnlich verbunden mit einer Röhre, die zu den Samenknospen führt.

Die Drüsen bestehen, gleich der Narbe, aus lockerem Zellgewebe ohne Oberhaut, die Haare werden aus mehreren übereinanderstehenden Zellen gebildet, selbst dann. wenn sie sich zu Borsten und Stacheln verhärten. Niemals besitzen sie Gefässe. wodurch sie sich von den Dornen unterscheiden, die mit dem Inneren der Zweige und Stengel durch Gefässstränge in Verbindung stehen.

Das Sameneiweiss, die dickfleischigen Teile des Keimlings, die fleischigen oder holzigen Teile der Frucht, die fleischigen Verdickungen des Stengels oder der Knollen, bestehen vorzugsweise aus eingeschlossenem Zellengewebe, in welchem in den meisten Fällen die für das künftige Wachstum der Pflanze nötigen Nahrungsstoffe aufgespeichert sind.

Das Wachstum der Pflanzen.

Eine unergründliche Weisheit, sagt schön und treffend der berühmte Chemiker Stöckhardt, hat in das Samenkorn die Kraft gelegt, in feuchter Erde zu keimen und zu einer Pflanze emporzuwachsen, die Blätter, Blüten und Samen treibt und dann abstirbt und vergeht. Keimen, Wachsen, Blühen, Samentragen, das sind die hauptsächlichsten Entwickelungsstufen, welche die Pflanzen zu durchlaufen haben.

Der Gotteshauch, welcher diese Veränderungen, die Erscheinungen des Lebens in der Pflanzenwelt hervorruft, er ist uns seinem Wesen nach völlig unbekannt; man hat ihm zwar einen besonderen Namen, den Namen Lebenskraft gegeben, allein zu einer klaren Erkenntnis sind wir dadurch nicht gelangt. Sein Wirken geschieht auf so geheimnisvolle Weise, dass es scheint, als solle das Ahnen des forschenden Menschengeistes in dieser Hinsicht hienieden nicht in Schauen verwandelt werden. Wir fühlen zwar das Rauschen des Lebensstromes an der Freude, die uns durchdringt, wenn er im Frühling die Knospen sprengt und die Erde mit einem Blütenmeer übergiesst, wie an der Wehmut, die uns ergreift, wenn im Herbst das Welken der Blätter sein Scheiden ankündigt, aber von wannen er kommt und wohin er geht, und wie er die Wunder der Pflanzenwelt hervorzaubert, davon wissen wir gar nichts. Das nur, was er hervorbringt, ist erfassbar für unsere Sinne, wie das, woraus er es hervorbringt.

Es wurde oben gesagt, das Wachstum bestände aus einer Vermehrung der Zellen. Dabei ist zu unterscheiden zwischen der Zellentheilung und der freien Zellenbildung. Sobald im Innern der Pflanzen die Zellen zu einem Gewebe vereinigt sind, findet das Wachstum durch Zellenteilung statt, das heisst, die jungen lebenskräftigen Zellen teilen sich, um in diesem geteilten Zustand sich zu vergrössern und das Zellgewebe auszudehnen. Die Zelle, aus welcher neue gebildet werden, heisst die Mutterzelle und die aus ihr hervorgegangene Zelle die Tochterzelle. Bei der Entwickelung des Keimlings werden die ersten Zellen zur jungen Pflanze nicht durch Teilung vorhandener Zellen gebildet, sondern der Inhalt des

Keimsacks, wie die grosse, in Samenknospen liegende Zelle genannt wird, gruppiert sich in besondere Abteilungen, die sich mit einer Zellhaut umgeben. Das ist freie Zellenbildung im Gegensatz zur Zellenteilung. Die beginnende Entwickelung der Pflanze, welche man Keimung nennt, unterscheidet sich auch dadurch vom späteren Wachstum, dass keine Nährstoffe von aussen zugeführt werden, da sie in den Samenkörnern, Knollen, Zwiebeln und ausdauernden Wurzelstöcken vorhanden sind.

Sie alle enthalten eine verhältnismässig bedeutende Menge von stickstoffhaltigen Verbindungen, welche dem Hühnereiweiss, dem Blutfibrin und dem Käsestoff gleichen und Eiweisstoffe (Albuminoide) genannt werden. Ausserdem sind noch andere Stoffe zur Ernährung des sich bildenden Keimes vorhanden, entweder grosse Mengen von Stärke und kleinere von Fett, wie in den Hülsenfrüchten und Getreidekörnern oder umgekehrt: grosse Mengen Fett allein oder gemengt mit Stärke, Zucker u. dergl. Dass es diese Stoffe sind, aus welchen die junge Keimpflanze ihre ersten Wurzeln, Stengelteile und Blätter aufbaut, folgt aus der leicht zu machenden Beobachtung, dass sie sich, in dem Masse, wie das Wachstum fortschreitet, verändern, indem sie die Form von Zellgeweben annehmen. Auch das Austreiben der Holzpflanzen im Frühjahr ist ein Keimungsvorgang derselben Art; die Winterknospen der Bäume und Sträucher enthalten Eiweissstoffe, Stärke und Fett in grosser Menge, dieselben Nährstoffe sind ausserdem in der Rinde und im jüngeren Holze der Zweige und Stämme während des Winters abgelagert, sie bilden die sogenannten Reservestoffe, welche verschwinden in dem Masse, wie die Frühlingstriebe und die Früchte sich vergrössern.

Die Keimung dauert nur, bis die vorhandenen Nährstoffe verbraucht sind. Da sie ausreichten, um die Organe zur weiteren Ernährung der jungen Pflanze, die Wurzeln und Blätter, auszubilden, so ist dieselbe jetzt im Stande, sich aus ihrer Umgebung die zum Wachstum notwendigen Stoffe zu verschaffen. Die Frage, woher diese erste Grundlage zur Keimbildung und Entwickelung stammt, wird durch die Erfahrung beantwortet. Die Mutterpflanze hat in der vorhergehenden Wachstumsperiode mehr Nährstoffe aufgenommen und umgewandelt, als ihre Lebensbedürfnisse erheischten, den Überschuss speicherte sie in den Samen, Zwiebeln und Wurzelstöcken auf, gewissermassen als Erbschaft oder Mitgift für die junge Pflanze — ein kleines Kapital, mit dem die letztere so lange wirtschaftet, bis sie sich mit eigenen Mitteln ernähren kann. Der Baum und der holzige Strauch sorgt in derselben Weise für sich; so lange er im Sommer durch den Besitz seiner Blätter arbeitsfähig ist, erzeugt er mehr Bildungsstoffe, als er verbraucht. Den Ueberschuss legt er in die Winterknospen, die junge Rinde und das junge Holz, um sie bis zum nächsten Frühjahr aufzuheben, wo ihm die Blätter, diese wichtigen Ernährungsorgane fehlen, er aber dennoch weiter wachsen will.

Zum Beginn der Keimung bedarf es nur eines bestimmten Temperaturgrades der Luft (genau genommen nur des Sauerstoffes) und der Feuchtigkeit, daher können Samen, Knollen, Zwiebeln, Wurzelstöcke und abgeschnittene Baumzweige sich bis zur ersten Blattbildung auch in reinem, destilliertem Wasser entwickeln, wenn jene Bedingung vorhanden ist. Sie wachsen dabei auf Kosten der Reservenahrung, aber die vorhandene Menge der organischen Stoffe wird dabei nicht grösser, sondern kleiner, weil ein Teil davon durch Atmung, wie bei den Tieren, zerstört wird. Soll die Pflanze nach dem Verbrauch derselben weiter wachsen, so müssen neue Nährstoffe zugeführt und verwandelt werden. Die Zuführung erfolgt zum grössern Teil aus dem Boden durch Aufsaugung mittels der neu gebildeten Wurzeln, die Blätter hingegen haben hauptsächlich Kohlensäure aus der Luft aufzunehmen und unter dem Einflusse des Lichtes zu zersetzen; der dabei frei werdende Sauerstoff geht durch Ausatmung in das Luftmeer zurück. Die Blätter haben ferner die Verarbeitung des ihnen durch Wurzel und Stengel zugeführten Saftes zu besorgen, zunächst in der Zerlegung der sauerstoffhaltigen Stoffe, ferner in der Umbildung der Bestandteile des rohen Saftes in organische Stoffe, welche zum Aufbau der Pflanzen dienen. Diese Umbildung findet statt in den Geweben der Blätter, wahrscheinlich aber auch mehr oder weniger in allen lebensthätigen Teilen der Pflanze. Dabei wird ein verhältnismässig kleiner Teil Sauerstoff wieder aus dem Luftmeer aufgenommen und eine kleine Menge Kohlensäure erzeugt und ausgehaucht. Die Ausscheidung des Sauerstoffes findet statt unter dem Einfluss der Wärme und des Sonnenlichts, hauptsächlich durch die Poren an der Unterseite der Blätter. Die Aufnahme von Sauerstoff geschieht hauptsächlich im Dunkeln, in einigen Fällen auch während des Tages.

Wie wichtig die Einwirkung des Lichtes, welches bei dem Keimvorgange im Boden entbehrlich erscheint, für die fernere Entwickelung der Pflanzen ist, ergibt sich daraus, dass die im Dunkeln wachsenden Keimtriebe, wenn auch alle anderen Bedingungen zu zu ihrer Ausbildung vorhanden sind, entweder verkümmern oder in einseitigen Formen vergeilen. Besonders bleiben die Blätter klein und gelb, statt grün zu werden und können ihrer Aufgabe, als Atmungsorgane zu dienen, nur mangelhaft genügen. Dergleichen Pflänzlinge findet man häufig in sehr warm gehaltenen, dabei zu sehr bedeckten Mistbeeten, welche, ins freie Land versetzt, lange kränkeln oder bald zu Grunde gehen.

Es ist nun zunächst der Saftfluss zu erklären. Die Pflanze kann ihre Nahrung aus dem Boden nur in flüssiger Form aufnehmen und diese Aufnahme geschieht durch die jüngsten, wachsenden Enden der Wurzelfasern und durch eigentümliche Haare, welche an jenen jüngsten Enden oder in der Nähe derselben gebildet sind. Die aufgenommene Nahrung besteht aus Wasser, in welchem mineralische Salze, kohlensaure und stickstoffhaltige Verbindungen aufgelöst sind und wird weitergeführt in den Geweben der Wurzeln und bis zu den Blättern, kraft verschiedener Gesetze, von welchen dasjenige der Endosmose (das Bestreben der Ausgleichung verschiedener dichter Säfte) an erster Stelle genannt zu werden pflegt.

Diese Kraft kann durch einen einfachen Versuch anschaulich gemacht werden. Verschliesst man eine lange mit einer Skala versehene Glasröhre unten durch eine überspannte organische Haut, beispielsweise mit einer tierischen Blase, der häutigen Fruchthülse des Blasenstrauchs oder mit Pergamentpapier, füllt die Röhre mit einer Lösung von Zucker, Gummi oder dergleichen teilweise an, taucht sie mit ihrem unteren Ende in ein weites mit Wasser gefülltes Glasgefäss, so wird man nach einiger Zeit wahrnehmen, dass die Flüssigkeit in der Röhre gestiegen ist und zwar geschah es mit einer beträchtlichen Kraft, die messbar ist. Durch diesen Versuch lässt sich erweisen, dass von dem Wasser beständig ein Teil durch die Haut in die Lösung strömt, was als Endosmose bezeichnet wird. Alle Bedingungen einer kräftigen Endosmose finden wir in der lebenden Pflanze, zumal in den Wurzelspitzen, deren sich beständig erneuernde Zellen aus einer dünnen, für Flüssigkeiten leicht durchdringbaren Haut gebildet und mit einer mehr oder weniger konzentrierten Lösung von Gummi, Dextrin, Stärke und Eiweissstoffen gefüllt sind. Die sie äusserlich umgebende Flüssigkeit stellt eine sehr verdünnte wässerige Lösung verschiedener Gase und Salze dar.

Durch die Oberfläche der Wurzelenden muss daher nach dem Gesetze der Endosmose eine fortwährende Aufsaugung der im Bodenwasser aufgelösten Nährstoffe stattfinden und die aufgenommene Flüssigkeit wird durch dieselbe Kraft, unterstützt durch das Aufquellungsbestreben der Zellhäute (Imbibition) und der Haarrohrkraft (Capillarität), welche am besten durch ein Stück Zucker veranschaulicht wird, das man mit einem Ende in eine Flüssigkeit hält, in den Stengel, die Zweige und die Blätter geführt. Durch die ununterbrochen stattfindende Verdunstung ist für einen steten Abfluss der in den äusseren Pflanzenteilen angelangten überflüssigen Wassermassen gesorgt: Der Saft wird dadurch schwerer, der aus den Wurzeln nachrückende leichtere Saft kann also, nach dem erwähnten Gesetz, aufsteigen. Die Aufwärtsbewegung geschieht zwar vorzugsweise durch das Gefässsystem, in geringem Grade aber auch durch das Füllgewebe und Fasergewebe, gehen doch diese drei Arten von Zellenbildung häufig ineinander über.

Das ist die übliche Erklärung, der aber hinzuzufügen ist, dass sie noch nicht voll und ganz befriedigt. Die Pflanzenphysiologen haben noch manches Rätsel zu lösen. Hier sei nur bemerkt, dass die Wurzeln nicht allein Stoffe aufnehmen, sondern auch ausscheiden, besonders Kohlensäure, um, wie man annimmt, dadurch die Bestandteile des Bodens aufzuschliessen und zur Aufnahme befähigter zu machen.

Nun ist in allerjüngster Zeit mit Hülfe sehr starker Vergrösserungsgläser eine interessante Entdeckung gemacht worden, vorerst nur an deutschen Waldbäumen; ihre wissenschaftliche Verwertung bleibt weiterer Forschung vorbehalten. An den Wurzelspitzen ist nämlich eine dichte Überkleidung von Pilzen entdeckt worden, die den Namen Mykorhiza empfingen. Was haben diese Pilze zu bedeuten? Da alle Haarwurzeln des Baumes diese Pilzhülle tragen, so ist es selbstverständlich, dass die Nahrung, welche der Baum aus dem Boden schöpft, ihm durch Vermittelung dieses Pilzes zugeführt wird. Derselbe handelt geradezu als Organ, welches die Nahrung zunächst für sich, dann aber auch für den Baum aufnehmen muss. Von der Oberfläche dieser Pilzhülle zweigt sich eine grosse Anzahl von feinen Pilzfäden in den Boden hinein, wo sie die Rolle der Wurzelhaare spielen. Die Frage drängt sich auf: leisten sie blos eine Thätigkeit, welche der Baum vermöge seiner eigenen Wurzelhaare ausführen kann oder verrichten sie einen Dienst besonderer Art? Bis weitere Forschungen Aufklärungen gegeben haben, ist die Vermutung statthaft: Der Humus ist bekanntlich ein Zersetzungsprodukt von pflanzlichen Stoffen, aber noch nicht die letzte Stufe dieser Zersetzung. Wir wissen nun, dass viele Pilze im Stande sind, den Humus als Nahrung zu verwenden, während derselbe für die höheren Pflanzen erst nach weiterer Zersetzung in Betracht kommt. Es ist nicht unwahrscheinlich, dass die Mykorhiza den Humus so verwandelt, dass er für die Baumwurzeln aufnehmbar ist und als eine Begründung kann gelten, dass diese Pilzbildung in humusfreiem Boden fehlt. Wenn dem so wäre, würde sich die pflanzliche Ernährungslehre etwas anders gestalten.

Der von den Blättern umgewandelte zähe Saft geht als sogenannter Bildungssaft von den Blattzellen durch den Blattstiel wieder in die Zweige, Äste, den Stamm und die Wurzeln, aber nicht auf dem Wege durch den Splint, denn dessen Gefässsystem ist mit aufsteigendem Saft und während der Wachstumsruhe mit Luft gefüllt, sondern er steigt ab innerhalb des Bildungsringes (Cambium), einer Lage sehr dünnwandiger Zellen, welche das Holz mit der Rinde verbinden. Die Zellen des Bildungsringes vermehren sich durch Teilung und dehnen sich aus; dabei sondern sie sich in zwei Schichten, deren innere den neuen Holzring, deren äussere eine neue Bastschicht ergibt.

Der Umfang des Baumes muss, wenn so Splint und Bast Zuwachs erhalten, zunehmen und zwar in allen seinen Teilen, denn der Bildungssaft steigt bis zu den feinsten Wurzeln hinab. Wird an einer Stelle des Stammes ein nur fingerbreiter Ring der Rinde bis auf den Splint abgelöst, muss der Baum sterben. Der Nahrungssaft steigt in diesem Falle wohl noch in die Blätter, allein der Bildungssaft kann nicht über den Ring hinunter, weil seine Hauptbahn, der Bast, hier ringsum eine Lücke hat: der untere Teil des Stammes und die Wurzeln können sich nicht mehr weiter bilden, namentlich verstopfen sich allmählich die Haarwurzeln, sie können wegen des ausbleibenden Bildungssaftes keine neuen Zellen bilden, damit fällt ihre Fähigkeit fort, Bodennahrung aufzunehmen. Der Baum stirbt Hungers und somit ist der alte Spruch berechtigt: in den innersten

Schichten des Bastes und in den äussersten des Splintes sitzt das Leben des Baumes. Also Bast und Splint wachsen durch den absteigenden Bildungssaft und es vergehen Monate, bis die Bast- und Holzzellen fertig sind. Bei den meisten aussenwüchsigen Bäumen der gemässigten Klimate fällt eine Wachstumsperiode mit einem Jahreslaufe zusammen und die Holzringe bilden deshalb ein Mittel, ihr Alter zu bestimmen. Die tropischen Bäume bilden dagegen zwei und selbst mehr Ringe im Jahr.

Ein Teil des Bildungssaftes bleibt in den Zweigspitzen zurück, dadurch ergibt sich die Möglichkeit, Stecklinge zu bewurzeln, denn wenn der Fuss eines abgeschnittenen Zweiges feucht gehalten wird, kommt der Bildungssaft in Bewegung und steigt abwärts, um Wurzeln zu bilden. Die Wurzeln wachsen nicht allein in die Dicke, sondern auch ununterbrochen in die Länge, sowohl an den Spitzen der Haupt- wie Nebenwurzeln. Die Spitze ist der Wachstumspunkt und mit einer kappenförmigen, häutigen Hülle bedeckt, die Wurzelhaube oder Wurzelmütze genannt wird.

Hat das Wachstum durch irgend eine Ungunst geruht, wird es bei der Rückkehr günstiger Verhältnisse an derselben Stelle fortgesetzt, unter der Bedingung jedoch, dass keine Verletzung der Spitze stattgefunden hat. Wenn eine solche verursacht wurde oder wenn ein Felsen das Wachstum hindert, so erzeugen sich an den rückwärtigen Teilen neue Seitenfasern, die ohne bemerkbare Ordnung bald hier, bald dort austreten. Die Wurzeln sind somit befähigt, sich nicht allein auf ansehnliche Entfernungen auszudehnen, sondern auch Hindernisse zu umgehen und an nahrungsreichen Stellen sich stark zu entwickeln.

Die Zweige wachsen in die Länge durch Neubildung von Zellen an der äussersten Spitze und ihrer Ausdehnung zur regelmässigen Grösse. An den Zweigenden bleibt ein verhältnismässig viel grösserer Teil im wachsenden Zustand, wie an den Wurzelspitzen, wo das Wachstum nicht durch eine ununterbrochene Neubildung von Zellen und Ausdehnung zur vollen Grösse stattfindet. Es vertrocknen nämlich häufig die Zellen, welche zuerst an einer Wurzelfaser gebildet werden, die ihr Wachstum beginnt; sie bilden in diesem Zustande einen Schutzmantel für die unter ihnen zur Ausbildung gelangenden Zellen.

Die Blätter und blattähnlichen Blütenteile wachsen an ihrem Grunde durch Zellenvermehrung. Sie treten mit ihrer Spitze zuerst aus ihrem Sitze, während an ihrem Grunde die Neubildung von Zellen lebhaft fortschreitet. Gleichzeitig findet eine andere Zellenbildung unter der Zweigrinde statt, die vorläufig mit einer Anschwellung abschliesst, die Knospe genannt wird — Blattknospe, wenn sie die Anlage zu einem neuen Blatt, gleichzeitig zu einem neuen Zweig und Blütenknospe heisst sie, wenn sie die Anlage zu einer neuen Blüte enthält. Aus Ursachen, die mit dem Saftzufluss in Verbindung stehen, kann sich eine Blütenknospe als Blatt entfalten und umgekehrt. In diesen Knospen können schon in früher Jugend manche Blätter mit allen Einzelheiten deutlich erkannt werden. In dieser kleinen Gestalt ruhen sie bis zur nächsten Wachstumsperiode, wo sofort die Vergrösserung durch eine lebhafte Neubildung von Zellen stattfindet. Seltener sind bei den Keimlingen die Blätter deutlich erkennbar, welche sie in ihrer Anlage enthalten. Der Same mit seinem Keimling ist gleichzeitig mit der Knospe in ähnlicher Zellengruppierung gebildet worden.

Manche Teile der Blüte, welche später miteinander verwachsen, sind im ersten Knospenzustand getrennt, andere, die später von ungleicher Grösse und Gestalt sind, erscheinen in frühester Jugend von übereinstimmender Beschaffenheit, noch andere sind deutlich erkennbar, kommen aber nicht zur weiteren Entwickelung.

Die Blütezeit währt von dem beginnenden Öffnen der Blütenhüllen bis zum Verwelken und Abfallen der Staubgefässe und Stempel oder in manchen Fällen bis zur anhebenden Vergrösserung der Stempel. Von da ab wird der vergrösserte Fruchtknoten junge Frucht genannt.

In manchen Pflanzen finden sich in oder nahe bei den Knospen oder Samen beträchtliche Nahrungsvorräte, vorzugsweise aus Stärke bestehend. Sie dienen in vielen Fällen, wie in den Kartoffeln, in vielen Wurzelstöcken, in den Schuppen und dem verdickten Grunde der Zwiebeln, im Eiweiss oder in den Keimlappen des Samens augenscheinlich dazu, um in wieder flüssig gemachter Form den zu bildenden Zweigen und Keimlingen als erste Nahrung zu dienen. In anderen Fällen, wie bei den fleischigen Anschwellungen mancher Stengel und Blattstiele, der Fruchthülle mancher Früchte, welche lange vor der Keimung des Samens verschwinden, ist der Zweck dieser Vorräte noch nicht erkannt.

Die Blüte wirkt nicht bei der Ernährung der Pflanzen mit, ihre Thätigkeit ist ausschliesslich der Erzeugung von Früchten gewidmet. Sobald der Stempel von dem Blütenstaub befruchtet ist, erzeugt und ernährt er die junge Frucht. Die Übertragung des Blütenstaubes auf die Narbe findet durch die elastische Thätigkeit der Staubfäden, durch Wind und Insekten statt, doch sind die bezüglichen Forschungen noch lange nicht erschöpft. Ebenso sind die auffallenden Farben, der süsse oder starke Geruch und die honigartigen Ausschwitzungen der Blüten in ihrer Bedeutung für das Leben der Pflanzen noch nicht vollständig erklärt. Angenommen wird, sie bilden Anziehungsmittel für die Insekten, welche bei Übertragung des Blütenstaubes behülflich sind.

Die Frucht ernährt und beschützt die Samen bis zur Reife, in vielen Fällen hilft sie dieselben auch ausstreuen, wie durch elastisches Aufspringen der Klappen, wodurch die Samen auf ansehnliche Entfernungen geschleudert werden, durch Mithülfe von Anhängseln, welche den Transport durch den Wind oder durch Tiere möglich machen. Mitunter sind die Samen selbst mit wollartigen Anhängseln versehen, welche die Verbreitung erleichtern. Manche Früchte locken durch ihr schmackhaftes Fleisch Vögel zum Verzehren an, dadurch veranlassen sie den Transport der unverdaulichen Samen nach näheren und entfernteren Orten.

Die Haare wirken ebenfalls nicht mit bei der Ernährung der Pflanzen, über ihren Zweck ist man noch nicht recht klar. Von jenen an Stengeln und Blättern glaubt man, sie beschützen diese Teile gegen ungünstige Witterung, namentlich in der Jugend. Die Haare der Blüten scheinen bei der Festhaltung und Übertragung des Blütenstaubes mitzuwirken. Über die Drüsenhaare und ihre Ausscheidungen sind die Erklärungen noch am dürftigsten.

Schliesslich sei noch der hauptsächlichsten organischen Erzeugnisse der Zellen während des Wachstums gedacht.

Zucker, von dem drei Arten unterschieden werden: Rohzucker, Traubenzucker und Fruchtzucker. Er findet sich im Safte aufgelöst, vorzugsweise in wachsenden Teilen, ferner in Früchten und keimenden Samen.

Dextrin oder Pflanzenschleim, ein gummiartiger Stoff, der die Mitte hält zwischen Zucker und Stärke.

Stärke, in der chemischen Zusammensetzung mit der Zellulose übereinstimmend, kommt am häufigsten vor. Sie besteht aus Körnchen, zusammengesetzt aus einem Säckchen mit mehligem

Inhalt und verschieden gestaltet, je nach der Pflanzenart. Werden die Säckchen in heissem Wasser gesprengt, so entsteht Stärkekleister, der nicht zu körniger Stärke zurückverwandelt werden kann. Das charakteristische Erkennungszeichen für Stärke ist, dass sie sich bei Anwendung von Jod blau färbt.

Blattgrün oder Chlorophyll besteht aus sehr kleinen stickstoffhaltigen Körnchen, die sich unter der Wirkung des Sonnenlichtes färben. Die grüne Farbe lässt sich durch Alkohol ausziehen, zurück bleiben farblose Körnchen. Gewöhnlich liegt das Blattgrün unmittelbar unter der Oberhaut der Blätter und jungen Rinde. Es hat wichtige Dienste zu verrichten, denn es ist der Apparat, in welchem, unter dem Einflusse des Lichtes, Kohlensäure und Wasser in organische Verbindungen umgewandelt werden. Daraus folgt, dass Pflanzen ohne Blattgrün keinen Kohlenstoff aus dem Luftmeer beziehen können, sondern von vorhandenen Kohlenstoffverbindungen leben müssen. Daher finden wir sie auf Fäulnisprodukten wachsen oder sie treten als Schmarotzer auf.

Ausserdem finden sich noch andere Farbstoffe in vielen Pflanzen vor. Fette und ätherische Öle, harzige Stoffe, Gerbstoffe und verschiedene Bitterstoffe sind enthalten in Zellen oder in Räumen zwischen den Zellen, ebenso liegen da verschiedene mineralische Stoffe, entweder formlos oder in Gestalt von Krystallen.

Zur Bodenkunde.

Unter Boden im land- und forstwirtschaftlichen Sinnne versteht man eine Erddecke, welche Pflanzen erzeugen und ernähren kann; sie zerfällt in die Krume, welche man nach allgemeiner Uebereinkunft 23 Centimeter tief rechnet und in den Untergrund. Aus der Verwitterung der Felsen geht die Hauptmasse des Bodens hervor, geringere Bestandteile werden ihm durch verwesende pflanzliche Stoffe und noch viel geringere durch verwesende tierische Stoffe beigefügt. Diese organischen Bestandteile werden Humus genannt, dessen Menge und Zusammensetzung schwankt, je nach der Masse und der Art der zur Verwesung gelangenden Gegenstände. Wenn Pflanzenstoffe an nassen Orten verwesen, entsteht entweder Moder oder Torf, die in ihrer Zusammensetzung sehr verschieden sein können, beide enthalten aber so viel Säure, dass sie erst nach deren Zerstörung dem Pflanzenleben dienlich sein können.

Würden nicht natürliche Transportkräfte, wie Gletscher, Regen, Winde u. s. w. wirksam sein, so wäre der Boden eines jeden Ortes, einfach die verwitterte Decke des unterliegenden Felsens, vermischt mit etwas Humus, entstanden durch Verwesung der daselbst ins Leben getretenen Pflanzen. Allein je nach der Steile der Felsgebilde und dem Auftreten der erwähnten Transportkräfte wurden die Verwitterungsprodukte geringere oder weitere Entfernungen fortgetragen; so kommt es, dass zuweilen ein guter Boden eine Gesteinsformation bedeckt, die sich zu einem sehr mageren Boden zersetzt.

Jeder entblösste Felsen verwittert im Laufe der Zeit, wie hart er auch sei, durch Einflüsse, welche das Wort verwittern klar erkennen lässt. Die Witterung oder wer einen gelehrten Namen wünscht: die Atmosphärilien, führen die Zersetzung herbei, sowohl auf chemischem, wie mechanischem Wege. Der Regen, welcher Kohlensäure in der Luft aufnimmt, wirkt durch diesen Stoff auflösend, ferner auch durch seinen Sauerstoff, der Oxidationen herbeiführt, welche gleichfalls zerstörend sind, wie der Rost des Eisens als bekanntestes Beispiel darthut. Die mechanische Thätigkeit des Regens besteht darin, dass er die zersetzten Teile von höheren nach niederen Stellen trägt, wobei sie häufig in Folge von Anstossungen zerkleinern. Der Wechsel der Temperatur wirkt durch die Zusammenziehung der Körper bei kaltem, und die Ausdehnung bei warmem Wetter zerstörend. Die Luft selbst wirkt chemisch auf das Gestein, durch langsame Oxydation derjenigen Mineralien, welche Sauerstoff aufzunehmen vermögen. Ein sehr kräftiger Zerstörer ist der Frost, denn wenn das in die Felsenrisse eindringende Wasser friert, dehnt es sich mit ausserordentlicher Gewalt und ruft Sprengungen hervor, durch welche grössere Flächen den Einflüssen des Regens, der Luft und der Temperaturwechsel zugängig gemacht werden.

Nach Darwin verwittern die Felsen auch in Gegenden, wo es selten regnet und niemals Frost auftritt. Diese Thatsache glaubt der belgische Geologe de Koninck durch die im Thau aufgelöste Kohlensäure und Salpetersäure erklären zu können.

Die Witterung wird in ihrer bodenbildenden Thätigkeit nicht selten unterstützt durch Wurzeln, welche in Felsenrisse eindringen und sie wachsend auseinanderdrängen, wie durch Pflanzensäuren, die sich im Humus bilden und schliesslich durch tierische Erdbewohner. Wie uns Darwin durch seine jahrelangen, interessanten Untersuchungen gezeigt hat, leisten die Regenwürmer erstaunliche Dienste bei der Bodenbildung, indem sie Erde fresssen und in aufgelösterem Zustande ausscheiden, zugleich sind sie Pioniere, welche dem Regen und der Luft unausgesetzt neue Bahnen öffnen. Also nicht ein Feind, wie früher geglaubt wurde, sondern ein Freund des Landmanns ist der Regenwurm. Ähnliche wichtige Pionierdienste leisten unter den Tropen die Termiten.

Die Felsen, welche am leichtesten verwittern, sind nicht immer mit der dicksten Bodenschicht bedeckt. Das Gegenteil ist häufig der Fall. Reines Kalkgestein vermag beispielsweise kaum eine Bodendecke zu bilden, weil die Kohlensäure des Regens fast unmittelbar die Teilchen, auf welche sie wirkt, auflöst und entführt.

Der Regen wirkt bodenbildend und zugleich bodenzerstörend, denn er wäscht die feinen Teile des Bodens aus, um sie den Bächen und Flüssen zuzuführen, welche die Hauptmasse im Meere ablagern, nur ein geringer Bruchteil bleibt an den Ufern und Mündungen der Ströme als Schwemmland erhalten. Ebenfalls ein Zerstörer, wenn auch mit viel schwächerer Wirkung, ist der Wind. Er hebt die feinsten Erdteilchen in Form von Staub auf und erleichtert seine Last durch Ablagerungen in die Flüsse, Seen oder, wenn an der Küste, ins Meer. Zuweilen führt er den Staub von fruchtbarem Gelände fort, nach einem Orte, wo er für das Pflanzenleben unverwertbar ist.

Der Boden erleidet also fortwährende Einbussen; dass er deshalb doch an Menge nicht abnimmt, ist der beste Beweis für die ununterbrochene Verwitterung des unterliegenden Felsens. Das erste Zersetzungsprodukt ist der Untergrund; derselbe verwandelt sich durch Zerbröckelung und chemische Auflösung seiner Bestandteile in Krume. Auf diese Weise wird stets für den Abgang Ersatz geschaffen. Durch Bebauung des Bodens wird diese Umbildung gefördert, was wohl keiner weiteren Darlegung bedarf.

Die Scheidung der Krume von dem Untergrund ist immer erkennbar, wenn auch nicht scharf und deutlich. Jene ist mürber und, infolge der Beimischung von Humus, dunkler gefärbt wie der zähere, dichtere, grobkörnigere Untergrund, dessen Farbe gewöhnlich gelb, rot oder bläulich ist, je nach dem Auftreten der färbenden Eisensalze. Auf bebautem Boden wird, wie oben erwähnt, die Krume mit 23 Centimeter tief angenommen; auf Wildboden mag sie nur handdick sein, während der Untergrund vielleicht mehrere Meter tief ist.

Im praktischen Leben pflegt man die nahezu endlose Reihe von Bodenarten in diese 5 Gruppen zu sondern:

1. die sandigen Böden, deren Hauptbestandteil aus Kies oder Sand besteht, und die nur eine geringe Feuchtigkeit bewahrende Kraft besitzen, es sei denn, dass ein bündiger Untergrund vorhanden ist;
2. die Kalkböden, welche viel Kalk besitzen, hervorgegangen aus der Verwitterung von Kalkgestein oder aus dem jüngeren Mergel, dessen Kalkgehalt organischer Abkunft ist. Diesen Böden wohnt in hohem Grade die Eigenschaft bei, Feuchtigkeit aufzunehmen und zurückzuhalten; selbst wenn sie durch-

tränkt sind, ist der Luft das Eindringen gestattet und wenn mit dem Pflug gewendet, zerfallen sie zu Pulver, namentlich wenn der Frost thätig war. Mit Säure in Berührung gebracht, brausen sie auf, was ein bequemes aber nicht in allen Fällen zuverlässiges Untersuchungsmittel ist;

3. die Thonböden, in welchen kieselsaures Aluminium in Form von Thon der vorwiegende Bestandteil bildet. Diese Böden haben eine starke wasseraufnehmende und bewahrende Kraft, sind aber bei trockener Witterung leicht geneigt zu bersten. Herrscht der Thon bei Abwesenheit von Sand sehr vor, so wird der Boden undurchlässig für Feuchtigkeit und bietet den wachsenden Wurzeln grossen Widerstand;
4. die Alkaliböden, in welchen die alkalischen Salze in solchen Mengen auftreten, dass nur sogenannte Salzgräser ihr Fortkommen finden oder eine vollständige Unfruchtbarkeit die Folge ist. Sind die Alkalien kohlensaure Verbindungen, also kohlensaures Kali oder kohlensaures Natron (Soda) und nicht in sehr starkem Anteil vorhanden, so können sie durch eine Zufuhr von Gips unschädlich gemacht werden. Es bilden sich schwefelsaure Verbindungen, wobei die ätzende Kohlensäure frei wird und sich verflüchtigt. Andernfalls muss zu einer Auslaugung des Bodens mit süssem Wasser geschritten werden, natürlich wenn die Umstände dieses Verfahren gestatten;
5. die Moorböden, welche vorzugsweise aus verwesten Pflanzenstoffen bestehen, wenig Mineralien enthalten und so stark mit Feuchtigkeit durchtränkt sind, dass sie ohne vorherige Entwässerung nicht anbaubar sind. Ihr starker Gehalt an Humussäure ist dem Pflanzenleben feindlich und muss deshalb durch Kalkzufuhren zerstört werden.

Aus dieser Gruppierung treten als wichtigste Bodenarten hervor: der Sand, der lehmige Sand, der sandige Lehm, der thonige Lehm, der kalkhaltige Lehm, der bündige Thon, der Mergel und der Moder.

Die hervorragendste Stelle gebührt dem Lehm, der aus einer Mischung von Sand, Thon und Humus besteht. Er wird sandig oder leicht genannt, wenn der Sand überwiegt und thonig oder steif, wenn der Thon vorherrscht. Trägt er eine entschieden dunkle Färbung, so heisst er humoser Lehm, besitzt er einen Kalkgehalt, der ihn weisslich und mürbe macht, so wird er als kalkhaltiger Lehm bezeichnet. Häufig nimmt man nur die Zweiteilung vor, in leichten und schweren Lehm. Damit soll nicht das wirkliche Gewicht des Bodens gemeint sein, sondern der Grad des Widerstandes, welchen die Ackerbaugeräte finden. Der sandige Boden ist im Sinne des Landwirts der leichteste aller Böden, weil er der Bearbeitung die geringsten Schwierigkeiten entgegensetzt, dem Gewichte nach ist er aber der schwerste von allen Böden. Der Thon, obgleich schwer zu bearbeiten wegen seiner Zähigkeit, ist einer der leichtesten Bodenarten. Der Moder ist leicht im doppelten Sinne des Wortes, denn er wiegt leicht und ist leicht zu bearbeiten.

Bei der Beurteilung eines Bodens müssen sowohl seine physikalischen wie chemischen Eigenschaften in Betracht gezogen werden. Unter den ersteren sind inbegriffen: die Textur, Temperatur, wasserhaltende Kraft, Tiefe, Erhebung und Gestalt. Bis zu einem gewissen Grade können wir diese Eigenschaften umwandeln ohne einen Kostenaufwand, und durchgehends geschieht es inBezug auf die Textur. Denn einer der Zwecke der Bearbeitung des Bodens ist seine Lockerung, die den Zutritt der Luft, Feuchtigkeit und Wärme erleichtern soll. Die chemische Beschaffenheit des Bodens hat einen sehr geringen Einfluss auf die Keimung, einen um so grösseren hat die physikalische Beschaffenheit, zumal die Lockerheit, da sie den Vermittlern dieses Vorgangs, die soeben genannt wurden, freie Bahn gibt. Diese Wirkung ist nicht auf die früheste Entwickelung der Pflanzen beschränkt, sondern dehnt sich über ihr ganzes Leben, denn sie kann sich nicht vollkommen ernähren, wenn nicht Luft und Feuchtigkeit freien Zugang in den Boden haben und die Haarwurzeln sich ungehindert nach allen Richtungen ausbreiten können. Die Lockerung ist, nach der Verschiedenheit des Bodens, mehr oder minder notwendig. Zäher, bindiger Boden verlangt selbstverständlich eine sorgfältigere und gründlichere Lockerung, wie sandiger Boden. Grösseres Gewicht ist auf die Lockerung des Bodens in einem kalten wie in einem warmen Klima zu legen. Die hauptsächlichsten Vorteile einer gründlichen Bodenlockerung sind so zusammenzufassen:

1. sie erleichtert den Pflanzen ihre zarten Nährwurzeln im Boden zu verbreiten und macht es ihnen dadurch möglich. im ganzen Wurzelbereich Nahrung aufzunehmen;

2. der Luft wird freier Zutritt in den Boden gegeben; dadurch wird die Verwitterung und die Verwesung der pflanzlichen Stoffe beschleunigt;
3. das in der Krume überschüssige Wasser dringt rasch in den Untergrund;
4. die Haarrohrkraft des Bodens wird bedeutend gehoben, indem sich viele feine Haarröhren bilden, welche die Feuchtigkeit aus dem Untergrund nach der Krume leiten, sie den Pflanzenwurzeln zur Verfügung stellen und ferner die Wasserdämpfe der eindringenden Luft verdichten. Durch letztere Wirkung wird eine günstige Regelung des Wärmeverhältnisses in der Krume herbeigeführt. Bei der in den Haarröhren des Bodens stattfindenden Verdichtung der Wasserdämpfe wird nämlich eine erhebliche Menge Wärme frei, die in den Wasserdunstbläschen eingeschlossen war; der Reichtum an Haarröhren ist also der Bodenwärme förderlich. Nebenbei deckt das Dampfwasser einen beträchtlichen Teil des Bedarfs der Pflanzen an Feuchtigkeit. Bei anhaltender Trockenheit würden alle seichtwurzelnden Pflanzen absterben, wenn sie lediglich auf die Niederschläge angewiesen wären.

Eine übertriebene Lockerung macht den Boden „tot“, er verliert seinen „Schluss“, damit will man sagen, seine Haarrohrkraft sei zerstört, die Feuchtigkeit der tieferen Schichten kann nicht mehr nach höheren gehoben werden. Totgelockerter Boden muss einige Zeit liegen, um sich so sacken zu können, dass sich seine Haarröhren wieder zur Leistungsfähigkeit zusammenschliessen.

Nicht allein durch unsere Ackerbaugeräte können wir den Boden lockern, sondern auch durch Mischung mit leichteren Bodenarten. So wird steifer Thon durch eine Vermengung mit Sand verbessert, Humus wirkt ebenfalls lockernd. Am häufigsten wird Thonboden durch zugeführten Kalk gelockert, was aber auf chemischem, nicht mechanischem Wege geschieht. Andererseits kann zu lockerer Boden durch eine Vermischung mit bindigem Boden schliessender und damit förderlicher für's Pflanzenleben gemacht werden.

Wenn zwei Böden in nichts anderem wie in der Textur verschieden wären, würde der den Vorzug verdienen, welcher am feinkörnigsten ist, weil seine wasseraufnehmende und bewahrende

Kraft grösser und die Verwitterung der mineralischen Nährstoffe weiter fortgeschritten ist.

Wie sehr die Aufsaugungskraft und Aufbewahrungskraft für Feuchtigkeit der verschiedenen Bodenarten wechselt, zeigen die sorgfältig durchgeführten Untersuchungen von Schübler, deren Resultate in der folgenden Tabelle niedergelegt sind.

	Die Wasseraufsaugung betrug in Prozenten	Die Verdunstung in 4 Stunden betrug in Prozenten
Quarzsand	25	88,4
Kalksteinsand	29	75,9
Thonboden (40 % Sand)	40	52,0
Lehm	51	45,7
Gewöhnliche Ackerkrume	52	32,0
Steifer Thon (20 % Sand)	61	34,6
Feiner kohlensaurer Kalk	85	28,0
Gartenerde	89	24,3
Humus	181	25,5

Daraus geht hervor: je grösser die Aufsaugungskraft, desto grösser ist auch die Aufbewahrungskraft.

Verschieden ist auch die Kraft, die Luftwärme aufzusaugen uud zurückzuhalten. Im allgemeinen nimmt trockener Boden die Wärme rascher auf und hält sie länger wie nasser Boden. Ebenso erwärmt sich dunkel gefärbter Boden rascher und zu grösserer Tiefe wie hellgefärbter, das Gleiche lässt sich von lockerem und geschlossenem Boden sagen. Der Sandboden strahlt nachts seine Wärme schnell aus, dieser Verlust geht langsamer vor sich, wenn er mit groben Kieselsteinen bedeckt ist. In den Weindistrikten Frankreichs ist auf diese Ursache die Verschiedenheit der Reifezeit zurückgeführt worden.

Kein Boden ist in Wahrheit unfruchtbar oder bestimmter gesagt, unfähig Pflanzen zu erzeugen, wenn er für deren Leben nicht schädliche Stoffe enthält, wie schwefelsaures Eisen, Humussäure und Alkalien über ein gewisses Mass hinaus u. s. w. Im Sinne des Landwirts aber ist derjenige Boden unfruchtbar, auf welchem die Nutzgewächse aus irgend einem Grunde nicht gedeihen. Er kann im praktischen Leben für wertlos gelten, wenn er nicht mit einem Kostenaufwand anbauwürdig gemacht werden kann, der die Rentabilität nicht ausschliesst. Indessen sollte vor jeder kostspieligen Bodenbesserung sorgfältig erwogen werden, ob auf dem Boden, wie er gegeben ist, irgend eine Pflanze mit Nutzen gezüchtet werden kann, sei es ein bescheidenes Futtergras oder ein stattlicher Waldbaum. Die Fruchtbarkeit des Bodens hängt von dem Vorhandensein aller erforderlichen Nährstoffe ab; der noch so reiche Gehalt an den meisten kann das Fehlen eines derselben nicht aufwiegen. Da aber nicht alle Pflanzen die gleichen Nahrungsansprüche stellen, so kann ein Boden für den Anbau einer Pflanze erschöpft sein, einer anderen aber noch auf Jahre hinaus hinreichende Mittel zur Lebensthätigkeit liefern. Es ist dabei zu beachten, dass im Durchschnitt der Boden nur 1 % mineralische Nährstoffe in sofort von den Pflanzen aufnehmbarem Zustand enthält, für viel grössere Mengen ist die Zersetzung bis zu diesem Punkte noch nicht fortgeschritten, da sie aber andauernd vor sich geht, so erhellt, dass es nur einer längeren Ruhe oder gar nur eines Anbauwechsels bedarf, um einen für eine gewisse Pflanze erschöpften Boden wieder zeugungsfähig zu machen.

Um den Boden mechanisch zu analysieren, das heisst, ihn in seine Bestandteile: Sand, Thon, Humus u. s. w., zu zerlegen, sind mehrere Instrumente erfunden worden, und es gab eine Zeit, wo die Behauptung viele Anhänger hatte, die mechanische Analyse sei wichtiger wie die chemische. Man hat sich aber inzwischen überzeugt, dass die mechanische Analyse keine zuverlässigen Resultate gibt, weichen doch dieselben für denselben Boden mit demselben Instrumente ab, da eine genaue Scheidung unmöglich ist. Dagegen sind leicht ausführbare Schlemmungen empfehlenswert, sie gewähren für das praktische Leben einen guten Anhaltspunkt zur Beurteilung der mechanischen Zusammensetzung eines Bodens.

Nötig sind: einige Spitzgläser, ein Reibschälchen mit Pistille, ein Stück Lackmuspapier, eine kleine Wage, ein Fläschchen Ammoniak, ein Fläschchen Oxalsäure mit Wasser versetzt, ein Fläschchen phosphorsaures Natron und Filtrierpapier — alles Dinge, die man sich in jeder Apotheke verschaffen kann, die Wage vielleicht ausgenommen.

Will man Erde auf die beiden wichtigen Bestandteile Sand und Thon prüfen, so nimmt man eine 50 Gramm schwere Probe, reibt sie stark angefeuchtet mit der Pistille im Schälchen, bis sie zu einem gleichmässigen Brei geworden ist. Taucht man in denselben ein Stück Lackmuspapier und es rötet sich, so liegt der Beweis vor, dass Humussäure in dem Boden enthalten ist und daher der Entwässerung oder der Vermischung mit Kalk oder Mergel bedarf. Der Brei wird nun in ein hohes Spitzglas gebracht, mit Wasser stark verdünnt und der im Schälchen zurückgebliebene Rest mit Wasser nachgespült. Bei ruhigem Stehen schichten sich die Erdteile nach ihrem spezifischen Gewicht und ihrem Zerteilungsgrade auf dem Glasboden. Der grobe Sand sinkt zuerst, dann der feine, gefolgt von dem Thon und wenn Humus vorhanden ist, bildet dieser die Deckschichte. Aus der Höhe der Schichten lässt sich ein ziemlich sicherer Schluss auf das Mengenverhältnis im Boden ziehen. Mit der Untersuchung wird in der Weise fortgefahren, dass der Bodensatz aufgerührt und die trübe Flüssigkeit nach kurzer Pause in ein anderes Glas gegossen wird, unter Beobachtung der Vorsicht, dass der Sand, der sich mittlerweile wieder nach dem Boden gesenkt hat, nicht mit abfliesst. Der Rückstand wird mit Wasser übergossen, umgerührt und wie das erstemal, umgegossen. So fährt man fort, bis augenscheinlich nur Sand in dem ersten Glase übrig ist. Um zu verhindern, dass beim Umgiessen ein Teil der Feuchtigkeit den Rand des Glases hinunterläuft, bestreicht man denselben an der Aussenseite mit Talg oder man hält ein Stäbchen an die Randstelle, wo die Flüssigkeit abfliesst. Der Sand wird nun auf Filtrierpapier getrocknet, dann gewogen; was an 50 Gramm fehlt, wird als feinerdige Masse (Thon, Humus) in Rechnung gebracht.

Die Prüfung auf den Kalk und Magnesiagehalt kann in der folgenden Weise geschehen. Man wiegt 20 Gramm trockene Erde ab, schüttet sie in ein Fläschchen und übergiesst sie mit der sechsfachen Massmenge Wasser; dann fügt man nach und nach 5 bis 10 Gramm Salzsäure hinzu und stellt das Fläschchen einige Stunden an einen warmen Ort. Wenn beim Zusatz der Salzsäure ein merkliches Brausen eintritt, ist bewiesen, dass der Boden reich an Kalk ist. Vollständig zur Ruhe gekommen, wird der Inhalt des Fläschchens auf Filtrierpapier gegossen und der Rückstand mit warmem Wasser nachgespült. Die durchlaufene gelbe Flüssigkeit, welche natürlich in einem Glas aufgefangen werden muss, wird so lange mit Ammoniak versetzt, bis sie deutlich darnach riecht. Scheiden sich braune Flocken ab, so müssen diese als Eisenoxydhydrat und Thonerdehydrat, nebst Phosphorsäure, betrachtet werden. Die Flüssigkeit wird abermals filtriert und dann, in ihrem wasserhellen Zustand, so lange mit einer Lösung von Oxalsäure in Wasser versetzt. als noch eine Trübung von oxalsaurem Kalk entsteht. Es ist darauf zu achten, ob während dieses Vorganges der Ammoniakgeruch verschwindet, in diesem Falle muss er durch einen Zusatz von Ammoniak wieder hergestellt werden. Aus der Stärke des Niederschlages lässt sich auf den Kalkgehalt des Bodens schliessen; will man die Menge genauer bestimmen, dann giesst man die Flüssigkeit auf ein trockenes, genau gewogenes Filtrierpapier, wäscht den auf dem Papier zurückbleibenden Niederschlag mit Wasser aus und trocknet ihn in der Nähe eines Feuers. Dann wiegt man Papier und Niederschlag und das Mehrgewicht des Papiers ist als oxalsaurer Kalk anzunehmen. Derselbe lässt sich durch Erhitzung in kohlensauren Kalk verwandeln, allein dieses Verfahren ist unnötig, weil man weiss, dass 100 Teile oxalsauren Kalks $68^1/_3$ Teilen kohlensaurem Kalks entsprechen. Die Magnesia wurde nicht mit gefällt. Ermitteln kann man den Gehalt aus der von dem oxalsauren Kalk abfiltrierten Flüssigkeit, welcher man zunächst etwas Ammoniak zusetzt. Dann löst man etwas phosphorsaures Natron in der Flüssigkeit auf und rührt sie mit einem Glasstäbchen um. Nach einer kleinen Pause wird sich bei bedeutendem Magnesiagehalt ein krystallinischer Niederschlag bilden, der aus phosphorsaurer Ammoniak-Magnesia besteht. Ein unbedeutender Niederschlag, und erst nach längerem Stehen, erzeugt sich, wenn der Gehalt gering ist.

Soll der Boden auf seine wasserhaltende Kraft geprüft werden, wiegt man 100 Gramm trockene Erde ab, zerreibt sie im Schälchen und schüttet sie in ein Glas, dessen Gewicht man, samt seinem Inhalt ermittelt. Dann giesst man soviel Wasser ins Glas, dass die Erde vollständig bedeckt ist und voraussichtlich nicht alles Wasser verschlucken kann. Nach 24 Stunden giesst man das überstehende Wasser vorsichtig ab und wiegt das Glas abermals. Die Zunahme des Gewichts gibt die Wassermenge in Prozenten an, welche die Erde aufnehmen kann. Diese Fähigkeit steigt bei Thon auf 80 %, bei Humus auf 100 % und noch höher, bei Sand und Kies bleibt sie auf 20 bis 25 % stehen. Diese Zahlen lassen auch annähernd zuverlässige Schlüsse auf die mechanische Zusammensetzung des Bodens ziehen. Eine einfachere, oberflächlichere Prüfung auf die wasserhaltende Kraft des Bodens, die aber nur ausführbar ist bei Gegenwart von Thon, besteht darin, dass man ein Stückchen ganz trockener Erde an die Lippen bringt. Ist der Thongehalt bedeutend und mit ihm selbstverständlich die wasserhaltende Kraft, dann saugt sich das Erdstückchen fest an die Lippen, wie sich denn aus dem mehr oder minder festen Ansaugen auf die Höhe der betreffenden Kraft schliessen lässt. Mit Speichel befeuchtet, wird die Probe durch den Geruch den Thongehalt verraten, falls er nicht zu unbedeutend ist.

Die chemische Untersuchung des Bodens ist Sache eines erfahrenen Chemikers und von hoher Wichtigkeit für den Bodenbebauer, denn sie zeigt ihm, welche Nährstoffe in Fülle vorhanden und welche dem Boden zugeführt werden müssen. Indessen darf aus der chemischen Zusammensetzung des Bodens allein nicht auch seine Fruchtbarkeit gefolgert werden, sondern es ist gleichzeitig der physikalischen Beschaffenheit gebührende Berücksichtigung zu schenken. Bei der Entnahme von Bodenproben zu diesem Zwecke ist mit grosser Vorsicht zu verfahren, damit die durchschnittliche Bodenqualität des Geländes gewonnen wird. Keine Probe sollte weniger wie ein Kilo wiegen. Sowohl der Krume bis zur Tiefe von 23 Zentimeter, wie dem Untergrund sind Proben zu entnehmen und nicht nur an einer Stelle, sondern an mehreren weit auseinander und tiefer und höher liegenden Stellen. Man teuft am besten an jeder Stell einen metertiefen Schacht ab; zeigen sich Erdschichten mit abwechselnder Färbung, so nimmt man von jeder eine Probe.

Der Chemiker zerlegt zunächst den Boden in die beiden Gruppen: organische und unorganische Stoffe. Die Ersteren entstammen dem Pflanzenreich, sie sind die Verwesungsprodukte in verschiedenen Graden, welche wir als Humus bezeichnen. Der Gehalt schwankt ausserordentlich: in dem berühmten schwarzen Boden Südrusslands, den Manche als Normalboden bezeichnen, beträgt er zwischen 5 und 12 %, einige nordamerikanische Prärieböden sind nur wenig ärmer an diesem Bestandteil. Zu Gunsten des Humus ist zu sagen, dass er durch seine schwarze Farbe wärmeaufsaugend wirkt, eine bedeutende wasseraufsaugende- und bewahrende Kraft besitzt, Stickstoff in Form von Ammoniak aus der Luft anzieht, den thonigen Boden lockert und dem sandigen Boden festeren Schluss gibt. Ist er in zu grossen Mengen anwesend, wie im Torf, der ihn zu 50% und mehr enthält, dann wirkt er durch die Bildung von schädlichen Eisensalzen und noch in anderer Weise nachteilig. Während der Zersetzung des Humus wird Kohlensäure frei, welche die mineralischen Nährstoffe des

Bodens aufschliessen hilft, es wird aber auch Stickstoff in Verbindung von Wasserstoff als Ammoniak frei; durch Ausscheidung des Wasserstoffs und Aufnahme von Sauerstoff entsteht Salpetersäure, die einzige Form, in welcher die Pflanzen den Stickstoff als Nahrung aufnehmen können. Durch die atmosphärischen Niederschläge wird dem Boden Stickstoff aus der Luft zugeführt; die Frage, ob die Pflanzen auch im Stande seien, durch ihre Blätter Stickstoff aus der Luft aufzunehmen, in welchem Maasse und ob sie es alle können — harrt noch der endgültigen Beantwortung.

Da der Humus mehr wie sein Eigengewicht an Wasser aufnehmen kann und beträchtliche Mengen Ammoniak aus der Luft aufsaugt, so muss einleuchten, wie wichtig es ist, dem leichten und trockenen Boden reichlich Humus zuzuführen, sei es in Form von Kompost oder durch Düngung mit Grünzeug. Dagegen ist dem Thonboden nur dann Humus einzuverleiben, wenn er natürlich oder künstlich gut entwässert ist, da sonst der Wassergehalt in schädlicher Weise vermehrt würde. Bei genügender Entwässerung dieser Bodenart ist die Humuszufuhr, sowohl wegen stärkerer Erwärmung wie besserer Lockerung, empfehlenswert.

Der Chemiker wendet sich dann zur Ermittelung der unorganischen oder mineralischen Bestandteile des Bodens, die er wie folgt zergliedert: Kieselsäure, Aluminium, Calcium, Eisenoxyd, Phosphorsäure, Kali, Natron, Magnesia, Chlor, Schwefelsäure. Diese Stoffe treten in sehr ungleichen Anteilen auf. Die meisten Böden werden zu 90 % aus Kieselsäure (Sand), Aluminium (Thon) und Kalk gebildet, die wichtigsten Nährstoffe: Kali, Phosphorsäure und Schwefelsäure sind in verhältnismässig sehr schwachen Mengen vorhanden, ebenso wie die minder wichtigen: Chlor, Natron und Magnesia.

Kieselsäure (die Verbindung von Silicium und Sauerstoff) ist in schwankenden Anteilmengen in den verschiedenen Böden vorhanden, grösstenteils in unaufgeschlossenem, das will sagen, für die Pflanzen nicht aufnehmbarem Zustand. Vornehmlich ist dies in den ärmsten Sandböden der Fall. Fruchtbarer Boden enthält gewöhnlich einen kleinen Prozentsatz in aufgeschlossenem Zustand. Sandiger Boden enthält 70 bis 90 % Kieselsäure, Thonböden von 40 bis 70 % und Kalkböden von 20 bis 30 %.

Als Nährstoff hat Kieselsäure nur Wert, wenn sie in der Form von löslichen Silikaten auftritt. In unlöslichem Zustand, wie Quarzsand, wirkt sie nur mechanisch, indem sie den Boden lockert und leichter bebaubar macht. Diejenigen Gesteine, welche Feldspat enthalten, liefern in ihrem Verwitterungsprodukte etwas Kieselsäure in löslicher Form, während die Quarzgesteine diesen Stoff nur in unlöslicher Form enthalten und dem Boden nach ihrer Zersetzung zuführen.

Aluminium tritt gewöhnlich in Verbindung mit Kieselsäure als Thon auf und wird durch die Verwitterung feldspatartiger Gesteine frei. Reiner Thon bietet den Pflanzen keine Nahrung, in der Regel ist ihm aber ein starker Prozentsatz Kali beigefügt. Der Thon hat die wichtige Eigenschaft, Phosphorsäure, Kali, Ammoniak und andere Nährstoffe aufzunehmen und festzuhalten. Thonböden enthalten 6 bis 10 % Aluminium, Sandböden von 1 bis 4 %, Kalkböden und Humusböden 1 bis 6 %.

Das Calcium tritt gewöhnlich in kohlensaurer Verbindung als Kalk auf und zwar in so schwankenden Anteilmengen, wie 90 % in Böden, hervorgegangen aus verwittertem Kalkgestein, bis zu kaum nachweisbaren Spuren. Thon- und Lehmböden enthalten gewöhnlich zwischen 1 bis 3 % kohlensauren Kalk, weniger wie 1 % muss als ein Mangel an diesem Stoff bezeichnet werden. In leichten sandigen Böden sollte der Prozentsatz nicht unter 1 fallen, in thonigen Lehmböden nicht unter $2\frac{1}{2}$ und in steifen Thonböden nicht unter 5. Ein an Kalk armer Boden enthält das Wenige in Verbindung mit organischen Säuren und mehr in der Krume wie im Untergrund gelagert. Der Kalk ist nicht allein eine Pflanzennahrung, sondern er hilft auch andere Nährstoffe aufnahmefähig machen. Er wirkt zersetzend auf die Mineralien wie den Humus und fördert die Bildung von Salpetersäure, von der oben die Rede war. Aus diesem Grunde kommen die Pflanzen auf kalkarmem Boden zu keinem Gedeihen, trotzdem vor der Aussaat kräftig gedüngt wurde. Die kalkreichen Böden sind reich an Kalk und Magnesia, dagegen, als Regel, arm an Phosphorsäure und Kali.

Eisenoxyd wird in allen Böden gefunden und verursacht ihre rötliche Färbung, wenn in starkem Prozentsatze anwesend. Von dem Zustande seiner Oxydation hängt der schädliche oder günstige Einfluss auf den Boden ab. Das Verhältnis von 2 Teilen Eisen und 3 Teilen Sauerstoff, eine Verbindung, welche im gewöhnlichen Leben als Eisenrost gekannt ist, muss als das günstigste betrachtet werden. Ein geringeres Anteilverhältnis von Sauerstoff gibt die Verbindung, welche Eisenoxydul heisst und dem Pflanzenleben schädlich ist. Eisenoxydul findet sich vorzugsweise im Untergrunde, wo auch häufig organische Säuren anwesend sind, die es zu Eisenoxyd umwandeln. Die gleiche Veränderung kann durch Berührung mit der Luft herbeigeführt werden. Eisenoxyd wirkt sowohl mechanisch wie chemisch und wenn Landwirte roten Boden bevorzugen, so ist das wohl begründet. Von $1\,^1/_2$ bis $4\,^0/_0$ Eisenoxyd geben dem Boden nur eine sehr schwache Färbung, rötlicher Lehm enthält $3\,^1/_2$ bis $7\,^0/_0$, und stark gefärbter roter Boden enthält 7 bis $12\,^0/_0$, in manchen Fällen sogar $20\,^0/_0$.

Eisenoxyd ist eine unerlässliche Pflanzennahrung; seine Wirkung auf den Boden hängt von seiner mechanischen Beschaffenheit ab. Wenn es die Sandkörner krustiert oder als grobe Körner auftritt, mag die chemische Analyse einen hohen Gehalt nachweisen, der Einfluss auf den Boden ist aber sehr gering, wenn nicht gleich Null; vorteilhaft wirkt es dagegen in fein zerteiltem Zustande. Böden mit einem hohen Gehalt an Eisenoxyd sind gewöhnlich arm an organischen Stoffen, trotzdem zeichnen sie sich durch Fruchtbarkeit aus. Die dunkle Färbung, welche das Eisenoxyd dem Boden gibt, ist der Wärmeaufsaugung günstig, seine lockernde Wirkung ist namentlich den Thonböden sehr wohlthätig. Seine färbende Wirkung übt das Eisenoxyd auch aus, nachdem es von den Pflanzen aufgenommen wurde; ohne seine Vermittelung würden Blüten und Früchte farblos sein.

Phosphorsäure ist in allen guten Böden enthalten, aber im Verhältnis zu den anderen Nährstoffen in sehr geringen Mengen, und muss daher am ehesten in Form von Dünger ersetzt werden. Am häufigsten tritt es in Verbindung mit Kalk, als phosphorsaurer Kalk auf, viel seltener in Verbindung mit Eisen und Aluminium. Selbst in sehr fruchtbaren Böden wird es in einer kaum höheren Anteilmenge wie $^1/_2\,^0/_0$ gefunden, $^1/_4\,^0/_0$ wird schon als ein guter Gehalt betrachtet und nur in Thonböden steigt der Gehalt auf $1\,^0/_0$. Phosphorsäure kommt in allen Böden vor, welche aus der Verwitterung von Granit, Gneis, Kalkgestein, Dolomit und namentlich von jüngerem vulkanischen Gestein hervorgegangen sind. Schwemmböden sind dagegen in der Regel arm an diesem Stoffe. Wenn er in einem geringeren Anteilverhältnis wie $0{,}05\,^0/_0$ vorhanden ist, bleibt der Boden unfruchtbar, es sei denn, dass er einen hohen Kalkgehalt besitzt. Freie Phosphorsäure nehmen die Pflanzen nicht auf; nach der Behauptung hervorragender Ackerbauchemiker soll sie ihnen sogar Gift sein.

Kali ist einer der wichtigsten und unerlässlichsten Pflanzennährstoffe, vorzugsweise wird er dem Boden durch die Verwitterung feldspathaltiger Gesteine zugeführt. In vielen Böden ist ein reicher Vorrat von Kali aufgespeichert, allein nur ein geringer Prozentsatz ist in aufnehmbarer Form, deshalb wirken die Kalidüngungen bei fortdauernder Bebauung so günstig; denn wenn dieser Stoff zugeführt wird, geschieht es in einem Zustand, der nur eine kurze Wandelung durchzumachen hat, um aufnahmefähig zu werden. Die Chemiker der alten Schule behaupten zwar, die meisten Böden bedürften keiner Kalidüngung, allein die Erfahrungen des praktischen Lebens sprechen anders. Der Kaligehalt der verschiedenen Böden schwankt von Spuren bis zu 2%. Sand-, Moor- und Kalkböden sind in der Regel arm an diesem Stoff, reich aber sind die Thonböden. Im Boden tritt Kali in Verbindung mit Kieselsäure auf und bildet ein Silikat, das schwach löslich in Wasser ist. Ein hoher Kaligehalt scheint in Bezug auf Fruchtbarkeit einen niedrigen Kalkgehalt auszugleichen, umgekehrt mag ein Boden, der reich an Kalk und Phosphorsäure ist, sehr fruchtbar sein, wenn er auch wenig Kali enthält.

Natron ist viel unwichtiger für die Pflanzenernährung, wie das nahe verwandte Kali und tritt auch in geringeren Mengen auf, ausgenommen in der Nähe des Meeres. Tritt es in höherem Prozentsatz wie 0,1 in Verbindung mit Kohlensäure als Soda, oder in Verbindung mit Chlor als Kochsalz auf, so wird es zur Ursache der Unfruchtbarkeit.

Magnesia wird in allen fruchtbaren Böden in sehr schwankenden Anteilmengen gefunden. Es ist ein Begleiter des Kalks, den es aber häufig in der Menge überragt, doch scheint es dessen Verrichtungen in der Bodenbesserung nicht bemerkenswert ausführen zu können.

Chlor ist in den meisten Böden sehr spärlich vorhanden, zum Pflanzenleben scheint es nicht durchaus notwendig zu sein.

Schwefelsäure ist in der Regel nur zu 0,2 bis 0,5% im Boden vorhanden, seine Gegenwart ist aber für das Pflanzenleben unerlässlich. Am stärksten tritt sie in den Gipsböden auf, am schwächsten in den Thonmergelböden und in solchen Böden, die aus der Verwitterung von buntem Sandstein hervorgegangen sind

Der Bedarf der Pflanzen an Schwefelsäure ist viel geringer wie an Phosphorsäure. das Verhältnis ist etwa von 1 zu 4 bis 5. Freie Schwefelsäure ist. gleich der freien Phosphorsäure, Gift für die Pflanzen. Gewöhnlich tritt die Schwefelsäure in Verbindung mit den Alkalien auf.

Aus diesen Angaben geht hervor, dass die Pflanzennährstoffe nur einen geringen Anteil des Bodens. selbst des sehr fruchtbaren, bilden. allein das Gewicht der Oberfläche eines Hektar Landes ist so enorm. dass die Gesamtmenge der Nährstoffe eine sehr beträchtliche ist. selbst bei niedrigem Prozentsatz. Selbstverständlich wechselt das Gewicht der verschiedenen Bodenarten, je nachdem sie locker. sandig und humos sind. Nach Professor Schübler wiegt der Boden eines Hektar Landes, 23 Zentimeter tief gedacht:

3 992 000 Kg. in trockenem Zustand. 5 295 000 Kg. in feuchtem Zustand. wenn aus sandigem Thon bestehend (45 % Sand. 55 % Thon);

3 450 000 Kg. in trockenem Zustand, 4 862 000 Kg. in feuchtem Zustand. wenn aus gewöhnlichem Ackerboden bestehend.

Nehmen wir einen Nährstoff. Phosphorsäure beispielsweise, mit 0.1 % vorhanden an. so würde die Gesamtmenge in einem Hektar Land 3450 bis 3992 Kilogramm betragen. Den Pflanzen, welche ihre Wurzeln tiefer wie 23 Zentimeter treiben. steht eine noch bedeutendere Menge Phosphorsäure zur Verfügung.

Lehrreich wie eine Bodenanalyse ist. sind ihre Resultate doch nur verwertbar innerhalb gewisser Grenzen. über welche sich Dr. Völcker folgendermassen ausspricht. Die Resultate der Bodenanalyse geben häufig befriedigende Antworten auf folgende Fragen:

1. Ob die Unfruchtbarkeit veranlasst wird durch die Gegenwart eines schädlichen Stoffes, wie schwefelsaures Eisen. das in torfigen und thonigen Böden vorkommt;
2. ob Alkalien vorhanden sind, die in geringen Mengen den Pflanzenwuchs fördern. ihn schädigen oder gar vernichten in bedeutenden Mengen;
3. ob Unfruchtbarkeit veranlasst wird durch Mangel an Kalk, Phosphorsäure oder andere wichtige Nährstoffe;
4. ob Thonböden wirklich unfruchtbar sind und durch Bearbeitung nicht verbessert werden können. oder ob sie die erforderlichen Nährstoffe in unaufgeschlossenem Zustand enthalten

oder ob sie durch Tiefkultur und ähnliche mechanische Mittel fruchtbar gemacht werden können;

5. ob Thon gebrannt und in diesem Zustande als Dünger verwendet werden kann;
6. ob der Boden durch Zufuhr von Kalk verbessert (mechanisch) werden kann;
7. ob es für einen bestimmten Boden besser ist Kalk, Mergel oder Thon zuzuführen;
8. ob gewisse Kunstdünger, wie Superphosphate und Ammoniaksalze, verwendet werden können, natürlich massvoll, ohne den Boden dauernd zu schädigen, oder ob der Landwirt durch starke Zufuhren von Stalldünger die entführten Nährstoffe ersetzen soll;
9. welche künstliche Dünger am besten geeignet sind für Böden verschiedener Zusammensetzung.

Dagegen kann eine Bodenanalyse keine bestimmte Auskunft geben:

1. ob die Unfruchtbarkeit durch mangelhafte Entwässerung herbeigeführt ist;
2. bis zu welchem Grade die Unfruchtbarkeit durch die ungünstige physikalische Beschaffenheit des Bodens verursacht ist;
3. in wie weit die Unfruchtbarkeit durch das Klima bewirkt wird;
4. ob der Boden unfruchtbar ist, weil er nicht in genügender Menge vorhanden ist;
5. ob der Boden unfruchtbar ist, weil eine dünne Krume auf einem steifen, thonigen Ungrund von bedeutender Tiefe ruht;
6. was die verhältnismässige Fruchtbarkeit verschiedener Böden ist.

Nochmals sei hervorgehoben, dass aus dem Vorhandensein von Nährstoffen in Prozenten, nachgewiesen durch Bodenanalyse, nicht allein Schlüsse auf die Fruchtbarkeit des Bodens gezogen werden dürfen, sondern nur mit gleichzeitiger Berücksichtigung der physikalischen Beschaffenheit. In einem lockeren Boden kann eine Pflanze ihre Wurzeln viel weiter ausbreiten, wie in einem steifen, sie hat dadurch Gelegenheit, dieselbe Nahrungsmenge aufzunehmen, wenn der lockere Boden, in Prozenten ausgedrückt, ärmer an Nährstoffen ist, wie der steife. Auch ist die Wurzelkraft der verschiedenen Pflanzen in Betracht zu ziehen. Manche Pflanzen treiben zufolge ihrer Natur kurze Wurzeln, sie können auf einem Boden verderben, auf welchem andere Pflanzen mit weitstreichenden

Wurzeln freudig gedeihen. Es ist auch wahrscheinlich, dass manche Pflanzen die Kraft besitzen, Nährstoffe in nahezu aufnehmbarem Zustand vollständig aufzuschliessen, was andere Pflanzen nicht vermögen. Die Pflanzenphysiologie muss uns über diese interessante Frage noch Aufklärung verschaffen.

Ziehen wir aus diesen allgemeinen Darlegungen Schlüsse für die Waldbäume, so ergiebt sich, dass ihr Gedeihen abhängig sein muss:

1. von der chemischen Zusammensetzung des Bodens;
2. von seinen physikalischen Eigenschaften;
3. von der Natur des Untergrunds in höherem Grade wie für seichtwurzelnde Pflanzen.

Selbstverständlich ist das Gedeihen auch abhängig von den klimatischen Verhältnissen, die aber hier nicht in Rede stehen.

Wenn ein Baum verbrannt wird, bleiben seine mineralischen Bestandteile in Form von Asche zurück; einen so geringen Prozentsatz vom Gesamt sie auch bilden, üben sie doch einen entscheidenden Einfluss auf das Wachstum aus, und zwar in dem Masse, dass für bestimmte Gebirgsformationen gewisse Pflanzen charakteristisch sind. So werden kalireiche Böden von der Ulme bevorzugt, Kalkböden sind dem Wachstum des Ahorns günstig, nicht aber der Fichte, welche auf kieselsäurereichen Böden ihr bestes Gedeihen findet. Das Alles wird vollständig klar, wenn man die Resultate verschiedener Aschenanalysen Seite an Seite stellt, nach dem folgenden Beispiel:

	Zuckerahorn (Acer saccharinum)	Pechkiefer (Pinus rigida)
Kieselsaure	0,40	7,50
Kali	4,62	14,10
Natron	2,90	20,75
Kalk	41,33	13,60
Magnesia	6.42	4,35
Phosphorsaures Eisen	0,78	11,10
Phosphorsaurer Kalk	4,64	2,75
Phosphorsaure Magnesia	0,74	0,90
Schwefelsäure	1,22	3,45
Kohlensäure	36,95	21,50
	100,00	100,00

Die Buchenasche enthält 22,11 % Kali, also über 17 % mehr wie die Ahornasche; sie enthält 25 % Kalk, 3,32 % Natron, 5,52 % Kieselsäure und 7.64 % Schwefelsäure.

Diese wenigen Anführungen werden genügen, um die Wichtigkeit der Beachtung der chemischen Zusammensetzung des Bodens für das Wachstum der Waldbäume darzutun, zugleich auch um die Bedeutung der Aschenanalysen vor Augen zu führen. In dieser Hinsicht ist für die tropische Forstkultur fast noch alles zu thun; diese Lücke des Wissens auszufüllen, muss als eine der wichtigsten Aufgaben dieses Zweiges der Bodenbewirtschaftung betrachtet werden.

Von den physikalischen Eigenschaften des Bodens nimmt seine wasseraufnehmende und bewahrende Kraft die hervorragendste Stelle ein, denn der Wasserbedarf eines Waldes im Laufe eines Jahres ist enorm, wie die Angaben über seine Wasserverdunstungen erkennen lassen, welche in einem anderen Abschnitt gegeben sind. Zu berücksichtigen sind die bedeutenden Abweichungen im Wasserbedarf, denn er steht im Verhältnis zur Grösse der Verdunstungsorgane, der Blätter. Nadelhölzer verdunsten geringere Wassermengen wie Laubhölzer, namentlich wenn diese immergrün sind.

Man pflegt 5 Grade der Bodenfeuchtigkeit zu unterscheiden:

1. nass ist der Boden, wenn man eine Handvoll aufhebt und Tropfen niederfallen;
2. feucht ist er, wenn man eine Handvoll presst und Tropfen niederfallen;
3. frisch ist er, wenn man eine Handvoll presst und sich nur Spuren von Feuchtigkeit an den Fingern zeigen;
4. trocken ist er, wenn man eine Handvoll presst und keine Spur von Feuchtigkeit an den Fingern bemerklich ist;
5. dürr ist er, wenn er durch Reibung als Staub zerfällt.

Die Tiefe des Bodens, welche zu seinen physikalischen Eigenschaften gehört, habe ich oben als Punkt No. 3 besonders aufgestellt, um hervorzuheben, dass diese Eigenschaft, im Zusammenhange mit der Natur des Untergrundes, für die Waldbäume viel wichtiger ist, wie für andere Pflanzen. Beispielsweise wird in den Landes, im südwestlichen Frankreich, Gelände zur lohnenden Forstkultur benutzt, welches zum Anbau von landwirtschaftlichen Nutzgewächsen vollständig wertlos ist. Die Krume ist nämlich sehr mager, der Untergrund, namentlich der tiefere, gut mit Nährstoffen ausgestattet. In manchen Fällen, wie auf hängendem Kalkboden, ist die Krume zur Kultur gras- und krautartiger Pflanzen zu dünn, während in den Felsspalten genügende Nährstoffe für Bäume liegen, die von ihren Wurzeln aufgenommen werden können. Diese Wurzeln lassen bei ihrer Verwesung organische Stoffe zurück, die nachfolgenden Bäumen zur Nahrung dienen können; ferner öffnen sie neue Spalten und erweitern bestehende, dadurch fördern sie die Verwitterung, also die Zeugungskraft des Untergrunds. Zugleich erhöhen sie durch Ablagerung ihrer Blätter und toten Zweige auf der Krume deren Fruchtbarkeit.

Wie die Bodenfeuchtigkeit, pflegt man auch die Bodentiefe in 5 Grade zu sondern, nämlich:

1. sehr seicht ist der Boden, wenn seine Tiefe nicht über 15 Zentimeter geht;
2. seicht ist er, wenn seine Tiefe zwischen 15 und 30 Zentimeter beträgt;
3. mitteltief ist er, wenn seine Tiefe zwischen 30 und 60 Zentimeter beträgt;
4. tief ist er, wenn seine Tiefe 60 bis 120 Zentimeter beträgt;
5. sehr tief ist er, wenn seine Tiefe über 120 Zentimeter beträgt.

In Bezug auf die Lage des Bodens kommen in Betracht:

1. die Erhebung über dem Meeresspiegel;
2. die Neigung nach einem Punkte des Kompasses;
3. der Neigungsgrad gegen den Horizont.

Die Höhengrenzen für das Aufsteigen der Bäume über dem Meeresspiegel wechseln sehr, je nach der Natur der Bäume, der klimatischen Verhältnisse und der Bodengestalt. Für den Waldwuchs im allgemeinen, wie überhaupt für den Pflanzenwuchs, liegt der höchste Punkt der Höhengrenze am Äquator, von da fällt sie nach beiden Polen hin — als Regel gemeint, die örtliche Ausnahmen zulässt. So wird das Aufsteigen der Bäume im Gebirge beeinflusst durch die Neigung der Hänge nach einem gewissen Punkte des Kompasses. Allgemein bekannt ist, dass auf der nördlichen Erdhälfte die südwestlichen Hänge am wärmsten sind, weil sie die meisten Sonnenstrahlen empfangen und am geschütztesten vor den kalten Winden sind. Keineswegs darf aber als ausnahmsweise Regel aufgestellt werden, der Baumwuchs steige an südwestlichen Gebirgshängen höher wie an Bodenneigungen nach anderen Punkten des Kompasses, denn die erwähnte Gunst wird häufig ausgeglichen durch ungünstige Feuchtigkeitsverhältnisse, wie durch starke Abwaschungen des Bodens. Aus ähnlichen

Gründen treten in anderen Zonen viele Ausnahmen von der Regel ein, welche man glaubte aufstellen zu können.

Der Neigungswinkel des Bodens hat ebenfalls einen bedeutenden Einfluss auf das Gedeihen der Bäume. Man spricht von einer sanften Neigung, wenn sie nicht mehr wie 10 Grad beträgt; mässig steil ist eine Neigung von 11 bis 20 Grad, steil ist sie von 21 bis 30 Grad und sehr steil, wenn sie über 30 Grad ist. Bäume, welche an einem steilen Hange stehen, empfangen mehr Licht, wie solche, die auf einer Ebene oder einem sanften Hange wachsen, allein dieser Vorteil wird mehr wie ausgeglichen durch den Nachteil, dass der Boden rascher austrocknet und stärker abgewaschen wird, auch schwieriger zu bearbeiten ist, namentlich mit Hülfe tierischer Kraft. Uebrigens können die Bäume selbst auf sehr steilen Hängen gedeihen, wenn sie tief mit den Wurzeln in den Untergrund dringen können, teils um einen kräftigen Halt zu gewinnen, teils um Feuchtigkeit und Nährstoff im weiteren Bereiche aufzusuchen.

Bei der Beurteilung eines Bodens darf niemals vergessen werden, dass, wie auch seine chemischen und physikalischen Eigenschaften sein mögen, er unfruchtbar bleibt, wenn der Regenfall nicht genügend für das Wachstum der Pflanzen ist oder der Mangel durch künstliche Bewässerung nicht ausgeglichen werden kann. Eine fernere Bedingung ist eine das Pflanzenleben begünstigende Luftwärme.

Die Behandlung des Samens.

Leider ist es nicht immer ausführbar, nur solchen Waldbäumen Samen zur Fortzucht zu entnehmen, welche tadellos gewachsen, kerngesund und vollkräftig sind. Liegt die Notwendigkeit des Samenbezugs aus anderer Gegend vor, so ist selbstredend dieser wichtige Gegenstand vollständig der Kontrole entrückt. Immerhin muss das Bestreben darauf gerichtet sein, Vorteile aus dem Gesetze der Vererbung zu ziehen und Nachteile abzuwenden, denn ein lebensschwacher, verkrüppelter Baum kann keine Nachkommen erzeugen, welche den berechtigten Anforderungen des Züchters entsprechen, mit anderen Worten, welche ihre Kultur mit den möglichst höchsten Erträgen lohnen. Wie Lebenskraft und vollkommene Formen, so pflanzen sich auch Lebensschwäche und Fehlerformen von den Eltern auf die Nachkommen fort, einerlei ob die Eltern Menschen, Tiere oder Pflanzen sind, denn das Gesetz der Vererbung gilt für die ganze organische Welt. Seine Nutzanwendung in der Pflanzenkultur ist merkwürdigerweise noch sehr vernachlässigt — merkwürdigerweise, sage ich, im Hinblick auf die glänzenden Erfolge der Tierzucht, welche in erster Linie diesem Mittel zu danken sind, was unzählige Mal betont und zum Allgemeinwissen gemacht wurde.

Der Baumsamen soll als Regel gesammelt werden, sobald er reif ist; wenn nicht früher möglich, muss es ohne Zeitverlust nach dem Abfallen geschehen. Und wenn irgend thunlich, soll die Natur nachgeahmt und die Saat unmittelbar nach der Ernte stattfinden, denn manche Samen verlieren bald ihre Keimkraft, andere sind während der Aufbewahrung schwierig vor dem Verderben zu schützen.

Für die Aufbewahrung lassen sich nur allgemeine Vorsichtsmassregeln aufstellen: Der Same darf keiner hohen Temperatur, aber auch keiner unter den Gefrierpunkt fallenden, ausgesetzt sein, kühl und gleichmässig sind die bezüglichen Bedingungen. Der Same darf ferner nicht feucht, aber auch nicht zu trocken werden. Ist er ölreich, wie Bucheckern, so erhitzt er sich leicht, wenn er gehäuft lagert; selbst wenn man ihn in dünnen Schichten ausbreitet, darf ein öfteres Umschaufeln nicht unterlassen werden.

Der Same und solcher, der ihm ähnlich ist, von den folgenden Arten: Esche, Ailanthus, Linde, falsche Akazie, Catalpa, Ahorn, Ulme, Kiefer, Tanne und Hemlock werden am besten in Säcken, schwebend in kühlen trockenen Räumen, aufbewahrt. In Säcken, weil die Erfahrung gelehrt hat, dass ein vollständiger Luftabschluss, wie er in irdenen Gefässen oder wasserdichten Fässern stattfindet, nicht zweckdienlich ist. Schwebend, weil der Same dadurch den Angriffen des Ungeziefers entrückt wird.

Nüsse und nussähnlichen Samen, wie Wallnüsse, Hickorynüsse, Eicheln und Kastanien verlieren ihre Keimkraft, wenn sie stark austrocknen oder schimmelig werden; bei einem hohen Grad von Befeuchtung mögen sie vorzeitig keimen, wodurch sie natürlich ebenfalls für die Saat untauglich werden. Um einem Verluste vorzubeugen, legt man diese Samen schichtenweise in Sand ein, den man einigemal mit Wasser besprenkelt. Der Sand soll niemals vollständig trocken werden, denn in diesem Zustande entzieht er dem Samen Feuchtigkeit, er muss aber auch vor einer zu starken Benässung bewahrt bleiben, damit er nicht zur Keimung anregt.

Dünnschalige Samen dieser Art, wie Eicheln und Kastanien, verlieren ihre Keimkraft in der Sonne und trockenen Luft eher wie die hartschaligen, z. B. die schwarzen Wallnüsse und Hickorynüsse, ausserdem erhitzen sie sich leichter bei gehäufter Lagerung, sie sind also vorsichtiger zu behandeln.

Im Süden Frankreich's befriedigt die Forstleute die folgende billige Methode der Aufbewahrung von Eicheln und Kastanien.

Gewählt wird ein trockener, sandiger Platz im Walde, der eben ist oder etwas nach Süden hängt und rundum von hohen Bäumen gut geschützt ist. Zunächst wird er umzäunt und mit einem Graben umgeben, welcher das Schnee- und Regenwasser abführt. Nachdem Blätter und Gras weggerecht sind, werden die gesammelten Eicheln oder Kastanien in einer 10 Zentimeter dicken Schicht ausgebreitet und im ersten Monat täglich umgeschaufelt oder umgerecht, später nur zweimal in der Woche. Nach 3 Monaten ist die Neigung zum Erhitzen vorüber, die Umwendung geschieht dann nur noch nach starkem Regen. Tritt Frost ein, dann wird die Schicht mit Stroh oder Laub bedeckt, jedoch baldmöglichst wieder blosgelegt, um die Keimung zu verhüten. Je hartschaliger die Samen sind, desto weniger leiden sie vom Frost. Wallnüsse, Kirsch- und Pflaumensteine setzt man sogar den Einwirkungen des Frostes aus, um ihre Schalen mürbe zu machen und dadurch die Keimung zu beschleunigen; doch erreicht man diesen Zweck viel schneller und sicherer, wenn man die Schalen mit einem geeigneten Instrument, beispielsweise mit einem Nussknacker, vorsichtig zerknittert. Grössere hartschalige Samen, wie diejenigen von Palmen, schneidet oder feilt man bis zum Kerne an.

Am schwierigsten sind solche Samen aufzubewahren, welche in einer fleischigen oder markigen Hülle gebettet liegen, beispielsweise die Samen der Gattungen Taxus, Torreya, Ginkgo, Podocarpus, Gnetum, Dacrydium und Cephalotaxus. Man wird sie einschichtig in Sand einlegen und die Aufbewahrungszeit nach Möglichkeit abkürzen müssen. Ebenso wird man mit den Samen einiger Arten Nadelhölzer verfahren müssen, namentlich der Edeltannen (Abies pectinata p. p.), die ihre Keimkraft rasch verlieren, wie vorsichtig man sie auch behandeln mag. Die Aufbewahrung, sofern sie nicht mit dem Versand in Verbindung steht, ist nur in Gegenden notwendig, wo Frost auftritt, im tropischen Klima braucht sie mithin nicht in Betracht gezogen zu werden. In der halbtropischen Zone, wo nur leichte Fröste auftreten, ist es des Versuches wert, die leicht verderblichen Samen sofort nach der Ernte oder dem Empfang, wenn sie aus anderen Gegenden bezogen werden, zu säen und bis zum Eintritte beständiger warmer Witterung mit dürrem Laub oder Stroh schwach und locker zu bedecken. Das Resultat wird vielleicht befriedigender sein, als mit irgend einer mühevollen Aufbewahrungsmethode.

Samen, der über See, überhaupt auf weite Entfernungen, versendet werden soll, wird gewöhnlich, in Sand oder ganz trocken pulverisierte Erde eingelegt, in Kisten verpackt. Moos, fein zerrieben, ist in neuester Zeit von englischen Samenhändlern als Verpackungsmaterial verwendet worden und hat sehr befriedigt.

Der Same der Nadelhölzer muss vor der Saat aus den Zapfen befreit werden. Meistens geschieht das durch die Sonne in freier Luft oder unter Glas, denn die Wärme bewirkt das Aufspringen der Zapfen; in schwierigen Fällen muss Feuerwärme helfen. Bei sehr harzigen Zapfen, wie die der Lärche, muss die Wärme mässig gehalten werden, weil sonst das Harz flüssig wird und die Samen festhält. Wenn die Samen von sehr festliegenden Schuppen bedeckt sind, wie in den Zapfen der Cedern, befreit man sie durch Ausbohren der Spindeln. Den Zapfen spannt man in einen Schraubstock und schneidet mit einem Bohrer, der etwas grösser sein muss wie die Spindel, diese aus, worauf die Schuppen auseinanderfallen.

Die verschiedenen Fortpflanzungsmethoden der Waldbäume.

Nach einem der drei folgenden Verfahren kann die Fortpflanzung stattfinden:

1. durch Saat auf die dauernden Standorte;
2. durch Saat in die Baumschule, oder natürliche Saat und Verpflanzung auf die dauernden Standorte;
3. durch Ableger, Schnittlinge und Stecklinge, die in der Baumschule bewurzelt und von da auf die dauernden Standorte verpflanzt werden.

Jede dieser Methoden erfordert eine gesonderte Besprechung.

Die Saat auf die dauernden Standorte.

Die Zeit liegt noch nicht fern zurück, wo die europäischen Forstleute, voran die Deutschen, sich zu dem Satze bekannten: die Saat auf die dauernden Standorte, kurzweg die Aussaat genannt, muss die Regel, die Verpflanzung aus der Baumschule die Ausnahme bilden. Gegenwärtig wird kaum noch Widerspruch erhoben gegen die umgekehrte Lehre: die Verpflanzung aus der Baumschule muss die Regel, die Aussaat die Ausnahme bilden. Die Erfahrung hat nämlich gelehrt, dass ein Gelände schneller, sicherer und gleichmässiger durch Anpflanzung wie durch Aussaat aufgeforstet werden kann. Schneller, weil die Bäume zum mindesten zwei Jahre denjenigen voraus sind, welche auf die dauernden Standorte gesät wurden, ausserdem vergehen 4 oder 5 Jahre, bevor man bestimmt wissen kann, ob die Aussaat zu erneuern oder zu vervollständigen ist, während bei der Anpflanzung das nächste Jahr klar zu erkennen ist, welche Bäumchen fortleben und welche ersetzt werden müssen, was sofort geschehen kann. Sicherer und gleichmässiger, weil die angepflanzten Bäumchen weniger Unfällen ausgesetzt sind, wie die Sämlinge. Der Erfolg mit den Letzteren hängt in erster Linie von der Beschaffenheit des Samens ab. Da derselbe in den meisten Fällen gekauft werden muss, ist der Forstmann gezwungen, ihn zu nehmen, wie er auf den Markt kommt. Und diese Marktwaare ist oft unreif gesammelt oder ist zu alt, oder wurde sorglos aufbewahrt, hat sich vielleicht erhitzt u. s. w. Angenommen, das Saatgut ist durchaus keimfähig, so ist zu befürchten, der Boden sei nicht gründlich genug vorbereitet, die Aussaat sei nicht gleichmässig geschehen, die Samen seien zu wenig oder zu stark bedeckt, der Regen könne zu anhaltend und heftig werden, eine verderbliche Dürre könne auftreten oder ein später Frühjahrsfrost könne alle Hoffnungen zerstören. Angenommen, die Witterung sei günstig und Vögel und Mäuse hätten den Keimlingen keinen Schaden zugefügt, so könnte es doch zur bitteren Täuschung werden, den Erfolg sicher zu glauben. War die Witterung günstig für das Wachstum der Sämlinge, so war sie es auch für das Wachstum der Unkräuter, und zwar so sehr, dass die winzigen Bäumchen kaum in dem sie bedeckenden und erstickenden Gras entdeckt werden können. Das Unkraut kann man jäten, aber auf die Gefahr hin, dass die Sämlinge vollständig oder teilweise entwurzelt werden. Geschieht es nicht, so finden die Mäuse unter dem hohen, trockenen Grase eine willkommene Winterherberge und wenn das Frühjahr kommt, zeigt sich die Notwendigkeit der Nachsaat. Wird der Boden grasrein gehalten, so hat der Winterfrost Gelegenheit, die Sämlinge auszuheben.

Die angepflanzten Bäumchen sind ebenfalls den späten Frühjahrsfrösten, den Zähnen der Mäuse und anderen Gefahren ausgesetzt, allein ihr Dasein ist nicht oder nur wenig bedroht. Als die einzigen gefährlichen Feinde der angepflanzten Bäume sind die Insekten und ihre Larven zu betrachten, die natürlich auch die angesäeten Bäume nicht verschonen. Erfahrene Forstleute nehmen an dass die Anpflanzung billiger ist, wie die Aussaat. Die erstjährigen Kosten sind zwar etwas geringer für die Aussaat, wie für die Anpflanzung, allein in den folgenden Jahren sinkt die Wagschale zu Ungunsten der Aussaat durch die Auslagen, welche das Nachsäen und das Auspflanzen von Lücken verursacht. Alles in Rechnung gezogen, dürfte somit der grössere Vorteil auf Seite der Anpflanzung liegen.

Diese für die gemässigte Zone auseinandergesetzte Darlegung, kann mit einer Verschärfung auf die tropische Zone übertragen werden, denn hier sind die Sämlinge grösseren Gefahren ausgesetzt: von dem wuchernden Unkraut, den zahlreichen tierischen Feinden und der versengenden Dürre. Doch darf nicht vergessen werden, dass es sich um eine Regel handelt, die Ausnahmen zulässt in allen Zonen. Unmöglich ist es, alle Ausnahmen anzuführen, da die Gründe für und wider in buntem Wechsel auftreten können. Nur die wichtigsten können Erwähnung finden.

In einem trockenen Klima wie auf einem freien Steppenboden, ist die Verpflanzung der Nussbäume und Eichen mit bedeutender Gefahr verknüpft, denn gewöhnlich sterben sie sofort oder nach längerem Kränkeln; es empfiehlt sich deshalb die Saat auf die dauernden Standorte, mit der Vorsichtsmassregel, schnell wachsende Schutzbäume nicht allein in den Reihen, sondern auch den Grenzen entlang, hier dicht gedrängt, anzupflanzen.

Wenn es sich um die Bewaldung der Dünen mit Nadelhölzern handelt, ist die Aussaat die zuverlässigste Methode. In Frankreich, wo man in diesem Zweige der Forstkultur die grösste Erfahrung besitzt und die glänzendsten Erfolge erzielt hat, verfährt man wie folgt: Zunächst wird für einen Schutzwall gesorgt und zwar wird der Wind gezwungen, einen sochen zu bauen. Etwa

100 Meter von der Flutmarke des Meeres werden Faschinen in nahe bei einander laufenden schrägen Reihen aufgestellt, oder es wird ein Bretterzaun gebaut, mit einer Lücke von 2 bis 3 Zentimeter zwischen je 2 Brettern. Ein Teil des Treibsandes lagert sich vor diese Hindernisse, ein anderer Teil hinter denselben. Wenn sie nahezu begraben sind, werden die Faschinenreihen höher gebaut, oder der Bretterzaun wird gehoben. Dieses Verfahren wird wiederholt und infolge dessen bildet sich ein grosser Sandwall, mit einer sanften Neigung gegen das Meer (7 bis 12°) und einer steileren (etwa 22°) gegen das Land. Dieser Wall wird mit Strandhafer oder Buchtgras besät, um ihn festzulegen, zugleich werden die Dünen landwärts mit Kiefernsamen besät und mit totem Gesträuch bedeckt. Die Strandkiefer (Pinus Pinaster) hat sich für diesen Zweck am vorzüglichsten bewährt. Niemals wird eine Strecke vollständig abgeholzt, sondern es werden die grössten Bäume ausgehauen, um dem jungen Nachwuchs Platz zu machen; so wird es vermieden, dass der Wind den Boden als Treibsand wegtragen kann.

Am Cape Cod in Massachusetts gelang es, die Dünen ohne weitere Vorbereitung mit Buchtgras (Calamagrostis arenaria) festzulegen und dann mit Pechkiefer (Pinus rigida) zu besäen. An der Küste von Florida, Georgia und Virginien ist das Bermudagras (Cynodon dactylon) mit Erfolg zum Festlegen der Dünen benutzt worden, zur Bewaldung wählte man den Ailanthus, die rote Ceder (Juniperus virginiana) und die Tamariske.

Auch im Binnenlande findet sich oft Gelände mit Treibsand bedeckt, das man am besten besät, bevor es bewaldet werden soll. Eine unerlässliche Vorsichtsmassregel ist, den ausgestreuten Samen mit lockerem Gesträuch zu bedecken, das eingeschlagene Pfähle festhalten. Wenn es den Sämlingen gelingt, sich unter dieser Schutzdecke zu bewurzeln, ist der Erfolg gesichert.

Die Aussaat ist auch der Anpflanzung vorzuziehen für die Aufforstung steiler Gebirge, nur mit wenig Erde bedeckt und spärlich mit Gras bestanden. Das Verfahren wird gewöhnlich mit der mehrfachen Abdämmung der Wildbäche eingeleitet, um ihren reissenden Lauf zu mässigen, der bedeutende Abwaschungen im Gebirge und Überschwemmungen im Tieflande verursacht. An passenden Stellen werden aus schweren Steinen, ohne jedes Bindemittel, Wehre erbaut, die auf breitem Fundamente ruhend, dachförmig auslaufen und zwar in der Mitte etwas niedriger wie an beiden Enden. Der Rücken des Wehres ist also sattelförmig. Manchmal werden die Wehre mit Faschinen aus Weiden errichtet, die fest in dem Boden angepflöckt sind. Erwünscht ist, dass die Weiden sich bewurzeln, dadurch einen festen Halt gewinnen und die Dauer des Wehres verlängern.

Bei der Ansaat der kahlen Gebirgshänge, ist nach Möglichkeit die Auflockerung des Bodens zu vermeiden, weil dadurch seine Wegwaschung, also seine Verarmung, gefördert würde. Zuweilen wird auf nördlich geneigten Hängen, der Same auf den schmelzenden Schnee gestreut, wenn auch nicht immer, so doch häufig mit gutem Erfolg. Sicherer geht man wohl, wenn man den Boden leicht mit einer Harke aufkratzt, den Samen mit der Erde vermischt ausstreut und mit einer Gartenwalze andrückt oder mit Brettern, unter die Schuhe gebunden, festtritt. Glaubt man nach Lage der Dinge vom Aufkratzen des Bodens absehen zu sollen, so fügt man dem Samen etwas mehr Erde bei und drückt ihn fester auf den Boden.

Sowohl auf den Dünen, wie auf den steilen Gebirgshängen streut man am besten den Samen breitwürfig und dicht aus. Für die Besäung anderer Böden ist zunächst zu betonen, dass sie nicht allein mit dem gewöhnlichen Pflug, sondern auch mit dem Untergrundpflug vorbereitet werden sollten, selbstverständlich wenn es die Ansaat gestatten. Gestatten sie es, dann lohnt sich eine solche gründliche Vorbereitung in hohem Grade, zumal sie verhältnismässig geringe Kosten verursacht. Das sei an dieser Stelle betont: in der europäischen Forstwirtschaft werden, gleichwie in der Landwirtschaft, die Hacke, Harke, Schaufel und der Spaten zu häufig in Fällen angewendet, wo sie durch vollkommenere Geräte ersetzt werden könnten. Auch in der Forstwirtschaft müssen Pflug, Untergrundpflug, Kultivator, Sämaschine, Baumgräber u. s. w. zur möglichst ausgedehnten Anwendung gelangen, um die Rentabilität zu sichern oder zu erhöhen.

Wenn der Boden nicht tief genug für die Verwendung des Pfluges ist, mag er mit dem Kultivator gelockert werden. Liegt der Zwang vor, ein Handgeräte zu benutzen, was stets der Fall ist, wenn kleine Waldlichtungen zu besäen sind, dann empfiehlt sich eine kräftige Harke, die man sich wie eine Mistgabel denken möge, deren drei Zinken abwärts gebogen sind. Welches Instrument man aber auch gebrauche, die Lockerung des Bodens und die Vertilgung des Grases muss möglichst gründlich erstrebt werden, denn eine Nachlässigkeit in dieser Beziehung gefährdet den Erfolg sehr. Gänzlich zu verwerfen ist das Saatholz: ein zugespitzter Stab, mit dem Löcher zur Aufnahme des Samens in den Boden gestossen werden. Die gestossenen Löcher sind entweder zu tief, oder die eingelegten Samen werden nicht von Erde geschlossen umhüllt, in jedem Falle aber rächt sich die mangelnde Bearbeitung des Bodens.

Die Saat soll, wo ausführbar, in Reihen geschehen, die im Abstand von 60 bis 75 Centimeter liegen können, um die Pflege der Sämlinge zu ermöglichen. Die mehrmalige Bearbeitung des Bodens zwischen den Reihen im Laufe des Jahres mit einem Handkultivator, die dadurch bewirkte Lockerung und Reinhaltung des Bodens, wie die Störung der Schädlinge erweist sich höchst erspriesslich für das Gedeihen der Sämlinge. Ohne Zweifel ist die breitwürfige Saat ein unverzeihlicher Fehler, wenn die Reihensaat möglich ist. Sehr empfehlenswert zur Saat ist eine Gartensämaschine, welche die Saatfurche aushebt, die Samen einwirft, bedeckt und bewalzt. In Nordamerika wird häufig, und in der geschäftlichen Waldbaumzucht stets, eine solche Maschine zur Saat von Baumsamen benutzt und ihre Vorzüge, gegenüber der Hand, sind auch so klar, dass sie selbst von einem blöden Auge erkannt werden müssen. Im 1. und 3. Band der tropischen Agrikultur sind Gartensämaschinen, die sich für den vorliegenden Zweck eignen, abgebildet und beschrieben, ich begnüge mich daher mit dem Hinweise. Anfügen will ich, dass in diesen Bänden noch andere für die Forstkultur nützliche Geräte bildlich dargestellt sind und deshalb hier nicht nochmals zur Anschauung gelangen, wie: der Pflug zum Ausheben der Wegegräben, der Wegehobel, der Pflug zum Aufbrechen des Wildbodens, der Untergrundpflug, der Feldkultivator und der Handkultivator, in verschiedenen Construktionen, und die Obsthainegge.

Bei der Bemessung der Saat muss auf den Verlust aus verschiedenen Ursachen Rücksicht genommen werden, wie zu tiefes Bedecken, Insekten,- Vögel- und Mäusefrass, mangelnde Keimung und verschiedene Unfälle, welchen die Sämlinge ausgesetzt sind. Die Samen sind daher dichter in die Furchen einzulegen, als die Sämlinge stehen sollen, doch niemals so dicht, dass sie sich gegenseitig berühren. Später hat das Ausdünnen zu erfolgen, wo es notwendig erscheint, und mit den ausgehobenen Sämlingen sind die vorhandenen Lücken auszufüllen. Dabei verfährt man in der Weise, dass man zuerst dic erforderlichen Pflanzlöcher in die Lücken macht, dann mittels einer Kelle die Sämlinge mit je einem Erdballen aushebt und sofort versetzt. Von grosser Wichtigkeit ist, die Samen weder zu seicht noch zu tief mit Erde zu bedecken. Eingehende Versuche deutscher Forstleute zeigten, dass Bucheckern 1 bis $3^3/_4$ Zentimeter tief bedeckt werden können, 2 Centimeter war die vorteilhafteste Tiefe.

Eicheln mögen $2^1/_2$ Zentimeter tief bedeckt werden, in leichtem Boden bis zu 5 Zentimeter.

Ahornsamen mag 1 bis 2 Zentimeter tief bedeckt werden, tiefer wie 7 Centimeter keimt er nicht. Dieser Same treibt sehr lange Samenlappen, die, wenn tief bedeckt oder wenn die Bodenoberfläche hart verkrustet ist, das Hindernis nicht beseitigen können, aber zu wachsen fortfahren, bis sie abbrechen und so der Keimling verloren geht.

Der Same der schwarzen Erle darf nur seicht bedeckt werden, als beste Tiefe zeigte sich 1 Zentimeter. In einer Tiefe von $1^1/_2$ bis $2^1/_2$ Centimeter keimten nur wenige Samen und in grösserer Tiefe gar keine.

Der Kiefernsame keimt am besten in einer Tiefe von 1 bis $1^1/_2$ Centimeter, in grösserer Tiefe wie 3 Zentimeter wurde keine Keimung erzielt. Ebenso verhielt sich der Same der Tannen, mit Ausnahme desjenigen der Weisstanne, welcher eine geringfügig tiefere Bedeckung vertrug.

Im allgemeinen geht man ziemlich sicher, wenn man sich an die alte Gärtnerregel hält, den Samen dreifach so tief zu bedecken, als sein Durchmesser beträgt. Das ist für gewöhnlichen Gartenboden gemeint. In schwererem, feuchterem Boden muss die Bedeckung etwas seichter, in trockenem, leichtem Boden etwas tiefer sein.

Übrigens gibt es auch Ausnahmen von der Regel. So muss der Same der falschen Akazie (Robinia Pseudoacacia) so tief wie die Eichel bedeckt werden, wie vergleichende Versuche in Deutschland lehrten. Das berechtigt zu der Annahme, dass dieser Baum vorteilhaft zur Aufforstung benutzt wird, von solchem trockenen Gelände, in welchem dünn bedeckter Same aus Mangel an Fenchtigkeit nicht keimen kann.

Hartschalige Samen, wie von der falschen Akazie, den australischen Akazien, der roten Ceder u. A., brauchen zwei und selbst drei Jahre zur Keimung. Um diese Zeit abzukürzen, legt man die Samen mehrere Tage in lauwarmes Wasser oder Mistjauche oder zwischen warmfeucht gehaltene wollene Lappen, bis sich die weissen Keimspitzen zeigen. Die Saat ist dann unverzüglich vorzunehmen, weil Samen, mit zum Leben erwecktem Keimling, eine längere Berührung mit der Luft nicht verträgt. Zuweilen werden solche Samen zwischen Schichten von frischem, gärendem Mist gelegt, bis sie schwellen; Andere empfehlen die Verfütterung mit eingestalltem Federvieh und die Aussaat der Auswurfstoffe, mit den unverdauten aber mürbschalig gewordenen Samen. Abgesehen davon, dass diese Methoden im grössern Massstabe sich kaum ausführen lassen, sind sie an und für sich so umständlich, dass sie keinen Beifall verdienen. Wenn die Keimung in einfachem warmem Wasser nicht rasch genug herbeizuführen ist, empfehle ich auf je 4 Liter $^{1}/_{4}$ Kg. kaustische Soda zuzusetzen. Durch dieses Mittel werden zuweilen die Schalen der Olivenkerne in einem 24stündigen Bad so mürbe gemacht, dass sie, in die Erde gebracht, bald zerbröckeln. Dadurch findet die Keimung, statt in zwei Jahren, in wenigen Wochen statt.

Erwähnt wurde schon, dass die Schalen der Nüsse und Steinkerne vorsichtig eingedrückt werden sollen, damit die Kerne unverletzt bleiben, bevor man sie in die Erde bringt.

Gekaufter Samen sollte bei Empfang auf seine Keimfähigkeit untersucht werden. Am einfachsten verfährt man, wenn man sechs Partien von je 100 Körnern abzählt und jede Partie ganz dünn zwischen Flanell-Lappen ausbreitet, die man an einen warmen Ort legt und feucht hält. Wenn die Wahrscheinlichkeit vorliegt, dass alle keimfähigen Samen aufgekeimt sind, zählt man die toten Samen und zieht von den sechs Partien den Durchschnitt. Damit hat man ziemlich zuverlässig den Prozentsatz des toten Samens des ganzen Postens ermittelt.

Die Saat in die Baumschule.

Bei der Anlage einer Baumschule ist die Wahl eines sehr fetten oder sehr feuchten Bodens zu vermeiden, denn die auf einem solchen gezüchteten Bäumchen verderben, kränkeln längere Zeit; sie wachsen besten Falls sehr langsam, wenn sie auf einen trockeneren, magereren Boden verpflanzt werden. Noch ungünstiger ist ein harter, trockener, magerer Boden, da er Bäumchen erzeugt, die so lebensschwach sind, dass sie das Versetzen nicht vertragen und den Angriffen der Schädlinge leicht zum Opfer fallen. Mässig locker, gut entwässert und von mittlerer Fruchtbarkeit soll der Boden der Baumschule sein; Schutz vor heftigen Winden und Bewahrung vor Dürre durch eine Bewässerungsanlage sind weitere Bedingungen, die mit dem geringsten Aufwand von Mühe und Kosten zu erfüllen sind, wenn die Anlage in einem Waldsaum und zugleich in der Nähe eines Gewässers ausgeführt werden kann. Der Boden muss tief bearbeitet werden, entweder mit dem Spaten oder dem Pflug oder Untergrundpflug, ausserdem noch mit einer feinzinkigen Egge, die alle Steine und Wurzeln aushebt. Zeigt sich der Boden nach dieser Bearbeitung nicht so krümelig wie erwünscht, so empfiehlt es sich, ihn zunächst mit Hackfrüchten, Mais, Sorghum oder anderen Kulturpflanzen zu bebauen, welche einer mehrmaligen Bodenbearbeitung während ihres Wachstums bedürfen

Rätlich ist es, schon vor der Errichtung der Baumschule Komposthaufen anzulegen. Man wählt dazu einen schattigen, der Luft ungehinderten Zutritt gestattenden Platz. Aus dürrem Laub, Moos, Farren und anderen saftigen Pflanzen, die nicht mit reifen Samen behangen sind, bildet man einen Haufen, der 1 bis $1^1/_2$ Meter hoch sein mag. Einen anderen Haufen bildet man aus Rasen oder wenn er nicht vorhanden ist, aus Gras und solchen feineren Pflanzen, die rasch verwesen, denn der Zweck dieses Haufens soll sein, eher Humus zu liefern, wie der andere. Eine Mischung von Laub- und Nadelblättern gibt den besten Kompost für die Baumschule und in späteren Jahren sollte er nur aus diesen Stoffen zusammengesetzt werden, falls sie zur Verfügung stehen. Die Haufen müssen zweimal im Jahr umgestochen und bei trockenem Wetter begossen werden. Schreitet die Verwesung nicht nach Wunsch fort, so mag man dem Giesswasser etwas Salzsäure zusetzen, oder man mag gebrannten, pulverisierten Kalk in den Haufen streuen, während er umgestochen wird. Indessen ist die Zugabe von Kalk sehr massvoll zu halten, da sonst die Zersetzung schneller, wie erwünscht sein kann, vor sich geht.

Dieser Kompost wird über die Samenbeete ausgebreitet und seicht untergebracht. Legt man vor jeder ferneren Saat eine dünne Kompostschicht über die Beete, so werden dieselben in gleicher Zeugungskraft erhalten und die Verlegung der Baumschule wegen Bodenerschöpfung bleibt unnötig. Eine Umzäunung der Baumschule, die nicht übersprungen, überklettert und unterschlüpft werden kann, ist unerlässlich, da sonst die Mühe eines ganzen Jahres während einer Nacht verloren gehen kann, namentlich in wildreichen Gegenden. Vorzuziehen ist ein Stacheldrahtzaun oder eine mit verflochtenen, schottischen Zaunrosen hergestellte Hecke. Die Anlage solcher Umfriedigungen ist im 1. Bande der tropischen Agrikultur ausführlich besprochen worden.

Ferner ist für Beschattung zu sorgen, denn die Bäumchen, ganz besonders die immergrünen, verlangen den Schutz gegen die Sonne, welchen sie im natürlichen Zustande im Walde geniessen würden. Je heisser das Klima, desto wichtiger ist die Erfüllung dieser Bedingung. Wenn die Baumschule lang und schmal ist, geben zwei Reihen breitästiger Bäume, an den Längsseiten gepflanzt, genügenden Schatten. Andernfalls mag die nötige Zahl Schattenbäume, deren Wurzeln mehr nach der Tiefe wie in die Breite gehen sollen, in der Baumschule gepflanzt werden, wenn angängig in Reihen, weil dadurch die Bodenbearbeitung erleichtert wird. Eine häufige und recht empfehlenswerte Vorrichtung ist, mehrere Samenbeete mit einem Latten- oder Stangengestell zu überbauen, hoch genug, um einem Pferde freie Bewegung zu gestatten. Je nach dem wechselnden Bedürfnis wird das Gestell dichter oder lichter mit Zweigen, Gesträuch, Schilf oder dergleichen Gegenständen bedeckt. Oder es mögen etwa meterhohe Schirme, aus Stroh, Schilf, Zweigen oder Palmenblättern geflochten, längs der Sonnenseite der Beete in schräger Richtung aufgestellt werden. Wohl zu beachten ist, dass den Sämlingen nicht Vollschatten, sondern Halbschatten, nur eine Milderung des Sonnenlichtes gewährt werden soll.

Die vorteilhafteste Einteilung der Baumschule ist in Samenbeete von der Breite eines Meters und von möglichster Länge. Zwischen je zwei Samenbeeten läuft ein Pfad und wenn die Baumschule ausgedehnt ist, muss ein Fahrweg hergerichtet werden, der das Gelände im Kreuz durchschneidet. Auf jedem Beete sind drei Reihen im Abstande von 25 Centimeter zu ziehen und dicht mit Samen zu belegen, doch nicht so dicht, dass sich die Körner gegenseitig berühren.

Bei einem Abstande von 25 Zentimeter ist die Anwendung des zeitsparenden Handkultivators möglich und nicht genug kann betont werden, dass durch ein häufiges Lockern des Bodens, mit gleichzeitiger Zerstörung des Unkrauts, die Entwickelung der Sämlinge ausserordentlich gefördert wird, was noch viel zu wenig Beachtung findet. Und wenn es begriffen wird, scheuchen vor der Befolgung die hohen Kosten zurück, welche entstehen, wenn die Bearbeitung mit der zeitraubenden, kraftverschwenderischen Hacke stattfindet. Daher stelle ich den Handkultivator so scharf in den Vordergrund und empfehle, um seine Anwendung zu ermöglichen, nicht mit dem Raum zu geizen, sondern die Reihen in entsprechend breitem Abstande zu legen. Was, im Vergleich mit der alten Methode, an Raum verloren geht, wird mehr wie aufgewogen durch die raschere und kräftigere Entwickelung der Sämlinge.

Die dichte Saat wurde oben angeraten, weil die Sämlinge in den Reihen so gedrängt stehen sollen, dass kein Unkraut zwischen ihnen aufkommen kann. Das Jäten in den Reihen muss mit der Hand ausgeführt werden, ist also zeitraubend und kostspielig, ausserdem wirkt es schädlich, weil beim Ausreissen des Unkrautes die Wurzeln der Sämlinge gelüftet werden.

Im Übrigen gilt für diese Saat, was bereits für die Saat auf die dauernden Standorte gesagt wurde. Hinzuzufügen ist nur noch, dass die Samenbeete bis zum Erscheinen der Keimlinge mit Zweigen zu bedecken sind, wenn die Gefahr vorliegt, dass der Samen von Vögeln aufgesucht wird. Das Festwalzen oder Festtreten der Saat, nach dem Bedecken mit Erde, darf bei keiner Methode unterlassen werden. Alsdann bringt man eine dünne Schicht möglichst lockeren Stoffs obenauf, um die Feuchtigkeit zurückzuhalten.

Die Pflege der Sämlinge besteht darin, dass die Beete öfter mit dem Handkultivator gelockert werden, wenn möglich einmal monatlich in der gemässigten Zone, zweimal monatlich in der tropischen Zone. Ferner sind sie zu bewässern, wenn der Regen so lange ausbleibt, dass das Wurzelbereich auszutrocknen beginnt. Damit zögere man nur nicht, sondern gebe, sobald es geschehen muss, eine gründliche Durchfeuchtung, denn einerseits kann durch eine, wenn auch kurze Trockenheit des Bodens, das Wachstum, auf längere Zeit unterbrochen oder doch sehr verlangsamt werden andererseits fördert eine stete und genügende Bodenfeuchtigkeit die Entwickelung der Sämlinge im hohen Grade. In Erinnerung ist zu halten, dass eine häufige Bodenlockerung, wie vorstehend empfohlen, der Erhaltung und Bildung von Feuchtigkeit sehr günstig ist. Als die beste Methode der Bewässerung hat sich die Berieselung erwiesen, namentlich weil sie das Auswachsen von Faserwurzeln fördert. Sobald der Boden nach der Bewässerung hinreichend abgetrocknet ist, neigt er zur Krustenbildung, daher er sofort mit dem Handkultivator zu bearbeiten ist.

In Bezug auf die Errichtung und Benutzung der Bewässerungsanlagen, verweise ich ebenfalls auf den 1. Band der tropischen Agrikultur, in welchem eine ausführliche Schilderung gegeben ist.

Im Falle es unmöglich ist. eine Bewässerungsanlage zu errichten, muss die Saat in diejenige Jahreszeit verlegt werden. welche am feuchtesten ist, bei gleichzeitiger, für das Wachstum genügend hoher Temperatur, in der gemässigten Zone also in's Frühjahr. Unsicher ist der Erfolg aber immer ohne Bewässerungsanlage.

In Gegenden mit strengen Wintern, müssen nach dem Verschwinden des Frostes die Sämlinge genau besichtigt und alle, welche ausgehoben wurden, aufgerichtet und ihre mit frischer Erde bedeckten Wurzeln sorgsam mit der Hand niedergepresst werden.

Für Eichensämlinge ist eine besondere Behandlung anzugeben. Da sie ihre Kraft in der Bildung von Pfahlwurzeln vergenden, eine starke Wurzelverzweigung aber zu ihrer kräftigen Entwickelung erwünscht ist. so werden die Samenbeete wie folgt hergerichtet: auf eine Lage zerbrochener Steine werden die Eicheln gelegt wie in Saatfurchen und dann etwa 5 Centimeter hoch mit vollständig verwester Komposterde bedekt. Die Beete sind gleichmässig feucht zu halten und das Resultat ist, dass die Sämlinge wagerecht verzweigte Wurzeln treiben, anstatt Pfahlwurzeln. Diese Methode ist erfolgreich auch mit anderen Bäumen angewendet worden, die ihre Pfahlwurzeln auf Kosten der Faserwurzeln auszubilden pflegen.

Wenn die Sämlinge etwa ein Jahr alt sind, sollten sie auf andere, im Viereck angelegte grosse Beete versetzt werden. in Reihen, die 80 bis 100 Centimeter auseinander liegen und in einem Abstand von 25 Centimeter in den Reihen. Diese Pflanzweite ermöglicht die Anwendung des Pferdekultivators für die Bearbeitung des Bodens. Die Arten. welche ihr Laub abwerfen, müssen im blätterlosen Zustand versetzt werden, für die immergrünen Arten gibt es wohl auch eine Zeit geringeren Saftflusses, allein man braucht dieselbe nicht abzuwarten; um so wichtiger ist es, ihre Wurzeln nicht trocken werden zu lassen. Sind die Wurzeln eines immergrünen Bäumchens trocken geworden, da darf man es verloren erachten. Die europäischen Forstleute halten die Verpflanzung der Nadelhölzer am zuverlässigsten, wenn sie im Frühjahr ihr Wachstum fortzusetzen begonnen haben, was sie durch Austreiben von gelben Zweigspitzen bekunden.

Beim Verpflanzen der Sämlinge muss man bestrebt sein, möglichst viel Erde an den Wurzeln zu lassen, und da es bei ihrem dichten Stande nicht angänglich ist, einen Erdballen mit auszuheben, so taucht man die Wurzeln unmittelbar nach dem Ausheben in einen bereit stehenden Kübel mit zähem Schlamm. Die so behandelten Sämlinge werden in einem mit einem nassen Tuch überdachten Korb gestellt, der sofort nach den Pflanzstellen getragen wird, wenn er gefüllt ist. Möglichst rasches Versetzen der Sämlinge, einerlei von welcher Art, ist als streng zu befolgende Regel zu betrachten. Vergessen darf aber nicht ein wichtiger Zweck der Verpflanzung werden: das Pikieren der Wurzeln, das heisst das Abschneiden der Spitzen der stärksten Wurzeln mit einer scharfen Scheere. Das Bäumchen ist dadurch gezwungen, seine Wurzeln zu verzweigen und je mehr es dieselben verzweigt, desto besser ist es mit Nährorganen ausgestattet.

Auch die aus fremden Baumschulen bezogenen Bäumchen sollen, wenn irgend möglich, unmittelbar nach Empfang angepflanzt werden. Kann es nicht geschehen, so sind sie zeitweilig in einen Graben zu stellen, der so hoch mit Schlamm angefüllt wird, dass die Wurzeln bedeckt sind.

Für die Anpflanzung sei der Beachtung empfohlen, dass es die Bearbeitung des Bodens mit dem Kultivator sehr erleichtert, wenn die Reihen schnurgerade sind. Die Benutzung der Gartenschnur ist daher geboten. Bei der Anpflanzung im grossen Massstab mag man durch einen geschickten Pflüger seichte Furchen in dem bezeichneten Abstand ziehen lassen; über die Mitte jeder Furche wird die Gartenschnur gespannt, welche mit angeknüpften Bändchen im Abstande von 25 Centimeter behangen ist. Bei beschränkteren Anpflanzungen spannt man erst die Gartenschnur und hebt dann mit einer Schaufel ihrem Laufe entlang eine Furche aus. Wenn diese Vorbereitung getroffen ist, legt ein Arbeiter bei jedem Bändchen der Gartenschnur einen Pflänzling, andere

Arbeiter beschäftigen sich mit dem Setzen. Es ist dabei zu beobachten und mit besonderer Strenge für immergrüne Bäumchen, dass nicht mehr Pflänzlinge aus dem wie oben angegeben mit nassen Tüchern bedeckten Korb genommen werden, als unmittelbar angepflanzt werden können, um ihr Austrockenen zu verhüten. Diesem Zwecke entspricht auch trübes, feuchtes Wetter, das man zu diesem Geschäft wählen soll, wenn immer angänglich. Die Anpflanzung geschieht, indem die linke Hand einen Pflänzling in die Furche setzt, genau unter ein Bändchen der Gartenschnur; die rechte Hand füllt die Furche an dieser Stelle mit Erde aus. Dabei ist sehr scharf darauf zu achten, dass der Pflänzling nicht tiefer in die Erde gebettet wird, als er im Samenbeet sass, da sonst die Rinde über dem Wurzelhals fault, wodurch das Absterben erfolgt. Der Pflänzling muss daher mit der linken Hand während der Erdeinschüttung sanft, aber mit zuckender Bewegung gelüftet werden, sowohl damit er in die richtige Höhe zu sitzen kommt, als auch um zu vermeiden, dass sich Hohlräume unter den Wurzeln bilden, denn dieselben sind dem Leben des Pflänzlings gefährlich. Niemals soll die Erde über den Wurzeln des Pflänzlings festgetreten, sondern nurmit der Hand niedergedrückt werden.

Wenn der Anpflanzung nicht längeres trübes Wetter folgt, müssen die Pflänzlinge eine leichte Beschattung für mehrere Wochen haben; sie ist ihnen für die ganze Dauer ihres Verbleibens in der Baumschule im tropischen Klima zu geben, ohne Rücksicht auf zeitweilige Witterungsverhältnisse. Kleine Beete mag man mit Schirmen beschatten, wie sie oben für die Samenbeete empfohlen wurden, bei ausgedehnteren Anpflanzungen steckt man an die Sonnenseite eines jeden Pflänzlings einen Zweig, ein Holzstück, ein Palmblatt oder irgend einen passenden Gegenstand, den man zur Hand hat. Unter den Tropen legt man diese Beete am besten unter Bäumen mit breiten Kronen an, jedoch mit Vermeidung voller Beschattung. Wie schon erwähnt, ist zum Gedeihen der jungen Waldbäume nur eine Milderung des Sonnenlichts anzustreben.

Die Pflege der Pflänzlinge ist im allgemeinen übereinstimmend mit derjenigen der Sämlinge. Nur mag statt des Handkultivators der billiger arbeitende Pferdekultivator angewendet werden. An mehreren Stellen der tropischen Agrikultur habe ich hervorgehoben und ich wiederhole es hier: zur Bearbeitung des Bodens in engen Reihenpflanzungen steht für die Bespannung des Kultivators das Maultier unübertroffen da. In der nächsten Umgebung der Pflänzlinge muss der Boden mit der Kratzhand oder Hacke gelockert und gereinigt werden und zwar jedesmal, nachdem der Kultivator zwischen den Reihen durchgefahren ist. Ein Arbeiter, der den Kultivator geschickt zu führen versteht, lässt für die Hacke nur wenig zu thun übrig, doch hat er darauf zu achten, dass der Kultivator so seicht läuft, um nicht die Wurzeln der Pflänzlinge in ihrer Lage zu stören.

Ohne Zweifel ist es vorteilhaft, ein zweites Mal zu pikieren, um die Nährorgane der Bäumchen noch weiter zu vervielfachen und damit ihre schnellere und kräftigere Entwickelung herbeizuführen. In der gemässigten und kalten Zone führt man diese Handlung gewöhnlich aus, indem man die Pflänzlinge im folgenden Jahre ihrer Verpflanzung auf ein anderes Beet versetzt, wo man sie nochmals ein Jahr stehen lässt. Dieses Verfahren hat jedenfalls die Schattenseite, dass das Wachstum der Pflänzlinge eine Einbusse erfährt, wenn auch die Verpflanzung während der Saftruhe geschieht, am nachteiligsten und gefährlichsten ist es für die immergrünen Bäume, also in diesem Falle für die Nadelhölzer.

In warmen Ländern hat man sich mit der Versetzung der Pflänzlinge, zum Zwecke des Pikierens, aus zutreffenden Gründen niemals befreundet. Hier wiegen die immergrünen Bäume weit vor, die Saftruhe ist teils eine kürzere, teils fällt sie ganz weg und das heisse Klima macht die Verpflanzung gefährlicher wie in der gemässigten und kalten Zone. Es wird daher ein einfacheres und sicheres Verfahren vorgezogen, das im Pikieren mit einem scharfen Spaten besteht, während die Pflänzlinge auf ihrem Standorte beiben. Man forscht, wie weit sich die Wurzeln im Durchschnitt verbreitet haben, dann sticht man in einem Abstand vom Pflänzling, wo man die Wurzelspitzen zu treffen glaubt, mit dem Spaten senkrecht in den Boden und zwar an den vier Seiten. In Nordamerika hat man zu diesem Zwecke, wie zum Abschneiden der Erdbeerranken, ein Instrument erfunden, das man sich wie einen Schubkarren mit messerscharfem Rad denken möge. Je nachdem man den Karren leichter oder schwerer belastet, sinkt das Schneidrad seicht oder tief in den Boden. Mit diesem Instrument fährt man kreuzweise über die Beete, in beiden Richtungen so nahe an den Pflänzlingen, dass ihre Wurzelspitzen getroffen werden.

Unvollkommen bleibt dieses Verfahren, wie sorgfältig es auch ausgeführt werden mag, weil nur die seitlich, nicht die abwärts wachsenden Wurzeln gekürzt werden können. Als ein wesentlicher Fortschritt ist deshalb die Anwendung des weiter unten zur Darstellung gelangenden Baumgräbers zum Pikieren zu betrachten. Mit diesem Instrument fährt man ebenfalls kreuzweise durch die Reihen, wodurch jeder Pflänzling mit einem viereckigen Erdballen losgeschnitten wird. Anstatt den Erdballen auszuheben, wie es bei der Verpflanzung geschieht, lässt man ihn ruhig in seiner Lage; das seiner Wurzelspitzen beraubte Bäumchen wächst ohne Unterbrechung weiter.

Zu bemerken bleibt noch, dass es tropische Bäume gibt, welche das Pikieren nicht vertragen und für die das Verpflanzen mit grossen Gefahren, besten Falls mit längerem Wachstumsstillstand verknüpft ist. Zuerst wurde das in der Kaffee- und Kakaokultur erkannt, später in der Teak- und Chinchonakultur. Da die Saat auf die bleibenden Standorte aus verschiedenen Gründen nicht rätlich ist, so züchtet man solche Bäume in den ersten beiden Jahren einzeln in Gefässen, um sie mit denselben in die Erde zu setzen oder um sie mit den vollen Erdballen herauszunehmen und auf die bleibenden Standorte zu verpflanzen. Die indische Forstverwaltung hat ihre Teakwälder und teilweise auch ihre Chinchonawälder mit Pflänzlingen angelegt, die in Bambustöpfen gezüchtet wurden. Nur die obere Hälfte des Bambusrohrs wird zu Töpfen verschnitten, weil es noch weich genug ist, um, in die Erde gebracht, bald zu verwesen und damit den Wurzeln der Bäumchen Durchgang zu gestatten. Jedes Stengelglied des Bambusrohrs unter dem Knoten abgeschnitten, gibt einen Topf von 15 bis 20 Zentimeter Länge und 8 bis 10 Zentimeter Durchmesser, dem ein Loch in den Boden geschlagen wird. Die Fassungskraft genügt vollständig für das zweijährige Wachstum des Pflänzlings. Die Töpfe werden mit reicher Erde gefüllt, die vorher in einem Backofen auszuglühen sehr rätlich ist, um die Schädlinge und ihre Eier zu vernichten, welche sie etwa enthält. In jeden Topf werden drei Samen gelegt, die aufsprossenden Sämlinge werden bis auf den kräftigsten entfernt, sobald sie sich so weit entwickelt haben, um einen sicheren Vergleich zu gestatten. Die Töpfe werden in geschlossenen, breiten Reihen mit zwischenliegenden Pfaden gestellt, um sie bequem zu überwachen und behandeln zu können. Beschattet muss der Aufstellungsplatz unter allen Umständen sein, ein Hain von breitästigen Bäumen ist vorzüglich für diesen Zweck geeignet. Ein Lattengehäuse, etwa so, wie man eine Weinlaube baut, bedeckt mit Palmzweigen oder Bananenblättern oder Pfähle, über welche wagerecht Tücher oder Matten gespannt werden, sind andere häufig angewendete Beschattungsmittel. Nicht zu empfehlen ist, gegabelte Stöcke einzuschlagen und wagerecht in die Gabeln gelegte Stöcke mit Bananenblättern oder Zweigen zu bedecken, weil diese lose Bedachung vom Wind weggerissen und auf die Pflänzlinge geworfen wird, welche dadurch zu Schaden kommen.

Ebenso wichtig wie die Beschattung, ist die dauernde Feuchthaltung der Erde in den Töpfen. Zeitraubend und mühsam ist es, die Befeuchtung täglich mit der Giesskanne vorzunehmen, arbeitsfördernder ist die Gartenspritze. Wenn eine wie im 1. Bande der tropischen Agrikultur beschriebene Wasserröhrenleitung vorhanden ist, geht das Begiessen mittels eines angeschraubten Schlauches rasch und mühelos von statten. Als der beste Plan aber hat sich erwiesen, einen sanft geneigten Aufstellungsplatz zu wählen, der wie eine Tenne gestampft wird. Ueber diesen Platz wird ein sich über die ganze Breite ausdehnender, dauernder Wasserstrom geleitet. Vermöge der Haarrohrkraft steigt das Wasser in die Erde der Töpfe, nachdem es das Bodenloch durchdrungen.

Bekanntlich wird in der Blumengärtnerei häufig das Wasser nur in die Untersätze der Töpfe gegossen, von wo aus es zu den Wurzeln der Blumen dringt. Dieses Vorbild ist mit geeigneter Abänderung nachgeahmt worden in jenem Plan, der sich vorzüglich bewährt hat. Die Erde trocknet nicht aus durch die Nachlässigkeit in der Überwachung, sie wird aber auch nicht mit Feuchtigkeit übersättigt, sondern empfängt ohne Unterbrechung die für das Wachstum günstigste Wasserzufuhr.

Wenn die Bäumchen etwa 2 Jahr alt sind, werden sie mit den Bambustöpfen an ihre dauernden Standorte gesetzt. Wie bereits angedeutet, verwesen die Töpfe rasch und die Wurzeln können sich ungehindert ausbreiten.

In anderen tropischen Gegenden hat man glücklicke Versuche gemacht, Körbchen aus Schilf, Binsen, Span oder ähnlichem

Material statt Bambustöpfen anzuwenden. Irgend ein Stoff, der in der Erde rasch verwest, wird sich als geeignet erweisen.

Bemerkenswert ist, dass in der tropischen Baumzucht, soweit sie mit der Forstkultur nicht in Verbindung steht, die Blumentöpfe mehr und mehr zur Anwendung kommen und zwar in der gleichen Weise wie die Bambustöpfe in der Forstkultur, nur dass sie nicht mit in die Erde gesetzt werden. Scheinbar ist diese Kulturmethode teuer durch die Anschaffung der Töpfe und den unvermeidlichen Bruch, allein die Züchter haben gefunden, dass sie auf die Dauer billiger, ausserdem viel sicherer ist wie die ältere Methode in der Baumschule. Unter den Tropen spielt die Schädlingsplage eine ganz andere Rolle wie im gemässigten Klima, und diese Gefahr kann am wirksamsten durch die Zucht in Töpfen abgewehrt werden. Da vorzugsweise immergrüne Bäume in Frage kommen, die sehr empfindlich gegen das Verpflanzen sind, so liegt ein weiterer Vorteil der Topfkultur klar vor Augen. Die tropischen Arbeiter pflegen nicht sorgfältig zu sein, leichter sind sie in ihrem Thun und Treiben zu kontrolieren, wenn man sie Bäume in den Töpfen statt in den Baumschulen pflegen lässt. Wird die Topferde, wie es geschehen soll, im Backofen ausgeglüht, dann geht aller Unkrautsamen zu Grunde und das lästige, kostspielige Jäten fällt weg, das in einer tropischen Baumschule m i n d e s t e n s einmal monatlich ausgeführt werden muss. Genug, der Topfkultur stehen so bedeutende Vorzüge zur Seite, dass sich ihre allgemeiner werdende Beliebtheit wohl begreifen lässt.

Noch einer anderen, für die tropische Zone geeigneten Züchtungsmethode ist zu gedenken. Kistchen, so gross, dass sie bequem getragen werden können, etwa 10 Zentimeter tief und mit fein durchlöchertem Boden zum Abzug des Wassers, werden mit guter, gesiebter und ausgeglühter Saatbeeterde gefüllt und mit Holzspänen oder Pappdeckeln in Abteilungen getrennt, von welchen jede so gross ist, um einen Pflänzling ernähren zu können. Die Scheidewände sollen verhindern, dass sich die Wurzeln der Pflänzlinge inander verwickeln und das Ausheben jedes Pflänzlings mit einem wohlerhaltenen Erdballen sicher und schnell von statten geht. Die Saat und Behandlung erfolgt genau so wie oben für die Töpfe angegeben; zur Versetzung trägt man die Kistchen nach den Pflanzstellen, hebt mittels einer Kelle Pflänzling für Pflänzling mit dem Erdballen aus, um ihn unmittelbar in das bereits gefertigte Pflanzloch zu setzen.

Es mag scheinen, diese Methode sei nur für die Züchtung im kleinen Massstabe passend, doch kann ich versichern, dass es Baumschulen gibt, wo jährlich einige hunderttausend Bäumchen — namentlich australische Gummibäumchen — in solchen Kistchen gezüchtet werden. Es sind auch nur die verhältnismässig nicht bedeutenden Anschaffungskosten der Kistchen, welche in Betracht kommen, denn der beanspruchte Raum ist nicht grösser als bei der Züchtung auf Saatbeeten, das Jäten fällt weg und die Verpflanzung ist billiger. Bei dem Setzen auf die dauernden Standorte mögen solche Arten pikiert werden, die es vertragen können, indem man ohne Berührung des Erdballens die überstehenden Wurzelspitzen abschneidet. Hält man ein zweimaliges Pikieren erwünscht, und will man diese Zuchtmethode beibehalten, dann ist das erste Pikieren bei einer Verpflanzung in tiefere Kisten mit grösseren Abteilungen vorzunehmen, denn die Pflänzlinge bedürfen nun einer längeren Zeit bis sie auf die dauernden Standorte übertragbar sind. Wohl ausführbar, aber weniger zu empfehlen ist, die Pflänzlinge nach dem Pikieren in die nämlichen Kistchen zurückzusetzen. Ein ähnliches Verfahren ist bei der Topfkultur einzuhalten, mit der Beachtung, dass die Töpfe nicht grösser sein sollen, als durchaus notwendig ist und zwar aus zwei Gründen: die nicht von Wurzeln durchzogene Erde neigt zum Versauern und an der Topfwand pflegen sich die meisten Wurzeln zu bilden. Es wird nun begreiflich sein, warum nach gärtnerischer Regel, der Same in kleine Blumentöpfe gesät und den Sämlingen erst beim Pikieren grössere Töpfe gegeben werden.

Die Bewurzelung von Ablegern, Stecklingen und Schnittlingen.

Dieser Fortpflanzungsmethode bedient sich der Forstmann nur selten, sie bleibt gewöhnlich auf die Gattungen der Weide und Pappel beschränkt. Ausführbar ist sie zwar noch mit manchen anderen Waldbäumen, kann aber nicht empfehlenswert erscheinen, weil die Bewurzelung mangelhaft ist und bleibt, die Bäume daher nicht nur in der Entwickelung zurückbleiben, sondern auch eher absterben wie solche, die aus Samen gezüchtet wurden.

Im gewöhnlichen Leben pflegt man die Bezeichnungen Stecklinge und Schnittlinge unterschiedslos zu gebrauchen, nicht so in Fachkreisen, wo man junge, belaubte Triebe als Stecklinge betrachtet, Schnittlinge werden ein- oder mehrjährigen Zweigen nach dem Blattfall entnommen.

Zu Schnittlingen wählt man am besten Holz des letztjährigen Wuchses, zur Zeit wenn es blätterlos ist. Wohl bewurzeln sich auch Stecklinge aus älterem Pappel- und Weidenholz, allein sie werden in der Regel hohl, weil sich an ihrem Fussende kein Wundgewebe bildet, die Fäulnis des Kernes also einsetzen kann. Selbstverständlich ist die Lebensdauer kurz.

Die Schnittlinge schneidet man 15 bis 20 Zentimeter lang, schräglaufend an ihren Fussenden ab. Zu ihrer Aufnahme zieht man eine Furche, in welche man sie senkrecht so tief stellt, dass nur die beiden obersten Augen nach der Bedeckung mit Erde frei bleiben. Mit der linken Hand hält man den Schnittling und holt mit der rechten Hand Erde herbei, um sie rings des Fussendes festzudrücken. Dabei ist darauf zu achten, dass die Schnittfläche des Stecklings dicht mit Erde unterlegt wird, denn wenn an dieser Stelle ein Hohlraum bleibt, bildet sich in der Regel kein Wundgewebe, was gleichbedeutend mit dem Verlust des Schnittlings ist. Wenn alle Schnittlinge in dieser Weise aufgerichtet sind, wirft man die Furche mit der Schaufel zu und tritt die Erde von beiden Seiten gegen die Schnittlinge fest.

Die Behandlung der Schnittlinge stimmt mit derjenigen überein, welche oben für die Sämlinge angegeben wurde.

Wenn man Schnittlinge im Herbst schneidet, muss man sie während des Winters an einem frostfreien Orte, unter, einer passenden Bedeckung aufbewahren. Das empfehlenswerteste Verfahren ist, sie in einem Keller in feuchtem Sand zu betten. Es beginnt sich dann schon während der Lagerung das Wundgewebe zu bilden, wodurch die Bewurzelung im Frühjahr beschleunigt wird.

Stecklinge können mit Aussicht auf Erfolg nur in Kasten oder Töpfen bewurzelt werden, die mit reinem Sand gefüllt sind, der gleichmässig feucht und warm zu halten ist. Dieses Verfahren ist für die Forstkultur zu umständlich, um in Betracht kommen zu können.

Noch seltener kommt die Bewurzelung von Ablegern in der Forstkultur vor, für die Nadelhölzer ist sie sogar vollständig ausgeschlossen. Dieses Verfahren fordert die Wahl eines Zweiges, der sich zum mindesten mit seiner oberen Hälfte zur Erde niederdrücken lässt. Von dem Punkte an, wo er zuerst die Erde berührt, wird ein Gräbchen ausgehoben, bis etwa eine Hand lang von der Spitze. In dieses Gräbchen wird der Zweig gelegt, mit Holzhaken befestigt und mit feinem Humus hoch bedeckt. Nach einem halben Jahre bei günstigen Wachstumsverhältnissen, wird er an der Stelle, wo er in die Erde tritt abgesägt und aufgehoben. Ist die eingebettet gewesene Stelle lang, so schneidet man einen Teil ab, damit die Bewurzelung nicht länger ist, als bei einem gleichgrossen Bäumchen aus Samen gezüchtet. Wenn der Zweig an seiner Biegestelle halb durchschnitten werden muss, ist es mindestens unter den Tropen notwendig, den Saft aufzusaugen, da er sonst Fäulnis erzeugt. Gewöhnlich geschieht das mittels eines vorher im Ofen getrockneten Backsteins, der auf die Schnittfläche gebunden wird. Unter den Tropen macht man zuweilen an Bäumen, von welchen schwierig Samen zu gewinnen ist, in langen, schmalen, mit Erde gefüllten Kistchen Absenker. In der Krone, wo Gelegenheit geboten ist einen schönen Zweig abzusenken, bindet man das Kistchen fest und verfährt im Übrigen wie bereits angegeben. In der Mitte der Regenzeit ist die meiste Aussicht für das Gelingen dieses Verfahrens vorhanden. Nach 3 bis 4 Monaten haben die Absenker Wurzeln getrieben und werden nun abgeschnitten, häufig um als „Stockpflanzen“ zu dienen. Im Treibhause wird ein 50 Zentimeter tiefes Beet aus sehr fruchtbarer Erde hergestellt, dem man gelegentlich etwas Bodenwärme geben kann, doch ist es nicht durchaus nötig. In dieses Beet werden die Stockpflanzen in Abständen von 15 Zentimeter gesetzt und sobald sie fest angewurzelt sind, dienen ihre Triebe als Stecklinge. Auf diese Weise kann man sich eine lang anhaltende Quelle von Stecklingen verschaffen, die gerade so behandelt werden, wie die von den Bäumen geschnittenen Stecklinge. Zuweilen wird auch von der Fortpflanzung gewisser Waldbäume durch Veredelung auf passende Unterlagen gesprochen, doch sind in der Regel Zierbäume gemeint, welche in der Landschaftsgärtnerei dienen sollen. Für die Forstkultur kann dieses Verfahren ausser Betracht bleiben.

Die Anpflanzung.

Es hängt so viel vom Boden, Klima und anderen Umständen ab, in welchem Alter die Pflänzlinge auf die dauernden Standorte versetzt werden sollen, dass keine allgemeingültige Regel zu geben ist. Für Wallnuss- und Hickorybäume darf übrigens mit Bestimmtheit ein zweijähriges Alter angegeben werden. Manche behaupten, diese Bäume vertrügen das Verpflanzen, Andere sie vertrügen das Pikieren nicht. Das ist ein beiderseitiger Irrtum. Sowohl das Verpflanzen wie das Pikieren vertragen diese Bäume ganz gut, aber in jugendlichem Alter unter 2 Jahren. In einem späteren Alter treten leicht nachteilige Folgen ein, wie längerer Stillstand des Wachstums, Siechtum oder gar der Tod. Auch die meisten tropischen Bäume werden am vorteilhaftesten angepflanzt, wenn sie ein Jahr auf dem Saatbeet und ein Jahr auf dem Versatzbeet gesessen haben, also zwei Jahre alt sind. In selteneren Fällen wird es angezeigt sein, sie zwei Jahre auf dem Versatzbeet zu lassen, also ihr drittes Lebensjahr abzuwarten. Am sichersten geht man in der Regel, wenn man sich die Entwickelung der Pflänzlinge zur Richtschnur dienen lässt. Unvorteilhaft ist es unter allen Umständen, grosse, alte Pflänzlinge zu versetzen und zwar um so unvorteilhafter, je dürftiger der Boden des neuen Standortes ist. Langsames Wachsen auf mehrere Jahre hinaus, oder andauernder Wachstumsstillstand sind die Folgen. Im allgemeinen bezeichnet eine Höhe von 50 bis 75 Zentimeter den für die Anpflanzung geeignetsten Entwickelungszustand, nicht allein für die Waldbäume, sondern auch für die Fruchtbäume, was freilich die europäischen Züchter nicht einsehen wollen.

Von grosser Wichtigkeit für die erste und oft entscheidende Entwickelung der Bäume ist eine mehrmalige Bearbeitung des Bodens mit dem Pflug nud Untergrundpflug, unter der selbstverständlichen Voraussetzung, dass es die Verhältnisse zulassen. Liegt der Fels nahe der Oberfläche oder ist die Lage sehr hängend, dann kann der Pflug nicht zur Anwendung kommen, allein es wird häufig versäumt, ihn anzuwenden, wo die Möglichkeit vorliegt und das ist tadelnswert. Die gründliche Bodenbearbeitung macht sich überreichlich bezahlt durch eine um Jahre eher herbeigeführte Ernte, in vielen Fällen auch noch durch mehr und wertvolleres Holz.

Ebenso hat als Bedingung zu gelten, dass die Bäume in schnurgerade Reihen zu setzen sind, wenn ausführbar. Auf felsigem, zerrissenem Gelände ist keine bestimmte Anordnung einzuhalten, man muss die zur Anpflanzung geeigneten Plätze aussuchen, wie sie sich bieten. Es giebt verschiedene Reihenpflanzungen und jede hat ihre Anhänger. Man kann die Bäume so pflanzen, dass je vier ein rechtwinkeliges Viereck bilden, indem man die Reihen in gleichweiten Abständen kreuzweise über das Gelände zieht. Nach einem andern Plane werden die Bäume in entgegengesetzte Reihen gepflanzt, das heisst, die Reihen werden wohl in gleichen Abständen gezogen, jedoch so, dass die Bäume der zweiten Reihe den Mittelpunkten der Lücken der ersten Reihe gegenüber stehen, die Bäume der dritten Reihe stehen den Mittelpunkten der Lücken der zweiten Reihe gegenüber, also mit den Bäumen der ersten Reihe in einer Linie. So wird fortgefahren. Drei Bäume bilden ein Dreieck und jeder Baum steht im Mittelpunkte eines Sechsecks. Zu Gunsten dieser Anordnung wird gesagt, auf derselben Fläche könnten, bei gleichem Abstande, etwa 15% Bäume mehr untergebracht werden, wie bei der rechtwinkeligen Pflanzung und doch sei den Wurzeln eine ungehindertere Ausbreitung und den Kronen eine grössere Lichtfülle gegönnt. Damit ist eine unleugbare Wahrheit ausgesprochen, die jedoch für die Waldbaumzucht eine weit geringere Bedeutung besitzt, wie für die Obstbaumzucht. Nach einem dritten Plane können die Reihen einen weiteren Abstand haben, als die Bäume in den Reihen gepflanzt sind. Diese Anordnung bin ich geneigt, für die tropische Zone als die empfehlenswerteste zu halten aus den folgenden Gründen. Werden die Reihen 1 Meter von einander gezogen und die Bäume in einem Abstand von 50 Centimeter in den Reihen gesetzt, so ist die Möglichkeit gegeben, den Boden die beiden ersten Jahre mit dem Pferdekultivator zu bearbeiten, was zwar in allen Zonen, ganz besonders aber in der tropischen, von hervorragendem Nutzen ist, weil hier das Unkraut am üppigsten wuchert und der Boden am härtesten von Regengüssen festgeschlagen wird. Gleichzeitig findet eine enge Pflanzung statt und eine solche ist in der Forstkultur nach Möglichkeit zu erstreben. Es gilt, den Boden bald so zu beschatten, dass die Verdunstung der Feuchtigkeit gehemmt ist und kein Unkraut aufkommen kann, die Bäumchen sollen sich gegenseitig vor dem Wind und zu heisser Besonnung ihrer Stämme schützen, der wichtigste Grund aber ist, gerade, hohe, astfreie Stämme zu erzielen. Als Regel sind alle Bäume viel leichter geneigt, eine niedrige, breite

Krone zu treiben, wenn sie frei, anstatt gedrängt stehen, namentlich in einem trockenen, windigen Klima. Die Forstleute pflegen deshalb die Bäume enger anzupflanzen, als sie vollerwachsen stehen können und nach und nach eine entsprechende Durchforstung vorzunehmen.

Eine solche Durchforstung geht auch im Urwald vor sich. Hier sehen wir die stärkern Bäume die schwächeren überschatten und schliesslich töten, so dass verhältnismässig wenige von den Vielen, welche als Sämlinge oder Wurzelschösslinge ins Leben traten, zur Reife gelangen. In einem Kulturwalde wartet man nicht auf das Absterben, sondern durchforste schon vorher, und zwar an bestimmten Zeitpunkten und in der ganzen Anpflanzung. Wird zu lange damit gewartet, dann wachsen die Stämme zu schlank, was gleichbedeutend mit Schwäche ist, geschieht es zu früh, dann geht der Zweck: die Bäumchen durch Beschattung in die Höhe zu treiben, verloren. Eine bestimmte Regel, wann durchforstet werden soll, kann nicht aufgestellt werden, sondern der Forstmann muss nach den vorliegenden Umständen sich ein Urteil über den richtigen Zeitpunkt bilden. Das Gleiche gilt bezüglich des Abstandes, bis zu welchem die Durchforstung fortgesetzt werden soll. Das nur ist allgemeingültig: die Nadelhölzer dürfen enger stehen wie die Laubhölzer.

Es ist ein sehr vorzügliches Verfahren beim Anpflanzen wertvoller Bäume, welche gerade, astfreie Stämme treiben sollen, sie in wechselnden Reihen, und auf wechselnde Plätze in den Reihen, mit Bäumen anderer Art von schnellerem Wuchse, wenn auch geringerem Wert zu setzen. Die Letzteren sind abzuholzen, wenn ihr Schutz und Schatten nicht länger nötig ist und die zur Erhaltung bestimmten Bäume den ganzen Boden beschatten. So wachsen Eichen in der Umgebung von Fichten freudig auf, für Wallnussbäume und Eschen bilden Weiden und Pappeln ausgezeichnete Schutzbäume. Der schnellwachsende Catalpa (Catalpa speciosa) hat sich als Genosse für den Zuckerahorn, den Hickory- und Mahagonibaum bewährt.

Um die Anpflanzung möglichst rentabel zu machen, ist solchen Schutzbäumen der Vorzug zu geben, welche in jugendlichem Zustande zu einem bestimmten Zwecke Verwendung finden können, beispielsweise zu Fassreifen, Hopfenstangen, Rebenpfählen, Telegraphenstangen, oder welche in ihrer Rinde einen gesuchten Gerbstoff liefern. Pappeln und Weiden sind zu Fassreifen verwendbar, der Catalpa dient zu Hopfen- und Telegraphenstangen und die schwarze Akazie Australiens kann schon von ihrem 5. Jahre ab zur Gewinnung des geschätzten Gerbstoffes „Mimosarinde“ benutzt werden.

Die gemischte Anpflanzung sollte überhaupt die Regel, die ungemischte die Ausnahme bilden. Die Vorteile der gemischten Anpflanzung bestehen darin, dass die Bäume nicht zu gleicher Zeit reifen, der Boden also stets beschattet gehalten werden kann.

Ferner können auf einer bestimmten Fläche mehr Bäume ernährt werden, weil die verschiedenen Baumarten verschiedene Ansprüche an den Boden als Nahrungsquelle stellen, und ihre Bewurzelungen in teils seichteren, teils tieferen Erdschichten Nahrung suchen. Auch bietet die gemischte Anpflanzung einen gewissen Schutz gegen Sturm, Feuer, pflanzliche und tierische Schädlinge.

Ungemischte Anpflanzungen sollen nur mit solchen Arten ausgeführt werden, welche während ihres ganzen Lebens eine dichte Belaubung bewahren, und den Boden durch eine starke Laub- oder Nadeldecke bereichern. Verhältnismässig wenige Arten besitzen diese Eigenschaften, zu ihnen gehören die Buche, die Nadelhölzer und der Catalpa.

Es ist dabei wohl zu beachten. dass die meisten Baumarten in ihrer Jugend eine dichtere Belaubung haben. wie im zunehmenden Alter.

Auch die Verhältnisse des Bodens, namentlich die Tiefe und Natur des Untergrunds und der Feuchtigkeitsgehalt, wie das Klima üben Einfluss darauf. Der Wallnussbaum ist gewöhnlich ein dichtschattiger Baum, auf seichtem Boden nimmt er aber bald eine dünne Belaubung an. Die Birke ist sehr lichtbedürftig, nur auf feuchtem Humusboden verträgt sie beträchlichen Schatten.

Auf tiefem, von Natur feuchtem Boden braucht selbstverständlich die Bodenfeuchtigkeit nicht durch eine gemischte Anpflanzung oder durch die Anpflanzung dichtschattiger Bäume gewahrt zu werden. Hier dürfen dünnschattige Bäume angepflanzt werden, namentlich für den Schlagholzbetrieb.

Es würde ein schwerer Missgriff sein, zu einer gemischten Anpflanzung mehrere Baumarten aufs Geradewohl zu wählen, denn es ist hierbei in Rücksicht zu ziehen:

a) ihre verhältnismässige Fähigkeit. die Beschaffenheit des Bodens zu bewahren oder zu bessern;
b) die Abhängigkeit ihrer Entwickelung von einer stärkeren oder geringeren gegenseitigen Beschattung;
c) der Fortschritt ihres Wachstums;
d) ob der betreffende Boden ihren Wachstumsbedingungen entspricht.

Die dichtbelaubten Arten, namentlich die immergrünen, sind am besten geeignet. den Boden in der gewünschten Beschaffenheit zu erhalten. Dichtbelaubte Arten können viel Schatten ohne Hemmnis für ihre Entwickelung vertragen, während dünnbelaubte Arten leicht durch starke Beschattung unterdrückt werden. Die Abhängigkeit vom Licht, sowie das Fortschreiten des Wachstums — das sind die beiden hauptsächlichsten Punkte, welche bei der Wahl der Arten zur gemischten Anpflanzung zu berücksichtigen sind.

Im Einklange mit den vorstehenden Bemerkungen. stehen die folgenden allgemeinen Regeln:

1. die vorherrschende Art, das heisst diejenige, welche den grösseren Teil des Bodens einnimmt, muss bodenbessernd wirken also dicht belaubt sein;
2. dichtbelaubte Arten mögen im Gemenge stehen, wenn die langsam wachsenden beschützt werden können gegen die Überschattung der schnellwachsenden, entweder indem die ersteren eher oder in grösserer Zahl gepflanzt oder die letzteren zurück- oder frühzeitig ausgehauen werden;
3. dichtbelaubte Arten mögen mit dünnbelaubten gemischt stehen, wenn die letzteren eher gepflanzt werden oder schneller wachsen wie die ersteren;
4. dünnbelaubte Arten sollen nicht ungemischt angepflanzt werden, ausgenommen auf sehr fruchtbarem, feuchten Boden;
5. die dünnbelaubten Arten vereinzelt in den Mischwald zu stellen. ist der Gruppenpflanzung vorzuziehen, es sei denn, die Bodenverhältnisse machen die Besiedelung gewisser Plätze durch eine für dieselben besonders geeignete Art erwünscht, wie beispielsweise die Esche für feuchte Stellen. Wenn eine langsamer wachsende, lichtbedürftige Art Seite an Seite mit einer schneller wachsenden, dichtbelaubten Art wächst, bei-

spielsweise die Eiche und der Catalpa, dann wird eine Gruppe Eichen besser wie das einzeln stehende Individuum den Schatten des dichtbelaubten Catalpa ertragen.

Angenommen, der Boden sei in der angeratenen Weise vorbereitet und die als beste bezeichnete Pflanzweite gewählt worden, welche übrigens für manche Baumarten etwas verengt, für andere vergrössert werden kann, dann sind die Reihen in dem Abstand von 1 Meter abzumessen und an beiden Endpunkten mit je einem Pflock zu bezeichnen. An diese beiden Pflöcke wird die Gartenschnur gebunden, an welcher im Abstande von 50 Zentimeter farbige Bändchen geknüpft sind, die bezeichnen, wo die Bäumchen zu setzen sind. Der Schnur entlang wird eine Furche gezogen, wie oben für die Versetzung der Pflänzlinge angegeben, nur muss sie entsprechend tiefer und breiter sein. Ich mache darauf aufmerksam, dass man, gegenüber dem älteren Verfahren, an jeder Pflanzstelle mit dem Spaten ein Loch zu graben, durch das Pflügen einer Furche eine beträchtliche Kraft- und Zeitersparnis erzielt. Das gilt in erhöhtem Masse für den Anpflanzungsplan in rechtwinkeligen Vierecken, denn der Pflug lässt sich im Kreuz über das Gelände führen und jeder Kreuzungspunkt ist eine Pflanzstelle. Nachdem die Bäume gesetzt sind, können die offen gebliebenen Furchenstellen zugeeggt werden. Selbstverständlich muss der Pflug einer gespannten Schnur entlang geführt werden, denn die Pflüger sind ausserordentlich selten, welche eine Furche ziehen können, so gerade, wie der vorstehende Zweck erheischt.

Für den Fall, dass der Anpflanzung in entgegengesetzten Reihen der Vorzug gegeben wird, empfehle ich das im 1. Bande der tropischen Agrikultur geschilderte Verfahren mit der abgebildeten Triangel. Dasselbe hat zwar den Nachteil, dass die Pflanzstellen mit dem Pfluge nicht ausgehoben werden können, dagegen steht ihm der Vorteil zur Seite, dass jeder Baum den ihm zugemessenen Platz mit der grössten Genauigkeit einnimmt, die Reihen mithin musterhaft gerade werden. Auf gebrochenem Gelände wird man vielleicht diesen Anpflanzungsplan am zusagendsten finden.

Es ist zunächst der Behandlung des Pflanzenmaterials zu gedenken. Wo ältere Wälder vorhanden sind, wird man die wilden Sämlinge zur Aufforstung benutzen wollen. Dagegen ist vom forstwirtschaftlichen Standpunkte aus nichts einzuwenden, nur die Vorsicht ist anzuraten, solche Sämlinge auszuheben, welche nicht sehr gedrängt mit ihren Genossen stehen und dem Licht und der Luft ausgesetzt sind, wenn auch in mässigem Grade. Wenn Sämlinge aus dem vollen Schatten des Waldes in das Tageslicht einer Neupflanzung übertragen werden, zeigt sich gewöhnlich der jähe Wechsel lebensgefährlich, mit wie grosser Sorgfalt auch die Wurzeln vor der Luftberührung bewahrt wurden — eine Vorsicht die nicht ernst genug beachtet werden kann.

Bei dem Ausheben ist die möglichste Erhaltung der Faserwurzeln zu erstreben, ferner muss die Bewurzelung unverweilt in ein bereitstehendes Gefäss mit zähem Schlamm getaucht werden, einerlei ob die Sämlinge den Nadelhölzern oder Laubhölzern angehöten. Die Aushebung mit einem Erdballen würde vorteilhafter sein, allein sie ist bei der in einem Walde herrschenden Wurzelverflechtung und dem lockeren Humusboden in der Regel nicht ausführbar. Nach der Wurzelbeschlämmung werden die Sämlinge aufrecht, aber nicht sehr gedrängt und in nicht mehr wie einer Schichte in eine Kiste oder einen Korb gestellt und mit einem nassen Tuch überdacht. Die Anpflanzung sollte ohne Zeitverlust geschehen und kann sofort auf die dauernden Standorte stattfinden. Nadelhölzer kommen indessen besser fort, wenn sie zunächst ein Jahr oder zwei in der Baumschule gepflegt werden. Die Übertragung aus dem Walde nach den Pflanzstellen wird sehr begünstigt durch trübes, feuchtes Wetter und gefährdet durch trockenen Wind. Namentlich ist der trockene, heisse Wind, welcher in fast allen Gegenden der tropischen und halbtropischen Zone zeitweilig auftritt, den immergrünen Bäumchen ausserordentlich verderblich, ihre Verpflanzung sollte niemals bei solcher Witterung unternommen werden.

Auch das ist zu beachten, dass die Sämlinge in dem Alter von 1 bis 2 Jahren dem Walde entnommen werden sollen, denn ihre Verpflanzung ist nicht allein sicherer, wie diejenige älterer Sämlinge, sondern sie überholen dieselben auch in der Entwickelung.

Die Praxis hat sich erhalten und wird sogar noch oft in forstlichen Büchern empfohlen, beim Verpflanzen die Zweige einzuspitzen, um das Gleichgewicht mit der Bewurzelung herzustellen, die unvermeidlich einen grösseren oder geringeren Verlust erleidet. Wie schon lange in der Obstbaumzucht, so hat man in neuerer Zeit auch in der Waldbaumzucht erkannt, dass das Einspitzen, zum mindesten der Leitzweige, bei der Verpflanzung nachteilig ist, und wenn es auch nur selten das Absterben des Bäumchens herbeiführt, so verursacht es doch häufig das Verdorren mehrerer Zweige, wodurch nicht allein die Entwickelung gehemmt, sondern auch das Ebenmass des Wuchses gestört wird. Der aufsteigende Saft drängt nämlich nach den Spitzen der Leitzweige, um da zunächst Blätter zu bilden; wird ihm der Weg abgeschnitten, so zieht er sich oft ganz aus dem Zweige zurück. Auch möge man bedenken, dass die Blätter wichtige Nährorgane sind und ein Bäumchen derselben teilweise durch Einspitzen zu berauben, zu einer Zeit, wo es an der Bewurzelung einen Verlust an Nährorganen erlitt, ist gewiss thöricht. In der Abhandlung über die Pflanzenkunde wurde gesagt, die Wurzeln wüchsen mit dem Bildungssaft, der in den Blättern zubereitet würde. Wenn man eine mangelhafte Belaubung des Bäumchens willkürlich herbeiführt, wie kann es da im Stande sein, den bei der Verpflanzung erlittenen Wurzelverlust zu ersetzen? Doch nicht eher, bis der Verlust der Belaubung ersetzt ist. Wenn die Wurzeln eine starke Einbusse erlitten haben, wird allerdings das Gleichgewicht zwischen Wasserzufuhr und Verdunstung gestört, herzustellen ist es in diesem Falle durch das Verschneiden einiger der untersten Zweige, oder das Gezweige mag etwas ausgedünnt werden; das Einspitzen ist aber unter allen Umständen verwerflich.

Ferner soll das Zurückschneiden bis über den Wurzelhals nicht eher ausgeführt werden, bis die Wurzeln sich vollständig angesiedelt haben. Es gibt nämlich Bäume, namentlich zu nennen sind die Eiche und Kastanie, welche einen stärkeren Schössling treiben, wenn sie dicht über dem Wurzelhals abgeschnitten werden. Man pflegt diese Eigenschaft zu benutzen, um ein kräftigeres Stämmchen zu erzielen, wenn das erste schwach aufwächst. Das Zurückschneiden findet mit dem sichersten Erfolg statt, nachdem die Blätter abgefallen sind.

Die Pflänzlinge, welche der Baumschule entnommen werden, sind ebenfalls in ihrer Bewurzelung möglichst zu schonen. Die unvermeidlichen Wundstellen der letzteren mögen mit Teer bestrichen werden, es sei denn, sie befinden sich an den Spitzen und haben eine glatte Fläche. Diese Vorsichtsmassregel ist auch bei den Sämlingen des Waldes anzuwenden, sie empfiehlt sich ganz besonders für tropische Bäume mit weichen Wurzeln.

In der Baumschule können die Pflänzlinge jedenfalls mit Erdballen ausgehoben werden, wenn auch erst nach vorheriger Befeuchtung des Bodens; für den Fall, dass ein Erdballen beim Ausheben teilweise verkrümelt, hält man ein Gefäss mit zähem Schlamm bereit, um in denselben die entblössten Wurzelstellen zu tauchen.

Das Ausheben kann mit einem gewöhnlichen Spaten geschehen, der von den vier Seiten in schräger Richtung mit scharfem Stiche unter den Pflänzling zu stossen ist. Zeitsparender ist, wenn fünf Arbeiter gemeinschaftlich thätig sind; vier stechen gleichzeitig mit Spaten unter den Pflänzling und heben ihn in die Höhe, der Fünfte nimmt ihn ab, um ihn auf den Wagen zu legen, der nach den Pflanzstellen fährt. Zum Versetzen junger Nadelhölzer, die, wie schon erwähnt, gegen Wurzelentblössung ganz besonders empfindlich sind, erfand der Forstlehrer Professor Heyer in Giessen einen Bohrspaten, der von dem gewöhnlichen Spaten nur darin abweicht, dass das Blatt nahezu cylinderisch gebogen ist, mit einem Durchmesser von 15 Centimeter. Die dem Stil entgegengesetzte Seite ist offen, so dass der Spaten rund um das Bäumchen geführt werden kann. Dieses einfache Instrument wird mit dem Fusse niedergestossen, im Kreise herumgeführt, wobei ein Erdballen mit den Wurzeln abgestochen wird, und dann mit dem Pflänzling in die Höhe gehoben, der an einer nahen Stelle in ein vorbereitetes Pflanzloch gesetzt werden kann, ohne dass er den Spaten verlässt. Dieser Bohrspaten ist recht empfehlenswert für das Ausheben wilder Sämlinge im Walde oder zerstreut stehender Pflänzlinge, für die Massenarbeit in der Baumschule wird er aber in jeder Hinsicht weit übertroffen von dem bereits erwähnten Baumgräber.

Von den verschiedenen, in Nordamerika erfundenen und im Gebrauche befindlichen Baumgräbern erscheint mir der in der Abbildung, Figur 1 und 2 veranschaulichte, welcher den Namen Whitney's improved western tree digger führt, der empfehlenswerteste. Da die Front wie Seitenansicht dargestellt ist, so genügen wenige erläuternde Worte. Das scharf auslaufende Schneidblatt ist von Gussstahl, 75 Millimeter dick und 35 Zentimeter breit, mit Löchern in den beiden Seiten, um die Sterzen höher oder tiefer stellen zu können, in Anpassung an die Grösse der auszuhebenden Bäumchen. Sind die Sterzen so hoch wie möglich gesetzt, dann geht der Fuss des Schneidblattes in einer Tiefe von 45 Zentimeter. Zur Bespannung sind zwei Pferde erforderlich, die ohne Zugscheit angeschirrt werden und die Pflänzlingsreihe zwischen sich lassend,

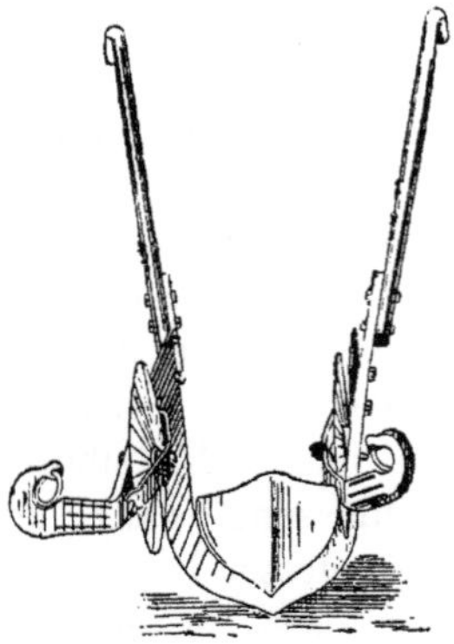

Figur 1.

Figur 2.

vorwärts gehen. Zugscheite sind offenbar nicht am Platze, daher müssen die, natürlich zu verlängernden Zugketten direkt in die Zugringe des Baumgräbers gehängt werden. Es gibt übrigens auch ein für diesen Zweck brauchbares Zugscheit, das halbkreisförmig gebogen und mit den Zugriemen des Geschirrs, etwa handbreit hinter dem Schwanze hängend, verbunden wird.

Der Baumgräber wird kreuzweise durch die Reihen der Baumschule geführt, wodurch er jeden Pflänzling mit einem viereckigen Erdballen glatt abschneidet, und nur das Ausheben zu thun übrig bleibt. Die Wurzeln werden in gleicher Länge abgeschnitten, nicht in ungleicher wie mit dem Spaten, was für den Versand von Bedeutung ist, da sie sich mit Raumersparnis verpacken lassen. Ferner werden die Wurzeln niemals zerrissen oder mit zerhackten, faserigen Wundstellen abgetrennt, sondern stets glatt abgeschnitten. Füge ich noch hinzu, dass ein Baumgräber, bespannt mit zwei kräftigen Pferden, 20 000 bis 25 000 Pflänzlinge den Tag zum Ausheben fertig losschneiden kann, so wird einleuchten, dass dieses Geräte einen beachtenswerten Fortschritt darstellt.

Der Preis des abgebildeten Baumgräbers beträgt 120 Mark, in Europa muss er viel billiger herzustellen sein.

Wenn der Boden so vorbereitet ist, wie oben angeraten, werden die Pflänzlinge mit ihren schonend zu behandelnden Erdballen in die Furchen gesetzt, genau an die Stellen, welche durch die Bändchen der Gartenschnur bezeichnet sind. Die Furchen werden dann mit der Schaufel zugeworfen und die Erde in der Nähe der Bäumchen festgetreten. Noch auf diese Vorsichtsmassregeln ist aufmerksam zu machen: die Anpflanzung soll, wenn möglich, bei feuchtem Wetter stattfinden, jedenfalls aber unterlassen werden, wenn trockne, heisse Winde wehen: die Bäumchen sind sorgfältig senkrecht zu richten und dürfen, aus bereits angegebenen Gründen, nicht tiefer wie der Wurzelhals in der Erde stehen. Die letzte Bedingung bleibt häufig unbeachtet und ist daher ebenso häufig die Ursache empfindlicher Verluste. Besser, die Bäumchen ragen mit dem Wurzelhals aus der Erde, als dass sie über denselben hinaus eingebettet sind.

Nicht immer steht aber ein Boden zur Verfügung, den man pflügen und mit geraden Baumreihen bepflanzen kann. Wenn es unrentabel erscheint, einen sehr nassen Boden zu entwässern oder wenn es überhaupt unausführbar ist, mag man ihn ohne jede Bearbeitung, selbst mit Weglassung der Setzlöcher, bepflanzen. Die Bäumchen, welche keine Pfahlwurzeln haben dürfen, werden einfach auf die Oberfläche des Bodens gesetzt, wie sie daliegt und zugeführte Erde wird sowohl unter wie über die Wurzeln gebreitet, so dass sie einen kegelförmigen Haufen bildet. Empfehlenswert ist, auf die Pflanzstelle einige Schaufeln voll groben Kies oder zerbröckelte Steine als Unterlage zu breiten. Den ersten Jahren genügt dieser künstliche Haufen zur Befestigung und Ernährung des Bäumchens, später muss er durch Ansätze an dem Rande vergrössert werden, in gleichem Masse wie das Wachstum der Wurzeln fortschreitet. Die zugeführte Erde muss nahrkräftig sein und darf namentlich des Humus nicht entbehren. Daraus geht hervor, dass dieses Verfahren mit einem beträchtlichen Arbeitsaufwand verknüpft ist, allein unter Umständen ist es das einzige ausführbare und mag sich recht gut rentieren.

Viel häufiger ist das aufzuforstende Gelände felsig und zerrissen, ist doch der Segen der Waldkultur nicht zum mindesten darin zu suchen, dass die Liegenschaften nutzbar zu machen sind, welche in Folge ihrer Gestalt und dürftigen Bodendecke nicht gepflügt, noch mit der Hacke vorteilhaft bebaut werden können und als Weide entweder gar keinen oder kaum nennenswerten Nutzen abwerfen. Zur Aufforstung von solchem Gelände ist keine allgemeine ist es zu geben, da zu viel von den Umständen abhängt. Rätlich Regel jedenfalls, das Wachstum der Bäume in der Umgegend scharf zu beobachten und auch durch benachbarte Erfahrungen mit Aufforstungen zu lernen, wenn Gelegenheit geboten ist und daraus Schlüsse für die Zweckmässigkeit eines Anpflanzungsplanes zu ziehen. Bei umsichtigem Handeln ist es denkbar, dass auf felsigem Gebirgslande dieselbe Holzernte erzielt werden kann, wie auf gleicher Fläche in der Ebene, jedenfalls können einem Boden Erträge abgerungen werden, der anderweitig keinen Nutzen gewährt.

Wenn ein Hang von mässiger Steile zu bepflanzen und eine Bodenbearbeitung möglich ist, zieht man mit dem Pflug Furchen wagerecht mit dem Fusse des Hangs und in dieser Richtung setzt man auch die Bäume. Bezweckt soll damit werden, den Boden vor dem Wegwaschen durch den Regen zu bewahren und dem raschen Abflusse der Feuchtigkeit entgegenzuwirken. Diese Furchen- und Baumreihenlage hält das Regen- und Schneewasser fest und zwingt es in die Erde zu sickern.

Auf steilem Gelände beschränkt man sich am besten darauf, Pflanzlöcher auszuheben und den übrigen Boden unberührt zu lassen. Der Zwang gebietet das, wenn die Hänge zerrissen und teilweise nackt sind, so dass von einer Reihenordnung der Bäume abgesehen und die Anpflanzung unregelmässig stattfinden muss. In solchem Falle sind die Pflanzlöcher möglichst wagerecht auszuheben, durch Einhauen in den Bergrücken; jedes soll gewissermassen eine kleine Terrasse bilden. Wenn ein sehr steiler Hang aus mürbem Felsen besteht, mag es rätlich erscheinen, den Baumwurzeln genügenden Boden zu schaffen, durch Anlage von Terrassen oder nur Kerben, die am äusseren Rande mit Gesträuch, festgehalten durch eingeschlagene Pfähle, gesichert werden. Je nach der vorgeschrittenen Verwitterung des Felsens, sind diese Terrassen und Kerben in einem Jahr oder zwei durch Abwaschungen von oben genügend mit Erde bedeckt, um die Anpflanzung von Bäumchen zu gestatten. Zu diesem Verfahren wird man greifen müssen, wenn Gebirge aufgeforstet werden sollen, deren Erdkrume, vielleicht in Folge von unverständiger Entwaldung, vom Regen- und Schneewasser weggewaschen wurde, oder wenn vorgebeugt werden soll, dass Geröllmassen von nackten Hängen auf Bahndämme, Wege oder Felder rutschen

Wenn auf trockenem, felsigen Gelände die Bäumchen nicht so dicht gepflanzt werden können, dass sie sich gegenseitig beschatten, gewährt es ihnen im ersten Jahre eine bedeutende Unterstützung in der Lebensthätigkeit, wenn man die Baumscheiben, also das Bereich der Wurzeln, mit Stroh, Moos, dürrem Laub, Schilf, Gras oder anderen lockeren Stoffen bedeckt, um sie den austrocknenden Wirkungen der Luft und Sonne zu entziehen. Auch wird dadurch das Aufschiessen des Unkrauts wie das Festschlagen des Bodens durch den Regen verhütet. In einem sehr trockenen Klima mag dieses Mittel unerlässlich sein, um die Bäumchen vor der Dürre des erstjährigen Sommers zu retten oder muss sogar fortgesetzt werden, bis der Boden gut beschattet ist.

Unter Umständen ist auch das Verfahren der russischen Forstleute bei der Bewaldung dürrer Steppen nachahmungswert. Dasselbe wird mit der Anpflanzung von Gebüsch eingeleitet, gewöhnlich aus der schnellwachsenden Salix pruinosa bestehend, um den Boden vor dem raschen Austrocknen zu schützen. Dadurch und durch das Abwerfen von Laub, bereitet das Gebüsch bessere Wachstumsverhältnisse vor.

Nicht in grossem Masstabe ausführbar, weil zu kostspielig, aber zur Rettung einzelner, wertvoller Bäumchen sehr geeignet, ist das Überkleiden des Stammes, selbst der Äste, mit Moos, das am empfehlenswertesten ist, oder mit Stroh, Schilf oder Gras. Diese Stoffe werden in einer handdicken Decke aufgelegt und festgebunden; sie sollen die austrocknenden Winde und Sonnenstrahlen abwehren, in dieser Hinsicht also den Schutz des Waldes ersetzen.

Die Pflege des Waldes.

Bei dem Anlageplan ist auf die nötigen Wege Rücksicht zu nehmen, welche den Wald durchschneiden müssen, einerlei ob sie sofort oder später erbaut werden sollen; die betreffenden Strecken sollen jedenfalls frei bleiben. Es würde eine dunkele Unkenntnis von den Erfordernissen für eine rentable Forstkultur verraten, wenn der Wegebau unterlassen würde, sei es um die Kosten zu sparen oder um eine eingebildete Bodenverschwendung zu vermeiden. Es wird einleuchten, dass sich keine Anleitung geben lässt, in welcher Zahl und Richtung die Wege anzulegen sind, da darauf die Bodengestalt, die Gegenwart von Gewässern und Sümpfen, die Ausdehnung des Waldes und noch andere Umstände Einfluss ausüben. Dagegen kann bestimmt empfohlen werden, zum Ausheben der Wegegräben den Pflug und zum Planieren der Wege den Wegehobel zu benutzen. Beide Geräte sind, gegenüber der Schaufel und der Picke, in hohem Masse kraft- und zeitsparend, sie vermindern mithin die Kosten des Wegebaus ganz beträchtlich. Ihre Anwendung ist im 1. Bande der tropischen Agrikultur geschildert. Mit den Wegegräben werden zweckmässig die Entwässerungsgräben in Verbindung gesetzt, denn es ist daran festzuhalten, dass der Wald ebensowenig überflutet werden darf wie das Feld und gleich diesem keine Sumpfstellen enthalten soll. Zu diesem Behufe sind auch die vorhandenen Giessbäche zu regeln; da wo sie ihr Wasser über die Ufer treten lassen, sind sie einzudämmen, an Stellen wo die Strömung so stark ist, dass sie Erde wegreisst, müssen Wehre erbaut werden, entweder aus Steinen, die man in Dachform lose aufeinander legt, oder aus Pfählen. die man in das Bachbett schlägt und mit schwanken Zweigen verflicht. Denn Wegwaschungen, also Bodenverarmungen, müssen im Walde mit derselben Sorgfalt verhindert werden wie im Felde. bald durch dieses, bald durch jenes Mittel, wie es die Umstände erheischen.

Wenn oben gesagt wurde, die Bearbeitung des Bodens mit dem Kultivator fördere die Entwickelung der Pflänzlinge in hohem Grade, so gilt das Gleiche von den auf den dauernden Standorten sitzenden Bäumchen. Es hat meine Verwunderung erregt, dass ich in den beiden Ländern, wo die Forstkultur auf höchster Stufe steht, in Deutschland und Frankreich, weder beobachten noch erfahren konnte, den jungen Wäldern würde die in Rede stehende Pflege zu Teil. Wenn das Gras in den Reihen hoch aufschiesst, wird es abgesichelt und nur wenn die Bäumchen im Kampfe mit dem Unkraut zu unterliegen drohen, lässt der Forstmann den Boden aufhacken. Kostspielig und mangelhaft! muss das Urteil lauten. Ja, auch mangelhaft — sehr mangelhaft, denn die plumpe Arbeit der Hacke hält keinen Vergleich aus mit der Leistung des leichten eng gesetzten Pferdekultivators. Jene hebt in dem verunkrauteten Boden nur Schollen ab, dadurch wird weder das Unkraut wirkungsvoll bekämpft, noch die Feuchtigkeit des Bodens erhalten, im Gegenteil, ihre Verdunstung gefördert.

Verwunderung muss diese Behandlung deshalb erregen, weil in der Obst- und Zierbaumzucht die Wirkung der öfter wiederholten Bodenlockerung erkannt und gewürdigt wird, freilich nicht von jenen in überlebten Anschauungen befangenen Züchtern, die wähnen, im Grasboden sei der geeignetste Standort des Obstbaumes oder gar ihren Obsthain mit Gras einsäen, um dem Boden die wünschenswerte Schutzdecke zu geben; mehr aber noch, weil in der jungen Forstkultur Nordamerika's und Australiens dieses Mittel von solcher Wirksamkeit befunden wurde, dass die unterlassene Anwendung als eine arge Nachlässigkeit gilt. Selbst in Indien, Ceylon und Java ahmt man dieses Beispiel mehr und mehr nach, wenigstens für die wertvolleren Baumarten wie Chinchona und Teak.

Wie aber die Forstleute der gemässigten und kalten Zone über die Bodenbearbeitung durch den Kultivator denken, der tropische Pflanzer muss sie als unerlässlich betrachten, denn andernfalls verzögert der Kampf mit dem Unkraut das Wachstum der Bäumchen um viele Jahre, vielleicht unterliegen sie demselben sogar. Ferner mag in der langen Trockenzeit die zur Lebenserhaltung der Bäumchen nötige Feuchtigkeit aus dem Boden verschwinden, so lange er noch nicht vollständig beschattet ist, wenn er nicht mit dem Kultivator pulverisiert wird — eine Befürchtung, die in der halbtropischen Zone näher liegt, wie in der tropischen. Dieses Verfahren kann um so weniger Bedenken erregen, als es billig ausführbar ist, denn — und das hebe ich scharf hervor — „mit einem zu diesem Zwecke geeigneten Kultivator“, bespannt mit einem zugfesten Pferd oder Maultier und gelenkt von einem aufmerksamen und gewandten Arbeiter, kann täglich eine Fläche von $1^1/_2$ bis 2 Hektar gelockert und gejätet werden. Das muss mindestens zweimal im Jahre geschehen, besser es erfolgt dreimal in der halbtropischen und viermal in der tropischen Zone. Nur in den beiden ersten Jahren ist die Bearbeitung des Bodens nötig, da er von da ab so reichlich beschattet ist, dass das Unkraut nicht aufkommen kann und die Zweige sich zu sehr ausgebreitet haben, um die Thätigkeit des Kultivators zwischen den Reihen zuzulassen. Angenommen, der Boden würde im Jahre viermal, also im Ganzen achtmal bearbeitet, so entfielen auf je $1^1/_2$ Hektar Wald 8 Zugtiertage und 8 Arbeitertage — eine Auslage, die unverhältnismässig gering ist gegenüber der erzielten schnelleren und kräftigeren Entwickelung der Bäume.

Im zweiten Jahre kann man natürlich keine so breite Fläche zwischen den Reihen bearbeiten wie im ersten, es ist aber nicht nötig, dass man einen breiteren und schmäleren Kultivator anwendet, denn vorzuziehen ist in jeder Beziehung für diesen Zweck ein Kultivator, der breiter und enger gestellt werden kann und damit die Anschaffung eines zweiten Kultivators überflüssig macht. Die Breite in der äussersten Ausspannung mag $1^1/_4$ bis $1^1/_2$ Meter betragen, die Engerstellung muss bis auf 50 bis 60 Zentimeter zurückzuführen sein.

Ich möchte nicht misverstanden sein: nur für solchen Boden empfehle ich die Anwendung des Kultivators, der vor der Anpflanzung gepflügt und mit geordneten Baumreihen besetzt wurde. Auf felsigem, zerrissenem oder sehr steilem Gelände, wo man sich darauf beschränken musste, Pflanzlöcher auszuheben, unterlässt man jede Bodenbearbeitung, es sei denn, es würde nötig befunden, das Unkraut in nächster Umgebung der Bäumchen mit der Hacke zu vertilgen.

Die nächste Aufgabe besteht in dem rechtzeitigen Ausdünnen (Durchforsten). Die Zweige dürfen sich den Raum nicht streitig machen, der Boden aber muss gut beschattet bleiben — darüber hinaus kann keine allgemein gültige Anleitung gegeben werden, in jedem einzelnen Falle muss der Zeitpunkt der Durchforstung dem Ermessen des Forstmanns anheimgestellt beiben. Wie bei der Durchforstung vorzugehen ist, lehrt das folgende Beispiel. Wenn die angeratene Pflanzweite von $^1/_2$ Meter in den Reihen und 1 Meter zwischen den Reihen eingehalten wurde, so ist bei der ersten Durchforstung jedes zweite Bäumchen in den Reihen zu entfernen. Alle verbleibenden Bäumchen stehen dann in gleichmässigem Abstande von 1 Meter. Bei der zweiten Durchforstung wird jede zweite Reihe abgeholzt, in den verbleibenden Reihen wird bei der dritten Durchforstung jeder zweite Baum entfernt. Die verbleibenden Bäume stehen nun in gleichem Abstande von 2 Meter. Bei der vierten Durchforstung wird wieder jede zweite Reihe und bei der fünften Durchforstung jeder zweite Baum in den verbliebenen Reihen abgeholzt. Die Bäume stehen nun in gleichem Abstande von 4 Meter und dabei hat es sein Bewenden.

Dieses Beispiel trifft für viele, aber nicht für alle Waldbäume zu, was ich scharf betone. Es wurde oben bereits gesagt, dass sich für diese Frage keine allgemein gültige Regel aufstellen liesse, denn das Raumbedürfnis der Waldbaumarten ist nicht übereinstimmend. Wie schon erwähnt, vertragen die Nadelhölzer einen engeren Stand wie die Laubhölzer und für die meisten der ersteren trifft das gegebene Beispiel in seiner ganzen Ausdehnung nicht zu, da ein Abstand von 4 Meter zu räumlich ist.

Seit Anfang der siebziger Jahre ist unter den französischen Forstleuten ein lebhafter Streit entstanden, ob die Waldbäume beschnitten werden sollen oder nicht — ein Streit, bei dem die Forstleute anderer Länder stille Zuschauer blieben, wohl weil sie von seiner Nutzlosigkeit überzeugt waren. Eine Gruppe französischer Forstleute verteidigt nicht allein das Einspitzen der Zweige, sondern auch das Absägen von Ästen, allerdings mit der Bedingung, es solle nicht an voll ausgewachsenen Bäumen und nur unter strenger Aufsicht von Sachverständigen ausgeführt werden, auch sei jede Schnittwunde sorgfältig mit Teer zu bestreichen. Angenommen, es würde mit diesem Verfahren wirklich etwas erreicht, so ist dasselbe offenbar so kostspielig, dass es die Rentabilität der Forstkultur in Frage stellt, unter Umständen scheitert seine Ausführung an mangelnden Arbeitskräften. Es kann daher ausser Betracht bleiben und nur die wenigen Fälle, wo die Beschneidung gerechtfertigt ist, mögen Anführung finden.

Wenn die enge Anpflanzung mit dem Hinblick auf spätere Durchforstung streng durchgeführt wird, streben die Bäume schlank in die Höhe, als Regel den grössten Teil ihres Stammes astfrei lassend. Dieses Ziel zu erreichen ist einer der Zwecke der engen Pflanzung. Trotz derselben zeigen einige Baumarten eine unerwünschte Neigung, tief Äste anzusetzen und in die Breite zu treiben. Hier mag es vorteilhaft erscheinen, die unteren Äste abzuschneiden, aber unter diesen Bedingungen: Die Handlung muss in der frühen Jugend der Bäume ausgeführt werden und zwar so lange die Äste noch so dünn und weich sind, um sich mit dem Gartenmesser hart und glatt am Stamme abschneiden zu lassen. Eine starke Abästung würde ein Missgriff sein, denn wenn auch schlanke, astfreie Stämme erwünscht sind, so müssen sie doch eine genügende Tragkraft für die Kronen besitzen; auch ist ein Bedenken gegen das Verarmen der Belaubung zu erheben — Blätter sind bekanntlich sehr wichtige Nährorgane.

Die Beschneidung ist ferner gerechtfertigt bei solchen Nadelhölzern, die ihre unteren Äste verdorren lassen, ohne sie abzuwerfen. Sobald die Äste vollständig dürr geworden sind, werden sie hart am Stamm abgehauen, wobei die Benutzung von Steigeisen streng zu verbieten ist, weil sie die Rinde der Bäume stark verwunden und dadurch Saftflüsse und andere Krankheiten verursachen.

Schliesslich ist das Beschneiden gerechtfertigt und sogar geboten, bei Wind- und Schneebruch. Die Äste hängen gewöhnlich halbabgebrochen und teilweise gespalten zur Erde und müssen möglichst hart am Stamme abgesägt werden, da sonst Faulstellen entstehen, die bis in das Stamminnere sich allmählich ausdehnen. Zur Vorsicht sollte jede Schnittwunde mit Holzteer oder dem bessern Steinkohlenteer dick bestrichen werden. Der Teer muss möglichst dick sein und ist bei kaltem Wetter zu erwärmen. Auf einigen Baumarten, wie die Ulme, wirft der Teer bei der ersten Bestreichung leicht Blasen, es ist deshalb in einigen Tagen nachzusehen und erforderlichen Falls eine zweite Bestreichung zu geben.

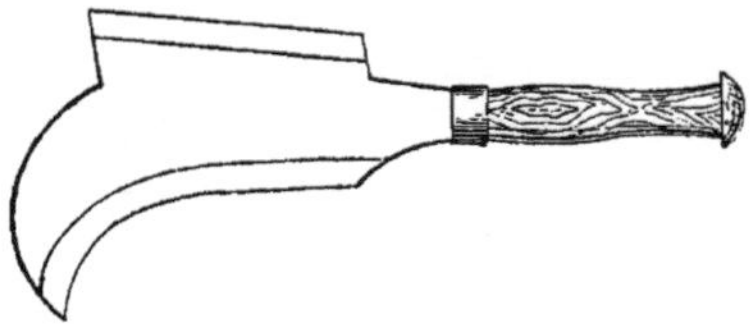
Figur 3

Die für die erwähnten Beschneidungen empfehlenswerten Instrumente sind: Das Gartenmesser von der bekannten Form. Die englische Schnabelhaue, dargestellt in der Figur 3, welche in den britischen Kolonien viel verwendet wird und wirklich vorzüglich ist.

Der Baumschneider (Figur 4), mit welchem man nur dünne Zweige in der veranschaulichten Weise abschneiden kann. Er wird weniger für eigentliche Waldbäume gebraucht, als für freistehende Bäume, deren Kronen man eine regelmässige Form geben will.

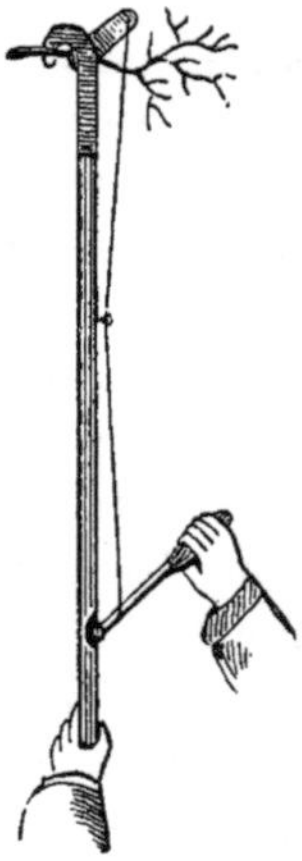
Figur 4.

Figur 5.

Schliesslich die langstielige, amerikanische Baumsäge (Figur 5), mit der man, bei einem festen Stand auf dem Boden, Äste in beträchtlicher Höhe absägen kann. Die Vorsicht gebietet, zuerst einen kleinen Einschnitt in die untere Seite des Astes zu machen, damit er nicht im Fallen einen Splitter vom Stamm mitreisst.

Das Köpfen der Weiden und Pappeln gehört nicht zur Forstkultur, doch sei erwähnt, dass es ausgeführt werden muss, durch Absägen der Äste in kurzem Abstande von dem Punkte, wo sie aus dem Stamme treten. Es müssen also Aststümpfe gelassen werden, fehlerhaft ist es, wie es zuweilen geschieht, alle Äste hart am Stamm abzuschneiden.

Eine keineswegs unwichtige Aufgabe bildet der Schutz des Waldes, selbst wenn es die Umstände nicht gestatten, oder es unrentabel erscheint, besondere Wächter anzustellen. Geradezu eine Lebensfrage für den Wald ist es, alle weidenden Tiere auszuschliessen, so lange er in jugendlichem Alter ist. Schafe und mehr noch Ziegen, diese Erzfeinde des Waldes, müssen immer fern gehalten werden. Wenn die untersten Äste so hoch sind, dass sie von Rindern und Pferden nicht mehr erreicht werden können, kann man diesen Tieren den Zutritt gestatten, ebenso den Maultieren und Eseln, die jedoch anfänglich zu überwachen sind, da nicht wenige gern an Baumrinde nagen, selbst wenn sie anderes Futter haben. Alle, welche dieser Neigung fröhnen, müssen streng vom Walde ausgeschlossen bleiben. Entschiedenen Nutzen bringt die Beweidung des Waldes durch Schweine, und es ist warm zu empfehlen, da, wo es die Verhältnisse gestatten, die Waldwirtschaft mit Schweinezucht zu verbinden. Denn einesteils werden dadurch die Aufzuchtskosten der Schweine auf ein Mindestmass herabgedrückt, andererseits wird das Gedeihen des Waldes gefördert. Die Schädlinge des Waldes haben keine gefährlicheren Feinde wie die Schweine und durch das Wühlen derselben wird das dürre Laub mit dem unterliegenden Humus vermischt und kommt dadurch schneller zur Verwesung, gleichzeitig wird der Boden besser zur Aufnahme von Feuchtigkeit geeignet gemacht. Von ganz besonderem Werte erweist sich das Wühlen der Schweine auf steilen Hängen, wo der Boden mit Ackergeräten nicht bearbeitet wurde, entweder weil es seine Gestalt oder die Gefahr der Abwaschungen verbot. Sobald die Bäume so gross sind, dass die Bodenlockerung in Bezug auf die Abwaschungen unbedenklich erscheint, kann sie nicht billiger und besser ausgeführt werden, als von weidenden Schweinen, und ist von so vorzüglicher Wirkung gewesen, dass sie niemals unterlassen werden sollte, wenn Schweine zur Verfügung stehen.

So nützlich diese Tiere dem Walde auch sind, sollen sie doch von jungen Anpflanzungen ausgeschlossen bleiben, weil sie deren Wurzelbefestigung beim Wühlen zerstören.

Häufig richtet das Wild beträchtlichen Schaden in den Wäldern an, besonders gefährlich sind Elche, Hirsche, Rehe und in manchen tropischen Gegenden Elephanten und Giraffen. Wenn auch keine Ausrottung dieser Tiere zu befürworten ist, so muss doch der Waldbesitzer suchen, ihre Zahl durch Pulver und Blei in beschränkten Grenzen zu halten. Am sichersten geht er übrigens, auch den Haustieren gegenüber, wenn er seine Anpflanzungen so lange umzäunt hält, bis ihnen weidende Tiere keinen Schaden mehr thun können. Ich brauche wohl kaum hinzuzufügen, dass dieser Rat für andere Länder, wie die europäischen Kulturstaaten, gemünzt ist.

Gegen das übrige Heer der Waldfeinde, aus Insekten und ihren Larven bestehend, gibt es leider kein durchgreifendes Schutz- noch Bekämpfungsmittel. In dem dicht bevölkerten Deutschland und Frankreich versucht man es wohl, die Borkenkäfer durch Abschaben der Borke zu vernichten, allein in anderen Ländern, namentlich in tropischen und halbtropischen, ist an die Anwendung von Mitteln dieser Art nicht zu denken, teils weil es an genügenden Arbeitskräften fehlt, teils weil der Kostenaufwand ausser Verhältnis zu dem Erfolge steht. Nur zu thun bleibt, die insektenfressenden Vögel möglichst wirksam zu schützen und die oben empfohlene Schweineweide in geregelter Anordnung einzuführen. Das Übrige muss den Feinden der Insekten aus dem eigenen Reiche überlassen bleiben und gewiss ist es ein beruhigender Trost, dass jedes schädliche Insekt Todfeinde in der Insektenwelt hat, die seine Vermehrung in gewissen Grenzen halten.

Über die Vertilgung der Schädlinge im allgemeinen gibt ein besonderer Abschnitt im 1. Band der tropischen Agrikultur Aufschluss. Wichtiger wie gegen tierische Feinde ist der Schutz des Waldes gegen das Feuer, denn dasselbe richtet nicht allein einen bedeutenden unmittelbaren Schaden durch die Vernichtung von Bäumen an, sondern auch einen mittelbaren durch Zerstörung des Humus im Boden. In Folge dessen kann sich nicht eher neues Pflanzenleben entfalten, bis dieser Verlust teilweise ersetzt ist, worüber viele Jahre vergehen können. Die Waldbrände entstehen gewöhnlich aus folgenden Ursachen:

1. Auf geordnetem Waldland werden Baumreste verbrannt und das Feuer springt über nach dem angrenzenden Wald;
2. Strauch- und Grasboden soll durch Abbrennen zur Kultur vorbereitet werden. und das vom Winde angefachte Feuer ergreift den Wald;
3. es wird Feuer angelegt, um einen Weidegrund zu verbessern, sowohl im Sumpf- wie Gebirgsland, wo erfahrungsgemäss zartere Gräser aufspringen. Das Feuer läuft weiter wie gewünscht und ergreift schliesslich den Wald;
4. Funken entsprühen der vorbeifahrenden Lokomotive und entzünden einen Waldbrand;
5. Jäger, Fischer und Reisende löschen ihr Lagerfeuer nicht aus; unter begünstigenden Umständen wird es zum Brandherd;
6. brennende Streichhölzer, glimmende Tabakasche und Cigarren werden leichtsinnig ins dürre Laub geworfen, das sich entzündet; auch abgeschossene Flintenpfropfen können einen Waldbrand erzeugen;
7. der Blitz entzündet einen Baum, der zum Brandherd wird;
8. Kohlenmeilern oder anderen industriellen Anlagen im Walde entspringt Feuer und breitet sich aus;
9. böswilliger Brandstiftung.

Diesen Ursachen gegenüber sind als Vorsichtsmassregeln zu empfehlen: bei der Anlage eines Lagerfeuers sind alle brennbare Stoffe im weiten Umkreise zu entfernen, es ist sorgfältig auszulöschen, wenn es verlassen wird oder seine Dienste gethan hat. Nur schwedische Streichhölzer sollen im Walde gebraucht, aber niemals brennend fortgeworfen werden. Es gibt Flintenpfropfen, die nicht brennen und daher mit voller Beruhigung im Walde abgeschossen werden können. Bei Hinterladern. die mit Metall- oder Pergamentpatronen schiessen. fällt die Feuersgefahr ebenfalls vollständig fort. Cigarrenstummel und Pfeifenasche sollen vorsichtig auf Plätze geworfen werden, wo sie unschädlich bleiben müssen. Die von den Lokomotiven drohende Feuersgefahr kann wesentlich durch die Benutzung von Funkenlöschern eingeschränkt werden.

Ferner ist aus der Nähe der Bahndämme das dürre Laub und Holz zu entfernen. Zwei oder mehr Reihen von stark belaubten Bäumen sollten an jeder Seite des Bahndammes gepflanzt werden, wenn er durch einen Nadelwald führt.

Wenn der Wald an eine Grasflur stösst, kann die von daher drohende Feuersgefahr am besten abgewehrt werden, wenn man an dem Waldsaum einige Furchen zieht, im Abstande von etwa 20 Schritt und das Gras zwischen denselben verbrennt, ehe es vollständig abgestorben ist. Die Wege bieten ein vorzügliches Hemmnis für die Verbreitung des Feuers und sind daher schon aus diesem Grunde als unerlässlich zu betrachten. Schmale Wege bilden übrigens kaum eine Schutzwehr, die Breite sollte etwa 15 Meter betragen, sie genügt aber nur dann, wenn zu beiden Seiten des Weges ein mindestens 5 Meter breiter Streifen von Gestrüpp und Unterholz freigehalten wird.

Wenn ein Gewässer durch den Wald fliesst, mag es in der Weise abgedämmt werden, dass es eine Reihe von Teichen bildet. Als eine Bodenverschwendung könnten sie nicht betrachtet werden, da sie zur Fischzucht benutzbar sind, zugleich vermögen sie als wirksamstes Hindernis für die Ausbreitung des Feuers wertvolle Dienste zu leisten. In tropischen Ländern bietet eine Kaktushecke eine gute Schutzwehr gegen die Ausbreitung des Feuers.

Dem Aufwuchern von Gesträuch, Gebüsch und Schmarotzerpflanzen, namentlich Schlinggewächsen, soll nach Möglichkeit gesteuert werden, denn sie sind nicht allein der Ausbreitung des Feuers ausserordentlich förderlich, sondern schädigen auch das Wachstum der Bäume.

Diese Gewächse sammelt man auf Haufen und verbrennt sie, bevor sie dürr sind, um eine Feuersgefahr zu vermeiden. Nicht leicht brennen sollen diese Haufen, sondern glimmen. Die Asche wird als Dünger ausgestreut. Viele Insektenlarven finden bei solcher Verbrennung ihren Tod.

Von den Mitteln, welche zur Bekämpfung des Waldbrandes dienen, sind die wichtigsten: die Grenze des Feuers wird stark benässt oder überschwemmt, wenn Gelegenheit dazu vorhanden ist. Fast ebenso wirkungsvoll ist das Bewerfen des Feuerrandes mit Erde, welches um so mehr in Betracht kommt, weil es überall ausführbar ist. In den weitaus meisten Fällen wird man zu diesem

Mittel greifen müssen. Mit grünem Gebüsch, an lange Stangen gebunden, kann das auf dem Boden brennende Feuer ausgerieben oder die Waldstreu mag gegen das heranziehende Feuer gerecht werden, damit es dieselbe verzehre und dann einen kahlen Bodenstreifen vorfindet. Unter Umständen können einige Furchen gepflügt werden, welche durch ihre frische, nackte Erde den Lauf des Feuers aufhalten.

Zuweilen wird ein Gegenfeuer angezündet zur Bekämpfung des Hauptfeuers. Das Gegenfeuer läuft, wie sein Name andeutet, dem Hauptfeuer entgegen und entzieht ihm dadurch die Nahrung zur Ausbreitung. Am besten wird das Gegenfeuer entlang eines Weges, Gewässers oder Hügelkammes angelegt, sein Vorschreiten ist um so lebhafter, je stärker das Hauptfeuer ist, denn mit dessen Stärke wächst der Luftzug, den es gegen sich, zu seiner Erhaltung, in Bewegung setzt.

Nachdem das Feuer augenscheinlich unterdrückt ist, muss es noch einige Zeit bewacht werden, um zu verhüten, dass die noch glimmenden Funken zu einem neuen Brande entfachen. Auf felsigem Boden, mit tiefen Spalten durchzogen, liegt grosse Gefahr vor, dass sich noch nach geraumer Zeit verborgenes Feuer belebt.

Wenn auch nicht im wörtlichen Sinne, gehört es doch zur Pflege des Waldes, die Laubdecke seines Bodens zu erhalten. Es ist eine sehr verwerfliche Praxis, zu der die Privatbesitzer von Wäldern stark geneigt sind, den Letzteren das abfallende Laub zu entnehmen, um es als Stallstreu zu benutzen oder auf den Komposthaufen zu fahren. Denn die Blätter bilden nach ihrer Verwesung eine Nahrung der Bäume, auf die sie um so mehr angewiesen sind, je ärmer der Boden von Natur ist. Und als Regel pflegt man die Wälder nicht auf dem besten Boden anzulegen. Daher findet durch die Wegnahme der Blätter eine solche Herabsetzung der Nährstoffe im Boden statt, dass die Entwickelung des Waldes sehr auffällig gehemmt wird. Das ist nicht blos eine Theorie, sondern hundertmal wurde in der praktischen Forstkultur unwiderleglich bewiesen, dass ein Waldbesitzer seinem Interesse zuwiderhandelt, wenn er seinen Bäumen nicht das dürre Laub lässt, das sie abwerfen, sondern zu anderen Zwecken verwendet. Sehr berechtigt und klar begründet ist die Abneigung der deutschen Forstleute, Waldstreu an die Bauern abzugeben, deren bittere Feindschaft sie sich dadurch bekanntlich zugezogen.

Einige Resultate der neuesten Forschungen über das verwelkende und gefallene Laub finden hier einen geeigneten Platz.

Zunächst ist daran zu erinnern, dass es die natürliche Bestimmung jeder Pflanze ist, vollkommene Samen zu erzeugen und wenn sie zusagende Wachstumsbedingungen findet, kein Organ mehr ausbildet als zur Erzeugung fortpflanzungsfähiger Samen nötig ist. Wenn das Blatt seine Aufgabe erfüllt hat, werden die in ihm zirkulierenden flüssigen Nährstoffe zurückgezogen und es verwelkt, um nach einer gewissen Zeit erneuert zu werden, wenn es nicht, wie bei den immergrünen Bäumen, durch einen jungen Nachschub ersetzt wurde.

Interessante Untersuchungen von Zöller und Rissmüller haben ergeben, dass die Blätter im Frühsommer beträchtliche Mengen Stickstoff, Kali und Phosphorsäure enthalten und gegen Herbst der grösste Teil dieser Stoffe in den Baum zur Deckung des späteren Bedarfes zurücktritt, die Blätter also, bevor sie verwelken, an ihren wertvollsten Bestandteilen stark verarmen. In Buchenblättern wurde nachgewiesen, dass sie den höchsten Prozentsatz an Stickstoff, Kali und Phosphorsäure besitzen, wenn sie sich im Mai öffnen und dieser Prozentsatz stetig zurückgeht bis zum Absterben, allein die wirkliche Menge dieser Stoffe, im Gegensatz zur verhältnismässigen (dem Prozentsatz), ist am höchsten im Juli und vermindert sich von da ab.

Auf der Ackerbaustation von Connecticut wurden 1884 von einer Eiche und einer Kastanie Blätterproben an den folgenden Tagen gepflückt: 16. Oktober und 13. November uud der Analyse unterworfen. Am 16. Oktober waren die Blätter hellgrün ohne Anzeichen eines Farbenwechsels, am 13. November waren sie braun und hatten den rötlichen Hauch fast vollständig verloren. Die Blätter fielen bereits an diesem Tage von den Bäumen, aber nicht zahlreich.

Analyse der Blätter.

	Eiche		Kastanie	
	16. Oktober	13. November	16. Oktober	13. November
Wasser	56,6	29,7	60,2	31,7
Eiweissstoffe	5,3	3,4	4,3	4,2
Rohfasern	9,3	20,4	6,7	13,4
Stickstofffreie Extraktstoffe	24,9	39,3	23,5	42,3
Aetherextrakte	1,6	3,4	3,5	5,4
Asche	2,3	3,8	1,8	3,0
	100,0	100,0	100,0	100,0

Analyse der Asche.

	Eiche		Kastanie	
	16. Oktober	13. November	16. Oktober	13. November
Kali	0,326	0,173	0,353	0,384
Natron	0,015	0,029	0,016	0,021
Kalk	0,688	1,426	0,404	0,864
Magnesia	0,162	0,288	0,928	0,443
Eisenoxyd	0,081	0,077	0,181	0,164
Phosphorsäure	0,263	0,260	0,186	0,230
Schwefelsäure	0,060	0,090	0,086	0,149
Kohlensäure	0,418	0,815	0,259	0,512
Kieselsäure u. s. w.	0,317	0,642	0,100	0,208
siehe die obigen Prozentsätze der Asche:	2,330	3,800	1,813	2,975

Die am 16. Oktober gepflückten Blätter hatten ihre Verrichtungen nahezu erfüllt, während von den am 13. November gepflückten anzunehmen ist, dass die Zurücksaugung ihrer Nährstoffe nach den Zweigen abgeschlossen war.

Aus der Analyse der am 13. November gepflückten Blätter geht hervor, dass trotz des Verlustes an Eiweissstoffen, Kali und Phosphorsäure, die welken Blätter beträchtliche Mengen dieser wertvollen Nährstoffe dem Boden zurückgeben, ihr Verbleiben im Walde also, für denselben von hervorragender Bedeutung sein muss. Will der Wahn immer noch nicht aussterben, die Bäume könnten auf einem beraubten Boden ihr Gedeihen finden?

Ebermayer belehrt uns, die fallende Blättermenge der Wälder schwanke beträchtlich, sie sei grösser in nassen Jahrgängen wie in trockenen, grösser auf fettem wie auf magerem Boden, auch von dem Bestande des Waldes hängt sie ab. Bei gleichen übrigen Umständen, erzeugen die Bäume eine dichtere Belaubung, wenn sie frei, anstatt gedrängt stehen.

Von der schnelleren und langsameren Verwesung der Blätter, hängt bis zu einem gewissen Grade die Bodenbesserung ab, welche die Bäume bewirken. Die breiten Blätter des Ahorns und Maulbeerbaums verwesen rascher, wie diejenigen der Eiche und Buche, und diese wieder rascher, wie die Nadeln der Fichten und Tannen. Laubblätter liefern durchgehends einen reicheren Humus wie Nadelblätter.

Totes Holz bereichert die Humusdecke, allein dieser Vorteil wird durch den Nachteil mehr wie aufgewogen, dass es die Vermehrung der schädlichen Insekten und Pilze begünstigt. In einem gepflegten Walde dürfen daher weder absterbende Bäume noch totes Holz zu finden sein.

Die mineralischen Stoffe (Asche) nehmen im Holze wie in der Rinde von oben nach unten ab, ihre Menge ist verhältnismässig bedeutender in den Ästen wie im Stamm und am grössten in den Zweigen und Blättern. Der Bildungsring und der Bast enthalten den höchsten Prozentsatz Asche, der Splint ist reicher in dieser Beziehung wie das Kernholz. Es scheint, dass das Zellensystem, sobald es aufhört thätig zu sein, seine Alkalien und Phosphorsäure an Neubildungen abgiebt, dieselben Stoffe also während der Lebensthätigkeit desselben Baumes immer und immer wieder zur Verwendung kommen. Es folgt daraus, dass der Baum verhältnismässig grösserer Mengen dieser wichtigen Nährstoffe bedarf, wenn er jung als wenn er alt ist, und der Boden einer Baumschule eher erschöpft sein muss wie ein gleich reicher Waldboden.

Die Betriebssysteme.

In der Forstkultur sind verschiedene Betriebssysteme ausgebildet worden, von welchen jedes, am richtigen Ort und unter zutreffenden Umständen angewendet, Vorteile gewährt. Welches den Vorzug verdient, ist in jedem Einzelfalle nach Lage der Dinge zu entscheiden.

Die bekanntesten und wichtigsten Systeme sind:

1. Der Lichtungsbetrieb.

Das Wesen desselben besteht darin, dass die in ihrer Entwickelung am weitesten vorgeschrittenen Bäume abgeholzt werden, hier und da wo sie sich finden und den übrigen Zeit zur Reife gegönnt wird. Zur Ausfüllung der Lücken dienen die wilden Sämlinge und so kommt es, dass der Wald aus Bäumen aller Altersstufen besteht und einen geringeren Holzbestand umfasst, als gewöhnlich auf derselben Fläche steht, wenn alle Bäume gleich gross sind. Durch das jährliche Abholzen der alten Bäume wird der Nachwuchs beschädigt, es bilden sich leicht Blössen, ganz besonders wenn weidendem Vieh der Zutritt gestattet ist, ferner richtet der Sturm in solchem unregelmässigen Walde grössere Verwüstungen an, wie in einem regelmässigen, auch das Holz ist in der Regel weniger wertvoll, weil es in seinem jugendlichen Wachstum der Gefahr der Beschädigung mehr ausgesetzt ist und weniger gleichmässig in die Höhe wächst. Schliesslich ist die Holzfällung, weil über einen weiten Raum erstreckend, verhältnismässig kostspielig und schwer zu kontrollieren. Trotzdem ist dieses System unter Umständen das einzig mögliche, beispielsweise an steilen Berghängen, die in Gefahr schweben, ihrer Erdkrume von dem Regen- oder Schneewasser beraubt zu werden, wenn die Abholzung auf einmal stattfände, was der deutsche Forstmann als Kahlhieb bezeichnet; ebenso auf losen Sandböden, die voraussichtlich vom Winde getrieben würden, nach ihrer völligen Entblössung.

Wenn der Nachwuchs so gedrängt steht, dass sich die Zweige den Raum streitig machen, sollte eine genügende Durchforstung nicht versäumt werden, selbst wenn keine Gelegenheit geboten ist, die abgeholzten Stämmchen zu Pfählen oder Stangen zu verwenden. Andererseits müssen Blössen mit Sämlingen bepflanzt werden, die an Stellen ausgehoben wurden, wo sie zu dicht standen.

2. Der Schlagholzbetrieb.

Dieses System besteht darin, alle Bäume eines Waldes zugleich abzuholzen, bevor sie ihre Reife erlangt haben, und einen Nachwuchs aus den Wurzeln und Stümpfen erstehen zu lassen. Die Nadelhölzer sind für diesen Zweck unbrauchbar, da sie keine lebenskräftigen Schösslinge treiben, wenn sie abgehauen werden, mit Ausnahme des californischen Rotholzbaumes. Die ihm in dieser Hinsicht zunächst stehende Pechkiefer (Pinus rigida), stösst Schösslinge aus, die zuweilen anfänglich eine kräftige Entwickelung versprechen, aber stets bald verkrüppeln. Auch nicht alle Laubhölzer treiben Schösslinge und einige, wie der Ahorn und die Buche, treiben solche, die niemals einen Wert erlangen. Unter den Waldbäumen der gemässigten Zone ragen die Eiche, Kastanie, Esche, Linde, Pappel, Weide, falsche Akazie, der Catalpa, die Ulme und der Hickory durch ihre Eigenschaft hervor, durch Schösslinge einen kräftigen Nachwuchs zu erzeugen.

Bei der ersten Abholzung muss gestrebt werden, die Schlagstelle nahezu in gleicher Linie mit dem Boden zu machen, damit die Schösslinge im Stande sind, selbständige Wurzeln zu bilden. Bei der zweiten Abholzung ist die Schlagstelle etwas höher zu legen, da die Schösslinge leichter aus dem jungen Holze wie aus der verhärteten Rinde des alten Holzes ausbrechen können.

Um Erfolg mit diesem System zu erzielen, muss die Abholzung kurz vor der beginnenden Wachstumszeit stattfinden. Es ist wünschenswert, die erste Kraftäusserung der wieder beginnenden Lebensthätigkeit der Bäume zur Bildung von Schösslingen zu benutzen, die schwach bleiben, wenn die Abholzung zu lange hinausgeschoben wird. In einem milden Klima, wo keine Winterfröste zu befürchten sind, mag die Abholzung jederzeit nach dem Fallen der Blätter stattfinden, ausgenommen bei breitblätterigen immergrünen Bäumen, für die man die Zeit der grössten Saftruhe, die nach dem vollendeten Aufsteigen des sogenannten zweiten Saftes eintritt, abwarten muss.

Bei der Abholzung ist streng darauf zu achten, dass die Rinde der Stümpfe nicht verletzt oder gar geschält wird, denn zwischen der Rinde und dem Splint, aus dem Bildungsring, entwickeln sich Schösslinge, aber nur an unbeschädigten Stellen. Sehr empfehlenswert ist, nach dem Abholzen mit einem scharfen Haumesser die Kanten der Stümpfe zu glätten, stets nach dem Mittelpunkte schlagend, der höher stehen soll wie die Kanten. Der Zweck dieser Behandlung ist, den Abfluss des Regenwassers zu befördern, das Verwesung verursacht, wenn es in Höhlungen stehen bleibt.

Da gewöhnlich mehr Schösslinge aus einem Stumpf treten, als aufwachsen dürfen, ist eine Durchforstung vorzunehmen und zwar frühzeitig, denn die Verschiebung auf spätere Zeit bedeutet einen starken Thätigkeitsverlust des Stumpfes. Gelegentlich ist es wünschenswert, Lücken im Bestand auszufüllen, was am leichtesten mit abgesenkten Schösslingen geschieht. Wie die Absenker zu behandeln sind, wurde oben angegeben. Einige Bäume, wie die falsche Akazie und einige Pappelarten, haben eine starke Neigung, Wurzelschösslinge zu treiben, oft in grosser Entfernung von dem Mutterbaum. Diese Schösslinge entwickeln sich zu kräftigen Bäumen und wenn ihre Vermehrung erwünscht ist, durchschneidet man die Wurzelausläufer und bringt die Enden an die Bodenoberfläche; denselben entspringen zuverlässig Schösslinge.

Es ist kaum nötig, darauf hinzuweisen, dass weidendes Vieh zu keiner Zeit und unter keinen Umständen den Niederwald betreten darf. Und nur unter ganz besonderen Umständen ist die nicht selten geübte Praxis gerechtfertigt, in den ersten beiden Jahren nach der Abholzung zwischen den Stümpfen Kulturgewächse, namentlich Kartoffeln, anzubauen. In der Regel ist der Nachteil einer solchen Bodenbenutzung grösser wie der Vorteil. Die Abholzungsperiode hängt von dem Gebrauchszweck und den gegebenen Wachstumsbedingungen ab. Niemals ist sie über 40 Jahre auszudehnen, ermässigt kann sie bis auf 5 Jahre werden, wenn nämlich Hopfenstangen, Rebenpfähle, Fassreifen und ähnliche Artikel in Aussicht genommen sind. Für Kohlen, Telegraphenstangen, Lohe u. s. w. wird die Abholzung nach 15 bis 30 Jahren vorzunehmen sein. Die besten Resultate werden gewöhnlich erzielt bei gleich langen Perioden, doch müssen die Marktverhältnisse die Entscheidung geben.

Nach dem Abholzen sind die Stämme, nebst den abgehauenen Zweigen, jedenfalls vor dem Austreiben der Schösslinge aus dem Walde zu entfernen, da denselben andernfalls bei der Wegschaffung Schaden zugefügt wird.

Mit zunehmendem Alter verlieren die Stümpfe die Kraft, Schösslinge zu treiben, doch üben darauf auch die klimatischen und Bodenverhältnisse Einfluss aus. In reichem, humosem Boden und feuchtem Klima ist die grösste Wahrscheinlichkeit für den Erfolg dieses Systems gegeben; je trockener das Klima und je ärmer der Boden, desto schwieriger geht die Entwickelung der Schösslinge vor sich und in regenarmen, trocken-heissen Ländern der halbtropischen Zone kann selbst die bescheidenste Rentabilität dieses Systems nicht erhofft werden.

Wenn die Stümpfe in ihrer Kraft, Schösslinge auszutreiben, nachlassen und es wird die Forterhaltung des Niederwaldes beabsichtigt, muss für jungen Nachwuchs durch Absenker, Anpflanzung oder Aussaat gesorgt werden, denn es ist nicht vorteilhaft, die Stümpfe zu erhalten bis sie an Altersschwäche eingehen. Um sie aus dem Wege zu räumen, pflegt man sie am Mittelpunkte mit der Axt auszuhöhlen, damit das Regenwasser stehen bleibt und die Rinde an einigen Stellen abzuschlagen. Sobald ihre Verwesung bis zur Mürbigkeit fortgeschritten ist, werden sie mit der Axt auseinandergeschlagen.

In vielen Fällen wird die Rentabilität dieses Systems erhöht, wenn man besonders schön wachsende Bäume zur vollen Reife gelangen lässt. Dieselben sollen jedoch nicht mehr wie den 20. Teil des Raumes beanspruchen und möglichst gleichmässig verteilt sein, da sonst ihre, den Schösslingen wohlthätige Beschattung verderblich für die aufwachsenden Bäume wird. Es entsteht damit aus dem Niederwald der Mittelwald.

Eichen, die man im Mittelwalde zur Reife kommen lässt, zeigen sich geneigt, wie überall, wo ihre Kronen nicht eingeengt sind, niedrige und starke Äste zu treiben. Sobald sich solche zu bilden beginnen, beugt man der weiteren Entwickelung durch die Säge vor. Im Spätsommer schneidet man sie hart am Stamme ab und verstreicht die Wunde mit Teer. Es ist das einer der Ausnahmefälle, welche das Beschneiden von Waldbäumen als wirtschaftlich richtig erscheinen lassen.

Zur Erzielung eines Mittelwaldes lässt man bei der ersten Abholzung eine geeignete Zahl Sämlinge stehen; soll erst bei der zweiten Abholzung ein Mittelwald gebildet werden, dann ist es vorzuziehen, Sämlinge zur Züchtung der Hochstämme anzupflanzen, anstatt Schösslinge zu benutzen, da dieselben geneigt sind, in späteren Jahren zu verkümmern.

Zu Hochstämmen sind nur solche Baumarten zu wählen, welche in Folge ihres Einzelstandes wertvolleres Holz liefern und dabei das Unterholz nicht stark beschatten. Diese Voraussetzung trifft zu bei der Eiche, Esche, Lärche, falschen Akazie, schwarzen Cypresse, Birke und dem Ahorn. Solche Hochstämme erzeugen in der Regel frühzeitig und reichlich Samen, was für die Verjüngung des Waldes ein beachtenswerter Vorteil ist.

Das Unterholz des Mittelwaldes muss aus schattenliebenden Baumarten gebildet werden.

3. Der Hochwaldsbetrieb.

Dieses System wird mit der Anpflanzung eingeleitet, wie sie oben geschildert wurde. Es folgt dann die Durchforstung, von der nur wiederholt werden kann, dass keine allgemein gültige Regel zu geben ist, da die Entscheidung gemäss der wechselnden Verhältnisse zu treffen ist. Nur als Beispiel sei angeführt, dass in Deutschland ein auf gutem Boden stehender Buchwald gewöhnlich vom 30. Jahre ab wie folgt durchforstet wird:

Vom	30.	bis	40.	Jahre	bleiben	3200	bis	4000	Bäume	auf	dem	Hektar.
"	50.	"	60.	"	"	1400	"	1800	"	"	"	"
"	70.	"	80.	"	"	700	"	1000	"	"	"	"
"	90.	"	100.	"	"	500	"	600	"	"	"	"

Nadelhölzer können in grösserer Zahl stehen bleiben, wie Buchen oder andere Laubhölzer, denn für eine gegebene Baumgrösse ist die Belaubung geringer. Auf armem Boden untl in rauhem Klima kann eine grössere Zahl Bäume auf dem Hektar bleiben, wie auf reichem Boden und mildem Klima, weil die Bäume sich nicht so kräftig entwickeln, also sich weniger ausbreiten. Ebenso können auf einem Hange mehr Bäume ihrer Reife entgegengehen, wie auf einer Ebene, weil sie sich dort weniger beschatten und der Luft besser ausgesetzt sind.

Diesen Durchforstungen ist eine grosse Wichtigkeit beizulegen, denn sie führen zu einer bedeutenden Werterhöhung der Hauptholzernte und erhöhen die Rentabilität des Betriebs durch den aus den durchforsteten Bäumen erzielten Gewinn, welcher bei jeder Durchforstung wächst. Unter günstigen Umständen decken die ersten Durchforstungen die laufenden Kulturkosten, die späteren lassen einen Überschuss. Ein fernerer Nutzen der Durchforstung besteht darin, dass die bleibenden Bäume durch die ihren Wurzeln und Ästen gebotene Ausdehnungsfreiheit zu kräftigerer Entwickelung angeregt werden und die Qualität ihres Holzes durch den Zutritt von Licht und Luft eine wesentliche Erhöhung erfährt.

In einem Mischwalde sind als Regel die wertloseren Hölzer zuerst zu durchforsten, eine Ausnahme tritt nur ein, wenn zwei Hölzer von ungleichem Werte sich gut miteinander vertragen und gemeinschaftlich ein höheres Erträgnis abwerfen, wie jedes allein. Solche gute Kameraden sind beispielsweise die Buche und die Kiefer und die Eiche und die Buche.

Wenn die Zeit der Abholzung herannaht, muss für jungen Nachwuchs durch wilde Sämlinge gesorgt werden, falls nicht ein Anbauwechsel stattfinden soll. Bis dahin haben die Bäume stets so dicht gestanden, dass kein Gras unter ihnen aufkommen konnte, und die abfallenden Samen wegen Mangel an Luft und Licht nicht fortpflanzungsfähig wurden. Selbst die Samenerzeugung war dürftig, wegen des dichten Bestandes. Nun werden in möglichst gleichmässiger Verteilung über den Wald so viel Bäume abgeholzt, dass der Boden den Einwirkungen von Licht und Luft ausgesetzt ist und die bleibenden Bäume zur stärkerer Samenerzeugung angeregt werden. Die Samen fallen auf den reichen Humusboden, der sich im Laufe der Jahre gebildet hat, werden von gleichzeitig abfallenden Blättern bedeckt und da sie nun der Sonnenwärme ausgesetzt sind, keimen sie, die Sämlinge aber bedecken schon nach einigen Jahren den ganzen Waldboden, da ihnen zur Entwickelung genügend Luft und Licht geboten ist. Andererseits finden sie auch noch die Beschattung und den Windschutz, ohne welche sie bald verderben würden. Die Sonnenstrahlen dringen gedämpft bis zum Boden und werden nach kurzer Zeit vom Schatten abgelöst — ein Wechsel, wie er den jungen Waldbäumen am besten zusagt.

Mit der Abholzung wird allmählich fortgefahren und wenn der Nachwuchs nicht länger eines Schutzes bedarf, müssen die letzten Bäume fallen. Es ist nicht zu erwarten, dass die natürliche Saat eine gleichmässig verteilte wird, es bleiben daher Blössen künstlich zu besäen oder zu bepflanzen, zumal im Mischwalde, dessen Verjüngung nur bei aufmerksamer Nachhülfe erfolgreich vor sich geht.

Der Abschluss der Abholzung muss in die Zeit der Vollreife fallen, darunter ist das Alter der Bäume zu verstehen, in welchem ihr Holz von der erreichbar besten Qualität ist, von welchem Höhepunkte es langsam zur Verwesung herabsteigt.

Wie leicht erklärlich, übt das Klima einen Einfluss auf den Eintritt der Reife aus. In der gemässigten Zone erreichen Lärche und Birke ihre Reife in 50 bis 60 Jahren, die falsche Akazie, die corsische und Aleppokiefer in 60 bis 70 Jahren, die Kiefer in 80 bis 90 Jahren, die Buche in 80 bis 120 Jahren, die Esche in 90 bis 100 Jahren, die Kastanie in 90 bis 120 Jahren, die Fichte in 100 bis 140 Jahren, die Ulme in 100 bis 120 Jahren, die Eiche in 120 bis 200 Jahren.

Während die Lärche also in der gemässigten Zone 50 bis 60 Jahre zur Reife ihres Holzes braucht, nimmt sie in der kalten Zone, beispielsweise im Norden Schottlands, 80 selbst 100 Jahre in Anspruch.

Diese langen Zeitabschnitte entmutigen nicht selten zum Hochwaldsbetrieb, deshalb sei angeführt, dass Hartig, eine deutsche Autorität ersten Ranges, eine vergleichende Berechnung anstellte, mit der er nachwies, dass ein Hochwald, abgeholzt nach 120 Jahren, und ein Niederwald, abgeholzt alle 30 Jahre, während des Zeitraumes von 120 Jahren Erträgnisse liefern, welche wie 7 zu 4 gegenüberstehen. In Rechnung gebracht wurden auf beiden Seiten die sämtlichen Ausgaben und Einnahmen.

Es ist bei diesem Vergleiche in Erinnerung zu halten. dass die meisten Bäume nach ihrem 30. Lebensjahre einen verhältnismässig stärkeren Umfang von Jahr zu Jahr gewinnen wie vorher und ihr Holz für viele Zwecke wertvoller wird. Beispielsweise liefert ein Baum von 40 Zentimeter Umfang die doppelte Menge Bretter, wie ein solcher von 30 Zentimeter Umfang.

Der Wert des jährlichen Holzzuwachses der Eiche ist in Frankreich sehr sorgfältig aus zahlreichen Ermittelungen im Durchschnitt wie folgt berechnet worden.

		Mark.	Pfennig.
Bis zu 50 Jahren	pro Jahr	0	08
Von 50 bis 100 Jahren	„ „	0	64
„ 100 „ 150 „	„ „	1	60
„ 150 „ 200 „	„ „	3	20

Hilfsmittel für die Holzgewinnung.

Damit die nachfolgenden Darstellungen im rechten Lichte betrachtet werden, schicke ich voraus, dass sie nicht für die Holzfällung in den Wäldern Deutschlands, überhaupt Mitteleuropa's

Figur 6.

berechnet sind, sondern der Holzgewinnung in halbtropischen und tropischen Wäldern gelten. Für jene liegen ganz andere Verhältnisse vor, wie für diese, das bedingt abweichende Erntemethoden. Es wird keiner weitschweifigen Begründung bedürfen, warum ich nur nordamerikanische Maschinen und Geräte zur Abbildung bringe, stehen doch die Vereinigten Staaten ohne Gleichen da in der Grossartigkeit der Wälderausbeute, ist doch, um für diesen Zweck zeit- und kraftsparende Hilfsmittel zu ersinnen, der ganze „Yankeewitz" aufgeboten worden, und was er erschuf, ist den Verhältnissen. welche hier in Betracht kommen, ganz besonders angepasst. Zum

Beweise dessen kann angeführt werden, dass diese Hilfsmittel bereits in Australien uud Neuseeland Eingang gefunden haben und auch in Central- und Südamerika Verbreitung finden, freilich nur sehr langsam, wie alle Neuerungen. Es herrscht hier noch zu wenig Verständnis dafür, dass die Rentabilität der Holzgewinnung in kaum minder hohem Grade von der Anwendung kraft- und zeitsparender Maschinen und Geräte abhängt, wie diejenige der Bodenkultur. Diese Thatsache ist unleugbar und sollte in der halbtropischen wie tropischen Zone viel besser gewürdigt werden, als es seither geschah. Ihre Nichtbeachtung hat schon häufig dazu geführt, dass die Ausbeute eines reichen Holzbestandes nicht lohnte oder auch gar nicht in Angriff genommen wurde, weil das Geschäft von vornherein verlustbringend erschien.

Als das unentbehrlichste Geräte, als das Wahrzeichen des Holzfällers, gilt die Axt. Schon im ersten Bande der tropischen Agrikultur habe ich der nordamerikanischen Axt warm das Wort geredet und ich thue es hier nochmals, indem ich sie in der Figur 7 zur Anschauung bringe. Der gebogene, nur in

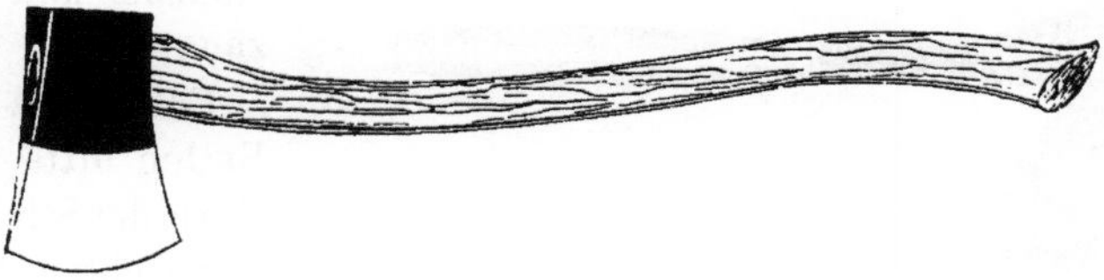

Figur 7.

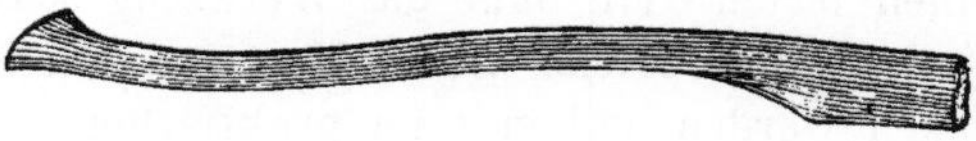

Figur 8.

Fabriken mit den nötigen Apparaten herstellbare Stiel, Figur 8, ist gewöhnlich aus dem vorzüglichen Hickoryholz, zuweilen auch aus Eschenholz. Die Anschau des Bildes gibt keinen Begriff von den Vorteilen, welche diese Form des Stieles gewährt; man muss sie im praktischen Gebrauche kennen und würdigen lernen. Der Schwung, welchen sie ermöglicht, wird erhöht durch die Schwere der Haube — eine zweite bemerkenswerte Eigenschaft dieser Axt. Nur weil die Schwere der Haube in diese Form gelegt ist, zeigt sie sich arbeitfördernd. Manche nordamerikanische Holzfäller benutzen zum Durchhauen der Rinde von Nadelbäumen ein breiteres Axtblatt wie das veranschaulichte, doch ist eine solche Anschaffung nur empfehlenswert, wenn die Rinde der regelmässig zu fällenden Bäume dick ist. Als Beispiele mögen dienen: die Rinde der Douglastannen ist häufig 10 Zentimeter, diejenige der californischen Rotholzbäume 15 bis 25 Zentimeter dick.

Gewöhnlich rüsten sich die nordamerikanischen Holzfäller mit einem schweren und einem leichten Beile aus. Das Erstere wird Schindelbeil genannt, dargestellt ist es in der Figur 9. Dasselbe dient zur Ausführung von Arbeiten, für welche die Axt zu lang und unbequem, das Handbeil aber zu leicht ist. Das Letztere veranschaulicht die Figur 10; gebraucht wird es zu leichten Arbeiten, auch als Hammer und Nagelzange.

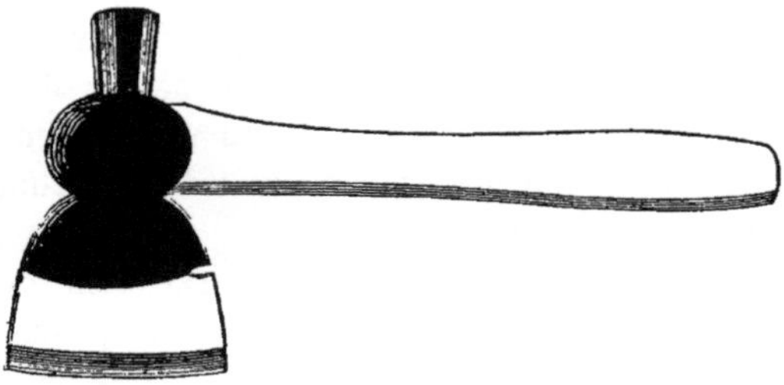

Figur 9.

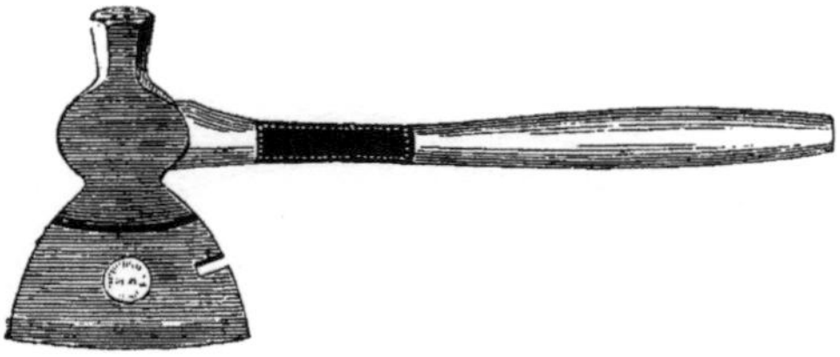

Figur 10.

Bei diesen beiden Beilen bitte ich die Form der Stiele wohl zu beachten. Die Anschwellung gewährt einen festen Griff ohne das Werkzeug schwerfällig zu machen. Es sind oft nur solche kleine Vorzüge, welche bei der Anschaü übersehen werden und erst im praktischen Gebrauch hervortreten, die den amerikanischen Geräten eine solche Beliebtheit selbst in den englischen Kolonien verschafft haben, dass sie die Geräte des Mutterlandes mehr und mehr verdrängen. Ferner lenke ich die Aufmerksamkeit auf die Beilblätter, welche, stark nach unten verbreitert, eine lange Schlagstelle treffen. Dabei sind sie verhältnismässig leicht und doch kräftig, weil aus gutem Stahl gefertigt.

Nächst der Axt bedarf der Holzfäller einer Spannsäge. In der Figur 11 ist die nordamerikanische Form veranschaulicht, die ich ebenfalls aus eigener Erfahrung warm empfehlen kann. Über den Gebrauch ist zu sagen: der Sägebock ist etwas niedriger wie der in Deutschland übliche; die Säge fasst man am langen Schenkel mit beiden Händen an, mit der Rechten unterhalb des Sägeblatts, mit der Linken in der Nähe der Spannung; dann legt man das linke Knie auf das über dem Sägebock liegende Holz; manche finden es bequemer, den linken Fuss aufzusetzen, und beginnt zu sägen. Ich kann versichern, dass mit diesem Instrument, in dieser Handhabung ein Mann das Doppelte leisten kann, wie mit der europäischen Spannsäge, selbst wenn Stosszähne an Stelle der Wolfszähne ständen.

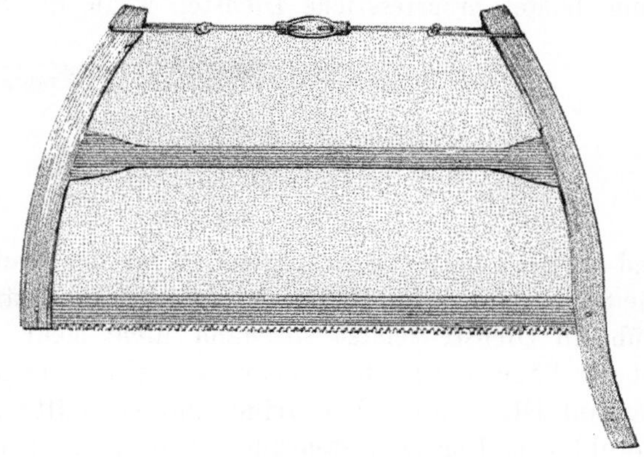

Figur 11.

Eine Fuchsschwanzsäge darf ebenfalls nicht fehlen. Die abgebildete Figur 12 ist besonders ihres Griffes wegen empfehlenswert, denn er gestattet mit beiden Händen anzufassen: mit der Rechten im Loch, mit der Linken am Horn: es wird damit eine kräftigere und sicherere Führung ermöglicht. Auch diese Säge hat Wolfszähne, oder „Blitzzähne“, wie sie von den Amerikanern genannt werden, deren Vorzug darin besteht, im Ziehen und Stossen zu sägen, sie leisten also das Doppelte wie die gewöhnlichen Sägen, die bekanntlich nur im Stossen sägen. Die Wolfszähne machen übrigens einen gröberen Schnitt, wie die Stosszähne, was für die Holzfäller ohne Bedeutung ist, nicht aber für den Tischler, der je nach der Arbeit eine Wahl zu treffen hat.

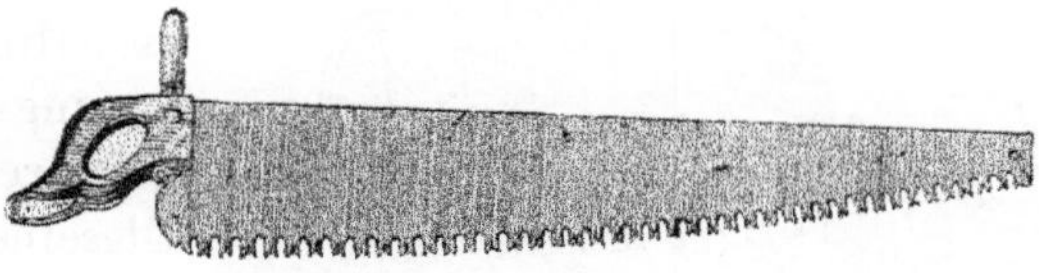

Figur 12.

Eine neue Blocksäge zeigt die Figur 13. Wie ersichtlich, ist das Sägeblatt an beiden Seiten gezahnt, beide Seiten sind gebrauchsbereit gefeilt, aber nur eine ist gesetzt, da sonst selbstverständlich die andere beim Sägen hindern würde. Wenn die im Gebrauche befindliche Seite stumpf ist, werden die Zähne gerade gehämmert, und die Zähne der andern Seite gesetzt: damit ist die Säge zum fernern Gebrauch hergerichtet. Diese Verrichtung leistet erspriessliche Dienste, wenn die Säge nicht an Ort

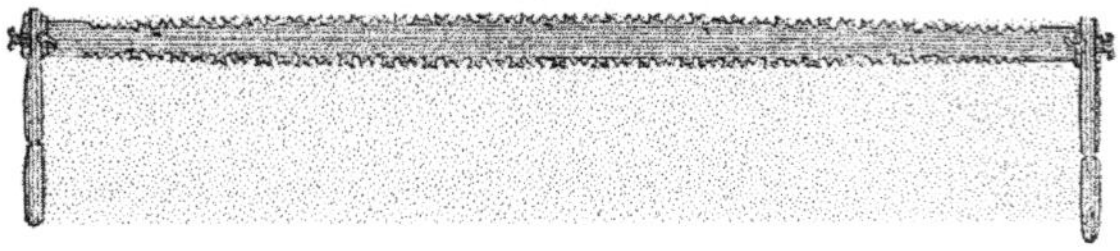

Figur 13.

und Stelle gefeilt oder ausgehauen werden kann. Häufig kommt die Säge nicht in die Hände eines geschickten Sägenhauers, und ihre früheren Dienste leistet sie dann nicht mehr. In solchem Falle ist die Säge länger brauchbar, wie eine, die nur auf einer Seite gezahnt ist. Die beiden Griffe sind verstellbar, so dass die Säge sowohl zum Umsägen stehender Bäume, wie zum Zersägen liegender Stämme benutzt werden kann.

Figur 14.

Wenn bei der Holzgewinnung eine Dampfmaschine im Betrieb ist, verdient die in der Figur 14 dargestellte Wheelers Wood Sawing Maschine zum Sägen des Brennholzes Beachtung. Dieselbe wird in verschiedenen Grössen angefertigt, die 200 bis 300 Mark kosten. Man kann rechnen, dass eine solche Maschine 5 Arbeiter mit Handsägen ersetzt. Zur Bedienung der Maschine gehört, dass das Schieblager gelegt und im Gleichmass mit dem Sägeschnitt fortgeschoben wird. Nach Vollendung des Schnittes wird das Schieblager zurückgezogen und das Holzscheit um eine Schnittlänge seitwärts gerückt; dann wiederholt sich der vorherige Vorgang.

Eine andere Bauart dieser nützlichen Maschine zeigt die Figur 15. Der Preis, einschliesslich der 60 Zentimeter breiten Zirkelsäge, beträgt 200 Mark. Wie alle hier dargesellten Maschinen, so kann auch diese in andern Ländern gewiss billiger hergestellt werden, wie angegeben. Die nordamerikanischen Bahnen benutzen in manchen Gegenden Brennholz statt Kohlen, das sie stets mit einer der beiden vorstehenden Maschinen oder einer ähnlichen Bauart sägen lassen.

Figur 15.

Der Gebrauch der hier abgebildeten Maschine wird nach dem Gesagten kaum einer Erklärung bedürfen. Der Träger des Scheitholzes ist so beweglich, dass er bis an seinen Rücken an die Säge geschoben werden kann. Der schwarze Strich bedeutet eine Spalte, welche das Vorrücken gegen die Säge ermöglicht.

Figur 16.

Auch für das Zersägen der Blöcke hat man die Handarbeit zu ersetzen oder zu erleichtern gesucht. Diese letztere Absicht hat in der Reitersäge Verkörperung gefunden, die in der Figur 16 veranschaulicht ist. Eine Gebrauchserklärung wird überflüssig sein. Der Preis beträgt 100 Mark.

Figur 17.

Eine andere Maschine dieser Art ist an der Pazifikküste im Gebrauch, wo sie von den Holzfällern als „Bull" gekannt ist, weil die Firma George Bull u. Cie. in San Franzisco die Patentinhaber und Fabrikanten sind. Veranschaulicht wird sie in den Figuren 17 und 18.

Figur 18.

Die erstere zeigt sie in der Thätigkeit, einen stehenden Baum umzusägen, die letztere, wie sie einen liegenden Stamm zerlegt. Der Betrieb erfordert nur eine geringe Kraftäusserung des bedienenden Arbeiters, trotzdem bewegt das einfache Hebelwerk die Säge rasch hin und her. Die bedeutende Kraftersparnis ist demnach ausser Frage, allein auch eine Zeitersparnis muss dieser Maschine angerechnet werden, denn sie fällt in einer gegebenen Zeit mehr Bäume wie ein Holzhauer mit einer Axt. Ihrer allgemeinen Anwendung steht im Wege, dass sie zu ihrer Aufstellung eines Raumes bedarf, der in einem dicht bestandenen Walde nicht vorhanden ist. Nur in einem Urwalde, wo die Umgebung eines Baumes leicht gelichtet werden kann oder in einem Kulturwalde, der zur vollständigen Abholzung bestimmt ist, kann sie in Gebrauch kommen.

Die Anwendung einer Sägemaschine zum Fällen der Bäume wird in Nordamerika immer gebräuchlicher, hauptsächlich aus diesen beiden Gründen: es findet, dem Axthieb gegenüber, eine Ersparnis an Holz statt und zwar am wertvollsten Holze des Stammes und ferner „springt der Stamm klarer vom Stumpf“, eine Ausdrucksweise, die keiner Erläuterung bedürfen wird.

Eine einfachere, weniger Raum in Anspruch nehmende Maschine wird von der Folding Sawing Machine Company in Chicago fabriziert und ist zunächst in den Waldstaaten Michigan und Wisconsin in Gebrauch genommen worden. Zwar habe ich diese Maschine noch nicht gesehen, doch hörte ich von verschiedenen Seiten so günstige Beurteilungen, dass ich nicht anstehe, sie der

Beachtung zu empfehlen, sei es auch, um die zu Grunde liegende Idee weiter auszubauen.

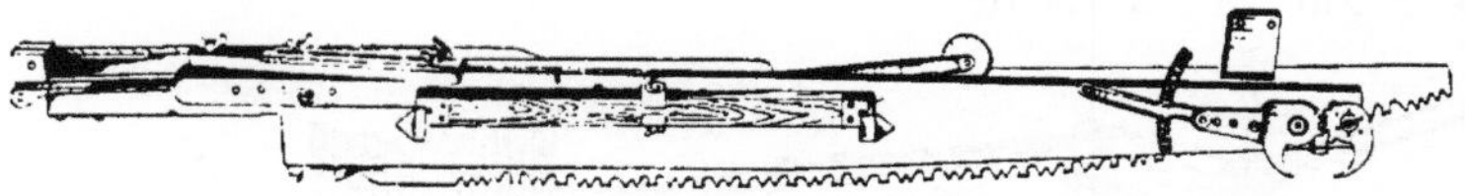

Figur 19.

Wie der Name sagt (Folding Sawing Machine), kann diese Maschine zusammengefaltet werden, in welchem Zustande sie die Form besitzt, welche die Figur 19 wiedergibt. Da das Gewicht nur 18 Kilogramm beträgt, kann ein Mann die zusammengefaltete Maschine bequem auf der Schulter nach einem entfernteren Orte tragen. An dem Arbeitsplatze angekommen, kann sie in wenigen Minuten aufgestellt werden und wenn sie einen stehenden Baum umsägen soll, wird sie in die Lage gebracht, welche die Figur 20 zeigt.

Figur 20.

Der Baum darf einen Durchmesser von $1^1/_3$ Meter haben. Ein grösserer Arbeitsraum ist nicht nöthig, als zwei Männer haben müssen, die mit der Blocksäge einen Baum umsägen. Soll der Baum hart über dem Boden abgesägt werden, dann legt man die Füsse der Maschine um, sie nimmt dann eine Lage ein, welche die Figur 21 darstellt.

Figur 21.

Wenn der Stamm liegt, wird die Maschine aufgestellt, wie die Figur 22 zeigt, um die Blöcke abzusägen.

Liegt der Stamm auf einem Hange, so versetzt man den Hebel etwas seitlich, damit er bequem in Bewegung gesetzt werden kann. Übrigens kann die Maschine hängendem oder holperigem Boden leicht angepasst werden, da die Füsse verstellbar sind.

Figur 22.

Den Vorzug besitzt diese Maschine jedenfalls, dass sie mässige Anschaffungskosten verursacht, die vor einem Versuche nicht zurückschrecken, denn sie wird frei ab Chicago für 63 Mark geliefert; eine Extrasäge kostet 17 Mark.

Eine Sägemaschine, welche nicht von Menschen, sondern von

Pferden in Bewegung gesetzt wird, zeigt die Figur 23. Sie führt den Namen Drag Saw Machine von Griffings in New-York und kostet 240 Mark, ausgenommen die Tretmühle, die mit 500 Mark berechnet wird, aber auch zum Betriebe anderer Maschinen brauchbar ist.

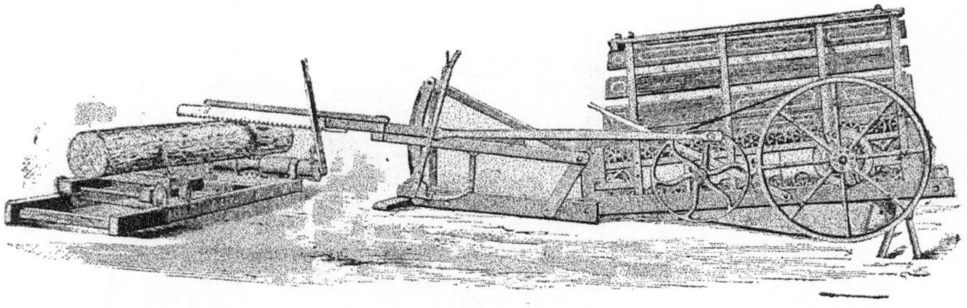

Figur 23.

Wer den 1. oder 3. Band der „Tropischen Agrikultur" gelesen hat, bedarf der Erklärung nicht, dass die von mir warm empfohlene Kraftmaschine-Pferdetretmühle (Railroadhorsepower der Nordamerikaner) in diesem Falle dazu verwendet wird, eine Sägemaschine zu treiben. Über die Einrichtung und Vorzüge der Tretmühle habe ich mich in der „Tropischen Agrikultur" ausführlich verbreitet und indem ich darauf verweise, führe ich nur kurz an, dass zum Betriebe der in Rede stehenden Maschine ein schweres Pferd genügt, das in der Tretmühle die Bewegung des Gehens macht, dabei immer auf derselben Stelle bleibt. Diese Arbeit ist durchaus nicht ermüdend, weil das Pferd durch sein Gewicht auf die rollende Brücke wirkt, auf welcher es steht und die auf das Schwungrad die treibende Kraft fortpflanzt. Der bedienende Arbeiter stellt sich so auf, dass er die beiden sichtbaren Hebel gleichzeitig erfassen kann. Mit dem linken schiebt er den Stamm fort, mit dem rechten setzt er das Schwungrad ausser Wirksamkeit.

Bei der Anwendung von tierischen Kräften zum Treiben der Sägemaschine ist man nicht stehen geblieben, sondern hat auch den Dampf zur Hilfe genommen, wie Figur 24 zeigt. Diese Dampfsägemaschine wird von W. E. Hill & Co. in Kalamazoo in Michigan fabriziert, die ihr den uncomfortabel langen Namen Patent improved directacting steam dragsaw machine gegeben haben. Der Preis stellt sich auf 1450 Mark. Verbreitung hat diese Maschine in den Sägemühldistrikten von Michigan, Wisconsin und Minnesota gefunden.

Figur 24.

Wie der Name sagt, so wirkt die Dampfkraft direkt auf die Säge, wodurch die stossende Bewegung vermieden wird, welche jede Kurbelbewegung begleitet. Die Maschine besteht aus Eisen und Stahl, ausgenommen allein die hölzerne Hebelvorrichtung, welche zum Heben der Säge und auch der Maschine dient, damit sie einen Stamm von jedem beliebigen Durchmesser zersägen kann. Auf Wunsch wird die Maschine für zwei Sägen eingerichtet, welche 40 bis 50 Zentimeter im Abstand sitzen und also zwei Blöcke in einer Zeit abtrennen. Die Anschau der Abbildung lehrt, dass der Maschine Dampf aus einem besonders aufzustellenden Kessel geliefert werden muss und das ist jedenfalls ein Nachteil bei der Benutzung im Walde. Für den letzteren Zweck sollte der guten Grundidee eine abgeänderte Gestalt gegeben werden.

Bis jetzt sind nur solche Sägemaschinen gezeigt worden, welche die Stämme in Blöcke zerlegen; kraft- und zeitsparend, wie sie sind, können sie doch nicht die grosse Schwierigkeit heben oder mindern, welche sich in wegelosen Wäldern dem Transporte der Blöcke entgegenstellen. Es ist einleuchtend, dass durch das Zerschneiden der Blöcke in Bretter in nächster Nähe des Gewinnungsortes eine ausserordentliche Transporterleichterung herbeigeführt würde, unter Umständen mag dadurch die Holzgewinnung erst möglich werden. Das gilt natürlich nur unter der Voraussetzung, dass die zu fällenden Bäume überhaupt zu Brettern verschnitten werden sollen. Da dies indessen häufig der Fall ist, so haben die Nordamerikaner ihren Erfindersinn angestrengt, um transportable Sägemühlen herzustellen, die sich leicht zerlegen

Figur 25.

und an einem anderen Orte wieder zusammenstellen lassen. Bekannt sind sie unter dem Namen Ponysägemühle und in mehreren recht vorzüglichen Konstruktionen vorhanden. Als eine der besten gilt die in der Figur 25 gezeigte „Massillon.“

Russell & Co. in Massillon, Ohio, sind die Fabrikanten und Patentinhaber dieser Mühle, welche sie in 3 Grössen liefern, für welche Dampfmaschinen von 10 bis 12, von 16 bis 20 und von 25 bis 30 Pferdekraft erforderlich sind. Als Leistungsfähigkeit wird angegeben:

für 10 Pferdekraft	90 bis 120	Meter	Bretter,	$2^1/_2$	Zentimeter	dick	pro	Stunde.
„ 20 „	240 „ 300	„	„	„	„	„	„	„
„ 30 „	360 „ 400	„	„	„	„	„	„	„

Für die Aufstellung in wegelose Wälder ist übrigens die niedrigste Grösse am empfehlenswertesten, schon weil eine Lokomobile von 10 Pferdekraft viel leichter die sich überall bietenden Fahrschwierigkeiten überwindet, wie eine solche von 20 oder gar 30 Pferdekraft.

Das links befindliche Roll-Lager, auf welches der Block gelegt wird, ist 9 Meter lang, es können also Bretter von dieser Länge geschnitten werden, doch wird gewöhnlich 7,2 Meter als das Höchstmass betrachtet. Mit einer Hebelvorrichtung wird der

Block auf das Lager gehoben und mit den beiden sichtbaren Winkelhaken festgeklammert. Ein Teil des Blocks bleibt seitwärts über das Lager überstehen, damit die Säge Brett für Brett abschneiden kann. Sobald der Block festgeklammert ist, hat sich der bedienende Arbeiter an den Hebel zu stellen, mit dem er sowohl den Block, samt dem Roll-Lager, langsam vorwärts schiebt, um der Säge dauernd Arbeitsstoff zu bieten und natürlich dann auch auf den alten Punkt zurück, wie auch seitlich, sobald ein Brett abgesägt ist. Diese Hebelvorrichtung muss als ein Triumph des menschlichen Erfindungsgeistes betrachtet werden, sie ist bewundernswert, lässt sich aber leider nicht anschaulich schildern, selbst mit Beigabe einer Abbildung. Man muss sie in Thätigkeit sehen, um ihre Wirkung zu begreifen, man muss erprobt haben, dass mit ihrer Hilfe ein Kind den schwersten Block lenken kann, um ihre Vorzüge zu verstehen. Und hinzufügen will ich: keine Vorrichtung der nordamerikanischen Sägemühlen hat so sehr mein Erstaunen erregt und mein Interesse dauernd gefesselt, wie die scharfsinnig erdachten Hebelwerke. Manchmal bin ich in den Gebirgswäldern Californiens Blöcken gefolgt, $7^1/_2$ Meter lang und $1^1/_2$ Meter dick, wie sie über scharfe Hänge nach der Bach geschleift, dann wieder ans Land gehoben, abermals in die Bach geworfen und schliesslich an der Sägemühle dem Wasser entnommen wurden, um vor die Säge gelegt zu werden. Jedesmal wenn es galt, die Blöcke zu heben, wurde die Aufgabe spielend überwunden, zumal in der Sägemühle, wo auf beschränktem Raum eine genau begrenzte Verrückung stattfinden musste. Eine leichte Handbewegung und der gewaltige Block hob oder senkt sich, rückte rechts oder links, vorwärts oder rückwärts, ganz nach dem Belieben des Lenkers. Man kann sich beim Anblick dieser Errungenschaften des Gedankens nicht erwehren, dass ein unberechenbarer, menschlicher Kraftverbrauch in allen Erwerbszweigen erspart werden könnte, durch Anwendung dem Zwecke angepasster Hebelvorrichtungen. Da liegt noch ein unabsehbar weites Feld für die Erfinder offen.

Noch ist zu erwähnen, dass die Winkelhaken an dem sogenannten Hund hängen, der verstellbar ist und bewirkt, dass die Bretter von gleichmässiger Dicke geschnitten werden. Die Länge der eigentlichen Sägemühle beträgt $2^1/_2$ Meter, die Breite $1^1/_2$ Meter.

Die Preise der obigen Sägemühle bewegen sich zwischen 1600 und 2500 Mark, je nach der Grösse und der Ausrüstung mit Extrasägen u. s. w.

Wie eine solche Ponysägemühle im Walde aufgestellt wird, zeigt die Figur 26, ebenso das Titelbild.

Figur 26.

Wenn es nicht durchaus geboten erscheint, mit der Ponysägemühle von Platz zu Platz zu wandern und für ihren Betrieb eine Wasserkraft vorhanden ist, dann mag sich eine Anlage empfehlen, wie sie in der Figur 27 veranschaulicht ist.

Hier ist, oben auf den Bergen, ein Bach, ganz oder teilweise, wie es der Bedarf erheischt, in einen hölzernen Schacht geleitet worden, der in ein eisernes Rohr mündet, welches das Wasser einer Turbine zuführt; diese liefert die Treibkraft für die Ponysägemühle, mit der sie durch einen Treibriemen verbunden wird. Die Turbinen und ihre Aufstellung habe ich im I. Bande der tropischen Agrikultur eingehend geschildert, ich kann daher eine Wiederholung ersparen. Im Übrigen ist die Anlage so anschaulich dargestellt, dass sie einer Erläuterung nicht bedarf. In Nordamerika sind viele Sägemühlen in dieser und ähnlicher Weise erbaut. Ein billiger, einfacher Schuppen, der leicht abgebrochen und an einer andern Stelle aufgebaut werden kann, eine Ponysägemühle, die ebenfalls keine Transportschwierigkeiten bietet, eine Turbine mit einem hölzernen Schacht, die den Abbruch und Wiederaufbau nicht kostspielig machen — das sind die Bestandteile dieser Anlagen, welche auf's Wandern berechnet und den gegebenen Verhältnissen ganz gut angepasst sind.

Figur 27.

Zuweilen wird im Walde neben der Ponysägemühle eine Schindelmaschine aufgestellt, welche nicht allein Schindeln, sondern auch Fasskopfstücke schneidet. Das ist ganz gut ausführbar in einem Klima, wo es mehrere Monate nicht regnet und gewährt natürlich dem Holztransporte eine weitere bedeutende Erleichterung.

Die in der Figur 28 gezeigte Maschine dieser Art, ist unter dem Namen Green Mountain shingle & heading machine bekannt und kostet 630 Mark. Die Bedienung dieser Maschine kann nicht verständlich geschildert, aber leicht erlernt werden. Die Angabe möge genügen, dass vermöge der beiden Hebelarme die Brettstücke zu Schindeln und Fasskopfstücken in jeder beliebigen Dicke geschnitten werden können.

Wo die vorstehenden Maschinen im Gebrauche sind, darf es dem Holzfäller an Bohrinstrumenten nicht fehlen, sie gehören zu seiner Ausrüstung, wie die Feile und der Schraubstock. Für das Bohren grösserer Löcher empfehle ich warm die bewährte Hand-

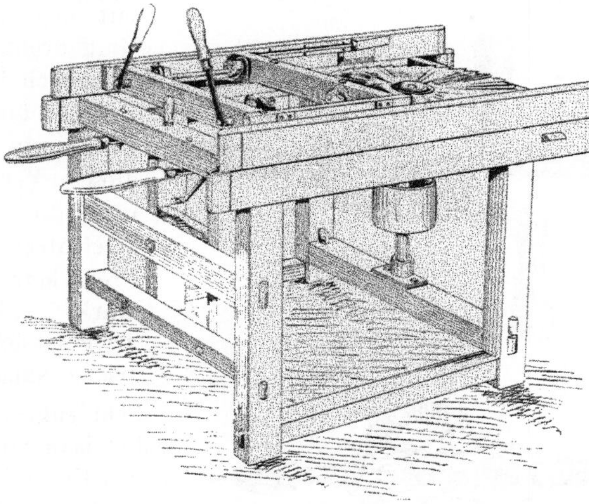

Figur 28.

bohrmaschine, welche in der Figur 29 dargestellt und in allen grösseren Werkzeughandlungen Nordamerika's für etwa 45 Mark zu haben ist. Nachdem die Maschine aufgesetzt ist, fasst der Arbeiter den rechten und linken Griff zugleich an und dreht. Im Nu ist ein grosses Loch gebohrt mit einem unvergleichlich geringeren Kraftaufwand, als wie ihn der Handschneckenbohrer erfordert. So kraft- und zeitsparend ist dieses vortreffliche Maschinchen, dass ich nicht begreifen kann, warum es noch nicht den Weg zu allen Holzarbeitern gefunden hat, die den Anspruch erheben, Kulturmenschen zu sein.

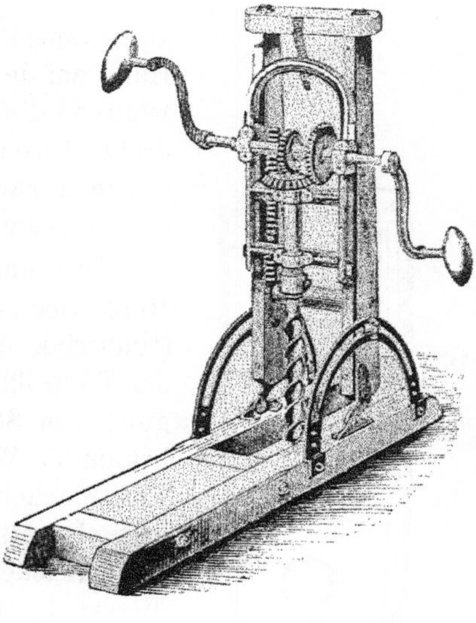

Figur 29.

Um kleinere Löcher zu bohren, verdient der Windelbohrer den Vorzug. Mit einer bedeutenden Verbesserung ausgestattet, veranschaulicht ihn die Figur 30. Er wird gegen die Brust gestemmt, während die linke Hand den oberen Griff fasst, die rechte dagegen mit dem untern Griff dreht. Man muss sich in der Praxis überzeugen, wie sehr diese Verbesserung die Arbeit erleichtert. Der Preis beträgt 11 Mark. „Breast drill“ ist der englische Name.

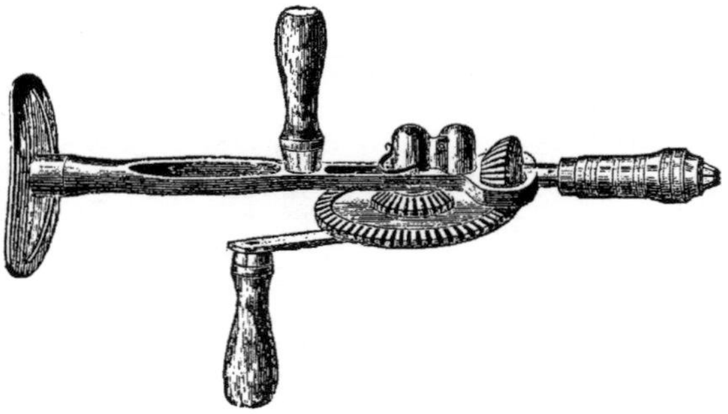

Figur 30.

Sehr enge Löcher bohrt man mit dem in der Figur 31 dargestellten Handwindelbohrer (Handdrillbohrer der Nordamerikaner). Derselbe wird mit der linken Hand auf der betreffenden Stelle festgehalten, während die rechte die Kurbel des Rädchens dreht. Unscheinbar wie dieser Fortschritt erscheinen mag, bedeutet er doch eine Arbeitserleichterung. Preis: 6 Mark.

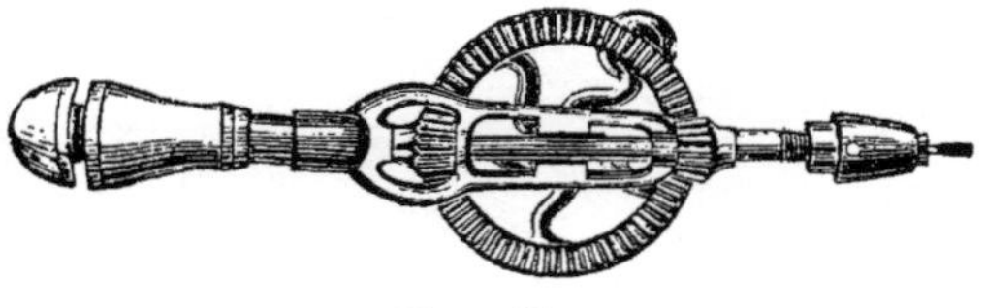

Figur 31.

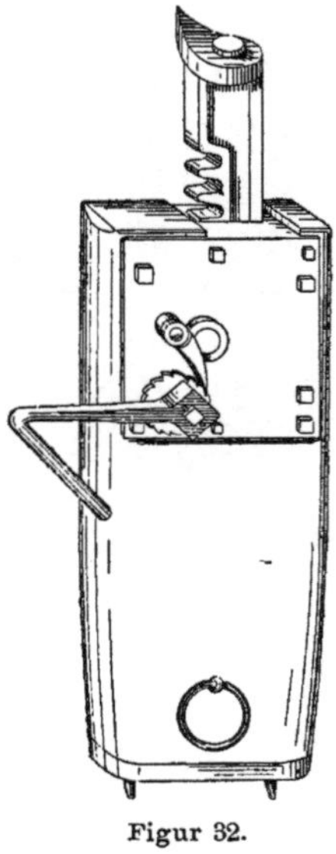

Figur 32.

Ein unerlässliches Hilfsmittel für den Holzfäller ist oder sollte die Blockwinde sein (timberjak der Nordamerikaner), wie sie in der Figur 32 veranschaulicht ist. Dieselbe ist ganz von Stahl und nach dem Prinzip der bekannten Wagenwinden konstruirt. Mit den Fuss-Stacheln findet sie Halt im Boden, wenn man sie seitlich an den Stamm legt, um ihn zu verrücken. Das kann ein Arbeiter mit diesem Instrument schneller und müheloser vollziehen, wie sechs, welche Stangen zu Hilfe nehmen.

Die wichtigste Frage für die Holzgewinnung in Wäldern, wie sie hier in's Auge zu fassen ist, bleibt aber immer, wie der Transport nach der Sägemühle oder der nächsten Verladestelle einer Bahn oder eines Hafens in Einklang mit der Rentabilität des Unternehmens gebracht werden kann. Wohl kann durch Aufstellung einer Ponysägemühle im Walde, eine vorhandene Transportschwierigkeit gemindert, nicht aber vollständig beseitigt werden. Ob das Holz in Form von Blöcken oder Brettern fortzuschaffen ist — in beiden Fällen fordert die gestellte Frage ernsteste Erwägung. Wenn Wasserläufe, benutzbar zur Flösserei, in der Nähe sind, wird selten der Transport bis zur Unrentabilität verteuert, fehlen sie aber. dann mag die Ausbeute des Waldes mit Gewinn zweifelhaft, wenn nicht aussichtslos erscheinen, jedenfalls bedarf es eines bedeutenderen Anlagekapitals zur Beschaffung der nötigen Transportmittel. Weite Strecken tropischer Urwälder sind bis jetzt unverwertbar geblieben, weil keine Wasserstrasse vorhanden ist, und es entweder an Kapital und Unternehmungsfreudigkeit fehlte, andere Transportmittel herzustellen, oder eine Berechnung ergab, dass sich ein solcher Kostenaufwand nicht lohnen könne. British Guiana ist eines der bevorzugtesten tropischen Länder, wenn nicht gar das bevorzugteste, was Artenzahl, Geschätztheit und Verschiffbarkeit von Handelshölzern anbetrifft. Trotz dieser Vorteile ist die Holzgewinnung nur in nächster Nähe der Flüsse lohnend. Hinzufügen muss ich indessen, dass sich das Geschäft in Händen von Leuten befindet, denen es an allem fehlt, um das Verkehrsnetz durch Nachahmung fremder Vorbilder auszudehnen.

Wo Gelegenheit vorhanden ist, kleine Wasserläufe in einem Sammelbecken zu vereinigen, mag die Anlage einer Flume rätlich erscheinen — ein in Californien erfundenes Transportmittel, das als ein bedeutender Fortschritt zu betrachten ist. In einer der folgenden Skizzen wird die nähere Beschreibung gegeben. Doch halte man in Erinnerung, dass in einem Gebirge die Anlage einer Flume kostspielig ist und sich nur dann lohnen kann, wenn in ihrer Umgebung dauernd grosse Holzvorräte zur Gewinnung bereit stehen.

Ein anderes Transportmittel, dessen Erfindung in die Neuzeit fällt und der Forstwirtschaft erspriessliche Dienste leistet, ist die transportable Eisenbahn. Eine Art derselben empfehle ich ganz besonders der Aufmerksamkeit, denn sie ist am billigsten und hat sich seit 20 Jahren in den nordamerikanischen Wäldern sehr nützlich erwiesen. Merkwürdiger Weise kennt man sie trotz ihrer Verdienste fast nur im engen Fachkreise, darüber hinaus wissen wenige, dass 1886 383 „Stangeneisenbahnen" (Polerailroads) in in einer Gesamtlänge von 3660 Kilometer mit 428 Lokomotiven und 5182 Wagen vorhanden waren.

Figur 33.

Die beiden Figuren 33 und 34 lassen klar erkennen, wie man sich eine Stangenbahn vorzustellen hat.

An der Lokomotive ist bemerkenswert, dass ihre Räder mittels Ketten getrieben werden nnd zwar wird jedes Rad unabhängig von den anderen bewegt, damit, wenn eine Kette bricht oder in Unordnung gerät, die Fahrt keine Unterbrechung erleidet. Versehen ist die Lokomotive mit einem Wasserbehälter, der 2000 Liter fasst; die Plattform ruht auf einem elastischen Gestell, damit die Maschine, ohne Schaden zu nehmen, über holperige Stellen fahren kann. Die Zugkraft ist für 6 Wagen bemessen, beladen mit 3000 Meter Bretter. Bei einer Steigung von 40 Meter auf den Kilometer beträgt die Fahrgeschwindigkeit 8 Kilometer die Stunde. Es giebt Bahnen, wo eine Steigung von 130 Meter auf den Kilometer vorkommt. Hier wird die Lokomotive in die Mitte der 6 Wagen gekoppelt. sobald der Zug an die Steigung gelangt, werden die drei hinteren Wagen abgestossen und geholt, nachdem die drei vorderen über die Anhöhe geschoben sind.

Wie der Name sagt, wird diese Bahn mit Stangen statt Eisenschienen gebaut. Zu Schienenstangen wählt man eben solche Bäume wie zu Telegraphenstangen. doch soll das dünnere Ende keinen geringeren Durchmesser wie 23 Zentimeter besitzen. Beide Enden werden glatt wagerecht gesägt, damit sich die Stangen fest aneinander schliessen. Dass dünne Ende einer Stange soll gegen das dicke Ende der nächsten Stange stossen, besser noch, es wird am dicken Ende mit der Axt so viel ausgehöhlt, um ein Lager für das dünne Ende zu schaffen, das dann mit jenem eine gleiche Rückenlinie bildet.

Figur 34.

Die Stangen werden einfach auf den Boden gelegt, wenn derselbe nicht sehr holperig ist und dadurch eine Planirung notwendig macht. und an beiden Seiten mit angeworfener Erde so fest gestampft, dass sie in ihrer Lage verharren. wenn der Zug über sie wegfährt. Dieser Zweck wird am besten erreicht. wenn die Arbeit bei feuchtem Wetter ausgeführt wird. Keine Schwellen sind nötig; die Räder der Lokomotive sind tief ausgehöhlt und haben einen wagerechten Spielraum in den Achsen, dadurch können sie sich den Unebenheiten der Bahn anbequemen und die Stangen in ihrer Lage halten. Nach einigen Fahrten über die Bahn, liegt keine Gefahr vor. dass sich die Stangen verrücken, die Räder haben keine Neigung. sie seitlich zu schieben. weil jedes. unabhängig von dem anderen. seitlichen Spielraum hat. Die dicken Enden der Stangen sollten an beiden Seiten etwas abgehauen werden, damit sie die Räderrinnen nicht zu stark ausfüllen. Wenn Kurven zu machen sind, werden kurze Stangen aneinandergelegt, immer in der beschriebenen Weise. Hier gilt es ganz besonders darauf zu achten, dass die Stangenenden eine gleiche Rückenlinie bilden. Der Hauptlinien können sich Zweiglinien anschliessen, der Übergang kann ohne Weichenanlage stattfinden; die Zweiglinie muss nur im Bogen in die Hauptlinie einlaufen. Ein Arbeiter kann eine Strecke von 3 Kilometer in Ordnung halten.

Die Baukosten betragen, je nach der Beschaffenheit des Bodens, der Höhe der Arbeitslöhne u. s. w. 200 bis 400 Mark pro Kilometer, in einem zerrissenen Gebirge steigen sie jedoch auf 600

Figur 35.

bis 700 Mark — immer in Nordamerika gemeint, wo die Arbeitslöhne bekanntlich sehr hoch sind. Die Lokomotive kostet 12600 Mark (3000 Dollars) und der Wagen 525 Mark (125 Dollars). Geliefert werden beide von der Tanner & Delany Engine Company in Richmond, Virginien.

Auf manchen Bahnen wird die Lokomotive durch Zugtiere ersetzt, was allerdings ein geringeres Anlagekapital erfordert, allein der Betrieb ist langsamer und kostspieliger.

Die Stangeneisenbahnen sind in Nordamerika bis jetzt nur östlich der Felsengebirge gebräuchlich geworden, gewöhnlich mit Beihilfe einer Dampfflademaschine, wie sie die Figur 35 veranschaulicht. Dieselbe führt den Namen Logskidding & loading-machine und wird von Butters & Peters in Ludington, Michigan, fabriziert.

Weil an der Pazifikküste auf einer gegeben Fläche viel grössere Mengen brauchbares Holz geschlagen werden können, wie im östlichen Nordamerika, baut man da, wo der Wassertransport ausgeschlossen ist, schmalspurige Eisenbahnen nach dem sogenannten „Camp“ (Lager) der Holzfäller, welche eine Mittelstellung einnehmen zwischen den Feldeisenbahnen und festliegenden Bahnen. Das Bett wurde nicht sorgfältig nivelliert und nicht

Figur 36.

mit der Gründlichkeit hergestellt, welche beim Bau festliegender Bahnen üblich ist, andererseits ist die Anordnung nicht auf Verschiebung bald nach dieser, bald nach jener Linie berechnet. Auf viele Jahre hinaus ist nur eine Verlängerung, nicht eine Verlegung des Geleises nötig, des erwähnten dichten Holzbestandes wegen.

Diese Bahnen werden seit wenigen Jahren von den Baldwin Locomotive Works in Philadelphia mit Lokomotiven ausgestattet, die für die gestellten Anforderungen eigens konstruiert und als eine besonders bemerkenswerte Neuerung eine Dampfwinde zum Aufladen der Blöcke besitzen. Die Figur 36 zeigt eine solche Lokomotive. Wie ersichtlich, besitzt dieselbe zwei Paar Treibräder und einen zweiräderigen „Ponykarren“ an jedem Ende. Im Sattelkessel ist der nötige Wasservorrat und der Halbwagen enthält das Brennholz. Der vordere Ponykarren trägt auf seinem Mittelpunkt, der hintere auf seinen Seiten. Die Räderstützpunkte sind so weit auseinander gelegt, um das Gewicht der Lokomotive über eine nicht zu kurze Geleisestrecke zu verteilen, zugleich sind sie so nachgiebig, dass die Lokomotive über unebenes Geleise fahren und kurze Kurven überwinden kann, ohne sich selbst oder dem Bahnbett Schaden zuzufügen. Eine kräftige Dampfbremse, die auf beide Treibräderpaare wirkt, kontrolliert die Bewegungen der

Figur 37.

Lokomotive auf abschüssiger Fahrt und stellt sie fest, wenn die Winde in Thätigkeit ist. Die letztere, welche, wie ich kaum zu erwähnen brauche, patentiert ist, kann mit den Treibrädern in Verbindung gesetzt werden, um diese treiben zu helfen, sie kann aber auch so vorgerichtet werden, dass sie nur ihrem eigentlichen Zwecke, dem Auf- und Abladen der Blöcke dient. Zuweilen hat die Winde enorme Lasten zu bewegen, giebt es doch Blöcke, die 20 bis 30 Tonnen wiegen. Allenfalsige Zweifel bringt gewiss die Figur 37 zum Schweigen, die einer Photographie nachgearbeitet ist. Dieser Rotholzblock mass 4,8 Meter im Durchmesser und der ganze Baum lieferte 41 000 Fuss Bretter. (1 Zoll dick, 1 Fuss breit.)

Wie sich ein mit Rotholzblöcken beladener Zug, bespannt mit der geschilderten Lokomotive, darstellt, zeigt die Figur 38.

Dieser Fortschritt — die Dampfwinde an der Lokomotive ist gemeint — führte zu einem anderen. Das an anderer Stelle geschilderte Herbeischaffen der Blöcke an die Ladestelle der Bahn oder der Flume mit Ochsen wurde schon lange als zeitraubend und kostspielig beklagt, jenes Vorbild musste daher zu dem Versuche anregen, die Ochsen durch die Dampfwinde zu ersetzen und der Erfolg war sehr ermutigend. Die zu diesem Zwecke benutzte Maschine wird gewöhnlich Donkey genannt, sie besteht aus einer

Figur 38.

Lokomobile, die auf starken Schlittenkufen ruht und einer Dampfwinde, die nach dem üblichen Prinzip konstruiert ist. Wer in einer Hafenstadt die Löschung der Schiffe mit einer Dampfwinde beobachtete, kann sich leicht einen Begriff machen von der hier genannten Maschine und ihrer Thätigkeit. Nur ist der Unterschied hervorzuheben, dass statt eines Schaftes zum Aufwinden des Seils, zwei Haspel an jedem Ende des Schaftes vorhanden sind. Um die Maschine fortzubewegen, wird ein Seil an einen entsprechend fern stehenden Baum gebunden und das andere Ende zwei- oder dreimal um den inneren Haspel geschlungen. Dann wird der Dampf angelassen und die Maschine zieht sich selbst fort. Auf diese Weise transportiert sie sich selbst dahin, wohin man sie wünscht. Wenn sie an den Bestimmungsort angelangt ist, wird sie an einem Baum oder Stumpf festgemacht und das Seil mit einem Haken in den Block befestigt, welcher transportiert werden soll, was mit Hilfe von Schnappstangen nach jeder Richtung hin geschehen kann. Besonders hervorzuheben ist der Vorteil dieser Maschine, dass sie Blöcke aus Schluchten und anderen schwer zugänglichen Orten wegschafft, die von Ochsen gar nicht oder nur mit grosser Lebensgefahr betreten werden können.

Obgleich eine Darstellung der Sägemühlenindustrie nicht im Plane dieses Werkes liegt, so wird die kurze Schilderung der Sägemühle nach fortgeschrittenstem System doch am Platze sein. Zugestanden wird allseitig, dass sich die Nordamerikaner am erfolgreichsten bemüht haben, die Leistungsfähigkeit ihrer Sägemühlen zu erhöhen, und die Nordamerikaner erkennen einstimmig den Sägemühlen an der Pazifikküste die Palme zu. Und es kann gewiss kein Zweifel darüber bestehen, dass am Pugetsund im Territorium Washington und an der Rotholzküste Kaliforniens nicht allein die grössten, sondern auch die vorzüglichst eingerichteten, mit allen neuen technischen Erfindungen in diesem Fache ausgestatteten Sägemühlen zu finden sind. Das wird gewöhnlich durch den erstaunlichen Holzreichtum zu erklären gesucht. Gewiss, der Holzreichtum ist da, doch ich frage: warum spricht man von dem natürlichen Reichtum Nordamerika's als Regel und nur als Ausnahme von der Energie seiner Bewohner? Nicht der natürliche Reichtum eines Landes führt zu einer „Entwickelung ohne Gleichen“, sondern die Thatkraft, die Unternehmungsfreudigkeit und die Intelligenz seiner Bewohner. Besitzen nicht andere Länder wertvolle Wälder, die sich an Ausdehnung mit denen Kaliforniens oder Washingtons messen können? Warum ist ihre Sägemühlenindustrie unbedeutend geblieben, warum lassen sie sich Holz von der Pazifikküste zuführen?

Somit glaube ich berechtigt zu sein, mein Vorbild an der Pazifikküste zu suchen.

In den meisten Fällen steht die Sägemühle am Ufer eines Flusses oder künstlichen Teiches, mit dem Arbeitsflur etwa 3 Meter über dem Wasserspiegel. Am Pugetsund und in einigen geschützten

Buchten der kalifornischen Küste steht eine beträchtliche Zahl Mühlen, die zu den bedeutendsten gehören, auf Rostpfählen so weit im Seewasser, dass die Schuner direkt von ihren Werften einladen können. Die Figur 39 zeigt nach photographischer Aufnahme eine solche am Pugetsund gelegene Mühle.

Figur 39.

Selbst ein flüchtiger Blick muss die Vorteile dieser baulichen Einrichtung entdecken. Links ist der Boom (Fangplatz der Blöcke), von dem sofort noch weiter die Rede sein wird, der mit einer nach dem nahen Gestade führenden Bahn gefüllt wird. Andere Mühlen können die Blöcke in den Fangplatz flössen, was eine weitere Ermässigung der Transportkosten bedeutet. Im Fangplatz schwimmen die Blöcke, bis sie rechts in der oberen Ecke ausgehoben und unter die Säge gebracht werden. Auf der andern Seite des Gebäudes werden die Bretter auf die Werfte gesetzt, an der sie in Schuner von eigener Bauart geladen werden, welche die hohe See halten können. Allerdings ist es kostspieliger, das Gebäude auf Rostpfähle wie auf festes Land zu setzen, allein diese Mehrausgabe wird reichlich aufgewogen durch die bedeutenden Ersparnisse an Verschiffungskosten der Bretter. Manche Mühlen stehen auf dem Küstensaume mit einer in das Fahrwasser hinausgebauten Werfte, nach deren Ladestelle die Bretter mit einer Rollbahn gebracht werden. Es verdient beachtet zu werden, dass die Nordamerikaner bestrebt sind, nicht allein ihre Sägemühlen, sondern überhaupt ihre gewerblichen Anstalten an Orten zu erbauen, wo sie ihre Fabrikate billig und ohne Zeitverlust verladen können.

also an den Saum einer Seebucht, an das Ufer eines Flusses oder an den Knotenpunkt einer Eisenbahn.

Zuweilen findet sich in der Nähe der Küste eine vortreffliche Gelegenheit zur Anlage einer Mühle, dagegen fehlt eine geschützte Bucht zur Errichtung einer Landungsbrücke. In diesem Falle werden nicht die Mühlenprodukte nach dem nächsten, vielleicht mehrere hundert Kilometer entfernten Hafen transportiert, sondern es wird in möglichst gerader Linie von der Sägemühle ein Ankerplatz gesucht und nach diesem von der Küste ab eine Chute (Rutschbahn) gebaut, wie sie Figur 40 zeigt. Die Baukosten sind mässig, denn es ist nur eine Bretterbahn, vergleichbar einer Kegel-

Figur 40.

bahn, mit Seitengeländer, trotzdem erfüllt sie ihren Zweck ganz gut, ausgenommen bei stürmischem Wetter, wo der Schuner nicht ruhig genug vor Anker liegt. Zum Einladen sind ausser der Schiffsmannschaft zwei Arbeiter erforderlich. Der Eine legt die Hölzer auf den Kopf der Rutschbahn, der andere steht an ihrem Fusse und handhabt die Bremse, eine Art Zugbrücke, damit die in rasender Eile herabschiessenden Hölzer sanft auf das Deck des Schuners gleiten. An einer hafenarmen Küste, wie der kalifornischen, muss diese Einrichtung eine wesentliche Bedeutung für das Verkehrswesen erringen. Legen doch manchmal die Dampfer an die Rutschbahnen an, um ihre Passagiere auszuschiffen, die hart an den Seitengeländern, wo kurze Querleisten auf dem Boden angenagelt sind, aufsteigen müssen. Das mag unbequem dünken, allein ich behaupte, auf vielfache eigene Erfahrung gestützt, dass bei „schmierigem Wetter“ die Ausschiffung an einer Rutschbahn komfortabler ist, wie in einem Boot, ja unter Umständen bietet sie nur die einzige gefahrlose Möglichkeit, an's Land zu kommen.

Ist eine Bucht vorhanden, welche einigen Schutz gegen den Wellenschlag bietet, aber keinen Ankergrund in unmittelbarer Nähe des Landes hat, dann wird eine auf Rostpfählen ruhende Landungsbrücke von der erforderlichen Länge gebaut. Fichtenstämme bilden die Rostpfähle, sie werden mit einer Dampframme im Abstande von 5 bis 6 Meter in jeder der beiden, 4 Meter auseinander liegenden Reihen in den Buchtboden gestossen. Querbalken werden dann aufgelegt, auf diese kommt ein Bretterflur mit einer Rollbahn. So entsteht mit verhältnismässig wenigen Kosten eine Ladestelle, die 20 bis 25 Jahre dauert.

Wie die Blöcke nach den Mühlen transportiert werden, ist an anderer Stelle geschildert worden. Der Ankunftsplatz ist stets der Boom, ein Wort, das im Englischen Hafensperre bedeutet, in diesem Falle aber als Fangstelle zu übersetzen ist. Pfähle, aus Baumstämmen bestehend, werden in geeignetem Abstande in das Bett des betreffenden Gewässers gerammt; sie dienen dazu, eine Reihe von Blöcken, die mit schweren Ketten untereinander verbunden sind und von Ufer zu Ufer reichen, festzuhalten und zwar durch eine Kettenverkuppelung. Wenn ein schmales Flüsschen abzusperren ist, wird nur an jedem Uferrand ein Pfahl eingeschlagen und zwischen beide, festangekettet, eine Reihe von Blöcken gelegt, welche, wie es üblich, an den Stirnseiten mit einander verkettet werden, jedoch nicht so, dass sie eine steife Linie bilden, sondern einige Bewegungsfreiheit behalten.

Auf der Rückseite der Mühle, vom Sägeflur führt eine Fassleiter aus starken Baumstämmen in die Fangstelle, auf deren Boden sie durch schweres Gewicht festliegend gemacht ist. Auf jedem Schenkel der Fassleiter liegt eine Eisenschiene, beide bilden das Geleise für den stark gebauten Blockwagen, der gewöhnlich an einer Dampfwinde hängt, seltener von einem Pferd gezogen wird. So tief wird er in das Wasser hinabgelassen, dass ein schwimmender Block mit einer Hakenstange über ihn gezogen werden kann. Sobald die Dampfwinde in Bewegung tritt, fassen die Fangstacheln des aufwärts laufenden Wagens den Block an der unteren Seite, der sich somit selbst aufladet. Der Wagen führt den Block bis nach dem Sägeflur, wo er durch einen Hebel auf die nach dem Sägewagen führenden Rollbänder abgeladen wird. Sobald der Sägewagen von seiner vorhergehenden Last befreit ist, wird er durch eine geschickte Bewegung des Hebels mit dem Block beladen und der Säge zugeführt. Das geschieht nach der älteren Methode mit einem Drahtseil, das mit dem einen Ende am Wagen hängt, mit dem anderen über eine Rolle im Flur um eine Trommel unter dem Flur läuft, so eingerichtet, dass der bedienende Arbeiter die Bewegung vollständig unter Kontrole hat; er kann den Wagen langsam oder schnell der Säge zuführen, ihn aber auch in jeder beliebigen Geschwindigkeit zurückführen. Nach der neueren Methode wird auf die Bahn des Sägewagens ein Dampfcylinder von 20 Zentimeter Durchmesser gelegt, dessen Kolben mit dem Wagen in Verbindung steht. Die Länge des Cylinders steht in Übereinstimmung mit der Länge der zu sägenden Blöcke, Glieder können nach Belieben angehängt oder abgenommen werden. Wird Dampf dem treibenden Ende des Cylinders zugeführt, dann geht der Wagen mit „Blitzesschnelle“ (daher der Name lightningfeed für diese Vorrichtung) hin und zurück, je nach dem Willen des Sägers. Da die Begrenzung der Leistung einer Zirkelsäge in der Praxis von der Schnelligkeit abhängt, mit welcher die gesägten Stücke entfernt werden können, so ist die Fertigstellung von 60 000 bis 70 000 Fuss Bretter im Tag, mit diesem Apparat zu einer gewöhnlichen Leistung geworden, für eine kurze Zeit ist selbst die Leistung von 100 000 Fuss erreicht worden, immer mit einer Zirkelsäge gemeint.

Die abgesägten Bretter fallen auf „lebende Rollen“, eine Reihe von eisernen oder hölzernen Rollen, die durch eine Treibkette mit einander verbunden sind, eine Einrichtung, welche eine starke Ähnlichkeit mit den Transporteuren der Dreschmaschine hat. Die „lebenden Rollen“ tragen die Bretter einem Arbeiter zu, welcher Edger (wörtlich übersetzt Kanter) genannt wird, der sie durch die Kantenmaschine laufen lässt, welche, wie ihr Name andeutet, die Kanten gerade und zugleich die Bretter von gleicher Breite schneidet, auch die breiten Bretter, die von Blöcken, die mehrere Meter im Durchmesser haben, kommen, in die handelsüblichen Breiten zerlegt. Die neuesten Verbesserungen dieser Maschine zeigt der in Figur 41 veranschaulichter Yangedger.

Wie ersichtlich, besitzt derselbe 6 Zirkelsägen, es können daher 3 Bretter zugleich eingeschoben werden, die von jeder be-

Figur 41.

liebigen Dicke sein können, da die oben liegenden Führungswalzen höher und niedriger gesetzt werden können, oder es kann ein breites Brett in 5 schmale Bretter zerschnitten werden. Die Bretter werden auf der Vorderseite eingelegt, gehen dann von selbst durch die Maschine und fallen auf einen Rollwagen, mit dem sie nach dem Holzhof befördert werden. In manchen Mühlen, wo die Fabrikation von Thüren, Fensterrahmen u. s. w. stattfindet, fallen die Bretter nicht auf einen Rollwagen, sondern auf eine andere Reihe „lebender Rollen", welche sie dem Trimmer (Abstutzer) zuführen — eine scharfsinnige Einrichtung von Tischen, unter welchen verschiedene Sägen vorwärts oder rückwärts gehen, ganz nach dem Belieben des bedienenden Arbeiters. Die Sägen schneiden die Bretter zu gleichmässigen Längen und entfernen alle Schadstellen, welche sich an den Enden befinden. Die üblichen Längenmasse für Bretter sind 12, 14, 16 und 18 Fuss (3,6; 4,2; 4,8; 5,4 Meter) und Aufgabe des Abstutzers ist es, genau diese Längen herzustellen. Die Abfälle an der Säge und der Kantenmaschine werden sorgfältig untersucht und, soweit sie sich dazu eignen, nach der Lattenmaschine gebracht, welche sie in Streifen von 4 Fuss Länge, $^3/_8$ Zoll Dicke und $1^1/_2$ Zoll Breite schneidet. Diese Latten dienen zur Überkleidung der inneren Hauswände; sie empfangen einen Überzug von Gipsbrei — eine Baumethode, welche, wie ich glaube, nur in Nordamerika üblich ist.

Figur 42.

Zur Verpackung aller Lattensorten bedient man sich in den Sägemühlen eines Apparates, der in verschiedenen Konstruktionen fabriziert wird. Am bekanntesten ist wohl der in der Figur 42 veranschaulichte Shepardson's Patent Latten-Binder, den W. E. Hill & Co. in Kalamazoo, Michigan, für 120 Mark liefern.

Mit diesem ganz aus Eisen gefertigten Apparat kann jeder Bündel von demselben Umfange, und was wichtiger ist, sehr fest geschnürt werden. Mittels des Hebels ist ein ausserordentlich kräftiger Druck der Zangenarme auf die Latten ausübbar, die in dieser Weise in fester Pressung gehalten werden, bis sie verschnürt sind. Es ist leichter mit diesem Apparat die Latten fest als locker zu verschnüren, deshalb ist Sicherheit geboten, dass selbst nachlässige Arbeiter gut geschlossene Bündel abliefern. Ausser Latten können Besenstiele, Fassreifen und ähnliche Artikel mit diesem mechanischen Hilfsmittel in Bündel verpackt werden.

Bei dem Sägen der Blöcke werden zuweilen Mängel entdeckt, die sie für den gewöhnlichen Gebrauch untauglich machen. Solche Blöcke werden in sogenannten Cants von 15 Centimeter Dicke gesägt, nach einer kleinen Säge, der Shingle-bolter, gebracht, welche sie in Stücke von 40 Zentimeter Länge schneidet und der Schindelsäge zuführt.

Wie ein Shingle-bolter beschaffen ist, zeigt die Figur 43, eine Konstruktion darstellend, die aus der Fabrik von W. E. Hill u. Co. in Kalamazoo, Michigan, zum Preise von 800 Mark hervorgeht. Das Holzstück wird auf die Sägetafel gelegt, welche auf einem Geleise und an einer Führungsstange läuft. Der Zweck des Geleises ist zu klar, um einer Erklärung zu bedürfen. Die Führungsstange dient zunächst dazu, die Sägetafel zu verhindern, von dem Geleise zu fallen, ausserdem bildet sie einen Stützpunkt für die Sägetafel, wenn sie in die Höhe gehoben wird, zur Abräumung der Sägespäne. Wieder niedergelassen nimmt die Sägetafel ohne weitere Anpassung ihre richtige Stelle auf dem Geleise ein.

Figur 43.

Schindeln sind verjüngt auslaufende Stücke, $^{3}/_{8}$ Zoll an dem einen Ende, $^{1}/_{16}$ Zoll an dem anderen Ende dick und werden an Stelle der Ziegel zum Bedecken der Dächer gebraucht. Sie werden in gleichförmigen Reihen dachziegelartig gelegt, indem etwa 12 Centimeter des dicken Endes überdeckt werden.

Am häufigsten wird noch die Zirkelsäge angewendet, oft mit einer kleineren Hilfssäge, die über jener hängt, ein wenig mehr vorwärts mit den Zähnen. Die Vorrichtung dient dazu, grössere Blöcke zu sägen, als der Durchmesser einer gewöhnlichen Zirkelsäge gestattet. Die Hilfssäge schneidet von oben in den Block in einer Linie mit der Hauptsäge, in dieser Weise die Tiefe des Schnitts vermehrend.

In Californien gibt es Mühlen von 3 und selbst 4 Zirkelsägen, eine über der anderen sitzend, gemeinschaftlich sägend, dadurch sind Blöcke versägbar geworden, welche es früher nicht waren. Es werden aber doch manchmal Blöcke in die Mühlen gebracht, die, mit einem Durchmesser von 6 bis 7 Meter, mit Pulver oder Dynamit gesprengt werden müssen, um versägbar zu werden. Diese Sprengungen werden ebenfalls als ein Fortschritt der Neuzeit bezeichnet.

Die meisten Mühlen arbeiten mit einer Zirkelsäge, der mit wenigen Ausnahmen eine Hilfssäge beigegeben ist. Die grössten Anstalten lassen zwei Sägen laufen, eine an jeder Seite des Flurs. Die Blockbahn mündet in der Mitte des Flurs und die Blöcke werden nach links oder rechts abgeladen, je nach Bedürfnis. Diese Mühlen sind mit allen neuen patentierten Erfindungen ausgestattet. Die Blöcke werden mit einer endlosen Kette aus dem Wasser gezogen, welche in einer **V**förmigen Balkenschleifbahn läuft und mit Zähnen versehen ist, welche das Zurückgleiten der Blöcke verhindern. Ein Block folgt dem anderen in endloser Reihe. Bei der Ankunft auf dem Sägeflur wird der Block durch eiserne Arme, welche in Folge einer Hebelbewegung aus dem Flur treten und ihn an der einen Seite fassen, mit beträchtlicher Stärke auf die Rollbahn geworfen, welche nach dem Sägewagen führt.

Wenn ein Block zersägt ist, wird ein anderer auf den Sägewagen geladen, durch die einfache Berührung eines Hebels mit der Hand des Sägers. In Folge dieser Berührung treten eiserne Arme aus der Rollbahn unter den Block und heben ihn auf den Wagen, den der bereits geschilderte Dampfapparat nach der Säge schiebt. Nach dem ersten Schnitt berührt der Säger einen Hebel, der den „Nigger“ durch den Flur heraufsteigen lässt — ein starkes Holzstück, eisenumgürtet und mit kräftigen Zähnen bewaffnet. Seine Bewegung ist eine leicht vorwärts gerichtete, indem er sich etwa 15 Centimeter über den Flur erhebt; die Zähne fassen den Balken an der Seite und geben ihm sofort jede gewünschte Lage.

Dieser ausgezeichnete Apparat, welcher in keiner gut ausgestatteten Sägemühle fehlt, wird in der Figur 44 veranschaulicht. Wie er hier dargestellt ist, geht er aus der Fabrik von W. E. Hill & Co. in Kalamazoo, Michigan, hervor, welche ihn in vielen verschiedenen Grössen liefern, deren Preise sich zwischen 1200 und 2500 Mark bewegen.

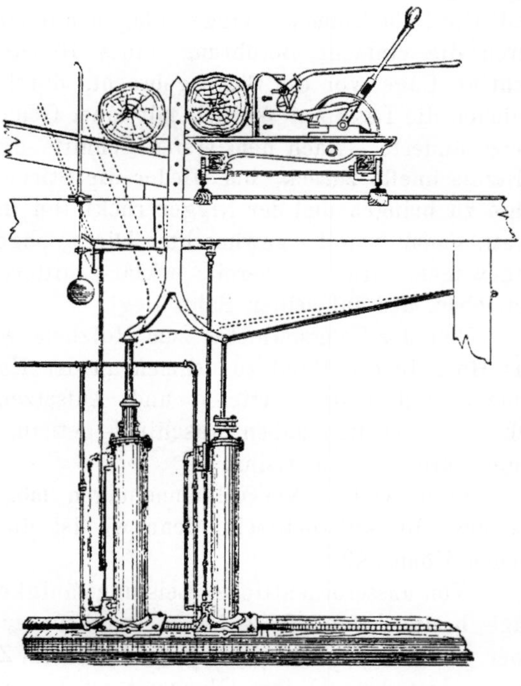

Figur 44.

Wie dieser Apparat arbeitet, lässt sich aus der Abbildung leicht erkennen, doch sei noch erklärt, dass er nicht allein dazu dient, die Blöcke unter der Säge zu verrücken, sondern sie auch auf den Sägewagen zu laden.

Zuweilen werden die Blöcke von der einen Säge nur „gekantet“, eine andere schneidet sie in Bretter. In diesem Falle wird nach der fertigen Kantung eine an einem Balken hängende Kette um die hintere Stirne des Blocks gelegt, damit er von dem Sägewagen abfällt, wenn dieser durch den Dampfapparat zurückgezogen wird. Bei dieser Abladung schnellt er vorwärts auf „lebende Rollen“, welche ihn nach der Säge tragen, die ihn zu

Brettern verschneiden soll. Selbstverständlich werden die „lebenden Rollen“, wie alle andere Apparate der Mühle, durch die im Erdgeschoss stehende Dampfmaschine getrieben.

Bis die Bretter die Säge verlassen, brauchte keine Hand den Block zu berühren. Maschinen, gelenkt von menschlicher Geschicklichkeit, haben alle Arbeit gethan. Wenn der Block den Sägewagen erreichte, wurde er verklammert, nicht durch die altmodische Hebelklammer, eingeschlagen mit einem Hammer, sondern durch die einfache Berührung eines Hebels. Er wurde in die richtige Lage vor die Säge gebracht, durch einen Mechanismus, welcher die Lage auf Wunsch mit einer Genauigkeit von 25 Millimeter änderte. Nach dem ersten Schnitte lief der Sägewagen mit Blitzesschnelle zurück, um wieder die Stirne des Blocks vor die Säge zu bringen und der Nigger rückt ihn in die Lage, damit ein Brett, genau von der gewünschten Dicke, abgeschnitten wird. Der Sägewagen wird, wie bereits erklärt, mittels eines Dampfcylinders getrieben, der auf seiner Bahn liegt.

Von der Fangstelle bis zum Holzhofe war es nur notwendig, das Holz in die Hand zu nehmen an der Kantemaschine, am Abstutzer und beim Sortieren und Aufsetzen der Bretter. Alle schweren Arbeiten haben Maschinen gethan, erdacht mit bewunderungswürdigem Scharfsinn.

Sind weitere Vervollkommnungen möglich? Ein beherztes Ja muss die Antwort sein, denn wo ist die Grenze des menschlichen Könnens?

Von ausserordentlicher Leistungsfähigkeit, wie sie die Zirkelsäge besitzt, von oft 2 Meter Durchmesser mit ihrer Hilfssäge oder gar die vier übereinander arbeitenden Zirkelsägen erscheinen müssen, ist dennoch ihre Glanzzeit schon vorüber; sie werden allmählich aber unaufhaltsam verdrängt von der Bandsäge, welche als die Säge der Zukunft zu betrachten ist.

Eine Bandsäge ist ein langes gezahntes Stahlband, 15 bis 20 Zentimeter breit, an den beiden Enden mit Messingschlagloth zusammengelöthet; sie läuft über 2 grosse, übereinander senkrecht sitzende Riemscheiben, welche sie gleich einem Treibriemen verbindet, auf die obere wirkt sie als treibende Kraft. Die Zähne stehen bei der Arbeit stets gegen das Holz.

Die Bandsägen sind sehr dünn und besitzen eine Leistungsfähigkeit von 30 000 bis 40 000 Fuss Brettermass den Tag, mit einem um 40 bis 50 % geringeren Kraftverbrauch wie eine Zirkelsäge von gleicher Leistungsfähigkeit.

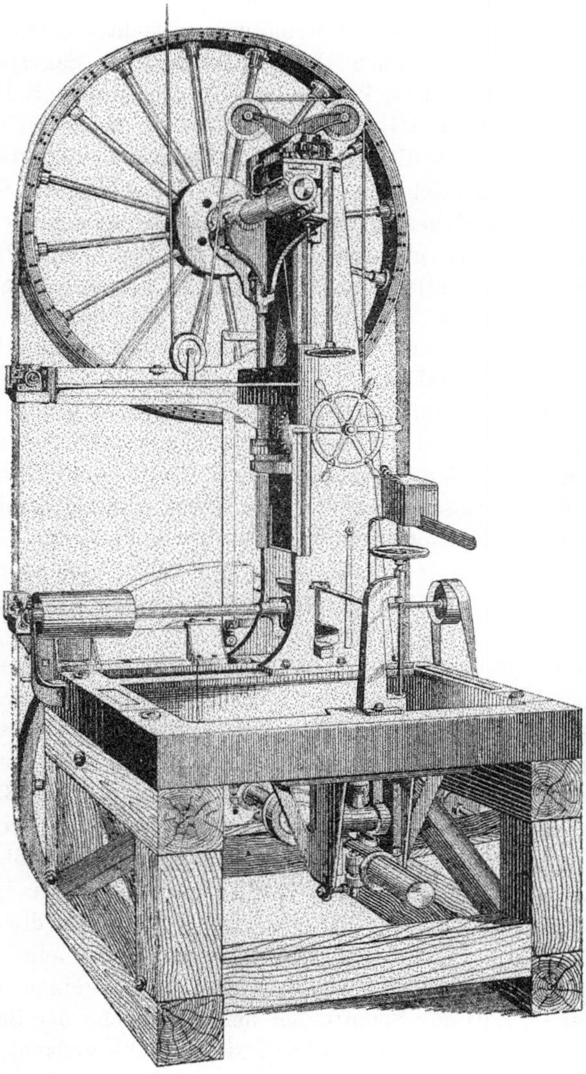

Figur 45.

Die Figur 45 zeigt eine Bandsäge, wie sie an der Pazifikküste zur Einführung gelangt ist, hervorgegangen aus Stearns

Manufacturing Co. in San Franzisko. Der ganze Mechanismus wird so klar veranschaulicht, dass eine Erläuterung nach dem bereits Gesagten gewiss überflüssig ist.

Schliesslich möge einer Vorrichtung gedacht werden, welche viele Mühlen zum Verbrennen ihrer überschüssigen Sägespäne besitzen. Es ist ein grosser, kreisrunder Backsteinofen, oft 15 Meter hoch, bei einem inneren Durchmesser von 7,5 Meter, so nahe an der Mühle erbaut, dass die Sägespäne auf einem Transporteur, wie er an den Dreschmaschinen hängt und der ebenfalls von der Dampfmaschine getrieben wird, nach einer in genügender Höhe angebrachten Öffnung getragen und da in den Ofen abgeladen werden können — alles ohne menschliche Vermittelung. Alle unbrauchbaren Abfälle, soweit sie nicht zur Heizung der Dampfmaschine dienen, werden in diesem Ofen von ununterbrochen brennendem Feuer verzehrt.

Auch in Bezug auf die Qualität der Arbeit liegt der Vorteil entschieden auf seiten der Bandsäge, denn unmöglich ist es, eine grosse Zirkelsäge ohne einen gewissen Grad von Erzitterung schnell laufen zu lassen, wodurch eine etwas rauhe Schneidefläche erzeugt wird; die oben und unten festgeführte Bandsäge läuft dagegen in grader, ruhiger Linie durch den Block und da überdies ihre Zähne beträchtlich feiner sind, wie diejenigen der Zirkelsäge, schneidet sie eine glattere Fläche.

Nicht die unwichtigste Frage bei diesem Vergleiche bezieht sich auf den Holzabfall, und auch darin gibt die Bandsäge die besten Resultate. Wenn die Bretter zu 1 Zoll Dicke geschnitten werden, gehen mit der Zirkelsäge bei jedem Schnitt $^5/_{16}$ Zoll Holz als Sägemehl verloren, der Verlust beträgt 24 %. Eine Bandsäge verursacht höchstens $^1/_8$ Zoll Abfall pro Schnitt, oder wenn einzöllige Bretter schneidend, 11 %. Ferner gehen beim Hobeln der von der Zirkelsäge geschnittenen Bretter auf jeder Seite $^1/_{16}$ Zoll verloren, während nur $^1/_{32}$ Zoll verloren geht, wenn die Bretter von der Bandsäge geschnitten wurden, das ist also ein fernerer Gewinn von $^1/_{16}$ Zoll pro Schnitt. Das ergiebt einen Gesamtgewinn von $^1/_4$ Zoll pro Schnitt, bei dem Gebrauche der Bandsäge.

Für den vorstehenden Vergleich sind Blöcke gedacht, welche so gross sind, um mit einer Zirkelsäge von 2 Meter Durchmesser verschnitten werden zu können. Für grössere Blöcke ist es notwendig eine Hilfssäge anzuwenden, und da der Lauf der beiden

Sägeblätter niemals genau übereinstimmt, so zeigen die Bretter eine Höckerlinie, welche einen ferneren Holzabfall notwendig macht. Dieser Nachteil haftet niemals der Bandsäge an, denn sie schneidet Blöcke von jedem Durchmesser ganz grade durch. In dem letzteren Vergleiche beträgt die Holzersparnis mittels der Bandsäge etwa 25 % für gehobelte Bretter von 1 Zoll Dicke.

Die Vorteile der Bandsäge sind selbstverständlich um so schätzbarer, je teurer das zur Verschneidung kommende Holz ist. Führt sie gegenwärtig zu so beträchtlichen Ersparnissen bei der Verschneidung nordamerikanischer Nadelhölzer, dass sie die etwas schneller arbeitende Zirkelsäge unaufhaltsam verdrängt, welchen tiefgreifenden Nutzen muss sie gewähren bei der Verschneidung tropischer Luxushölzer — ein Dienst, den sie sicher in naher Zukunft antreten muss!

Eine Änderung der Betriebseinrichtung macht der Ersatz der Zirkelsäge durch die Bandsäge nicht nötig.

Um die Darstellung der in den nordamerikanischen Wäldern üblichen Arbeitsmethoden zu vervollständigen, füge ich zwei Skizzen bei, die, von meiner Hand verfasst, in deutschen Zeitschriften erschienen.

Die Holzgewinnung im Territorium Washington.

Segelt man durch die schmale, tief in das Territorium Washington hineinschneidende Bucht, den Puget Sund, so sieht man, wohin man auch immer die Augen richten möge, dichte, hochgewachsene, dunkle Nadelholzwälder, die Hügel und Thäler bedecken, aber auch die steilen Abhänge der Berge schmücken und bis hart an den grünen Wasserspiegel heranreichen. Selbst die majestätischen, schneeigen Gipfel des Baker- und Rainier-Berges und die hohen, schroffen Felsen der „Olympian-Range“ erscheinen nur wie Inseln, die aufgetaucht sind aus einem wogenden Meere von immergrünen Blättern, das im fernen Horizonte seine Grenzen findet. Die ganze bewaldete Landschaft ist von so grossartigem Umfange, dass man, von einem erhöhten Standpunkte auf tausende und abertausende mit gigantischen Fichten bestandene Hektar sehend, im Wahne befangen sein kann, man habe nur ein unendliches Feld dicht verwachsenen, leise wogenden Gebüsches vor sich. Erst wenn man Zeuge gewesen ist von dem Vorgange, durch welchen diese scheinbar durchaus nicht ungewöhnlichen Bäume in Handelsartikel umgewandelt werden, erhält man einen schwachen

Begriff von ihrer riesigen Grösse und der unberechenbaren Quantität Rohmaterial, welche diese holzgesegnete Küste an die Sägemühlen abgeben kann. Die Behauptung wird man wohl nicht widerlegen können, dass die Natur kein anderes Land der Erde mit einem so reichen Vorrat von Masten, Sparren, Schiffs- und anderem Bauholz von grossen Massverhältnissen ausgestattet hat, wie denjenigen Teil vom Territorium Washington, der an den Ufern von Juan de Fuca Strasse, Admiralty Inlet, Possession Sund, Puget Sund und deren Hauptarmen liegt.

Die hauptsächlichsten Sägemühlen befinden sich an den Ufern des Possession Sund und des Puget Sund zerstreut, und das Rohmaterial, welches sie bedürfen, beziehen sie aus dem ihnen zunächst gelegenen Küstengebiet. Links und rechts an den schmalen, beschatteten Buchten, findet man die Lagerplätze der Holzfäller, von welchen manche schon verlassen sind, weil das nächste Gebiet „abgewirtschaftet“ worden ist. Wo aber das rauhe Völkchen der Holzfäller noch thätig ist, da hört man den Schall der Axt, das dumpfe Brüllen der Ochsen, das laute Schreien ihres Treibers, und blauen Rauch sieht man seinen Weg durch die dunkeln Baumkronen suchen.

Leben und Beruf dieser Holzfäller wickeln sich folgendermassen ab. Zunächst geht ein Entdecker, gewöhnlich der „Boss“ selber, auf die Suche aus, und wenn er eine gute „chance“ getroffen hat, dann holt er seine „crew“, die ihre Thätigkeit sofort beginnt. Zunächst muss ein Obdach geschaffen werden, denn am Puget Sund sind die Nächte kühl und der Regen fällt im Überfluss. Aus „Kultuslumber“ (die billigste Sorte Dielen) baut man eine Hütte, gewöhnlich 30 Fuss lang und 18 Fuss breit, mit einer Scheidewand in der Mitte, welche den Raum in zwei Teile trennt. Den einen besetzt der Koch mit seinem Geschirr, der andere wird zum Schlafgelass der Leute bestimmt. Das Letztere ist, ähnlich, wie die Schiffe, mit Kojen an den Wänden ausgestattet, welche natürlich alle äusserst roh hergestellt sind, denn Luxus und Komfort sind zwei Wörter, welche nicht im Wörterbuch der Holzfäller stehen. Etwas Stroh bildet die Unterlage, und die wollene Decke, welche jeder Mann, der an der Pazifikküste Arbeit sucht, mit sich führen muss, bildet den alleinigen Schutz gegen die Kälte. In der Mitte des Raumes, der oft nicht einmal rauh gedielt ist, wird aus Felsstücken und Erde ein Feuerplatz errichtet, wie man ihn sich nicht naturwüchsiger denken kann.

Ein Fenster nur erhellt den Raum bei Tage, am Abend aber brennt ein helles Spanfeuer und um dasselbe sitzt die Mannschaft, rauchend, plaudernd und vor allen Dingen unermüdlich Karten spielend. In der Abteilung, wo der Koch waltet und schaltet, steht ein unförmlicher Ofen und ein geräumiger Tisch, der umsäumt ist von roh gearbeiteten, unbeweglichen Bänken. Darauf setzt sich, dreimal am Tage, die hungrige Kompagnie, um ihren mehr wie gewöhnlichen Hunger zu stillen. Etwas abseits vom Hauptgebäude wird ein niedliches Bretterhäuschen errichtet. Das gibt dem „Boss“ Schutz und Schirm. Vervollständigt wird der Lagerplatz durch einen Schuppen, der aus rohen Baumstämmen gezimmert und mit einer langen Sorte Schindeln, „Shakes“ genannt, bedacht ist. Dort stehen die Ochsen, deren Futter in einer sorgfältig abgeteilten Ecke aufgestapelt ist. Sind Obdach und Nahrungsmittel für Menschen und Vieh beschafft, dann hat sofort Jeglicher die Aufgabe zu lösen, welche ihn hierher geführt hat. Da ist zunächst der Boss, der die Aufsicht und Leitung der ganzen Anstalt übernimmt. Er kauft die Ochsen und Nahrungsmittel, er führt Buch über die Arbeitszeit der Leute, gibt diesen ihre Zahlungsanweisungen, und wie ein besorgter kommandierender Offizier, widmet er der Küche eine besondere Aufmerksamkeit und hält streng darauf, dass der Koch die Mahlzeiten gehörig zubereitet und zur rechten Zeit auftischt. Alsdann kommt der Treiber, dessen einziges Geschäft es ist, das Gespann zu lenken und zu besorgen, und dem der „Hooktender“ im Zusammenkoppeln der Blöcke helfen muss. Als vierter im Bunde kommt der Holzfäller, der die Bäume umhaut. Zwei Säger haben die Pflicht, die gefällten Bäume zu zerlegen und zwei andere Männer, welche „Swampers“ genannt werden, machen unter Aufsicht des Boss die nötigen Wege und werden darin vom „Skidder“ unterstützt, der ihnen das Rauhe erst aus dem Wege räumt. Die jungen Stämme, welche er abhaut, verwendet er als „Skids“, die mit derselben Genauigkeit gelegt werden müssen, wie Eisenbahnschwellen. Die oberen Seiten der 9 Fuss langen Skids werden sorgfältig von der Rinde befreit, damit die Holzblöcke glatt über den gerippten Weg hinuntergleiten können. Bei anhaltendem, trockenem Wetter werden diese Skids mit Öl eingeschmiert. „Barkers“ werden jene zwei Arbeiter genannt, welche die Rinde der zersägten Baumstämme mit eigens dazu konstruierten Eisen abzuschürfen haben. Der Koch endlich ist der wichtigste Mann in der ganzen Gesellschaft und erfreut sich einer grossen Selbständigkeit. Er widmet sich nur allein der Zubereitung der Mahlzeiten, die stets pünktlich fertig sind.

Früh Morgens, — um vier Uhr schon, — hat der Koch sein Tagewerk zu beginnen, denn zwanzig Minuten vor sechs muss das Frühstück fertig sein. Um halb sechs tritt er aus der Thür und setzt ein grosses Büffelhorn an den Mund, laute, schrille Töne blasend. Das weckt die Schläfer auf, die sich rasch ankleiden, waschen, und auf das zweite Hornsignal freudestrahlenden Auges in die Küche rücken, wo sie ihr Frühstück: gesalzenes Ochsenfleisch, Kartoffeln, gebackene Bohnen, Pfannkuchen, Biscuit, Butter, Kaffee aufgetischt finden. Die Speisekarte braucht nie umgeschrieben zu werden, sie bleibt sich immer gleich: dreimal am Tage und siebenmal in der Woche. Ist die angenehme Pflicht des Frühstückens erledigt, dann geht Jeder an seine Arbeit. Der Holzfäller nimmt zwei Äxte, die eine, um die dicke Rinde zu durchhauen, die andere, schmal und scharf, wird auf dem reinen Holz ihre Anwendung finden. Das Fällen eines Baumes wird gewöhnlich als eine sehr einfache Arbeit betrachtet, und das mag es auch anderswo sein, nur für Oregon und das Territorium Washington trifft diese Ansicht nicht zu. Dort sind die Bäume an ihrem Grund so ausserordentlich dick, und der Stammesteil über den Wurzeln ist gewöhnlich schon etwas mürbe und angefressen, so dass man es als einen Arbeitsgewinn betrachtet, wenn man den Baum in einer gewissen Höhe, oft fünfzehn Fuss über der Erde, abhaut. Um dies bewerkstelligen zu können, haut der Holzfäller, so hoch als es ihm nur zur Hand steht, ein viereckiges Loch in den Stamm, in welches er sodann den Schnabel eines soliden Brettes steckt, das 5 Fuss lang und 9 Zoll breit ist und an dem oberen Ende, welches in den Baum kommt, eine eiserne Lippe besitzt, um das Ausgleiten zu verhindern, wenn der Mann darauf steht. Der Holzfäller springt nun auf das Brett und haut so hoch, wie er nur reichen kann, eine andere Kerbe in den Baum. Dann schlägt er seine Axt tief in den Stamm über seinem Kopf, hält sich mit der einen Hand am Stiel fest und sucht mit der anderen Hand ein zweites Brett einzusetzen, das er, halb kletternd, halb springend, erreicht, um auf diesem stehend die Fällung des Baumes selbst vorzunehmen. Zuerst nimmt er die schwere Axt und entfernt die Rinde an der Schlagstelle, die er dann mit seiner Holzaxt an derjenigen Seite, nach welcher der Baum fallen soll, so lange bearbeitet, bis er das Herz des Stammes erreicht hat. Die entgegengesetzte Seite ist schnell angehauen, denn mehr bedarf es nicht, um den Baum zum Fallen zu bringen. „Under! Under!“ ruft er als Warnungssignal, wirft seine Axt weit fort und schneller, wie er hinaufgekommen ist, springt er von seinem erhabenen Standpunkt herunter, während der Waldriese mit einem meilenweit hörbaren, donnerähnlichen Krachen niederfällt und die Aeste seiner Nachbarn in jähem Sturze mit sich reisst. Nun kommen die beiden Säger mit einer mächtigen Säge und einer acht Fuss langen Stange, um den Stamm in solche Längen zu zerlegen, wie es der Boss angeordnet hat. Vierundzwanzig Fuss ist gewöhnlich die Länge, welche man für Dielen und Latten wünscht, und demgemäss werden auch die meisten Blöcke diesem Masse entsprechend geschnitten.

Äste sind den Sägern nicht im Wege, denn diese beginnen erst in einer Höhe von hundertundzwanzig Fuss, bei der Douglastanne gewöhnlich erst mit hundertundfünfzig Fuss und da, wo die Äste beginnen, erachtet man den Stamm für wertlos. Die Krone vermodert so gut wie der Stumpf, denn bis jetzt liegt noch keine Veranlassung zur sparsamen Benutzung des überreichlichen Materials vor. Die „Barkers“ erscheinen nun zunächst mit ihren Eisen und entfernen die Rinde, damit die Reibung während der nun folgenden Rutschpartie eine möglichst geringe ist. Inzwischen haben die „Swampers“ einen Weg geebnet und der „Skidder“ hat ihn mit Schwellen, in einem Abstand von sieben Fussbelegt. Und schliesslich kommt der Treiber mit seinen acht Joch Ochsen, die er sämtlich vorspannt, wenn die Blöcke gross und schwer sind. Andernfalls verwendet er nur ein oder zwei Joch. Ein Kommandoruf, ein Hieb mit der langen Peitsche oder auch ein Stoss mit der eisernen Spitze, die am oberen Ende des Peitschenstiels angebracht ist und das Gespann steht in geordneter Stellung vor den Blöcken, an die es nun angekettet wird.

Der Transport von runden Holzblöcken erfordert schon auf ebenem Boden eine grosse Aufmerksamkeit und Geschicklichkeit, noch mehr aber ist dies der Fall auf dem gebrochenen Gelände der bewaldeten Ufer von Oregon und dem Territorium Washington. Und doch wissen die Holzfäller auf den verschiedensten Wegen die zerlegten Baumstämme von den steilen Hügelseiten nach dem

Wasser zu befördern. Manchmal winden sich die Wege schlangenförmig an den Seiten der Berge entlang, manchmal fallen sie aber auch schnurgerade jäh ab, und das Gespann hat dann weiter nichts zu thun, als die Leitung der hinabrutschenden Stämme zu übernehmen. Oft werden zehn oder zwölf Blöcke mit kurzer Kette zusammengekoppelt, und wenn diese auf dem geschlängelten, mit glatten Schwellen belegten Weg, wurmartig, aber rapid nach dem Thale wandern, gewinnen sie das Ansehen einer unförmlichen Riesenschlange. Die einzelnen Blöcke rutschen blitzschnell hinter einander her und stossen sich gegenseitig an, was eine immer raschere Fortbewegung veranlasst, so dass das Gespann oft überholt und schwer verletzt oder gar getödtet wird. Ein anderes Mal gleiten sie ohne Unfall bis dahin, wo der Weg zu steigen beginnt und dort stossen die Blöcke mit ihren Kopfflächen so heftig und mit einem solchen Getöse an, dass man glaubt, das Feuern einer entfernten Batterie zu vernehmen. Können die Blöcke nicht weiter gezogen werden, so trennt man sie und schiebt sie einzeln über sogenannte Leiterbäume in das nahe Wasser. Das geschieht oft aus einer Höhe von fünfzig bis hundert Fuss, und es ist ein wirklich fesselndes Schauspiel, wenn die mächtigen Stämme aus schwindelnder Höhe heruntersausen und das Wasser, das haushoch aufspritzt, zu weissem Schaum schlagen. Einige Sekunden schaukeln sie sich noch in allerhand phantastischen Formen an der Oberfläche des nassen Elements umher, dann legen sie sich so lange ruhig auf die Seite, bis sich bei dem Nachfolger derselbe Vorgang wiederholt. Ist eine hinreichende Anzahl von Blöcken im Wasser versammelt, so werden sie zu einem Floss zusammengefügt, um nach der Mühle transportiert zu werden. Man unterscheidet runde oder viereckige Flösse, je nach der Form, in welcher sie zusammengefügt werden. Hat man 3—400 000 Fuss Blöcke, so konstruirt man daraus ein rundes Floss, während ein viereckiges Floss niemals weniger wie 500 000 Fuss enthält. Die Zusammenfügung eines Flosses geschieht in der Weise, dass eine Anzahl Blöcke von nur mässiger Dicke, aufrechtstehend an dem einen Ende durchbohrt und mit einer starken Kette zusammengefügt werden. Oft werden die Stämme auch nur rundum gekerbt und um diese Vertiefung werden die Ketten geschlungen. Diese also verbundenen Blöcke bilden den Rahmen, der nun mit dem andern Material ausgefüllt und oft hoch aufgebaut wird. Mit Ketten und

Sparren sucht man alsdann das Ganze noch so gut wie möglich zusammenzufestigen, damit der Wellentanz, der bei stürmischem Wetter selbst in diesen engen Buchten gefährlich werden kann, das kunstlose Machwerk nicht auseinanderstosse. Ist das Floss in Bereitschaft, dann erscheint der Schleppdampfer, um es nach der Mühle zu bugsieren. Ein Dampfer, der ein so ungelenkes Floss im Schlepptau hat, gewährt dem Fremden einen seltsamen Anblick, denn er sieht in einiger Entfernung das Boot, wie es dicke, schwarze Rauchwolken aufsteigen lässt und augenscheinlich seine ganze Kraft einsetzt, aber seine Vorwärtsbewegung ist eine kaum merkliche. Kommt das Boot endlich näher, dann bemerkt er, tief im Wasser schwimmend, eine erstaunliche Masse dunkler Holzblöcke, die fest zusammengepackt sind und durch ein schweres Schlepptau, das am Stern des Schleppdampfers befestigt ist, die Vorwärtsbewegung desselben hemmt. Schneller als zwei Meilen in einer Stunde dürfen diese Flösse nicht geschleppt werden, da sie andernfalls Gefahr laufen, auseinanderzubrechen. Geschieht es doch so schon manchmal, dass bei hohem Seegang die Flösse in ihre einzelnen Bestandteile auseinanderreissen, trotz der schweren Ketten, die in solchen Fällen wie Bindfäden brechen. Dann ist alles verloren, mit Ausnahme des Schlepptau's und einiger Ketten, die an demselben hängen bleiben. Viele Millionen Fuss Blockholz sind schon durch das Auseinanderbrechen der Flösse verloren gegangen, doch besteht unter gewöhnlichen Umständen durchaus keine Schwierigkeit, das Holz nach irgend einer Stelle im Pugetsund zu bugsieren. Hat der Dampfer seine Last glücklich an die Sägemühle gebracht, so befestigt er sie daselbst am Ufer und kehrt sofort nach dem Lagerplatz der Holzfäller zurück, um ein zweites, inzwischen schon fertig gestelltes Floss zu holen. Nur in grösseren Sägemühlen werden eigene Leute zum Bau der Flösse angestellt, sonst aber ist es die Aufgabe des Holzfällers und der beiden Rindenschäler, welchen gelegentlich der Skidder hilft.

Wer Monate lang auf dem Lagerplatz verweilte, und während dieser Zeit nichts sah, als seine wenigen Kameraden und die düsteren Nadelholzwälder, oder gelegentlich einen Hirsch, ein Reh, einen Bären oder Jaguar, der nichts hörte, als das Brechen der Riesenbäume, das Brüllen der Ochsen, oder das unheimliche Geschrei der in der Abenddämmerung umherflatternden Eule, der glaubt sich nach einer Grossstadt versetzt, wenn er nach dieser langen Abwesenheit wieder nach der Mühle kommt. Dort trägt das ganze Leben den Stempel der Eile und Geschäftigkeit. Da liegen nicht allein Küstenschuner, sondern auch grössere fremde Schiffe, die teils Ballast ausladen, teils mit der Einschiffung zugerichteten Holzes, von hundertunddreissig Fuss langen Kolossen schweren Bauholzes bis zu Latten, von welchen hundert erst ein Bündel machen, beschäftigt sind. Die hauptsächlichsten Mühlen am Pugetsund sind nach einem grossartigen Masstab angelegt. Die Port Gamble Mill produziert die meiste Ware, beschäftigt die meisten Arbeiter und ist überhaupt die grösste derartige Anstalt im Territorium. Als die besteingerichtete Mühle betrachtet man diejenige zu Port Madison, welche täglich hunderttausend Fuss sägen kann. Zweihundert Mann sind in der Mühle beschäftigt, und andere zweihundert Mann sind auf verschiedenen Lagerplätzen im Wald vertheilt. Sämtliche Mühlen werden mit Dampf getrieben, und als Feuerungsmaterial wird ausschliesslich Sägemehl verwandt, von dem die Mühlen gewöhnlich doppelt so viel produzieren, als zur Heizung der Kessel notwendig ist. Um das überschüssige Sägemehl und die sonstigen kleinen Abfälle aus dem Wege zu schaffen, muss Zuflucht zur Verbrennung, die in einiger Entfernung von den Gebäuden vor sich geht, genommen werden. Ein Geleise führt bis zu der Stelle, und auf einem Karren bringt man das überflüssige brennbare Material nach dem Haufen, der ununterbrochen Jahre lang brennt.

Wenn kein Schiff am Mühlenwerft Ladung einnimmt, dann häuft sich das versandtbereite Material so rapid und in solchen Massen an, dass die Werft unter dem schweren Gewicht kracht und der Verwalter besorgt nach den fälligen Schiffen ausschaut. Schwere Nebel, heftige, widerwärtige Winde verursachen nicht selten solche Verzögerungen. Endlich erscheint hinter dem nächsten Vorgebirge ein Segel, und wirklich, es ist der lang ersehnte Bote. Eine Stunde später liegt das freudig begrüsste Schiff an der Werft, wo es eine Leine wirft, um herangeholt zu werden. Nieder gehen die Segel und nieder geht der Anker. Die Laufbretter aber hat man inzwischen schon von der Werft nach dem Schiffe gelegt, denn die Arbeit des Einschiffens muss sofort beginnen. Die Leute werden in Partieen eingeteilt, und der erste Steuermann stellt sich an Backbord, der zweite an Steuerbord. Die Arbeiter, welche das Holz auf die Laufbretter legen, rufen „Starboard“ oder „Port“, je nach der Seite, an welcher es verladen werden soll. Ist der Schiffsraum gefüllt, dann wird, — wenn es ein Küstenschuner ist, — das Deck noch zehn bis elf Fuss hoch beladen, was aber bei fremden Schiffen, die durchgängig nicht für Deckladung gebaut sind, unterbleiben muss. Ist die Ladung vollständig, dann kommt ein Schleppdampfer der Mühle und bugsiert das Schiff bis in die Strasse von Juan de Fuca, wo es dann seine Segel nach einem heimischen Hafen der Pazifikküste setzt, oder nach Australien, England, Frankreich, China, Ostindien oder einer der verschiedenen Inselgruppen der Südsee.

Glaubwürdigen Angaben zufolge liefert das Territorium Washington jährlich 200 000 000 Fuss zugerichtetes Holz auf den Markt. Davon geht der grösste Teil nach San Francisko, das aber das ganze Quantum nicht selbst konsumirt, sondern noch ansehnliche Ladungen dieses nordischen Holzes nach fremden Häfen verschifft. Die weit ausgedehnten, dicht bestandenen Wälder am Pugetsund, das rasche Wachstum der Bäume, die unvergleichlichen Wasserverbindungen und das verhältnismässig milde, gleichmässige Klima, welches das ganze Jahr hindurch herrscht, sind Gründe genug für die Annahme, das die Holzgewinnung für das Territorium Washington das bleiben wird, was es seither war: die Hauptquelle seines Wohlstandes.

Die Holzflösserei in Californien.

Es war im April, dem lieblichsten Monat für Californien, wo „alle Brünnlein fliessen", in den Thälern die grünen Saatfelder wogen, die Obstbäume blühen, die Reben grünen und die Blumen in allen Farben prangen. Es war ein beschwerliches Steigen, hinauf in das Gebiet der Sierra Flume & Lumber Company — einer Gesellschaft, die mit 8 Millionen Mark Stammkapital arbeitet, in 10 grossen, teils mit Dampf, teils mit Wasser getriebenen Sägemühlen jährlich 16 Millionen Meter Bretter schneidet und deren weitverzweigte, aber wunderbar pünktlich in einander greifende Anstalten ich besichtigen wollte. Dachähnlich fällt die Sierra nevada nach Westen ab, deshalb war das Wandern auf dem schmalen, steinigen Saumpfad so mühsam. Eine Entschädigung fand ich für den vergossenen Schweiss, wenn ich den Blick rückwärts wendete, nach der lachenden Landschaft. Diese Thäler! wie das Auge so gern auf ihnen weilt! Sind das dieselben Thäler, die schon im nächsten Monat, sicher aber im Juni, so verbrannt und öde aussehen, dass das Auge sehnlichst, aber vergeblich nach einem grünen Plätzchen als Ruhe- und Erfrischungspunkt sucht? Kahl sind die Weizenfelder, braungelb die wilden Weiden; selten sind die Blumen, die Bäume bedeckt, anstatt Blüthen dicker, grauer Staub, die Luft ist schwer, schwül und unrein geworden. Wie zog da so manchmal die Sehnsucht nach den blumigen Wiesen und grünen Gärten des deutschen Vaterlandes ins Herz! — Doch heute war ich nicht wehmuthsvoll gestimmt, dazu war die Natur, welche mich umgab, zu herrlich und grossartig. In frohem Erstaunen wendete sich der Blick aufwärts, nach den mächtigen Felsgebilden, den Gletschern und Schneekuppen des Hochgebirges, dicht umsäumt von Wäldern, gebildet von der Bergkiefer (Pinus monticola).

Doch ich muss höher steigen. Das zunächst zu erreichende Lager der Holzfäller befindet sich 1100 Meter hoch, denn zwischen 1000 und 1900 Meter Seehöhe wächst das beste Holz und zwischen diesen beiden Grenzen lässt die Gesellschaft jetzt den für die Sägemühlen erforderlichen Rohstoff entnehmen. Wenn da mit ihm aufgeräumt ist, nun — dann geht sie tiefer und vielleicht auch höher. Meine Absicht war, den höchsten Lagerplatz der Holzfäller zu ersteigen, um von da die Flösserei bis hinunter an die Mühlen zu beobachten. So ging ich denn mit kurzem Grusse an den Holzfällern vorbei und schritt rüstig bergauf, denn es galt kein Säumen, wenn ich heute noch den höchsten Fällungsplatz erreichen wollte. Die Sonne, die hinter dem stillen Weltmeer unterging, warf eben ihre letzten Strahlen noch einmal, wie grüssend zum Abschied, durch die dunkeln Kiefern, um dann zu verschwinden. Ich aber betrat im Dämmerlicht eine flache Lichtung, den Lagerplatz der Holzfäller, die schon beschäftigt waren, an hellflackernden Feuern das einfache Abendessen zu bereiten. Ich trat zu einer Gruppe, und um ihre Bekanntschaft zu machen, liess ich die Whiskyflasche, die stets willkommene, kreisen. Dafür lud man mich ein, teilzunehmen an dem bescheidenen Mahl, das an jenem Abend, wie an jedem Abend, aus gebratenem Speck, Kartoffeln, Brod und Thee bestand. Es waren Mexikaner, d. h. Abkömmlinge jener ersten Ansiedler Californiens, die aus Mexiko kamen und sich selten mit Germanen und Romanen, desto häufiger mit Indianern vermischt haben. Und auch solche Halbblutindianer sassen im Kreise und vermehrten das Rassen- und Nationalitätengemisch, das sich hier, wie bei allen ähnlichen Veranlassungen in Californien, auf kleinem Raume zusammendrängt.

Zufällig war ich an's Lagerfeuer der Mexikaner geraten, die wie ihre Ahnen, die Spanier — „Castilianer" nennen sie sich heute noch mit Vorliebe, wenn sie reinen Blutes sind — ausserordentlich gastfrei und zuvorkommend gegen Fremde sind; ich hatte also keine Veranlassung, dem Zufall zu zürnen. Da drüben sassen auch Gruppen von Nordamerikanern, Irländern, Skandinaviern und Deutschen, freilich struppig und wild anzusehen und es gehörte schon ein geübtes Auge dazu, um zu erkennen, wessen Volkes Kinder sie waren. Nur schwere, eisenbeschlagene Schuhe, Hosen und buntes Hemd bildeten die Kleidung; dazu ein ungepflegter Bart, ein tiefgebräuntes, verwettertes Gesicht und rauhes, borstiges Haar, auf dem ein lebensmüder Filzhut thront! Gewiss kein schmeichelhaftes Bild, aber es kann nicht anders sein. Jahraus, jahrein in den Bergen und Wäldern, bei harter, mühevoller Arbeit, nur auf den engen Kreis der Holzfäller angewiesen: so sind diese Menschen gezwungen, ein halbwildes Leben zu führen und die Umgebung, in der sie sich befinden, drückt ihnen ihr Gepräge auf.

Das Abendbrod war verzehrt, die kurzen Pfeifen wurden angesteckt und ziemlich schweigsam sass die Runde der ermüdeten Leute. Als ich sinnend die olivenfarbenen Gesellen betrachtete, strich der laue Nachtwind über uns hin und spielte kosend in dem langen, schwarzen Haar meiner Gastgeber; das ersterbende Feuer flackerte noch einmal auf, um die halbwilden Gestalten mit fahlem Lichte zu beleuchten. Fürwahr, das dünkte mir eher eine Lagerscene mit Fra Diavolo's Genossen, als mit friedlichen, fleissigen Holzfällern!

In der engen, dürftigen Bretterhütten, in denen die mit Stroh gefüllten Betten übereinander angebracht sind, wie in einem Schiff die Kojen, suchte einer nach dem andern die Ruhe und man lud mich ein, das Gleiche zu thun. Doch ich zog es vor, in der würzigen, frischen Luft, unter der sternbesäeten Himmelsdecke, eine Baumwurzel als Kopfkissen, eingehüllt in meine Wolldecke, den Schlaf des Müden zu schlafen. Hat mir doch schon so oft die Mutter Erde als Bett, ein Stein zum Pfühl dienen müssen, seit ich an dieser Küste ein unstätes Leben führen musste.

Die ersten Sonnenstrahlen trafen eben die höchsten Gipfel der Sierra nevada, als es rege wurde im Lager. Man bereitete sich zum Frühstück vor, das aus derselben Zusammensetzung wie das Abendbrod bestand, aber eiliger verzehrt wurde, denn Punkt 6 Uhr musste jeder Holzfäller an seiner Arbeit sein. Gesättigt griff jeder nach Axt und Säge, um das gewohnte Thun von neuem zu beginnen. Alle, die aufbrachen, haben das Holzfällen als Lebensberuf erwählt, dem sie trotz seiner Gefährlichkeit, so treu anhangen, wie die Schiffer und Bergleute dem ihrigen. Es ist aber auch eine Freude, den Leuten zuzusehen. Es klingt die Axt, die Späne fliegen, kein Hieb wird umsonst gethan, keiner fällt auf den unrechten Platz und bald stürzt krachend der Baum zur Erde. Nun wird der Stamm in Blöcke von 7,2 Meter Länge zerschnitten und, wenn der Durchmesser über $1^2/_3$ Meter beträgt, auch gespalten. Die grosse Baumsäge — Specksäge ist in einigen Gegenden Deutschlands die Bezeichnung — wird in Europa von zwei Männern geführt; hier aber, wo sie etwas kürzer und kräftiger gebaut ist, handhabt sie ein Holzfäller und führt sie mit bewunderungswürdiger Geschicklichkeit, so dass der Stamm in kurzer Frist zerlegt ist. Damit ist das Geschäft des Holzfällers beendet und der Ochsentreiber nimmt die Blöcke in Empfang, um sie fortzuschaffen.

Ochsen sind ein in Californien ungewöhnliches Zugvieh und meines Wissens werden sie nur zu dem einen Zwecke in's Joch gespannt, gefälltes Holz im Gebirge zu transportieren. Langsam geht die Vorwärtsbewegung mit Ochsen, allein für diesen speziellen Dienst haben sie sich besser erprobt, wie Pferde und Maultiere; sie würden sonst nicht ausnahmslos in allen Sägemühlen benutzt werden.

Je nach der Beschaffenheit des Geländes erscheint der Ochsentreiber mit einem massiv gebauten Wagen oder mit einer Anzahl Ketten, in beiden Fällen bringt er 8 Joch Ochsen mit. Der Wagen wird selten gebraucht, nur dann, wenn ein Naturweg nach dem Einschiffungsplatz vorhanden ist. Häufiger werden die Blöcke in der Anzahl von 10 bis 18 aneinandergekettet, mit je einem Zwischenraum von etwa $^1/_2$ Meter. Jede der schweren Ketten wird mit den Endhaken tief in die beiden Blöcke geschlagen, welche sie verbinden soll. Wenn diese Vorbereitung vollendet ist, spannt der Ochsentreiber seine Tiere vor, indem er den Haken der langen Zugkette des hintersten Joches in den vordersten Block schlägt. Voraus schreitet ein Gehülfe mit einem gefüllten Wassereimer, um die zu trockenen Wegstellen zu besprenkeln, ein anderer Gehülfe geht neben dem Kopfe des vordersten Blockes einher, mit einer schweren Kette in der Hand, die er als Bremse vor den vordersten Block wirft, wenn er den Ochsen in gefahrdrohende Nähe rückt. So bewegt sich der Zug unter Schreien und Fluchen des Ochsentreibers bergauf, bergab und obgleich sich die Begleiter und Ochsen nicht in Sicherheit wiegen dürfen, so ist die Gefahr doch lange nicht so bedeutend, wie sie auf den ersten Blick erscheint. In der Länge des Zuges liegt die Sicherheit, je länger desto sicherer. Denn es ist damit Gelegenheit geboten, dass bald die hinteren, bald die vorderen Blöcke hemmend wirken. In der Regel wird den Blöcken die Rinde gelassen, damit sie bergab nicht so rasch rutschen, ein Vorteil, der natürlich zum Nachteil wird, wenn der Zug bergauf geht. In Gegenden der Pazifikküste, wo das Gelände nur hügelig, nicht gebirgig ist, werden Knüppelwege gebaut und alle Blöcke vor dem Transport geschält. Jedenfalls ist aber das Schleifen der Blöcke billiger und fördernder wie das Fahren, wenn keine Wege vorhanden sind und häufig nur allein ausführbar.

Am Einschiffungsplatz stehen Arbeiter bereit, welche dem Ochsentreiber die Blöcke abnehmen, um sie in der Flume weiterzubefördern. Flume? höre ich fragen. Wir haben kein deutsches Wort, das diesen Begriff deckt, deshalb muss ich ihn umschreiben. Starke Bretter, 80 Zentimeter breit und 5 Meter lang, werden so zusammengenagelt, dass sie unten eine spitzzulaufende Rinne bilden, der Form der römischen Ziffer V entsprechend. Dies sind Einzelstücke, die zu einem oft viele kilometerlangen Kanal oder Wassertrog, wie man's nun nennen will, zusammengefügt werden. Das ist in kurzen Worten eine Flume. Merkwürdig, dass sie erst in der Neuzeit erfunden wurde. Lange vorher versuchte man Holz in Trögen zu transportieren, man gab ihnen aber stets eine rechtwinkelige Form und daran scheiterte der Plan. Ein Zufall hellte darüber auf, dass zum Gelingen die geschilderte Form gewählt werden müsse und dass lässt sich auch durch bekannte physikalische Gesetze, deren nähere Erörterung hier zu weit führen würde, begründen.

Diese Flumen sind zuerst erdacht und gebraucht worden im Territorium Washington, um mit ihrer Hilfe Holz, aber nur auf kurzen Strecken, nach dem Puget Sund zu flössen. Dann führte man die Erfindung an der östlichen Abdachung der Sierra nevada ein, um dem täglich 1000 Klafter Holz verbrauchenden Virginia City, wo die weltberühmte Comstockader ausgebeutet wird, den Bedarf wenigstens eine Strecke weit zuzuführen. Das ausgedehnteste Flumennetz aber besitzt die Gesellschaft, welche ich oben nannte.

Die Anlage einer Flume ist nicht so leicht, als man sich denken mag; sie fordert die ganze Kunst des Ingenieurs heraus, namentlich in einem zerrissen Gebirge und viele behaupten, eine Eisenbahn sei leichter zu planen und auszuführen, wie eine Flumenanlage. Zunächst muss das Augenmerk auf die nötige Wasserversorgung gelenkt werden, die ausgeführt wird durch den Bau eines Sammelbeckens. Gleichzeitig wird mit der Legung der Flume begonnen. Nirgends, das ist selbstverständlich, darf sie scharfe Biegungen oder kurze Windungen haben. An der einen Stelle muss das Lager tief in den Felsen eingehauen, an der anderen Stelle muss die Anlage über Schluchten von 50 bis 70 Meter Tiefe weggeführt werden. In letzterem Falle muss ein sehr kräftiges Holzgestell, vom Grund der Schlucht bis zur geplanten Flume hinauf, erbaut und mit eisernen Stangen an den Felswänden befestigt werden, denn im Gebirge herrschen oft örtliche Stürme, die mit besonderer Heftigkeit die Schluchten durchbrausen und das kunstvolle Gestell bald wegfegen würden, wenn dasselbe nicht auf eine solide Weise verankert ist. Dass eine Flumenanlage, wenn sie viele Schluchten zu passieren hat, kostspielig ist, braucht nicht näher begründet zu werden. Die Kilometerstrecke erfordert dann einen Kostenaufwand von 12 000 bis 25 000 Mark und noch mehr, je nachdem sich die Schwierigkeiten häufen. Ist die Anlage beendet und der nötige Wasserzufluss beschafft, dann beginnt die Beförderung der Blöcke an den Einschiffungsplätzen, wo sie, ohne Verbindung mit einander, eingelegt werden, damit sie der Wasserstrom nach den 25, 50 oder 75 Kilometer entfernten Mühlen trage. Und mit welcher Schnelligkeit geht die Fahrt thalwärts! Bei einem Fall von 1 zu 192 beträgt die Geschwindigkeit 3 bis 5 Kilometer in der Stunde, mit doppeltem Fall auf derselben Strecke verdreifacht sich die Schnelligkeit und ein Fall von 10 bis 12 zu 192 bringt das Holz 30 und mehr Kilometer in der Stunde vorwärts! Vom höchsten Einschiffungsplatz in den Bergen bis Sacramento beträgt die Entfernung etwa 50 Kilometer und diese werden in $3^1/_2$ Stunden zurückgelegt. Noch rascher geht es nach Chico, eine Strecke von 68 Kilometer, die sogar in weniger wie 4 Stunden durchschifft wird. Eine andere, die sogenannte Chicoflume, ist fast 75 Kilometer lang. Um 3 Uhr nachmittags wird das letzte Holz eingelegt und schon um $6^1/_2$ Uhr trifft es in Chico ein. Derselbe Weg, früher mit der Achse zurückgelegt, erforderte für 1000 Meter Holz 140 Mark Transportkosten, dieselben haben sich in der Flume auf kaum 10 Mark vermindert.

Die vorgenannte Flume, oder Hauptader, wenn dieses Gleichnis gestattet ist, kann täglich 30000 Meter Holz in das Thal befördern und das ganze Flumennetz bringt durchschnittlich die dreifache Menge den Tag in die Sägemühlen.

Auf der ganzen Strecke, vom höchsten Einschiffungsplatz bis zur Mündung, stehen in gewissen Abständen Männer, welche die Flumen überwachen, damit die Beförderung nirgends stockt; namentlich ist dies nötig an Stellen, wo Zweigflumen in Hauptflumen münden. Zu diesem Behufe sind längs den Flumen Laufbretter angebracht, damit diese Wächter bequem und schnell ihre Strecken abgehen und überwachen können. Der einzige, nicht zu beseitigende Übelstand für diese Holzflösserei, ist der fast jeden Hochsommer eintretende Wassermangel. Wo es angänglich ist, sucht man ihn zu mildern, durch Anlage sehr geräumiger Sammelbecken, welche während der Schneeschmelze bedeutende Wasservorräte aufnehmen können, ferner geht man haushälterisch mit dem Vorrat um und öffnet nur dann die Schleusen, wenn das Einlegen der Holzblöcke ununterbrochen stattfinden kann, während der übrigen Zeit stellt man die Flume trocken. Häufiger wird aber die Einrichtung getroffen, dass im Hochsommer in gewohnter Weise Holz gefällt und in Vorräten angesammelt wird. Während der nassen Jahreszeit werden dann die Flumen bis aufs äusserste ausgenützt. Dadurch wird den Sägemühlen die für ihre ungehinderte Thätigkeit nötige Rohstoffmenge zugeführt.

So stieg ich denn wieder die Berge hinab, diesmal an der Seite der grossen Chicoflume, welche ich ihrer ganzen Länge nach verfolgen wollte. Allein 50 Kilometer, immer jäh abwärts, bilden eine zu lange Strecke für einen Tagesmarsch, selbst für den rüstigsten Fussgänger, deshalb übernachtete ich auf halbem Wege in einer

Stadt, deren Namen mir entfallen ist. Das gereicht mir indessen nicht zum Vorwurf, denn die „Stadt“ hatte noch keine Wichtigkeit erlangt; sie bestand nur aus 3 Häusern: der Schmiede, dem Krämerladen und dem Gasthaus. Im Innern Californiens bilden drei Anstalten, wie die genannten, wenn sie sich zusammengefunden haben, den Krystallisationspunkt für ein grösseres Gemeinwesen und so darf man auch der erwähnten Stadt die Zukunft nicht absprechen. Eine Zweigflume mündet hier in die Hauptflume, die deshalb an dem betreffenden Punkte besonders stark gebaut ist. Zwei Männer standen da und hielten die kommenden Blöcke in Ordnung, damit ohne Stockung einer nach dem andern die Reise fortsetzen konnte.

Das beobachtete ich, als ich am frühen Morgen die Weiterwanderung antrat; und als ich tiefer stieg und das Flumennetz immer besser zu übersehen war, da überkam mich ein tiefer Respekt vor dem californischen Unternehmungsgeist. In zweitägigem Marsche hatte ich 50 Kilometer abgegangen, während das ganze Flumennetz eine Gesamtlänge von fast 200 Kilometer hat und immer noch vergrössert wird. Bei Chico mündet das Flumennetz in einen Teich, da hinein stürzen die Blöcke, einen Purzelbaum schlagend, der das Wasser in zischende Aufregung versetzt. Dann schwanken sie noch einigemal hin und her und legen sich ruhig zu den früher eingetroffenen. Nur kurze Rast ist ihnen im Teiche gegönnt, denn die Ausladung wird eifrig betrieben. Sie findet statt auf einem niedrigen Rollwagen, der auf Schienen läuft, die sich auf einer geneigten Brücke bis unter das Wasser erstreckt. Ein Block wird mit einem Haken so herangezogen, dass er sich über der Brücke befindet. Nun wird der Wagen ins Wasser bis unter den Block geschoben und mit diesem verkuppelt. Ein kräftiges Pferd zieht an und das Wasser hilft den Block über die geneigte Brücke tragen.

In nächster Nähe ist der gewaltige Holzhof, dort kann man die Sägemühlen sehen, deren 10 im Betriebe sind und welche sowohl unter sich, wie mit dem Hauptquartier in Sacramento, durch eine 55 Kilometer lange Telegraphenleitung verbunden sind. Von jeder Sägemühle führt ein Seitengeleise nach der California- und Oregon-Eisenbahn. Die Gesellschaft beschäftigt in den Bergen und Mühlen 500 Männer; sie zahlt für Löhne und Geschäftsspesen jährlich 2 Millionen Mark; 500 Ochsen, 100 Pferde und Maultiere, mit 61 Wagen, sind für sie in Bewegung, grösstenteils im Gebirge.

Das ist gewiss ein grosser, komplizierter Apparat, mit dessen Hilfe aber auch jährlich 16 Millionen Meter Bretter gesägt werden. Diese eine Anstalt liefert also genau die Hälfte der Brettermenge auf den Markt, wie der ganze holzreiche Staat Oregon.

In Californien hat sich die Holzindustrie in der Weise herausgebildet, dass die Sägemühlen zugleich die Fabriken sind, in welchen ein grosser Teil des geschnittenen Holzes zu Fussböden, Thürpfosten, Treppenstufen, Thüren, Fenstern, Dachschindeln u. s. w. vorgerichtet werden und darin liegt das Geheimnis, dass Holzhäuser in Nordamerika in unglaublich kurzer Zeit aufgebaut werden. Man hat nur nötig, auf den Holzhof zu gehen und anzugeben was man braucht; unverzüglich wird der Auftrag vollständig — die Fenster mit Glas, die Thüren mit Beschlag u. s. w. — ausgeführt. Alles das ist nur zusammenzufügen, eine Arbeit, die rasch von statten geht. Die Sierra Flume & Lumber Company sucht auch darin ihre Concurrenten zu überbieten; in Chico besitzt sie Werkstätten, mit der Fähigkeit täglich 200 Thüren, 100 Fenster, 50 Fensterläden u. s. w. fertig zu stellen. Ein grosses Hobelwerk mit Dampfbetrieb hat dafür zu sorgen, dass alle Aufträge auf Fussböden, Getäfel, Schindeln, Pfosten, Latten u. s. f. ohne Verzug erledigt werden.

Zur Holzkunde.

Die Struktur des Holzes.

Das völlig trockene Holz besteht zu etwa 96 % aus reiner Holzfaser (Zellulose), die nach der Formel $C_6 H_{10} O_5$ zusammengesetzt ist und in 100 Teilen aus Kohlenstoff 44,45 %, Wasserstoff 6,17 % und Sauerstoff 49,38 % besteht.

In dem Holze eines Baumes ist bezüglich der Struktur zwischen einjährigem und mehrjährigem Wuchse zu unterscheiden. Als Beispiel möge der einjährige Zweig der Eiche dienen, welchen die Figur 46 im Querschnitt zeigt.

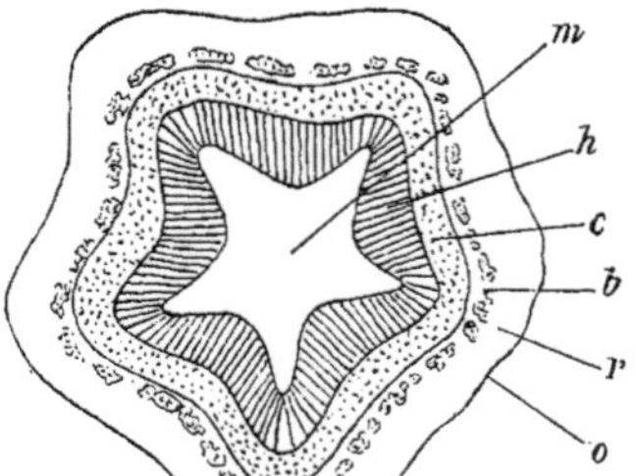

Figur 46.

Das Innere ist mit dem Mark m ausgefüllt, einem ausserordentlich leichten Zellgewebe, welches stets in einem belaubten Zweige vorhanden ist und für seine Fortentwickelung von wesentlicher Wichtigkeit zu sein scheint. Im Stamme verschwindet es fast oder ganz ohne Nachteil für den Wuchs des Baumes.

Die äusserste Zellenwand des Markes ist etwas härter wie das übrige Gewebe, für das sie gewissermassen eine Einfassung bildet. Es folgt eine Schicht weiches Holz (h), bedeckt von dem Bildungsring (c), aus dem nach innen ein Holzring, nach aussen ein Bastring sich bilden. Der letztere ist durch b bezeichnet, ihn umschliesst die grobzelligere Rinde r, auf der die Oberhaut o liegt.

Der mehrjährige Wuchs ist in der Figur 47 und zwar in dem Quer- und Längsschnitt eines Laubholzbaumes gezeigt. Die Markstrahlen oder Spiegelfasern d laufen strahlenartig von der Markröhre c aus bis zur Rinde a, verbinden also die Markröhre mit der Rinde. Sie durchkreuzen auf dem Querschnitte die Jahresringe f unter rechtem Winkel und bilden auf diese Weise viereckige Felder. Die 5 Schichten des Kernholzes c und die 5 Schichten des Splintes b lassen auf ein zehnjähriges Alter dieses Stammes schliessen.

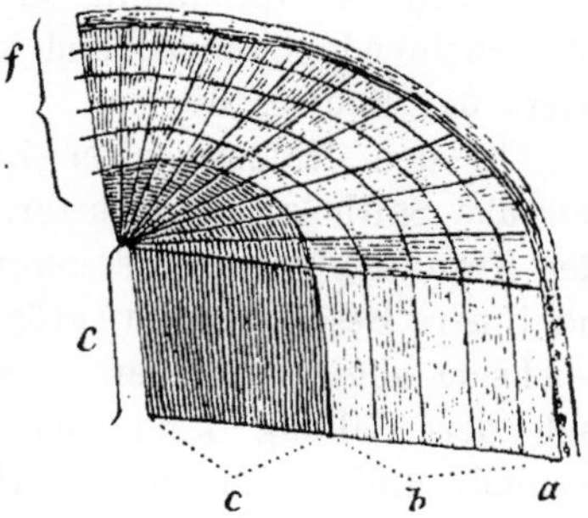

Figur 47.

Ein keilförmiges Stück Buchenholz aus einem Querschnitte ist in der Figur 48 dargestellt. Von der Markröhre a aus durchschneiden die Markstrahlen die Jahresringe, wodurch sie viereckige Felder auf dem Querschnitte bilden. Mit b sind die Flächen der Markstrahlen bezeichnet, welche auf der oberen Querschnittfläche ihre Decke zeigen und an der Aussenseite d, wo die Rinde abgelöst ist, ihre elliptischen Endigungen. Bei c liegen die Grenzen der 5 Jahresringe, auf deren Querschnitte durch runde Löcher die durchschnittenen Gefässbündel angedeutet werden, welche ziemlich gleich gross und gleichmässig in den Zellgeweben verteilt sind. Die Gefässbündel laufen nicht genau senkrecht durch das Holz, sondern krümmen sich mehr oder weniger, um die von a zu d laufenden Markstrahlen durchzulassen. Die letzteren stehen mit den Bildungszellen in Verbindung, denen sie den Saft zur Weiterbildung zuführen.

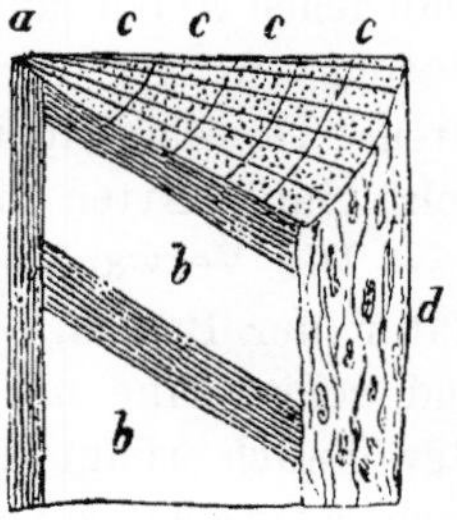

Figur 48.

Das Mark, aus weiten, in längliche Reihen geordneten dünnwandigen Zellen zusammengesetzt, wird frühzeitig von luftführenden Zwischengängen durchbrochen und sobald seine Saftführung aufhört, füllt es sich ebenfalls mit Luft.

Das Holz wächst durch die Thätigkeit des Bildungsringes jährlich, mit Unterbrechung während des Winters in die Dicke. Der Zuwachs jeden Jahres, Holz- oder Jahresring genannt, zeigt sich stets deutlich auf dem Querschnitte der Hölzer der gemässigten und kalten Zone, nicht aber der tropischen Zone. Hier ist er entweder vollständig unsichtbar oder zeigt nur schwer zu unterscheidende Grenzen und kann keinesfalls zur Bestimmung des Alters des Baumes dienen.

In den Hölzern aller Zonen unterscheidet sich der Splint oder das Saftholz, als äusserer, lebensthätiger Teil, von dem Herz- oder Kernholz, das von ersterem durch hellere oder dunklere Farbe und innere Beschaffenheit (grössere Härte, höheres Gewicht u. s. w.) gleichsam abgesondert ist. Bei einigen Baumarten ist unmittelbar nach der Fällung kein augenscheinlicher Unterschied zwischen Kernholz und Splint zu bemerken, die Luft erzeugt jedoch bald einen Farbenabstich. Bei älteren Bäumen weicher Holzarten ist das Kernholz häufig ganz oder teilweise verwest, der Stamm wird hohl, wächst aber weiter und kann noch lange leben. Das Verhältnis zwischen Kernholz und Splint schwankt stark in den verschiedenen Arten, als Regel aber gilt, dass die jungen Bäume einer bestimmten Art verhältnismässig mehr Splint besitzen wie die alten. Gewöhnlich ist der Splint untauglich zu Werk- und Bauholz, einige Arten bilden aber eine Ausnahme.

Die Verwandlung des Splints in Kernholz nimmt je nach der Natur der Baumart und des Klimas 1 bis 20 Jahre in Anspruch und selbst eine noch längere Zeit, wie bei einigen Eichenarten. Gewöhnlich erfolgt sie in gleichmässigem, ringförmigem Fortschreiten nach auswärts, zuweilen macht sie aber auf der einen Seite des Stammes grössere Fortschritte wie auf der anderen, verursacht durch eine stärkere Einwirkung von Licht und Luft.

Die Markstrahlen bestehen aus verdichtetem Zellgewebe und obgleich sie meistens von der Markröhre bis zum Bildungsring laufen, so gibt es doch manche, die als Nebenmarkstrahlen zu betrachten sind, sie stehen weder in Verbindung mit der Markröhre noch mit den Hauptmarkstrahlen.

In den Nadelhölzern werden die Markstrahlen zu so feinen Linien zusammengedrängt, dass sie mit dem unbewaffneten Auge nicht erkennbar sind.

Die Holzzellen sind nie auf den Wänden so verdickt, dass sich nicht im Innern eine Höhlung wahrnehmen liesse, je dicker ihre Wände sind und je mehr Zellen in einem bestimmten Raume sich gehäuft haben, desto dichter und schwerer ist das Holz. Darin ist der Unterschied zw schen hartem und weichem Holz begründet; das Letztere hat vergleichsweise wenige Zellen mit dünnen Wänden auf einem bestimmten Raume.

Unter dem Mikroskop zeigt sich das Holz zusammengesetzt aus verlängerten Zellen, die sich gegenseitig überdecken und an den Seiten zusammenhängen. Sie bilden sehr verschiedenartige Gestaltungen, die oft der Familie oder Gattung, zu welcher das betreffende Holz gehört, eigentümlich sind. Zwischen den zu einem Gewebe verbundenen Zellen liegen zahlreiche Höhlungen und Gänge, entstanden durch mangelhaften seitlichen Zusammenschluss der Zellen, welche teils Luft, teils Saft, Harz oder andere Absonderungen des Baumes enthalten und als Intercellulargänge bezeichnet werden.

In harzigen Hölzern liegt das Terpentin in Zellengefässen, die von kleineren Zellen umgeben sind. Die Fülle dieses Produkts hängt von der Stärke des Wachstums und von der Einwirkung des Lichts und der Luft ab.

Wie die Jahresringe, so sind auch die Markstrahlen in vielen tropischen Hölzern für das unbewaffnete Auge kaum erkennbar und in manchen Fällen nur unter dem Mikroskop zu verfolgen.

In manchen Arten der harten Hölzer, namentlich der Eiche, Esche und Ulme, sind die Jahresringe mehr schwammig und porös an der inneren wie der härteren äusseren Seite. Die Erstere wird zuweilen als Frühjahrswuchs, die Letztere als Sommerwuchs bezeichnet. Dieser Sommerwuchs wird durch den zweiten Safttrieb gebildet und seine Dichte und Dicke scheint abhängig zu sein von der späteren Witterung. Ist dieselbe feucht und kalt, so wird der Sommerwuchs weniger dicht, als wenn sie trocken und warm ist. Die Menge des ganzen Jahreswuchses wird gewöhnlich bestimmt durch die Witterung im Frühjahr und Frühsommer, und unter den Trepen durch die Witterung während der Regenzeit.

In Ausnahmefällen, beispielsweise wenn einem sehr trocknen Frühsommer ein warmer regenreicher Spätsommer folgt, mag ein zweiter Jahreswuchs einsetzen. Die Laubknospen mögen aufbrechen und Blüten erscheinen. Ein zweiter Jahresring wird sich bilden, der aber nicht in allen Teilen deutlich sichtbar ist. Folgt ein kalter Winter, dann schweben die Bäume in Gefahr schwer geschädigt zu werden. In der halbtropischen Zone ist es übrigens mehr Regel wie Ausnahme, dass der Jahreswuchs gewöhnlich aus zwei, häufig nicht scharf unterscheidbaren Ringen besteht. Hier beginnt das Wachstum, wenn nach der langen Sommerdürre die warmen, erquickenden Herbstregen einsetzen, um die Jahreswende wird es auf kurze Zeit durch die kalte Witterung, die oft Eis und Schnee bildet, unterbrochen, beginnt bei Eintritt der warmen Temperatur wieder und setzt bis zum Schlusse der Regenzeit fort. Es bilden sich also zwei Ringe im Jahre und deshalb ist auch die landläufig gewordene Behauptung, die californischen Mammutbäume seien 4000 Jahre alt, weil man 4000 Ringe auf einem Querschnitt gezählt habe, unhaltbar. Selbst bei zuverlässiger Zählung könnte das Alter höchstens mit 2000 Jahren angenommen werden, allein die Zählung ist, wegen der undeutlichen Ausprägung der Grenzen der Ringe, sehr unsicher, ausserdem lernt man immer klarer erkennen, dass in der halbtropischen Zone die Jahresringe nicht zur Altersbestimmung der Bäume dienen können, wahrscheinlich aus einem Zusammenwirken verschiedener Ursachen.

In solchen Hölzern, welche deutlich unterscheidbare Jahresringe besitzen, lassen sich noch nach vielen Jahren aus der Breite der Ringe die Gunst oder Ungunst der Jahresläufe nachweisen. Beispielsweise mag jeder 3. oder 4. Ring sehr schmal sein. Er erzählt von einer langen Dürre im Frühjahr oder von einer Laubverheerung durch Raupen.

Als Regel sind die Jahre für das Wachstum des Holzes am günstigsten, welche im Frühjahr und Frühsommer warmes, feuchtes Wetter bringen, gefolgt von sehr trockenem und warmem Wetter. Die Reife des neugebildeten Holzes kann nur vor sich gehen, wenn die Blätter mehr Wasser verdunsten als die Wurzeln zuführen. Die Zellengewebe verhärten sich dadurch und in je höherem Masse das geschieht, von desto besserer Qualität wird das Holz. Ist die Witterung während der Reifezeit feucht, dann bleibt das junge Holz weich und fällt dem Frost leicht zum Opfer.

Bäume, die als Reserve im Schlagholzbetriebe gezüchtet wurden und während ihrer Entwickelung abwechselnd frei standen und von anderen Bäumen beschattet wurden, liefern härteres Holz, wie solche, die ununterbrochen in dichtem Bestande wuchsen, allein es ist in Folge von zahlreicheren Ästen knotiger und da diese Bäume mehr dem Wetter ausgesetzt sind, haben sie keinen geraden, regelmässigen Stamm, wachsen auch nicht so hoch, wie Bäume in dichtem Bestande, ihr Holz spaltet sich nicht leicht in gerade Stäbe und ihre Jahresringe zeigen verschiedene Breiten, hervorgerufen durch die abwechselnd stärkere und schwächere Beschattung. Aus einem Querschnitte dieses Holzes kann daher nicht auf den Charakter der Jahresläufe geschlossen werden.

Auch in der Rinde bilden sich Jahresringe und in manchen Fällen können sie noch nach mehreren Jahren deutlich unterschieden werden, gewöhnlich verwachsen sie aber zu einer für das unbewaffnete Auge formlosen Masse, welche ihre äussere Schicht wiederholt sprengt und abwirft. In manchen Bäumen, wie in der Birke und im Kirschbaum, besteht die äussere Rindenschicht aus starken Fasern, die wagerecht um Stamm und Gezweige laufen. Diese Fasern pflegen sich in langen Bändern abzulösen. Bei der Platane fällt die äussere Schicht in harten, grossen Stücken ab und lässt eine frische Oberfläche, die zuerst weiss ist und dann grünlich wird. Manche Kiefern schälen in dünnen Rindenstücken von den Ästen abwärts und gewinnen dadurch eine glatte Rindenoberfläche.

Wenn die Rinde und das Holz eines Baumes verwundet wird, sei es durch Zufall, durch den Waldhammer des Försters oder die Axt des Landvermessers, wird die Wunde durch seitliches Wachstum allmählich geschlossen, und an Stelle der Vertiefung tritt eine Erhöhung. Diese Verwachsung bis zum Grunde der Wunde ist deutlich zu erkennen, wenn die betreffende Stelle gespalten wird. Die Grenzzeichen der nordamerikanischen Landvermesser, welche stets in lebende Bäume gehauen werden, wenn solche vorhanden sind, wurden nach mehr wie 100 Jahren an den Vernarbungen entdeckt.

Die Jahresringe legen sich mit grösserer oder geringerer Gleichförmigkeit über das ältere Holz. Die oft bemerkte Ungleichheit in der Dicke ist auf den Unterschied in der Ernährungskraft gewisser Wurzeln oder Zweige zurückzuführen. Diese Ungleichheiten werden häufig in späteren Jahren ausgeglichen, so dass aus einem etwas krummen Bäumchen ein gerader, ebenmässiger Baum werden kann. Sichtbar auf dem Querschnitt bleibt die frühere Unregelmässigkeit aber dauernd.

Ein schiefer Baum hat seine Markröhre etwas von dem Mittelpunkte des Stammes aufwärts und die Jahresringe sind unten breiter wie oben. Dasselbe wird oft an Ästen beobachtet, da wo sie aus dem Stamm treten. Diese unregelmässige Bildung findet sich häufig in tropischen Hölzern.

In manchen Nadelhölzern, namentlich in den Kiefern und Fichten, findet eine bemerkenswerte Ebenmässigkeit im Wachstum der Äste statt, mehrere, oft fünf, entspringen von einem Punkte und teilen den Winkelraum in gleichen Teilen unter sich. Die senkrechte Entfernung zwischen diesen Astgruppen bezeichnet gewöhnlich das Wachstum eines Jahres in die Länge, der Querschnitt über einer Astgruppe hat also einen Jahresring weniger wie der untere Querschnitt.

Wenn die Reife eintritt, hört der Baum nicht auf zu wachsen sondern fährt fort, Jahresringe anzusetzen, allein von nun an beginnt die Verwesung vom Markkerne aus und zerstört mehr als der neue Zuwachs beträgt. Daher die forstliche Regel, die Bäume zur Zeit der Reife, als im höchsten Werte stehend, zu fällen. Sobald sich die Zweige nicht mehr verlängern, sondern abstumpfen, hat der Baum seine Reife überschritten.

Es ist bis in die neueste Zeit eine viel umstrittene Frage gewesen, ob das Holz bei langsamem oder schnellem Wachstum stärker und dauerhafter würde. Kein Zweifel kann obwalten. dass für die Beantwortung die Laubhölzer von den Nadelhölzern getrennt werden müssen. Die Letztern liefern, als Regel, ein um so dauerhafteres. härteres und elastischeres Holz, je langsamer ihr Wachstum war, je enger die Jahresringe sind. Diese Qualitäten finden ihre höchste Ausbildung in den Nadelhölzern an der Nordgrenze des Verbreitungsgebietes der betreffenden Art auf der nördlichen Erdhälfte und an der Südgrenze auf der südlichen Erdhälfte. Als Beispiele mögen dienen das Kiefernholz der russischen Ostseeprovinzen, Finnlands Edeltannenholz, das sibirische Lärchenholz, das Weissfichtenholz Michigans (Weymouthskiefer) im Gegensatz zu demjenigen Pennsylvaniens.

Bei vielen Laubhölzern ist das Gegenteil der Fall, doch muss dabei in Erinnerung gehalten werden, dass das durch einen ausnahmsweisen fetten und feuchten Boden bei sehr geschützter Lage beschleunigte Wachstum eine weiche, poröse Holztextur bewirkt. weil die oben erklärte Holzreife nicht in ausgiebigem Masse stattfindet.

Bagneris, der sich eingehend mit bezüglichen Untersuchungen beschäftigte, bemerkt in Bezug auf die Holzbildung, dass in den

Laubhölzern die Gefässe der Jahresringe entweder gleichmässig verteilt sind, wie bei der Rotbuche, Hainbuche, Pappel, Weide u. s. w., oder an der innern Seite des Ringes eng zusammengedrängt stehen und gegen die äussere Seite hin fehlen oder klein und weit zerstreut sind. Die innere oder poröse Schicht ist der Frühjahrswuchs und fast Jahr für Jahr von derselben Breite. Die äussere Schicht des Jahresringes wird später gebildet und gewöhnlich der Sommerwuchs genannt, sie besteht aus schwerem, festem, holzigem Zellgewebe und wechselt im Durchmesser; in dem einen Jahre ist sie dick, im andern dünn. Diese Hölzer sind deshalb schwerer, dichter und für die meisten Zwecke wertvoller im Verhältnis zu der Schnelle ihres Wachstums. Hierher gehören die Eiche, Esche und andere Arten, welche ihre Jahresringe in deutlicher Abgrenzung zeigen. Das Kernholz ist gewöhnlich anders gefärbt wie der Splint, auch stärker und dauerhafter, während die Arten, welche ihre Gefässe gleichmässig durch den ganzen Jahresring verteilen, keinen grossen Unterschied in Farbe, Stärke und Dauerhaftigkeit zwischen dem Kernholz und Splint zeigen. In dem Eschenholz, wie in einigen tropischen Hölzern, ist überhaupt kein Unterschied bemerkbar, der ganze Stamm ist von einer Farbe, allein den Würmern bleibt es nicht verborgen, dass trotzdem Splint vorhanden ist. Die Nadelhölzer haben keine solche Gefässanordnung wie die meisten aussenwüchsigen Bäume, ihre Holzstruktur besteht aus einem eigenthümlichen Zellgewebe, das von dem gewöhnlichen unter dem Mikroskop leicht zu unterscheiden ist, durch die zahlreichen, dünnen, kreisrunden Flecken in den Wänden der Holzzellen, die in keinem andern Holz als demjenigen der Nacktsamigen (Gymnospermen) gefunden werden. Der äussere Teil der Jahresringe besteht in dieser Holzklasse aus härterem und dichterem Gewebe wie der innere, und dieser härtere Teil ist gewöhnlich Jahr für Jahr von gleichmässiger Breite. Der Unterschied im Wachstum entfällt auf den innern, weicheren Teil, dessen Durchmesser deshalb gemäss des schnelleren oder langsameren Wachstums schwankt. Der äussere, härtere Teil der Jahresringe gibt dem Holz seine hauptsächlichste Stärke und Dauerhaftigkeit, zum mindesten, bis der innere, poröse Teil mit harzigen Ablagerungen ausgefüllt ist, was häufig erst im Kernholze vollständig der Fall ist. Es erhellt daraus, dass langsam wachsende Nadelhölzer mehr festes, dichtes Zellengewebe besitzen, wie schnell wachsendes, also ein für die meisten Zwecke wertvolleres Holz liefern.

Professor Sargent, der die Zensusarbeiten über die nordamerikanischen Wälder leitete, lässt sich über diesen Gegenstand, über welchen, wie diese Darlegung zeigt, noch keineswegs Übereinstimmung herrscht, wie folgt vernehmen: Eine Prüfung der bei den verschiedenen Untersuchungen der nordamerikanischen Hölzer erhaltenen Resultate, lehrt zum mindesten diese wichtige Thatsache, dass das Gewicht und die Stärke von Holzproben irgend einer Art abhängig sind von dem Raumanteil in den Jahresringen, welchen die offenen Gefässröhren und dem, welchen die geschlossenen Holzgewebe einnehmen, sowie von der Grösse der Gefässröhren, oder, wenn Nadelhölzer in Frage kommen, von dem Raumanteil, welchen die früh in der Wachstumsperiode gebildeten Zellen und dem, welchen die kleineren Zellen des Sommerwuchses einnehmen. Das Verhältnis zwischen diesen beiden Wachstumsbildungen schwankt nicht allein in jedem Baum, sondern in den verschiedenen Teilen des Baumes. Die Ursachen, welche in dieser Hinsicht den Holzwuchs beeinflussen, liegen nicht klar zu Tage. Es scheint, nicht der Boden, noch das Alter, noch die allgemeinen klimatischen Zustände bewirken das schwankende Verhältnis zwischen dem festen und leichten Teil des Jahreswuchses, in jeder Art, denn in dem einzelnen Baume schwankt dieses Verhältnis von Jahr zu Jahr und zwar sehr unregelmässig. Nicht, wie gemutmasst wurde, hat die Schnelligkeit des Wuchses einen bedeutenden Einfluss auf die Stärke des Holzes, weil das Verhältnis zwischen den porösen und festen Wachstumsbildungen wenig beeinflusst wird von der schnelleren oder langsameren Erweiterung des Durchmessers der Bäume. In wie weit die jährlichen klimatischen Schwankungen die Natur der Jahresringe beeinflussen, ist nicht nachgewiesen worden, doch ist es nicht unmöglich, dass in Jahren, wo die einem raschen Wachstum günstigen Verhältnisse bis spät in der Wachstumsperiode bestehen bleiben, die poröse, schwache Schicht des Jahresringes einen verhältnismässig grösseren Raum einnimmt, wie in einem Jahr, wo die dem raschen Wachstum günstige Zeit kürzer ist.

Daraus folgt, dass solche Untersuchungen, wie sie von dem Zensusbeamten ausgeführt wurden, nothwendig sind, den verhältnismässigen wie Höchstwert jeder Art festzustellen; nachdem das geschehen, kann der wirkliche Wert jeder Holzprobe durch mikroskopische Untersuchung des Gefüges bestimmt werden. Das will sagen: 2 Proben des Holzes einer Art, welche von dem Zensusbeamten auf ihre Eigenschaften geprüft wurden, können auf ihren verhältnismässigen Wert durch eine mikroskopische Betrachtung ihres Gefüges ebenso gut oder besser untersucht werden, wie durch eine umständliche Prüfung.

Die Masern oder Figuren des Holzes werden mehr von der Richtung der Fasern, wie von der Farbe hervorgerufen. Wenn ein Baum von vollkommen cylinderischen Jahresringen gebildet ist, zeigt der Querschnitt konzentrische Kreise, der Längsschnitt gleich laufende grade Linien und der Schrägschnitt Ellipsen. Allein wenige Bäume sind so regelmässig gebildet, und obgleich die 3 Schnitte stets zu der angegebenen Gestaltung hinneigen, so stört doch jede Biegung und Schiefe des Baumes die regelmässige Anordnung der Fasern und hilft die Masern vermehren. Ein senkrechter Schnitt durch den Kern des Baumes zeigt die verschiedenartigste Fläche, weil die ältesten und jüngsten Fasern in allen Abweichungen von der regelmässigen Anordnung, welche in dem betreffenden Baume vorkommen, sichtbar sind. Bestimmter gesprochen, nennt man Masern diejenige Holzbildung, bei welcher die Verzweigungen der Gefässbündel sich nach verschiedenen Seiten hin unregelmässig ausbreiten und verworrene Züge bilden, wobei öfter eine verschiedene Färbung stattfindet. Gewöhnlich sind es knotige Verdickungen des Stammes die nahe übereinanderstehen und diesen Gefässlauf bewirken. Besonders häufig findet sich die Maserbildung am Grunde des Stammes, nahe über den Wurzeln. Durch öfteres Auslichten der Aeste kann die Maserbildung befördert werden.

Krausen werden gebildet durch das ungeregelte Auswachsen des Raumes zwischen den Astgabelungen. Die Figuren, welche dadurch erzeugt werden, erhöhen den Wert des Holzblocks gemäss der Zahl ihrer Krausen.

Die Astkeime entstehen im frühen Wachstum des Stammes und wenn sie zu Ästen auswachsen, bilden sich Knoten im Stammholze, indem die Fasern desselben vom Aste beiseite gedrängt werden. Manche entwickeln sich aber nicht zu Ästen, sondern werden von späteren Jahresringen überdeckt.

Solche überwachsenen Astkeime finden sich zuweilen in Wurzeln, die deshalb in der Furnierschneiderei gesucht sind.

In manchen Hölzern, wie im Seiden- Ahorn- und Eschenholz finden sich zuweilen Figuren, die an Wellengekräusel erinnern; dieselben werden durch die geschlängelte Lage der Fasern gebildet.

Die als Silberkörner bekannten Figuren haben ein gesprenkeltes Aussehen. wie es ähnlich erzeugt wird, wenn man Seidenfäden kreuzt.

Damastfiguren, oder breite gekräuselte Adern, werden hervorgerufen durch Gruppen von Markstrahlen, welche sich von der Markröhre nach dem Bildungsringe zwischen den senkrechten Fasern durchschlängeln, anstatt grad zu laufen.

Würden die Fasern eines Baumes mit der Regelmässigkeit der Fäden eines einfachen Tuchgewebes geordnet sein, so müsste das Holz eine gleichmässige Färbung zeigen, da aber die Fasern unregelmässig gebogen, hier sichtbar, dort bedeckt sind, so entsteht eine Abwechselung von Figuren.

Nicht selten wird eine abweichende Färbung derselben Holzart bemerkt, welche auf andere Ursachen, wie die vorstehenden, zurückzuführen sind. In manchen Fällen tritt ein Farbenwechsel bei Beginn der Verwesung ein, noch ehe die Stärke notleidet, wie beispielsweise bei einigen Kiefernarten. Dem Fortschreiten der Zersetzung kann gewöhnlich durch starkes Trocknen vorgebeugt werden. Ist in derselben Holzart, in gesundem Zustand, ein Farbenunterschied bemerkbar, so kann er auf Einflüsse des Bodens zurückgeführt werden. Die Lärche und Kiefer haben auf trockenem ebenem, tiefsandigem Boden oft ein schwach rötliches Holz, während dasselbe auf anderen Standorten weiss ist. Mahagoni und andere tropischen Hölzer zeigen häufig in der einen Gegend eine tiefere Färbung wie in der anderen, was sich wahrscheinlich nur durch Unterschiede in der chemischen Zusammensetzung des Bodens erklären lässt.

Von den verschiedenen Fehlern, welche in den Hölzern auftreten, sind die Kernrisse die weitaus häufigsten, ja, es wird sich kaum eine Holzart aufweisen lassen, die unter allen Umständen frei von ihnen bleibt. In gewissen Holzarten kommen sie aber als Regel viel seltener und in milderer Form vor wie in anderen.

So lehrt die Erfahrung, dass das afrikanische Teak, das Sabicuholz und westindische Mahagoni- und Ulmenholz am wenigsten an diesem Fehler leiden, während er das indische Teak und das australische Tuart oft stark entwertet. Von den Nadelhölzern ist die nordamerikanische Rotkiefer wohl am freiesten von Kernrissen, den Gegensatz bildet die Pechkiefer, aber nur, wenn sie in den Südstaaten der Union vorkommt.

Nur das geübte Auge des Fachkenners entdeckt die Kernrisse in ihrer mildesten Form, in der sie kaum so weit geöffnet sind, um die Klinge eines Federmessers aufnehmen zu können und sich nicht weit vom Markkerne entfernen. Wenn sie sich aber über zwei Drittel oder drei Viertel des Durchmessers des Stammes erstrecken, dann verursachen sie eine bedeutende Schwächung des Holzes und einen beträchtlichen Abfall bei der Verschneidung zu Brettern.

Die einfachste Form dieser Risse ist eine gerade Linie über dem Markkern, wie in der Figur 49 dargestellt, mit Fortsetzung in derselben Richtung durch die ganze Länge des Stammes.

Dieser Form zunächst steht das Kreuz, wie es die Figur 50 zeigt.

Figur 49.

Figur 50.

Wenn die Risse in gerader Richtung durch die Stämme ziehen, sind sie weit weniger nachteilig, als wenn sie sich auf ihrem Laufe drehen, zuweilen so, dass sie an dem einen Stammende einen Winkel bilden mit ihrer Richtung am andern Ende. Die Folge ist, dass solche Stämme entweder gar nicht, oder mit sehr bedeutendem Abfall zu Brettern verschnitten werden können. Glücklicherweise nehmen die Kernrisse nur in einigen Hölzern, und auch in diesen nicht oft, eine gewundene Richtung.

Der zunächst wichtige Fehler ist der Sternriss, welcher in vielen Hölzern ohne Beschränkung auf ein gewisses Alter auftritt Er besteht aus Rissen, die sich vom Markkern strahlenförmig ausbreiten, oft bis in die Nähe der Oberfläche und manchmal diese durchbrechend, in welchem Falle sie den Stamm untauglich machen für das Verschneiden zu Breitern. In frisch gefällten Stämmen sind die Sternrisse kaum bemerklich, sobald aber das Holz einigermassen trocken geworden ist, sind sie augenfällig, da die Kanten der Risse durch Berührung mit der Luft dunkler und horniger werden, wie das übrige Holz. Die Figur 51 zeigt einen Sternriss der gewöhnlichen Form. Wenn er, in der schlimmsten Form, die Oberfläche des Stammes an mehreren Stellen durchbricht und dabei Längsrisse von $^1/_4$ bis 1 Meter bildet, kann er schon entdeckt werden, während der Baum steht.

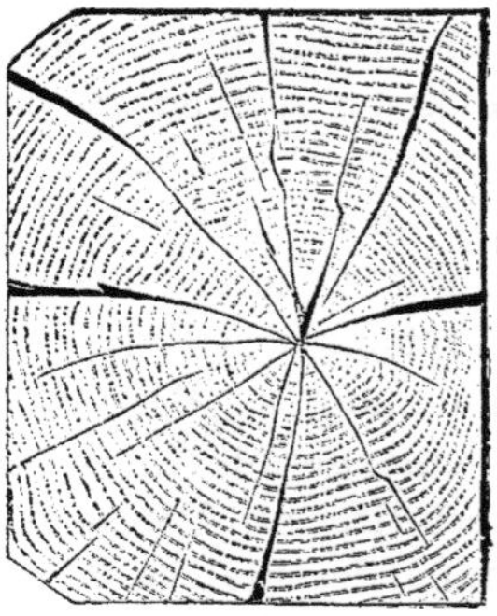

Figur 51.

Die Kreisrisse oder Tassenrisse, dargestellt in den Figuren 52 und 53, werden am häufigsten an den untern Stammenden ge-

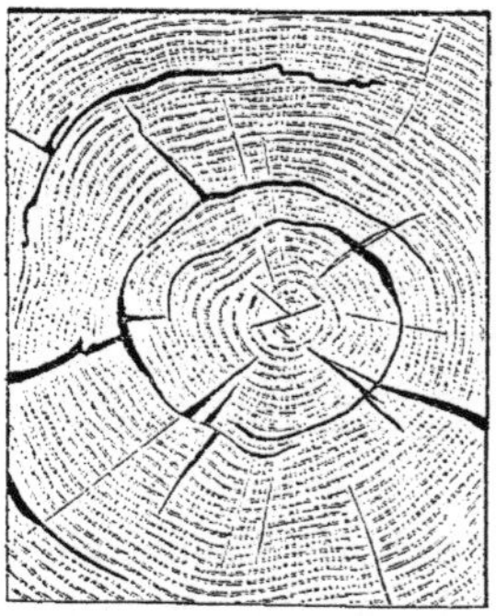

Figur 52.

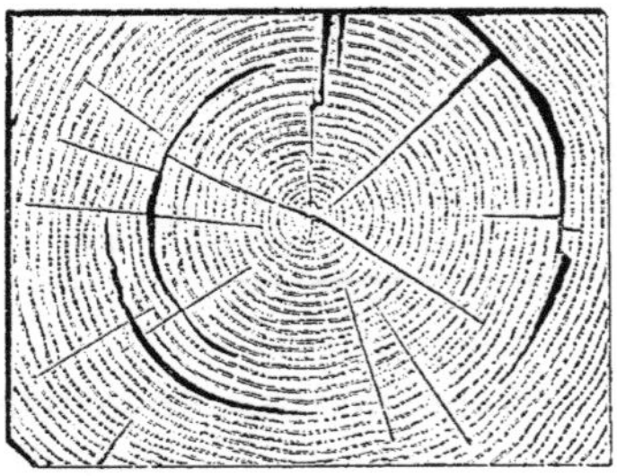

Figur 53.

funden, sie entstehen durch die Trennung zweier Jahresringe. Manchmal ist die kreisrunde Trennung nicht vollständig, da an einigen Stellen die Holzfasern ihre Bindekraft bewahren, manchmal haben sich mehrere Jahresringe an kleinen Teilstrecken gelöst. Nur wenn dieser Fehler in der schlimmsten

Form, in der vollkommenen Tassenform. auftritt, pflegt er den ganzen Stamm zu durchdringen, zuweilen selbst die Äste. In diesem Falle kann der Stamm nur als Balken verwendet werden, denn bei der Verschneidung zu Brettern würde der Teil vom Markkern bis zum Tassenriss abfallen. Bei unvollkommener Tassenform erstreckt sich der Fehler selten tief in den Stamm und seine Verschneidung mag unbedenklich erfolgen. Bäume auf dem Stand verraten durch kein Zeichen, ob sie mit dem Tassenriss behaftet sind.

Ein nur wenigen Hölzern eigenthümlicher Fehler besteht darin, dass mehrere aneinanderliegende Zellenreihen eines oder mehrerer Jahresringe weicher, schwammiger und dunkler sind. wie das übrige Holz. Diese am häufigsten in den nordamerikanischen Ulmen auftretende Missbildung beeinträchtigt sowohl die Stärke, wie die Dauerhaftigkeit des Holzes; sie ist in der Figur 54 veranschaulicht. Es möge angefügt werden, dass jede Farbenabweichung in einem Jahresringe oder mehreren, auch bei ganz gleichförmigem Gefüge, eine Qualitätseinbusse andeutet. Flecken, wenn sie dem Holze nicht natürlich sind, bilden das erste Zeichen der beginnenden Verwesung.

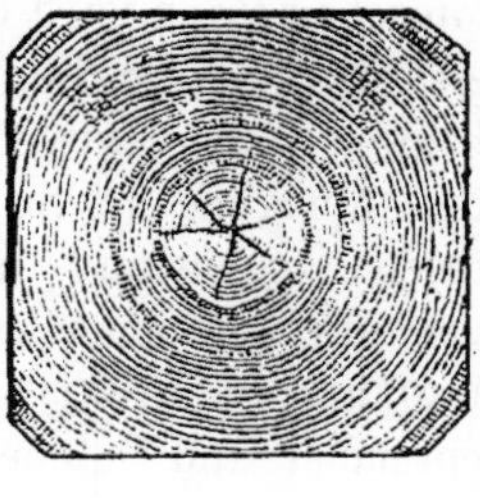

Figur 54.

Eine Anschwellung des Stammes deutet in der Regel einen verborgenen Fehler an, der sich auf den Splint beschränken, aber auch tief ins Kernholz erstrecken mag. Nach der Fällung muss die Anschwellung sofort untersucht und nötigenfalls ausgehauen werden, denn es finden auch Ausnahmen von der Regel statt. Häufig entstehen diese Anschwellungen, wenn ein Ast abbrach und die Verwesung an der Bruchstelle einsetzte, bevor sie von der neuen Rindenbildung geschlossen wurde. Unaufhaltsam schreitet die Verwesung in abwärtiger Richtung fort bis auf den Markkern und mag sich von da aufwärts verbreiten. In schlimmen Fällen strömen die Faulstellen einen widerlichen Geruch aus, wenn sie geöffnet werden.

Wird ein Baum nicht tiefer bis zum Splint verwundet, dann pflegt sich eine Rindengalle zu bilden, die auf die Qualität des Holzes ohne Einfluss bleibt, bei tieferen Verwundungen setzt gewöhnlich die Verwesung ein, wenn auch eine neue Rindenbildung die Stelle vollkommen schliesst. Dieser Fehler ist oft schwer zu entdecken, während der Baum steht; nach der Fällung muss die Faulstelle sofort ausgehauen werden, bis vollkommen gesundes Holz zum Vorschein kommt, da sie unablässig weiter um sich greift.

Die Zeit der Holzfällung.

Als Regel hat zu gelten, dass die Bäume in der Jahreszeit gefällt werden sollen, wo ihre Lebensthätigkeit am schwächsten ist, weil dann ihr Holz dauerhafter ist und schneller trocknet, als wenn die Fällung zur Zeit des starken Saftflusses stattfindet. In der tropischen Zone wird daher die Fällung von der Mitte der Trockenzeit bis zum Beginn der Regenzeit stattzufinden haben, in den übrigen Zonen entweder im Mittwinter oder Mittsommer. Es verdient übrigens hervorgehoben zu werden, dass in Fachkreisen über diesen Gegenstand noch abweichende Ansichten herrschen. So sagt ein nordamerikanischer Sägemüller: die Erfahrung meiner langjährigen Praxis hat mich gelehrt, dass die Monate August, September und October am geeignetsten, die Monate Februar, März und April am ungeeignetsten für die Fällung sind. Ein roter Ahorn, im September gefällt, bleibt als Stamm vollkommen weiss und gesund bis zum nächsten August, wird er dagegen im März gefällt, so ist er Mitte Juni schwarz und geht zur Verwesung über. Eine im September gefällte gelbe Birke bleibt in gutem Zustande bis zum nächsten September, wenn in Blöcke von Meterlänge geschnitten; wird sie im März gefällt, so ist sie anfangs August schon wertlos.

Holz, das geschält werden soll, kann nur im Frühsommer gefällt worden. Hopfenstangen müssen dagegen abgehauen werden, wenn die Rinde am zähesten hängt, da sie durch das Abfallen derselben wertloser werden.

Im östlichen Frankreich werden die Nadelhölzer seit vordenklicher Zeit im Sommer gefällt, hauptsächlich um des Vorteils willen, sie leicht schälen zu können. Durch die Abnahme der Rinde wird das Holz vor den Angriffen der Insekten bewahrt und rascher getrocknet. Es wird aber auch behauptet, das Nadelholz bliebe weisser und die Bretter würden leichter, wenn die Fällung im Frühsommer, statt in einer anderen Jahreszeit geschähe. Diese und einige andere Vorzüge der Sommerfällung, haben einen hervorragenden französischen Fachmann (Nanquette), der bis zu seinem Tode der Forstschule in Nancy vorstand, zu den folgenden Bemerkungen veranlasst: das Resultat dieser Untersuchungen lässt die Neigung enstehen, der überlieferten Meinung in Bezug auf die Fällung der Laubhölzer zu widersprechen, denn es scheint die Behauptung zu begünstigen, auch diese Bäume würden am besten im Sommer, bald nach dem Stillstand des Saftflusses gefällt — wenn nicht in Hinsicht auf ihren Brennwert, so doch auf ihre Dauerhaftigkeit. Doch würde es unvorsichtig sein, ein bestimmtes Urteil über diesen Gegenstand abzugeben, bevor die Thatsachen durch zahlreiche, vergleichende Versuche erhärtet sind. Bis dahin ist es richtiger, die alte Regel zu befolgen.

Aus alledem geht hervor, dass die Frage, welche Jahreszeit am geeignetsten zur Fällung der Bäume ist, noch nicht endgültig beantwortet werden kann. Das muss zu Beobachtungen und Versuchen in den Fachkreisen aller Zonen anregen, damit endlich Aufhellung über diesen wichtigen Punkt herbeigeführt wird.

Bei diesen Untersuchungen sollte von vornherein der Aberglaube aus dem Spiele gelassen werden, der Mond habe einen Einfluss auf die Dauerhaftigkeit des gefällten Holzes. Der erste Napoleon befahl, dass alles Schiffsbauholz vom 1. November bis 15. März bei abnehmendem Monde gefällt werden sollte und in einigen älteren deutschen Fachschriften wird als Regel aufgestellt, alles Bauholz müsse 3 Tage vor oder 3 Tage nach dem Neumond gefällt werden. In einigen tropischen Gegenden werden Waldbäume nur zur Zeit des Vollmondes gefällt. Alle Einflüsse, welche man dem Mond auf dieses Geschäft zuschreibt, entbehren der Begründung.

Eine nahe verwandte Frage ist: in welchem Alter sollen die Bäume gefällt werden? Die Antwort lautet: als Regel, die, namentlich für gewisse Verwendungszwecke, Ausnahmen zulässt, bei eintretender Reife, denn vorher besitzt das Holz nicht den erreichbaren höchsten Grad von Dichte und Stärke und das Anteilverhältnis des Splints ist ein zu grosses; nachher hat dagegen das Holz durch die einsetzende Verwesung eine Schwächung erfahren. Diese Regel hat einige seltene Ausnahmen, beispielsweise gewinnt das Ulmenholz durch seine Reife nichts an Stärke. Der Splint wird so brauchbar betrachtet wie das Kernholz.

Da Boden und Klima auf den Eintritt der Reife Einfluss üben, so kann dieselbe für eine Baumart nicht mit bestimmten Zahlen angegeben werden. Es muss ein Spielraum gelassen werden, wie: die Eiche reift in 100 bis 200 Jahren, die Kiefer und Tanne in 70 bis 100 Jahren, die Lärche, Esche und Ulme in 50 bis 100 Jahren, die Pappel in 30 bis 50 Jahren.

In Bezug auf die Fällung selbst ist zu bemerken, dass sie tief am Stamm ausgeführt und der Gegenschnitt so gemacht werden sollte, dass „der Stamm vom Stumpf springt", da er andernfalls im Fallen spalten könnte. Der Stamm sollte unverzüglich geschält, und wenn nur das Kernholz begehrt wird, der Splint sobald als möglich abgehauen werden. Zuweilen wird der Baum im Frühjahr auf dem Stande geschält und das Fällen bis zum Herbst oder Winter verschoben. Dieses Verfahren ist bei niedrigen Arbeitslöhnen wohl am empfehlenswertesten. Die Teakbäume werden in Birma schon 3 Jahre vor dem Fällen geschält, angeblich weil dann das Holz weniger einschrumpft, als wenn die Bäume mit der Rinde gefällt würden. Andererseits wird behauptet, das Holz würde spröder — 3 Jahre sei zu lang, um den Stamm auf dem Stande zu trocknen.

Das Trocknen des Holzes.

Frisch gefälltes Holz enthält zwischen 35 bis 50 % Wasser, je nach dem Alter, der Jahreszeit und der Art, das ältere Holz ist in der Regel wasserärmer wie das jüngere, zur Zeit des Saftflusses ist das Gewicht höher, wie zur Zeit der Saftruhe. Bei den weichen Hölzern ist im allgemeinen der Wassergehalt grösser wie bei den harten.

Dieses Wasser ist nur teilweise chemisch mit dem Holze verbunden und verdunstet in schwankenden Mengenverhältnissen, unter dem Einflusse der Luft. Ist das Trocknen bis zu einem gewissen Grade fortgeschritten, dann wird das Holz nicht dauernd leichter, sondern verliert und gewinnt an Gewicht, je nach den Schwankungen in der Temperatur und dem Feuchtigkeitsgehalte der Luft. Die folgende Tabelle zeigt die Veränderungen nach Gewichtsprozenten, welche in einigen Hölzern, während des Trocknens, vor sich gehen.

Gewichtsprozente des Wassers in Hölzern zu verschiedenen Zeitabschnitten nach dem Fällen.

	Rundholz von Aesten.				Rundholz von jungen Bäumen.			
	6 Monate	12 Monate	18 Monate	24 Monate	6 Monate	12 Monate	18 Monate	24 Monate
Buche	33,48	24,00	19,80	20,32	30,44	23,46	18,60	19,95
Eiche	31,20	26,90	24,55	21,09	32,71	26,74	23,35	20,28
Hainbuche	31,38	25,89	22,33	19,30	27,19	23,08	20,60	18,59
Birke	37,34	28,99	24,12	21,78	39,72	29,01	22,73	19,52
Pappel	35,69	26,01	21,85	19,44	40,45	26,22	17,77	17,92
Kiefer	28,29	17,14	15,09	18,66	33,78	16,87	15,21	18,09
Fichte	35,30	17,59	15,72	17,39	41,49	18,67	15,63	17,42

Aus dieser Tabelle geht hervor, dass durch ein Trocknen über 18 Monate hinaus, kaum etwas gewonnen wird, bei einigen Hölzern findet sogar ein Rückschritt statt. Marcus Bell, von dem schon an anderer Stelle die Rede war, fand bei seinen Untersuchungen, dass vollkommen getrocknetes Holz, in einem ungeheizten Raum ein Jahr lang aufbewahrt, im Durchschnitte der 46 geprüften Holzarten, 10 % Feuchtigkeit einsog bei gewöhnlichem Wetter, und 8 % bei anhaltend trockenem Wetter. Ein übereinstimmendes Verhalten zeigten die Kohlen dieser Hölzer. Die aufgesogene Feuchtigkeitsmenge verminderte sich nicht im Verhältnis wie die Holzarten dichter waren, während grünes Holz beim Trocknen regelmässig um so weniger Gewicht verlor, als es dichter war. Hickory, von grün zu vollkommen trocken, verlor $37\frac{1}{2}$ % Gewicht, Weisseiche 41 % und Ahorn 48 %. Nimmt man den durchschnittlichen Gewichtsverlust mit 42 % an, so ist die hohe Bedeutung dargethan, für den Transport des Holzes, wie für seine Verbrennung, in trockenem statt grünem Zustand.

Nach Ansicht der deutschen Architekten ist das Holz am besten getrocknet, wenn es $\frac{1}{6}$ seines Gewichts verloren hat, vorausgesetzt, es wurde während der Saftruhe gefällt.

Auf den Schiffswerften der nordamerikanischen Bundesregierung sind Untersuchungen mit den für diesen Zweck drei wichtigsten, einheimischen Hölzern: Lebenseiche, Weisseiche und Terpentinkiefer, bezüglich des Gewichtsverlustes während des Trocknens angestellt worden, die zu folgenden Ergebnissen führten:

W e i s s e i c h e.

12 behauene Stücke, 90 Zentimeter lang, spezifisches Gewicht 1,069
12 Blöcke in der Rinde „ „ „ „ „ 1,020

Gewichtsverlust im ersten Jahre

Blöcke in der Rinde, gefällt im	Sommer	18 %
„ „ „ „ „ „	Winter	16 „
Behauene Stücke „ „	Sommer	21 „
„ „ „ „	Winter	19 „

Gewichtsverlust nach vier Jahren.

Blöcke in der Rinde, gefällt im	Sommer	32 %
„ „ „ „ „ „	Winter	26 „
Behauene Stücke „ „	Sommer	27 „
„ „ „ „	Winter	26 „

L e b e n s e i c h e.

12 behauene Stücke, 90 Zentimeter lang, spezifisches Gewicht 1,259
12 Blocke in der Rinde „ „ „ „ „ 1,191

Gewichtsverlust im ersten Jahre.

Blöcke in der Rinde, gefällt im	Sommer	5 %
„ „ „ „ „ „	Winter	6 „
Behauene Stücke „ „	Sommer	5 „
„ „ „ „	Winter	6 „

Gewichtsverlust nach vier Jahren.

Blöcke in der Rinde, gefällt im	Sommer	23 %
„ „ „ „ „ „	Winter	27 „
Behauene Stücke „ „	Sommer	23 „
„ „ „ „	Winter	22 „

T e r p e n t i n k i e f e r.

12 behauene Stücke, 90 Zentimeter lang, spezifisches Gewicht 0,637
12 Blöcke in der Rinde 90 Zentimeter lang, spezifisches Gewicht 0,781

Gewichtsverlust im ersten Jahre.

Blöcke in der Rinde, gefällt im	Sommer	16 %
„ „ „ „ „ „	Winter	19 „
Behauene Stücke, „ „	Sommer	11 „
„ „ „ „	Winter	14 „

Gewichtsverlust nach vier Jahren.

Blöcke in der Rinde, gefällt im	Sommer	27 %
„ „ „ „ „ „	Winter	31 „
Behauene Stücke, „ „	Sommer	13 „
„ „ „ „	Winter	16 „

Es muss erwähnt werden, dass die sämtlichen Versuchshölzer aus Nordcarolina stammten, ein Staat, dessen Klima eher halbtropisch wie gemässigt genannt werden muss; eine genaue Bestimmung ist nicht möglich, da der ausgeprägte Charakter fehlt. Trotzdem in diesem Staate der Winter nur zu einer kurzen, milden

Herrschaft gelangt. zeigt doch die ihr Laub abwerfende Weisseiche einen beachtenswerten Unterschied im Feuchtigkeitsgehalte des Holzes zwischen der Fällung im Sommer und Winter, für die immergrüne Lebenseiche bleibt es dagegen hinsichtlich des Kernholzes gleichgültig, wann die Fällung stattfindet, während der Splint nur eine geringe Abweichung im Feuchtigkeitsgehalt zeigt. Die ebenfalls immergrüne Terpentinkiefer ist im Hochsommer mit der geringsten Feuchtigkeit beladen, sollte also in dieser Jahreszeit gefällt werden.

Grünes Holz. auf weite Entfernungen versendet, kommt teilweise getrocknet am Bestimmungsorte an. Geflösstes Holz trocknet schneller und wird leichter wie solches, das keine Wasserreise machte. Ein langdauerndes Wasserbad, unterbrochen durch wiederholtes Trocknen, macht das Holz durch teilweises Auslaugen der organischen Stoffe ausserordentlich leicht, was bei dem Treibholz am entschiedensten wahrnehmbar ist. Nadelhölzer trocknen schneller, wenn ihnen die Zweige gelassen werden bis die Nadeln abfallen. da diese bis dahin Feuchtigkeit verdunsten. Diese Erfahrung darf auf die immergrünen Laubbäume ausgedehnt werden, aber nur unter der Bedingung. welche ausnahmslos für alle Bäume gilt: die Stämme müssen unmittelbar nach der Fällung auf einer Unterlage von Holzstücken oder Steinen trocken gelegt werden. Bleiben sie auf der feuchten Walderde liegen und sinken gar teilweise unter, so wird der Grund zur frühzeitigen Verwesung gelegt.

Das Trocknen sollte so allmählich wie möglich geschehen. um zu verhüten, dass das Holz rissig wird oder sich wirft. Das Trocknen in der Luft hat noch immer das beste Resultat ergeben. soweit Werk- und Bauholz in Betracht kommt. Die gefällten Stämme sollen unter allen Umständen so bald wie möglich behauen und, wenn sehr umfangreich, in Hälften und selbst in Vierteln gespalten werden. Für das Aufsetzen der Haufen ist ein freier, luftiger Platz zu wählen mit einem sehr durchlässigen. wenn möglich kiesigen oder sandigen Boden, der von allenfalls vorhandenen Pflanzen gründlich gesäubert werden muss. Die Luft muss freien Zutritt zu dem Haufen haben, dagegen ist der Wind abzuwehren, ebenso der Regen und die Sonne. Ein Schutzdach ist mithin unerlässlich, mag es auch noch so leicht gebaut sein und sehr empfehlenswert ist eine verstellbare Schutzwand, um in jedem Augenblicke den Wind unschädlich machen zu können.

Das Aufsetzen muss so geschehen, dass die Luft nicht allein den Haufen, sondern auch jeden Balken umspielen kann. Ein schlechter Luftwechsel hat sicher den Beginn der Verwesung zur Folge. Nach einigen Monaten können die Balken in der Sägemühle verschnitten werden, die Bretter, Latten oder Pfosten müssen sogleich zur Fortsetzung des Trocknens auf Haufen gesetzt werden und zwar mit so viel Stützpunkten, dass sie sich nicht werfen können. Damit sie ganz gleichmässig aufliegen und sich nicht krümmen können, werden sie nicht selten auf Lattengerüste, stockwerkweise übereinandergebaut, gestapelt. Durch eine Balkenunterlage von etwa 50 Zentimeter Höhe soll der Haufen der feuchten Erde entrückt werden und jedes Stück durch einen Zwischenraum von mindestens 3 Zentimeter von seinen Nachbarn getrennt liegen, was von Schichte zu Schichte durch eine Lattenunterlage herbeizuführen ist. Der Haufen ist öfter umzusetzen, zum Zwecke, alle Stücke auf ihre Gesundheit zu prüfen und die von der Verwesung ergriffenen zu entfernen. Bis dicht unter das Dach darf der Haufen nicht erhöht werden, weil die obersten Schichten zu sehr den Einwirkungen der Sonnenwärme ausgesetzt sein würden.

Wie bereits an anderer Stelle geschildert, verfährt man an der Pazifikküste, wo die Sägemühlen, wie hervorgehoben zu werden verdient, nur Nadelhölzer verschneiden, etwas weniger umständlich. Die Blöcke werden bald nach ihrer Ankunft aus dem Walde ungeschält unter die Säge gelegt, welche sie zunächst viereckt. Erst als Bretter oder Pfosten wird das Holz im Hofe zum Trocknen aufgesetzt.

Zuweilen wird ein abweichendes Verfahren geübt, um Eichenholz zu trocknen. Die in grünem Zustande geschnittenen Balken werden nicht wagerecht gelegt, sondern senkrecht gestellt, ebenfalls mit Zwischenräumen, welche ungehinderten Luftwechsel gestatten. Auf diese Weise soll das Eichenholz schon nach einem halben Jahre brauchbar für die Tischlerei getrocknet sein und zwar schön weiss ohne die bekannten ärgerlichen Lohflecken. Es ist der Prüfung wert, ob dieses Verfahren vorteilhaft auf andere schwer trocknende Hölzer ausgedehnt werden kann. Die Wahrscheinlichkeit spricht dafür, denn der Saft des Holzes ist vorzugsweise in dem senkrechten Gefäss-System enthalten, er muss also durch seine eigene Schwere abwärts und aus dem Fussende des Balkens gedrängt werden, wenn dieser aufrecht steht. Bei einer wagerechten Lage bleibt dagegen der Saft in den Gefässen, bis er allmählich zur Verdunstung gelangt. Selbstverständlich verdient dasjenige Verfahren den Vorzug, welches am raschesten zum Ziele führt. Will man selbst die Raumersparnis nicht beachten, so muss doch der erhebliche Zinsengewinn berücksichtigt werden, der sich ergibt, wenn Holz in einem halben Jahr brauchbar trocken ist, anstatt in 3 Jahren, ein Unterschied, der zunächst für das Eichenholz gilt, aber noch für andere Hölzer zutreffen wird.

Nur zu Brennzwecken mag man unbehauene Stämme trocknen, weil ihnen die kaum vermeidlichen Risse nicht schaden. Beim Trocknen schrumpft bekanntlich das Holz durch die Verengung der Gewebe, sobald diese von ihrer Wasserfüllung befreit sind. Da im Splint weichere Zellen und mit mehr Feuchtigkeit gefüllt liegen wie im Kernholz, so geht das Schrumpfen nicht gleichmässig im Stamme vor sich, es findet in bedeutenderem Grade im Splint wie im Kernholze statt, wodurch Risse entstehen müssen.

Da die Stirnenden der geschnittenen wie ungeschnittenen Hölzer rascher trocknen wie der übrige Teil, so entstehen hier häufig Risse, die bei wertvollen Hölzern einen empfindlichen Verlust bedeuten. Um denselben zu verhüten, beklebt man die Stirnenden mit Papier oder bestreicht sie mit einer Salzsäurelösung, neutralisiert mit Kalk. Wenn kein besseres Schutzmittel zur Hand ist, mag man die Stirnenden mit Baumzweigen beschatten. Farbe oder andere Stoffe, welche die Poren verstopfen, dürfen unter keinen Umständen auf noch nicht vollständig getrocknetes Holz getragen werden, denn damit würde die Verwesung beschleunigt werden. Zur zweckdienlichen Verwendung kommen solche Stoffe, wenn das Holz trocken ist, sie verhüten dann die Aufsaugung von Feuchtigkeit.

Zuweilen zieht man es vor, den Saft des Holzes durch ein Wasserbad, anstatt durch Verdunstung an der Luft zu entfernen. Dieses Verfahren hat den Nachteil, dass es langwierig ist, zu seinen Gunsten aber wird angeführt, dass das Holz später nicht so leicht verwese, als wenn es an der Luft getrocknet ist, zumal wenn es im Wasser oder an feuchten Stellen zur Verwendung käme. Das klingt glaublich, denn die reine Holzfaser ist wenig der Zerstörung durch die Zeit unterworfen, die Eiweiss-Stoffe des Holzes dagegen sind es, welche die Verwesung am stärksten begünstigen und diese werden zunächst vom Wasser ausgelaugt. Das Wasserbad empfiehlt sich auch, wenn der Harzreichtum eines Holzes einer bestimmten Verwendung nachteilig ist; seine teilweise Beseitigung durch dieses Verfahren ist möglich, das so gut im Süsswasser wie Seewasser ausführbar ist. Im letzteren Falle liegt jedoch die Gefahr vor, dass das Holz durch die Seewürmer Teredo navalis und Limnoria terebrans angegriffen wird. Es muss deshalb eine sorgfältige Überwachung stattfinden.

Ein zwei- bis dreiwöchiges Wasserbad mag häufig als eine gute Vorbereitung für das Trocknen an der Luft befunden werden, doch ist zu beachten, dass, einerlei wie lange das Bad dauert, das Holz entweder vollständig untergetaucht oder von Zeit zu Zeit gewendet werden muss.

Als ein teilweises Trocknungsverfahren kann auch das Dämpfen des Holzes betrachtet werden, das zur Anwendung kommen muss, wenn grosse Stücke gebogen werden sollen, was am häufigsten im Schiffbau vorkommt. Die Regel ist, dass auf je 3 Zentimeter Dicke eine Stunde gedämpft wird. Das Verfahren ist zuweilen der Stärke des Holzes nachteilig, allein es schützt vor Verwesung, Werfen und Aufreissen und beschleunigt das Trocknen.

Zum Dämpfen wird ein Apparat benutzt, der aus einem Dampfkessel und einem zum Einlegen des Holzes bestimmten eisernen Kasten, mit Zement oder Mauerwerk überkleidet, besteht. In den dicht verschliessbaren Kasten wird ein dauernder Strom Wasserdampf geleitet, der, nachdem er sich zu Wasser verdichtet und die Saftbestandteile aufgelöst hat, durch einen Hahn abgelassen wird. Die ablaufende Brühe ist stets dunkel, so braunrot bei Mahagoni, schwarzbraun bei Eichen u. s. w., so bald sie hell fliesst wird das Verfahren als beendet betrachtet. Die gedämpften Hölzer werden nach der bereits geschilderten Weise in der Luft oder der Trockenkammer getrocknet; ihr Gewichtsverlust durch das Dämpfen beträgt 5 bis 10%

Die Temperatur des Dampfes darf keinenfalls 100° C. überschreiten, da sonst die Holzfasern not leiden, etwa 80° werden am geeignetsten erachtet.

Zuweilen wird mit dem Dämpfen das Teeren des Holzes verbunden, indem gegen das Ende des Verfahrens dem Wasser im Dampfkessel Steinkohlenteeröl zugefügt wird, dessen Dämpfe zugleich mit denen des Wassers in das Holz dringen.

Das Trocknen mit künstlicher Wärme findet eine immer weitere Verbreitung, trotz zahlreicher Abmahnungen. Das Holz wird in eine grosse Trockenkammer gesetzt, durch welche ein heisser Luftstrom geführt wird. Die Temperatur desselben ist sehr verschieden, je nach der Natur und Form des zu trocknenden Holzes. Die niedrigste Temperatur, etwa 38° C., verlangen grössere Blöcke Hartholz, den Gegensatz bilden dünne Bretter von weichem Holz, die bei 150° C. und einem Gewichtsverlust von etwa 30% getrocknet werden. Die erforderliche Zeit zur Erzielung eines befriedigenden Resultats kann im allgemeinen mit einer Woche für je $2^1/_2$ Zentimeter Dicke angenommen werden. Birkenstäbe, 3 Zentimeter im Geviert, sind schon nach 60 Stunden genügend trocken. Die Menge des erforderlichen Brennholzes beträgt etwa 10% des Gewichts des zu trocknenden Holzes. Wird nebst dem heissen Luftstrom, der Rauch des Ofens durch den Holzhaufen geleitet, so vollzieht sich das Trocknen nicht allein befriedigender, sondern die Wirkung ist auch eine auffallend präservierende.

Mehrere Trockenapparate sind erfunden und patentiert worden, von welchen in Nordamerika am verbreitetsten der in den Figuren 54a und 54b veranschaulichte Hot Blast Dry Kiln von Huyett & Smith in Detroit, Michigan, ist.

Figur 54a stellt den Apparat dar, wie er von den Fabrikanten geliefert wird und Figur 54b zeigt, wie er aufzustellen und mit zwei Trockenkammern in Verbindung zu setzen ist. Der Apparat ist aus Schmiedeeisen und birgt im Innern wagerechte Dampfröhren, wie die aufgebrochene Ecke erkennen lässt. Bemerkenswert ist, dass die erwärmte Luft nicht mit einem Exhaustor aus dem Apparat gesogen wird, wie sonst üblich ist, sondern der links sitzende, durch einen Treibriemen bewegte Exhaustor schleudert kalte Luft in den Apparat, wo sie sich an den Dampfröhren erwärmt und am entgegengesetzten Ende durch die Leitungsröhren austreten muss; wie sie in die Trockenkammern steigt, zeigen die Pfeile. Nachdem der heisse Luftstrom in der Trockenkammer gedient hat, kann er nach einem benachbarten Gebäude geführt werden, um Räume zu erwärmen. Nicht allein in dieser Weise

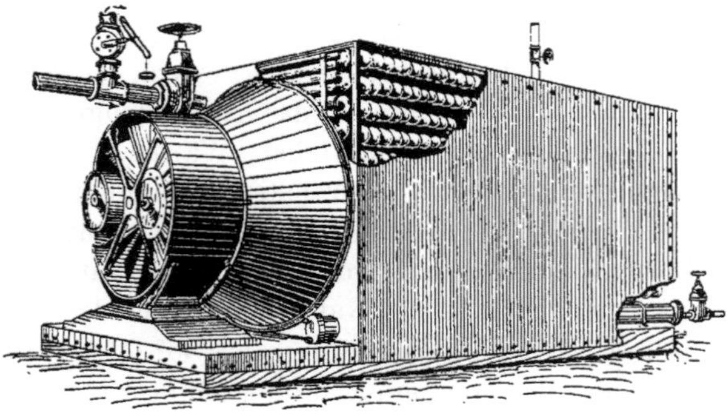

Figur 54a.

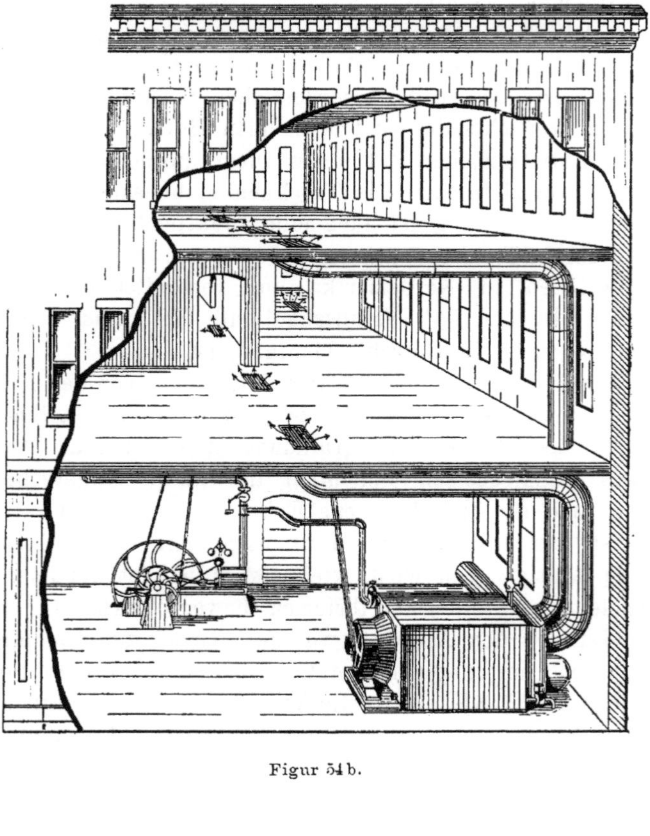

Figur 54b.

ist eine Ersparnis zu erzielen, sondern dem Apparat kann bereits benutzter Dampf zugeführt werden, was natürlich den Betrieb sehr verbilligt. Auch die Einrichtung ist zu treffen, dass ein Teil der warmen Luft aus der Trockenkammer wieder nach dem Apparat zurückgeführt und damit Heizkraft erspart wird.

Die Trockenkammer wird entweder aus Holz oder Backsteinen, in beiden Fällen mit Hohlwänden erbaut, die häufig eine Sägespänfüllung erhalten. Der Flur und die Decke werden gedoppelt mit Zwischenlagen von starkem Papier.

Eine beträchtliche Ersparnis an Zeit und Arbeitskraft findet statt, wenn ein Geleise durch die Trockenkammer gelegt und das Holz, auf sehr niedrige Rollwagen geladen, eingeschoben, getrocknet und nach dem Hofe zurückgefahren wird. Diese Einrichtung veranschaulicht die Figur 55.

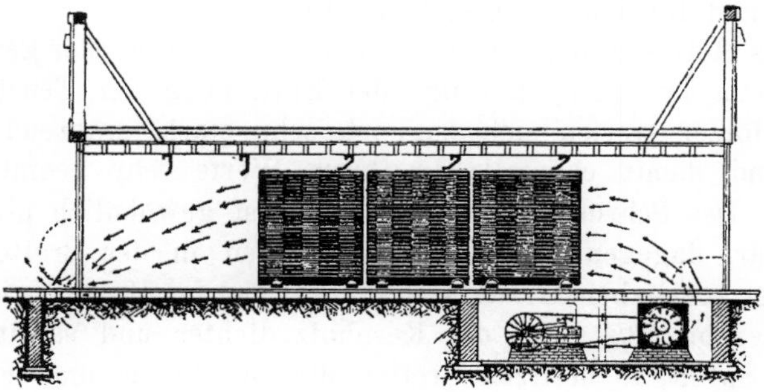

Figur 55.

Die Wagen treten bei A ein und bei B aus. Die notwendig grossen Thüren müssen mit Sorgfalt so hergestellt werden, dass sie möglichst luftdicht schliessen. Von der Decke werden in Abständen von 3 Meter Markisen von Segeltuch auf die beladenen Wagen herabgelassen, um zu verhüten, dass die warme Luft über dem Holz herstreicht. Welchen Weg sie zu nehmen gezwungen ist, deuten die Pfeile an.

Die Trockenkammern werden von sehr verschiedener Grösse gebaut, häufig fassen sie 9 Wagen mit je 1200 bis 1500 Meter Bretter beladen. Tannenbretter, $2^1/_2$ Zentimeter dick, sollen in diesen Trockenkammern schon nach 5 Tagen vollkommen trocken werden, ohne sich zu werfen oder Risse zu zeigen.

Noch eines Verfahrens ist zu gedenken, das hierher gehört, ohne dass es Trocknen genannt werden kann: das Bad in siedendem Leinöl ist gemeint. Nur für bestimmte Zwecke kommt es in Anwendung, beispielsweise wenn Hickoryholz zu Radfelgen verarbeitet werden soll. Wenn nachlässig ausgeführt, kann das Holz stark beschädigt werden, da die Flüssigkeit in zu heissem Zustande die Fasern verbrennt, wenn aber die Temperatur sorgsam auf etwa 120° C. gehalten wird, ist das Resultat sehr befriedigend. Das Holz soll rauh behauen werden, annähernd in der ausgearbeiteten Gestalt, es wird dann nicht allein gut und gleichmässig trocken werden, sondern auch bedeutend an Stärke gewinnen.

Durch das Trocknen im allgemeinen wird die Stärke des Holzes erhöht, vorausgesetzt, dass es sorgfältig ausgeführt worden ist. Der Stärkegewinn schwankt indessen sehr. Fichtenholz gewinnt etwa 10 %, Ulmenholz von 10 bis 15 %, Eichenholz von 5 bis 25 %, Eschen- und Buchenholz manchmal 40 %.

Das Holz schrumpft stets zu einem grösseren oder geringeren Grade beim Trocknen, in Folge der Entfernung der Feuchtigkeit, einige Hölzer werfen sich zugleich sehr stark, während andere rissig und damit ebenfalls in ihrem Werte sehr beeinträchtigt werden. Das Schrumpfen in der Länge ist gewöhnlich nicht sehr bemerkbar, dagegen findet das Schrumpfen in der Breite oft in einem beträchtlichen Grade statt. In weichem Holze, wie Birke, beträgt es bis 8 %. Da das Kernholz dichter und saftärmer ist wie der Splint, so besitzen Bretter, die aus diesem und jenem bestehen, verschiedene Qualitäten und werfen sich sicher beim Trocknen. Die einfache Prüfung der Lage der Markstrahlen und Jahresringe in einem Stück grünen Holzes, befähigt zu beurteilen, von welchem Teile des Stammes es kommt und welche Formveränderung das Trocknen herbeiführen wird.

Die Charakteristik des Holzes.

Im Holzgeschäfte spricht man von weichen und harten Hölzern. Zu den Ersteren gehören die Nadelhölzer und einige Laubhölzer, wie Pappeln und weisse Birken, alle übrigen Laubbäume gehören zur zweiten Abteilung, die in 2 Klassen gesondert wird:

1. in diejenigen Hölzer, welche breite, stark ausgeprägte Markstrahlen besitzen;
2. in diejenigen mit undeutlichen Markstrahlen.

Diese Klassen zerfallen in zwei Unterklassen:

1. in diejenigen Hölzer mit stark ausgeprägten Jahresringen, wie bei der Eiche in der ersten, und bei der Esche in der zweiten Klasse;
2. in diejenigen mit undeutlichen Jahresringen, wie bei der Buche in der ersten, und dem Mahagoni in der zweiten Klasse.

Die weichen Hölzer wachsen gewöhnlich rasch, sind geradfaserig, von geringer Dichte, sehr gleichmässig in der Textur, verhältnismässig frei von Knoten und leicht bearbeitbar, weil die Fasern nur einen geringen seitlichen Zusammenhang besitzen.

Die Qualität der in dieser Abteilung ganz vorwiegend in Betracht zu ziehenden Nadelhölzer kann von einem geübten Beobachter auf den ersten Blick bestimmt werden. Gutes Holz hat geschlossene Fasern und das langsame Wachstum sollte durch die Dünne der Jahresringe bezeugt sein, für deren Durchmesser als Höchstmass 25 Millimeter zu betrachten ist.

Die Jahresringe und folglich der ganze Stamm sollen durchaus ebenmässig gebildet sein.

Das beste Holz ist mit Harz durchtränkt, welches gegen Verwesung schützt, Stärke und Elastizität verleiht; seine Gegenwart wird durch starken Geruch angezeigt. Die Faserung sollte sehr gleichmässig sein, ebenso die Farben, für die ausserdem möglichste Reinheit erwünscht ist.

Bei der Bearbeitung gibt das Holz zuverlässige Anzeichen seiner Qualität. Der Spaltung längs der Fasern soll es beträchtlichen Widerstand entgegensetzen, es soll nicht wollig werden, der Schnitt des Meisels wie der Säge soll eine glatte, glänzende Fläche hinterlassen. Die Hobelspäne sollen kräftig und elastisch sein, ohne zu brechen, soll man sie um den Finger wickeln können.

Die harten Hölzer sind dichter, schwerer, stärker und nicht so leicht zu bearbeiten wie die weichen Hölzer, werfen sich mehr wie diese, werden auch häufig rissiger. Gewöhnlich zeichnen sie sich durch Dauerhaftigkeit aus, manche sind sehr zäh und elastisch. Die Stärke wächst mit dem spezifischen Gewicht, mit andern Worten: die schwersten Hölzer sind die stärksten, in den meisten Fällen auch die dauerhaftesten. Ebenso lässt sich die Regel aufstellen, dass diejenigen harzlosen Hölzer am stärksten und dauerhaftesten sind, welche am wenigsten Saft und Gummi enthalten.

Die frische Schnittfläche soll fest, glatt und scheinend, die Hobelspäne sollen halbdurchsichtig sein. Ein rauhes, kreidenartiges Aussehen, sowohl der Schnittfläche wie der Hobelspäne, ist das erste Anzeichen beginnender Verwesung. Keine losen Fasern dürfen sich hemmend vor die arbeitende Säge legen; die ganze Faserung muss fest zusammenhängen.

Dunkle Farbe ist im allgemeinen ein Zeichen von Stärke und Dauerhaftigkeit; je dunkler, desto stärker und dauerhafter.

Die Jahresringe sollen fest gepackt liegen, und das Zellgewebe der Markstrahlen fest und dicht sein.

Von einigen Fachleuten ist behauptet worden, dasjenige Nadelholz, welches den meisten Splint und dasjenige Hartholz, welches den wenigsten Splint habe, sei am dauerhaftesten, doch ist die Richtigkeit dieser Regel zweifelhaft.

Das Klopfen an ein Stirnende soll einen klaren, sogenannten gesunden Klang hervorrufen. Die Jahresringe sollen von ebenmässiger Dicke und die Fasern gerad liegen. Frei soll das Holz von solchen Fehlern sein, wie tote Knoten, Risse, welche von der Markröhre ausstrahlen oder die umgekehrte Richtung einnehmen, oder einen Jahresring von dem andern teilweise trennen. Ferner Gallen, vernarbte Wunden oder solche Höhlungen und schwammige Stellen, welche die einsetzende Verwesung andeuten.

Blöcke sollen bei trockenem Wetter geprüft werden, da die Feuchtigkeit manche Fehler verdeckt. Die Farbe soll klar und gleichmässig sein, langsam wechselnd vom Splint zum Kernholz. Weisse Flecken sollen nicht vorhanden sein; die trockene Fäule wird in ihrem Beginn durch gelbe Flecken angedeutet.

Bei Bau- und Werkholz soll der Splint als unbrauchbar ausgeschieden werden, mit Ausnahme von Lanzen-Hickory-, Ulmen und einigen andern Hölzern, deren Splint so gut ist, wie das Kernholz, zuweilen sogar besser. Der Mittelpunkt des Kernholzes reifer Bäume ist in der Regel ebenfalls auszuscheiden, da er zur baldigen Verwesung neigt. Unbrauchbar ist das Holz von Bäumen, welche nach ihrem aus irgend einer Ursache erfolgten Absterben gefällt wurden.

Boden und Klima beeinflussen in hohem Grade den inneren Wert des Holzes. Als Regel wachsen die stärksten und schwersten Hölzer unter den Tropen, auf mässig feuchten Böden.

Holz von langsamem Wachstum und auf windgeschütztem Standorte, das zur rechten Jahreszeit gefällt und sorgfältig getrocknet ist, bleibt frei von Rissen und Höhlen. Risse, welche die Jahresringe von einander trennen (Tassenrisse), werden durch das Hin- und Herschleudern des Baumes durch den Wind verursacht, Längsrisse im Stamm entstehen ebenfalls durch den Wind, häufiger jedoch durch zu schnelles Trocknen. Im kalten Klima ruft der Frost zuweilen diese Beschädigungen hervor. Kernrisse oder Herzsprünge sind Risse, die das Kernholz kreuzen, einzeln oder in Gruppen; sie treten in allen Holzarten auf. (S. die betr. Figuren an anderer Stelle.) Trockenheit ist das beste Erhaltungsmittel für Bauholz, schliesslich wird es aber spröde und schwach und mag unter einer leichten Last zusammenbrechen.

Wasser bildet ebenfalls ein Erhaltungsmittel, aber nur für manche Hölzer, die, dauernd im Wasser liegend, das nicht in Bewegung ist, eine unbegrenzte Zeit der Verwesung widerstehen mögen. Die erste Wirkung des Wassers ist die Auslaugung der löslichen Stoffe, wobei das holzige Gewebe unbeschädigt bleibt, oder nur unbedeutend angegriffen wird von dem Sauerstoff des Wassers. Sobald der Sauerstoff entwichen ist, findet keine fernere Beschädigung statt, es sei denn, dass eine frische Zufuhr von sauerstoffbeladenem Wasser erfolgt. Dagegen erleiden gewisse Hölzer, wie Birke, Aspe, Linde und Weide, allmählich eine Veränderung im Wasser, die sie breiartig macht.

Die Abwechselung von Feuchtigkeit und Trockenheit begünstigt die Verwesung sehr, in Folge der Erweichung des Holzes durch die Feuchtigkeit, wodurch die Verwesungspilze, deren Lebensbedingung Feuchtigkeit und Sauerstoff ist, leicht Fuss fassen können.

Eine dauernde feuchte und warme Temperatur beschleunigt die Verwesung ebenfalls; am längsten widerstehen harzreiche Hölzer, weil der Harzgehalt das Eindringen der Feuchtigkeit verhindert, es folgen die sehr dicht gefügten Hölzer und solche, welche einen fäulniswidrigen Stoff, wie Gerbsäure enthalten.

Der Splint ist leichter zur Verwesung geneigt, wie das Kernholz, weil er mehr lösliche Stoffe enthält.

Nasse Fäule und trockene Fäule sind die beiden Formen der Verwesung.

Die nasse Fäule tritt in jedem Teile des Holzes auf, das feucht ist, sie greift das Kernholz stehender Bäume an.

Die trockene Fäule greift gewöhnlich unvollkommen getrocknetes Holz an, das von warmer Luft umgeben ist.

Die Hölzer, welche am schnellsten wachsen, sind am leichtesten zur Verwesung geneigt, an geschützten Standorten wird weniger dauerhaftes Holz erzeugt, wie an ungeschützten.

Nicht gründlich getrocknetes Holz, mit Farbe bestrichen, wird bald von der trockenen Fäule angegriffen, weil die zurückgebliebene Feuchtigkeit nicht verdunsten kann.

Unter Fäule ist die Zersetzung der eiweissähnlichen Stoffe der Saftbestandteile zu verstehen, wobei sie die Holzfasern so stark verändert, dass diese ihren Zusammenhang verlieren und zuletzt zu einer zerreiblichen Masse werden. Dieser Vorgang wird auch das Vermodern oder Verstocken des Holzes genannt.

Bei Vorhandensein von genügender Feuchtigkeit bildet sich auf der Oberfläche der sogenannte Schwamm. Diese wuchernden Schwämme und Pilze, von denen besonders der Hausschwamm (Thetephora domestica), der Hausreisch (Boletus destructor) und der Faltenreisch (Cerulius vastator) auftreten, kündigen sich (nach Wagner's chemischer Technologie) in ihrem Entstehen durch weisse, mehr und mehr sich vergrössernde, in ein graues Fasergeflecht übergehende Flecken an, die später in die für die einzelnen Arten charakteristische Massen übergehen; so bildet der Hausschwamm ästige, häutige Lagen, deren untere Seite aus einem violetten, filzigen Gewebe besteht, während der Rand ein fleckiges Ansehen hat. Der Hausreisch unterscheidet sich durch einen ungleichen runzlichen und weissen Hut; er erscheint, oft weit verbreitet, das ganze Jahr hindurch an feuchten, schadhaften Stellen und zwischen Balken; jung ist er weich und schimmelartig und schwitzt einen stark aber nicht unangenehm riechenden Saft aus. Der Faltenreisch zeigt sich an abgestorbenen Baumstämmen, faulenden Balken und Brettern. Flach ausgebreitet wird er mehrere Fuss lang, schwammig fleischig, rostbraun, auf der unteren Seite faserig und sammetähnlich; er kriecht auf dem Holze fort und zerstört es nach und nach vollständig. Meist wirkt er versteckt, erscheint plötzlich, unter den Dielen hervorbrechend, zerfrisst und durchbricht sie. Aus den Dielen geht er in die Wände und greift das Mauerwerk dergestalt an, dass er Steine hebt und zermalmt. In dieser Weise wird er zum Mauerschwamm und entwickelt hier seinen gefährlichsten Charakter. Die Lebenselemente des Schwammes sind Feuchtigkeit, Mangel an Licht und Luft. Hieraus folgt unmittelbar das Bekämpfungsmittel, welches, gestützt auf vielfache Erfahrungen, darin besteht, die Feuchtigkeit zu entfernen und einen ununterbrochenen Luftwechsel herbeiführen. Unter den chemischen Mitteln, welche zur Unterdrückung des Hausschwammes vorgeschlagen wurden, hat sich das holzessigsaure Eisenoxyd bewährt.

Für die zerstörenden Einflüsse besitzen die verschiedenen Hölzer eine sehr abweichende Widerstandskraft, selbst eine Holzart zeigt in dieser Hinsicht, je nach Ursprung, Alter, Jahresringbreite, Splint und Kern ein wechselndes Verhalten. Ferner besitzen die einzelnen Hölzer unter verschiedenen Umständen, im Freien, unter Dach oder im Wasser verbaut, eine ungleiche Dauer. Erlenholz dauert im Trockenen nur kurze Zeit, unter Wasser hat es dagegen grosse Beständigkeit: ähnliches ist vom Buchenholz zu sagen. Kastanienholz, im Trockenen verbaut, besitzt die Dauer des Eichenholzes, nicht aber wenn es im Wasser liegt.

Der Schiffwurm, Teredo navalis, dringt in jugendlichem Zustande in das Holz ein und wächst in demselben, indem er Löcher bohrt bis zu $2^1/_2$ Zentimeter Durchmesser und 75 Zentimeter Länge. Weiches Holz wird im Seewasser schnell zerstört durch Limnoria terebrans und einigen kleineren Geschöpfen wie die Holzlaus, indem sie das Holz rundum der Jahresringe durchfressen.

Noch einige andere Seetiere greifen das Holz an, das deshalb im Salzwasser eine Schutzdecke haben muss. Einige Hölzer bleiben von den Angriffen verschont, wie Grünherz und Jarrah, andere, wie Lebenseiche, sind dieser Gefahr in sehr geringem Grade ausgesetzt.

Landinsekten greifen vorzüglich das trockene Holz an, doch leben auch einige im grünen Holze. Der Splint wird im allgemeinen leichter angegriffen wie das Kernholz. Harzreiche oder bittere Hölzer schweben in geringer Gefahr, von Insekten angebohrt zu werden.

Ich komme nun auf einen Gegenstand zu sprechen, über welchen die Kenntnisse noch lückenhaft sind, trotz seiner Wichtigkeit: ich meine die Ermittelung des Harzgehaltes der Nadelhölzer und seines Einflusses auf die Qualität derselben. Es ist befremdend, dass bei den ausgedehnten Untersuchungen über die physikalischen Eigenschaften der nordamerikanischen Hölzer im Zensusjahr 1880 dieser Punkt vollständig unberücksichtigt blieb. Eine interessante, aber leider beschränkte Darstellung veröffentlichte Heinrich Mayr, die ich hier folgen lasse.

Es kann keinem Zweifel unterliegen, dass der Harzgehalt die Qualität der Nadelhölzer wesentlich bestimmt, namentlich was Dauerhaftigkeit und Widerstandsfähigkeit gegen die Einwirkungen des Wetters und die verschiedenen Verwesungsformen, welche alle durch besondere Pilzarten entstehen, betrifft.

Gerade gegenwärtig ist amerikanisches Nadelholz in Europa sehr geschätzt seines Harzreichtums wegen, obgleich der Harzgehalt nicht den einzigen Masstab zur Qualitätsbeurteilung bildet. Das Holz der Edeltanne (Abies pectinata), die weite Flächen in gut kultivierten Wäldern bedeckt, enthält das wenigste Harz von allen kultivierten Tannenarten, nämlich nur 0,72% im vollkommen trockenen Splint, während das Herz des Kernholzes $1^1/_3$% enthält. Dieses Holz ist daher von geringer Qualität, soweit der Harzgehalt in Frage kommt, nur die bedeutende Höhe und Dicke, welche der Baum rasch erreicht, machen ihn wertvoll für die Forstkultur.

Die Fichte (Picea excelsa, Rottanne oder Schwarztanne), welche in Europa weit verbreitet ist, enthält 2,16% Harz im Splint und 1,6% im Kernholz. Der Harzgehalt wächst mit dem Alter des Baumes.

Ich fand als Resultat meiner Untersuchung, dass ein sehr wichtiges Gesetz besteht, welches Mikroskopisten befähigt, auf den ersten Blick Splint vom Kernholz zu unterscheiden. Nur das Kernholz ist für Bauzwecke tauglich und widersteht den Einwirkungen der Witterung, der Splint verwest rasch, wird aber trotzdem von gewissenlosen Bauunternehmern verwendet. Eine Prüfung der Harzgefässe zeigt den Unterschied sofort. Während der Verwandelung des Splints in Kernholz werden alle Harzgefässe geschlossen durch die Ausdehnung der sie umgebenden Zellen — ein Vorgang, welcher selbst in den kleinsten Nadelholzstücken zweifellos zu erkennen ist; ein ähnlicher Vorgang findet im Wachstum der Rinde statt.

Der berühmte Botaniker Professor Hartig in München bewies durch sorgfältige Untersuchungen das folgende Gesetz: Die Qualität des Holzes aller Bäume erhöht sich so lange, als das jährliche Wachstum eine Steigerung Jahr für Jahr zeigt. Bis jetzt wurde gelehrt, die Qualität des Nadelholzes sei um so besser, je enger die Jahresringe liegen, das ist jedoch nur teilweise wahr. Je älter der Baum, desto enger die Jahresringe, allein die Qualität des Holzes erhöht sich nur so lange, als diese Ringe eine wirkliche Wachstumssteigerung darstellen. Sobald der jährliche Holzzuwachs sich Jahr für Jahr vermindert, wird die Qualität geringer, trotzdem die Ringe enger und geschlossener werden. Der Harzgehalt im Holze eines Baumes folgt demselben Gesetze. Entnehmen wir daher von einem Baum einen Pflock mittels eines Hohlbohrers, dann können wir durch eine einfache Berechnung bestimmen, ob der Baum in steigendem oder bereits sinkendem Wachstum begriffen ist, also an innerem Wert zu- oder abnimmt.

Das Kernholz der Gattung Pinus hat eine lichtbraune Farbe, manchmal ein wenig rötlich; diese Färbung ist auf die Oxydation der Gerbsäure, welche sich in den Zellen und ihren Wänden findet, zurückzuführen.

Die Kiefer (Pinus sylvestris) enthält 5,7% Harz im Kernholz und verhältnismässig weniger im Splint. Der Letztere wird schnell zerstört, nachdem der Baum gefällt ist. Er nimmt eine dunkelblaue Farbe an und verwest durch die Vermittelung des Pilzes Ceratostoma piliferum.

Die Weymouthskiefer (Pinus Strobus) liefert ein Holz von geringerem spezifischem Gewicht wie alle übrigen Nadelhölzer.*) In Folge der Dünne der Rinde wird der Baum im Frühjahr schnell erwärmt und die bei Beginn des Frühjahrs gebildeten Holzzellen sind dünnwandig, am Schlusse des Sommerwachstumes werden die Jahresringe vollendet durch wenige dickwandige, enge Zellen, dadurch bleibt der harte Teil der Jahresringe sehr dünn. In Bezug auf Harz steht diese Kiefer an der Spitze aller Nadelhölzer,**) denn der Gehalt beträgt 6,9%. Der Prozentsatz wächst mit dem Alter bis zu 100 Jahren, zugleich mit der Qualität des Holzes. Das Letztere ist von geringem Wert, wenn jung und der Feuchtigkeit ausgesetzt.

Die Arve (Pinus Cembra), heimisch in den Alpen und in Sibirien, bildet nur dünne, dichte Ringe in jedem Jahre während der kurzen Sommer dieser Regionen; das Holz wird daher schwerer und obgleich weniger harzreich, wertvoller.

Die Lärche enthält 3.9% Harz.

---

*) Das trifft nicht zu, wie aus einer unten folgenden Tabelle hervorgeht. Anm. d. V.

**) Dazu erlaube ich mir ein dickes Fragezeichen zu machen. Anm. d. V.

Die Douglasfichte liefert ein Holz von viel höherem spezifischem Gewicht wie alle europäischen Fichtenhölzer, doch ist es nicht so hoch, wie dasjenige des Lärchenholzes; seine Qualität wächst im Verhältnis zur Breite seiner Jahresringe — eine Thatsache, welche bis vor Kurzem als im Widerspruch mit den Erfahrungen mit europäischen Nadelhölzern gehalten wurde.

Diese kurze Abhandlung zeigt, wie wichtig dieser Gegenstand ist, aber auch wie viel noch zu seiner vollständigen Klarstellung zu thun ist.

Einteilung des Bauholzes.

Nach der „Deutschen Bauzeitung“ wird das Bauholz eingeteilt wie folgt:

a. Bauholzstämme.

1. Extraordinärstarke, über 14 Meter lang, mit mehr als 34 Zentimeter Zopfstärke.
2. Ordinärstarke, 12 bis 14 Meter lang, 29 bis 34 Zentimeter Zopfstärke.
3. Mittelbau- oder Riegelholz, 9 bis 12,5 Meter lang, 21 bis 26 Zentimeter Zopfstärke.
4. Kleinbau- oder Sparrholz, 9 bis 11 Meter lang, 15 bis 21 Zentimeter Zopfstärke.
5. Bohlstämme, 7 bis 9 Meter lang, 13 Zentimeter Zopfstärke.
6. Lattstämme, 6 bis 7 Meter lang, 8 Zentimeter Zopfstärke.
7. Schwammbaum- oder rindschäliges Holz, 9 bis $12^1/_2$ Meter lang, 21 bis 26 Zentimeter Zopfstärke.
8. Sägeblöcke (Abschnitte von Langholz), 5 bis 8 Meter lang, 36 bis 47 Zentimeter Zopfstärke.

Anmerkung: Zur Bestimmung des Holzgehaltes geschichteten Holzes rechnet man auf Zwischenräume 30 bis 40% des ganzen Schichthaufens und zwar setzt man 1 Kubikmeter des Schichthaufens bei:

Klobenholz gleich 0,7 Kubikmeter Holz und 0,3 Kubikmeter (d. i. 30%) Zwischenraum.)

Knüppelholz gleich 0,60 bis 0,65 Kubikmeter Holz und 0,40 bis 0,35 Kubikmeter (d. i. 40 bis 35% Zwischenraum.

b. Bearbeitetes Holz.

1. Verbandholz, eingeteilt in Ganz- Halb- und Kreuzholz.
2. Schnittholz eingeteilt in:

Bohlen nicht unter 5 Zentimeter stark.

Bretter:	ganze Spundbrettter	nicht unter	4 5	Zentimeter stark.
	halbe	„ „	4	„ „
	Tischlerbretter		3	
	Schalbretter		2,5	„ „
	Kistenbretter	„ „ 2 bis	0,6	„ „
	Fourniere	„ „ 0,6 „	0,2	„ „
Latten:	starke	8 Zentimeter breit,	4	Zentimeter hoch.
„	schwache	6,5 „ „	4,3	„ „

Die Firma Queiroz, Moreira & Co. in Rio de Janeiro richtete an die Holzexporteure der Provinz Santa Catharina eine öffentliche Unterweisung, welche bei der Bedeutung, welche Rio de Janeiro als Holzimportplatz besitzt, auch ausserhalb der genannten Provinz Interesse erregen dürfte, zumal sie allgemeingültige Lehren für das Holzgeschäft enthält; ich lasse sie deshalb in wörtlicher Übersetzung folgen.

Unterweisungen
über
Länge, Breite, Stärke und Qualität der Hölzer für die Ausfuhr nach Rio de Janeiro, den Herren Exporteuren der Provinz Santa Catharina
gewidmet von
Queiroz, Moreia & Co.

Da es uns zweckdienlich scheint, nähere Angaben über Masse und Beschaffenheit der Hölzer in Übereinstimmung mit den Anforderungen dieses Marktes und mit Berücksichtigung der Ratschläge und Beschwerden der Baumeister, Zimmerleute u. s. w. zu bringen, geben wir in nachstehendem eine annähernde Idee über das für jede Sorte Zweckdienlichste.

Bretter
werden nach bisher beobachtetem System in gute und Ausschuss (refugo) geteilt. Als gute werden nur allein betrachtet: Canella, Peroba, Cedro und Arariba mit fehlerfreier Fläche, d. h. ohne Risse, Gallen, Löcher, Wurmfrass oder angefaulte Randstellen. Als Ausschuss werden auch betrachtet Arariba und Cedro mit ziemlich viel Splint, alle der schwarzen Canella untergeordneten Canellasorten und die des Canellageruchs entbehrenden, sowie die ungleichmässig geschnittenen, zu dicken oder zu dünnen Bretter.

Das Brett, welches auf einer Seite fehlerfrei ist, aber auf der anderen einen der angegebenen Fehler besitzt, der bei der Verarbeitung zum Vorschein kommen kann, wird ebenfalls ausgeschieden.

Als Ausschuss werden alle Bretter von sogenannten gesetzlichen Hölzern (madeiras de lei) und andere Sorten betrachtet, welche irgend einen Fehler besitzen, wenn sie nicht faul, von einem Ende zum anderen gerissen oder sonst unbrauchbar geworden sind.

Beim Schneiden ist das Abweichen der Säge zu verhüten, damit der Schnitt keine Wellenlinien zeigt, was als grosser Fehler betrachtet wird.

Folglich ist die grösste Gleichmässigkeit und Genauigkeit die beste Empfehlung für den erwähnten Artikel.

Breite Bretter.

Die geringste Länge ist 18 Palmos, bei 12 Zoll Breite und $1^1/_4$ Zoll Stärke. Bei Cedro und Arariba ist $1^1/_2$ Zoll vorteilhafter.

Schmale Bretter.

Der Unterschied zwischen breiten und schmalen Brettern besteht darin, das letztere nur 9 Zoll breit sind.

Paos (Verbandholz).

Geringste Länge 20 Palmos, bei 6 Zoll Breite und 4 Zoll Stärke. Ausser dieser Länge, welche die gesuchteste ist, kann auch zu 22 und 25 Palmos, in kleinen Posten, geliefert werden.

Hauptsächlichste Holzarten hierzu sind: Guarajuba, Licorana, Maçaranduba, Cangerana, Louro, geringerer Canellaarten (gelbe Capitão-mór, Burra u. s. w.), weisse Peroba und rote Oleo.

Die Blöcke von schwarzer Canella und roter Peroba, welche Wurmlöcher oder andere sichtbare Fehler zeigen, die sie zu guten Brettern untauglich machen, sollen zu Paos oder Pernas geschnitten werden.

Pernas (Verbandholz).

Über diese Holzsorte, für welche das über Paos Gesagte gilt, ist nur zu bemerken, dass die höchste Stärke 4 zu 4, die geringste $3^1/_2$ zu 4 Zoll ist. Länge und Qualität sind wie die der Paos. Nach dem Schneiden, und sobald das Umsetzen vorgenommen wird, sollen sowohl Paos wie Pernas in viereckigem Haufen und ohne grosse Zwischenräume aufgestellt werden, um das Werfen zu verhüten, denn einige Holzarten sind sehr zum Werfen geneigt, während sie trocknen.

Bohlen.

Hier ist vor allen Dingen zu bemerken, dass zu dieser Sorte nur ganz fehlerfreies Holz genommen werden darf, weil sie zu wertvollen, eleganten und künstlerischen Arbeiten gebraucht werden; sie darf von Cedro, Arariba und Cangerana sein.

Cedro revesso (widerhaarig), auch batata genannt, darf nicht zu Bohlen genommen werden (auch bei Brettern kommt der grösste Teil zum Ausschuss), sondern es muss hierzu das beste Cedroholz, ob dunkel oder blassrosa, aber mit schlicht und gleichliegender Faser, ausgewählt werden.

Arariba von beiden Sorten, rot und gelb, ohne Splint und ohne faule Stellen, äusserlich oder im Kern, überhaupt fehlerfrei, ist ein sehr geschätztes Holz.

Cangerana wird zu verschiedenen Zwecken sehr geschätzt und verarbeitet als Paos, Pernas und Bohlen.

Über Länge, Breite und Stärke haben wir keinerlei Änderungen zu erwähnen; es bleiben 3 × 12 × 18 die breiten, und 3 × 9 × 18 die schmalen wie bisher.

Bemerkungen:

Alle Hölzer müssen vollkantig sein.

Das Mass nach Zoll bleibt wie bisher das portugiesische, und muss der Ausfall durch den Schnitt der Säge zugerechnet werden, damit die Stärke genau bleibt.

Bei der Länge der Hölzer werden Bruchteile von weniger wie 2 Palmos nicht berücksichtigt. Wenn also ein Stück $21^1/_2$ Palmos misst, wird es nur zu 20 Palmos berechnet.

Schluss.

Die Nichtbeachtung dieser Vorschriften hat Viele, die sich mit diesem wichtigen Handelszweig beschäftigen, sehr geschädigt, und sie werden auch ferner Verluste erleiden, wenn sie nicht darauf achten, dass bei der Zurichtung die grösste Sorgfalt und Genauigkeit herrscht.

Die Bauten mehren sich; die sogenannten Cortiços und alle übrigen zusammengedrängten, beschränkten und in Folge dessen ungesunden Wohnungen sind zum Abbruch bestimmt, es bessern sich also die Aussichten für den Holzhandel, während die mangelhafte Zubereitung der Hölzer dem nicht entspricht. Noch wollen wir bemerken, dass die Ungleichmässigkeit Nachteile bringt:

1. weil infolge dessen bei den Brettern mehr Ausschuss gemacht und der Wert dieser wie der Paos, Pernas und Bohlen vermindert wird;
2. weil sich dadurch der Verbrauch zum Vorteile des Tannenholzes vermindert, welches seiner Tadellosigkeit wegen vorgezogen wird;
3. weil dadurch der Arbeitslohn, je nach der Verwendung, mehr oder weniger erhöht wird.

Von den oben angeführten Hölzern habe ich nur über die folgenden, bezüglich ihrer Qualität, Angaben ermitteln können.

Canella: braun, geradfaserig, leicht, lässt sich ohne Schwierigkeit bearbeiten; es wächst gerade und erreicht einen beträchtlichen Umfang. Verwendung zu Zimmermannsarbeiten und Deckplanken; wird nicht als dauerhaft betrachtet.

Peroba, gelbe: gelb, mässig schwer, dicht und feinfaserig, nicht schwierig zu bearbeiten. Es erreicht einen bedeutenden Umfang, dient zu Hausbauten und Möbeln und gilt als sehr dauerhaft. Specifisches Gewicht 0,870. Brasilianische Panzerschiffe wurden von diesem Holz erbaut, da es sich gut mit Eisen verträgt.

Peroba, rote: rot, glatte, feine, dichte Fasern, von mässiger Schwere, es hat eine entfernte Ähnlichkeit mit rotem Cedernholz.

Cedro: hellfarbig und sehr porös, von schnellem Wachstum und geringer Qualität.

Arariba: weisslich oder hellrot, fein-, dicht- und geradfaserig, sehr leicht, erreicht nur einen mässigen Umfang und wird in der Tischlerei verwendet.

Maçaranduba: rot, dichtfaserig, stark und schwer; wird im Haus- und Schiffbau gebraucht.

Die Stärke des Holzes.

Die verschiedenen Nutzhölzer schwanken ausserordentlich in ihrer Stärke und selbst in derselben Holzart kommen beträchtliche Abweichungen in dieser Eigenschaft vor, hervorgerufen durch Unterschiede im Alter, in den klimatischen und Bodenverhältnissen, wie überhaupt in allen auf die Entwickelung des Baumes sich geltend machenden Einflüsse; das mehr oder minder sorgfältige

Trocknen des Holzes übt ebenfalls eine dahin zielende Wirkung aus. Die weiter unten gegebenen Stärkeangaben sind für sorgfältig getrocknetes, reifes, durchaus gesundes Holz der betreffenden Baumart zu verstehen.

Als Regel ist das Kernholz des Baumes stärker und gleichmässiger in allen Eigenschaften wie der Splint. Sobald jedoch der Baum zu verwesen beginnt, wird das Kernholz zuerst angegriffen. Von einem gesunden Baum, wenn gefällt, verwest der Splint zuerst und zwar viel schneller wie das Kernholz.

Es ist einleuchtend, dass Erfahrung und Scharfblick dazu gehört, um zu bestimmen, wenn ein Baum das Alter erreicht hat, in welchem er das in jeder Hinsicht beste Holz liefert. Nach dem Fällen des Baumes wird die Stärke des Holzes beträchtlich beeinflusst von dem Trockenverfahren. Wenn dasselbe allmählich und gründlich ausgeführt wurde, ist das getrocknete Holz viel, zuweilen um das doppelte stärker wie das grüne.

Wenn das zu trocknende Hickoryholz in der oben beschriebenen Weise in Öl gebadet wird, wächst seine Stärke um 15 %, gegenüber dem gewöhnlichen Verfahren. Das wurde von Hirn bestätigt, der bei seinen bezüglichen Untersuchungen fand, dass durch das Ölbad der Stärkegewinn bei verschiedenen anderen Hölzern 10 bis 20 % betrug.

Verschiedene Teile desselben Stammes mögen beträchtlich in der Stärke abweichen, in Folge von Fehlern, wie Knoten, Risse oder Flecken, wo die Verwesung eingesetzt hat. Der Vergleich der Resultate von Prüfungen gesunder Hölzer dient übrigens als ein ziemlich zuverlässiger Masstab für die Wertbeurteilung der Hölzer, welche man zu benutzen beabsichtigt.

Der Coefficient der Elastizität ist die verhältnismässige Kraftmenge, welche erforderlich ist, um eine gewisse Veränderung der Form zu der Höhe ihrer Krümmung, ob nun durch Zusammenpressung oder Ausdehnung hervorzurufen; die Krümmung ist in allen Fällen innerhalb der Grenzen der Elastizität.

Die ausgedehnten und gründlichen Untersuchungen, welche Chevandier und Wertheim an Hölzern aus dem Departement der Vosges vornahmen, liessen sie zu den folgenden Schlüssen kommen:

Das Alter beeinflusst sehr wenig die Dichte des Holzes.

Alter und Witterungseinflüsse üben eine entschiedene Wirkung auf die Verbindungsfestigkeit.

Das Alter vermindert den Coefficient der Elastizität, nachdem der Baum die Reife überschritten hat.

Bäume, welche auf trockenem Boden, in Lagen, offen nach Norden, Nordosten und Nordwesten wachsen, liefern Holz, welches den höchsten Coefficienten hat. Nasser oder sumpfiger Boden, in Lagen nach Süden offen, bringt Holz hervor, das den niedrigsten Coefficienten hat.

Die Jahreszeit, in welcher die Fällung stattfand, hat keinen erkennbaren Einfluss auf den Coefficienten.

Je dünner in Nadelhölzern die Jahresringe sind, desto höher ist der Coefficient der Elastizität. In andern Hölzern wurde kein Unterschied aus dieser Ursache entdeckt.

Holz hat keine bestimmte Grenze der Elastizität. Dieselbe kann, zum Zwecke der Schätzung, mit $^1/_4$ oder $^1/_3$ der Bruchbelastung angenommen werden.

Es folgt nun eine aus den Resultaten verschiedener Untersuchungen zusammengestellte Tabelle, die mehr Wert besitzen würde, wenn die Prüfer mehr Sorgfalt auf die genauere Bestimmung der Hölzer verwandt hätten. Beispielsweise: Fichte aus Neu-England. Diese Staatengruppe besitzt mehrere Fichtenarten. Welche ist gemeint? Ulme — welche Ulmenart? u. s. f.

Coefficient der Elastizitat.

	Kilogramm auf den Quadratzentimeter.		Kilogramm auf den Quadratzentimeter.
Esche	112,480	Mahagoni	98,420
Buchsholz	126,540	Eiche (Quercus sessiliflora)	119,510
Kastanie	91,250	Pechkiefer	133,570
Ulme	105,450	Rote Kiefer	126,540
Kiefer, baltische	126,540	Gelbkiefer	112,400
Fichte aus Neu-England	84,360	Weymouthskiefer (Pinus Strobus)	70,380
Larche	98,420	Teak, indisches	147,030
Pockholz	70,300	Weide	98,420

Der Elastizitätscoefficient der nordamerikanischen Hölzer, wie er im Zensusbericht niedergelegt ist, wird weiter unten in einer besonderen Tabelle gegeben.

Die Zugfestigkeit ist von vielen Nutzhölzern sehr sorgfältig ermittelt worden, doch ist auch hier der obige Vorwurf zu wiederholen. Der Modulus der Zugfestigkeit von jedem Stoff ist die Menge der Zugkraft in Kilogramm, welche erforderlich ist, um eine Stange von einem Quadratzentimeter Durchmesser an der Bruchstelle auseinander zu reissen.

Die folgende Tabelle ist aus den Resultaten verschiedener Untersuchungen zusammengestellt, welche stets durch Zug in der Richtung der Fasern ausgeführt wurden. Die höchsten Zahlen sind für reifes, sorgfältig getrocknetes Kernholz zu verstehen.

Moduli der Zugfestigkeit.

	Kilogramm auf den Quadratzentimeter.			Kilogramm auf den Quadratzentimeter.
Esche	703 bis 1055		Akazie (Robinia Pseudo-acacia)	703 bis 1055
Birke, schwarze	492 „ 703		Mahagoni von Honduras	350 „ 560
Buche, amerikanische	562 „ 844		„ best. spanisch.	562 „ 1055
Buchsholz	703 „ 1055		Ahorn	562 „ 703
Tanne, californische	844 „ 984		Lebenseiche, amerikan.	703
Ceder von Bermuda	281 „ 527		Weisseiche, „	703
„ „ Guadaloupe	352 „ 668		Wintereiche	633 „ 844
Kastanie	492 „ 738		Douglastanne	633 „ 984
Rosskastanie	562 „ 844		Birnholz	492 „ 703
Cypresse	281 „ 422		Pechkiefer	562 „ 703
Ulme	562 „ 914		Rote Kiefer	352 „ 562
Fichte aus Neu-England	352 „ 703		Weymouthskiefer	362
Kiefer, baltische	352 „ 879		Gelbkiefer	352 „ 844
Grünherz	422 „ 633		Pflaumenholz	492 „ 703
Stechpalme	703 „ 1055		Pappeln	492
Hickory	703 „ 984		Teak	703 „ 1055
Lanzenholz	562 „ 1055		Wallnussholz, schwarzes	562
Lärche	422 „ 703		Weide	703
Pockholz	703 „ 844			

Quer den Fasern ist die Zugfestigkeit geringer, um $^1/_{10}$ bis $^1/_{20}$ für Nadelhölzer und $^1/_6$ bis $^1/_4$ für harte Hölzer, wie die gegebenen Zahlen. Für grosse Bauhölzer sollte die in der Tabelle gegebene Zugfestigkeit um 25 bis 30 % ermässigt werden, der Widerstand des Holzes gegen Druckbelastung hängt ebenfalls von den Wachstumsverhältnissen des Baumes, dem Trocknen des Holzes, seiner Form und Grösse ab.

Wenn die zu prüfenden Stücke Blöcke sind, deren Höhe nicht viel grösser ist wie der Durchmesser, gibt das Holz der Druckkraft durch einfache Zerdrückung nach. Lange Pfeiler geben dagegen durch Zerknickung nach und querbrechende Pfeiler von mittlerer Höhe geben durch Zerdrückung und Zerknickung zugleich nach.

Wenn wahre Zerdrückung stattfindet. wird angenommen, dass der Widerstand derselbe ist, wie derjenige der Ausdehnung, innerhalb der Grenzen der Elastizität, obgleich bekannt ist, dass sich das nicht genau so verhält. Dieser Widerstand schwankt auch mit der Grösse des Durchmessers.

Die folgenden Moduli von Druckfestigkeit sind die Resultate von Prüfungen mit Stücken, 2,54 Zentimeter im Durchmesser und 5,08 Zentimeter lang. Hodgkinson fand die Druckfestigkeit von feuchtem Holz häufig weniger denn die Hälfte, wie von trockenem.

Moduli der Druckfestigkeit in gleicher Richtung mit den Fasern.

	Kilogramm auf den Quadratzentimeter.		Kilogramm auf den Quadratzentimeter.
Erle	422 bis 492	Ahorn	352 bis 422
Esche	323 „ 562	Mahagoni, spanisches	492 „ 562
Buche	562 „ 633	Wintereiche	457 „ 703
Birke, amerikanische	422 „ 703	Lebenseiche, amerikan.	562 „ 703
„ europäische	352 „ 457	Weisseiche, „	587 „ 662
Buchsholz	562 „ 703	Birnholz	537
Ceder	281 „ 457	Rote Kiefer	422 „ 527
Kirschholz	352 „ 457	Weymouthskiefer	211 „ 422
Kastanienholz	281 „ 337	Gelbkiefer	457 „ 703
Ulme	562 „ 703	Teak	422 „ 703
Grünherz	703 „ 984	Wallnussholz, schwarzes	394 „ 492
Hickory	562 „ 689	„ weisses	527 „ 633
Lärche	211 „ 387	Weide	211 „ 422
Akazie, falsche	527 „ 668	Douglasfichte	647 „ 808
Pockholz	562 „ 675		

Ein Druck von 703 Kilogramm pro Quadratzentimeter macht in Weymouthskiefer einen Eindruck von 25 Millimeter, in Gelbkiefer von 1 Millimeter und in harte Hölzer zu einer kaum bemerklichen Tiefe.

Die folgenden Moduli der Bruchfestigkeit sind bei Prüfungen von Hölzern in guter Beschaffenheit ermittelt worden.

	Kilogramm auf den Quadratzentimeter.		Kilogramm auf den Quadratzentimeter.
Esche	844	Ceder, nordamerikanische	562
Buche	633	Kastanienholz	492
Birke, amerikanische	668	Ebenholz, westindisches	1055
Buchsholz	598	Ulme	562
Ceder, westindische	562	Fichte von Neu-England	492

	Kilogramm auf den Quadratzentimeter.		Kilogramm auf den Quadratzentimeter.
Fichte von Riga	492	Eiche von Canada	703
„ „ Norwegen	492	„ „ England	700
Grünherz	703	Lebenseiche, amerikanische	844
Lanzenholz	1055	Weisseiche, „	773
Lärche, europäische	762	Pechkiefer	562
„ amerikanische	703	Rote Kiefer	562
Pockholz	844	Gelbkiefer	492
Akazie, falsche	844	Teak	1055
Mahagoni, spanisches	562	Wallnussholz, schwarzes	844
„ von Honduras	703	Weide	492
Ahorn	562	Douglasfichte	775

Balken derselben Holzart zeigen in ihrer Stärke oft beträchtliche Abweichungen, zuweilen brechen sie unter der viertel Last zusammen, welche dem obigen Modulus entspricht, selbst wenn sie augenscheinlich gesund sind.

Es ist schwer verständlich, wie die Prüfer durch die unbestimmten Bezeichnungen der Holzarten das Resultat ihrer Mühe so stark beeinträchtigen konnten. Die nordamerikanischen Hölzer sind daher mit weit mehr Sicherheit nach der untenstehenden Tabelle zu beurteilen, welche durch Anwendung der wissenschaftlichen Namen nicht den mindesten Zweifel aufkommen lässt.

Australische Hölzer.

Soweit meine Ermittelungen reichen, sind australische Hölzer nur von Oberst Ward, einem Beamten der Münze zu Sidney und Baron von Müller in Melbourne, sowie mit anderen Hölzern gemeinschaftlich von Th. Laslett, dem Holzinspektor der britischen Admiralität, auf ihre Eigenschaften geprüft worden. Die geprüften Stäbe waren 5 Fuss lang mit einem Flächeninhalt des Querschnitts von 2 Quadratzoll englisches Mass.

Resultate des Oberst Ward.

	Spezifisches Gewicht.	Höchstmass des Gewichts und der Biegung, während die Elastizität unbeeinträchtigt blieb. Gewicht in Pfund.	Biegung in Zoll.	Gewicht erforderlich zum Bruch in Pfund.	Beugung an der Elastizitätsgrenze in Zoll.
Eucalyptus leucoxylon	1,167	1605	1,33	2034	1,45
„ cebra	1,111	1456	1,07	1904	1,87
„ capitelata	0,922	925	1,15	1512	2,03
„ virgata	0,964	924	0,97	1204	1,97
„ hemiphlora	1,172	1400	1,09	1792	1,90
„ saligna	0,989	1232	1,05	1680	2,45
„ hömastoma	1,080	784	1,01	1204	2,03
„ rostrata	0,942	1106	1,16	1327	2,09
„ pilularis	0,990	980	1,35	1232	2,92
„ longifolia	1,078	924	1,25	1176	1,82
„ siderópholia	1,146	1251	1,02	1526	2,03
„ amygdalina	1,085	896	1,09	1078	1,69
„ piperita	0,897	747	1,28	840	1,83
„ tereticornis	1,131	1139	0,98	1400	1,43
Doryphora sassafras	0,659	686	0,09	854	0,187
Eugenia myrtifolia	0,731	765	0,97	1064	2,08
Acacia decurrens	0,717	1269	1,04	1549	2,35
Cedreda australis	0,444	560	1,14	728	1,97
Grevillea robusta	0,564	—	—	728	—
Tristania conferta	0,977	850	2,01	1064	3,00
Flindersia australis	0,936	1022	1,14	1016	2,25

Resultate des Baron von Müller und J. G. Lühmann.

Die Stäbe waren 2 Fuss lang, mit 2 Zoll Quadratfläche, engliches Mass.

	Beugung mit dem Apparat, 780 Pfund wiegend Zoll	Beugung im Augenblicke vor dem Bruch Zoll	Gewicht erforderlich zum Bruch Pfund	Spezifisches Trockengewicht
Eucalyptus leucoxylon	0,03	0,63	4192	1,028
	0,03	0,60	3977	1,061
„ siderophloia	0,02	0,63	3873	1,075
	0,02	0,56	3753	1,129
„ polianthema	0,10	0,56	3215	1,248
	0,08	0,58	3145	1,214
„ melliodora	0,06	0,58	2903	1,112
	0,08	0,63	2781	1,040
„ rostrata	0,08	0,52	2781	1,008
	0,07	0,48	2712	0,940
„ macrorrhyncha	0,17	0,62	2412	0,952
	0,17	0,60	2384	1,060

	Beugung mit dem Apparat, 780 Pfund wiegend Zoll	Beugung im Augenblicke vor dem Bruch Zoll	Gewicht erforderlich zum Bruch Pfund	Spezifisches Trockengewicht
Eucalyptus Gunnii	0,12	0,75	2327	0,950
	0,14	0,75	2268	1,021
„ Stuartiana	0,12	0,54	2425	1,010
	0,14	0,56	2170	1,001
„ viminalis	0,12	0,65	2384	0,954
	0,12	0,70	2195	0,916
„ goniocalyx	0,16	0,50	2209	0,948
	0,20	0,58	2050	0,937
„ amygdalina	0,12	0,65	2195	1,045
	0,12	0,70	2132	1,076
„ obliqua	0,12	0,50	2053	1,045
	0,14	0,48	1776	0,935
Nordamerika:				
Carya, verschied. Arten	0,04	0,60	3579	0,785
	0,05	0,56	3388	0,808
Quercus alba	0,10	0,62	2781	0,716
	0,12	0,65	2192	0,669
Australien:				
Acacia melanoxylon	0,08	0,50	2296	0,616
	0,08	0,54	2261	0,613
Neu-Seeland:				
Dammara australis	0,08	0,42	2053	0,600
	0,08	0,42	1967	0,613
Europa:				
Pinus sylvestris	0,17	0,70	1811	0,541
	0,21	0,48	1398	0,399

Die hier gebrauchte Bezeichnung „im Augenblicke vor dem Bruch“ ist gleichbedeutend mit „Beugung an der Elastizitätsgrenze.“

Neuseeländische Hölzer.

Nach dem Jahrbuch für Neu-Seeland sind die nachfolgenden Hölzer dieser Kolonie mit den beigesetzten Resultaten geprüft worden.

Die Probestücke hatten eine Länge von 12 Zoll und eine Quadratfläche von 1 Zoll. englisches Mass.

Volkstümliche Namen	Wissenschaftliche Namen	Spezifisches Gewicht	Schwerstes Gewicht, welches die Elastizität unbeeinträchtigt liess	Erforderliches Gewicht für den Bruch
			Pfund	Pfund
Hinau	Elaeocarpus dentatus	0,562	94	125
Kahikatea	Podocarpus dacrydioides	0,488	57,9	106
Kauri	Dammara australis	0,623	97	165,5
Kawaka	Libocedrus doniana	0,637	75	120
Kohekohe	Dysoxcylum spectabile	0,678	92	117,4
Kowhai	Sophora tetraptera var. grandifolia	0,884	98	207,5
Black Maire	Olea Cunninghamii	1,159	193	314,2
Maire-tawhake	Eugenia maire	0,790	106	179,7
Mako	Aristotelia racomosa	0,593	62	122
Manoas	Dacrydium colensoi	0,788	200	230
Mangi	Tetranthera calicaris	0,621	109	137,8
Manuka	Leptospermum ericoides	0,943	115	239
Mapau	Myrsine urvillei	0,991	92	192,4
Matipo-tarata	Pittosporum tenuifolium	0,955	125	243
Matai	Podocarpus spicata	0,787	133	197,2
Miro	Podocarpus ferruginea	0,658	103	190
Puriri	Vitex littoralis	0,959	175	223
Rata	Metrosideros lucida	1,045	93	196
Rewarewa	Knightia excelsa	0,785	93	161
Rimu	Dacrydium cupressinum	0,563	92,8	140,2
Taraire	Nesodaphne tawa	0,761	142,4	205,5
Tawiri-kohukohu	Carpodotus serratus	0,822	80	177,6
Titoki	Alectryon excelsum	0,916	116	248
Totara	Podocarpus totara	0,559	77	133,6
Tawai (red birsch)	Fagus menziesii	0,626	73,6	158,2
Tawai (black birsch)	Fagus fusca	0,780	108,8	202,5
Whau	Entelea arborescens	0,187	13	32

Die Prüfungen von Thomas Laslett.

Der Holzinspektor der britischen Admiralität, hat die ihm gebotene vorzügliche Gelegenheit benutzt, um eine Zahl Hölzer auf ihr spezifisches Gewicht, ihre Bruch-, Zug- und Druckfestigkeit zu untersuchen. Die Durchschnittsergebnisse längerer Versuchsreihen, sind in den untenstehenden Tabellen niedergelegt, zu welchen Laslett die folgenden Erläuterungen gibt. Das Bruchgewicht in allen meinen Untersuchungen wurde an Stäben $2'' \times 2'' \times 84'' = 336$ Kubikzoll ermittelt. Jeder Stab wurde auf Träger in genauem Abstand von 6 Fuss gelegt und dann Wasser allmählich und behutsam in eine in der Mitte des Stabes hängende

Schale gegossen, bis der Bruch erfolgte. Aufzeichnungen wurden gemacht bei 390 Pfund Gewicht, sowie im Augenblick vor dem Bruch. Alsdann wurde ein Stück genommen, 2 Fuss 6 Zoll lang, wenn immer ausführbar, von dem gebrochenen Stab, um die Zugfestigkeit mittels einer kräftigen hydraulischen Maschine zu prüfen; die Zusammenhangskraft der Fasern konnte so sehr genau bestimmt werden. Ferner, um das Verhältnis des Umfangs zur Länge zu ermitteln, welches am besten geeignet ist, schwere Lasten zu tragen, wurden viele kubische Blöcke hergestellt, ebenso eine Zahl Stücke von verschiedener Form und Grösse, welche, mit Hilfe derselben Maschine, einem allmählich steigenden Drucke in senkrechter Richtung der Fasern ausgesetzt wurden, bis eine zur Zerknitterung hinreichende Kraft erreicht wurde.

Ein oben erhobener Vorwurf trifft auch Laslett: durch unklare und sogar vollständig unverständliche Namen mindert er beträchtlich den Wert seiner mühevollen Untersuchungen, wie auch seine Beschreibung heimischer und fremder Hölzer. Gebraucht er doch selbst so sinnlose Bezeichnungen, wie „eine Art Bastardceder“ oder „eine Art Bastardmahagoni.“ Wie alle Engländer, so wirft auch er die Wintereiche und Sommereiche zusammen unter dem Namen englische Eiche. Was er unter Baltimore-Eiche meint, ist geradezu unverständlich, es gibt in Nordamerika keine Eichenart mit diesem Namen, ebenso rätselhaft ist die Bezeichnung canadisches Ulmenholz. Die Weisskiefer oder Weymouthkiefer nennt er Gelbkiefer, ein Name den in Nordamerika mehrere andere Kiefernarten führen. Er führt einen australischen Eichenrindenbaum an, während doch mehrere Eucalyptusarten diesen volkstümlichen Namen tragen. Unter amerikanischer Esche ist wahrscheinlich die weisse Esche (Fraxinus americana) verstanden und unter englischer Ulme, Ulmus campestris.

Diese Bemerkungen dünken mir durchaus notwendig für die Benutzung der Tabellen, namentlich wenn es sich um Vergleiche mit den Resultaten anderer Holzprüfungen handelt. Nachdem ich die Mängel angedeutet, glaube ich an den Tabellen selbst keine Verbesserungen vornehmen zu sollen; ich übersetze sie wortgetreu, mit Ausnahme von Yellow Pine, das ich als Weisskiefer wiedergebe, um einer zu naheliegenden Verwechselung dieses wichtigen Holzes vorzubeugen.

1. Tabelle.

	Spezifisches Gewicht.	Bruchgewicht Pfund und Quadratzoll.	Zuggewicht Pfund und Quadratzoll.	Druckgewicht			
				1" × 1" × 1"	2" × 2" × 2"	3" × 3" × 3"	4" × 4
				Tons pro Quadratzoll			
Afrikanischer Teak	0,993	277	7052	4,900	4,573	4,388	4,
Esche, englische	0,736	216	3780	—	3,109	—	–
„ amerikanische	0,480	160	5495	—	2,453	—	–
Gummibaum, blauer	1,029	178	6048	—	3,078	—	–
Ceder von Cuba	0,439	140	2870	—	2,000	—	–
Chow von Borneo	1,116	244	7199	—	5,621		
Ulme, englische	0,558	98	5460	—	2,583		
„ canadische	0,748	230	9182	3,312	4,062	4,097	3,
Kiefer von Danzig	0,582	219	3231	3,146	3,172	3,097	2,
„ „ Riga	0,541	150	4051	3,312	2,109	1,770	2,
Spruce-Fir (Picea excelsa) von Canada	0,484	168	3934	—	2,166	—	–
Grünherz	1,149	333	8820	6,750	6,819	6,368	5,
Hainbuche, englische	—	—	6405	—	3,711	—	–
Eisenrinde von Australien	1,142	352	8377	—	4,601	—	–
Jarrah „ „	1,010	172	2940	—	3,168	—	–
Karri „ „	0,981	216	7070	—	—	—	5,
Kapar von Borneo	0,956	296	6790	—	5,300	—	–
Kauri von Neu-Seeland	0,530	204	4543	3,190	2,625	2,772	2,
Kranji von Borneo	1,029	371	10920	—	—	—	–
Lärche, russische	0,646	157	4302	2,875	2,672	2,174	2,
Mahagoni von Cuba	0,769	214	3791	2,750	3,250	3,024	2,
„ „ Honduras	0,659	201	2998	2,806	2,750	3,044	2,
„ „ Mexiko	0,678	196	3427	2,437	2,633	2,549	2,
Molave von den Philippinen	1,013	311	7812	—	—	—	–
Mora von Trinidad	1,087	332	9240	—	3,812	—	–
Eiche, Baltimore	0,747	181	3832	—	2,630	—	–
„ englische	0,735	194	7571	3,562	3,411	3,252	3,
„ „	0,862	121	3837	—	—	—	–
„ französische	0,976	219	8102	—	3,547	—	–
„ von Danzig	0,835	118	4212	3,773	3,375	3,166	3,
„ „ Modena	1,109	211	—	—	—	—	–
„ „ Sardinien	0,990	190	—	—	2,604	—	–
„ „ Toscana	1,040	190	—	—	2,437	—	–
„ „ Spanien	1,042	141	—	—	—	—	
„ vom Rhein	1,026	165	—	—	—	—	
„ weisse amerikanische	0,983	201	7021	3,166	3,109	2,500	2

	Spezifisches Gewicht.	Bruchgewicht Pfund und Quadratzoll.	Zuggewicht Pfund und Quadratzoll.	Druckgewicht 1" × 1" × 1"	2" × 2" × 2"	3" × 3" × 3"	4" × 4" × 4"
				Tons pro Quadratzoll			
ꝁiefer von Canada	0,552	163	2705	3,479	2,115	2,431	2,125
sskiefer, amerikanische	0,435	157	—	—	—	—	—
„ „	0,554	126	2027	2,521	1,863	1,750	1,375
hkiefer „	0,659	262	4666	—	2,885	—	—
icu von Cuba	0,917	331	5558	3,082	3,961	4,140	3,922
k von Birma	0,776	228	3301	2,416	2,838	2,640	2,343
rt von Australien	1,169	257	10284	4,469	4,195	3,931	4,102
gow von Borneo	0,747	318	6311	—	4,539	—	—
ngadu von Birma	1,176	324	9656	—	5,208	—	—

Es sind in dieser Tabelle mehrere Zahlen angegeben, die bei einem Vergleich mit anderen Prüfungsresultaten den Verdacht der Unzuverlässigkeit rege machen. Wie an anderer Stelle erklärt wurde, können verschiedene Prüfungen einer Holzart kein genau übereinstimmendes Resultat bringen, allein wenn die Durchschnittsergebnisse sehr weit auseinanderliegen, ist zu argwöhnen, dass in der einen oder anderen Weise ein Missgriff gemacht wurde.

2. Tabelle.

	Coeffizienten der Elastizität Pfund pro Quadratzoll.		Coeffizienten der Elastizität Pfund pro Quadratzoll.
Kranji	1 504 910	Karri	930 950
Eisenrinde	960 740	Esche, englische	573 100
Grünherz	463 880	Mahagoni von Cuba	771 030
Mora	466 570	„ „ Honduras	492 550
Sabicu	972 350	„ „ Mexiko	846 100
Pyengadu	1 031 940	Eiche, weisse amerikanische	528 650
Pingow	1 259 690	Kauri	721 380
Molave	823 990	Gummibaum, blauer	778 300
Kapor	1 463 000	Jarrah	296 810
Teak, afrikanisches	410 430	Rotkiefer	588 900
Tuart	776 990	Esche, amerikanische	343 980
Chow	1 013 836	Lärche, russische	649 130
Ulme, canadische	618 550	Kiefer von Riga	752 420
Pechkiefer	755 240	Ceder von Cuba	449 710
Teak von Birma	530 970	Weisskiefer	621 050
Kiefer von Danzig	579 190	Ulme, englische	250 820

3. Tabelle.

Bei der auf britischen Admiralitätswerften vorgenommenen Umwandlung von 1 413 894 Kubikfuss roh behauener Blöcke verschiedener Holzarten, wie sie in den Handel kommen, wurde von dem Kubikfuss ein solcher Bruchteil Kubikfuss Balken, Bohlen, Bretter u. s. w. erhalten, als in der Spalte A angegeben ist. In der Spalte B ist der Abfall an Spänen und Sägemehl in Bruchteil Kubikfuss angegeben.

	A	B
Eiche, italienische	0,649	0,351
„ Baltimore	0,648	0,352
„ sardinische	0,646	0,354
„ weisse amerikanische	0,641	0,359
„ französische	0,527	0,473
„ englische	0,526	0,474
„ spanische	0,520	0,480
Tuart	0,681	0,319
Sabicu	0,674	0,326
Grünherz	0,605	0,395
Mora	0,555	0,445
Teak, afrikanisches	0,519	0,481
Mahagoni von Mexiko	0,721	0,279
„ „ Cuba	0,634	0,366
„ „ Honduras	0,596	0,404
Ceder von Cuba	0,726	0,274
Teak	0,660	0,340
Ulme, englische	0,531	0,469
„ canadische	0,687	0,313
Weisskiefer	0,705	0,295
Kiefer von Danzig	0,700	0,300
„ „ Riga	0,677	0,323
Rotkiefer, canadische	0,650	0,350
Pechkiefer	0,640	0,360
Lärche, russische	0,610	0,390

Das Ergebnis von englischer Eiche und englicher Ulme war nicht von viereckig behauenen, sondern roh zugerichteten Blöcken erhalten. Gut geviereckte Blöcke geben an den Kanten nur wenig Abfall und bringen etwa 0,68 Kubikfuss zugerichtetes Material, wie das Beispiel des Tuarts zeigt. Sorgfältig geviereckte Blöcke bringen etwas mehr, wie das mexikanische Mahagoni, schlecht geviereckte bringen dagegen weniger, wie das afrikanische Teak.

Die sämtlichen Resultate würden wahrscheinlich besser gewesen sein, wenn diese Hölzer Zwecken gedient hätten, wo durchgehends gerade Linien zu schneiden sind, was auf den Werften nicht der Fall ist.

Die Nützlichkeit einer solchen Tabelle muss einleuchten: es lässt sich im Nu berechnen, welche Holzmenge gekauft werden muss für eine bestimmte Menge von zugerichtetem Holz.

Die nordamerikanischen Hölzer.

In Verbindung mit dem Zensus von 1880 wurden die physikalischen Eigenschaften der nordamerikanischen Hölzer, mit 7 unbedeutenden Ausnahmen, ermittelt und in einer dem Zensusberichte einverleibten Tabelle veröffentlicht.

Die spezifische Schwere wurde bestimmt durch das Wiegen von Holzstücken, 100 Millimeter lang und ungefähr 35 Millimeter im Quadrat, vorher einer Temperatur von 100° C. ausgesetzt, bis ihr Gewicht feststehend blieb. Die Asche wurde in Prozenten von trocknem Holze bestimmt, in der Weise, dass kleine Holzstücke in einem Muffelofen bei niedriger Temperatur verbrannt wurden. Der verhältnismässige Brennwert eines Holzes wurde erhalten durch Abzug der Aschenprozente vom spezifischen Gewicht, da der Brennwerth der organischen Bestandtheile in allen Hölzern nahezu gleich bleibt. Die Mineralbestandteile des Holzes, also die Asche, besitzen keinen Brennwert. Die spezifische Schwere stellt das Gewicht von gleichen Raummengen Holz dar. Wird von der spezifischen Schwere der in den verschiedenen Holzarten beträchtlich schwankende Aschengehalt abgezogen, so ist ihr verhältnismässiger Brennwert berechnet. Ein von Asche freies Holz, mit dem spezifischen Gewicht von 1,000, würde daher die Einheit des Brennwerts darstellen, vorausgesetzt, das Holz enthält kein hygroskopisches Wasser.

Wenn die so erhaltenen Zahlen mit 4000 vervielfacht werden, gibt das Resultat, mit Ausnahme bei einigen harzigen Hölzern, ziemlich genau die Zahl der Wärmeeinheiten, welche ein Kubikdezimeter Holz zu entwickeln fähig ist — eine Wärmeeinheit ist die erforderliche Wärmemenge, um die Temperatur eines Kilogramms Wasser 1° C. zu erhöhen. Der Brennwert eines Holzes wird oft durch andere Beschaffenheiten wie sein Aschengehalt und Gewicht beeinflusst. Eine vollkommene Verbrennung ist selten zu ermöglichen, namentlich gilt dies für harzige Hölzer, die viel

Kohlenstoff in Form von Rauch entweichen lassen. Das im Brennholz enthaltene Wasser muss ebenfalls in Betracht kommen. Frisch gefälltes Holz enthält oft 50 % Wasser, an der Luft getrocknet, bleiben immer noch etwa 20 % übrig. Die zur Verdunstung dieses Wassers nötige Wärme ist natürlich für die Verbrennung verloren. Die erforderliche Kraft, um einen Stempel von 1 Zentimeter Quadratfläche zur Tiefe von 1,27 Millimeter senkrecht zu den Fasern in die verschiedenen Hölzer zu drücken, ist in der 7. Spalte der Tabelle angegeben.

Die Elastizität wurde ermittelt an Stäben mit einem Flächeninhalt des Querschnitts von 2 Zentimeter.

Holz mag entweder gleichlaufend oder senkrecht der Fasern gepresst werden.

Wenn ein Stab gleichlaufend mit den Fasern gepresst wird und seine Länge überschreitet nicht 10 oder 12 mal seinen Durchmesser, wird er gewöhnlich nicht zerdrückt, sondern zerknickt, und die erforderliche Kraft für ein solches Zerknicken steht im Verhältnis zu dem Flächeninhalt des Querschnittes des Stabes. Die Zahlen in der 6. Spalte geben das Gewicht in Kilogrammen pro Quadratzentimeter an, um ein solches Zerknicken in den verschiedenen Hölzern hervorzurufen. Um das Gewicht zu finden, welchem irgend ein Stab widerstehen kann, sind die Zahlen in der Spalte mit der Zahl der Quadratzentimeter am Ende des Stabes zu vervielfachen.

Wenn ein Stab an beiden Enden aufgelegt und Gewicht an seinen Mittelpunkt gehängt wird, biegt er sich im Verhältnis zu jeder Gewichtserhöhung bis zu einer gewissen Grenze, welche nicht übereinstimmend ist in den verschiedenen Hölzern. Diese Grenze wird die Elastizitätsgrenze des Holzes genannt.

Der Modulus der Bruchfestigkeit ist in Kilogrammen pro Quadratzentimeter zu verstehen, ebenso der Coeffizient der Elastizität.

In den meisten Fällen wurden die Proben dem unteren Ende des Stammes entnommen und waren frei von Splint und Knoten, sie stellten daher das beste Holz dar, welches von dem Baume erhalten werden konnte.

Zum mindesten zwei Bestimmungen des spezifischen Gewichts wurden ausgeführt von jeder zur Prüfung gestellten Baumart und von solchen, welche wirtschaftliche Wichtigkeit besitzen, wurden Proben von mehreren Bäumen genommen, die in weit auseinander liegenden Teilen des Landes. unter verschiedenen klimatischen und Bodenverhältnissen wuchsen. Die Fällung der betreffenden Bäume geschah im Winter vor März und die Proben wurden sorgfältig getrocknet.

Diejenigen Probestäbe, welche zur Feststellung der Bruchfestigkeit dienten. hatten eine Quadratfläche von 4 Zentimeter und waren lang genug, um sicher auf den Trägern zu ruhen, welche in genauem Abstand von 1 Meter aufgestellt waren. Die Stäbe. welche unter Druck in gleicher Richtung mit den Fasern geprüft wurden. waren 16 Zentimeter lang, mit einer Quadratfläche von 4 Zentimeter.

Eine Vergleichung zeigt, dass die Stärke der verschiedenen Probestäbe in naher Übereinstimmung mit ihrem spezifischen Gewicht steht, jedoch nicht in ausnahmsloser Regel.

Ferner verdient die Aufmerksamkeit auf die Thatsache gelenkt zu werden, dass alle Baumarten. deren Holz schwerer ist wie Wasser, in der halbtropischen Region Florida's oder in der trockenen mexikanischen und binnenländischen pazifischen Region heimisch sind. Wie aus der folgenden Tabelle hervorgeht, scheint eine gewisse aber keineswegs feststehende Beziehung vorhanden zu sein zwischen der Trockenheit des Klima's und dem Gewicht des Holzes nahe verwandter Arten oder von Exemplaren derselben Art. Das Holz einer Form von Quercus rubra, welche dem westlichen Texas eigentümlich ist, wiegt nahezu 39 % schwerer. wie durchschnittlich alle Holzproben der Grundform dieser Eichenart aus den nördlichen Staaten. Unter den weissen Eichen ist das Holz derjenigen Arten. welche in Regionen mit spärlichem Regenfall vorkommen: Quercus grisea, Qu. oblongifolia, Qu. Durandii und Qu. Douglasii, schwerer wie dasjenige verwandter Arten, heimisch in Gegenden. die dem Pflanzenwuchs günstiger sind. Zwei Holzproben von Quercus prinoides aus dem westlichen Texas wogen im Durchschnitt 19 % schwerer. als die andern Proben derselben Art aus anderen Gegenden.

Unter den Eschen ist das Holz von Fraxinus Greggii aus dem Thal des Rio grande schwerer wie dasjenige aller andern Arten; es übertrifft in dieser Hinsicht übrigens kaum das Holz einer dem westlichen Texas eigentümlichen Form von Fraxinus americana, das 20 % schwerer wiegt, wie durchschnittlich alle Holzproben der Grundform dieser Art aus Gegenden nördlich von

Texas. Andererseits ist das Holz der texanischen Form von Fraxinus viridis feststehend leichter wie dasjenige derselben Art aus nördlichen Gegenden und das Holz von Celtis aus Arizona ist leichter wie die alle andern Proben derselben Art.

In der Gattung Juglans erzeugt J. rupestris das schwerste Holz, eine Art, die in einer Region mit geringem Regenfall heimisch ist, und eine Probe von J. nigra aus dem westlichen Texas wiegt 33 % schwerer wie im Durchschnitt alle Proben aus dem Mississippibecken. Das schwerste Holz von Platanus liefert eine Art, die den Staaten am atlantischen Ocean angehört, dagegen ist das Holz einer Art, die in dem vergleichsweisen feuchten Klima des südwestlichen Arizona's vorkommt, beträchtlich leichter, wie dasjenige einer Art, welche in dem trockeneren Klima Südkaliforniens heimisch ist.

Schliesslich sei noch bemerkt, dass die Rangordnung der nordamerikanischen Hölzer, welche auf Grund der nachfolgenden Tabelle aufgestellt wurde und für die kulturwürdigen Bäume an den betreffenden Stellen angegeben ist, nicht als unabänderlich richtig betrachtet werden darf, denn die Einschaltung einer Art oder mehrerer muss selbstverständlich eine Rangveränderung aller Arten von geringeren Werten zur Folge haben. Bereits ist die Zahl der bei dem Zensus von 1880 gekannten 412 Arten auf 430 Arten angeschwollen. Freilich sind die neu entdeckten Arten selten und unwichtig und von mehreren ist noch der Zweifel zu lösen, ob sie wirkliche Arten oder nur Spielarten sind, das würde aber nicht hindern, dass die Zensusbeamten eine veränderte tabellarische Rangordnung aufstellen müssten, wenn sie gegenwärtig ihre Arbeit in Angriff nähmen.

Ferner könnte sich die Rangstellung verändern, wenn eine grössere Zahl Holzproben jeder Art geprüft würde, die Durchschnittsresultate möchten dann vielleicht kleine Abweichungen zeigen. In anderen Worten: Gruppen von 20 bis 30 Arten, welche sich im Range folgen, mögen ihre Plätze mit einander wechseln. Die Erklärung liegt teilweise in dem Mangel an Gleichmässigkeit des Holzes jeder Art, teilweise in der Thatsache, dass, wo so viele Prüfungsresultate zwischen verhältnismässig enge Grenzen fallen, die Rangfolge sehr dem Zufalle ausgesetzt ist.

Spezifisches Gewicht, Prozentgehalt an Asche, verhältnismässiger Brennwert. Coefficient der Elastizität, Modulus der Bruchfestigkeit und Druckfestigkeit wie Widerstand der Pressung der nordamerikanischen Hölzer.

Art.	Spezifisches Gewicht.	Prozent der Asche.	Verhältnismässiger Brennwert.	Coefficient der Elastizität.	Modulus der Bruchfestigkeit.	Bruchbelastung auf Zerknicken in Längsrichtung. (Druckfestigkeit.)	Widerstand gegen den Eindruck.
1. Magnolia grandifolia	0,6360	0,53	0,6326	90330	792	482	197
2. „ glauca	0,5035	0,47	0,5011	91299	736	424	102
3. „ acuminata	0,4690	0,29	0,4676	92817	671	415	107
4. „ cordata	0,4139	0,32	0,4126	94073	600	410	89
5. „ macrophylla	0,5309	0,35	0,5290	116854	696	489	130
6. „ umbrella	0,4487	0,20	0,4478	74365	583	366	84
7. „ Fraseri	0,5003	0,28	0,4989	94462	707	418	123
8. Liriodendron tulipifera	0,4230	0,23	0,4220	92667	657	372	82
9. Asimina triloba	0,3969	0,21	0,3961	48179	391	212	69
10. Anona laurifolia	0,5053	4,86	0,4807	50113	607	302	127
11. Capparis jamaicensis	0,6971	4,76	0,6639	—	—	—	—
12. Canella alba	0,9893	1,75	0,9720	111698	1026	782	573
13. Clusia flora	—	—	—	—	—	—	—
14. Gordonia Lasianthus	0,4728	0,76	0,4692	79414	670	387	99
15. „ pubescens	—	—	—	—	—	—	—
16. Fremontia californica	0,7142	1,69	0,7021	—	—	—	—
17. Tilia americana	0,4525	0,55	0,4500	84010	589	348	63
18. „ heterophylla	0,4253	0,62	0,4227	84659	577	394	68
19. Byrsoniama lucida	0,5888	2,46	0,5743	52503	424	391	210
20. Guaicum sanctum	1,1432	0,82	1,1338	86324	787	737	793
21. Porliera angustifolia	1,1101	0,51	1,1044	—	—	—	—
22. Xanthoxylum americanum	0,5654	0,57	0,5622	—	—	—	—
23. „ Clava-Herculis	0,5056	0,82	0,5015	72577	640	449	159
24. „ caribaeum	0,9002	2,02	0,8820	86755	754	685	373
25. „ pterota	0,7444	0,78	0,7386	—	—	—	—
26. Ptelea trifoliata	0,8319	0,30	0,8294	—	—	—	—
27. Canotia holacantha	0,6885	5,33	0,6518	—	—	—	—
28. Simaruba glauca	0,4136	0,93	0,4098	93217	564	426	86
29. Bursera gummifera	0,3003	2,04	0,2942	41694	148	155	47
30. Amyris sylvatica	1,0459	0,59	1,0397	108507	1305	748	550
31. Swietenia mahagoni	0,7282	1,09	0,7203	106272	1003	666	309
32. Ximenia americana	0,9196	0,73	0,9129	—	—	—	—
33. Ilex opaca	0,5818	0,76	0,5774	64317	686	419	176
34. „ dahoon	0,4806	0,91	0,4762	64192	572	349	113
35. „ cassine	0,7270	0,87	0,7207	—	—	—	—
36. „ decidua	0,7420	0,70	0,7368	—	—	—	—

Art.	Spezifisches Gewicht.	Prozent der Asche.	Verhältnismässiger Brennwert.	Coefficient der Elastizität.	Modulus der Bruchfestigkeit.	Bruchbelastung auf Zerknicken in Längsrichtung. (Druckfestigkeit.)	Widerstand gegen den Eindruck.
37. Cyrilla racemiflora	0,6784	0,42	0,6756	48828	314	—	—
38. Cliftonia ligustrina	0,6249	0,42	0,6223	78250	526	371	147
39. Evonymus atropurpureus	0,6592	0,58	0,6554	—	—	—	—
40. Myginda pallens	0,9048	3,42	0,8739	—	—	—	—
41. Schaefferia frutescens	0,7745	2,54	0,7548	—	—	—	—
42. Reynosia latifolia	1,0715	3,20	1,0372	105005	820	839	639
43. Condalia ferrea	1,3020	8,31	1,1938	114316	904	803	649
44. „ obovata	1,1999	7,03	1,1155	—	—	—	—
45. Rhamnus caroliniana	0,5462	0,64	0,5427	74084	567	444	136
46. „ californica	0,6000	0,58	0,5965	—	—	—	—
47. „ Purshiana	0,5672	0,67	0,5634	91268	750	621	192
48. Ceanothus thyrsiflorus	0,5750	0,69	0,5710	—	—	—	—
49. Colubrina reclinata	0,8208	1,75	0,8064	97656	1216	—	—
50. Aesculus glabra	0,4552	0,86	0,4503	64438	494	313	71
51. „ flava	0,4274	1,00	0,4231	—	—	—	—
52. „ californica	0,4980	0,70	0,4945	68216	635	355	108
53. Ungnadia speciosa	0,6332	1,17	0,6258	—	—	394	149
54. Sapindus marginatus	0,8126	1,50	0,8004	83681	843	470	272
55. „ saponaria	0,8367	4,34	0,8004	—	—	—	—
56. Hypelate paniculata.	0,9533	1,25	0,9414	111144	1190	666	—
57. „ trifoliata	0,9102	1,38	0,8976	—	—	439	384
58 Acer pennsylvanicum	0,5299	0,36	0,5280	—	—	—	—
59. „ spicatum	0,5330	0,43	0,5307	—	—	—	—
60. „ macrophyllum	0,4909	0,54	0,4882	78032	684	381	162
61. „ circinatum	0,6660	0,39	0,6634	71810	766	459	200
62. „ glabrum	0,6028	0,30	0,6010	—	—	—	—
63. „ grandidentatum	0,6902	0,64	0,6858	—	—	—	—
64. „ saccharatum							
64a. „ „ var.	0,6912	0,54	0,6875	146108	1149	619	257
nigrum	0,6915	0,71	0,6866	102726	962	550	252
65. „ dasycarpum	0,5269	0,33	0,5252	110973	1019	482	181
66. „ rubrum	0,6178	0,37	0,6155	94284	811	463	176
66a. „ „ var. Drummondii	0,5459	0,34	0,5440	—	—	—	—
67. Negundo aceroides	0,4328	1,07	0,4282	58156	529	322	111
68. „ californicum	0,4821	0,54	0,4795	94537	796	442	107
69. Rhus cotinoides	0,6425	0,50	0,6393	—	—	—	—
70. „ typhina	0,4357	0,50	0,4335	—	—	—	—
71. „ copallina	0,5273	0,60	0,5241	73647	663	377	109
72. „ venenata	0,4382	0,64	0,4354	—	—	—	—
73. „ metopium	0,7917	2,39	0,7728	105007	656	533	209

Art.	Spezifisches Gewicht.	Prozent der Asche.	Verhältnismässiger Brennwert.	Coefficient der Elastizität.	Modulus der Bruchfestigkeit.	Bruchbelastung auf Zerknicken in Längsrichtung (Druckfestigkeit.)	Widerstand gegen den Eindruck.
74. Pistacia mexicana	—	—	—	—	—	—	—
75. Eysenhardtia orthocarpa	0,8740	1,28	0,8628	—	—	—	—
76. Dalea spinosa	0,5536	4,04	0,5312	—	—	—	—
77. Robinia Pseudo-Acacia	0,7333	0,51	0,7296	129238	1273	694	258
78. „ viscosa	0.8094	0,20	0,8078	—	—	—	—
79. „ neo-mexicana	0,8034	0,60	0,7986	114889	909	683	271
80. Olneya tesota	1,0602	2,29	1,0359	86822	750	366	655
81. Piscidia Erythrina	0,8734	3,38	0,8439	85079	752	597	337
82. Cladrastis tinctoria	0,6278	0,28	0,6260	100226	902	534	183
83. Sophora secundiflora	0,9842	1,59	0,9686	—	—	—	—
84. „ affinis	0,8509	0,78	0,8443	97694	811	570	334
85. Gymnocladus canadensis	0,6934	0,67	0,6888	104822	771	400	160
86. Gleditschia triacanthos	0,6740	0,80	0,6686	108579	923	500	168
87. „ monosperma	0,7342	0,73	0,7288	116991	1027	584	276
88. Parkinsonia torreyana	0,6531	1,12	0,6458	55839	546	417	226
89. „ aculeata	0,7449	3,64	0,7178	—	—	—	—
90. „ microphylla	0,6116	2,32	0,5974	—	—	—	—
91. Cercis canadensis	0,6363	0,72	0,6317	68798	726	469	182
92. „ reniformis	0,7513	0,77	0,7455	—	—	—	—
93. Prosopis juliflora	0,7652	2,18	0,7485	58297	485	588	343
94. „ pubescens	0,7609	0,95	0,7537	82424	894	671	329
95. Leucaena glauca	0,9235	3,29	0,8931	—	—	—	—
96. „ pulverulenta	0,6732	1,01	0,6664	—	—	—	—
97. Acacia Wrightii	0,9392	0,63	0,9333				
98. „ Greggii	0,8550	0,91	0,8472	108507	792	743	—
99. „ Berlandieri	—	—	—	—	—	—	—
100. Lysiloma latisiliqua	0,6418	2,12	0,6282	46064	553	481	171
101. Pithecolobium Unguis-cati	0,9049	2,46	0,8826	—	—	—	—
102. Chrysobalanus icaco	0,7709	0,87	0,7642	110973	961	—	221
103. Prunus americana	0,7215	0,18	0,7202	82659	864	588	213
104. „ angustifolia	0,6884	0,28	0,6865	60281	468	402	133
105. „ pensylvanica	0,5053	0,40	0,5003	—	—	407	103
106. „ umbellata	0,8202	0,12	0,8192	—	—	498	342
107. „ emarginata var. mollis	0,4502	0,21	0,4493	86055	697	460	80
108. „ serotina	0,5822	0,15	0,5813	85333	829	547	204
109. „ capoli	0,7879	0,20	0,7863	—	—	538	272
110. „ demissa	0,6951	0,50	0,6916	76895	691	510	246
111. „ caroliniana	0,8688	0,41	0,8652	83727	928	562	318
112. „ sphaerocarpa	0,8998	0,87	0,8920	—	—	—	—
113. „ ilicifolia	0,9803	0,78	0.9727	73201	782	544	305

Art.	Spezifisches Gewicht.	Prozent der Asche.	Verhältnismässiger Brennwert.	Coefficient der Elastizität.	Modulus der Bruchfestigkeit.	Bruchbelastung auf Zerknicken in Längsrichtung. (Druckfestigkeit.)	Widerstand gegen den Eindruck.
114. Vanquelinia Torreyi	1,1374	1,45	1,1209	—	—	—	—
115. Cercocarpus ledifolius	1,0731	1,04	1,0619	—	—	655	480
116. „ parvifolius	0,9365	0,45	0,9329	—	—	—	—
117. Pirus coronaria	0,7048	0,52	0,7011	64241	485	419	250
118. „ angustifolia	0,6895	0,33	0,6872	—	—	—	—
119. „ rivularis	0,8316	0,41	0,8282	—	—	—	—
120. „ americana	0,5451	0,83	0,5406	—	—	380	117
121. „ sambucifolia	0,5928	0,35	0,5908	62600	445	383	107
122. Crataegus rivularis	0,7703	0,35	0,7676	—	—	—	—
123. „ Douglasii	0,6950	0,33	0,6927	—	—	—	—
124. „ brachyacantha	0,6793	0,42	0,6764	—	—	—	—
125. „ arborescens	0,6491	0,56	0,6454	78837	621	498	184
126. „ Crus-galli	0,7194	0,56	9,7154	66436	654	430	210
127. „ coccinea	0,8618	0,38	0,8585	—	—	—	—
128. „ subvillosa	0,7953	0,69	0,7898	90023	738	538	263
129. „ tomentosa	0,7585	0,52	0,7546	73160	709	445	240
130. „ cordata	0,7293	0,46	0,7259	—	—	—	—
131. „ apiifolia	0,7453	0,97	0,7381	—	—	—	—
132. „ spathulata	0,7159	0,66	0,7112	67349	506	455	218
133. „ berberifolia	—	—	—	—	—	—	—
134. „ aestivalis	0,6564	0,57	0,6527	59185	712	445	224
135. „ flava	0,7809	0,79	0,7747	—	—	—	—
136. Heteromeles arbutifolia	0,9326	0,54	0,9276	—	—	—	—
137. Amelanchier canadensis	0,7838	0,55	0,7795	119677	1132	670	280
138. Hamamelis virginica	0,6856	0,37	0,6831	—	—	—	—
139. Liquidambar styraciflua	0,5909	0,61	0,5873	86388	651	466	132
140. Rhizophora mangle	1,1617	1,82	1,1416	165557	1207	860	462
141. Conocarpus erecta	0,9900	0,32	0,9868	102411	942	599	370
142. Lagun cularia racemosa	0,7137	1,62	0,7021	72396	518	449	149
143. Calyptranthes chytraculia	0,8992	3,32	0,8693	—	—	—	—
144. Eugenia buxifolia	0,9360	1,50	0,9220	157510	1055	887	396
145. „ dichotoma	0,8983	0,74	0,8917	—	—	—	—
146. „ monticola	0,9156	1,89	0,8983	108507	1172	553	408
147. „ longipeles	1,1235	3,48	1,0844	—	—	—	—
148. „ procera	0,9453	2,62	0,9205	119111	1176	672	444
149. Cercus giganteus	0,3188	3,45	0,3078	—	—	—	—
150. Cornus alternifolia	0,6696	0,41	0,6669	—	—	—	—
151. „ florida	0,8153	0,67	0,8098	82112	904	534	305
152. „ Nuttallii	0,7481	0,50	0,7444	103081	991	663	242
153. Nyssa capitata	0,4613	0,34	0,4597	68083	682	431	155
154. „ sylvatica	0,6356	0,52	0,6323	81832	830	468	196

Art.	Spezifisches Gewicht.	Prozent der Asche.	Verhältnismässiger Brennwert.	Coefficient der Elastizität.	Modulus der Bruchfestigkeit.	Bruchbelastung auf Zerknicken in Längsrichtung. (Druckfestigkeit.)	Widerstand gegen den Eindruck.
155. Nyssa uniflora	0,5194	0,70	0,5158	51678	655	365	161
156. Sambucus glauca	0,5087	1,57	0,5007	30517	370	275	138
157. „ mexicana	0,4614	2,00	0,4522	—	—	—	—
158. Viburnum Lentago	0,7303	0,29	0,7282	—	—	555	—
159. „ prunifolium	0,8332	0,52	0,8289	90654	951	592	313
160. Exostema caribaeum	0,9310	0,23	0,9289	119357	1005	751	481
161. Pinckneya pubens	0,5350	0,41	0,5328	68291	405	272	105
162. Genipa clusiaefolia	1,0316	1,06	1,0207	—	—	—	—
163. Guettarda elliptica	0,8337	1,05	0,8250	—	—	—	—
164. Vaccinium arboreum	0,7610	0,39	0,7580	—	—	399	279
165. Andromeda ferruginea	0,7500	0,46	0,7465	81380	679	487	225
166. Arbutus Menziesii	0,7052	0,40	0,7024	83834	907	502	207
167. „ xalapensis	0,7099	0,26	0,7081	61577	618	401	247
168. „ texana	0,7500	0,51	0,7462	—	—	—	—
169. Oxydendrum arboreum	0,7458	0,37	0,7430	88851	728	501	201
170. Kalmia latifolia	0,7160	0,41	0,7131	58484	639	430	262
171. Rhododendron maximum	0,6303	0,36	0,6280	64578	603	439	191
172. Myrsine rapanea	0,8341	0,81	0,8271	—	—	—	—
173. Ardisia Pickeringia	0,8602	1,84	0,8444	—	—	—	—
174. Jacquinia armillaris	0,6948	3,45	0,6708	—	—	—	—
175. Chrysophyllum olivaeforme	0,9360	1,24	0,9244	112424	857	598	382
176. Sideroxylon mastichodendron	1,0109	5,14	0,9589	109948	970	650	355
177. Dipholis salicifolia	0,9316	0,32	0,9286	133593	1148	730	274
178. Bumelia tenax	0,7293	0,78	0,7236	75120	673	452	181
179. „ lanuginosa	0,6544	1,23	0,6464	48334	387	362	160
180. „ spinosa	0,6603	1,24	0,6521	—	—	—	—
181. „ lycioides	0,7467	0,81	0,7407	78125	562	489	220
182. „ cuneata	0,7959	1,90	0,7808	60281	515	478	286
183. Mimusops Sieberi	1,0838	2,61	1,0555	100226	914	460	375
184. Diospyros virginiana	0,7908	0,96	0,7832	78234	879	503	324
185. „ texana	0,8460	3,33	0,8178	—	—	—	—
186. Symplows tinctoria	0,5325	0,68	0,5289	62202	619	384	159
187. Halesia diptera	0,5705	0,42	0,5681	68321	857	434	197
188. „ tetraptera	0,5628	0,40	0,5605	—	—	—	—
189. Fraxinus Greggii	0,7904	0,93	0,7830	—	—	—	—
190. „ anomala	0,6597	0,85	0,6541	—	—	—	—
191. „ pistaciaefolia	0,6810	0,62	0,6768	60119	622	385	210
192. „ americana	0,6543	0,42	0,6516	101668	861	463	171
192 a. „ „ var. texensis	0,7636	0,70	0,7583	108174	1125	541	198

Art.	Spezifisches Gewicht.	Prozent der Asche.	Verhältnismässiger Brennwert.	Coefficient der Elastizität.	Modulus der Bruchfestigkeit.	Bruchbelastung auf Zerknicken in Längsrichtung. (Druckfestigkeit.)	Widerstand gegen den Eindruck.
193. Fraxinus pubescens	0,6251	0,26	0,6235	81222	869	435	204
194. „ viridis	0,7117	0,65	0,7071	90313	895	482	220
195. „ platycarpa	0,3541	0,73	0,3515	47637	536	251	138
196. „ quadrangulata	0,7184	0,78	0,7128	77439	811	499	222
197. „ oregana	0,5731	0,34	0,5712	84818	665	520	166
198. „ sambucifolia	0,6318	0,72	0,6273	87185	806	423	194
199. Forestiera acuminata	0,6345	0,72	0,6299	70282	717	401	170
200. Chionanthus virginica	0,6372	0,51	0,6340	—	—	—	—
201. Osmanthus americanus	0,8111	0,46	0,8074	123133	1051	547	247
202. Cordia sebestena	0,7108	4,22	0,6808				
203. „ Boissieri	0,6790	3,53	0,6550				
204. Bourreria havanensis	0,8073	2,79	0,7848	99649	944	575	294
205. Ehretia elliptica	0,6440	1,32	0,6355	39697	721	387	229
206. Catalpa bignonioides	0,4474	0,38	0,4457	68161	590	364	77
207. „ speciosa	0,4165	0,39	0,4149	82156	635	407	86
208. Chilopsis saligna	0,5902	0,37	0,5880	54421	578	297	144
209. Crescentia cucurbitina	0,6319	1,35	0,6234	—	—	—	—
210. Citharexylum villosum	0,8710	0,52	0,8665	125717	937	689	308
211. Avicennia nitida	0,9138	2,51	0,8909	—	—	—	—
212. Pisonia obtusata	0,6529	7,62	0,6031	46503	297	310	108
213. Coccoloba floridana	0,9835	5,03	0,9340	113538	918	771	394
214. „ avifera	0,9635	1,37	0,9503	—	—	258	—
215. Persea carolinensis	0,6429	0,76	0,6380	83900	902	573	199
216. Nectandra Willdenowia	0,7693	0,60	0,7647	—	—	—	—
217. Sassafras officinale	0,5042	0,10	0,5037	51910	602	382	134
218. Umbellularia californica	0,6517	0,39	0,6492	106766	806	568	199
219. Drypetes erocea	0,9209	6,14	0,8644	103890	796	650	362
220. Sebastiana lucida	1,0905	2,78	1,0602	—	—	—	—
221. Hippomane mancinella	0,5772	5,16	0,5474				
222. Ulmus crassifolia	0,7245	1,20	0,7158	70399	773	453	255
223. „ fulva	0,6956	0,83	0,6898	95274	869	539	150
224. „ americana	0,6506	0,80	0,6454	74742	852	446	170
225. „ racemosa	0,7263	0,60	0,7219	109628	1066	592	205
226. „ alata	0,7491	0,99	0,7417	52323	724	449	255
227. Planera aquatica	0,5294	0,45	0,5270	55167	621	394	146
228. Celtis occidentalis	0,7287	1,09	0,7208	68527	789	421	217
229. Ficus aurea	0,2616	5,03	0,2484	25699	239	162	61
230. „ brevifolia	0,6398	4,36	0,6119	—	—	—	—
231. „ pedunculata	0,4739	4,92	0,4506	40690	230	281	119
232. Morus rubra	0,5898	0,71	0,5856	82377	775	420	178
233. „ microphylla.	0,7715	0,68	0,7663	—	—	—	—

Art.	Spezifisches Gewicht.	Prozent der Asche.	Verhältnismässiger Brennwert.	Coefficient der Elastizität.	Modulus der Bruchfestigkeit.	Bruchbelastung auf Zerknicken in Längsrichtung. (Druckfestigkeit.)	Widerstand gegen den Eindruck.
234. Maclura aurantiaca	0,7736	0,68	0,7683	94373	1131	809	363
235. Platanus occidentalis	0,5678	0,46	0,5652	86402	635	450	165
236. " racemosa	0,4880	1,11	0,4826	62401	562	324	93
237. " Wrightii	0,4736	1,35	0,4672	45644	428	327	117
238. Juglans cinerea	0,4086	0,51	0,4065	81253	597	392	90
239. " nigra	0,6115	0,79	0,6067	109200	856	583	196
240. " rupestris	0,6554	1,01	0,6488	72632	600	437	182
241. Carya olivaeformis	0,7180	1,13	0,7099	66646	578	434	232
242. " alba	0,8372	0,73	0,8311	138839	1200	625	271
243. " sulcata	0,8108	0,90	0,8035	103884	1083	559	288
244. " tomentosa	0,8218	1,06	0,8131	114995	1129	593	277
245. " porcina	0,8217	0,99	0,8136	103300	1046	577	301
246. " amara	0,7552	1,03	0,7474	102986	1101	522	242
247. " myristicaeformis	0,8016	1,06	0,7931	146484	1394	638	315
248. " aquatica	0,7407	1,27	0,7313	101261	884	486	274
249. Myrica cerifera	0,5637	0,51	0,5608	88778	815	445	144
250. " californica	0,6703	0,33	0,6681	99161	1036	532	188
251. Quercus alba	0,7470	0,41	0,7439	97089	905	511	213
252. " lobata	0,7409	0,30	0,7387	71664	864	424	188
253. " garryana	0,7453	0,39	0,7424	81109	879	505	240
254. " obtusiloba	0,8367	0,79	0,8301	83257	872	487	276
255. " undulata var. Gambellii	0,8407	0,99	0,8324	57162	680	417	255
256. " macrocarpa	0,7453	0,71	0,7400	92929	982	491	233
257. " lyrata	0,8313	0,65	0,8259	133438	1025	492	252
258. " bicolor	0,7662	0,58	0,7618	90636	909	490	221
259. " Michauxii	0,8039	0,45	0,8003	96373	1118	482	233
260. " Prinus	0,7499	0,77	0,7441	125473	1031	538	230
261. " prinoides	0,8605	1,14	0,8507	112461	1238	575	264
262. " Douglasii	0,8928	0,84	0,8853	77166	993	557	374
263. " oblongifolia	0,9441	2,61	0,9195	85739	719	434	439
264. " grisea	1,0092	1,82	0,9908	73982	937	479	364
265. " reticulata	0,9479	0,52	0,9430	—	—	—	—
266. " Durandii	0,9507	1,78	0,9338	83766	993	534	308
267. " virens	0,9501	1,14	0,9393	113627	1017	547	324
268. " chrysolepis	0,8493	0,60	0,8442	119810	1268	545	317
269. " Emoryi	0,9263	2,36	0,9044	63828	703	422	415
270. " agrifolia	0,8253	1,28	0,8147	95276	935	463	235
271. " Weslizeni	0,7855	1,02	0,7775	86055	818	533	272
272. " rubra	0,6540	0,26	0,6523	112798	990	511	177
273. " coccinae	0,7405	0,19	0,7391	108507	1054	504	202

Art.	Spezifisches Gewicht.	Prozent der Asche.	Verhältnismässiger Brennwert.	Coefficient der Elastizität.	Modulus der Bruchfestigkeit.	Bruchbelastung auf Zerknicken in Längsrichtung. (Druckfestigkeit.)	Widerstand gegen den Eindruck.
274. Quercus tinctoria	0,7045	0,28	0,7025	103427	1041	501	202
275. „ Kelloggii	0,6435	0,26	0, 418	74488	768	449	174
276. „ nigra	0,7324	1,16	0,7239	97656	1043	497	286
277. „ falcata	0,6928	0,25	0,6911	140151	1193	596	201
278. „ Catesbaei	0,7294	0,87	0,7231	103468	1046	457	228
279. „ palustris	0,6938	0,81	0,6882	112296	1090	491	190
280. „ aquatica	0,7244	0,51	0,7207	122657	1052	501	198
281. „ laurifolia	0,7673	0,82	0,7610	125916	1181	526	253
282. „ heterophylla	0,6834	0,17	0,6822	122494	1073	412	182
283. „ cinerea	0,6420	1,21	0,6342	75120	993	448	201
284. „ hypoleuca	0,8009	1,34	0,7902	94409	1113	293	272
285. „ imbricaria	0,7529	0,43	0,7497	119357	1218	552	226
286. „ Phellos	0,7472	0,50	0,7435	78440	989	390	216
287. „ densiflora	0,6827	1,49	0,6725	96347	946	475	224
288. Castanopsis chrysophylla	0,5574	0,35	0,5554	101195	741	435	119
289. Castanea pumila	0,5887	0,12	0,5880	114108	991	495	118
290. „ americana	0,4504	0,18	0,4496	85621	696	381	106
291. Fagus ferruginea	0,6883	0,51	0,6848	120996	1148	478	196
292. Ostrya virginica	0,8284	0,50	0,8243	137279	1134	542	231
293. Carpinus caroliniana	0,7286	0,83	0,7226	114881	1149	498	213
294. Betula alba var. populifolia	0,5760	0,29	0,5743	72960	778	348	129
295. „ papyrifera	0,5955	0,25	0,5940	130557	1065	487	126
296. „ occidentalis	0,6030	0,30	0,6012	92424	806	391	127
297. „ lutea	0,6553	0,31	0,6533	161723	1248	619	161
298. „ nigra	0,5762	0,35	0,5742	111322	972	438	132
299. „ lenta	0,7617	0,26	0,7597	141398	1216	619	226
300. Alnus maritima	0,4996	0,39	0,4977	—	—	—	129
301. „ rubra	0,4813	0,42	0,4793	106046	811	415	117
302. „ rhombifolia	0,4127	0,31	0,4104	84580	682	356	78
303. „ oblongifolia	0,3981	0,42	0,3964	76937	686	278	74
304. „ serrulata	0,4666	0,38	0,4648	—	—	—	—
305. „ incana	0,4607	0,42	0,4588	108507	820	289	—
306. Salix nigra	0,4456	0,70	0,4425	39026	424	213	93
307. „ amygdaloides	0,4509	0,92	0,4468	50144	550	264	81
308. „ laevigata	0,4872	0,58	0,4844	48828	644	319	118
309. „ lasiandra	0,4756	0,60	0,4727	—	—	—	—
310. „ longifolia	0,4930	0,48	0,4906	—	—	—	—
311. „ sessilifolia	0,4397	0,50	0,4375	—	—	—	—
312. „ discolor	0,4261	0,43	0,4243	—	—	—	—
313. „ flavescens	0,4969	0,61	0,4939	108507	808	408	98

Art.	Spezifisches Gewicht.	Prozent der Asche.	Verhältnismässiger Brennwert.	Coefficient der Elastizität.	Modulus der Bruchfestigkeit.	Bruchbelastung auf Zerknicken in Längsrichtung. (Druckfestigkeit.)	Widerstand gegen den Eindruck.
314. Salix Hookeriana	0,5350	0,32	0,5333	—	—	427	111
315. „ cordata var. vestita	0,6069	0,59	0,6033	—	—	—	—
316. „ lasiolepis	0,5587	0,98	0,5532	88778	813	385	140
317. „ sitchensis	0,5072	0,59	0,5042	—	—	—	—
318. Populus tremuloides	0,4032	0,55	0,4010	81441	677	330	80
319. „ grandidentata	0,4632	0,45	0,4611	96327	721	358	62
320. „ heterophylla	0,4089	0,81	0,4056	72338	642	283	86
321. „ balsamifera	0,3635	0,66	0,3611	85690	550	320	75
322. „ angustifolia	0,3912	0,79	0,3881	45847	400	271	76
323. „ trichocarpa	0,3814	1,27	0,3766	111694	665	390	63
324. „ monilifera	0,3889	0,96	0,3852	99417	770	353	83
325. „ Fremontii	0,4914	0,77	0,4876	105116	698	378	86
326. Libocedrus decurrens	0,4017	0,08	0,4014	84729	682	403	98
327. Thuja occidentalis	0,3164	0,37	0,3152	53311	512	306	60
328. „ gigantea	0,3796	0,17	0,3790	103372	749	450	70
329. Chamaecyparis sphaeroidea	0,3323	0,93	0,3311	40410	456	259	67
330. „ nutkaensis	0,4782	0,34	0,4766	102881	801	455	101
331. „ Lawsoniana	0,4621	0,10	0,4616	121772	888	466	82
332. Cupressus macrocarpa	0,6261	0,57	0,6225	107327	1045	—	237
333. „ Goveniana	0,4689	0,45	0,4668	49941	539	359	178
334. „ Macnabiana	—	—	—	—	—	—	—
335. „ guadalupensis	0,4843	0,44	0,4822	—	—	—	—
336. Juniperus californica	0,6282	0,75	0,6235	—	—	—	—
337. „ pachyphloea	0,5829	0,11	0,5823	61275	761	—	—
338. „ occidentalis	0,5765	0,12	0,5758	—	—	—	—
339. „ virginiana	0,4926	0,13	0,4920	66692	740	416	148
340. Taxodium distichum	0,4543	0,42	0,4524	103206	682	423	81
341. Sequoia gigantea	0,2882	0,50	0,2868	45146	459	388	68
342. Sequoia sempervirens	5,4208	0,14	0,4202	67646	597	416	77
343. Taxus brevifolia	0,6391	0,22	0,6377	76133	1078	483	264
344. „ floridana	0,6340	0,21	0,6327	—	—	—	—
345. Toreya taxifolia	0,5145	0,73	0,5107	82833	837	460	158
346. „ californica	0,4760	1,34	0,4696	40146	583	351	122
347. Pinus strobus	0,3854	0,19	0,3847	85093	626	339	74
348. „ monticola	0,3908	0,23	0,3899	95068	609	334	67
349. „ Lambertiana	0,3684	0,22	0,3676	79375	597	336	78
350. „ flexilis	0,4358	0,28	0,4346	67531	624	349	108
351. „ albicaulis	0,4165	0,27	0,4154	38147	581	331	107
352. „ reflexa	0,4877	0,26	0,4864	91287	770	489	128
353. „ Parryana	0,5675	0,54	0,5644	37783	426	339	195

Art.	Spezifisches Gewicht.	Prozent der Asche.	Verhältnismässiger Brennwert.	Coefficient der Elastizität.	Modulus der Bruchfestigkeit.	Bruchbelastung auf Zerknicken in Längsrichtung. (Druckfestigkeit.)	Widerstand gegen den Eindruck.
354. Pinus cembroides	0,6512	0,90	0,6453	—	—	—	—
355. „ edulis	0,6388	0,62	0,6348	42094	447	349	212
356. „ monophylla	0,5658	0,68	0,5620	43488	288	274	169
357. „ Balfouriana	0,5434	0,40	0,5412	59386	424	337	147
358. „ resinosa	0,4854	0,27	0,4841	113216	800	455	85
359. „ Torreyana	0,4879	0,35	0,4862	54213	756	290	147
360. „ arizonica	0,5038	0,20	0,5028	82370	653	381	105
361. „ ponderosa	0,4715	0,35	0,4698	88731	720	381	107
362. „ Jeffreyi	0,5206	0,26	0,5192	92777	744	417	116
363. „ chihuahuana	0,5457	0,39	0,5436	72575	832	337	154
364. „ contorta	0,5815	0,19	0,5804	158533	993	554	149
365. „ Murrayana	0,4096	0,32	0,4083	77113	564	333	86
366. „ Sabiniana	0,4840	0,40	0,4821	58517	779	337	138
367. „ Coulteri	0,4163	0,37	0,4118	114108	761	367	92
368. „ insignis	0,4574	0,30	0,4560	97850	740	417	105
369. „ tuberculata	0,3499	0,33	0,3487	42870	409	263	86
370. „ taeda	0,5441	0,26	0,5427	112847	883	427	107
371. „ rigida	0,5151	0,23	0,5139	58127	739	355	133
372. „ serotina	0,7942	0,17	0,7928	116957	1164	505	296
373. „ inops	0,5309	0,30	0,5293	54295	658	360	156
374. „ clausa	0,5576	0,31	0,5559	54295	502	377	131
375. „ pungens	0,4935	0,27	0,4922	80330	726	354	115
376. „ muricata	0,4942	0,20	0,4929	119357	1031	509	122
377. „ mitis	0,6104	0,29	0,6086	137495	1038	477	129
378. „ glabra	0,3931	0,45	0,3913	44750	496	288	106
379. „ Banksiana	0,4761	0,23	0,4750	94231	652	396	101
380. „ palustris	0,6999	0,25	0,6982	148733	1152	629	153
381. „ cubensis	0,7504	0,26	0,7484	157747	1172	664	186
382. Picea nigra	0,4584	0,27	0,4572	109987	747	407	77
383. „ alba	0,4051	0,32	0,4038	102280	747	343	74
384. „ Engelmanni	0,3449	0,32	0,3438	80791	574	267	76
385. „ pungens	0,3740	0,38	0,3726	55360	454	258	79
386. „ sitchensis	0,4287	0,17	0,4280	99001	649	353	73
387. Tsuga canadensis	0,4239	0,46	0,4220	89970	736	384	82
388. „ caroliniana	0,4275	0,40	0,4258	71282	461	403	125
389. „ Mertensiana	0,5182	0,42	0,5160	137483	909	547	101
390. „ Pattoniana	0,4454	0,44	0,4434	77524	719	379	104
391. Pseudotsuga Douglasii	0,5157	0,08	0,5153	128297	881	519	100
391 a. „ Douglasii var. macrocarpa	0,4563	0,08	0,4559	105007	846	463	102

Art	Spezifisches Gewicht.	Prozent der Asche.	Verhältnismässiger Brennwert.	Coefficient der Elastizität.	Modulus der Bruchfestigkeit.	Bruchbelastung auf Zerknicken in Längsrichtung. (Druckfestigkeit.)	Widerstand gegen den Eindruck.
392. Abies Fraseri	0,3565	0,54	0,3546	97170	639	347	65
393. „ balsamea	0,3819	0,45	0,3802	81924	515	365	75
394. „ subalpina	0,3476	0,44	0,3461	76199	473	302	64
395. „ grandis	0,3545	0,49	0,3528	95838	494	391	51
396. „ concolor	0,3638	0,85	0,3607	90889	703	390	78
397. „ bracteata	0,6783	2,04	0,6645	—	—	—	—
398. „ amabilis	0,4228	0,23	0,4218	126013	792	467	64
399. „ nobilis	0,4561	0,34	0,4545	127660	862	453	120
400. „ magnifica	0,4701	0,30	0,4687	66220	701	435	96
401. Larix americana	0,6236	0,33	0,6215	126126	901	536	112
402. „ occidentalis	0,7407	0,09	0,7400	165810	1227	689	139
403. „ Lyallii	—	—	—	—	—	—	—
404. Sabal palmetto	0,4404	7,66	0,4067	—	—	—	—
405. Washingtonia filifera	0,5173	1,89	0,5075	56346	429	227	66
406. Thrinax parviflora	0,5991	3,99	0,5752	—	—	—	—
407. „ argentea	0,7172	3,01	0,6956	—	—	—	—
408. Oreodoxia regia	0,6034	2,21	0,5901	—	—	—	—
409. Yucca canaliculata	0,6677	6,27	0,6258	—	—	—	—
410. „ brevifolia	0,3737	4,00	0,3588	—	—	—	—
411. „ elata	0,4470	9,28	0,4055	—	—	—	—
412. „ baccata	0,2724	8,94	0,2480	—	—	—	—

Die Beurteilung der Farbhölzer.

In Dinglers polytechnischem Journal gab Dr. R. von Höhnel eine Anleitung zur Beurteilung der Farbhölzer, die so belehrend ist, dass ich sie wörtlich wiedergebe, indem ich nur zum bessern Verständnis einige Fremdwörter verdeutsche. Ich schicke voraus, dass es jedenfalls auf einem Irrtum beruht, wenn von rotem Sandelholz oder Sandersholz, indischem und afrikanischem, ausserdem von Camholz gesprochen wird. Ich bitte darüber in dem Abschnitt über die Farbhölzer nachzulesen.

Zur beiläufigen Orientierung sei bemerkt, dass der ganze Holzkörper der Farbhölzer — für gegenwärtigen Zweck betrachtet — aus Parenchym (Füllgewebe), Holzfasern, Markstrahlen und Gefässen besteht. Die Markstrahlen erscheinen auf dem Querschnitt manchmal schon dem freien Auge, immer aber bei einer 4 bis 5maligen Lupenvergrösserung als zarte, matte, gleichlaufende Linien, die in einer meist dunkleren, festen Grundmasse, die aus Holzfasern zusammengesetzt ist, eingebettet sind. Die Richtung der Markstrahlen ist die radiale. Ein in dieser Richtung geführter Längsschnitt heisst Radialschnitt. Senkrecht auf der radialen Richtung — tangential — verlaufen auf dem Querschnitt andere feine, meist etwas wellige Linien, welche die Grenzen der Jahresringe darstellen. Der auf dem Radialschnitt senkrecht geführte Längsschnitt heisst Tangentialschnitt; er durchschneidet alle Markstrahlen quer, während sie der Radialschnitt ihrer Länge nach bloslegt. Die Holzfasern und Gefässe erscheinen auf dem Querschnitte im senkrechten Durchschnitte. Erstere stellen gewissermassen die Grundmasse des Holzes dar; sie bedingen die Festigkeit des Holzkörpers und erscheinen auf dem Querschnitt als dunklere, feste, geschlossene Gewebemassen, in welche die meist hellen Parenchymmassen als Flecken von rundlicher oder tangential quergestreckter Gestalt oder als zusammenhängende, tangentiale, schmale Bänder oder Streifen eingebettet sind. In diese durch ihre Anordnung meist sehr charakteristischen Parenchymmassen sind nun die Gefässe als hohle, der Länge des Holzkörpers nach gerichtete Röhren eingelagert.

Hat man einen auch nur kleinen Splitter des Holzes, so gelingt es mit Hilfe der leicht herzustellenden Querschnittsfläche, ohne weiteres genau orientierte Radialschnitte und Tangentialschnitte zu führen, ebenso gerichtete Spaltungsflächen zu erzeugen und sich so in den Besitz aller jener Kardinalansichten des Holzkörpers zu versetzen, welche für die Ausführung der folgenden Untersuchungen notwendig erscheinen.

Schon eine vorläufige Untersuchung der Querschnitte mit der Lupe zeigt, dass sich die Farbe- und nächst verwandten ähnlichen Hölzer in eine Anzahl von Gruppen teilen, die bezüglich des Baues scharf von einander getrennt und zu unterscheiden sind, innerhalb welcher aber eine sichere Unterscheidung mit grösseren Schwierigkeiten verbunden ist.

Diese Gruppen sind: 1. Blauholz; 2. die minderen Rotholzsorten aus Amerika: Lima-Costarica-, Santa Martha-Rotholz u. A.; 3) Pernambukholz, Sapanholz und Coulteriaholz; 4. rotes Sandelholz (Caliaturholz, Sandersholz), indisches und afrikanisches; 5. Camholz; 6. Fustik; 7. Sauerdorn; 8. Fisetholz.

Alle diese Gruppen sind schon ohne Zuhilfenahme des Mikroskops zu unterscheiden. Nur das Blauholz ist von den minderen Rotholzsorten, was den mit der Lupe erkennbaren Bau allein anbetrifft, manchmal nicht leicht zu trennen.

1. Gruppe.

Mit freiem Auge sind am Querschnitt die Markstrahlen zum Teil eben noch sichtbar, ferner eine dunkelbraune bis schwarze Grundmasse, in welcher mattrote Punkte, Striche und Streifen liegen, die Gefässquerschnitte als solche sind meist nicht zu sehen. An andern Stellen oder Sorten (Domingoblauholz besonders) nimmt das matte Parenchymgewebe überhand und kann schliesslich die Grundmasse bilden, in welcher das Holzfasergewebe in Form kleiner Flecke eingelagert ist. An solchen Stellen sind die Gefässe auch etwas weiter und als Holzröhren deutlich zu sehen.

Auf dem Tangential- und Radialschnitte sind die Gefässe noch deutlich als Halbröhren erkennbar, was bei dem Pernambukholz nicht mehr der Fall ist. Auf dem Tangentialschnitte ist von den Markstrahlen gar nichts zu sehen. Dieselben erscheinen radial als Querbänder von sehr verschiedener Breite, welche heller und glänzend sind. Die breitesten Markstrahlen sind 2 bis 3 Millimeter breit; zwischen ihnen sieht man feine Querlinien, welche den feinen Markstrahlen entsprechen und nie so regelmässig geordnet sind wie bei Pernambukholz.

2. Gruppe.

Die minderen Rotholzsorten schliessen sich im Bau eng an das Blauholz an; sie unterscheiden sich aber durch die Färbung mehr oder minder. Ohne Lupe sind weder Markstrahlen noch Jahresringgrenzen am Querschnitte sichtbar. Die Gefässe sind ebenfalls nicht oder nur vereinzelt zu sehen. Die Anordnung des Parenchyms ist fast genau so wie beim Campecheholz, nur ist die Struktur viel feiner, die Parenchymflecken erscheinen mehr zusammenhängend und feiner ausgezogen an den Enden. Im

Tangentialschnitt erscheinen die Gefässe nur als dunkle Linien und die Markstrahlen als sehr kurze und zarte dunkle Längsstreifen, die nicht, wie beim Pernambukholz zu wagrechten Reihen geordnet sind. Auf dem Radialschnitte zeigen sich die nur bis 0,3 Millimeter breiten Markstrahlen, welche bezüglich ihrer Breite in der Mitte zwischen dem des Pernambuk-Sapanholzes stehen.

3. Gruppe.

Das Pernambuk-, Sapan- und Coulteriaholz stimmen in den wesentlichen Eigentümlichkeiten des Baues überein, alle drei besitzen nämlich fast gleichmässig zerstreute Gefässporen und rundliche, sehr charakteristische Parenchymflecken. Das Coulteriaholz von Coulteria tinctoria hat unter den Rothölzern die feinste Struktur und der Querschnitt zeigt genau dieselbe Beschaffenheit wie beim Pernambukholz, nur sind die Jahresringgrenzen deutlicher und das Holz ist mehr braun wie rot gefärbt. Auch Tangential- und Radialschnitte verhalten sich ganz so wie beim Pernambukholz. Das Letztere lässt beim Querschnitt eine rotbraune, harte, glänzende Grundmasse erkennen, welche mit sehr zahlreichen, einzelstehenden, mattroten Punkten bestreut erscheint, von welchen viele undeutlich und wie verschwommen sind. Markstrahlen und Jahresringgrenzen können ohne Lupe nicht erkannt werden. Am Tangentialschnitte erscheinen die Gefässe nur als zarte, dunkle Längslinien. Tangentiale Spaltungsflächen zeigen ungemein zarte, genäherte Querlinien, welche denselben ein feinwelliges Aussehen geben und von den in wagerechten Reihen geordneten Markstrahlen herrühren. Ein ähnliches Aussehen besitzt auch der radiale Hauptschnitt. Die Markstrahlen sind alle schmal, 4 bis 5 gehen auf 1 Millimeter. Das Sapanholz zeigt am Querschnitte grössere Parenchymflecken als das Pernambukholz. Die Gefässquerschnitte sind schon mit freiem Auge als Löcher erkennbar, die Jahresringgrenzen sind deutlich. Dadurch, dass die Parenchymflecken am inneren Rande der Jahresringe dichter gestellt sind, entstehen charakteristische hellere und dunklere conzentrische Bänder, die Markstrahlen sind eben noch mit freiem Auge zu sehen, die radiale Ansicht zeigt keine Wellung, hingegen sind die Markstrahlen deutlicher wie beim Pernambukholz (0,25 bis 0,66 Millimeter). Ebenso wenig zeigt die tangentiale Schnittfläche Wellung. Sehr deutlich erscheinen die kurzen Markstrahlen als kurze Längsstriche, besonders auf Spaltungsflächen. Auf beiden Längsansichten treten die Gefässe als erkennbare Halbröhren auf.

4. Gruppe.

Das Sandersholz von Pterocarpus santalinus zeigt im Querschnitt eine dunkelrote Grundmasse, in welcher zahlreiche dichte oder lockerer gestellte Querbänder von matter, fast ziegelroter Farbe eingelagert sind. Dieselben erscheinen stellenweise knotig angeschwollen; in jeder Anschwellung findet sich in der Regel ein Gefäss von fast 0,3 Millimeter Durchmesser, das also schon mit freiem Auge erkennbar ist. Die ausserordentlich feinen Markstrahlen werden erst mit der Lupe sichtbar. Dieselben sind fast genau weit von einander entfernt und um die grösseren Gefässe herum etwas gekrümmt. Der tangentiale Schnitt erscheint mit unbewaffnetem Auge mit ungemein zarten, kaum welligen Querlinien bedeckt, welche von der regelmässigen Anordnung der Markstrahlen herrühren. Die Gefässe erscheinen an den Längsschnitten meist als etwas krumm verlaufende, dunkelbraun, lebhaft glänzende Halbröhren. Der Radialschnitt zeigt die schmalen und fast sämtlich gleich hohen Markstrahlen, die eine Wellung erzeugen. Ausserdem sieht man etwas von einander abstehende gerade Längslinien, welche von den concentrischen Parenchymlagen herrühren. Die Gefässe sind schon mit freiem Auge deutlich gegliedert und stark glänzend zu erkennen. Häufig erscheinen sie auf radialen Spaltungsflächen als unverletzte Röhren.

Das afrikanische Sandersholz ist von dem asiatischen weder makro- noch mikroskopisch zu unterscheiden. Nach Vogl ist es vielleicht etwas lebhafter gefärbt und die Gefässe sind etwas grösser.

5. Gruppe.

Das Camholz ist ausserordentlich charakteristisch gebaut. Der Querschnitt zeigt weder Gefässe noch Markstrahlen mit freiem Auge, sondern nur zarte, schwachwellige, gleichlaufende oder nur wenig abweichende hellere Parenchymporen. Die Grundmasse des Holzkörpers ist hart und schwarzrot, die Parenchymbänder sind ununterbrochen kirschrot. Sehr charakteristisch sind an der radialen Schnittfläche die von den Parenchymzonen herrührenden Längsstreifen, die schon ohne Lupe deutlich sind. Daselbst erscheinen die Markstrahlen als glänzende, schmale Bänder von ungleicher Breite.

6. Gruppe.

Der Querschnitt des Fustiks zeigt ohne Lupe Markstrahlen, hingegen fehlen Jahresringgrenzen vollständig, was den wesentliehsten Unterschied dieses Farbholzes bildet. In einer dichten, schmutzigbräunlichen Grundmasse sind teils isolierte, teils auf grössere oder geringere Ausdehnung bandartig zusammenhängende Parenchymflecken eingesprengt. Die Bänder erscheinen gezackt. Die Gefässe sind ganz mit Parenchym erfüllt, daher man die Gefässöffnungen auch nicht mit der Lupe sehen kann. Der Tangentialschnitt zeigt in einer glänzenden Grundmasse zahlreiche, gleichmässig zerstreute, dunkle, kurze Striche (die Markstrahlen) und meist etwas gebogen, ockergelbe, ziemlich breite Streifen, welche von dem Parenchym erfüllten Gefässe herrühren. Am Radialschnitte erscheinen die Markstrahlen als matte, im Mittel 0,2 bis 0,25 Millimeter breite Querstreifen, die mit der Lupe 6 bis 20 zarte Linien zeigen, welche von den einzelnen Zellreihen herrühren. Im Längsschnitte erscheinen die Gefässe, mit der Lupe betrachtet, wie mit ockergelben, glänzenden Schüppchen erfüllt. Das Holz von Maclura aurantiaca ist durch die scharfe Sonderung der Jahresringe leicht von dem Fustik (Maclura tinctoria) zu unterscheiden, ferner durch die hell und nicht ockergelbe Färbung der Parenchymmassen und die bedeutend feinere Struktur. Auch sind die Parenchymflecken mehr quergestreckt.

7. Gruppe.

Das Sauerdornholz (Wurzeln von Berberis vulgaris) ist intensiv zitronengelb gefärbt. Mit freiem Auge sieht man auf der Querschnittfläche gleichmässig eingebettete Markstrahlen. Alle Markstrahlen sind deutlich. Die Gefässe erscheinen als kleine dunkle, runde Punkte, welche teils auf dem Querschnitt gleichmässig zerstreut, teils in Querbändern geordnet sind.

8. Gruppe.

Das Fisetholz lässt mit freiem Auge im Querschnitt concentrische hellere und dunklere Querbänder erkennen. Die Gefässe erscheinen als kleine Pünktchen und die Markstrahlen sind nur angedeutet. Am Tangentialschnitte sieht man nur die Gefässe in einer ockergelben Grundmasse als hellbräunliche Längsstreifen. Auch am Radialschnitt treten die sehr kleinen Markstrahlen nur wenig hervor und erscheinen die Gefässe wie am Tangentialschnitte. Die sehr feinen Markstrahlen sind nur zum Teil sichtbar. Die sehr engen Gefässe erscheinen in radialen Reihen geordnet und es zerfällt der ganze Holzkörper in bräunliche, dichtere, gefässärmere und in gelbe, lockere gefässreiche conzentrische Zonen. Auf den Längsschnitten erscheinen die Gefässe deutlich gegliedert und lebhaft glänzend, während die Markstrahlen am Radialschnitte nur wenig hervortreten. Sie erscheinen dunkler als die Grundmasse, ebenso wie am Tangentialschnitte, wo sie als sehr feine, hellbräunliche Längsstrichelchen zu erkennen sind.

Ich glaube durch das Gesagte deutlich gezeigt zu haben, dass den organischen Rohstoffen eine Menge von Eigenschaften zukommen, die bei genauerer Betrachtung schon mit freiem Auge und der Lupe sichtbar werden und welche bisher nur ungenügend in der Warenkunde verwertet wurden. Da die Aufsuchung von sicheren unterscheidenden Merkmalen zwischen ähnlichen aber ungleichwertigen Rohstoffen eine der Hauptaufgaben der Rohstofflehre ist, so darf kein Mittel verschmäht werden, um dieses Ziel möglichst vollständig zu erreichen.

Die Nebenprodukte des Waldes.

Kohlen.

Wenn Holz unter teilweisem Luftabschluss einer Wärme von etwa 280 ° C. und höher ausgesetzt wird, verflüchtigt sich ein Teil seiner Bestandteile, namentlich Wasser, Kohlensäure und Stickstoff, in Form von Dämpfen und Gasen, und es bleiben Kohlen als Rückstand.

Die Menge des Rückstandes schwankt, je nach der Holzart und den Baumteilen, gewöhnlich beträgt sie zwischen 40 und 70 % des Raumes, und zwischen 18 und 25 % des Gewichts. In Schlesien werden, einer Ermittelung zufolge, im Durchschnitt dem Raume nach Kohlen erzielt: 52,6 % von Stammholz, 42,7 % von Astholz, und 39,5 % von Wurzelholz.

Mushet erhielt bei seinen Untersuchungen als Resultate die folgenden Prozentsätze vom Gewicht und Zusammensetzungen von verschiedenen Holzarten:

	flüchtige Stoffe.	Kohle.	Asche.
Eiche	76,895	22,682	0,423
Esche	81,260	17,972	0,768
Birke	80,717	17,491	1,792
Rotkiefer	80,441	19,204	0,355
Mahagoni	73,528	25,492	0,980
Sykomore	79,20	19,734	1,066
Stechpalme	78,92	19,918	1,162
Kiefer	83,095	16,456	0,449
Buche	79,104	19,941	0,955
Ulme	79,655	19,574	0,761
Wallnuss	78,521	20,663	0,816
Zuckerahorn	79,331	19,901	0,768
Amerikanische Buche	77,512	21,445	1,033
Laburnum	74,234	24,586	1,180
Pockholz	72,643	26,857	0.500
Kastanie	76,304	23,280	0,416

Für alle derartigen Untersuchungsresultate ist nicht ausser Betracht zu lassen, dass das Holz etwa 3 bis 6 % weniger Kohlen liefert, wenn es senkrecht anstatt wagrecht in die Meiler gesetzt wird, und eine ebensolche Erhöhung durch die Verkohlung in Öfen statt in Meilern erzielt wird.

Gut gebrannte Kohle behält die Form und Struktur des Holzes, ist spröde, schwach geborsten und stark tönend, wenn geschlagen oder geworfen. In der Erde ist sie nahezu unzerstörbar, aus diesem Grunde ersetzt sie bei den Vermessungen der öffentlichen Ländereien in Nordamerika die Grenzsteine. Wird die Kohle zu stark gebrannt, verliert sie ihre tönende Eigenschaft, wird sie zu wenig gebrannt, so ist sie nicht tief schwarz und der Bruch ist nicht glänzend. Als Regel steht die Heizkraft der Kohlen verschiedener Holzarten in demselben Verhältnis zu einander, wie die Heizkraft der betreffenden Holzarten, und steht im Verhältnis zur Dichte, bei gleichem Grade der Trockenheit. In einer bestimmten Baumart kann diese Eigenschaft sehr schwanken, da sie beeinflusst wird von Boden, Klima, Standort, Alter, Fällungszeit des Baumes, auch wechselt sie an seinen verschiedenen Teilen. Die Zweige haben weniger Heizkraft wie der Stamm bei den Laubhölzern, das Umgekehrte ist bei den Nadelhölzern der Fall.

Da sich also die Brennqualität des Holzes auf die Kohlen überträgt, sei bemerkt, dass diese Eigenschaft um so höher bemessen wird, je leichter und gleichmässiger ein Holz brennt — nicht zu schnell, nicht zu langsam — und eine um so grössere Wärmeentwickelung von einer bestimmten Holzmasse stattfindet. Jede Holzart erreicht ihre beste Brennqualität in der Reife, just bevor es sich zum Niedergange neigt. Das Schlagholz gelangt eher auf den Höhepunkt seiner Brennqualität, wenn es aus Schösslingen, anstatt aus Samen aufwächst, und im ersteren Falle eher, wenn es alten, anstatt jungen Stümpfen entspringt. Wenn wir nur Brennholz produzieren wollen, ist der Nieder- und Mittelwaldbetrieb häufig vorteilhafter, wie der Hochwaldsbetrieb, obgleich eine bestimmte Holzmenge zum Brennen mehr Wert hat, wenn sie dem letzteren System, statt dem ersteren entstammt. Zum Zwecke der Verkohlung erreicht übrigens das Holz seine höchste Qualität vor der Reife, etwa dann, wenn der Unterschied seiner Brennqualität bis zur Reife sehr gering ist.

Holz, das langsam trocknet, brennt in der Regel langsam, weil seine Poren sehr klein sind und daher die zum Verbrennen nötige Luft in sehr kleinen Mengen zulassen. Die Kohle von solchem Holze dauert lange im Feuer, gibt aber wenig Hitze. Holz. das nur einige Monate getrocknet ist und 20 bis 25 % Feuchtigkeit enthält, liefert bessere Kohlen wie grünes oder dürres Holz. Leichte, poröse Hölzer und ihre Kohlen brennen lebhaft und enthalten oft Gase, welche im Feuer ein Knistern verursachen. Solche Kohlen, hauptsächlich von Erlen, Birken, Haselnuss und Faulbaum eignen sich zur Pulverfabrikation. Bei ihrer Bereitung ist Vorsicht anzuwenden, dass sie nicht mit Sand vermischt werden. Aus diesem Grunde wird das Holz gewöhnlich geschält und in eisernen Retorten mit äusserlicher Anwendung von Hitze verkohlt. Noch ein anderer Punkt kommt in Betracht.

Wenn das Holz bei der zulässig niedrigsten Wärme, also zwischen 280 und 300° C. verkohlt wird, enthält es mehr Wasserstoff, Sauerstoff und Stickstoff, als wenn es bei höheren Temperaturgraden verkohlt wird, ist daher auch leichter entzündbar und besser zur Pulverfabrikation geeignet. Der Grad der Entzündbarkeit wächst mit dem Grade der Temperatur, bei welcher die Verkohlung stattfand.

Kohlen, welche bei dem Schmelzpunkte des Platins gebrannt wurden, entzünden sich erst bei einer Wärme von 1250° C.

Gebrannt bei 290 bis 350° entzünden sie sich bei 360°, gebrannt bei 400° entzünden sie sich bei 400°, gebrannt bei 1000 bis 1500° entzünden sie sich bei 600 bis 800°.

Der Prozentsatz Kohle von demselben Holze schwankt gemäss seines Alters und der Bereitungsweise: ob die Verkohlung schnell oder langsam stattfand. Aufschlüsse darüber geben die folgenden Resultate, welche Karsten bei seinen Untersuchungen gewann und von Violette teilweise schwach verändert sind.

	Prozentsätze nach Gewicht: bei schneller Verkohlung.	bei langsamer Verkohlung.
Eiche, jung	16,54	25,60
„ alt	15,91	25,71
Buche, jung	14,87	25,87
„ alt	14,15	26,15
Hainbuche, jung	13,12	25,22
„ alt	13,65	26,45
Birke, jung	13,05	25,05
„ alt	12,20	24,70
Weisstanne, jung	14,25	25,25
„ alt	14,05	25,00
Erle, jung	14,45	25,65
„ alt	15,30	25,65
Fichte, jung	15,52	26,07
„ alt	13,75	25,95
Linde	13,33	24,50

Die Menge des Kohlenstoffs in der Kohle hängt von der Temperatur, der Dauer der Bereitung und der Holzart ab. Vincent gibt in der folgenden Tabelle die Zusammensetzung verschiedener Kohlen, bereitet bei demselben Wärmegrad.

	Kohlenstoff.	Wasserstoff.	Sauerstoff und Stickstoff.	Asche.
Faulbaum	73,236	4,254	21,962	0,569
Birke	71,133	4,552	23,554	0,760
Buchsbaum	70,499	3,740	24,115	0,643
Esche	70,395	4,539	24,367	0,692
Ahorn	70,069	4,613	24,892	0,425
Cornelkirsche	69,026	3,840	26,490	0,634
Hainbuche	68,835	4,142	26,382	0,641
Pappel	68,741	4,866	25,539	0,853
Stechpalme	68,521	4,741	25,870	0,847
Aspe	68,169	5,512	25,729	0,589
Eiche	67,421	4,099	28,479	0.200
Ulme	66,862	4,669	28,181	0,288

Frisch gebrannte Kohle saugt rasch 6 bis 18 % Feuchtigkeit ihres Gewichts aus der Luft ein, die in den Handel gebrachte Kohle enthält gewöhnlich 12 %. Das Aufsaugungsvermögen hängt übrigens von dem Temperaturgrade der Bereitung ab. So saugt Kohle, die bei 1500° C. gebrannt wurde, nur 2 % Feuchtigkeit auf, dagegen 21 %, wenn sie bei der zu niedrigen Wärme von 150° C. gebrannt wurde.

Die Kohle hat auch ein starkes Vermögen, Gase aufzusaugen und in ihren Poren zu verdichten, ohne sich mit ihnen zu verbinden. Die dabei sich entwickelnde Wärme ist häufig die Ursache von Selbstentzündungen solcher Kohlen gewesen, die zu bald nach ihrer Bereitung gehäuft wurden. Das Aufsaugungsvermögen ist nicht für alle Gase gleich, sondern für diejenigen am grössten, welche am leichtesten in Wasser löslich sind. Die aufgesaugten Gase werden in einem Vacuum (luftleeren Raum) wieder abgegeben. Durch Benässung verliert die Kohle ihr Aufsaugungsvermögen für Gase in starkem Masse.

Häufig wird dieses Aufsaugungsvermögen benutzt, um Orte von schädlichen Gasen zu befreien oder Flüssigkeiten zu läutern. Sumpfiges Wasser, durch abwechselnde Schichten von Kohle und Sand filtrirt, wird klar, trinkbar und bleibt es längere Zeit. Die Wasserfässer der Schiffe, wenn sie im Innern angekohlt sind, bewahren das Wasser viel länger frisch, als wenn diese Massregel unterlassen wird. Die Kohle saugt auch Farbstoffe auf, indem sie mit manchen unorganischen Körpern derselben unlösliche Verbindungen eingeht. Als Farbe wird nur die Kohle von gewissen Baumarten gebraucht, so als spanisch Schwarz von Kork, als Kienruss von harzigen Nadelhölzern.

Einer der schlechtesten Wärmeleiter ist Kohle und als ein elektrischer Leiter kann sie kaum gelten, wenn sie bei der üblichen Temperatur von 300° C. oder gar noch niedriger gebrannt ist. Wird sie dagegen in einer Retorte bei einer Wärme von 1500° C. gebrannt, dann ist ihre Leitungsfähigkeit zwei Drittel so gross, wie diejenige des Eisens und in dieser Beschaffenheit dient sie zur Anfertigung der Stifte für die elektrischen Lichter.

Wenn Kohle von der Luft abgeschlossen ist, verändert sie sich nicht, wenn sie der grössten Hitze ausgesetzt wird, dagegen brennt sie bei Luftzutritt lebhaft, ohne Flammen oder Rauch zu entwickeln.

Die entzündeten Kohlen brennen eine Zeit, die um so kürzer ist, je höher die Temperatur der Verkohlung war — die bei niedrigen Wärmegraden bereiteten Kohlen dauern also am längsten im Feuer.

Das zur Verkohlung bestimmte Holz soll gut getrocknet werden, was in etwa 6 Monaten zu erreichen ist. Nadelholz trocknet schneller, wenn man ihm nach dem Fällen die Zweige so lange lässt, bis die Nadeln abfallen, welche bis zu diesem Zeitpunkte Feuchtigkeit verdunsten. Ebenso wird das Trocknen durch Abschälen von Rindenstreifen beschleunigt, und noch weit mehr durch Aufspalten der Stämme. Lässt man die Bäume nach Norden fallen, damit sie ihre Schlagstelle der Sonne zukehren, so wird das Trocknen erleichtert. Das ist für die nördliche Erdhälfte gemeint, auf der südlichen ist die umgekehrte Lage zu bewirken.

Das während der Saftruhe gefällte Holz liefert mehr und bessere Kohlen wie das in der Wuchszeit gefällte. Geflösstes Holz gibt nicht so gute Kohlen, wie Holz, das nicht mit Wasser getränkt wurde, noch schlechtere Kohlen liefert das Holz, welches nach seiner Fällung so lange lagerte, bis die Verwesung einsetzte. Mit Ausnahme der engeren tropischen Zono ist der Spätsommer und Frühherbst als die geeignetste Zeit zum Kohlenbrennen zu betrachten, das nötige Holz ist im vorhergehenden Winter zu schlagen und während des Sommers zum Trocknen aufzustapeln.

Die Verkohlung findet nach verschiedenen Verfahren statt, von welchen dasjenige in Meilern das weitaus üblichste geblieben ist. Zur Anlage eines Meilers wählt man einen trockenen Platz, der in seinem Mittelpunkte schwach erhöht ist. Nachdem alle Spreu sorgfältig entfernt ist, wird der Boden tennenartig hart geschlagen und jede erdenkliche Vorkehrung getroffen, um die Entstehung eines Waldbrandes zu verhüten. In mehreren europäischen Staaten verlangt das Gesetz, dass ein Graben um den Meilerplatz gezogen wird und Wasser in der Nähe sei. Wirksamer Windschutz von allen Seiten und Bindigkeit des Bodens, damit kein Luftzug von unten in den Meiler treten kann, sind weitere Bedingungen für die Anlage.

Zunächst werden drei Scheite in Pyramidenform aufgestellt und dann das übrige, gewöhnlich in Meterlänge geschnittene Holz, so dicht wie möglich um diesen Mittelpunkt herum gehäuft. Das kann wagerecht oder senkrecht geschehen; am häufigsten wird die Pyramidenform zur stumpfen Kegelform weiter ausgebaut, indem die Scheite an den Mittelpunkt, in derselben Schräge, angelehnt werden. Dadurch entsteht keine Kegelform; um diese zu bilden, muss der ersten Scheiteschicht eine zweite und dieser eine dritte aufgesetzt werden. Auch den beiden oberen Schichten sind Mittelpunkte aus je drei pyramidenförmig gestellten Scheiten zu geben und die zweite ist an ihrer Grenze etwas mehr einwärts zu halten wie die erste und die dritte etwas mehr wie die zweite. damit sich der ganze Haufen in stumpfer Kegelform abrundet. Die dritte Schicht darf indessen wegfallen, es kann eine für den Köhler bequemere und dabei fehlerlose Form mit zwei Schichten hergestellt werden. In allen Fällen wird die konische Holzmasse durch wagerecht gelegte Scheite abgerundet; der in dieser Weise entstehende Aufsatz heisst die Haube.

Der ganze Haufen ist dann zu bedecken, am besten mit Rasen; es können aber auch Stroh, Schilf, selbst dürre Blätter dienen. Vervollständigt wird die Decke durch eine Schicht bindiger Erde, die festgeschlagen wird zur Abwehr der Luft, welche nur an bestimmten und leicht kontrollierbaren Stellen des Meilermantels Zutritt haben soll. Nicht nötig, aber förderlich für die Beaufsichtigung und Arbeit ist es, wenn um den Fuss des Meilers eine Erdbank von etwa Meterhöhe gebaut wird, von welcher der Meilergipfel leicht mit der Hand zu erreichen ist. Bei dreischichtig gebauten Meilern wird man der ersten Erdbank eine zweite aufsetzen müssen — einwärts gerückt, gleich einer Treppenstufe. Da die zweite Erdbank schmäler gebaut werden muss wie die erste, besitzt sie weniger Tragkraft und wird deshalb zweckmässig mit schräg gegen den Boden gestellten Stangen gestützt.

Dem Mantel gibt man eine überall gleiche Dicke von 10 bis 15 Zentimeter, ausgenommen an der Haube, die stärker und dichter geschlagen sein muss, weil sie der Wirkung des Feuers am meisten ausgesetzt ist. Wo Winde dem Meiler nachteilig werden können, ist an der Windseite eine Schutzwand aus Brettern oder Stangen herzustellen.

Gewöhnlich wird der Brand von oben in den Mittelpunkt des Meilers geworfen, zuweilen lässt der Köhler an der Seite eine Höhle, um das Feuer anzulegen. Es empfiehlt sich, den Meiler früh morgens in Brand zu setzen und zwar bei trockenem Wetter, denn es ist schwierig und erfordert viel Aufmerksamkeit, das Feuer zu erhalten, bis es die nächstliegenden Scheite ergriffen hat. Sobald die Verkohlung gut im Gange ist, wird das Loch des Mantels im Gipfel, durch welches der Brand eingeworfen wurde, mit Rasen geschlossen, vorher sind einige Zuglöcher am Fusse des Mantels zu öffnen.

Von dem Fortgange der Verkohlung hängt es ab, ob die Zuglöcher teilweise zu schliessen oder zu vermehren sind, und an welchen Stellen. Zu diesem Zwecke ist ununterbrochene Überwachung geboten; nähere Anleitungen können nicht gegeben werden.

In den ersten Tagen entwickeln sich starke Dämpfe, welche sich an der innern Seite des Mantels verdichten, namentlich am Fusse, und wenn hier durch die Zuglöcher viel Luft eintritt, mag durch deren Vermischung mit Kohlenwasserstoffen eine Explosion erfolgen. Am wahrscheinlichsten ist ein solcher Vorgang, wenn harziges Holz verkohlt wird. Wenn die starke Dampfentwickelung vorüber ist, sind die Zuglöcher teilweise zu schliessen, nur nicht vollständig, denn die Gase müssen entweichen können. Bildet sich am Meiler eine Einsenkung, so muss diese Stelle schnell mit Holz ausgefüllt werden, indem sie vom Mantel entblösst und sofort wieder bedeckt wird. Je heller die austretenden Dämpfe werden. desto weniger Luft lässt man in's Innere dringen und desto fester schlägt man den Mantel.

An dem verschwindenden. zugleich blau und hell werdenden Rauche lässt sich erkennen, wann die Verkohlung beendet ist. Der Meiler wird dann so dicht wie möglich zugedeckt, um die Luft vollständig abzuschliessen und in diesem Zustande etwa drei Tage gelassen. Die Kohlen sind nach dieser Zeit so weit abgekühlt, um abgedeckt werden zu können. Die Erfahrung hat gelehrt. dass es nicht ratsam ist, das vollständige Ersterben des Feuers abzuwarten, sondern die letzten glimmenden Stellen des Haufens mit Wasser auszulöschen. Nachdem der gelöschte Meiler 12 bis 24 Stunden gestanden ist, wird zum Kohlenziehen geschritten.

Die Verkohlung in Öfen liefert bessere Resultate, wie in Meilern, ist aber, der Anlagekosten wegen. teurer. Wie das Ertragsverhältnis sich gestaltet, zeigt die folgende Tabelle, die aus den Resultaten mehrerer vergleichender Versuche hervorgegangen ist.

	In Öfen		In Meilern	
	Gewichtsprozente.	Raumprozente.	Gewichtsprozente.	Raumprozente.
Birke, Stammholz	20—21	65—68	18	53
Buche u. Eiche, Stammh.	23—27	52—54	19	47
Fichte, Stammholz	24—28	60—70	19	58
„ Astholz	20—24	42—50	18	53
Tanne, Stammholz	22—25	60—64	20	52
„ Astholz	18	57	16	42
Lärche, Stammholz	24	75	22	60
Weisstanne, Stammholz	20—28	60—65	19	52

Die Öfen werden gewöhnlich von Backsteinen in verschiedener Form gebaut. In Nordamerika haben sie häufig eine Länge von 15 Meter, eine Breite von 3,6 Meter und eine Höhe von 3,6 Meter. Die Bedachung ist leicht gewölbt und das Mauerwerk äusserlich durch ein hölzernes Gerippe, verbunden mit eisernen Stangen, gestützt. An der Front befindet sich eine eiserne Thüre, die luftdicht verschliessbar ist, über derselben, nahe am Dache, ist eine kleinere Thüre, um den oberen Teil des Innenraumes vollpacken zu können. An beiden Seiten sind Zuglöcher, die mit eisernen Schiebern beliebig weit verschliessbar sind.

Andere Öfen sind ihrer Form den Meilern nachgeahmt, stimmen aber im Übrigen mit jenen überein. Welcher Form man den Vorzug geben mag: ausser einer luftdicht verschliessbaren Thüre müssen sie eine Anzahl Luftlöcher am Fusse wie in der Nähe der Bedachung haben, welche nach Bedürfnis geöffnet und geschlossen werden können. Empfehlenswert ist es, den Ofen an einem Hange zu bauen, um das Holz von oben durch eine Thüre einlegen und die Kohlen durch eine Thüre am Fusse der entgegengesetzten Seite ausnehmen zu können. Wenn bei grösserem Betriebe mehrere Öfen nahe bei einander gestellt werden, erzielt man eine Ersparniss in der Überwachung.

In Erinnerung zu halten ist, dass die mit dem Rauche verdampfenden Gase der Kohlen auf den Kalk des Mörtels und auf Eisen auflösend wirken. Die Öfen müssen mithin in dieser Beziehung beaufsichtigt werden, um Misserfolgen oder Unfällen vorzubeugen.

In neuester Zeit hat die Verkohlung in Cylindern Verbreitung gefunden, namentlich in Nordamerika, wo man diesem Verfahren nachrühmt, es liefere $33^1/_3$ % mehr Kohlen wie die Meiler, eine Angabe, die ich vorläufig dahin gestellt sein lasse.

Diese Cylinder sind von Eisenblech mit einer Fassungskraft von 3 bis 6 Kubikmeter Holz. Gefüllt werden sie von oben durch eine Öffnung, die luftdicht verschliessbar ist. Durchlöcherte Röhren treten von unten ein und führen die nötige erhitzte Luft herbei. Die Anordnung wird gewöhnlich so getroffen, dass eine Arbeitergruppe mehrere Cylinder bedient, einige werden gefüllt oder entleert, während die übrigen in Thätigkeit sind. Die Entleerung geht leicht von statten, da diese Cylinder keine Böden haben, also nur auf die Seite gelegt zu werden brauchen.

Zu Gunsten der Öfen und Cylinder, die auch Retortenöfen genannt werden, zur Verkohlung fällt schwer ins Gewicht, dass die flüchtigen Stoffe des Holzes aufgefangen und verdichtet werden können. Ganz ansehnlich ist der Gewinn an Holzspiritus, nämlich etwa 2 Liter von dem Kubikmeter Holz. Nachdem der Holzspiritus abdistilliert ist, wird der Rückstand mit Kalk neutralisiert und dient zur Fabrikation von Bleiweiss.

Ausserdem können noch Holzessig und chemische Produkte bei der Verkohlung des Holzes gewonnen werden, die in den Gewerben Verwendung finden, wie Paraffin, Kreosot, Oxyphensäure, Phenylsäure, Benzol u. A.

Zum Schlusse möge eine Tabelle Platz finden über den Heizwert und die Verkohlung der wichtigsten nordamerikanischen Hölzer. Dieselbe wurde auf Grund sehr sorgfältiger Untersuchungen von Marcus Bull in Philadelphia 1826 zusammengestellt, und gilt heute noch als unübertroffen zuverlässig.

Volkstümliche Namen.	Wissenschaftliche Namen.	Spezifische Schwere des trockenen Holzes.	Die Verkohlung ergibt in Gewichtsprozenten.	Spezifische Schwere der Kohle.	Verhältnismässiger Heizwert, wenn Hickory als Grundlage = 100 gilt.
Weisse Esche	Fraxinus americana	0,772	25,74	0,547	77
Buche	Fagus ferruginea	0,724	19,62	0,518	65
Schwarze Birke	Betula lenta	0,697	19,40	0,428	63
Weisse Birke	„ alba	0,530	19,00	0,364	48
Butternuss	Juglans cinerea	0,567	20,79	0,237	51
Rote Ceder	Juniperus virginiana	0,565	24,72	0,238	56
Kastanie	Castanea americana	0,522	25,29	0,379	52
Wilde Kirsche	Cerasus virginiana	0,597	21,70	0,411	55
Hartriegel	Cornus florida	0,815	21,00	0,550	75
Ulme	Ulmus americana	0,580	24,85	0,357	58
Weisser Hickory	Carya alba	1,000	26,29	0,625	100
Schweinenuss-Hickory	„ porcina	0,949	25,22	0,637	95
Stechpalme	Ilex opaca	0,602	22,77	0,374	57
Hornbaum	Carpinus americana	0,720	19,00	0,455	65
Zuckerahorn	Acer saccharinum	0,644	21,43	0,431	60
Roter Ahorn	„ rubrum	0,597	20,64	0,370	54
Immergrüne Magnolia	Magnolia grandifolia	0,605	21,59	0,406	56

Volkstümliche Namen.	Wissenschaftliche Namen.	Spezifische Schwere des trockenen Holzes.	Die Verkohlung ergibt in Gewichtsprozenten.	Spezifische Schwere der Kohle.	Verhältnismassiger Heizwert, wenn Hickory als Grundlage = 100 gilt.
Weisse Eiche	Quercus alba	0,855	21,62	0,401	81
Pfosteiche	„ obtusiloba	0,775	21,50	0,437	74
Dattelpflaume	Diospyros virginiana	0,711	23,44	0,469	69
Gelbe Kiefer	Pinus palustris	0,551	23,75	0,333	54
Pechkefer	„ rigida	0,426	26,76	0,298	43
Weymouthskiefer	„ strobus	0,418	24,35	0,293	42
Tulpenbaum	Liriodendron tulipifera	0,563	21,81	0,383	52
Pyramiden-Pappel	Populus dilatata	0,397	25,00	0,245	40
Sassafras	Sassafras officinalis	0,618	22,58	0,427	59
Bergahorn	Acer Pseudoplatanus	0,535	23,60	0,374	52
Schwarze Wallnuss	Juglans nigra	0,681	22,56	0,418	65

Man unterscheidet harte Kohlen (Kohlen von harten Hölzern) und weiche Kohlen (Kohlen von weichen Hölzern). Ferner unterscheidet man zwischen der vollständig verkohlten Schwarzkohle und der unvollständig verkohlten Rot- oder Röstkohle.

Nach der Grösse teilt man die Holzkohlen in Mitteleuropa in:

1. Stück-, Grob-, Lese- oder Ziehkohlen, das sind die grössten und dichtesten Stücke;
2. Schmiedekohlen, dichte Stücke von Faustgrösse;
3. Quandelkohlen, aus der Nähe des Quandels, das ist der Mittelpunkt des Meilers, kleine undichte Stücke;
4. Kohlenklein, Kohlenlösche, kleine Stücke und Staub;
5. Brände, rohe oder rote Kohlen, unvollständig verkohlte Stücke.

Rot- oder Röstkohle hält die Mitte zwischen Schwarzkohle und gedörrtem Holz, sie ist sauerstoffreicher und weniger porös wie jene, leicht zerreiblich und locker. Aus diesen Gründen übertrifft sie an Brennbarkeit und Flammbarkeit bei weitem die Schwarzkohle; ihre Verwendung findet hauptsächlich in Schachtöfen zu metallurgischen Zwecken statt.

Die Gerbstoffe.

Einige der wichtigsten Gerbstoffe, welche als Nebenprodukte des Waldes gelten müssen, nämlich: Catechu-, Gambir-, Sumach-, Dividivi-, Mimosa- und Tanekaharinde sind im 2. Bande der tropischen Agrikultur ausführlich besprochen worden und bleiben daher an dieser Stelle, ausser diesem Hinweise, unerwähnt.

1. Gerberrinde.

Der Massenbedarf an Gerberrinde, die hier vorzugsweise in Betracht zu kommen hat, führte in Europa zu dem System der Lohschläge, in Nordamerika dagegen findet noch die roheste Raubwirtschaft statt. Nach den Ermittelungen, die bei der Volkszählung von 1880 in der nordamerikanischen Union stattfanden, werden vorzugsweise die folgenden Rinden in den Gerbereien benutzt.

Mangrove	Rhizophora Mangle	31,4	%	Gerbsäure
Lebenseiche	Quercus virens	10,46	„	„
Weisse Eiche	„ alba	7,85	„	„
Färbereiche	„ tinctoria	5,90	„	„
Scharlacheiche	„ coccinea	7,78	„	„
Rote Eiche	rubra	5,55	„	„
Westliche Kastanieneiche	„ densiflora	16,46	„	„
Östliche Kastanieneiche	„ prinus	7,75	„	„
Kastanie	Castanea americana	6,25	„	„
Engelmann's Fichte	Picea Engelmanni	12,20	„	„
Hemlocktanne	Tsuga canadensis	13,11	„	„
Douglastanne	Pseudotsuga Douglasii	13,79	„	„

Die Analyse wurde mit alter Stammrinde vorgenommen, denn nur solche kommt in den Gerbereien zur Verwendung.

Die Mangroverinde, welche in den Küstenwäldern Florida's gewonnen wird, findet trotz ihres sehr hohen Gehaltes an Gerbsäure eine beschränkte Verwendung, weil sie schlechtes Leder macht. Diesen Nachteil besitzen die Rinden aller Mangrovearten, daher diese reiche, fast über das ganze Tropengebiet verbreitete Gerbsäurequelle unbenutzt bleiben muss.

Die in der Nachbarschaft der Mangrovewälder von Florida wachsende Lebenseiche, liefert dagegen eine sehr geschätzte Rinde und wenn sie nur in verhältnismässig geringen Mengen an den Markt kommt, so ist die Ursache in der lebhaft betriebenen Ausrottung dieses Baumes zu suchen, welche die Bundesregierung veranlasste, zur Sicherung des vorzüglichsten nordamerikanischen Schiffsbauholzes für ihre Werften das wertvollste Waldrevier zu reservieren. Selbstverständlich sind von demselben nicht allein die Sägemüller, sondern auch die Rindenschäler ausgeschlossen, nur die Rinden der für die Bundeswerften gefällten Bäume wird abgegeben. Von einer Forstkultur in diesem reservierten Revier ist übrigens keine Rede.

Die immergrüne Lebenseiche verlangt ein warmes, frostfreies Klima. Wo diese Bedingung gegeben ist und die Produktion von Gerberrinde geplant wird, möge man diesem wertvollen Baume, der noch an einer anderen Stelle besprochen wird, Beachtung schenken.

Grössere Rindenmengen liefert die weisse Eiche, die aber immer seltener, also für diesen Zweck unwichtiger wird. Ihre Rinde wird, nächst der Lebenseichenrinde, am höchsten geschätzt von den zahlreichen Eichenrinden östlich der Felsengebirge. Die Rinde der Färbereiche ist weniger wichtig für die Gerbereien, gemahlen kommt sie als der bekannte Farbstoff Querzitrone in den Handel. Ausser der östlichen Kastanieneiche, der roten und Scharlacheiche werden gelegentlich noch andere Eichenarten geschält, doch wird ihren Rinden keine Wichtigkeit beigelegt und über ihre Qualität scheint sich kein klares Urteil gebildet zu haben. Die Eichenrinde spielt überhaupt in den Staaten östlich der Felsengebirge, Canada eingeschlossen, der Hemlockrinde gegenüber eine untergeordnete Rolle. Fachkenner behaupten, die jährlich zur Verarbeitung gelangende Gesamtmenge zerfalle in zwei Drittel Hemlockrinde und ein Drittel Eichenrinde.

Die Hemlockrinde spielt diese wichtige Rolle, weil die Hemlocktanne ausgedehnte, zusammenhängende Wälder bildet, die des geringwertigen Holzes wegen von den Sägemüllern verschont werden und den Rindenschälern überlassen bleiben. Die Gewinnung kann daher billig und in grossartigem Masstabe stattfinden. Ferner spricht zu Gunsten dieser Rinde der grosse Gerbsäuregehalt, dagegen ist zu ihrem Nachteil zu sagen, dass sie das Leder rot färbt und spröde macht. Die Hemlockrinde wandert teilweise als gemahlene Lohe in die Gerbereien, teilweise dient sie zur Bereitung eines Extrakts, der auch nach Europa exportiert wird. Die gemahlene Rinde wird durch heisses Wasser ausgelaugt und die Flüssigkeit in einer Vacuumpfanne zur Dichte von dickem Syrup eingedampft. Dieser Artikel kommt. in Fässern verpackt, als Tanninextrakt in den Handel. Auch die Rinde der Engelmann's Fichte wird wie die Hemlockrinde verwertet

An der Pazifikküste Nordamerika's sind wichtige Gerbereien bis jetzt nur in Californien zu finden und diese gebrauchen die Rinde der Kastanieneiche mit geringen Beigaben von Douglastannenrinde. Auch die Kastanieneiche empfehle ich der Beachtung zur Lohproduktion, aus mehreren wichtigen Gründen. Ihre Rinde besitzt den höchsten Gerbsäuregehalt aller Eichenrinden und er kann wahrscheinlich erhöht werden durch eine planmässige Kultur. Bis jetzt ist in dieser Richtung noch gar nichts geschehen, alle Rinde kommt von alten Bäumen, die einzeln oder in Gruppen zerstreut in dichten Nadelholzwäldern wachsen und gemäss der Erfahrungen im Lohschlagbetrieb ist anzunehmen. dass sie an diesen Standorten nicht den möglichst höchsten Gerbsäuregehalt erreichen. Ferner macht diese Rinde ein vorzügliches Leder und auf ihre Verwendung ist es zurückzuführen, dass sich das californische Leder in dem östlichen Nordamerika eines hohen Rufes erfreut. Weiter ist zu Gunsten der Kastanieneiche zu sagen, dass sie rasch wächst und aus ihren Stümpfen zahlreiche und kräftige Schösslinge treibt, ihr Holz aber ist in den Gewerben unbrauchbar und hat wenig Brennwert.

Die Kastanieneiche ist, wie die Lebenseiche, immergrün, kann aber ein kälteres Klima vertragen, muss sie doch fast jedes Jahr einige Tage im Schnee stehen; einen langen Winter, wie den deutschen, wird sie wahrscheinlich nicht überleben. Ihr Vorkommen ist auf das mittlere und nördliche Californien beschränkt, wo sie auf Granit-, Basalt- und Sandsteinboden wächst und bis nahe an das Meer tritt.

Der Name Kastanieneiche ist bezeichnend, denn dieser Baum nimmt eine Mittelstellung ein zwischen den Eichen und Kastanien und wenn ihn auch die Botaniker zu den erstern zählen. so können sie ihn doch keiner Gruppierung der Arten einfügen.

Ich sprach oben von einer rohen Raubwirtschaft und habe das zu begründen. Ein Lohschlagbetrieb, wie er in Europa ausgebildet wurde, ist niemals in Nordamerika versucht worden, sondern die Rinde wird alten Bäumen auf dem Stande abgeschält und nur wenn das Holz wertvoll ist, wie bei der weissen und Lebenseiche, wird der Stamm nachträglich gefällt. Die Bäume, welche die Hauptmasse der Gerberrinde liefern: die westliche Kastanieneiche, die Scharlacheiche, die rote Eiche und vor allen die Hemlocktanne lässt man auf dem Stande verfaulen und so wird man es forttreiben, bis diese Bäume in den Wäldern ausgerottet sind.

In Europa wird die Hauptmasse der Gerberrinde im Lohschlagbetrieb produziert. Die verhältnismässig unbedeutenden Mengen Lärchen-, Fichten- und Tannenrinden, welche in den Gerbereien zur Verwendung kommen, stammen von Bäumen, die für andere Zwecke gezüchtet und gefällt werden. Am weitaus wichtigsten für den Lohschlagbetrieb ist die Sommereiche (Quercus pedunculata), nur in beträchtlichen Erhebungen soll die Wintereiche (Querus sessiliflora) besser rentieren. In Spanien wird die Korkeiche zu diesem Zwecke angebaut, doch scheinen die Resultate nicht ermutigend zu sein, da die Zahl der Lohschläge beschränkt ist und scheinbar bleibt. In Frankreich wird, ausser der Sommereiche, die Kastanie zu Lohschlägen benutzt, freilich mit abweichender Verwendung der Ernte. Das grüne Kastanienholz mit der Rinde wird unter ein Hobelwerk gebracht, welches die Späne quer der Faserung schneidet. Die Späne werden in einem geschlossenen Kessel einige Zeit eingeweicht, dann wird Dampf zugeführt, der die Gerbsäure auszieht. Die verbleibende Flüssigkeit wird geseiht und in einer Vacuumpfanne eingedampft. Das Verfahren ist also demjenigen sehr ähnlich, welches oben für die Bereitung von Tanninextrakt angegeben wurde. Der Kastanienholzextrakt wird in den Seidenfärbereien und zum Gerben leichter Ledersorten verwendet. In der Nachbarschaft von Lyon werden etwa 25 Gewichtsprozent Extrakt vom Holz gewonnen. Der Preis stellt sich durchschnittlich auf 14 Mark per 100 Kilogramm.

Für die Anlage eines Eichenlohschlages ist die Wahl des Bodens und Standortes von Bedeutung. Windgeschützte, sonnige Hänge mit einem aus Granit, Basalt oder Grünstein hervorgegangenen Boden sind für diesen Zweck am geeignetsten. Eine starke Feuchtigkeit im Boden ist schädlich, namentlich wenn sie zum Sumpf ausartet, auch ein hoher Kalkgehalt ist nicht erwünscht, denn wie jeder Säure so ist der Kalk auch der Gerbsäure schädlich. Damit soll nicht gesagt sein, das vollständige Fehlen des Kalks sei als ein Vorzug zu betrachten, denn die Eiche bedarf dieses Minerals zu ihrem Aufbau, es muss daher vorhanden sein.

Für die Kastanie gelten dieselben Bedingungen, mit dem Zusatze, dass diesem Baume trocknerer Boden geboten werden muss, wie der Eiche; wenn er sandig oder kiesig ist, sagt er der Kastanie besonders zu.

Scharf zu betonen ist, dass der Produktion von Gerbsäure, einerlei mit welcher Rinde, Wärme und Licht günstig sind. Daher muss nicht allein der Standort der Bäume sonnig, sondern auch ihre Pflanzweite entsprechend bemessen sein. Eine gedrängte Anpflanzung hat Armut an Gerbsäure zur Folge. Sowohl Eichen wie Kastanien pflegt man in einem Abstande von 2 bis 3 Meter anzupflanzen, je nach der Qualität des Bodens. Für mittelguten Boden mag man also die Pflanzweite mit $2^1/_2$ Meter annehmen.

In Frankreich, Luxemburg und Belgien ist es üblich, drei Jahre nach der Anpflanzung, wie jeder Abholzung, die Zwischenräume in den Lohschlägen mit Kartoffeln, Rüben, Roggen oder anderen geeigneten Früchten zu bebauen, unter der Begründung, die Ernten wögen die Anlage- und Kulturkosten des Lohschlags auf. Ferner würde das Wachstum der Bäume durch die wiederholten Bearbeitungen des Bodens gefördert. In Deutschland will man sich mit diesem Zwischenanbau nicht befreunden, weil er den Boden verarmt und das kräftige Aufwachsen der Bäume gerade für diesen Zweck besonders erwünscht sein muss. Ausserdem kommen die Bäume durch die Bebauung in Gefahr, beschädigt zu werden. Man begnügt sich daher damit, den Eichen schnell wachsende Schattenspender beizugeben, namentlich Lärchen und Fichten und letztere rechtzeitig auszuhauen. Mich dünkt, es lässt sich darüber keine für alle Fälle gültige Regel aufstellen. Auf reichem Boden mag der Zwischenanbau von solchen Früchten, die der Erde wenig Nahrungsstoffe entziehen, wie beispielsweise Gurken, Kürbisse und Melonen, und dabei den Boden gut beschatten, ebenso unbedenklich sein, wie in einem Obsthaine. Um auf der rechten Bahn zu bl eiben ist in Erinnerung zu halten, dass stets und unter allen Umständen die höchste Bodenrente das anzustrebende Ziel ist.

Die Kastanien können nicht so viel Schatten vertragen wie die Eichen, deshalb darf man auch keine Reservebäume aufwachsen lassen, wie es mit Vorteil in den Eichenlohschlägen geschieht, vorausgesetzt, sie verursachen keine starke Beschattung. Höchstens mag man an den Grenzen des Lohschlags einige Kastanienbäume aufwachsen lassen, wenn man starkes Holz und Früchte zur Fortpflanzung wünscht.

Wenn die Kastanienbäume einen Durchmesser von 5 bis 7 Zentimeter erreicht haben, werden sie hart am Boden abgeschnitten; das nächste Frühjahr schiessen zahlreiche Schösslinge auf, gibt es doch wenige Waldbäume, deren Stümpfe so lebenszäh sind und so kräftige und schnell wachsende Schösslinge austreiben, wie die Kastanie. Nach 6 bis 8 Jahren werden die Schösslinge so durchforstet, dass nur 2 bis 3 an jedem Stumpfe bleiben, die sich in Folge der vermehrten Nahrungszufuhr so kräftig entwickeln, dass sie nach 6 bis 7 Jahren einen Durchmesser von 10 bis 15 Zentimeter haben. Nun wird in der Regel abgeholzt, zuweilen aber noch einmal durchforstet und die verbleibenden Schösslinge weitere 4 Jahre wachsen gelassen.

Alle durchforsteten Schösslinge haben Wert. Die Jüngsten werden zu groben Flechtwaren und zu Fassreifen benutzt, die in südeuropäischen Weinländern wegen ihrer Dauerhaftigkeit sehr beliebt sind, die Älteren dienen zu Rebenpfählen, die ebenfalls sehr geschätzt sind, zu Hopfen- und Bohnenstangen, Zaunriegeln und ähnlichen Zwecken. Die letzte Abholzung wird in der erwähnten Weise zu Tanninextrakt verarbeitet. In Frankreich behauptet man, ein Kastanienlohschlag würfe einen höheren Gewinn ab, wie ein Eichenlohschlag, und könne bei sorgfältiger Behandlung 100 Jahre alt werden.

Auch im Eichenlohschlag lässt man die Bäume nach der Anpflanzung einen Durchmesser von 5 bis 7 Zentimeter erreichen, um sie dann hart über dem Boden abzuhauen. Empfehlenswert ist es, die Stümpfe so lange mit dürrem Laub zu bedecken, bis die Wunden vernarbt und Schösslinge auszutreiben beginnen. Fortan wird der Lohschlag alle 16 bis 20 Jahre abgeholzt, je nach seinem Wachstum. Unter ausnahmsweise günstigen Verhältnissen mag die Abholzung nach 15 Jahren stattfinden; länger wie 20 Jahre soll sie nicht hinausgeschoben werden, selbst bei sehr langsamem Wachstum. Das Zuchtziel muss eine glatte, glänzende, saftige Rinde sein, denn diese enthält die meiste Gerbsäure, und die wenigste ist in einer alten, geborstenen, bemoosten Rinde zu finden. Es wird nun klar sein, warum man das Wachstum der Bäume durch die Wahl des Standortes und Bodens, wie durch die Bearbeitung des Letzteren zu fördern sucht, und die Abholzung nicht über das

20. Jahr hinausschiebt. Nimmt man die Abholzung nicht vor dem 15. Jahre vor, so geschieht es auf Grund der Erfahrung, dass die Erträge an Rinde, ohne bemerkenswerte Erhöhung des Prozentsatzes an Gerbsäure, einbüssen würden.

Die dauernde Umzäunung des Lohschlages ist eine unabweisliche Vorsichtsmassregel, denn die Schösslinge müssen nicht nur in ihrer Jugend, sondern bis zur Abholzung gegen Vieh und Wild geschützt sein, die Schweine ausgenommen, welche allein Nutzen statt Schaden im Lohschlag stiften. Laubfressende Tiere würden die Schösslinge in ihrer Jugend bis zur Wertlosigkeit verstümmeln, in ihrem späteren Alter ihr Wachstum hemmen und die Entwickelung der Gerbsäure beeinträchtigen, denn das Eine wie das Andere steht im Abhängigkeitsverhältnis zur Belaubung.

Die Abholzung des Lohschlages ist vorzunehmen in der Zeit zwischen dem Schwellen der Knospen und dem vollen Auswachsen der Blätter, im Frühjahr also, wo sie auch stattfinden müsste, wenn immergrüne Eichen angebaut würden. Denn die Lebenseichen wie Kastanieneichen werden nur nach der winterlichen Saftruhe geschält. Im engeren Tropengürtel, wo die Saftruhe, die in allen Bäumen und allen Zonen stattfindet, nur in verschiedenen Abstufungen, in die Trockenzeit fällt, ist die Rindenschälung, nach den Erfahrungen in der Chinchonakultur, bald nach dem Eintritt der Regenzeit auszuführen. Feuchtes, warmes Wetter begünstigt die Schälung, kalter, trockener Wind hemmt sie, und wenn eine Reihe kalter Tage das Wachstum zum Stocken bringt, muss die Arbeit eingestellt werden.

Der Bequemlichkeit wegen geschieht das Abschälen auf dem Stande, soweit der Arbeiter in die Höhe reichen kann. Gewöhnlich zieht er vom Stumpf aufwärts zwei Rindenringe, je 75 Zentimeter lang, ab, indem er mit einem kräftigen, scharfen Messer hart über dem Stumpf einen Rundschnitt in die Rinde macht, dann einen zweiten in der Höhe von 75 Zentimeter, und einen dritten in gleicher Entfernung von dem Letzteren aufwärts. Dann schlitzt er die Rinde der Länge nach vom obersten bis zum untersten Ringe auf und schält sie ab. Die Zweige sind leichter zu schälen wie die Äste, vorausgesetzt, es geschieht längstens am zweiten Tage nach der Schälung der Äste, denn später wird die Rinde so zäh anhängend, dass sie schwierig zu lösen ist. Es empfiehlt sich daher, die Arbeiter in Gruppen zu sondern, und an einem Tage nicht mehr Äste schälen zu lassen, als Zweige geschält werden können. Den Astschälern müssen unmittelbar die Holzfäller folgen, welche die Äste abschlagen und den Zweigschälern übergeben. Die Letzteren schneiden die Zweige in passende Längen, um sie zu schälen. Dabei dürfen sie sich keiner Verschwendung schuldig machen, indem sie dünne Zweige übergehen, denn diese enthalten die meiste Gerbsäure. Jeder Zweig, der schälbar ist, muss seine Rinde hergeben, selbst wenn er mit einem Messerstiel oder hölzernen Hammer geklopft werden muss, ähnlich wie die Knaben verfahren, wenn sie Weidenpfeifen machen.

Die geschälte Rinde wird auf einem Stangengerüst getrocknet, das sich 50 bis 75 Zentimeter über der Erde erhebt. Nur eine kurze Zeit wird ihre innere Seite der Sonne ausgesetzt, dann schichtet man sie 50 Zentimeter hoch, mit der inneren Seite abwärts und legt die grössten Stücke obenauf als Schutz gegen den Regen, welcher der trocknenden Rinde sehr gefährlich ist. Nach 3 oder 4 Tagen werden die Schichten auseinandergelegt und umgesetzt, um die Entstehung von Moder zu verhüten. Bei sehr günstigem Wetter ist das Trocknen in 8 Tagen vollendet, es mag auch 2 bis 3 Wochen beanspruchen.

Nach Wunsch getrocknete Rinde ist von heller Rahmfarbe und bricht leicht, vom Wetter beschädigt ist sie braun — ein Zeichen, dass sie einen Teil ihrer Gerbsäure verloren hat. Wenn gründlich getrocknet, wird sie unter Dach gebracht, zerbrochen und in Säcke gepackt. Die Aufbewahrung sollte in einem dunkeln, kühlen Raume geschehen, denn Licht und Wärme wirken zersetzend auf die Gerbsäure. Ein Verlust an derselben lässt sich übrigens bei der besten Lagerung nicht vermeiden, daher ist es vorteilhaft, die Rinde möglichst bald zu verwenden.

Es wird angenommen, dass die Äste und Zweige etwa 5 % ihres Gewichts Rinde liefern, und die Letztere beim Trocknen ein Drittel ihres Gewichts verliert.

Das geschälte Holz kann zum Verbrennen und Verkohlen dienen.

Der Nachteil des oben geschilderten Verfahrens, dass es an eine Jahreszeit gebunden ist, wo der Landbau dringend Arbeitskräfte begehrt, und die Abholzung den Stümpfen am schädlichsten ist, hat in Frankreich zur Erfindung des „Nomaison Precès“ geführt, welche die Schälung das ganze Jahr gestattet. Dieser, nach seinem Erfinder benannte Prozess besteht in der Dämpfung des Schlagholzes, in einem Apparate aus mehreren Cylindern, die mit einem Dampfkessel in Verbindung stehen. Jeder Cylinder hält etwa 2 Kubikmeter, kann luftdicht verschlossen werden und besteht aus Eisenblech, gerade stark genug, um einem mässigen Druck widerstehen zu können. Wenn die Cylinder mit Holz gefüllt sind, wird Dampf von etwa 170° C. Wärme eingelassen, damit er $1^1/_2$ bis $2^1/_2$ Stunden wirke, je nach der Jahreszeit, wo das Holz geschlagen wurde. Dauert die Dämpfung zu lange, so wird die vorher gelockerte Rinde wieder anhängend, mithin schwieriger zu schälen.

Das Verfahren ist noch zu neu, als dass ein abschliessendes Urteil über seine Vorzüge und Nachteile berechtigt wäre.

Erwähnt sei übrigens, dass die in Nordamerika für die Korbflechterei bestimmten Weidenruten mit bestem Erfolg in ganz ähnlicher Weise vor dem Schälen behandelt werden. Allerdings ist in diesem Falle keine Rücksicht auf die Gerbsäure zu nehmen, denn die wichtigste Frage bei dem Nomaisonprozess ist: welchen Einfluss übt der Dampf auf die Gerbsäure?

Nach Dr. E. Wolff finden sich durchschnittlich in der Rinde der Sommereiche folgende Mengen Gerbsäure:

		Alter der Stämme.
In der rauhen Rinde mit Borke	10,86 %	41 bis 53 Jahre
„ „ Bastschicht der alten Rinde	14,43 „	41 „ 53 „
„ „ Glanzrinde	13,23 „	41 „ 53 „
„ „ rauhen Rinde und Glanzrinde	11,69 „	41 „ 53 „
„ „ Bastschicht und Glanzrinde	13,92 „	41 „ 53 „
„ „ Glanzrinde	13,95 „	14 „ 15 „
„ „ „	15,83 „	2 „ 7 „

In Europa werden beträchtliche Mengen von Kiefern- und Tannenrinden, geschält vom Bauholz, zur Gerberei benutzt; sie enthalten 5 bis 7% Gerbsäure. Dem gleichen Zwecke dienen in einigen europäischen Gegenden Erlenrinde (3 bis 5% Gerbsäure), Ulmenrinde (3 bis 4% Gerbsäure), junge Rosskastanienrinde (2% Gerbsäure), Buchenrinde (2% Gerbsäure).

Die meisten Weiden liefern in der Rinde ihrer jungen Zweige einen vorzüglichen Gerbstoff, der namentlich zum Gerben des dänischen Handschuhleders sehr geeignet ist. Der Gerbsäuregehalt beträgt 3 bis 5%.

In Neu-Seeland dienen die folgenden Rinden zur Gerberei, teilweise auch zur Färberei:

Wissenschaftliche Namen.	Volkstümliche Namen.	Prozent Gerbsäure.	
Phyllocladus trichomanoides	Tanekaha	23,2	Zur Analyse diente alte Stammrinde.
Elaeocarpus dentatus	Hinau	21,8	
Metrosideros robusta	Rata	18,6	
Coriaria ruscifolia	Tutu	16,8	
Eugenia maire	Whawhako	16,7	
Weinmannia racemosa	Tawhero	12,7	
Elaeocarpus hookerianus	Pokaka	9,8	
Fuchsia excorticata	Kotutuku	5,3	

Die beiden, an der Spitze stehenden Rinden nehmen auch in Bezug auf Qualität den ersten Rang ein. Die Hinaurinde kann nicht allein zum Gerben, sondern auch zum Schwarzfärben benutzt werden. Durch einen Zusatz von Eisenoxyd wird eine vorzügliche Tinte hergestellt, welche die Federn nicht angreift. Der auf beiden Inseln vorkommende Baum wird 15 Meter hoch, sein Holz ist gelbbraun, dicht und sehr dauerhaft.

2. Vallonea.

Unter diesem Namen werden verstanden die Fruchtbecher (Eichelkelche) einiger in Griechenland, Kleinasien und Syrien vorkommenden Eichenarten, von welchen die weitaus wichtigste Quercus aegilops ist. Die Vallonea macht ein ebenso gutes Leder wie die beste Eichenlohe, behauptet wird sogar ein härteres und wasserdichteres, ausserdem gibt sie dem Leder einen reichen Hauch, der seine Verkäuflichkeit hebt. Griechenland, namentlich Morea, ist die wichtigste Bezugsquelle dieses Artikels. Man unterscheidet dort:

1. Die reife Vallonea, das sind die von selbst von den Bäumen fallenden Fruchtbecher, welche von Ende Juni bis Ende Juli gesammelt werden. Dieselbe bildet die beste Qualität und wird getrennt in Chamada: grosse Stücke, mit nach oben gekehrten Schuppen, welche die Eichel vollständig einschliessen und Chamadina: kleine Stücke von der Grösse einer Nuss, mit meist verkrüppelten Eicheln, die gleichfalls vollständig von den Schuppen eingeschlossen sind.

2. Die unreife Vallonea, welche man von den Bäumen abschlägt und im September und Oktober gesammelt wird. Man unterscheidet: Rabdista (Stab), der Kelch ist frei, die Schuppen sind nach oben gekehrt und Chondra (grob): der Kelch ist gleichfalls frei, die Schuppen stehen entweder wagrecht oder sind nach unten gekehrt.

Die reife Vallonea ist meist von heller, weisser Farbe, die unreife ist gewöhnlich dunkelbraun.

Die von den Kelchen getrennten Schuppen, welche unter dem Namen Onillat in den Handel kommen, sind gerbstoffreicher als die Kelche. So ergab die chemische Analyse einer Vallonea aus der Maina (Lacedämonien) im Durchschnitt 22,6% Gerbsäure, die Schuppen enthielten 36,6%.

Die hellen Sorten sind reicher an Gerbsäure wie die dunkeln. Vallonea aus der Maina besass folgende Gerbsäuregehalte:

	hell.	dunkel.
Chamada	33,482 %	24,51 %
Chamadina	35,450 „	25,10 „
Rabdista	30,080 „	— „
Chondra	27,027 „	22,26 „

Dunkle Chondra aus Chea enthielt sogar nur 12,3% Gerbsäure. Vallonea, von Smyrna exportiert, ergab bei einer Untersuchung 34,78% Gerbsäure.

3. Galläpfel.

Von den krankhaften Auswüchsen an Pflanzen, welche Gallen genannt werden, sind einige Arten für Handel und Gewerbe wichtig geworden, wegen ihres hohen Gehaltes an Gallussäure, welche nur als Gerbsäure in verändertem Zustand zu betrachten ist. Die Gallussäure ist leicht auszuscheiden in der Form von schönen weissen Krystallen, die in Berührung mit der Luft bald fahlgelb werden und einen Handelsartikel bilden, seit Gallussäure ein Fixiermittel für photographische Bilder wurde. Bevor dieser Bedarf zu decken war, dienten die Galläpfel nur fast ausschliesslich in der Färberei und Tintenfabrikation, wo sie noch heute kaum zu entbehren sind.

Als die besten Galläpfel gelten die türkischen, welche etwa die Grösse einer Muskatnuss besitzen, von Constantinopel und Smyrna exportiert werden und in die schwarze und weisse Qualität zerfallen. Die Erstere, die grünlichgrau bis tiefolivenfarbig ist, wird gesammelt, während das Insekt noch in den Galläpfeln wohnt und ist schwerer und weitaus wertvoller wie die Letztere, welche nicht weiss, sondern bräunlichgelb ist und ein Loch besitzt, durch welches das Insekt auskroch. An manchen Handelsplätzen wird noch eine grüne Qualität unterschieden, die mit der schwarzen fast gleichwertig ist; wie diese das Insekt noch enthält, nur etwas heller gefärbt ist. Alle Qualitäten sind geruchlos und haben einen ekelerregenden, bitteren, ausserordentlich zusammenziehenden Geschmack. Die Gestalt ist nahezu kugelrund, die Oberfläche ist mehr oder minder warzig, der Bruch ist kieselig.

Diese Galläpfel werden erzeugt durch den Stich einer Gallwespenart (Cynips quercus - galli) an den Zweigen der Galläpfeleiche (Quercus infectoria), heimisch in Vorderasien, vom Marmorameer bis Syrien und vom griechischen Archipel bis zur persischen Grenze. Im Handel werden verschiedene Sorten unterschieden, von welchen diejenigen von Aleppo und Mosul den ersten Rang einnehmen, sowohl was Menge wie Güte betrifft. Mosul, das 10 Tagereisen von Aleppo entfernt ist, exportiert über diesen Platz seine Galläpfel, welche die besten sind, doch wird es, dieser engen Handelsbeziehung wegen, mit der Sonderbenennung nicht genau genommen. Weniger bekannt sind die Galläpfel von Tripoli und Taraplus.

Eine andere Gattung Galläpfel sind die Corianther- oder kleinen Aleppogalläpfel, die gewöhnlich von der Grösse einer Erbse und stets durchlöchert und leer sind. Die Farbe ist bräunlich-gelb, die Gestalt ist rund, auf der Oberfläche sitzen kleine stumpfe Stacheln.

Eine dritte Gattung: die Bassora- oder Mekkagallen, welche auch unter dem Namen Sodomäpfel gekannt sind, werden ebenfalls an der Galläpfeleiche, aber von einer anderen Gallwespenart (Cynips insana) erzeugt; sie kommen nur in kleinen Pöstchen in den Handel. Diese Galläpfel zeichnen sich durch ihre Grösse aus, welche derjenigen einer Pflaume gleichkommt. Die Oberfläche ist glatt, mit Ausnahme eines schwachen ringartigen Auswuchses, welcher den Gallapfel in Halbkugeln trennt. Die Farbe ist rötlichbraun und glänzend, so lange die Galläpfel an den Bäumen hängen. Das Innere ist mit einem mehligen Stoff gefüllt, der eine gewisse Ähnlichkeit mit Asche besitzt.

Weit geringer an Güte wie die genannten Gattungen sind die französischen Galläpfel, welche an der burgundischen Eiche (Quercus cerris) erzeugt werden und noch geringer sind die gewöhnlichen Galläpfel oder Knoppern, welche gleich jenen der Gallwespenart Cynips quercus-calycis ihre Entstehung verdanken. Sie wachsen auf der Sommereiche (Quercus pedunculata) und der Wintereiche (Quercus sessiliflora) und werden vorzugsweise in Ungarn gesammelt, um den deutschen Färbereien zugeführt zu werden. Diese Galläpfel sind braun gefärbt, unregelmässig geformt, tief gefurcht und mit eckigen Auswüchsen bedeckt.

Die kleinen ostindischen Gallen, Mahi und Sumrut-ool-toorfa in Indien genannt, werden von der Tamariske (Tamarix indica) erhalten. Sie besitzen die Grösse und Farbe der Wicke und sind so rauh und unregelmässig geformt, dass sie den Eindruck erwecken, sie seien getrocknete Klümpchen Gartenerde.

Die chinesischen Galläpfel, Woo-pei-tze in der Landessprache genannt, sind merkwürdig unregelmässig geformte pflanzliche Auswüchse, zuweilen verzweigen sie sich wie die Finger einer Hand. Die Länge erreicht selten 5 Zentimeter, der Durchmesser bleibt gewöhnlich unter $^1/_2$ Zentimeter an dem Fusse. Sie bestehen aus einer dünnen Schale, nicht dicker wie eine Wallnussschale, dunkelgelb oder rötlichbraun im Inneren, halbdurchsichtig, aussen bedeckt mit einem sehr feinen Flaum, infolge dessen sie das Aussehen von just ausbrechenden Hirschhörnern besitzen.

Erzeugt werden diese Gallen an Rhus semialata durch das Insekt Aphis chinensis. Gesammelt werden sie vor Eintritt des Frostes und zunächst einem Dampfbad ausgesetzt, um die Insektenbewohner zu töten.

Von Japan werden in neuerer Zeit Galläpfel nach Europa exportiert, welche bis auf die etwas verzweigtere Form mit den chinesischen übereinstimmen. Da Rhus semialata auch in Japan heimisch ist, so wird wahrscheinlich ein Unterschied in der Erzeugung der japanischen und chinesischen Galläpfel nicht bestehen.

Analysen haben ergeben, dass chinesische Galläpfel durchschnittlich 72 % Gallussäure und weniger Pflanzenschleim wie türkische Galläpfel enthalten. Ein anderer Analysenbefund sagt: chinesische Galläpfel 69 %, Aleppogalläpfel 65,88 % Gallussäure.

In dem Marktbericht der Hamburger Warenbörse vom März 1887 wurden notirt:

schwarze Galläpfel	60	bis	70	Mark	pro 50 Kilogramm.
grüne „	62	„	65	„	
chinesische „	61	„	62	„	

4. Myrabolane.

Diesen Namen führen die getrockneten Früchte verschiedener Arten der Gattung Terminalia, Familie Combretaceae, welche in den Gebirgen Indiens heimisch sind. Die Blüten dieser Bäumchen und Sträucher haben einen abfallenden, glockenförmigen Kelch und keine Blumenblätter, sie werden von etwa olivengrossen, saftlosen Früchten gefolgt. T. Belerica, mit eiförmigen ganzen Blättern an langen Stielen ist die weitaus wichtigste Art, streng genommen sollten nur ihre Früchte als Myrabolane gelten, indessen kommen die Früchte anderer Arten anstandslos unter diesem Namen in den Handel. Nur das etwa ½ Zentimeter dicke, ausserordentlich zusammenziehende Fruchtfleisch ist wertvoll, getrennt von der Frucht dient es in den Färbereien und Gerbereien, zuweilen auch als tonisches Mittel in der Heilkunst. Mit Eisen erzeugt es eine vorzügliche schwarze, und mit Alaun eine dauerhafte, reiche, braungelbe Farbe.

In der Gerberei machen die Myrabolane ein weiches, gelbes Leder mit wenig Gewicht. Ihr Gerbsäuregehalt schwankt zwischen 20 und 25 %.

In den beiden letzten Jahrzehnten hat die Nachfrage nach diesem Artikel auf den europäischen Märkten bedeutend zugenommen, was der indischen Forstverwaltung Veranlassung bot, Myrabolane zu einem ihrer wichtigsten Nebenprodukte zu machen. Nach dem Marktberichte der Hamburger Warenbörse vom März 1887 wurde dieser Artikel mit 7,50 bis 10 Mk. pro 50 Kg. notiert.

Pottasche.

Vor der bergmännischen Gewinnung der Stassfurter Kalisalze wurde dieser Artikel ausschliesslich aus Holzasche bereitet, eine Industrie, die heute noch in einigen Ländern eine gewisse Wichtigkeit besitzt, wie in Russland, Ungarn, der nordamerikanischen Union, vor allem aber in Canada, das für England eine der hauptsächlichsten Bezugsquellen für Pottasche geblieben ist.

Für ein ackerbautreibendes Land ist es sicher eine kurzsichtige Politik, einen der wertvollsten Nährstoffe des Bodens zu exportieren, den schon vielleicht das nächste Geschlecht zurückkaufen muss. Die Ansiedler in der Waldwildnis, zum mindesten in den gemässigten und kalten Zonen, haben sich stets der Pottaschebereitung mit Vorliebe zugewendet und die Erklärung dafür liegt sehr nahe. Diese Industrie bietet keinerlei Schwierigkeiten, braucht nicht erlernt zu werden, erfordert nur wenige, billige Geräte und liefert, noch ehe der Boden Ernten trägt oder nur urbar gemacht ist, Mittel zur Unterhaltung der Familie oder zur Ausbildung der Wirtschaft, denn Pottasche ist ein überall leicht verkäuflicher Artikel. Diese Vorzüge fallen für die Ansiedler schwer ins Gewicht und billigerweise ist es nachsichtig zu beurteilen, wenn sie der Zukunft ihre Sorgen überlassen und mit der sich darbietenden Hilfe die bergehohen Schwierigkeiten der Gegenwart zu überwältigen suchen.

In dem bedeutendsten Produktionslande, in Canada, werden die Äste und Rinde der für die Sägemühlen gefällten Bäume, sowie alles bei der Rodung der Wälder zu Kulturzwecken gewonnene Holz, welches für andere Zwecke unverkäuflich ist, auf tennenartig gestampften, trockenen Plätzen verbrannt und zwar möglichst langsam, weil dadurch eine gehaltreichere Asche erzielt wird. Die Asche wird mit einer kleinen Beigabe von gebranntem Kalk in grosse, hölzerne Bütten geschaufelt, mit Wasser übergossen, einige Zeit tüchtig umgerührt und 24 Stunden stehen gelassen. Während dieser Zeit laugt das Wasser die Pottasche aus, gleichzeitig das Chlor, die Schwefelverbindungen und etwas Kieselsäure. Die Phosphor- und Kohlenstoffverbindungen und andere unlösliche Stoffe bleiben als Rückstand, der als Dünger Wert hat und auch zur Fabrikation von grünem Flaschenglas verwendet wird. Die dunkelbraune Flüssigkeit wird aus den Bütten nach eisernen Pfannen abgelassen und bis zur Trockenheit des Rückstandes, unter fortwährendem Umrühren, eingedampft. Der letztere wird in Glühhitze versetzt, um die feinen Kohlenteilchen und halbverbrannten organischen Stoffe vollständig zu verbrennen. Dieses Calcinieren geschah früher ausschliesslich in eisernen Töpfen, die auch heute noch von unbemittelten Ansiedlern gebraucht werden, daher der Name Pottasche. (Topf = Pot der Engländer.) Wo die Bereitung in grösserem Masstabe stattfindet, benutzt man besonders für diesen Zweck konstruierte Öfen. Damit ist die gewöhnliche Pottasche des Handels fertig. Aussen ist sie grau, im Bruch zeigt sie einen rötlichen Schein. Da sie sehr leicht zerfliessbar ist, muss sie in möglichst dichten Fässern verpackt werden.

Die Zusammensetzung der calcinierten Pottasche wechselt sehr; ihr allein wertvoller Bestandteil, das kohlensaure Kali, bewegt sich zwischen 40 bis 80 %.

Eine Analyse zahlreicher nordamerikanischer Pottaschproben, calciniert im Ofen, ergab im Durchschnitt das folgende Resultat

kohlensaures Kali	71,4 %
„ Natron	2,3 „
schwefelsaures Kali	14,4 „
Chlorkali	3,6 „
Wasser	4,5 „
unlösliche Stoffe	2,7 „
Verlust	1,1 „
	100,0 %

Gewöhnliche Pottasche wird zur Fabrikation von Glas und, nachdem sie kaustiziert ist, von Seife benutzt. Für fast alle übrigen Verwendungen ist sie zu unrein und muss erst eine Reinigung durchmachen, durch welche sie zur Perlasche wird. Zu diesem Zwecke wird sie in kleine Stücke gebrochen und in einer Bütte mit durchlöchertem Boden, der mit Stroh bedeckt ist, in der möglichst geringsten Wassermenge aufgelöst. Die Flüssigkeit seiht durch das Stroh, in welchem die ungelösten, hauptsächlich aus Schwefelverbindungen bestehenden Teile hängen bleiben, in eine flache, eiserne Pfanne, in welcher sie eingedampft wird. Wenn der Rückstand nahezu trocken ist, wird er mit eisernen Stangen umgerührt, um ihn in rundliche Brocken zu zerbrechen, welche eine perlweisse Farbe haben und die Perlasche des Handels bilden.

Alle Landpflanzen liefern Pottasche und viele in grösseren Prozentsätzen wie die Waldbäume; von den letzteren aber wird es nur für den Handel gewonnen. Der Wert einer Asche zur Pottaschengewinnung wird durch ihren Gehalt an kohlensaurem Kali bestimmt. Nach Höss liefern 1000 Teile:

	Asche.	Pottasche.
Fichtenholz	3,40	0,45
Buchenholz	5,8	1,27
Eschenholz	12,2	0,74
Eichenholz	13,5	1,50
Ulmenholz	25,5	3,90
Weidenholz	28,0	2,85

Teer.

Wenn man Holz in geschlossenen Behältern der trockenen Destillation aussetzt, erhält man verschiedene gasförmige und flüssige Produkte; von den letzteren ist ein Teil löslich und ein Teil unlöslich in Wasser. Der unlösliche Teil bildet den Holzteer und ist zusammengesetzt aus verschiedenen Flüssigkeiten, welche feste Stoffe in Zerteilung enthalten, von welchen die vorherrschendsten sind: Creosot, Kapnomar, Picamar, Toluol, Xylol, Cymol und Eupion. Ferner bilden harzige Stoffe den mehr festeren Teil des Teers, ihre Namen sind Cedriret, Pittacal, Pyrene, Chrysene und Pyroxanthin.

Der Holzteer ist eine bräunlich schwarze, dicke, zähe Flüssigkeit, von eigentümlichem, durchdringendem Geruch. Die spezifische Schwere ist etwa 1,040. Bereitet wird er in Europa vorzugsweise aus dem Wurzelholze der Kiefer (Pinus sylvestris) und in Nordamerika hauptsächlich aus dem Stammholze von Pinus rigida, P. taeda und P. palustris. Verwendbar sind übrigens alle harzigen Nadelhölzer.

Die Teergewinnung kann mit der Kohlenbrennerei verbunden werden, wenn harzreiche Hölzer zu verkohlen sind. Der Meiler wird dann auf einen kreisrunden, gemauerten Flur gesetzt, der sich nach seinem Mittelpunkte vertieft. Von da führt ein Rohr nach einem aussenseitigen Sammelbecken, aus dem der Teer in

Fässer geschöpft wird. Nach einer roheren Methode läuft der Teer aus dem Meiler in eine Bodenrinne und von da in ein in die Erde versenktes Fass. Der Standort des Meilers ist nicht allein tennenartig gestampft, sondern auch mit einem Tonanstrich überkleidet.

In Deutschland wird häufig eine Lehmsteinhütte im Walde errichtet, die im Wesen mit den oben geschilderten Öfen für die Kohlenbrennerei übereinstimmt. In diesen Hütten findet die Verkohlung statt und der auf dem Boden in einer Vertiefung sich sammelnde Teer fliesst durch ein Rohr nach einem Behälter im Freien.

Die fortgeschrittenste Methode besteht darin, dass das Holz, auch die Rückstände bei der Terpentinbereitung, in einen grossen eisernen Cylinder gebracht werden, der so eingemauert ist, dass er an seinem Fusse äusserlich von Feuer umgeben werden kann. Ein Rohr am Boden des Cylinders führt den Teer nach dem Sammelbecken, ein anderes Rohr am Deckel leitet die gasförmigen Produkte nach einem Apparate, der sie verdichtet wie bei der gewöhnlichen Destillation.

Pech ist einfach Teer, eingedampft zu einem Grade, dass er beim Erkalten fest wird.

Kienruss.

Harzige Hölzer werden bei geringem Luftzutritt verbrannt und die entsteigenden Russmassen durch einen Kanal geleitet, der mit einem Tuchsiebe verschlossen ist. Dasselbe lässt die Gase durch seine engen Maschen entweichen, nicht aber den Russ, der von Zeit zu Zeit ausgenommen wird.

Harze.

Mit diesem Namen werden Bestandteile des Pflanzenreichs bezeichnet, die aus Kohlenstoff, Wasserstoff und Sauerstoff, stets ohne Beimengung von Stickstoff bestehen; sie sind nahe verwandt mit den ätherischen Olen, welche sowohl gemeinschaftlich mit ihnen vorkommen, als auch durch Oxydation in Harze übergehen können. Der Luft ausgesetzte ätherische Öle werden allmählich dickflüssig und erstarren schliesslich zu harzähnlichen Massen. Die von den Pflanzen ausgeschiedenen Harze sind niemals rein, sondern häufig wirkliche Harze mit ätherischen Ölen, in welchem Falle der Stoff weich oder halbflüssig ist und Balsam genannt wird. Ferner kommen Harze vor, die mit anderen Saftbestandteilen gemengt sind, wie Gummi, Eiweiss, Kautschuk u. s. w. und den Namen Gummiharze oder Schleimharze führen. Oft besteht das natürliche Harz aus einer Mischung von zwei oder mehreren Harzen, die sich, infolge ihrer ungleichen Löslichkeit, in verschiedene Flüssigkeiten trennen lassen. Die Harze finden sich in den verschiedensten Pflanzenteilen, häufig lagern sie in einzelnen Zellen oder Höhlungen im Zellgewebe und quellen aus zufälligen oder absichtlichen Verletzungen hervor, oder werden durch Drüsen und andere Organe, als nicht weiter brauchbar, ausgeschieden. Mit Sicherheit lässt sich annehmen, dass sie ursprünglich aus ätherischen Ölen bestehen und während der Ausscheidung durch Oxydation zu Harzen werden.

Als allgemeine Kennzeichen der Harze betrachtet man: bei gewöhnlicher Temperatur sind sie fest, durchsichtig und meistens gefärbt, einige sind jedoch farblos; eine geringe Zahl ist geruchlos, andere strömen einen mehr oder minder starken Wohlgeruch aus, infolge der Beimengung von ätherischem Öl. Im rohen Zustand krystallisieren sie niemals, sondern sind formlos, spröde und brechen mit einem muscheligen Bruch. In reinem Zustande krystallisieren einige. Alle schmelzen bei gelinder Wärme und brennen mit einer weissen, rauchigen Flamme, indem sie einen kohligen Rückstand lassen. Erst in neuester Zeit ist nachgewiesen worden, dass sie in einem überhitzten Dampfstrom destilliert werden können, seither nahm man an, sie verflüchtigten sich nicht. Besonders charakteristisch ist, dass sie in Wasser unlöslich, dagegen löslich sind in Alkohol, Äther, ätherischen und fetten Ölen. Alle sind Nichtleiter der Elektrizität und werden durch Reiben negativ elektrisch. Einige besitzen eine Beimengung von Säure, ihre Alkohollösung rötet deshalb Lackmuspapier. Diese Harze verbinden sich mit Alkalien und bilden, in alkalinische Laugen gebracht, eine seifenähnliche Masse — Harzseife genannt, welche sich von der gewöhnlichen Seife dadurch unterscheidet, dass sie von Chlornatron nicht gefällt wird.

Im gewöhnlichen Leben verwechselt man häufig Körper, die kein Harz, sondern nur Gummi oder Schleim sind, wie das Gummi der Kirsch- und Pflaumenbäume, den Traganth oder den arabischen Gummi mit Harz. Ganz frei von Harz sind wenige Pflanzen, wenn es auch nicht ausfliesst, ausnehmend reich an diesem Stoffe sind aber nur die Mitglieder einiger Familien. Wenn nicht durch Einschnitte in die lebenden Pflanzen, so können die Harze durch Ausziehen mit Alkohol aus der zerschnittenen Pflanze dargestellt werden; beispielsweise wird so das Jalappenharz und Guajakharz gewonnen. Die Harze gehen fast unmerklich in die Farbstoffe und Extractivstoffe über und ist namentlich im ersteren Falle die Unterscheidung oft schwierig.

Wie schon angedeutet, zerfallen die Harze in drei Klassen: in die harten Harze, die weichen Harze oder Balsame und die Gummiharze. Die harten Harze sind bei gewöhnlicher Temperatur hart und spröde, sie lassen sich leicht pulverisieren und enthalten wenig oder kein ätherisches Öl. Zu dieser Klasse gehören Kopal, Dammar, Gummilack, Mastix, Sandarak, Benzoin, Jalappen- und Guajakharz.

Die weichen Harze können mit der Hand geformt werden, einige sind zäh- und halbflüssig, häufig wird auf diese nur der Name Balsam angewendet. Alle bestehen aus einer Mischung von harten Harzen und ätherischen Ölen, oxydieren an der Luft und werden allmählich zu harten Harzen. Elemi, Terpentin, Storax, Copaivabalsam, Balsam von Canada, Peru und Tolu gehören zu dieser Klasse.

Die Gummiharze sind die an der Luft verhärteten Milchsäfte gewisser Pflanzen und bestehen aus einer Mischung von Harz, ätherischem Öl und Gummi. Wenn in Wasser zerrieben, machen sie dasselbe trüb und milchig, weil sich das Gummi auflöst.

Wie sich die Gummiharze nur teilweise in Wasser, so lösen sie sich auch nur teilweise in Alkohol auf, denn dieser bleibt dem Gummi gegenüber wirkungslos. Einige Mitglieder dieser Klasse, wie Ammoniacum, Asafoetida, Euphorbium, Galbanum, Gummigutt, Myrrhe, Olibanum oder Weihrauch werden als Heilmittel geschätzt, während andere, wie Kautschuk und Guttapercha, von grossem Werte für die Gewerbe sind.

Auch mehrere weiche Harze spielen eine bedeutende Rolle in der Heilkunst, während die harten eine ausgedehnte Verwendung in den Künsten und Gewerben finden. Aus der Lösung in Alkohol oder ätherischen Ölen scheiden sich die harten Harze meistens in Gestalt eines glatten, durchscheinenden, glänzenden Überzugs aus und vermitteln auch die Bildung eines solchen, wenn man sie fetten, trocknenden Ölen beimengt, wie Leinöl oder Mohnöl. Darin beruht die Bedeutung der Harze für die Lackbereitung. Es verdient hervorgehoben zu werden, dass die Zahl der Harze, welche sich zur Herstellung eines feinen Lacks eignen, noch sehr beschränkt ist.

Gemengt mit starren indifferenten Körpern finden die Harze vielseitige Verwendung (Siegellack, Asphalt u. s. w.), ferner dienen sie als Bindemittel, indem man sie fein gepulvert zwischen die zu kittenden Gegenstände bringt, bis zum Schmelzen erhitzt und die Stücke schnell aneinander drückt. Andere Benutzungen sind: zu Seife, künstlichem Licht und Malerfarben.

Verschiedene versteinerte Harze werden gefunden, von welchen Bernstein das weitaus wichtigste ist. Anderen hat man die Namen gegeben: Fichtelit, Hartit, Idrialit, Ozokerit, Scheererit und Xyloretin.

Einige Harze sind wichtige Nebenprodukte des Waldes, während andere, obgleich sie aus Bäumen quellen, im strengen Sinne diese Bezeichnung nicht verdienen, trotzdem sollen sie in der nachfolgenden Besprechung eine kurze Erwähnung finden.

1. Kopal.

Dieses harte glänzende, in glatten, rundlichen Klumpen in den Handel kommende Harz ist durchsichtig, nahezu farblos bis zitronengelb, bricht muschelig und gibt, in Alkohol, Terpentinöl oder einer anderen geeigneten Flüssigkeit aufgelöst, einen hochgeschätzten Lack. In kaltem Zustand ist Kopal fast ohne Geruch und Geschmack, entzündet sich leicht, ist als echtes Harz vollständig unlöslich in Wasser, und in Alkohol und Terpentinöl nur teilweise löslich, so lange es kalt bleibt, erwärmt löst es sich dagegegen leicht auf.

Wie manche andere Handelsprodukte entstammt auch der Kopal verschiedenen Quellen. Der Name ist nicht beschränkt auf das Produkt eines bestimmten Gebietes noch eines bestimmten Baumes, sondern wird auf Harze angewendet, die sich zwar in ihren physikalischen Eigenschaften sehr ähnlich sind, in ihrer Zusammensetzung aber etwas abweichen und vollständig verschiedenen Ursprungs sind. So wird das Harz von Trachylobium

Hornemannianum im Handel Sansibarkopal, nach einem veralteten Namen Gum animé, genannt. Der Madagaskarkopal ist das Produkt von Trachylobium verrucosum. Von Guibourtia copallifera stammt der Kopal von Sierra Leone, ein anderer Kopal wird an der ganzen tropischen Westküste Afrika's in versteinertem Zustande gefunden; er ist wahrscheinlich das Produkt eines ausgestorbenen Baumes. In Brasilien und anderen südamerikanischen Ländern wird Kopal gewonnen von Trachylobium Martianum und verschiedenen Arten der Gattung Hymenaea, Familie Leguminosae, vorzugsweise von H. Courbaril. Die Quelle des mexikanischen Kopals, des ersten, den die Europäer kennen lernten — stammt doch der Name Kopal aus Mexiko, wo er auf Harz im allgemeinen angewendet wird — ist noch nicht zweifellos festgestellt, wahrscheinlich ist sie eine Art der Gattung Hymenaea. Mit dem mexikanischen Kopal ist zuweilen ein anderes Harz verwechselt worden, das in Mexiko häufig zur Lackbereitung dient, aber anderen Ursprungs ist. Der Name dieses Harzes ist Tescalama, es stammt von Ficus nymphaefolia.

Das mexikanische wie südamerikanische Kopal wird halbversteinert am Fusse der produzierenden Bäume gefunden.

Das indische Dammarharz von Vateria indica wird zuweilen indischer Kopal genannt, weil es den übrigen Kopalsorten ähnlich ist.

Von allen Kopalsorten ist für den Handel am weitaus wichtigsten der ostafrikanische oder Sansibarkopal, das Produkt von Trachylobium Hornemannianum. Dasselbe wird in zwei verschiedenen Zuständen gefunden, nämlich: roh oder jung, von den Küstenbewohnern Sandarusiza miti oder Chakazi genannt; der letztere Name wurde von den englischen Kaufleuten zu Sansibar in Jackasscopal verstümmelt; sodann der reife oder echte Kopal, der Sandarusi inti der Eingeborenen.

Der rohe Kopal, der direkt von den Bäumen erhalten wird, bei deren Wurzeln oder nahe der Oberfläche der Baumscheiben er sich findet, wird von den Eingeborenen nicht hoch geschätzt und kommt nicht in den europäischen Handel. Die ganze Ausbeute geht nach Indien und China, wo sie zur Bereitung eines groben Lacks dient.

Der echte Kopal wird auf einer weiten Strecke in Deutsch-Ostafrika in der Erde gefunden, an Orten, wo jetzt kein Baum mehr sichtbar ist. Das darf als ein zuverlässiger Beweis betrachtet werden, dass Ostafrika einst bewaldeter war wie heute, wenn auch die Frage ohne Antwort bleibt: wann und wie vollzog sich die Wälderverwüstung?

Der Kopal wird niemals in einer grösseren Tiefe wie 1 Meter gefunden, selten graben die Sucher tiefer wie 75 Zentimeter. Die Stücke wechseln von der Grösse einer Bohne bis zu einer Mannesfaust, gelegentlich erreichen sie das Gewicht von 2 Kg. Nachdem die Stücke gesiebt sind, um die erdigen Beimengungen zu entfernen, müssen sie verschiedene chemische Prozesse durchmachen, damit sie von der „Gänsehaut" befreit werden — ein Name, welcher der eigentümlichen, genarbten Oberfläche des Kopals gegeben wird. Früher wurde angenommen, die Gänsehaut würde verursacht durch kleine Steine und Sandkörner des Bodens, in welchen das weiche, rohe Harz fiel, allein Dr. Kirk, der britische Consul in Sansibar, versichert, der Kopal besitze keine Spur von Gänsehaut, wenn er der Erde entnommen würde. Er glaubt, diese Erscheinung sei die Folge der Oxydation der Oberfläche bis zu einer gewissen Tiefe, nach der Berührung des Kopals mit der Luft, oder einer molecularen Veränderung, welche die Oberfläche spröder mache wie die innere Masse.

Das Kopalsuchen wird von den Eingeborenen in sorgloser, oberflächlicher Weise betrieben und der Handel in diesem Artikel ist mit manchen Schwierigkeiten verbunden, eine Schattenseite, welche dem Geschäft mit allen rohen Volksstämmen anhaftet. Es wird behauptet, die Kopalvorräthe in Deutsch-Ostafrika seien unerschöpflich und das Geschäft könne, bei richtiger Organisation, die Wohlstandsquelle einer zahlreicheren Bevölkerung werden, als jetzt die Kopalregion bewohnt. Ein beträchtlicher Teil der Kopalausbeute geht über Bombay nach Europa, allein ansehnliche Mengen werden von Sansibar direkt nach Hamburg und London verschifft. Der gesamte Export dieses, nur ab Sansibar verschifften Artikels, hält sich in der Nähe von 500 000 Kg. im Jahre. Die Resultate seiner Analysen von Sansibar- und Madagaskarkopal veröffentlicht Filhot wie folgt:

	Sansibarkopal.	Madagaskarkopal.
Kohlenstoff	79,70 %	79,80 %
Wasserstoff	10,40 „	9,42 „
Sauerstoff	9,90 „	10,78 „
	100,00 %	100,00 %

Sansibarkopal wird in Hamburg mit 4 bis 8 Mark pro Kg. notirt.

2. Dammar.

Gleich Kopal wird auch dieser Name auf Harze verschiedenen Ursprungs angewendet, doch versteht man unter dem echten Dammar das Produkt von Dammara orientalis, ein grosser, auf den Bergen von Java, Sumatra, Borneo und den Molukken wachsender Baum, von welchem der Name stammt, der auf die Gattung übertragen wurde. Dieselbe gehört zu der Ordnung der Nadelhölzer und zeichnet sich von allen übrigen Gattungen dieser Ordnung durch lanzettliche, lederartige Blätter mit zahlreichen, gleichlaufenden Adern aus, wie durch Samen, der nicht an den Enden, sondern an den Seiten geflügelt ist. Der Dammarbaum (D. orientalis) wächst zu einer beträchtlichen Höhe und erreicht manchmal einen Durchmesser von 2,7 Meter. Der untere Teil des Stammes ist gewöhnlich mit Knoten besetzt, so dick wie Mannsköpfe. Das Holz ist weich und geringwertig, der Wert des Baumes besteht hauptsächlich in seinem Harzprodukt, das in bedeutenden Mengen in einem weichen, zähflüssigen Zustand ausfliesst, einen starken Wohlgeruch verbreitend, der sich mit der zunehmenden Verhärtung verliert. Die Letztere erlangt schon in wenigen Tagen ihren Abschluss und das Harz ist dann spröde, durchsichtig, strohgelb und geruchlos.

Häufig begnügen sich die Harzsucher nicht mit den freiwilligen Ausquellungen, sondern verwunden die Bäume, namentlich in ihre Knoten, wodurch Ausflüsse stattfinden, die wie fusslange und handbreite Eiszapfen vom Baume hängen. Die Verwundungen werden übrigens nur in gewissen Monaten gemacht, denn nicht das ganze Jahr hindurch ist das Harz von gleicher Güte; in der einen Jahreszeit ist es heller wie in der andern.

Das in den Handel gebrachte Dammar enthält nur Spuren von äetherischem Oel, ist leicht, spröde, brüchig, leicht löslich in Äther, Chloroform und Terpentinöl, wird schnell zähflüssig, wenn erwärmt, verbreitet einen Geruch wie Kolophonium oder Mastix, wenn gepulvert auf glühende Kohlen gestreut, entzündet sich leicht und brennt mit viel Rauch und etwas saurem Geruch. Die nur teilweise Löslichkeit in Alkohol beweist, dass es nicht aus reinem Harz besteht.

Dammar findet in Asien vielfache Verwendung in den Gewerben, in Europa dient es zur Bereitung verschiedener Lackfirnisse, welche schnell trocknen, einen sehr hellen Glanz besitzen und da sie farblos sind, die Grundfarben in ihrer vollen Reinheit erkennen lassen; allein sie trüben sich bald und sind nicht dauerhaft, deshalb kann Dammar nicht als Ersatz für Kopal und Bernstein gelten.

Der Durchschnittspreis für Dammar erster Qualität bewegt sich in Hamburg zwischen 1,75 bis 1,90 Mark pro Kg.

Das Wort Dammar, Dammer oder Damar bedeutet in einigen indischen Sprachen Harz, und wird mit einer unterscheidenden Bezeichnung auf mehrere nützliche Harze angewendet, die aber selten in den europäischen Handel kommen. Als das wichtigste derselben gilt das schwarze Dammar, welches nach Einigen das Produkt von Marignia acutifolia, nach Andern von Canarium strictum ist. Kala-damar ist der Name für dieses Harz in Hindostan und Canarium strictum ist in Indien heimisch, während Marignia acutifolia auf den Molukken vorkommt. Wahrscheinlich liefern die beiden Bäume ein ganz ähnliches Produkt. Schwarzes Dammar ist ein sehr weiches, stark riechendes Harz, das im Trocknen eine tief dunkle Farbe annimmt. Es wird anstatt Pech gebraucht, liefert auch eine Art Terpentinöl, welche durch Destillation ausgeschieden wird. Ein dem Copaivabalsam ähnliches Harz, einfach Damar genannt, wird durch Einschnitte in den Stamm von dem auf dem malayischen Archipel heimischen Canarium microcarpum gewonnen. Es ist ein zähflüssiger, wohlriechender, gelblicher Stoff, der auf den Schiffswerften zum Kalfatern benutzt wird. Vermischt mit etwas Kreide oder Schilfrinde, wird er so hart wie Stein.

Ganz verschiedeu von dem schwarzen ist das weisse Dammar (Sufed damar in Hindostan), zuweilen indischer Kepal, Animé oder Piney damar genannt, das Produkt von Vateria indica, ein grosser zur Familie Dipteraceae gehörender Baum. Gewonnen wird es durch Einschnitte in den Stamm, dem es klar, wohlriechend und scharf bitterschmeckend entquillt. Getrocknet ist es gelb und glasartig spröde.

In Indien wird dieses Harz zur Bereitung eines harten, haltbaren, sehr geschätzten Lackfirnisses (Piney varnish der Englisch-Indier) benutzt, ausserdem dient es in Malabar zur Fertigung von

Kerzen, welche ein klares Licht mit wenig Rauch geben und einen angenehmen Geruch verbreiten.

Sal-dammar wird in Indien von dem seines Holzes wegen geschätzten Salbaum (Shorea robusta) gewonnen. Das Felsendammar (Dammer batu der Malayen) stammt von Hopea micrantha. Das von Hopea odorata, heimisch in Birma und Pegu, gewonnene Harz wird ebenfalls Felsendammar genannt. Einige wenige bekannte Harze, die vorzugsweise im Schiffbau verwendet und ebenfalls Dammar oder Dammer genannt werden, entstammen verschiedenen Arten der Gattung Shorea.

3. Kauri.

Dieses Harz ist dem echten Dammar nahe verwandt, sowohl hinsichtlich der Eigenschaften wie der botanischen Quelle, wird es doch auf Grund dieser Ähnlichkeit zuweilen neuseeländisches Dammar genannt. Produziert wird es von der Kaurifichte (Dammara australis) die in Neuseeland, und nur auf der Nordinsel, heimisch ist, wo sie wegen ihres, besonders für den Schiffbau geeigneten Holzes sehr geschätzt wird.

Dieser schöne Baum erreicht eine Höhe von 40 Meter, seine in Wirteln stehenden Zweige sterben am untern Stamme ab, wie es bei der Rotfichte der Fall ist. Das Holz ist weiss, dicht, dauerhaft und elastisch, für Masten steht es in den Augen der englischen Schiffsbauer unerreicht da. Auf den Fidschis, den Hebriden und in Australien kommen andere Arten der Gattung Dammara vor, deren Holz als Kaurifichtenholz in den Handel kommt, dem neuseeländischen an Qualität aber nachsteht.

Alle diese Arten haben eine dunkele, dichte Belaubung und alle liefern ein Harz, das Kauriharz, australischer Kopal und australisches oder neuseeländisches Dammar genannt wird; doch wie das beste Holz, so produziert die neuseeländische Kaurifichte auch das beste Harz. Dasselbe bildet auch den weitaus grössten Teil des in den Handel kommenden Kauri.

Das neuseeländische Kauri kommt unter ähnlichen Verhältnissen vor, wie der echte Kopal. Es wird nahe an den Wurzeln lebender Bäume gefunden, ist dann weisslich und wenig geschätzt. Von viel höherem Werte ist das halbversteinerte Kauri, welches in einer Tiefe von $^1/_2$ bis 1 Meter an Orten ausgegraben wird, wo früher Kaurifichten wuchsen und zwar häufig in so grossen

Stücken, wie sie bei keinem anderen Harz vorkommen. Es dient zur Herstellung eines vorzüglichen Lackfirnisses. Der Export dieses Harzes hat sich in den letzten Jahren ausserordentlich gehoben; 1855 betrug er 355 000 Kilogramm, 1885 6 000 000 Kilogramm, im Werte von 6 400 000 Mark.

4. Mastix.

Die botanische Quelle ist der in Nordafrika heimische Mastix- oder Lentiskbaum (Pistacia lentiscus, Familie Terebinthaceae) in dessen Stamm Einschnitte gemacht werden, an welchen das ausgequollene Harz in kleinen, rundlichen strohgelben Klumpen trocknet, die, wenn nicht zeitig gesammelt, auf den Boden fallen und dabei Unreinlichkeiten aufnehmen, wodurch sie an Wert einbüssen. Die hauptsächlichste Verwendung dieses Harzes ist für die nahezu farblosen Lackfirnisse, mit welchen Drucksachen, Landkarten, Zeichnungen u. s. w. überstrichen werden. Zuweilen benutzen es die Zahnärzte zum Füllen von hohlen Zähnen.

Der grösste Teil des in den Handel kommenden Mastix wird an der Küste von Marokko gesammelt.

5. Storax.

Dieses von den alten Römern als Styrax geschätzte Harz entstammt dem im Morgenland heimischen, vorzugsweise auf der Insel Chios kultivierten, 5 bis 6 Meter hohen Storaxbaum (Styrax officinalis). Wird die Rinde verwundet, quillt das Harz aus und verhärtet an der Luft. In zwei Formen wird es in den Handel gebracht; als erbsengrosse rötlich gelbe Stücke, die undurchsichtig, etwas weich und anhängend sind, oder als eine ganz trockene, spröde Masse, eingehüllt in die Blätter einer Schilfart, in welcher Form es von den Droguisten Storax calamita genannt wird. Der Storax duftet angenehm, schmeckt aromatisch, wirkt anregend und lösend auf Verschleimungen der Gurgel. Seine Verwendung in der Heilkunst hat in der neueren Zeit bedeutend abgenommen, daher ist er als Handelsartikel nur noch von geringem Belang.

6. Sandarak.

Noch unwichtiger wie die beiden vorhergenannten Harze, ist der brüchige, trockene, nahezu durchsichtige, geschmacklose gelblich weisse Sandarak, der vollständig in Terpentinöl, aber unvollständig in Alkohol löslich ist. Wenn erwärmt oder auf glühende Kohlen gestreut, strömt er einen angenehmen balsamischen Geruch aus. Verwendet wird er gleich dem Mastix; ferner dient er, fein pulverisirt, zum Bestreuen radierter Stellen in Briefen und Büchern, auf welche dann wieder geschrieben werden kann. Nordafrika exportiert wenig Sandarak, was wohl nicht allein durch die geringe Nachfrage, sondern auch durch die Spärlichkeit der botanischen Quelle zu erklären ist. Der zu den Nadelhölzern gehörende Sandarakbaum (Callitris quadrivalvis) liefert nämlich ein stark wohlriechendes, ausserordentlich dauerhaftes, wertvolles Holz, daher lassen ihn die an Wälderverwüstung gewöhnten Eingeborenen nicht zahlreich werden. In Gegenden, wo das Klima dem nordafrikanischen ähnlich ist, dürfte sich der Sandarakbaum, abgesehen von seiner Harzproduktion, als eine wertvolle Einführung für die Forstkultur erweisen.

7. Benzoin.

Benjamingummi ist ein im englischen Handel häufig gebrauchter Name für dieses wohlriechende Harz, dessen botanische Quelle Styrax benzoin oder Lithocarpus benzoin, Familie Styraceae, ist. Dieser in Siam, Borneo, Java, Sumatra und anderen malayischen Inseln heimische Baum erreicht eine beträchtliche Grösse, seine jungen Zweige sind mit einem weisslich-rostigen Flaum bedeckt, ebenso die unteren Seiten seiner länglich und zugespitzten Blätter.

Es gab eine Zeit, wo irrtümlich angenommen wurde, Benzoin sei das Produkt von Benzoin odoriferum, früher Laurus benzoin, Familie Lauraceae, ein in Virginien heimischer 3 bis 4 Meter hoher Strauch mit grossen, etwas keilförmigen Blättern, der noch jetzt in Nordamerika Benzoin- oder Benjaminbaum, auch Gewürz- und Fieberstrauch, genannt wird. Seine sehr aromatische Rinde wirkt tonisch, gleiche Eigenschaften besitzen die Beeren und beide werden gegen das Wechselfieber angewendet. Eine Abkochung der Zweige gilt als Wurmmittel.

Ferner wurde geglaubt, die Quelle des Benzoins sei Terminalia benzoin, Familie Combretaceae, heimisch in Mauritius. Der milchige Saft dieses Baumes trocknet zu Harz ein, das wohl dem Benzoin ähnlich ist, es aber nicht ersetzen kann. In den Kirchen jener Insel dient es als Weihrauch.

Das Benzoin wird gewonnen durch senkrechte oder schräge Einschnitte in die Rinde, doch führt man solche Verwundungen nicht vor dem 6. Lebensjahre des Baumes aus. Das ausquellende Harz verhärtet bald an der Luft und wird dann mit einem Messer sorgfältig abgeschabt. Im Durchschnitte produziert ein Baum jährlich $1^1/_2$ Kilogramm Benzoin für 10 bis 12 Jahre.

Das Produkt der ersten 3 Jahre ist als Kopfbenzoin gekannt und gilt für das feinste und wertvollste, das Produkt der späteren Jahre führt den Namen Bauchbenzoin; wenn der Baum gefällt ist, wird aus seinem Holze, durch Auskratzen mit dem Messer, ein dunkelfarbiges, ganz geringwertiges Harz in unbedeutenden Mengen gewonnen, das Fussbenzoin genannt wird.

Im Handel wird Siam- und Sumatrabenzoin unterschieden gemäss der Herkunft. Siambenzoin gilt als das bessere, es zerfällt in zwei Sorten, von welchen die feinere die Form von „Thränen", nach der Handelssprache, besitzt; darunter sind abgeplattete, erstarrte Tropfen von der Grösse einer Mandel und abwärts zu verstehen. Der Klumpenbenzoin besteht aus Massen solcher „Thränen", gebettet in ein dunkleres Harz. Die Farbe des Thränenbenzoins wie der Thränen im Klumpenbenzoin wechselt von hellgelb zu rotbraun.

Der Sumatrabenzoin, wie er auf die westeuropäischen Märkte kommt, hat weder den starken noch angenehmen Geruch des Siambenzoins, allein die feinsten Qualitäten werden in Sumatra aufgekauft, um in den religiösen Zeremonien der griechischen Kirche in Russland zu dienen. Das Sumatrabenzoin kommt gewöhnlich in grossen rechtwinkeligen Massen mit einem grauen Scheine in den Handel; zuweilen sind in diesen Massen grosse „Thränen" gebettet, häufiger enthalten sie kleine, weisse, undurchsichtige Stücke mit Holzsplittern und anderen Fremdstoffen in einer halbdurchsichtigen Hülle.

Benzoin ist aus drei Harzen zusammengesetzt, die sich durch ihr Verhalten gegenüber den Lösungsmitteln unterscheiden und aus Benzoinsäure, der zuweilen Zimtsäure beigemengt ist. In einigen Proben von Sumatrabenzoin wurde gefunden, dass die Zimtsäure die Benzoinsäure vollständig ersetzte. Gewöhnlich enthält Benzoin 12 bis 18 % Bezoinsäure; die undurchsichtigen, weissen Stückchen enthalten weniger wie die braune Masse. Vorhanden sind auch Spuren von sehr aromatischen ätherischen Ölen, namentlich von Styrol, das auch dem Storax seinen Wohlgeruch verleiht.

Sumatra exportiert im Durchschnitt 800 000 Kilogramm Benzoin jährlich, Siam nur 22 500 Kilogramm, doch ist in Betracht zu ziehen, dass ganz bedeutende Mengen dieses Artikels bei den religiösen Zeremonien im südlichen und östlichen Asien verbraucht werden, vorzugsweise zu demselben Zwecke wird er nach Europa exportiert. In der Heilkunst findet Benzoin selten Verwendung, ausgenommen zum Erweichen von Geschwüren und zum luftdichten Verschluss als Firnissüberzug von zusammengehefteten Wunden. Diesem Zwecke dient es gewöhnlich unter dem Namen Wundbalsam, Mönchsbalsam oder Jesuitentropfen — ein Heilmittel, einfach bereitet, indem Benzoin 2 Wochen in gereinigtem Spiritus eingeweicht wird. Die alsdann durchgeseihte Lösung bildet den genannten Balsam.

8. Guajak.

Der in Zentralamerika und Westindien heimische dunkelbelaubte, immergrüne Baum, der am bekanntesten unter den Namen Pockholzbaum und Lignum vitae ist und an einer anderen Stelle dieses Buches eingehendere Erwähnung findet, produziert ein Holz, das so stark mit Harz durchtränkt ist (etwa 26 %), dass es weder Wasser noch Öl annimmt und in unabsehbarer Zeit nicht verwest. Der Splint ist harzfrei und gelblich, das Herzholz grünlichschwarzbraun; das Letztere ist das schwerste aller bekannten Hölzer, das spezifische Gewicht beträgt 1,333. Es ist so ausserordentlich hart, dass es kaum zu spalten ist, es bricht auseinander wie Glas oder Stein. Die Rinde ist hart und spröde, aus ihr quillt freiwillig das Harz in sehr reinen „Thränen.“ Es wird sorgfältig abgeschabt und in Fässern oder Matten exportiert; die ersteren halten zwischen 50 bis 200 Kilogramm, die letzteren in der Regel nicht mehr wie 50 Kilogramm.

In der Farbe wechselt dieses Harz beträchtlich, teils ist es bräunlich, teils rötlich oder grünlich, stets aber wird es grün, wenn es im Freien dem Licht ausgesetzt ist. Es besitzt einen gewissen Grad von Durchsichtigkeit und bricht mit einem glasartigen Bruch. Wenn gepulvert, strömt es einen angenehmen balsamischen Geruch aus. hat aber kaum einen Geschmack, obgleich es in der Kehle ein brennendes Gefühl erregt. Stark erwärmt schmilzt es, indem es einen kräftigen Wohlgeruch verbreitet. Das spezifische Gewicht ist 1,229.

In Form von Pulver, Pillen und Tinkturen wird dieses Harz in der Heilkunst gegen schleichende Hautkrankheiten, Rheumatismus, Katarrh und als Vorbeugungsmittel gegen Gicht verwendet.

Bei der Verarbeitung des Kernholzes werden die Späne gesammelt, welche von den Apothekern des Harzgehaltes wegen erworben werden.

9. Gummilack.

Die aus Harz und Farbstoff zusammengesetzte Verkrustung der Zweige einiger Baumarten, ausgeführt von dem Insekt Coccus lacca, wird in Indien Lakh (Lakscha im Sanskrit, Lakh im Hindostani) genannt, eine Bezeichnung, welche mit dem Zahlwort Lakh = 100 000 übereinstimmt und die zahllose Brut andeuten soll, welche jede Generation dieses Insekts hinterlässt.

Coccus lacca ist nahe verwandt mit dem Cochenilleinsekt (Coccus cacti), dem Kermesinsekt (Coccus ilicis) und dem polnischen Körnerinsekt (Coccus polonicus). welche alle, gleich dem Lackinsekt eine rote Farbe liefern. Am nächsten steht das letztere, namentlich in der Farbenproduktion, dem Cochenilleinsekt, doch weicht es darin stark von ihm ab, dass nur die Männchen, auch diese nur im letzten Entwickelungszustand, beflügelt sind, daher diese Geschöpfchen fast ihr ganzes Leben an einer Stelle verbringen. Die von ihnen bevorzugten Bäume sind der Kusum (Schleichera trijuga) und der Pallas oder Dahk (Butea frondosa), doch werden sie auch gefunden auf Urostigma religiosa, U. Indica, Croton laccifera, C. sanguifera, Aleurites laccifera, Carissa spinarium, Mimosa cinerea, Erythrina indica, Inga dulcis, Zizyphus jujuba, Vismia laccifera, Feroma elephantum und Vatica laccifera.

Sobald sich die Insekten auf einem jungen Zweige ansiedeln, bohren sie mit ihren Rüsseln in die Rinde, um Saft aufzusaugen, der ihnen nicht allein zur Nahrung, sondern, nach entsprechender Umwandelung in ihren Körpern, auch zur Schutzdecke dient. Mit den harzigen Ausschwitzungen ihrer Körper hüllen sich die Insekten vollständig ein, indem sie sich zugleich am Zweige festkleben und da sie sich stets massenhaft ansiedeln, so entsteht eine dicke, harte Kruste aus zusammenhängenden Zellen. Aus diesem selbstgeschaffenen Grabe entweichen die Weibchen niemals. Dieselben machen die Masse der Ansiedelung, denn auf etwa 5000 kommt nur ein Männchen, erkenntlich an der doppelten Grösse und an den Flügeln, wenn sein Lebensende naht.

Zwei Generationen erscheinen jährlich, anfangs Juli und anfangs Dezember. Etwa 3 Monate nach der Ansiedelung findet die Begattung statt, nach welcher sich die Männchen befreien, während die Weibchen eine Gestalt annehmen, die in einem länglichen, glatten, glänzenden, carmoisinroten Sack besteht, aus welchem ein Rüssel hervorragt, der in die Rinde führt. Wenn die Weibchen Eier gelegt haben, sterben sie, in kurzer Zeit tritt die junge Brut ins Leben und frisst sich durch die Zellen einen Ausweg ins Freie. Ausserordentlich klein und zahllos wie sie ist, hat sie bei ihrem Ausschwärmen den Anschein von blutrotem Staub. Emsig suchen die jungen Tierchen nach weichen Zweigen, um sich in der erwähnten Weise für die Dauer ihres Lebens anzusiedeln.

Wie ihre Verwandten, die **Cochenilleinsekten**, werden auch die **Lackinsekten** einer Zucht unterworfen, die allerdings sehr einfach ist. Kurz vor der Ausbrütung der Eier wird eine Ansiedelung mit dem Zweige abgeschnitten und als sogenannter Samen in die Krone eines anderen Baumes gebunden, welchen die junge Brut willig als ihre Wohnung betrachtet. Ausserdem erstreckt sich die Kultur darauf, dass nicht alle **Ansiedelungen** vor dem Ausschlüpfen der Brut geerntet werden. Seit die indische Forstverwaltung ins Leben trat, hat sie der **Lackinsektenkultur** eine eingehende Aufmerksamkeit zugewendet, gewährt ihr dieselbe doch recht ansehnliche Einkünfte.

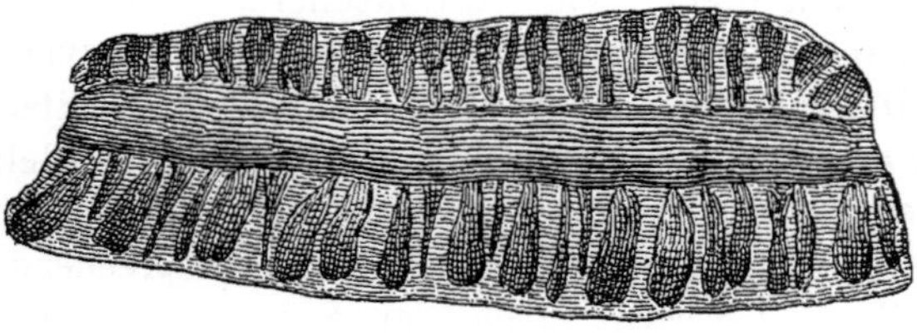

Figur 56a.

Die Figuren 56 a und 56 b helfen die Wohnung und die Erscheinung des Lackinsekts verständlich machen. Figur a zeigt den Längsschnitt eines Stücks Stocklack in natürlicher Grösse. Wie ersichtlich, ist die Verkrustung mit länglichen Zellen gefüllt, deren Achse im rechten Winkel zu dem Zweige steht. Das nach oben gerichtete Ende der Zellen ist stets breiter wie das nach unten gerichtete. Vom oberen Ende führen 3 feine Röhrchen ins Freie und in jeder Zelle findet sich das verschrumpfte Überbleibsel eines Insekts, welches in lebendem Zustand augenscheinlich die Zelle nahezu ausfüllte und ihre Form bestimmte. Das tote Insekt kann im Wasser zum Schwellen gebracht und dadurch seine natürliche Form hergestellt werden; so wird es in Figur b, etwas vergrössert, veranschaulicht. Füsse sind nicht vorhanden; am hinteren Körperende sind auf dem Bilde nur 2 hervorragende Drüsen sichtbar, in Wirklichkeit sind 3 vorhanden. Die grösste derselben bildet gewissermassen einen Schwanzstumpf, sie ist mit 10 Haaren besetzt und vielfach durchlöchert, wahrscheinlich dient sie zum Atmen, während die anderen beiden Drüsen das Ausschwitzen des Lacks besorgen. Zwischen diesen drei Drüsen befindet sich eine niedrige Drüse, welche sich dornartig zuspitzt. Von den erwähnten 3 Röhrchen der Zellen ist eine grösser wie die beiden anderen; in die grössere passt die Schwanzstumpfdrüse des Insekts genau.

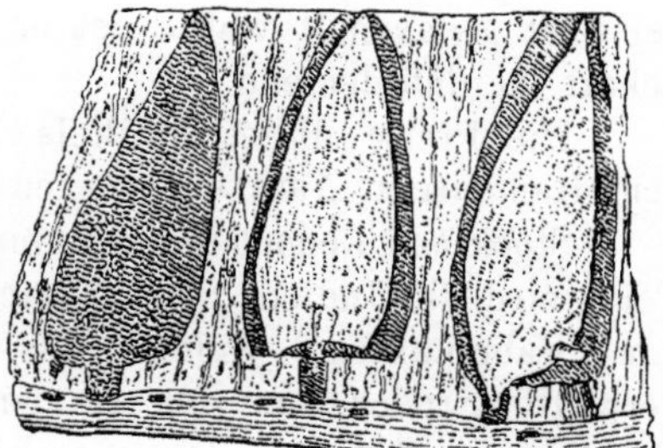

Figur 56b.

Wie andere Mitglieder dieser Gattung, wirft auch das Lackinsekt einen wollartigen Stoff aus, von dem zuweilen Reste im Stocklack hängen bleiben. Der weitaus grösste Teil wird vom Winde weggeweht.

Einfach wie die Zucht, ist auch die Ernte. Die Zweige mit den Ansiedelungen werden abgeschnitten und, des bequemeren Transportes wegen, in Stücke von 5 bis 8 Zentimeter zerlegt, wodurch übrigens Verlust durch Abfall entstehen soll.

Wenn der jungen Brut erlaubt wird, auszukriechen, geht der grösste Teil des Farbstoffes verloren, und wahrscheinlich erleidet auch das Harz durch seine Durchlöcherung einen Verlust. Um die grösste Menge Harz und Farbstoff zu gewinnen, ist es daher notwendig, die Ansiedelungen mit ihren lebenden Bewohnern zu ernten; das geschieht im Juni und November.

Die Ernte, wie sie von den Bäumen kommt, wird Stocklack genannt. Im Durchschnitt enthält sie 68 % Harz, 10 % Farbstoff (Lac dye) und 6 % eines wachsigen Stoffes. Das Harz ist ein zusammengesetzter Körper, dessen Bestandteile sich den Lösungsmitteln gegenüber verschieden verhalten.

Die Güte des Stocklacks wird nach seiner Dicke beurteilt, zuweilen bildet er eine $1^1/_4$ Zentimeter dicke Kruste rund um den Zweig, und nach seiner Farbe, die tiefrot sein und gegen das Licht gehalten, lebhaft leuchten soll. Wenn er nach dem Ausschlüpfen der Brut gesammelt wurde, ist er löcherig und fahl, der Farbstoffgehalt ist unbedeutend.

Die Preise dieses Artikels bewegten sich anfangs 1887 auf dem Hamburger Markte zwischen 77 und 80 Pfg. pro Kg.

Stocklack kommt in geringen Mengen zum Export, der grösste Teil wird in Indien zu Schellack umgewandelt. Das geschieht von Fabrikanten, welche das Rohmaterial von der Forstverwaltung oder von den in den Waldgebieten umherreisenden Händlern aufkaufen. Der Stocklack geht zunächst durch zwei kräftige Walzen, welche durch eine einfache Vorrichtung enger und weiter gestellt werden können. Der zerknirschte Stoff wird gesiebt, um den Lack von dem Holz zu trennen. Der Erstere wird in grosse, mit Wasser halbgefüllte Bütten gebracht, wo er von Männern und Frauen gewaschen wird. Dieselben stehen in der Bütte, halten sich mit ihren Händen an einer über ihnen herlaufenden Stange und stampfen abwechselnd mit Zehen und Fersen, bis nach mehrmaligem Wasserwechsel die Flüssigkeit klar bleibt. Die vorher abgelassenen Wassermengen werden geseiht und in ein grosses Fass gebracht, um einige Zeit ruhig zu stehen. Unterdessen setzt sich der Niederschlag auf den Boden; sobald sich dieser Vorgang vollzogen hat, wird die Flüssigkeit abgelassen und der Niederschlag noch einigemal mit klarem Wasser ausgewaschen und, wenn halbtrocken, unter eine Presse gebracht, um zu kleinen, viereckigen, harten, dunkelpurpurroten Kuchen mit der Handelsmarke des Fabrikanten geformt zu werden. Diese Kuchen kommen als Lacdye (Lackfarbe) in den Handel. Der Farbstoff, welcher durch diese Auswaschungen gewonnen wird, sollen die Körper der Insekten, nicht besondere Ausschwitzungen sein.

Die Auswaschung des Stocklacks kann in kaltem oder warmem Wasser, auch in einer schwachen alkalinischen Lösung geschehen, und die Lackfarbe kann in der Sonne oder über einem Feuer getrocknet werden. Die Lackfarbe ist der Cochenille ähnlich, stimmt aber in der Farbkraft nicht mit ihr überein, wie zuweilen angegeben wird, sondern färbt weniger brillant. Zusammengesetzt ist die Lackfarbe im Durchschnitt aus 50 % Farbstoff, 25 % Harz, 22 % erdige Masse und 5 % Feuchtigkeit. Seit vordenklichen Zeiten wird die Lackfarbe in Südasien benutzt, in Europa ist sie aber erst seit verhältnismässig kurzer Zeit gekannt. Die englisch-ostindische Gesellschaft brachte sie zuerst als Ersatz für die Cochenille auf die europäischen Märkte.

In neuester Zeit hat die Lackfarbe eine sehr geringe Bedeutung gegenüber dem Schellack, denn zu ihren frühen Rivalen, unter denen Cochenille den ersten Rang einnahm, sind mehrere Mineralfarben getreten, die ihr sehr gefährlich sind. Die Anilinfarben werden so billig hergestellt, sind so leicht und mit so brillanter Wirkung zu verarbeiten, dass sie alle pflanzlichen Farbstoffe, Indigo vielleicht ausgenommen, zu verdrängen drohen.

In Indien wird die Lackfarbe vorzugsweise zum Färben von Seide und Leder, in Europa zum Färben von scharlachrotem Tuch verwendet. Die Preise dieses Farbstoffes schwankten im Frühjahr 1887 auf dem Hamburger Markt zwischen 0.50 und 1 Mark pro $^1/_2$ Kilogramm. Der mehr in England wie auf dem europäischen Festland gekannte Farbstoff Lac lake enthält 50 % Farbstoff, 40 % Harz und 10 % Alaun. Wiederanknüpfend an den oben geschilderten Vorgang, ist nun der Behandlung des als Rückstand in der Bütte verbleibenden Lacks zu gedenken. Nachdem derselbe oberflächlich getrocknet ist, wird er in cylinderische Säcke von mittelfeinem Baumvollzeug gefüllt, die etwa 3 Meter lang und 5 Zentimeter im Durchmesser sind; gefüllt haben sie das Aussehen von riesigen Bratwürsten. In einen Raum gebracht, wo mehrere offene Holzkohlenfeuer brennen, werden sie wie folgt behandelt. Vor jedem Feuer sitzt ein Vormann mit zwei Gehülfen. Der Erstere ergreift das Ende eines Sacks mit der linken Hand und dreht es langsam in nächster Nähe des Feuers, zu gleicher Zeit dreht ein Gehülfe am andern Ende in entgegengesetzter Richtung. Der Sack wird dabei voll ausgestreckt und vom Feuer abgerichtet gehalten. Die Wärme des Feuers schmilzt bald den Lack in dem Sackende, welches der Vormann in der

Hand hält, und durch die Drehungen wird er durch das Tuch gepresst und fällt in einen unterstellten Trog, der gewöhnlich aus einem Blatte der amerikanischen Agave (Agave americana) besteht. Wenn eine genügende Menge geschmolzener Lack in dem Troge liegt, wird er von dem Vormann mit einem hölzernen Löffel in einen etwa 20 Zentimeter weiten hölzernen Cylinder geschöpft, dessen obere Hälfte mit Messingblech überkleidet ist. Das Gestell, welches den Cylinder trägt, gibt diesem eine vom Vormann weggeneigte Richtung. Der zweite Gehülfe tritt nun an den Cylinder und bereitet mit geschickten Bewegungen eines Blattstücks der Agave in seiner Hand den noch flüssigen Lack in einer gleichförmig dicken Schichte über die obere Seite des schrägliegenden Cylinders. Der Vormann schneidet mit einer Scheere die an der Öffnung des Cylinders liegende Kante glatt ab, der Gehülfe nimmt alsdann die Schicht mit beiden Händen auf, schwenkt sie einige Augenblicke über dem Feuer, um sie krustig zu rösten, und hält sie gegen das Licht, um nach Fremdstoffen zu forschen, welche einfach mit den Fingern aus dem spröden „Blatt", wie der technische Ausdruck ist, geklaubt werden. Die Blätter werden aufeinander gelegt und abends gezählt, um das Arbeitslohn zu berechnen. Die Blätter werden in Kisten gepackt, in welchen sie in viele Bruchstücke zerfallen, wenn sie starken Pressungen oder Erschütterungen ausgesetzt sind. Dieser Artikel kommt als der wichtige Schellack auf den Markt.

Nicht immer fällt der durch die Säcke gepresste Lack auf ein Agaveblatt, um von da in einen Cylinder geschöpft zu werden, sondern zuweilen fällt er auf Gaze, die auf dünnen Holztafeln liegt, um hier zu Blättern ausgebreitet zu werden. Die übrige Behandlung ist nicht abweichend.

Je sorgfältiger gereinigt, je mehr einer hellen orangebraunen Farbe sich nähernd, desto besser ist die Qualität des Schellacks. Da die Auswaschungen nicht immer gründlich stattfinden, so kommen verschiedene Farbenschattierungen auf den Markt, die abweichende Wertschätzung erfahren, wie die folgenden Preisnotierungen der Hamburger Waarenbörse in den ersten Monaten von 1887 zeigen:

Schellack,	blut-, kirschroth und rubin	1	bis	1,12	Mark	pro	Kilogramm.
„	braun leberfarbig	1,10	„	1,15	„	„	„
„	orange	1,15	„	1,40	„	„	„

Die dunkeln Sorten des Schellacks werden häufig mit Fichtenharz verfälscht, was durch starke Erwärmung zu entdecken ist. Der unverfälschte Schellack, selbst wenn er viel Farbstoff enthält, strömt über dem Feuer einen sehr angenehmen Wohlgeruch aus, nicht so der mit Fichtenharz verfälschte.

Alle Schellacksorten sind halbdurchsichtig, die feinsten, so dünn wie Schreibpapier, sind sogar durchsichtig.

Der Schellack kann gebleicht werden, indem man ihn in einer kochenden Lauge von kaustischer Pottasche auflöst, und allmählich Chlor in die Flüssigkeit giesst, bis der Lack vollständig gefällt ist. Gebleichter Schellack nimmt delikate Farbenschattierungen willig an, goldgelb gefärbt dient er in Indien zur Anfertigung von Schmucksachen verschiedener Art.

In Europa und Nordamerika dient der Schellack vorzugsweise zur Bereitung von Lackfirnissen, für welchen Zweck er sehr wertvoll ist, weil er sich leicht löst und einen glatten, harten Überzug hervorruft, der, wenn trocken, eine feine Politur annimmt. Die wohl bekannte französische Politur ist nichts anderes wie Schellack in Alkohol aufgelöst, und ein feiner dünner Firniss aus diesem Artikel bildet den Lack für Messing und andere Metalle. Ferner findet der Schellack in den Hutfabriken Verwendung. Alle Seidenhüte werden gesteift mit einem Gemenge aus Schellack, Mastix, Sandarak und anderen Harzen, aufgelöst in Alkohol oder Naphtha. Der Rand wird stets mit diesem Gemenge stärker getränkt wie der Kopf des Hutes. Auch zur Herstellung von Siegellack und lithographischer Tinte dient der Schellack.

Nicht im deutschen, aber im englischen Handel wird von buttonlac und platelac gesprochen. Beide Sorten sind Schellack, die sich dadurch unterscheiden, dass die erstere aus kleinen dicken, die letztere aus dünnen grossen Bruchstücken der ursprünglichen Blätter besteht. Zu dick gewordene Blätter zerfallen in buttonlac, dem auch die neben die Tröge fallenden Tropfen beigefügt werden.

Samenlack, von dem selten im Handel die Rede ist, wird unter den Bäumen mit den Ansiedelungen der Lackinsekten gefunden. Er besteht aus kleinen Stückchen, die von den Ansiedelungen abgestossen werden, durch gegenseitiges Reiben und Schlagen der Äste während eines Windes.

Die wichtigsten Produktionsgebiete des Lacks sind Assam, Bengalen und die Zentralprovinzen von Indien. Die nordwestlichen Provinzen spielen in dieser Hinsicht eine unbedeutende Rolle, Madras, Bombay, Sind und das Punjab liefern uns mässige Mengen. Einige Gegenden in Birma sind ausserordentlich reich an diesem Produkt. China, Siam, Ceylon und einige Inseln des malayischen Archipels bringen ebenfalls Lack in den Handel. Sehr geschätzt ist der Lack von Siam. Als der beste indische Lack gilt der von Assam und Birma.

Nicht in allen Produktionsländern wird der Ausbeute gleiche Aufmerksamkeit geschenkt. In Hinterindien befinden sich Wälder mit reichen Lackvorräten, die unberührt bleiben, weil die Fundorte schwer zugänglich und der Transport nach den Handelsplätzen zu kostspielig ist.

Fast der ganze Lackexport Indiens geht über Calcutta. Die Produktion, soweit sie nicht dem heimischen Verbrauche dient, geht nach jenem Hafen, um zum weitaus grössten Teile nach England und Nordamerika verschifft zu werden. In neuester Zeit hat sich Birma von Calcutta unabhängig zu machen gesucht und direkt exportiert.

Die Ausfuhr des indischen Reiches an den verschiedenen Lacksorten beträgt gegenwärtig ewa 4 500 000 Kilogramm und an Lackfarbe 410 000 Kilogramm. Der Ausfuhrwert der beiden Artikel beträgt zwischen 10 und 12 Millionen Mark.

10. Elemi.

Dieser neuere Name ist wahrscheinlich, gleich dem älteren: Animé von Enhaemon herzuleiten, der Bezeichnung eines Heilmittels, von dem Plinius sagt, es enthalte Thränen und schwitze aus dem Olivenbaum Arabiens.

Unter Elemi, ohne unterscheidenden Zunamen, wird das Harz verstanden, welches durch Einschnitte in die Rinde einer auf den Philippinen heimischen Art der Gattung Canarium gewonnen wird, von welcher Flückiger und Hanbury meinen, sie sei wahrscheinlich übereinstimmend mit Boswellia frereana, ein Baum, welcher in der Nähe von Bunder Marayali, westlich vom Kap Gardafin, vorkommt.

Elemi ist ein weiches, halbdurchsichtiges, klebendes Harz von körniger Beschaffenheit und fenchelähnlichem Geruch. In reinem Zustand ist es farblos, grau oder schwärzlich ist es häufig durch Beimengungen von Fremdstoffen. Längere Zeit der Luft ausgesetzt, wird es gelblich und hart. Zusammengesetzt ist es aus ätherischen Ölen, aus einem formlosen und einem krystallinischen Harz; das erstere löst sich leicht in kaltem, das letztere nur in warmem Alkohol.

Elemi wird hauptsächlich zur Bereitung von Spiritus- und Terpentinfirnissen verwendet, um diese zu verhindern, beim Trocknen rissig zu werden. Als anregende Salbe hat es im britischen Arzneischatze Aufnahme gefunden. Auf den Philippinen dient es zum Kalfatern der Schiffe und, mit Reisspreu vermischt, zu Fackeln.

Das Elemi von Mauritius stammt von Colophonia mauritiana, das mexikanische Elemi von Amyris elemifera und das brasilianische Elemi von verschiedenen Arten der Gattung Icica.

11. Balsame.

Mehrere Harze mit einer so beträchtlichen Beimengung von ätherischen Ölen, dass sie zäh oder dickflüssig sind, werden als Balsame bezeichnet, was indessen nicht als eine Sonderung von den übrigen weichen Harzen auf Grund wesentlicher Merkmale zu betrachten ist. Eine Erklärung für diesen Gruppennamen kann nur darin gefunden werden, dass die betreffenden Harze mehr wie andere in der Heilkunst Verwendung finden.

Dem Balsam von Peru pflegt man den ersten Rang in dieser Gruppe zuzusprechen. Er ist das Produkt von Myrospermum peruiferum (nach älterer Klassification Myroxylon peruiferum) Familie Leguminosae, in Zentralamerika Quinquino genannt, ein hoher schöner Baum, welcher im westlichen Zentralamerika, von der mexikanischen Grenze bis Ecuador heimisch, aber nur in San Salvador häufig ist, was Veranlassung zu der Behauptung gab, er komme nur in diesem Staate vor. Jedenfalls ist San Salvador die einzige Bezugsquelle dieses Artikels und der wichtigste Markt ist der Küstenplatz Sonsonate.

Im Handel wird weisser und schwarzer Balsam von Peru unterschieden, eine Farbenabweichung, die sehr wahrscheinlich auf verschiedene Ausbeuteverfahren zurückzuführen ist. Nach einer Behauptung flösse der weisse Balsam freiwillig aus der Rinde, der schwarze dagegen aus Einschnitten. nach einer anderen, wenig glaubwürdig klingenden Angabe, wird er durch trockene Destillation und durch Abkochung des Holzes gewonnen. Es ist schwierig, zuverlässige Mitteilungen über diesen Gegenstand zu erhalten, weil nur Indianer den Balsam sammeln und auf den Markt bringen und diese sind, nach Art ihrer Rasse, misstrauisch-zugeknöpft. Wahrscheinlich werden wir warten müssen, bis Ceylon die erwünschten Aufklärungen gibt, denn auf dieser Insel sind erfolgreiche Anpflanzungsversuche mit dem Balsambaume gemacht worden. Es wäre auch im höchsten Grade auffallend gewesen, wenn die stets nach neuen Hilfsquellen für ihre Kolonien ausschauenden Engländer, diesen durch seine Holz- wie Balsamproduktion wertvollen Baum übersehen hätten. zumal es gilt, sich von einem Monopol unabhängig zu machen.

Der weisse Balsam von Peru ist anfänglich von der Dichte und Farbe des Honigs, wird aber allmählich dickflüssiger und geht ins Gelbbraune über.

Der schwarze Balsam von Peru ist rötlich- bis schwärzlichbraun und von der Dichte des Syrups. Beide Sorten enthalten Zimtsäure bis zu 46 %, Harz 30 bis 35 % und ein Öl, das Cinnameine, auch Balsamöl von Peru genannt wird. Verwendet wird dieser Balsam zum Parfürmieren von Conditorwaaren und in der Heilkunst innerlich und äusserlich als anregendes Mittel.

Der Balsam von Tolu entstammt einer anderen Art der Gattung Myrospermum, der in den Gebirgen von Tolu und an den Ufern des Magdalenenstroms heimischen M. toluiferum. Noch zwei Arten: M. punctatum und M. pebuscens sollen diesen Artikel liefern, doch sind darüber noch zuverlässigere Mitteilungen abzuwarten. Dieser Balsam besitzt einen ähnlichen Wohlgeruch wie der vorhergehende, ist dagegen zähflüssiger und verhärtet sich mehr mit der Zeit. Er besteht aus Harz, Zimtsäure und flüchtigen Ölen und wird ebenfalls als Parfümerieartikel, ferner als Hustensyrup verwendet.

Obgleich die botanischen Quellen des Balsams von Tolu und des Balsams von Peru ganz nahe verwandt sind, erfahren diese beiden Artikel doch eine sehr abweichende Wertschätzung, wie aus den folgenden Preisnotierungen der Hamburger Waarenbörse vom März 1887 hervorgeht: Balzam von Peru 10,25 bis 10,50 Mark, Balsam von Tolu 3,20 bis 3,40 Mark pro Kilogramm.

Es ist daher begreiflich, dass man nur M. peruiferum in Ceylon einführte, hätte man nur die Holzproduktion im Auge gehabt, würde man wohl M. toluiferum den Vorzug gegeben haben, da dessen Holz wertvoller sein soll. Es ist von dunkelroter, angenehmer Farbe, hart, dauerhaft und wird, wie schon Humboldt erwähnt, in Columbia vielfach zu Bauzwecken verwendet.

Liquidambarbalsam stammt von dem in Kleinasien heimischen Baume Liquidambar orientalis. Es ist ein weicher, harzartiger Stoff mit einem angenehmen, balsamischen Geruch, zumal wenn er einige Zeit gelegen hat, zusammengesetzt aus Harz, Styrol, Styracin, Zimtsäure und Cinnamene, dem er seinen eigentümlichen Geruch verdankt. Ein ähnlicher Artikel wird von Liquidambar Altingia, heimisch in Java, gewonnen, und ein mehr abweichender entstammt dem in Mexiko und im Süden der nordamerikanischen Union heimischen Banme Liquidambar styraciflua.

Gileadbalsam oder Mekkabalsam ist das Produkt von Balsamodendron giliadense, einem in Arabien und Abessinien vorkommenden Baume. Wenn es aus den Rinden quillt, ist es von trüber weisser Farbe, der Dichte des Honigs, einem durchdringenden Geruch, später wird es klar gelb, wohlriechend und verhärtet beträchtlich. Dieser Balsam wurde von den Völkern des Altertums hoch geschätzt und steht heute noch bei den Bewohnern des südwestlichen Asiens und des nordöstlichen Afrikas in hohem Ansehen.

Opobalsam entstammt einem nahen Verwandten des vorhergehenden Baumes, dessen Verbreitungsgebiet er teilt, dem Balsamodendron opobalsamum, nach älterer Klassifikation Amyris giliadensis. Dieser Artikel ist fahlgelb, klar, durchsichtig, von der Dichte des venetianischen Terpentins, starkem, aromatischem Geruch und schwach bitterem Geschmack. Nach längerer Aufbewahrung wird er braun und dick. Dieser, wie der vorhergehende Balsam, haben nur in dem genannten Gebiete Bedeutung.

Umiribalsam stammt von Humirium floribundum, einem in Südamerika heimischen Baume; nur dort wird dieser Stoff benutzt.

Canadabalsam ist das Produkt von Abies balsamea, welche in Canada und den angrenzenden Gegenden der nordamerikanischen Union vorkommt. Dieser Balsam quillt freiwillig aus der Rinde, ist zuerst ganz durchsichtig und ziemlich flüssig, allmählich verdickt er sich beträchtlich und nimmt eine delikate gelbe Farbe an, während sein milder Terpentingeruch keine Veränderung erfährt. Seine wesentlichsten Bestandteile sind: 24% ätherische Öle und 60% Harz, löslich in Alkohol. Gelegentlich ist dieser Balsam, der in Fässern von etwa 50 Kilogramm Gewicht in den Handel gebracht wird, als Ersatz für Copaivabalsam verwendet worden, allein seine hauptsächlichste Benutzung war und ist zur Bereitung von Firnissen und zum Aufkleben von Gegenständen, welche unter das Mikroskop gelegt werden sollen. Streng genommen ist der Canadabalsam als eine Terpentinsorte zu betrachten, dasselbe gilt von dem ungarischen Balsam, der von Pinus Pumilio und dem karpathischen Balsam, der von Pinus Pinea stammt.

Copaivabalsam ist, nächst dem Balsam von Peru, jedenfalls das wichtigste Heilmittel dieser Harzgruppe. In der Hauptsache besteht es aus Copaivaharz und dem flüchtigen Copaivaöl, sein Geschmack ist herbe und sein eigentümlicher Geruch nicht unangenehm. In kleinen Gaben wirkt es harntreibend, in grossen abführend, seine geschätzteste Eigenschaft besteht in seiner kräftigen Wirkung auf die Schleimhäute.

Die botanische Quelle dieses Balsams bilden mehrere fiederblätterige Arten der Gattung Copaifera, Familie Leguminosae, die im Amazonenthal wie in den Wäldern von Guiana, Venezuela und Columbia vorkommen. Die Art, welche die geschätzteste Sorte, den weissen Copaivabalsam, liefert, findet sich in der brasilianischen Provinz Para, von wo jährlich beträchtliche Mengen verschifft werden, vorzugsweise nach Frankreich. Dieser Baum wird infolge des Ausbeuteverfahrens immer seltener, und die Sammler sind jetzt schon gezwungen, nach langen Kahnfahrten tief in die Wälder zu dringen. Wenn sie einen Baum gefunden haben, der, wenn auf gutem Boden stehend, am Fusse einen Stammumfang von 2 bis 2½ Meter und einen astfreien Stamm von 27 Meter mit einer flachen, dichten Krone haben mag, schlagen sie ein tiefes Loch in den Stamm. Das erfordert Geschicklichkeit, denn das Loch soll nicht viel breiter wie die Axt, sondern nur so geräumig sein, dass seine Richtung nach dem Kernholz hin so geändert werden kann, dass der Sammler nicht verfehlt, was er die Ader nennt, die gewöhnlich am Rande vom Kernholze gefunden wird und den Balsam ausquellen lässt. Die untere Wand des Loches muss sorgfältig glatt und in sanft abwärts geneigter Richtung ausgehauen werden, damit die ausströmende Flüssigkeit ungehindert und in Masse bis an den Lochrand steigen hann. Unter der Lochöffnung wird ein spitz zulaufendes Rindenstück ausgeschnitten und in die Höhe gehoben, welches, mit einem Blatt umwickelt, als Rinne dient, die den Balsam in das untergestellte Zinngefäss leitet.

Gewöhnlich wird das Loch etwa $^1/_2$ Meter über dem Wurzelhals geschlagen und zwar selten grösser wie 25 Zentimeter im Geviert. Der weisse Splint ist etwa 10 bis 12 Zentimeter dick: sobald die Späne von weiss zu rotbraun übergehen, liegt der Beweis vor, dass das Kernholz erreicht ist. Dasselbe hat durchaus die Farbe von altem Eichenholz, das in feuchtem Boden gelegen hat. Sobald die „Ader“ angeschlagen ist, kommt der Balsam in mässiger Geschwindigkeit geflossen, bedeckt und durchdrungen von vielen weissen, durchsichtigen Blasen. Zuweilen erleidet der Ausfluss eine Unterbrechung von einigen Minuten, die Fortsetzung erfolgt, nachdem ein gurgelndes Geräusch gehört wurde. Während der Ausfluss am stärksten ist, beträgt er etwa $^1/_2$ Liter in der Minute.

Alle ausgehauenen Späne sind mit Balsamtropfen besprenkelt, ein Beweis, dass dieser Stoff den ganzen Stamm durchdringt, mit Ausnahme der Rinde, in der er zu fehlen scheint. Obgleich ein angehauener Baum etwa einen Monat Balsam austropft, so beschränken die Sammler die Ausbeute auf die 2 bis 3 Stunden des kräftigen Ausflusses und gehen dann zu einem anderen Baume über.

Sehr grosse Bäume liefern zuweilen eine Ausbeute von 40 Liter, gewöhnlich hat sich aber der Sammler mit einer geringeren Menge zu begnügen.

Wenn der Balsam aus dem Baume fliesst, hat er einen kräftigen, stechenden Geruch, der im Walde nicht belästigt, in den Speichern von Para ist er aber nichts weniger wie angenehm. Wahrscheinlich erfährt er im Lagern eine Veränderung. Die Verschiffung geschieht in Fässern von 50 bis 75 Kilogramm Gewicht.

Es ist schwierig, Samen von dem Copaivabaum zu gewinnen, denn sobald er fällt, wird er von Nagetieren, so gross wie Ratten, gefressen oder weggeschleppt. Unter jedem Baume befindet sich ein Netzwerk von Pfaden dieser Samenräuber. Jede Kapsel enthält nur einen Samen. der mit einem weissen, wachsähnlichen Stoffe von delikatem Geruch überzogen ist. Der Same selbst ist schwarz und von der Grösse und Form der Feldbohne.

Ob Anbauversuche mit dem Copaivabaum gemacht worden sind, habe ich nicht erfahren können, jedenfalls liegt die Versuchung dazu weniger nahe wie mit dem Quinquino, denn Copaivabalsam besitzt nur etwa den dritten Teil des Wertes wie der Balsam von Peru; im März 1887 wurde er in Hamburg mit 3,50 bis 3,60 Mark pro Kilogramm notiert.

In Indien und dem malayischen Archipel glaubt man in dem Gurjunbalsam einen Ersatz für den Copaivabalsam zu besitzen, selbst englische Ärzte verwenden ihn in den indischen Hospitälern als Heilmittel. Ausserdem dient er zur Bereitung eines Firnisses, der gegen die Termiten schützt. Gewonnen wird dieser Stoff von mehreren Arten der Gattung Dipterocarpus, hauptsächlich von D. turbinatus; im Geruch und dem bitterlichen, ekelerregenden Geschmack ist er dem Copaivabalsam sehr ähnlich.

Der dunkelrote Balsam, den Hardwickia pinnata, Familie Leguminosae liefert, wird ebenfalls als Ersatz für Copaivabalsam betrachtet.

12. Terpentin.

Nur in warmen Klimaten ist die Gewinnung dieses dickflüssigen Harzes lohnend, in der halbtropischen Zone bietet sie die weitgehendsten Vorteile. Und an einem gegebenen Orte ist die Ausbeute reichlicher in einem feuchten und warmen, wie in einem trockenen nnd kühlen Jahrgang. Bäume, der Luft und Sonne ausgesetzt, sind ergiebiger wie solche, die gedrängt und im Schatten stehen; eine stark entwickelte, dichtbelaubte Krone ist ein Wahrzeichen starker Terpentinproduktion.

Das ist allgemeingültig für die terpentinhaltigen Bäume, deren Zahl nicht gering ist, doch gehören sie vorzugsweise den Nadelhölzern an. Von den Letzteren besitzt nur die Gattung Taxus keine harzführenden Gefässe, während die Gattung Pinus am reichlichsten damit versehen ist. Zwischen diesen beiden Extremen stehen abgestuft die Gattungen Larix, Pseudolarix, Cedrus, Abies, Picea, Thuja, Cupressus, Biota, Tsuga, Pseudotsuga, Araucaria und Chamaecyparis.

Bedeutend wie die Zahl der terpentinhaltigen Bäume ist, kommen für die Ausbeute doch nur sehr wenige in Betracht. Im Welthandel unterscheidet man zwischen venetianischem Terpentin und gewöhnlichem oder dickem Terpentin. Der erstere entstammt der europäischen Lärche und wird vorzugsweise in Frankreich gewonnen; seine Eigenschaften sind: klar, durchsichtig, lichtgelb, zähflüssig, balsamischer Geruch und herber, bitterer Geschmack; er ist in Alkohol vollständig löslich und verhärtet sich bei längerer Berührung mit der Luft.

In welcher Wertschätzung der venetianische Terpentin dem dicken Terpentin gegenüber gehalten wird, zeigen die folgenden Preisnotierungen der Hamburger Warenbörse vom März 1887: dicker Terpentin 25 bis 25,50 Mark, venetianischer Terpentin 180 bis 190 Mark pro 100 Kilogramm.

Für den dicken Terpentin sind nur zwei Produktionsgebiete, mit je einer Kiefernart, von Bedeutung: Nordcarolina und angrenzende Staaten mit der Terpentinkiefer und die Gascogne in Frankreich mit der Strandkiefer. Was sonst noch in Europa von der Pinus sylvestris, P. laricio u. s. w. und in Nordamerika von Pinus ponderosa, P. mitis, P. taeda u. s. w. gewonnen wird, ist kaum der Rede wert.

Von den beiden genannten Produktionsgebieten ist das nordamerikanische das weitaus wichtigste. Dasselbe erstreckt sich vom Roanokefluss in Nordcarolina südlich durch diesen Staat, durch Südcarolina, Georgia, Alabama, Mississippi und Louisiana über die Grenze von Texas. Florida darf mitgezählt werden, obgleich seine Terpentinkiefern nicht mit dem grossen Walde im Zusammenhange stehen, sondern zerstreute Gruppen bilden. Der „Terpentinkieferngürtel“, wie ihn die Nordamerikaner nennen, ist 80 bis 250 Kilometer von der Küste entfernt und von wechselnder Breite, die Grenzen sind gewöhnlich nicht scharf zu bestimmen und der ganze Bestand ist mehr oder weniger gemischt mit anderen Baumarten. An der nördlichen Grenze beträgt die Breite etwa 75 Kilometer, nach Süden und Westen fortschreitend, nimmt die Ausdehnung zu, stellenweise bis zur Verdoppelung jener Kilometerzahl. Der Boden erhebt sich durchschnittlich nur 60 Meter über den Meeresspiegel, ist grösstenteils sandig, trocken und sanft hügelig. In ebenen Gegenden, wo der Untergrund bindig ist, tritt die Terpentinkiefer gegen andere Nadelhölzer zurück, ein Beweiss, dass sie nur auf einem mässig feuchten, durchaus lockeren Boden freudig gedeiht.

Früher wurden auch Pinus taeda, P. mitis und P. rigida zur Terpentingewinnung herangezogen, für die Gegenwart aber darf behauptet werden, dass nur die Terpentinkiefer diesem Zwecke dient. Langblättrige Kiefer, östliche Gelbkiefer und harte Gelbkiefer sind andere volkstümliche Namen für diesen Baum, den Miller Pinus palustris nannte; Michaux führte ihn als P. australis an, Carrière hat wieder zu dem alten botanischen Namen zurückgegriffen, der in Folge dessen in den nordamerikanischen wissenschaftlichen Kreisen allgemein gebräuchlich geworden ist.

Die Terpentinausbeute erfolgt teils durch die Eigentümer der Waldstrecken, teils durch Pächter, in beiden Fällen mit Verwendung von farbigen Arbeitern, „Terpentinnigger“ genannt. Die Verpachtung geschieht selten auf eine längere Zeit, 2 bis 3 Jahre ist die Regel. Das Revier, welches der Eigentümer oder der Pächter ausbeutet, gilt als Terpentinfarm.

Die Arbeit beginnt im November mit dem Aushauen von Zapflöchern, etwa 30 Zentimeter über dem Fusse der Bäume. Die Löcher sind 30 bis 40 Zentimeter lang, 10 bis 15 Zentimeter tief und rückwärts halbmondförmig ausgehauen, an der breitesten Stelle 8 Zentimeter messend.

Die Füllung der Löcher mit Terpentin beginnt etwa Mitte März, zunächst langsam, dann steigend bis zum Mittsommer, von da ab zurückgehend, um bei Eintritt der Kälte abzubrechen. Zum erstenmal Ende März, später noch einigemal werden die Löcher vergrössert, indem zunächst an beiden Ecken, just über dem hinteren Rande ein Span und dann gerade über dem Loch eine **V** förmige Stelle ausgehauen wird. Von diesen Stellen wird wöchentlich einmal mit einem eigentümlich geformten Messer Holz abgeschabt, erst wenn dieses Mittel nicht mehr fruchten will, findet eine weitere Vergrösserung mit dem Beil statt. Mit anderen Worten, das Streben ist darauf gerichtet, dem Baume eine frische Wunde zu erhalten.

Die Entleerung der Löcher geschieht einmal monatlich mit tiefen Löffeln in Eimer, die, wenn gefüllt, nach dem Lagerplatz getragen und in Fässer ausgegossen werden. Das bereits verhärtete Terpentin wird mit einem Schabeisen ausgekratzt und in besondere Eimer gebracht.

Die Fassungskraft des Loches beträgt $1^1/_2$ bis 2 Liter und wenn von 10 000 Löchern 210 Fässer von je 280 Pfund (126 Kilogramm) Terpentin erhalten werden, so gilt die Ernte als gut, als vorzüglich wird sie betrachtet, wenn die Fässerzahl 250 beträgt. Das stimmt annähernd mit der Angabe überein, die höchste Ernte aus einem Loche betrüge $4^1/_2$ Kilogramm und da einem kräftigen, ausgewachsenen Baume zwei Löcher eingeschlagen werden könnten, so produziere er im Jahre 9 Kilogramm Terpentin.

Die Bäume werden jedes Jahr an neuen Stellen angeschlagen, was natürlich ihren Tod herbeiführen muss. Tritt derselbe ein, so werden sie gefällt und in der Teerbrennerei benutzt oder in den Sägemühlen verschnitten. Viele Architekten weisen übrigens solches Holz zurück, für Verwendungen, wo Stärke beansprucht wird.

In den meisten „Terpentinstaaten" muss das Terpentinfass 280 Pfund brutto wiegen, in einigen ist der Massgehalt von $31^1/_2$ Gallonen vorgeschrieben. In allen Staaten sollen die Fässer Brandzeichen tragen und zwar überall V für Virginturpentine. In Nordcarolina und Georgia ist S für soft und H für hard einzubrennen. In Florida soll S reiner Serape, D gelbe Qualität bezeichnen.

Zur Überwachung dieser Bestimmungen sind in allen Staaten Terpentininspektoren angestellt.

Erklärend ist hinzuzufügen, dass die Ernte des zum erstenmal angeschlagenen Baumes virgin (jungfräulich) genannt wird; sie zeichnet sich durch eine später unerreichte Klarheit und Reinheit aus. Das folgende Jahr wird die Ernte yearling (Jährling) genannt, in allen folgenden Jahren ist sie old stuff (alter Stoff). Die Ernte jedes folgenden Jahres wird dunkeler wie die vorhergehende: von farblos zu gelb, von gelb zu braun.

Es kommt übrigens mehr und mehr in Aufnahme, das rohe Terpentin am Produktionsort durch Destillation in Colophonium oder Geigenharz und Terpentinöl, fälschlich auch Terpentinspiritus genannt, zu trennen. Wird Terpentin mit Zusatz von etwas Wasser destilliert, so entsteigt bei einer Wärme von 100 bis 150° C. sein ätherisches Öl, welches nach der Reinigung durch die chemische Formel $C_{20}H_{16}$ dargestellt wird. Sein spezifisches Gewicht beträgt 0,864, sein Siedepunkt liegt bei 160° C. Es ist farblos, durchsichtig, besitzt eine starke, strahlenbrechende Kraft, einen durchdringenden eigentümlichen Geruch und einen unangenehmen herben Geschmack. Es ist leicht löslich in Alkohol,

Äther, flüchtigen und fetten Ölen, aber nicht in Wasser, auf dem es schwimmt. Für manche Stoffe gilt es als gutes Lösemittel, wie Schwefel, Phosphor, Kautschuk und verschiedene Harze. In manchen Gewerben findet es ausgedehnte Verwendung, von allen Ölfarben bildet es einen Bestandteil.

Das in der Destillierblase zurückbleibende Harz wird durch eine Bodenklappe abgelassen, geseiht und nach einer Bütte geleitet, aus der es in Fässer geschöpft wird und damit marktfähig ist. Die Farbe des Harzes zeigt starke Abweichungen, je nach der oben gekennzeichneten Stufenfolge der Terpentinernten und der bei der Destillation angewendeten Wärme. Das in den ersten Monaten geschöpfte jungfräuliche Terpentin liefert, wenn nicht in der Blase verbrannt, ein schönes, durchsichtiges Harz, das im Handel als waterwhite (wasserweiss) bezeichnet wird und die Marke W. W. trägt. Das in späteren Monaten geschöpfte jungfräuliche Terpentin liefert ein etwas trüberes Harz, das als Windowglas (Fensterglas) bezeichnet wird und die Marke W. G. trägt. Die übrigen Qualitäten, in Farbenabstufungen von hellgelb bis nahezu pechschwarz, werden nach ihrer Gradierung mit den Buchstaben A. bis N. gemarkt, wobei J. übergangen wird. A. bezeichnet die dunkelste Qualität, N. die hellste.

Wenn von dieser Reihenfolge der Durchschnitt gezogen wird, so stellt sich der Preis um zwei Drittel niedriger, wie derjenige, welcher für „wasserweiss“ bezahlt wird. Beispielsweise wurde im März 1887 in Hamburg braunes amerikanisches Harz mit 7 Mark, das beste helle amerikanische Harz aber mit 23 Mark pro 100 Kilogramm notiert.

Geigenharz, im deutschen Grosshandel einfach Harz genannt, ist ein sehr sprödes, brüchiges Harz mit einem schwachen Kieferngeruch, das bei einer Wärme von 80 ° C. erweicht und bei einer Temperatur von 100 ° C. und höher vollständig schmilzt. Es ist leicht löslich in Äther, Benzol und Chloroform und nur teilweise löslich in Alkohol und fetten Ölen. Es findet eine ausgedehnte Anwendung zur Bereitung von Harzseifen und ordinären Firnissen, zu Cement und Schusterwachs, ferner dient es zum Verpechen der Lagerbierfässer, zum Bestreichen der Bogen musikalischer Instrumente und zu zahlreichen unwichtigeren Zwecken. Im Arzneischatze bildet es einen Bestandteil mehrerer Salben und Pflaster. Beträchtliche Mengen werden durch trockene Destillation zu einem öligen

Kohlehydrat umgewandelt, das einen teerigen Geruch und eine weissliche Farbe besitzt, und unter dem Namen Harzöl vielfach als Schmiermittel, zuweilen auch als Fälschungsmittel für fette Öle verwendet wird.

In dem nordamerikanischen Produktionsgebiete rechnet man, von 8 Fässern rohem Terpentin 2 Fässer Terpentinöl und 5 bis 5½ Fässer Harz zu erhalten. Mit der Destillation wird im April in einer grossen kupfernen Blase, die in einem zweistöckigen Gebäude steht, begonnen. Die Füllung besteht aus 8 bis 10 Fässern rohem Terpentin. Von einem Wasserbehälter führt eine Röhre in die Blase, damit jederzeit Wasser zugeführt werden kann, wenn es nötig befunden wird. Das in Gasform aufsteigende Terpentinöl wird in einem Kühlrohre verdichtet und fliesst von da in ein bereit gestelltes Fass. Der Vorgang weicht also von der gewöhnlichen Destillation nicht ab. Selbstverständlich verdichtet sich in dem Kühlrohr nicht allein das Terpentinöl, sondern auch das in der Blase verdampfte Wasser, da aber das erstere scharf geschieden auf dem letzteren schwimmt, so ist die Trennung leicht auszuführen.

Die grösste Aufmerksamkeit erfordert die Zuführung der nötigen Wassermenge in die Blase und deshalb legt der bedienende Arbeiter häufig das Ohr an das Ende des Schlangenrohrs, weil ihn die von der Blase ausgehenden Töne belehren, wie er zu handeln hat. Das Terpentinöl soll mit dem Wasser im Verhältnis von 2 bis 3 aus dem Kühlrohr fliessen, die Menge des ersteren schwindet selbstverständlich stark zusammen, wenn sich die Zersetzung in der Blase dem Ende zuneigt. Wenn die Nachfrage für Harz stärker ist wie für Terpentinöl, wird die Destillation nicht ganz zu Ende geführt, denn durch einen Rückstand von Terpentinöl wird das Harz verbessert, jedenfalls in der Menge erhöht. Es darf übrigens nicht so viel Terpentinöl zurückbleiben, dass der Probewürfel von etwa 4 Zentimenter erweicht, welchen der Kaufmann in seinem Musterkasten aufbewahrt.

Wenn die Destillation abgebrochen werden soll, wird das Feuer gedämpft und nach einigen Minuten die Kappe der Blase abgenommen. Nachdem der Rückstand tüchtig umgerührt wurde, wird er — immer noch kochend heiss — durch eine Klappe am Boden der Blase abgelassen. Zunächst fällt er durch ein grobmaschiges Drahtsieb, auf welchem die Rindenstücke und andere grobe Fremdstoffe gefangen werden. Von da fällt er durch ein feinmaschiges Drahtsieb und dann durch ein grobmaschiges Drahtsieb, das aber mit Watte bedeckt ist. Wenn die flüssige Masse durch diese drei übereinanderstehende Siebe gelaufen ist, werden diese entfernt. Nun wird das noch ganz heisse, dicke Harz mit einem Schöpfer aus der Blase in bereitstehende Fässer gebracht, in welchen es ungestört bleibt, bis es so hart ist, dass nur mit Mühe ein Stock eingestossen werden kann.

Das durchgeseihte Harz gibt die feinste Qualität und wird im Handel gereinigt oder raffiniert genannt. Wird, wie oben erwähnt, die Destillation nicht vollständig zu Ende geführt, dann bleibt der weitaus grösste Teil des Rückstandes so flüssig, dass er geseiht werden kann, der Verlust an Terpentinöl wird aufgewogen durch die entsprechend höheren Preise des gereinigten Harzes. Wenn das Harz hart zu werden beginnt, wird es mit Handschaufeln aus den Sammelfässern gestochen und in Versandfässer aus Tannen- oder Kiefernholz verpackt. Sehr dicht gemachte Eichenfässer, mit inseitig verleimten Nähten, dienen zur Aufnahme des Terpentinöls.

Beide Produkte werden von den „Terpentinfarmen“ nach den Verschiffungshafen Wilmington, Charleston, Savannah und Brunswick versendet. Savannah gilt für den bedeutendsten Terpentinmarkt der Welt.

Der jährliche Export der nordamerikanischen Union stellt sich im Durchschnitt wie folgt: rohes Terpentin und Harz 1 000 000 Fässer im Werte von 10 100 000 Mark, Terpentinöl 25 200 000 Liter, Wert 9 650 000 Mark.

Während man in Nordamerika noch im Unklaren darüber ist, in welchem Alter die Terpentinkiefer ohne Nachteil für ihre fernere Entwickelung und Produktion angezapft werden darf, hat man in Frankreich ermittelt, für die Strandkiefer träte dieser Zeitpunkt etwa im 25. Jahre ein. Da aber das Wachstum nicht überall gleich ist, werden als zuverlässigere Merkmale angegeben: in Meterhöhe über den Boden soll der Stamm 1 Meter im Umfang haben, ferner soll er 5 Meter hinauf astfrei sein. Bäume mit verhältnismässig kurzen, dicken Stämmen und stark entwickelten Kronen gelten für die ergiebigsten Terpentinquellen. Je näher dem Meere, desto langsamer ist das Wachstum, dagegen ist die Terpentinproduktion um so wertvoller in Menge wie Güte. Die Jahresernte von einem Baume in den französischen Küstenwäldern wird mit 3 bis 4 Liter rohes Terpentin angegeben. Ein bestimmtes Verhältnis der Ernte zu dem Umfange der Bäume ist nicht erkennbar, dagegen hat die Erfahrung gelehrt, dass die Produktion am reichsten, wenn die Belaubung am stärksten entwickelt ist. Auf warmem, kiesigem oder felsigem Boden produziert die Strandkiefer mehr und besseres Terpentin, wie auf thonigem oder gar moorigem Boden.

In neuen Anpflanzungen werden die zur Durchforstung bestimmten Bäume, ohne Rücksicht auf ihr Alter, einige Jahre vor ihrer Abholzung angezapft, um sie zur bestmöglichsten Verwertung zu bringen. Glaublich klingt, das Wachstum würde durch das Anzapfen gehemmt, weniger glaublich ist die Behauptung, die Qualität des Holzes würde dadurch verbessert. Die Entscheidung dieser Frage bleibt übrigens ziemlich gleichgültig, da die Strandkiefer unter allen Umständen ein Holz liefert, das nur als geringwertiges Brennholz Verwendung finden kann. Es kommt dabei auf eine schwer zu ermittelnde Verschlechterung oder Verbesserung nicht an. Würde sich die Strandkiefer nicht so vorzüglich brauchbar erweisen zum Festlegen der Dünen und kein Terpentin produzieren, dann würde sie schwerlich in den Kulturwäldern Aufnahme finden.

Ohne Zweifel beschleunigt das Anzapfen die Reife, mit anderen Worten das Absterben des Baumes; nach dem französischen Verfahren, das verständiger ist wie das nordamerikanische, kann übrigens bei schonender Ausführung die Produktionsfähigkeit des Baumes bis zum 70. Lebensjahre erhalten werden. Da die französischen Wälder, weil auf Dünen stehend, nach dem Lichtungsbetrieb bewirtschaftet werden, so findet man es vorteilhaft, nicht das Ende der Produktionsfähigkeit abzuwarten, sondern die Bäume eher auszuhauen, damit sie jüngeren, ertragreicheren Platz machen.

Die gewöhnlich von Pächtern betriebene Ausbeute beginnt im Winter, indem die rauhe Rinde mit einem Schnitzmesser an der geplanten Zapfstelle geglättet und gedünnt wird. Ein scharfes Instrument mit einem convexen Rand dient anfangs März dazu, an jener Stelle einen 10 Zentimenter breiten und 40 Zentimeter langen Einschnitt durch die Rinde bis einige Millimeter ins Holz zu machen. Am Fusse des Einschnitts wird eine mit seiner Breite übereinstimmende offene Zinkrinne eingeschlagen, unter welche ein irdener Topf, geformt wie ein Blumentopf und innen glasiert, gestellt wird. Einmal jede Woche wird der Einschnitt aufgefrischt, durch Abschaben eines ganz dünnen Holzspans der Länge nach, zugleich wird der Einschnitt um 2 bis 3 Zentimeter nach oben verlängert. Je nach der Dicke des Baumes werden zwei oder mehr solcher Einschnitte gemacht. niemals aber wird die angegebene Breite überschritten. Jahr für Jahr werden die Einschnitte vertieft und verlängert, sie mögen schliesslich bis zur Höhe von 4 bis 5 Meter reichen, allein niemals wird von den Forstbeamten gestattet, dass die Einschnitte näher aneinander gelegt werden, als ihre eigene Breite beträgt. Das unter der Rindenbedeckung wachsende Holz schliesst allmählig die Einschnitte von beiden Seiten und lässt schliesslich nur tiefe Spalten übrig. Das überwachsende Holz wird ebenfalls in langen Spanstreifen abgeschnitten, um die Terpentinquelle zu verjüngen; so setzt sich das Verfahren fort bis zum Fällen des Baumes.

Je höher die Einschnitte geführt, desto höher werden die Töpfe gehängt, deren Entleerung in regelmässigen Zeitabschnitten stattfindet. Wenn Mitte Oktober der Terpentinfluss aufhört, wird die weissliche undurchsichtige Kruste aus den Töpfen geschabt; die Letzteren bleiben umgestürzt am Fusse der Bäume über Winter stehen.

Die Destillation findet wie geschildert statt, mit der Verbesserung, dass das Terpentin vor der Einfüllung in die Blase geschmolzen und geseiht wird und die Blase mit einer Wasserleitung verbunden ist, die ihr ununterbrochen genau so viel Wasser zuführt als sie verdampft. Da das rohe Terpentin geseiht wurde, so läuft der Destillationsrückstand nicht durch 3 Siebe, wie in Nordamerika, sondern nur durch 2. Die dunkelsten Harzqualitäten werden entweder mit Teer zu Pech eingekocht oder einer trockenen Destillation unterwerfen, um den oben erwähnten öligharzigen Stoff zu gewinnen. der als Schmier- und Holzpräservierungsmittel wie zur Bereitung von Druckerschwärze dient.

Das in den Strandkieferwäldern der Gascogne gewonnene Terpentin geht zunächst nach Bordeaux, weshalb es im Handel häufig Bordeauxterpentin genannt wird.

Speziell für Mexiko hat die auf seinen Hochebenen wachsende Pinus teocote als Terpentinquelle Bedeutung. Das Produkt wird grösstenteils destilliert und dabei ein Harz erhalten, das unter dem Namen Brea zur Fabrikation von Seife und manchen anderen Zwecken sehr geschätzt ist. In Japan wird von der, in Europa als Zierbaum eingeführten japanischen Zeder (Cryptomeria japonica) ein wohlriechendes, in der Landessprache Sugi-no-jani genanntes Terpentin gewonnen, das in den buddhistischen Tempeln als Weihrauch, ausserdem zu manchen gewerblichen Zwecken dient.

Khasyaterpentin ist ein Produkt von Assam und wird von der Pinus khasyana in der folgenden rohen Weise gewonnen. Etwa 25 Zentimeter über dem Boden wird ein 30 Zentimeter breites und 5 Zentimeter tiefes Loch in den Stamm gehauen. Vom Loche aufwärts wird in seiner Breite ein etwa meterlanger Rindenstreifen mit Beifügung von etwas Holz abgeschält. Nachdem das Terpentin ungefähr 12 Monate aus dieser Verwundung geflossen und sich verhärtet hat, wird es abgekratzt. Es gilt als die bessere Qualität, die schlechtere wird aus dem Holz des gefällten Baumes destilliert. Zu diesem Zwecke werden die 5 bis 12 Zentimeter langen und 1 Zentimeter dicken Holzstückchen in einen irdenen Topf gelegt, der mit durchlöcherten Blättern bedeckt, über ein Herdloch, ausgegraben an einem Hügelhange, gestülpt wird. Um den Topf werden glühende Kohlen gelegt, deren Wärme das Terpentin zum Fliessen bringt. Es rinnt zunächst in die Erdhöhle und von da auswärts in einen eingegrabenen Topf. Annähernd 6 Kilogramm Holz liefern 1 Kilogramm Terpentin, ungerechnet des Verlustes.

Es gab eine Zeit, wo der Chiosterpentin eine gewisse Rolle in der Heilkunst spielte, später geriet er in Vergessenheit, doch ist neuerdings wieder die Aufmerksamkeit auf ihn gelenkt worden, mit welchem Erfolg, bleibt abzuwarten. Ein auf jener griechischen Insel ansässiger Engländer schreibt darüber an eine medizinische Zeitschrift: Seit einigen Monaten wird viel von einem Produkte unserer Insel gesprochen, das so ungebräuchlich geworden ist, dass sich Niemand die Mühe nimmt, es zu gewinnen; ich meine den Chiosterpentin. Der Terpentinbaum (Pistacia terebinthus) muss seit vielen Jahrhunderten auf unserer Insel existieren, in Anbetracht des langsamen Wachstums und des enormen Umfangs dieser Bäume. Einige Stämme haben einen Umfang von 4 bis 5 Meter, bei einer Höhe von 15 bis 20 Meter. Auf meinem eigenen Lande steht der grösste Terpentinbaum der Insel, sein Stamm misst

6 Meter im Umfang. Viele dieser grossen Bäume sind zum Bau von Mühlen, Pressen u. s. w. benutzt worden, da ihr Holz sehr hart ist. In der Nähe der Stadt und drei oder vier Dörfern werden diese Bäume nur noch gefunden, ihre Zahl mag, nach sorgfältiger Schätzung, 1500 betragen, fähig, eine Terpentinernte von 2000 Kg. zu liefern, vermengt mit mindestens 30 % Fremdstoffen. Zum Reinigen gibt es hier keine Apparate, ausgenommen Siebe, mit welchen Kieselsteine und Holzsplitter ausgeschieden werden können. Zur Gewinnung des Terpentins werden im Juni Einschnitte in die Stammrinde gemacht, und die Ausquellungen häufig mit einem breiten Messer abgeschabt. Der Geruch dieses Terpentins erinnert an Mastix, seine Farbe wird im Verhärten allmählich weiss.

13. Gummigutt.

Die botanische Herkunft weniger Handelsartikel war so schwierig festzustellen, wie diejenige dieses Gummiharzes, obgleich dasselbe schon am Anfange des siebzehnten Jahrhunderts in Europa als ein kräftiges Abführmittel gekannt war. Infolge seiner stark angreifenden Wirkung ist es aus dem Arzneischatze fast aller europäischen Länder verbannt worden, dagegen ist es geschätzt geblieben zur Bereitung gelber Wasserfarben und goldfarbiger Firnisse für Messingwaren. Gelegentlich findet es auch als Holzpolitur Verwendung.

Alle Arten der Familie Guttiferae quellen, wenn verwundet, Gummiharz aus, allein es sind nur wenige Arten, deren Produkt als Gummigutt in den Handel kommt. Ueber die Benennung dieser Arten sind die Botaniker, wie üblich, uneinig. Garcinia pictoria oder Cambogia pictoria kommt in Indien, zumal in Mysore, Wynaad und Curg vor, wo sie ein Gummigutt 2. Qualität liefert. Von anderen Botanikern wird dieser Baum Xanthochymus pictorius genannt, unter welchem Namen er in neuester Zeit in die französischen Gewächshäuser eingeführt worden ist. Geschätzt wird an ihm besonders, dass er, als der einzige seiner Familie, im Gewächshause Früchte zur Reife bringt. Dieselben haben die Grösse und Farbe von grossen Aprikosen und schmecken süss mit einem schwachen säuerlichen Beigeschmack. Als erste Qualität können diese Früchte übrigens nicht gelten. Der Baum macht mit seinen langen gegenständigen Blättern, von schöner grüner

Farbe, einen gewinnenden Eindruck, zumal wenn er mit reifen Früchten behangen ist.

Die beste Qualität Gummigutt kommt von Garcinia morella, auch Cambogia gutta und noch mit verschiedenen anderen Namen benannt. Dieser Baum ist in Ceylon, Siam und Anam heimisch, erreicht eine Höhe von 12 Meter, hat glatte ovale Blätter und bringt saftige, süsse, geniessbare Früchte, etwa 5 Zentimeter im Durchmesser, hervor.

Der amerikanische Gummigutt, welcher dem asiatischen ähnlich ist, ihn aber nicht an Güte erreicht, stammt von Vismia guianensis, Familie Hypericinae, ein Baum, der, wie sein Name sagt, in Guiana heimisch ist.

Ceylon und Siam liefern den meisten und besten Gummigutt, der durch folgendes Verfahren gewonnen wird. Früh morgens wird an einer glatten Stelle des Stammes, ein etwa handgrosses Rindenstück ausgeschnitten. Sofort quillt Gummigutt in dickflüssigem Zustand aus, verhärtet sich bald an der Luft und wird den folgenden Morgen sorgfältig abgeschabt, um eine Verwundung des Holzes zu vermeiden. Die Rindenwunde heilt schnell und bleibt ohne nachteilige Folgen für den Baum, so dass er wiederholt angezapft werden kann.

In drei Formen kommt der Gummigutt in den Handel. 1. Pfeifengummigutt: Cylinder von etwa 4 Zentimeter Durchmesser und 25 Zentimeter Länge; er gilt für die beste Qualität und kommt von Siam; 2. Klumpengummigutt besteht aus unregelmässig geformten grossen harten, gelben Stücken; 3. Thränengummigutt besteht aus kleinen rundlichen Stücken.

Guter Gummigutt ist etwa aus 70 % Harz, 20 % Gummi, 10 % Feuchtigkeit und Fremdstoffen zusammengesetzt. Er hat einen muschelig-glänzenden Bruch, einen herben Geschmack, keinen Geruch, ist undurchsichtig, brennt mit dickem Rauch und vielen Funken. Die Farbe ist gelb mit grünlichem Hauch. In Ceylon dient auch die Rinde des Gummiguttbaumes zum Gelbfärben.

14. Myrrhen.

Nur noch ein Parfümeriestoff ist im Altertum so hoch geschätzt worden wie dieses Gummiharz: der Weihrauch, wie wir in bekanntester Weise aus der Bibel wissen, die an vielen Stellen von „Myrrhen und Weihrauch‘ erzählt. Beide wurden auf den

Opferaltären verbrannt und beide dienten zum Einbalsamieren der Leichen.

Merkwürdigerweise blieb die botanische Quelle dieses uralten Handelsartikels bis zum zweiten Viertel dieses Jahrhunderts in Geheimnis gehüllt. Man kannte das Herkunftsland und wusste, dass der Name Myrrhen auf das arabische Wort Morr zurückzuführen ist, darüber hinaus reichten die Kenntnisse nicht. Erst 1826 gelang es einem englischen Forscher, Aufklärung zu geben: an sonnigen Hängen des Saratgebirges, in Erhebungen von 450 bis 1000 Meter, entdeckte er den Myrrhenstrauch, dem er den wissenschaftlichen Namen Balsamodendron myrrha gab. Nicht höher wie 3 bis 4 Meter wird dieser Strauch, der mit seiner hellgrauen Rinde und seinen dornigen Zweigen eine gewisse Aehnlichkeit mit dem Weissdorn besitzt. Die Blätter sind glatt, langoval, gezahnt und dreispaltig. Die beiden Seitenblätter sind klein im Verhältnis zum Mittelblatt. Die Frucht ist oval, etwas eingedrückt und besitzt die Grösse einer Erbse. Der Strauch wächst gewöhnlich im Gemenge mit Akazien und Euphorbien in niedrigem Gebüsch.

Wenn das Myrrhen ausquillt, ist es von öliger, etwas später von butteriger Beschaffenheit und gelblich weisser Farbe. Allmählich verhärtet es sich, indem es einen rötlichen Schein annimmt. Vorzugsweise wird dieses Gummiharz im Somaliland und in der Nachbarschaft von Harar (9° 20′ n. Br., 42° 17′ ö. L.) im Juli und August gesammelt und auf die grosse Messe von Berbera gebracht, die im November, Dezember und Januar stattfindet. Von da wird es zunächst nach Aden und dann nach Bombay verschifft, wo die Sortierung vorgenommen wird. Die geringeren Qualitäten werden vorzugsweise nach China, die feineren nach Europa versendet. Die indischen Myrrhenkaufleute pflegen Agenten in Makallah und Aden zu halten, welche die Messe von Berbera besuchen und englische und indische Waren gegen Myrrhen und Weihrauch tauschen müssen. Die beste Qualität wird türkisches Myrrhen und die geringste ostindisches Myrrhen genannt, entsprechend dem Umwege, über welchen Europa die Ware erhielt. Diese unterscheidenden Bezeichnungen haben übrigens jetzt keine Berechtigung mehr, denn das Myrrhen, welches nicht über Bombay geht, wird von Aden direkt nach Europa exportiert. Grade jetzt vollzieht sich ein Wandel im Handel Ostafrika's, der auch gewiss das Myrrhengeschäft nicht unberührt lassen wird. Europäische Thatkraft und

Intelligenz werden dem indischen Zwischenhandel die Lebensader unterbinden.

Die Somalis setzen auch nach der arabischen Küste über, um östlich von Aden, in den Bergen bei Schugra und Suria, Myrrhen zu sammeln. Der Strauch ist dort häufig, wahrscheinlich ist er aber eine andere Art wie der im Somaliland, denn sein Produkt ist weniger harzig. Der Unterschied zwischen afrikanischem und arabischem Myrrhen war schon den Alten bekannt, sie bevorzugten das erstere, wie es noch heute die Kaufleute von Bombay thun.

Myrrhen wird gewöhnlich in Kisten von 50 bis 100 Kilogramm ausgeführt und ist häufig mit Gummiharz von anderen Arten der Gattung Balsamodendron vermischt, von welchen die folgenden am wichtigsten sind:

1. Baiba Bol, Bhesa Bol oder Bissa Bol, wahrscheinlich das Produkt von Balsamodendron kataf, ein Baum, welchen die Somalis als Hebbakhade kennen und der viel grössere Blätter wie der Myrrhenstrauch hat. Dieses Gummiharz ist dem Myrrhen äusserlich ähnlich, hat aber einen bitterlichen, unangenehmen Geschmack. In Aden ist Bissa Bol etwa $2^1/_2$ Rupien pro Mauns ($12^1/_2$ Kilogramm) wert, während Myrrhen mit $9^1/_2$ Rupien bezahlt wird. Die Chinesen mischen diesen Stoff unter das Futter ihrer Kühe, um die Menge und Güte der Milch zu erhöhen, ferner lösen sie ihn in Kalkwasser, wenn sie einem Anstrich Glanz geben wollen.

2. Dunkeles Bdellium, erzeugt von Balsamodendron Playfairii. Wenn mit Wasser geschüttelt, bildet es einen schwachen aber dauernden Seifenschaum, aus welchem Grunde es von den Somalifrauen benutzt wird, das Haar zu waschen und von den Männern, die Schilde zu putzen. In Bombay ist es als Mina harma gekannt und wird zur Abtreibung des Guineawurms gebraucht.

3. Afrikanisches Bdellium ist das Produkt von Balsamodendron africanum. Dieses und das vorhergehende Gummiharz sind ohne die weissen Säume, charakteristisch für Myrrhen und Bissa Bol. Beide schmecken herb und besitzen kaum Aroma, im Aussehen unterscheiden sie sich darin, dass das afrikanische Bdellium heller, klarer und harziger ist, wie das dunkle Bdellium.

4. Indisches Bdellium ist wahrscheinlich übereinstimmend mit der indischen Drogue Gugul, produziert in Sind und Baludschistan

von Balsamodendron mukul und B. pubescens. Es hat einen Geruch wie Zedernholz, einen herben Geschmack und erweicht in der Hand.

Das echte Myrrhen kommt in Stücken von unregelmässiger Gestalt und Grösse in den Handel, ihr Durchmesser schwankt zwischen 1 und 7 Zentimeter, die Farbe ist stets rötlich braun. Der Bruch hat ein harziges Aussehen mit weissen Streifen. Der Geschmack ist bitter-aromatisch und der Geruch charakteristisch. Es besteht aus einer Mischung von Harz, Gummi und ätherischen Ölen, in schwankenden Anteilen. Das ätherische Öl ist von $^3/_4$ bis 3 % anwesend, der Harzgehalt beträgt im Durchschnitt 27 %, etwas höher stellt sich der Anteil des Gummis. Das Harz scheint ein zusammengesetzter Körper zu sein, denn es ist teilweise löslich in Äther, teilweise in Schwefelkohlenstoff. Das Gummi ist löslich in Wasser und bildet einen kräftigen Klebestoff.

Myrrhen wird in der Heilkunst gebraucht, teils um die Wirkung anderer Arzneien zu stärken oder zu schwächen, teils als Appetiterreger und um die inneren Organe zu erwärmen. Als Parfümerie wird es zwar nicht mehr so viel gebraucht wie früher, doch gehen jährlich noch ansehnliche Mengen zu diesem Zwecke in Rauch auf.

Nun sich die Besitzverhältnisse an der ostafrikanischen Küste geändert und ausgedehnte Gebiete teils unter deutsche Herrschaft, teils unter deutschen Einfluss gestellt sind, ist die Frage zeitgemäss: sollte es sich nicht lohnen, den Myrrhenstrauch der Wildniss zu entreissen? Wenn sich die Engländer bewogen fanden. den Perubalsambaum in Ceylon einzuführen, um ihn zu kultivieren, muss sich da nicht der Gedanke aufdrängen. es sei erfolgversprechender den im eigenen Lande heimischen Myrrhenstrauch anzubauen, dessen Produkt ebenfalls hoch geschätzt ist und stete Nachfrage findet!

15. Weihrauch.

Olibanum ist ein anderer, im Droguengeschäft gebräuchlicher Name für dieses Gummiharz, dessen Verwendung als Räuchermittel, bis ins Altertum zurückreichend, bereits erwähnt wurde. Nach den neuesten Forschungen ist die botanische Quelle in verschiedenen Arten der Gattung Boswellia, Familie Burseraceae, zu suchen. Die Mitglieder dieser Gattung besitzen die folgenden gemeinsamen

Eigenschaften: die Rinde ist papierartig, die Blätter stehen abwechseld und sind gefiedert. Die weissen, grünen, gelben oder roten Blüten sind in Rispen geordnet, der kleine dauernde Kelch ist fünflappig, die Zahl der Blumenblätter ist 5, die der Staubfäden 10. Die 3 bis 5zellige Samenknospe ist sitzend, der Stempel ist lang und von einer dreilappigen Narbe gekrönt. Die Frucht ist dreieckig, der Same platt.

Der ausgezeichnete Kenner der sudasiatischen und ostafrikanischen Pflanzenwelt, Dr. George Birdwood unterscheidet 5 Arten.

1. Boswellia thurifera, heimisch in den Gebirgen von Mittelindien und der Koromandelküste;

2. Boswellia papyrifera, heimisch in Abessinien. Diese wie die vorhergehende Art liefern keinen echten Weihrauch;

3. Boswellia Frereana;

4. Boswellia Bhan-Dajiana;

5. Boswellia Carterii sind die im Somaliland als Yegaar, Mohr Add und Mohr Madow bekannten Bäume. Die letzte Art schliesst eine Abart ein, den Maghrayt d'Schihaz, im arabischen Hadramaut vorkommend. Diese drei Arten, wie die Abart, sind Quellen des echten Weihrauchs.

Die Bäume an der Küste von Adel werden von Kapitän Kempthorne. als ohne Erde auf dem nackten Marmorfelsen wachsend, geschildert. Festgehalten werden sie durch eine dicke ovale, mörtelähnliche Masse, ferner durch solche Wurzeln, welche in die Felsenspalten eindringen können. Je reiner der Marmor, desto kräftiger scheint das Wachstum zu sein. Die jungen Bäume, versichert jener Reisende, liefern das wertvollste Gummiharz, die älteren schwitzen nur eine klare, kleberige Flüssigkeit aus, die dem Kopallack ähnlich ist.

Um das Weihrauch zu gewinnen, wird ein tiefer Einschnitt in den Stamm gemacht und da, wo er unten endet, ein schmaler 10 Zentimeter langer Rindenstreif abgeschält. Wenn sich der ausgequollene Milchsaft an der Luft verhärtet hat, wird der Einschnitt vertieft. In etwa 3 Monaten hat das ausgequollene, nach der entblössten Stelle geronnene Gummiharz die gewünschte Härte erreicht und wird in ein untergehaltenes Körbchen geschabt. Das Weihrauch, welches über die Rindenblösse hinweg auf den Boden lief, wird besonders gesammelt; es gilt als geringe Qualität. Die Sammelzeit dauert vom Mai bis im September, wo der erste Regen fällt.

Die Südküste Arabiens wird jährlich von Somalis besucht, welche gegen eine Abgabe von den Arabern die Erlaubnis erwerben, Weihrauch zu ernten.

Das im Somaliland gesammelte Weihrauch wird zunächst in verschiedenen Ortschaften auf Haufen gelagert und dann im Gewichte von 10 bis 20 Kg. in Schaf- oder Ziegenfelle verpackt, um nach der Messe von Berbera transportiert zu werden. Von da findet die Verschiffung nach Aden und Makallah oder mit Vermeidung dieses Umweges direkt nach Bombay statt. An diesem Platze findet die Sortierung und Wiederausfuhr nach Europa, China und andern Ländern statt. Die immer wieder aufgefrischte Angabe, das Weihrauch sei ein indisches Erzeugnis, ist wahrscheinlich durch die Thatsache zu erklären, dass Bombay den Zwischenhandel an sich gerissen hat und damit zur Verteilungsstelle dieses Artikels geworden ist. Verstärkt ist diese Täuschung wohl geworden durch das Produkt von Boswellia thurifera, von dem behauptet wurde, es sei echtes Weihrauch, während es sich von demselben dadurch unterscheidet, dass es weich ist und, auf Haufen gelagert, eine Neigung zum Schmelzen zeigt. In den Dorfbazaren von Khandeisch in Indien wird es unter dem Namen Dup-Salai, d. i. Weihrauch vom Salaibaum, verkauft, und in kleinen Pöstchen wird es nach China ausgeführt, wo es als wohlriechendes Räuchermittel dient.

Das echte Weihrauch erscheint im Handel als halbdurchsichtige, ovale oder langrunde Körner oder als unregelmässige Klumpen, welche mit einem weissen Staub bedeckt sind, als Resultat der gegenseitigen Reibung auf dem Transporte. Die innere Struktur ist formlos, der Bruch ist matt und die Farbe gelblich bis gelbbraun. Die besten Qualitäten sind nahezu farblos und besitzen einen grünlichen Hauch, einen etwas bitter aromatischen Geschmack und einen balsamischen Geruch, der bei Erwärmung kräftiger wird. Weihrauch enthält etwa 72 % eines in Alkohol löslichen Harzes, einen beträchtlichen Prozentsatz wasserlösliches Gummi, das augenscheinlich mit arabischem Gummi übereinstimmt, und eine kleine Menge farbloses, entzündliches ätherisches Öl. Weihrauch brennt mit einer hellen, weissen Flamme und hinterlässt eine Asche, die vorzugsweise aus kohlensaurem Kalk besteht. Der Rest wird gebildet von phosphorsaurem und schwefelsaurem Kalk, Chlor und kohlensaurem Kali.

Die beste Qualität Weihrauch, von den Somalis Bedwi oder Schcheri genannt, stammt von den Bäumen Mohr Add und Mohr Madow, sie ist fast das Doppelte wert wie der arabische Weihrauch und geht fast ausschliesslich nach Bombay zur Wiederausfuhr nach Europa und Amerika. Die geringe Qualität, Mayeti in der Somalisprache genannt, stammt vom Baume Yegaar und wird vorzugsweise nach Jeddah und anderen arabischen Häfen exportiert.

In den Küstenländern des roten Meeres bildet Weihrauch ein beliebtes Kaumittel, ferner schätzt man es, weil es im Brennen einen angenehmen Geruch verbreitet und der Rauch gleichzeitig die Insekten vertreibt. Die weitaus grösste Menge des Weihrauchs findet in buddhistischen Tempeln und katholischen Kirchen als Räuchermittel bei religiösen Zeremonien Verwendung.

Das gewöhnliche Weihrauch, welches in den europäischen Apotheken gehalten wird, ist ein Harz, welches von Picea excelsa und Pinus resinosa ausquillt, sich an der Luft verhärtet, eine weissliche oder rötliche Farbe, einen angenehmen Geruch und balsamischen Geschmack besitzt. Es dient als Zusatz für anregende Salben und Pflaster. Wenn in heissem Wasser geschmolzen, geseiht und getrocknet, bildet es das Burgunder Pech.

Meine Anregung zur Kultur des Myrrhenstrauchs dehne ich auf die beiden Arten Boswellia aus, welche das beste Weihrauch liefern.

Der Bedarf für diesen Artikel ist enorm und wird es bleiben, so lange es buddhistische Tempel und katholische Kirchen gibt, andere mögliche Verwendungen ausser Betracht gelassen. Der Anbau könnte sich vielleicht darauf beschränken, dass geschlossene Pflanzungen angelegt werden.

Wertloses Ödland, von dem es ja in Ostafrika eine Füllo gibt, würde dadurch nutzbringend gemacht und dem Handelsverkehr eine Kräftigung gegeben.

16. Gummi.

In fast allen Pflanzen finden sich grössere oder geringere Mengen stickstofffreier Stoffe, welche die charakteristische Eigenschaft besitzen, mit Wasser eine dickflüssige, klebrige, geschmacklose Auflösung zu bilden und daraus durch Alkohol unverändert wieder gefällt zu werden. Diese Stoffe führen die Allgemeinbezeichnung Gummi. In ihren Eigenschaften zeigen sie gewisse

Abweichungen, lassen sich aber in ihrem Verhalten zum Wasser in zwei Hauptabteilungen trennen. Die der einen Abteilung werden vom Wasser vollständig aufgelöst und bilden eine klare, farblose Lösung, die der anderen schwellen im Wasser nur auf. Die ersteren Stoffe führen den Namen Arabin, die letzteren den Namen Bassorin. Mit Salpetersäure behandelt, liefern die Lösungen beider Abteilungen Oxalsäure. Gummi ist formlos, es besitzt weder die säckchenähnliche Bildung der Stärke, noch krystallisiert es gleich Zucker. Die freiwilligen Ausquellungen des Gummis deuten auf einen krankhaften Zustand der Bäume, zum mindesten ist das bestimmt erwiesen für die Akazien und die ganze Rosenfamilie. Die Ursache liegt in der Überfülle von Saft in den jungen Geweben, wodurch dieselben erweicht und schliesslich gesprengt werden. Die dadurch geformten Höhlungen füllen sich mit saftigen Ausschwitzungen, die an der Luft verhärten und das Gummi bilden. Es ist übrigens wahrscheinlich, dass nicht immer eine Überfülle von Saft vorhanden zu sein braucht, um diese Erscheinung hervorzurufen, ist es doch allen Baumzüchtern der warmen Länder wohlbekannt, dass jeder der Sonne schutzlos preisgegebene Baumstamm in Gefahr schwebt, vom Gummifluss befallen zu werden und zwar um so mehr, je jünger er ist.

Auch heisse, austrocknende Winde können diese Krankheit durch Bersten der Rinde hervorrufen. Eine Bestätigung dieser Anführungen liegt in der Thatsache, dass alles in den Handel kommende Gummi in warmen Ländern produziert wird.

In der reinsten Form wird Gummi von verschiedenen Akazienarten erzeugt, unter welchen Acacia arabica und A. Ehrenbergii den ersten Rang einnehmen. Minder wichtig sind Acacia vera, A. tortilis und A. speciosa. Diese Arten kommen im nordöstlichen Afrika und auf dem Festlande des südlichen Asiens vor. Ihr Produkt, das unter dem Namen arabisches Gummi in den Handel kommt, wurde seither zum weitaus grössten Teile aus dem Sudan über Egypten bezogen, gegenwärtig lässt es sich aber die indische Forstverwaltung angelegen sein, steigend an der Deckung des Bedarfs teilzunehmen. Sie betreibt die Anpflanzung von Acacia arabica, weil diese Art, ausser dem stets begehrten Gummi, eine Gerberrinde liefert. welche in Indien unter dem Namen Babulrinde sehr geschätzt ist.

Arabisches Gummi ist geruch- und geschmacklos, mässig hart und spröde und zerschmilzt schnell im Munde.

Je weisser, desto besser ist es. Sein spezifisches Gewicht beträgt 1,487 oder, wenn bei 100° C. getrocknet, 1,525. Es löst sich in Wasser vollständig auf, in welchem Zustande es mit einem Zusatz von Zucker oder Glycerin den bekannten Klebstoff bildet. Die besten Qualitäten werden in der Feinbäckerei und in der Heilkunst als aufweichende und mildernde Mittel verwendet. Die gewöhnlichen Qualitäten dienen in der Calicodruckerei und zum Appretiren verschiedener Gewebe.

Nicht selten erscheint das arabische Gummi als grobes Pulver, eine Form, die ihm auf der langen Karawanenreise durch Reibung in den Säcken beigebracht wurde und wodurch ein durchschnittlicher Verlust von 5 % entsteht. Ursprünglich hatten die Stücke einen Durchmesser von 1 bis 5 Zentimeter.

Das Senegalgummi stammt vorzugsweise von Acacia verek, zum geringen Teile von A. seyal, A. nilotica und A. Andansonii und wird aus den französischen Besitzungen in Westafrika in Stücken von der Grösse eines Taubeneies, rötlich oder gelbbraun gefärbt, importiert. Das spezifische Gewicht ist 1,436. Es ist minderwertiger wie das arabische Gummi, von dem es sich, ausser durch dunklere Farbe, durch grössere Zähigkeit und weniger Risse unterscheidet, häufig besitzt es auch einen schwach bitteren Geschmack. In Wasser aufgelöst, gibt es einen etwas zäheren, dunkleren Klebestoff wie arabisches Gummi. Geerntet wird das Senegalgummi vom Dezember bis März, um dann von den Eingeborenen nach den europäischen Faktoreien gebracht zu werden. Vorzugsweise wird es in den Webereien verwendet, nicht selten dient es als Ersatz für das teurere arabische Gummi. Das Wertverhältnis dieser beiden Sorten stellt sich nach den Notierungen der Hamburger Waarenbörse vom März 1887 wie folgt: arabisches Gummi 440 bis 675 Mark pro 100 Kilogramm, Senegalgummi 275 bis 280 Mark pro 100 Kilogramm.

Chagualgummi, welches erst in neuester Zeit von Chili in den Welthandel gebracht wurde, ist dem Senegalgummi sehr ähnlich und dient demselben Zwecke. Es ist zu 75 % löslich in Wasser und wird gefällt durch neutrale Bleisäure. Durch Borax wird die Lösung nicht verdickt, durch verdünnte Schwefelsäure wird sie in Dextro-Glukose verwandelt.

Berbereigummi stammt von der in Nordafrika heimischen Acacia gummifera. Es ist dunkelfarbig und wird in der Feinbäckerei benutzt.

Geddagummi ist eine geringere Qualität des Berbereigummis.

Das australische Gummi wird von den Gerberakazien (Acacia decurrens, a. mollissima und a. dealbata) produziert, deren Kultur im 2. Bande der tropischen Agrikultur eingehend geschildert ist. Es ist geringwertiger wie die vorhergenannten Gummisorten und kommt nur in den Webereien und Kattundruckereien zur Verwendung. Das gleiche ist von dem südafrikanischen Gummi zu sagen, welches von Acacia karru stammt.

Das ostindische Gummi ist von verschiedener Qualität. Das Beste wird über Bombay exportiert, Bengalen erzeugt eine mittelgute und Oomravattae eine geringe Qualität. Alles ostindische Gummi ist dunkelfarbig und geringwertiger wie das arabische Gummi, wird aber trotzdem bereits in Mengen von 250 000 Kilogramm jährlich ausgeführt.

Traganth wird ein Gummi genannt, das aus dem Stamme und den Ästen des dornigen Strauches, Astragalus tragacantha, quillt, welcher in Vorderasien heimisch ist. Früher wurden nur freiwillige Ausquellungen gesammelt, die häufig bräunlich waren, gegenwärtig macht man über dem Wurzelhalse Einschnitte und gewinnt dadurch die feine, weisse, flockige Qualität, welche so hoch im Handel geschätzt wird. Die Ausquellung findet vorzugsweise nachts statt und wird begünstigt durch trockenes, heisses Wetter. Die Verschiffung geschieht hauptsächlich über Smyrna. Gutes Traganth erscheint in hornigen, biegsamen und doch zähen, dünnen, gedrehten Flocken von mattweisser Farbe. Es ist halbdurchsichtig, geruchlos und schmeckt schwach bitter, indem es im Munde zerfliesst.

Eigentümliche, gewundene Linien ziehen über die Oberfläche. Wenn bei 100 ° C. getrocknet, verliert es etwa 14 % Wasser und ist dann leicht zu pulverisieren. Das spezifische Gewicht beträgt 1,384. In Wasser schwillt es auf und selbst mit 50 Gewichtsteilen dieser Flüssigkeit vermischt, bildet es noch einen dicken Schleim. Nur teilweise ist es in Wasser löslich, wie auch seine

Zusammensetzung erkennen lässt: Arabin 53 %, Bassorin und Stärke 33 %, Wasser 11 %, Mineralstoffe 3 %. Verwendet wird das Traganth vorzugsweise in den Calicodruckereien zum Verdicken der Farben und Beizen, ferner in der Heilkunst als Beigabe für Pillen und als erweichendes Mittel. Ausserdem dient es noch mannigfachen, unwichtigeren Zwecken in Gewerben und Künsten.

Kutiragummi ist äusserlich dem Traganth ähnlich, aber geringwertiger. Es stammt von Sterculia urens, heimisch an der Koromandelküste und wird nur gelegentlich nach Europa gebracht, um als Ersatz des Traganths zu dienen.

Bassoragummi oder Schweinetraganth, dessen botanische Quelle noch unbekannt ist, wird in kleinen Pöstchen von Bassora nach London exportiert, wo es unter dem Namen Caramaniagum zur Vermischung mit geringen Qualitäten Traganth dient. Es ist ein zäher, gelblich weisser, undurchsichtiger Stoff, mit Eigenschaften, die eine gewisse Ähnlichkeit mit denjenigen des Traganths besitzen. Das spezifische Gewicht beträgt 1.3591. Es enthält nur 1 % wasserlösliches Gummi oder Arabin, schmeckt fade und kracht zwischen den Zähnen. Die Stücke sind von verschiedener Grösse und Form.

Der afrikanische Traganth stammt von Sterculia tragantha, heimisch in Sierra Leone. Dieser Artikel ist bis jetzt kaum gekannt.

Ahornzucker.

Es hat seit Jahren meine Verwunderung erregt, dass man in Europa der nordamerikanischen Ahornzuckerproduktion keine Bedeutung beimessen will, und schüchterne Winke über die Rätlichkeit der Einführung des Zuckerahorns mit einem geringschätzigen Achselzucken beantwortet, als handele es sich um eine unklare Träumerei.

Wie erklärt sich diese Missachtung? Sind Anbauversuche in Europa unternommen worden und schlug die Zuckergewinnung fehl, gleich allen Unternehmungen, die ohne Sachkenntnis ausgeführt werden? Haben Reiseschilderer durch wegwerfende Bemerkungen über die Ahornzuckerindustrie die irrige Anschauung erzeugt? Mir sind einige Schilderungen unter die Augen gekommen, in welchen das baldige Erlöschen dieser Industrie geweissagt wurde. Darauf habe ich mit folgenden Zahlen zu antworten.

Im Censusjahr 1870 wurde die gesamte Ernte dieses Zuckers mit rund 14 000 000 Kilogramm ermittelt. im Censusjahr 1880, wo eine sorgfältigere Aufnahme stattfand, betrug sie 22 925 000 Kilogramm, das will sagen, annähernd den 12. Teil der gesamten Zuckerernte von Zuckerrohr und Sorghum der nordamerikanischen Union. Es ist aber auch Canada zu gedenken, dessen Ernte 7 724 225 Kilogramm betrug, mithin lieferte der Zuckerahorn in seinem Verbreitungsgebiet 30 649 225 Kilogramm Zucker. Mich dünkt, das ist eine Zahl, über die man nicht achselzuckend hinwegblicken darf. Erläuternd hinzuzufügen ist, dass der Ahornzucker den vollen Wert von Rohzucker besitzt und dass nicht die ganze Saftausbeute zu Zucker, sondern etwa der dritte Teil zu Syrup eingekocht, der letztere aber bei der statistischen Erhebung zu Zucker umgerechnet wurde. Ahornzucker wird niemals raffiniert, weil er, in länglich-viereckige Stücke gegossen, die an Seifenstücke erinnern, einen Naschartikel bildet, mit einem Platze neben den Bonbons, deren ausschliessliche Feilbietung ein besonderer, keineswegs unwichtiger Zweig des nordamerikanischen Kleingeschäftes bildet. Der Ahornsyrup wird von den Feinbäckern höher geschätzt wie jeder andere Syrup, seines delikaten, an Waldesduft erinnernden Aromas wegen. Vorzugsweise bringt ihn der Staat Vermont in geschmackvollen Verpackungen in den Handel.

Zur richtigen Beurteilung dieser Industrie ist noch hervorzuheben, dass der Zuckerahorn (Acer saccharinum) in ganz Nordamerika, östlich vom Missouri und nördlich bis fast zur Nordgrenze der Provinz Quebec vorkommt und eines der geschätztesten Werk- und Brennhölzer liefert, dabei nimmt er einen hohen Rang als Allee- und Zierbaum ein. Als Waldbaum wird er noch an einer anderen Stelle dieses Buches besprochen.

Wird er nicht vor seinem 20. Lebensjahre angezapft, und finden die Anzapfungen mit richtiger Beschränkung und nachträglicher Verstopfung der Zapflöcher statt, dann beeinträchtigt die jährliche Safternte die Entwickelung des Baumes nicht, noch kürzt sie sein Leben ab, das sich auf 200 Jahre erstrecken kann. Die Güte des Holzes leidet wenig not, eigentlich nur in Bezug auf Stärke, denn die Zapflöcher verheilen in 2 Jahren und lassen nur eine Narbe zurück. Die Safternte findet in einer Jahreszeit statt, wo die landwirtschaftlichen Arbeiten fast vollständig ruhen. Den zum Einkochen des Saftes nötigen Brennstoff liefern die toten

Äste, der Abfall der Holzfällerei und sonstiges anderweitig unverwertbares Holz des Waldes. Schliesslich verursacht der Ahorn keine Kulturkosten wie das Zuckerrohr und die Zuckerrübe, somit ist die Zuckerernte nahezu als reiner Nebengewinn der Kultur eines wertvollen Waldbaumes zu betrachten. Füge ich hinzu, dass ein kräftiger Baum im Durchschnitt jährlich etwa 1 Kilogramm Zucker, unter besonders günstigen Umständen 3 Kilogramm. liefert, dann wird man diesen Nebengewinn hoffentlich der Beachtung wert halten. Wenn auch eine bis zu 15 Kilogramm gehende Produktion nicht bezweifelt werden kann, da die Angaben von sehr beachtenswerten Gewährsmännern stammen, so sind das doch nur höchst seltene Ausnahmen, die bei einer Rentabilitätsberechnung nicht in Betracht gezogen werden dürfen.

Noch sind nicht alle Vortheile dieser Industrie genannt. Sie fordert nicht die Errichtung kostspieliger Gebäude, noch die Anschaffung teurer Geräte und ihre Erlernung ist leicht: selbst wenn nur wenige Bäume vorhanden sind, ist sie mit Vorteil ausführbar.

Aus allen diesen Gründen ist sie ausserordentlich geeignet zur Hausindustrie für Landwirte, und schon von diesem Gesichtspunkte aus. verdient sie volle Würdigung. Es wird auch nun verständlich sein, warum die praktischen Nordamerikaner die Ahornzuckerindustrie nicht erlöschen lassen, wie Landesunkundige prophezeiten, sondern im Gegenteil, sie auszudehnen bestrebt sind. Es ist wahr, sie machen nur selten Anpflanzungen gemäss den Regeln der Forstkultur, sondern vertrauen auf die natürliche Fortpflanzung des Zuckerahorns, die durch Aussaat reichlich zu erfolgen pflegt. Den wilden Sämlingen wird durch Aushauen der anderen Holzarten der ganze Platz eingeräumt — darauf beschränkt sich die Kultur. Nur auf solchem Boden lässt man einen Ahornwald aufwachsen, wo er eine höhere Rente abwirft als irgend ein Nutzgewächs des Ackerbaues: auf steilen Hängen, steinigen Bergrücken, kiesigem Ufergelände u. s. w.

Einfach wie diese Industrie ist, bleibt sie doch resultatlos, wenn ausgeführt ohne Rücksicht auf die gewonnenen Erfahrungen, die hier in gedrängter Kürze folgen.

Alle Ahorn-, Wallnuss- und Hickoryarten führen zuckerhaltigen Saft, aber nur derjenige des Zuckerahorns ist so reich, dass seine Gewinnung und Einkochung lohnt. Trotzdem werden von einigen anderen Ahornarten geringfügige Zuckermengen in Nordamerika gewonnen. Wiley untersuchte den Saft des Zuckerahorns und fand, dass Sucrose (Rohrzucker) fast die einzige anwesende Zuckerart ist und zwar in einer Höhe, die zwischen 1,95 bis 3,5 % schwankt. Es sind ferner anwesend 0,0088 bis 0,0113 % Eiweissstoffe, keine Stärke, 0,00005 bis 0,005 % Apfelsäure und 0,146 % Asche. Sehr wenig Glukose (Traubenzucker) fand sich gegen Ende der Erntezeit vor.

Auf dem feuchten Boden von Niederungen liefert der Zuckerahorn einen so wässerigen Saft, dass sich dessen Einkochung nicht lohnt. Auf trockenen Berghängen ist der geeignete und bevorzugte Standort dieses Baumes, wie auch daraus hervorgeht, dass er in mehreren Gegenden Felsenahorn genannt wird. Der Boden soll nicht zu seicht sein, kiesig und kalkreich ist erwünscht, ein starker Kaligehalt aber eine Bedingung. Wie aus der Aschenanalyse des Holzes hervorgeht, hat der Zuckerahorn ein so starkes Kalibedürfnis wie die Buche, was wohl zu beachten, wurde doch früher vier Fünftel der exportierten Pottasche aus dem Holze des Zuckerahorns gewonnen.

Eine glatte Rinde ist das Wahrzeichen starker Saftproduktion. an kesselförmigen Standorten ist der Saftfluss reicher wie an knollenförmigen.

Bäume, die auf südlichen Hängen stehen, liefern einen reicheren Saft, wie solche auf nördlichen Hängen und viel reicher ist der Saft der Bäume, die am Rande des Waldes, überhaupt der vollen Einwirkung von Licht und Luft ausgesetzt sind, wie derjenigen, die gedrängt und schattig stehen. Eine befriedigende Zuckerernte darf daher nur von lichten Wäldern auf sonnigen Hängen oder von einzelstehenden Gruppen, eine noch bessere von Freilandsbäumen erwartet werden. Ich lenke die Aufmerksamkeit auf die Besäumung der Gebirgswege mit Zuckerahornen, die jedenfalls ein nützlicherer Ersatz für die Obstbäume sind, wie die Pappeln, Ebereschen und ähnliche Bäume, die man zu diesem Zwecke bevorzugt.

Eine Bedingung ist von grösster Wichtigkeit: zur Zuckerbildung ist Frost nötig — wo kein Frost auftritt, gibt es keinen Ahornzucker. Im Zuckerrohr und der Zuckerrübe besorgt die Sonne die Umwandelung der in den Zellengefässen aufgespeicherten Stärke, im Zuckerahorn aber der Frost. Zunächst dadurch, dann allerdings auch durch die Bodenbeschaffenheit, erklärt es sich, dass das rauhe, steinige Vermont an der Spitze der ahornzuckerproduzierenden Staaten steht. Warum redet und schreibt man nur so viel von der Stiefmütterlichkeit der Natur, warum hält es so schwer, das wohlthätige Gesetz der Ausgleichung zu verstehen? Vermont, dessen natürliche Armut so oft beklagt wird, produziert 16 Kilogramm Ahornzucker auf den Kopf seiner Bevölkerung und könnte diese Erntemengen versechsfachen, wird es vielleicht im Laufe der Jahre auch thun und in seinen Ahornhainen weiden die berühmtesten Merinoböcke Amerika's, die selbst von England und Australien gekauft werden.

Während Vermont mit rund 5500000 Kg. Zucker in der statistischen Tabelle verzeichnet steht, sind die Südstaaten wie Louisiana, Nordkarolina u. s. w. nur mit einigen hundert Kilogrammen angeführt und in Jahren, wo der Frost zu schwach auftritt, findet überhaupt keine Ernte statt.

Die Erfahrung lehrt: je kälter und trockener der vorhergehende Winter war, desto ertragreicher sind die Ahornbäume. Einen ähnlichen Einfluss übt die Witterung zur Erntezeit aus: schroffe Temperaturwechsel wirken günstig, wenn auf eine kalte Nacht ein warmer, heiterer Tag folgt, geben die Bäume fast doppelt so viel und süsseren Saft, wie bei trübem, feuchtem Wetter. In der Regel findet Nachts kein Saftfluss statt, und wenn kalter Nordwind oder trockener Südwind eintritt, hört der Saftfluss bei Tag auf, selbst wenn die Temperatur mehrere Grad über dem Gefrierpunkt steht. Laue West- und Südwestwinde sind dagegen dem Saftfluss sehr günstig.

Untersuchungen auf einer nordamerikanischen Ackerbaustation ergaben, dass aus dem Herzholz des Zuckerahorns Saft ausfliesst; der Ausfluss regelmässig und langanhaltend, aber nicht so reichlich wie vom Splint ist; aus rindenentblössten Stellen fliesst der Saft reichlich, hört aber bald auf. Eine solche Blösse, 5 Zentimeter breit und 13 Zentimeter lang, lieferte 5½ Kg. Saft mehr wie ein Bohrloch in's Kernholz, vertrocknete aber 11 Tage früher. Ein Baum, an der Nordseite angezapft, gab zwei Wochen länger und doppelt so viel Saft, wie ein anderer, der an der Südseite angezapft wurde. Bis zur Stammhöhe von 3½ Meter floss der Saft leicht aus, von da ab mit zunehmender Schwierigkeit. Die geeignetste Zeit zur Ernte ist, wenn der Boden noch mit einer Eis-

und Schneekruste bedeckt ist, die Temperatur nachts unter den Gefrierpunkt fällt, die Tage aber behaglich warm sind. In Nordamerika treten diese Witterungserscheinungen von Anfang bis Ende März ein, je nach der südlicheren oder nördlicheren Lage der Produktionsdistrikte.

Der Saftfluss, also die Erntezeit, dauert im Durchschnitt 30 Tage, wird aber in manchen Jahren auf 10 Tage verkürzt und in anderen auf 45 Tage verlängert.

Die Ernte wird eingeleitet mit der Errichtung eines Bretterschuppens zur Aufnahme des Kessels und der nötigen Gefässe im Walde, denn eine wesentliche Bedingung der erfolgreichen Zuckersiederei ist die möglichst rasche Eindampfung des Saftes. Derselbe muss unvermeidlich einige Zeit in den Zapfeimern bleiben, das Sammeln in grösseren Gefässen nimmt ebenfalls Zeit in Anspruch, fände dann noch der Transport nach dem entfernten Wirtschaftsgebäude statt, würde inzwischen die Gährung und damit der Verderb einsetzen. Daher ist es notwendig, dass die Einkochung im Walde geschieht.

Eine nicht minder wichtige Bedingung ist peinliche Reinhaltung aller zur Verwendung kommenden Geräte. Da Holzgefässe mühevoll rein zu halten sind und bei der geringsten Vernachlässigung in dieser Beziehung Gärpilze in ihre Poren aufnehmen, so ist man fast allgemein zum Gebrauche von Zinngefässen übergegangen.

Etwa 50 bis 75 Zentimeter über dem Boden werden mit einem Bohrer von $1^1/_2$ Zentimeter Durchmeser die Zapflöcher gebohrt. Die Erfahrung hat gelehrt, dass es, sehr starke Bäume ausgenommen, keinen Vorteil bietet, einen Baum an mehr wie einer Stelle anzubohren, denn das Ernteresultat wird durch die Vermehrung der Zapflöcher nicht erhöht, wohl aber werden dem Baume unnötige Wunden beigebracht, was ihm nur nachteilig sein kann. Dem Zapfloch gibt man eine aufwärts gerichtete schwache Schräge, damit der Saft leicht abfliessen kann, bohrt es nicht tiefer wie $2^1/_2$ Zentimeter in den Splint und niemals an der Stelle eines alten Zapfloches. In das Zapfloch wird eine genau passende Zinnröhre gesteckt, von etwa 20 Zentimeter Länge, mit einem metallenen Haken, an welchen der kleine Zinneimer gehängt wird, der den Saft aufnimmt. Derselbe ist mit einem Zinndeckel, an einem Scharniere hängend, versehen, welcher Unreinlichkeiten, Schnee, Regen und Sonnenstrahlen abhalten soll. Zuweilen werden noch die früher allgemein üblichen Holzröhren gebraucht, die den oben beregten Nachteil der Holzgefässe besitzen. Die Gefahr, dass sie Gärpilze beherbergen, ist so gross, um geboten erscheinen zu lassen, sie während der Ernte wiederholt mit glühenden Eisen auszubrennen. Ihr Gebrauch ist gewöhnlich mit dem tadelnswerten Verfahren verknüpft, unter dem Zapfloch zum Aufhängen des Eimers einen Nagel in den Stamm zu schlagen.

Der Saft soll mindestens zweimal täglich in verschliessbaren Gefässen gesammelt und die Vorrichtung durch Aufstellung der erforderlichen Pfannen getroffen werden, ihn unverweilt eindampfen zu können. Das geschah früher allgemein in dem gewöhnlichen tiefen Kupferkessel, der aber gegenwärtig fast vollständig von der Cook'schen Pfanne verdrängt ist, denn nicht nur beansprucht er ein bedeutenderes Mehr an Brennstoff, sondern durch die beträchtlich längere Dauer der Eindampfung wird die Güte des Syrups gemindert, er nimmt eine dunkle Farbe und einen unangenehmen, brenzeligen Geschmack an.

Die Cook'sche Pfanne ist im 3. Bande der tropischen Agrikultur, im Abschnitt über den Sorghumzucker, abgebildet und geschildert und da die Bereitung des Sorghumsyrups genau mit der des Ahornsyrups übereinstimmt, bitte ich jene Abhandlung nachzulesen. Hinzuzufügen habe ich nur, dass der Ahornsyrup nicht mit Kalkwasser versetzt zu werden braucht, wie der Saft von Zuckerrohr, Zuckerrüben und Sorghum, weil sein Säuregehalt zu geringfügig ist, um schädlich wirken zu können, und ferner, dass er stärker eingedampft werden muss, wenn er zu Zucker krystallisieren soll. In diesem Falle setzt man die Eindampfung fort, bis einige Tropfen, zwischen die Finger genommen, eine grobkörnige Beschaffenheit erkennen lassen. In diesem Zustande wird der Syrup in die Formen gegossen, in welchen er, an einen warmen Ort gestellt, ohne weiteres Zuthun in etwa 12 Stunden krystallisiert.

Die Formen sind gewöhnlich von Zinn, im Übrigen aber nicht übereinstimmend. Zuweilen sind sie zuckerhutähnlich, etwa 10 Kg. Zucker fassend, mit einem Loch an der Spitze zum Ablaufen der Melasse; viel häufiger sind sie flach wie eine Kuchenform, mit Scheidewänden, so abgemessen, dass 12 Zuckerstücke annähernd 1 Kg. wiegen. Diese Formen sind am Boden fein durchlöchert, um der Melasse Abzug zu gewähren. Durchschnittlich wird 1 Kg. Zucker von 48 bis 56 Liter Saft gewonnen.

Wo der Ahornzucker nicht bereits eingebürgert ist, rate ich es bei der Bereitung von Syrup bewenden zu lassen, für den es nirgends an Abnehmern fehlen wird. In Vermont wird der Ahornsyrup in demijohnförmigen Messingkannen verpackt, die genau 1 Gallone (3,6 Liter) und $^1/_2$ Gallone fassen und eine geschmackvolle Etikette tragen mit dem Namen des Produzenten. Hochfeiner Syrup wird in zierliche Messingflaschen gefüllt, die ein Quart (0,9 Liter) fassen und zu je 6 oder 12 in eine Kiste verpackt werden. In allen Fällen müssen die Flaschen sorgfältig gelöthet und versiegelt sein, um den Syrup vor dem teilweisen Krystallisieren zu bewahren. Der durchschnittliche Preis, welcher seit 1880 den Produzenten für Syrup bezahlt wurde, betrug 3,36 Mark pro Gallone.

Querzitron.

Dieser, stets in lebhafter Nachfrage stehende Artikel ist das Produkt der Färbereiche (Quercus tinctoria), welche in der nordamerikanischen Union, östlich von Missouri, von Neu-England im Norden bis Georgia im Süden, obgleich hier nur in beträchtlichen Erhebungen, verbreitet ist. Sie ist einer der stattlichsten Bäume der Wälder, nicht selten erreicht sie eine Höhe von 30 Meter, bei einem Stammdurchmesser von 1 Meter. Der Stamm ist mit einer ziemlich dicken, tiefgefurchten, dunkelbraunen, fast schwarzen Rinde bekleidet, was Veranlassung zu dem Namen schwarze Eiche in manchen Gegenden gegeben hat. Nach dem Abfallen der Blätter, bietet die Rindenfarbe ein auffallendes, sicheres Erkennungszeichen für diese Eichenart.

Die Blätter sind gross, fünflappig, tief eingeschnitten, doch nicht so tief wie die der nahverwandten Scharlacheiche, auch sind sie weniger glänzend grün, und ihre Oberflächen sind mit einer Menge kleiner Höcker bedeckt. Die Blütezeit ist im Mai; jedes zweite Jahr trägt dieser Baum auf dicken, schuppigen, traubenartig beisammenstehenden, kurzgestielten Becherchen rundliche, zur Hälfte von den Bechern bedeckte Eicheln. Ausserdem ist der Baum merkwürdig, wegen der zahlreichen, von Insektenstichen herrührenden Galläpfel.

Diese Eichenart nimmt mit magerem Boden fürlieb, vorausgesetzt, dass er mässig feucht ist; weder sehr feuchter noch sehr trockener Boden sagt ihr zu. Ein sehr kaltes Klima ist ihrem Gedeihen so wenig förderlich wie ein sehr warmes, sie meidet also, im Klima wie im Boden, die Gegensätze.

Das Holz ist rötlich, grobfaserig und grossporig, trotzdem hart und dauerhaft und wird zu manchen Verwendungen sehr geschätzt, beispielsweise zum Bau von Brücken und landwirtschaftlichen Gebäuden, häufiger noch wird es zu Fassdauben verschnitten, die in Mengen ausgeführt werden, namentlich nach Westindien, wo man sie zu Zuckerfässern zusammenfügt. Auch als Brennholz ist es vorzüglich.

Die Rinde enthält etwa $6\frac{1}{2}$ % Gerbsäure, weshalb sie in den Gerbereien benutzt wird, doch ist sie zu diesem Zwecke nicht beliebt, weil sie dem Leder eine unerwünschte gelbe Farbe mitteilt.

Sie thut das vermöge eines Farbstoffes, der vorzugsweise im Bast, aber auch in den anschliessenden Teilen der Borke enthalten ist und als Querzitron in den Handel kommt. Die Bereitung geschieht, indem die dunkle Oberseite von der Rinde geschabt und die letztere gemahlen wird wie Lohe. Schliesslich wird ein Sieb benutzt, um die faserigen Bestandteile auszuscheiden; das verbleibende grobe Pulver ist das Querzitron.

Dem Querzitron wird durch Alkohol ein gelber, krystallisierbarer Körper, das Querzitrin ($C_{33}H_{30}O_{17}$) entzogen; die Gerbsäure, welche gleichzeitig gelöst wird, muss durch Gelatine gefällt werden erst dann krystallisiert das Querzitrin nach der Verdampfung der Flüssigkeit. Wird der Lösung Alaun zugesetzt, nimmt sie eine schöne gelbe Farbe an, die in Flocken gefällt wird durch Lösungen von essigsaurem Blei, essigsaurem Kupfer und chlorsaurem Zinn.

Die Rinde wird, wie alle Gerberrinden in Nordamerika, von alten Bäumen auf dem Stande geschält, ohne Rücksicht auf die Forterhaltung der Art. So fahrlässig wurde diese Raubwirtschaft seither betrieben, dass noch nicht ermittelt ist, ob in der Rinde des Stammes, der Äeste oder Zweige das meiste Querzitron enthalten ist, ob die alten oder jungen Bäume am reichsten an diesem Farbstoffe sind. Merkwürdigerweise hat das Ackerbaudepartement in Washington, das in den letzten Jahren den Waldprodukten eine besondere Aufmerksamkeit zugewendet, übersehen, das Querzitron in den Kreis seiner Ermittelungen zu ziehen, trotz seiner bekannten Wichtigkeit für die Färbereien, nicht allein Nordamerika's, sondern auch Europa's.

Mich dünkt, es wäre in Ländern der gemässigten Zone und in Gebirgsgegenden der halbtropischen Zone eines Anbauversuches wert, um zu ermitteln, ob die Färbereiche im Lohschlagbetriebe lohnende Erträge an Querzitron liefert. Möglicherweise fallen auf einer gegebenen Fläche die Erträge viel reicher aus, wie von reifen Bäumen, möglich ist es selbst, dass sich der Lohschlagbetrieb der Färbereiche zur Gewinnung von Querzitron rentabler erweist, wie derjenige der Sommer- oder Wintereiche zur Gewinnung von Gerbstoff. Und ergäbe das Versuchsresultat auch nur eine gleich hohe Rentabilität, würde die Färbereiche doch die Einfügung in die Forstkultur verdienen.

In Frankreich „soll“ ein Anbauversuch mit dieser Eichenart unternommen worden sein, doch sind die französischen Fachschriften darüber so schweigsam, dass ich an der Wahrheit zweifele. Und wenn er unternommen wurde — nach welchem Betriebssystem?

Querzitron wurde im März 1887 in Hamburg wie folgt notiert: Philadelphiaqualitäten 6,25 bis 6,50 Mark, Baltimorequalitäten 5 bis 7 Mark pro 50 Kilogramm.

Kermes.

Ein anderer Farbstoff, der als Nebenprodukt des Waldes gelten kann, aber eine viel geringere Bedeutung wie das Querzitron besitzt, wird zuweilen Scharlachbeeren, häufiger jedoch Kermes genannt. Seit vordenklichen Zeiten wird er zum Rotfärben von Tuch benutzt, wie daraus hervorgeht, dass ihn die Phönizier als Thola, die Griechen als Coccos und die Araber als Kermes kannten. Ehe die Cochenille in Europa bekannt wurde, spielte er in der Färberei eine wichtige Rolle, seitdem ist er durch diese mächtige Concurrentin im mittleren und nördlichen Europa wie in Nordamerika verdrängt worden, bis auf eine gelegentlich untergeordnete Verwendung in der Feinbäckerei und höheren Kochkunst. In Südeuropa findet noch eine mässige Benutzung der Kermes in der Zeugfärberei statt und eine viel ausgedehntere in Persien und Indien, wo dieser Farbstoff häufig ist.

Kermes besteht aus den getöteten Insekten Coccus iticis, weiblichen Geschlechts, eine Art, die mit dem Cochenilleinsekt und

Lackinsekt nahe verwandt ist. Das Kermesinsekt lebt auf einer kleinen buschigen Eichenart, Quercus coccifera, mit immergrünen, stacheligen Blättern, der Stechpalme ist sie bedeutend ähnlich. In einigen Gegenden Spaniens wächst die Kermeseiche zahlreich, oft grosse Gruppen, ebenso oft einen Bestandteil der wilden Wälder bildend, namentlich an den Abhängen der Sierra Morena. Viele Bewohner von Murcia machen ein Geschäft aus dem Sammeln der Kermesinsekten. Vorzugsweise liegt diese Arbeit den Frauen ob, die sich die Fingernägel lang wachsen lassen, um die Insekten, ohne Anwendung anderer Hilfsmittel, von den Zweigen streifen zu können.

Die Insekten nähren sich an den jüngsten Trieben der Eiche; die Weibchen bleiben, wenn sie ihren Platz gewählt haben, unbeweglich sitzen, bis sie die Grösse einer Erbse erreicht haben, das will sagen, ausgewachsen sind; dann legt es Eier und stirbt. Bevor das Fortpflanzungsgeschäft stattfindet, werden die Insekten gesammelt und in Essig geworfen, um sie zu töten. Dann werden sie in der Sonne oder im Ofen bei gelinder Wärme getrocknet.

In Europa ist nach Spanien Griechenland das wichtigste Produktionsgebiet.

Trotzdem dieser Farbstoff in Europa gewonnen wird, ist seine Herkunft von der genannten Insektenart erst im Anfang dieses Jahrhunderts festgestellt worden; früher hielt man ihn für die Samenkörner einer Pflanze.

Kino.

Ein Farbstoff und zugleich ein Heilmittel ist der in Rede stehende, dem Catechu und Gambir ähnliche Artikel. Derselbe entquillt in halbflüssigem Zustand mehreren tropischen und australischen Bäumen, von welchen am wichtigsten sind: Pterocarpus marsupium, heimisch an der Koromandelküste und als Quelle des indischen Kinos bekannt; ferner Pterocarpus erinaceus, in Gambia vorkommend, den afrikanischen Kino erzeugend. Die Gattung Pterocarpus gehört zur Familie Leguminosae, Unterfamilie Papilionaceae.

Der indische Kino, der die wichtigste Stelle im Handel einnimmt, besteht nach seiner Verhärtung an der Luft aus kleinen, eckigen, glänzenden, fast schwarzen Stücken, nur die kleinsten derselben haben einen rötlichen Schein; ganz dünne Stücke sind rubinrot. Der Geschmack ist sehr zusammenziehend, ein Geruch ist nicht bemerkbar, die Stücke sind spröd und lassen sich leicht pulverisieren. Bengalkino ist ein ähnlicher Artikel, erzeugt von Butea frondosa.

Das dunkelrote, formlose Botanybaikino ist das Produkt von Eucalyptus resinifera; noch eine Anzahl anderer Eucalyptusarten enthalten diesen Stoff, wie des Näheren in der Schilderung dieser Artengruppe in einem anderen Abschnitt dargethan wird. Gerbsäure und Catechusäure geben dem Kino die zusammenziehende Eigenschaft, vermöge welcher die Verwendung in der Heilkunst stattfindet, vorzugsweise gegen hartnäckigen Durchfall und verwandte Krankheiten.

In Indien wird Kino ausgedehnt in der Färberei angewendet, um Baumwollstoffen die gelblichbraune Farbe zu geben, welche als Nanking gekannt ist.

Das Botanybaikino wird von den australischen Gerbern anderen Gerbstoffen beigemischt, wenn sie auf die helle Farbe des Leders kein Gewicht legen, denn das Kino gibt, ungemischt angewendet, dem Leder eine unerwünscht dunkle Farbe.

Die Farbhölzer.

Blauholz.

Bald nach der Entdeckung Amerika's wurde den europäischen Märkten aus mexikanischen Häfen ein dunkelrotes Farbholz zugeführt, mit einer Anpreisung zum Blaufärben. Eine freundliche Aufnahme fand dieser Artikel zunächst nicht, weil die mit ihm erzeugten Farben sehr unbeständig waren, ging man doch in England so weit, den Gebrauch während des langen Zeitraums von 1581 bis 1662 gesetzlich zu verbieten. Als aber die Färber dauerhafte Farben mit diesem Holze hervorzurufen lernten, in Folge einer besseren Kenntnis seiner Eigenschaften wie durch die Entdeckung geeigneter Beizen, wich der auf ihm lastende Bann und es gelangte zu einer Verwendbarkeit, wie nur noch wenige andere Farbstoffe, in der Wollenfärberei steht es in dieser Hinsicht sogar unerreicht da.

Dieser Artikel ist das Produkt von Hemaloxylon campechianum, Familie Leguminosae, eines in Mexiko, Zentralamerika. Cuba, San Domingo, Jamaica und einigen kleineren westindischen Inseln vorkommenden Baumes, der niemals höher wie 12 Meter wächst, gewöhnlich aber nur eine Höhe von 6 bis 8 Meter erreicht. Die Blätter sind paarig gefiedert, die Blüten sind in Trauben geordnet und überragen die Blätter. Der Kelch ist vor dem Aufblühen purpurrot, dann gelb, die 5 Blumenblätter sind gleichfalls gelb. Die lanzettlichen Hülsen springen nicht an den Nähten, sondern in der Mitte der Klappen der Länge nach auf. Der Splint ist gelblich, er wird mit der Rinde als nutzlos von dem Kernholz abgehauen, das dunkelrot bis braunrot, grobfaserig, hart und schwer ist. Es riecht schwach vielchenartig und schmeckt süsslich-zusammenziehend. Durch fortdauernde Berührung mit der Luft verdunkelt die Farbe allmählich und wird schliesslich schwarzbraun. Der färbende Bestandteil ist in Form von Glucoside gegenwärtig, die durch Gährung in das farblose Haematoxylin ($C_{16}H_{14}O_6$) umgewandelt werden muss. Durch Berührung mit der Luft findet die Oxydation des Haematoxylins statt, das dadurch zu dem Färbemittel Haemateïn ($C_{16}H_{12}O_6$) wird. Es verdient Beachtung, dass hier ein Verhältnis vorliegt, wie zwischen dem weissen und blauen Indigo, nämlich der Unterschied von 2 Atomen Wasserstoff. Diese Umwandelung wurde von Chevreul nachgewiesen.

Haemateïn ist also das Färbemittel, welches dem vorbereiteten Holze die rote Farbe und den angefeuchteten und dann getrockneten Spänen den grünlichen Schiller gibt, wie ihn die Flügel mancher Käfer besitzen. Die Thatsache, dass es ganz vorwiegend mit Beigabe von Alkalien zum Blaufärben dient, erklärt den Namen Blauholz, werden statt Alkalien dem Bade Säuren zugesetzt, entstehen rote Schattierungen. Mit Eisen- und Kupferbeizen färbt es braun und schwarz.

Durch die Einwirkung von Wasserstoff und Schwefelsäure wird Haemateïn leicht zu Haematoxylon zurückverwandelt, ein Körper, der ein empfindliches Reagens abgibt für Alkalien und viele Metalle.

Das Kernholz gelangt in der Regel in Blöcken von der Länge eines Meters und von sehr unregelmässigen Formen zur Verschiffung; je dicker sie sind, desto wertvoller gelten sie. In den Bestimmungsländern werden die Blöcke zum Gebrauch für die Färbereien verarbeitet: 1. in Späne, 2. in Holzmehl, 3. in einen festen oder halbflüssigen Extrakt. Das Färbemittel Haemateïn wird entwickelt durch Befeuchtung der Späne oder des Holzmehls mit Wasser, das frei von Eisen und verwesenden Pflanzenstoffen sein muss und durch Gährung der gebildeten Haufen, mit strenger Bewachung, um eine zu weit gehende Gährung zu verhindern.

Das Blauholz zeigt beträchtliche Abweichungen in seiner Qualität, hervorgerufen durch die verschiedenen klimatischen und Bodenverhältnisse der Produktionsländer. Die allgemein anerkannt beste Qualität kommt von der Campechebai in Mexiko, woher aber die Zufuhren bedeutend abgenommen haben, in Folge der lebhaft betriebenen Raubwirtschaft. Honduras liefert die nächstbeste Qualität und zwar in starken Mengen. In der Qualität folgt San Domingo im Range. Jamaica, Martinique und Guadaloupe erzeugen die geringsten Qualitäten.

Welchen Ausdruck die Qualitätsunterschiede in den Preisen finden, zeigen die folgenden Notierungen der Hamburger Warenbörse vom März 1887:

Campechebai	16	bis 23	Mark		pro 100 Kilogramm.
San Domingo	11,50	„ 13	„		
Jamaica	8,50	„ 10,50	„		

Vergeblich habe ich geforscht, ob die Kultur dieses wertvollen Baumes versucht worden ist. Selbst da, wo man es am ersten erwarten darf, in Indien und Ceylon, scheint man seine Erwerbung noch nicht in Angriff genommen zu haben. Ich muss mich daher auf die Anführung beschränken, dass der Blauholzbaum ein luftfeuchtes, tropisches Klima verlangt und auf feuchtem, etwas thonigem Boden am besten gedeiht. Die Behauptung, er könne bereits vom 10. Jahre ab gefällt werden, ist, so lange er dem Anbau entrückt bleibt, nicht als zweifellos zu betrachten.

Brasilienholz.

Das ist ein Gattungsname für verschiedene Sorten Rothölzer, über deren botanische Quellen wir noch wenig unterrichtet sind. Der Behauptung, nur in der Gattung Caesalpinia sei die Herkunft zu suchen, steht die andere gegenüber, auch die Gattung Peltophorum sei an der Produktion beteiligt. Es ist doch gewiss höchst merkwürdig, dass uns die Botaniker über den pflanzlichen Ursprung wichtiger Handelsartikel jahrhundertelang im Dunkeln lassen, während sie mit zäher Opferfreudigkeit über viel unwichtigere Gegenstände Aufklärungen zu schaffen suchen. Die Frage, wo eine in den Gewächshäusern Europa's vielbewunderte Orchidee ihre Heimat hat, in welcher Umgebung sie vorkommt, ob sie in der Wildheit so schön blüht wie unter Kultur, ob und wo sie nahe Artverwandte besitzt, spornt sie zu grösserem Forschungseifer, zum Ertragen mühseligerer Reisestrapazen an, als die Rätlichkeit, die Lücke des Wissens über die Herkunft wichtiger Handelshölzer auszufüllen. Und es ist noch so manche Lücke vorhanden, wie ich an verschiedenen Stellen dieses Buches zeige. Heisst es denn die Wissenschaft entweihen, wenn man mit ihrer Hilfe die wirtschaftliche Entwickelung der Völker unterstützt? Ist die Wissenschaft um ihrer selbst willen da? Nicht aus allen, aber doch aus vielen Werken wissenschaftlicher Reisenden glaubt man eine bejahende Antwort herauslesen zu können. Mit erkennbarer Scheu oder Geringschätzung suchen sie allem aus dem Wege zu gehen, was das nüchtern - gschäftliche Interesse des Kaufmanns, Fabrikanten und Landmanns erregen kann. Die Nutzgewächse der durchreisten Gegenden werden entweder gar keiner Beachtung gewürdigt oder mit einigen allgemeinen Bemerkungen abgefertigt und keine wilde Pflanze wird auf die Wahrscheinlichkeit untersucht, ob ihr Anbau lohnend sein könne. Das einseitige Streben ist darauf gerichtet, Pflanzen zu entdecken, von welchen noch kein Botaniker gehört hat und ihre neue Namen dem langen botanischen Verzeichnis beizufügen. Nach der Heimkehr wird lebhafter Anteil genommen an dem endlosen verwirrenden Streit über die Klassifikation, just als ob die Klassifikation das Wesen der Pflanzenkunde ausmache. Die hier gemeinten Botaniker pflegen viel von den idealen Zielen der Wissenschaft zu reden. Darf das Streben nicht ideal genannt werden, durch Erschliessung oder Entwickelung materieller Hilfsquellen, die Menschheit auf eine höhere Stufe der Kultur und Gesittung zu heben?

In absehbarer Zukunft wird der Anbau der Farbholzbäume eine Hilfsquelle der tropischen Länder werden, schon aus dem Grunde, weil die Wildlinge den enorm steigenden Bedarf an ihrem Kernholze nicht decken können. Wenn diese Aufgabe in Angriff genommen werden soll, wird sich das Versäumnis der botanischen Forschung fühlbar machen.

Das Brasilienholz zerfällt in die Sorten: Pernambuco oder Fernambuk, St. Martha, Nicaragua- oder Pfirsichholz und Limaholz. Pernambuco gilt als die weitaus beste Sorte; in welcher Wertschätzung sie den anderen Sorten gegenübersteht, zeigen die folgenden Preisnotierungen der Hamburger Warenbörse vom März 1887:

Pernambuco	40	bis	50	Mark	pro 100 Kilogramm.
St. Martha	16	„	18	„	
Nicaragua und Lima	14	„	17	„	

Die Pernambucosorte soll früher ausschlieslich von Caesalpinia brasiliensis gewonnen worden sein, welche Art stets als die wertvollste der Gattung galt und aus diesem Grunde lange Jahre als Regierungsmonopol ausgebeutet wurde. So erklärt sich der volkstümliche Name Pao da rainho (Königinholz) neben dem anderen: Ibiripitanga. Früher kam dieser Baum im Küstengebiet der Provinz Pernambuco zahlreich vor, infolge der lebhaften Monopolausbeute ist er aber selten geworden und muss tiefer im Inland aufgesucht werden Die Höhe des Baumes überschreitet selten 9 Meter. er wächst gewöhnlich krumm und ist an trockenen Plätzen, häufig zwischen Felsen. angesiedelt zu finden. Die gefiederten Blätter sind rötlich, ohne endständiges Blättchen, die in Trauben geordneten Blüten sitzen an einem flaumigen Stiel und riechen angenehm. Die Rinde ist dick, der helle Splint ist ohne Wert, das bräunlichgelbe Kernholz nimmt erst durch Berührung mit der Luft die rötlichbraune Farbe an, welche es als Handelsware besitzt. Es schmeckt schwach süsslich, ist hart und fest und nimmt eine schöne Politur an.

Seit dieser Baum selten geworden ist, wird viel Pernambukholz von Caesalpinia echinata gewonnen, einem dornigen Baum mit stacheligen Samenschoten, dessen rote und gelbe Blüten einen Geruch ausströmen, der stark an Maiblumen erinnert. Der Splint ist sehr dick und das nur allein brauchbare Kernholz bildet einen geringen Teil des Stammdurchmessers.

Welche Art das Limaholz liefert, ist noch unaufgeklärt, zweifelhaft und widersprechend sind die Angaben über die botanische Quelle des Nicaraguaholzes; Caesalpinia crista wird häufig genannt. Und in Bezug auf das St. Marthaholz lauten die Mitteilungen nicht bestimmter.

Alle diese, nur aus Kernholz bestehenden Sorten werden in Blöcken verschifft und in den Bestimmungsländern zu grobem Holzpulver geraspelt; sie enthalten das gleiche Färbemittel, nur in verschiedenen Mengen und darauf gründet sich der Unterschied in den Preisen. Dieses Färbemittel ist demjenigen des Blauholzes nahe verwandt und stimmt auch darin mit ihm überein, dass es erst durch Oxydation zu einem wirklichen Färbemittel wird. In farblosem Zustande wird es Brazilin, im farbigen Zustand Brazelëin genannt. Das Färbemittel ist in kochendem Wasser leicht löslich, was von den Rothölzern nur noch mit dem ebenfalls der Gattung

Caesalpinia entstammenden Sapanholz der Fall ist. Die übrigen Rothölzer des Handels: Camholz und Caliatur sind nahezu unlöslich in kochendem Wasser.

Das Brazilin wurde zuerst von Chevreul nachgewiesen. es kann in nadelförmigen Krystallen ausgezogen werden, die nahezu farblos sind, einen bittersüssen Geschmack besitzen und löslich in Wasser und Alkohol sind. Durch Berührung mit der Luft werden die Krystalle rot, indem sie dieselbe Umwandelung erfahren, wie der weisse Indigo, der blau und das Haematoxylin, wenn es Haemateïn wird, nämlich durch die Abgabe von 2 Atomen Wasserstoff, wie die folgende Formel verdeutlicht:

Brazilin	Brazeleïn
$C_{22}H_{18}O_7$	$C_{22}H_{16}O_7$

Die verschiedenen Sorten Brasilienholz geben lebhafte aber nicht dauerhafte Farben, deshalb werden sie gewöhnlich in Verbindung mit anderen Farbstoffen verwendet, ausgenommen zum Färben von Lackfirnissen, welche in der Papier- und Tapetenfabrikation Verwendung finden. Jn der Calicodruckerei und Wollfärberei wird Brasilienholz nur gebraucht, um gewissen Farben einen Stich ins Purpurrote zu geben.

Sapanholz.

Caesalpinia Sapan, Familie Leguminosae, ein schwachwüchsiger Baum, heimisch in Ceylon, den Philippinen und Siam, liefert dieses Farbholz, das schon seit vielen Jahrhunderten im südlichen Asien benutzt wird und in Europa einige Zeit vor der Entdeckung Amerika's eingeführt wurde. In der deutschen Handelssprache ist der Name in Japanholz verstümmelt worden, was häufig zu dem Irrtum Veranlassung gibt, dieses Produkt stamme aus Japan.

Sapanholz findet dieselbe Verwendung wie das nahe verwandte Brasilienholz, dessen geringere Sorten es an Güte übertrifft. Dafür gibt es keinen besseren Wertmesser wie die Marktpreise und wenn ich hinzufüge, dass im März 1887 Sapanholz in Hamburg mit 25 bis 30 Mark pro 100 Kilogramm notirt wurde, so zeigt der Vergleich mit den oben angegebenen Notierungen der Brasilienhölzer, dass nur die Sorte Pernambuk höhere Preise erzielt. Sapanholz ist etwas heller wie die besseren Sorten Brasilienholz, sein färbender Stoff ist ebenfalls Brazilin.

Zur wichtigsten Bezugsquelle des Sapanholzes ist Ceylon geworden, dessen Export nach einem Berichte des Forstkommissars dieser Insel, in steter Zunahme begriffen ist. Die gegenwärtige Ausfuhr erreicht die Höhe von etwa 800 000 Kilogramm jährlich, davon gehen zwei Drittel nach Indien und der Rest nach Europa. Der wachsende Begehr für dieses Farbholz hat zur Kultur des Sapanbaumes geführt, ein Schicksal, das von den Farbholzbäumen nur noch der Caliaturbaum teilt, wenn meine Ermittelungen zuverlässig sind. Die Thatsache, dass bereits durch die Kultur eine Spielart des Sapanbaumes erzielt wurde, welche viel höheren Wert besitzt wie der Wildling, deutet die Erfolge an, welche durch den Anbau auch der übrigen Farbholzbäume errungen werden können. Auffallend ist es, dass man sich in Ceylon mit der Kultur des Sapanbaumes begnügte, und nicht die wertvollere Caesalpinia brasiliensis wie den zum mindesten gleichwertigen Blauholzbaum hinzugefügt hat.

Der Sapanbaum wächst in Ceylon auf jedem nicht zu nassem Boden von der Meeresgleiche bis zu Erhebungen von 750 Meter. Die in der Baumschule gezüchteten Pflänzlinge werden im Abstande von 1,25 Meter nach jeder Richtung auf die dauernden Standorte gepflanzt und können nach 8 bis 10 Jahren gefällt werden. Es ist noch zu beweisen, ob es nicht vorteilhafter ist, die Bäume älter werden zu lassen, werden doch in der Regel die Farbholzblöcke um so besser bezahlt, je dicker sie sind.

Zu Anbauversuchen sollte man jedenfalls Samen der in Ceylon kultivierten Spielart benutzen. Die Firma J. P. William & Bro in Heneratgoda (Ceylon) kann als Bezugsquelle dienen, sie gibt den Samen pro tausend, pro Bushel und pro $^1/_2$ Bushel ab. Der Bushel (36,35 Liter) hält etwa 40 000 Samen.

Caliaturholz.

In Deutschland hatte man seither die übele Gepflogenheit, die Engländer in der Benennung tropischer Gewächse blindlings nachzuahmen, einerlei wie arg sie auch die Namen verstümmelten und zu wie vielen Verwechselungen ihre Benennungen Veranlassung gaben. Weil die Engländer aus dem Santalholz Sandelholz machten, thaten es auch die Deutschen und weil die Engländer das hier in Rede stehende Holz zuweilen rotes Sandelholz nennen.

nahmen auch die Deutschen diesen Namen an, ja in den Marktberichten der Seestädte wird einfach Sandelholz angegeben, was natürlich erst recht zu Verwechselungen Veranlassung geben muss, denn das Sandelholz, richtiger Santalholz, entstammt anderen Bäumen und dient anderen Zwecken.

Es ist eine beklagenswerte Thatsache, dass in den deutschen Seestädten, zumal in den Hansestädten, Marktberichte veröffentlicht werden, die von Fehlern wimmeln, sowohl bezüglich der Rechtschreibung, der Benennung wie der Gruppierung, und das schlimmste ist, dass im Binnenlande diese Maklerschöpfungen als Born der Belehrung betrachtet werden, denn „in den Seestädten muss man doch zuverlässig wissen, wo die Waren herkommen, wie ihr richtiger Name ist und welcher Natur sie sind."

Mit Verlaub! Aus eigener geschäftlicher Erfahrung in den Hansestädten weiss ich, dass die Makler, welche die Marktberichte verfassen, gewöhnlich federleicht an ihren geographischen Kenntnissen tragen, in der Rechtschreibung eine bedenkliche Unsicherheit verraten und von den Waren nicht mehr wissen, als was zu ihrer äusseren Beurteilung gehört. So kommt es, dass sie in den Marktberichten Harze als Gummi anführen, noch immer Terra japonica notieren, selbst der Unsinn Terra catechu kommt vor. Sapanholz schreiben sie Japanholz, Fisetholz Visetholz, Raygras Ryegras und St. Marthaholz St. Martensholz. Vor der Übersetzung fremder Namen scheinen sie manchmal ratlos dazustehen. Es ist ihnen bis jetzt entgangen, dass Arrowroot Pfeilwurz im Deutschen heisst und Pitch pine mit Pechfichte, Barrel mit Fass übersetzt werden kann. Seit getrocknete amerikanische Äpfel in Deutschland eingeführt werden, ist den Maklern eine Nuss zwischen die Zähne gesteckt worden, die sie nimmer knacken können. Die in Dörrapparaten getrockneten Äpfel werden von solchen Amerikanern, die nicht schwer an ihrem Schulsack zu tragen haben und dazu gehören die Makler und Kommissionäre, „evaporated" genannt — ein sprachlicher Unsinn, denn dieses Wort heisst in treuer Übersetzung „verdampft". Man kann Wasser und Alkohol verdampfen, aber keine Äpfel, und wäre es möglich, dann könnte man ganz gewiss keine verdampften Äpfel auf den Markt bringen. Wird diese Sprachsünde aus dem Englischen ins Deutsche herübergenommen, um zur Bildung von dem Kauderwelsch zu dienen: Aepfel evaporated . . . so heisst das den Blödsinn auf die Spitze treiben.

Diese Kritik ist lediglich in dem Sinne einer Warnung aufzufassen, die Marktberichte nicht als Standardwerke zu betrachten, wenigstens so lange, als sie nicht gründlichen Reformen unterzogen sind. Diese herbeizuführen, sollten die Kaufleute, vor allen die Handelskammern, als eine Ehren- und Interessensache betrachten. Ein in jeder Hinsicht tadellos ausgearbeiteter Marktbericht leistet dem Waarengeschäft erspriesslichere Dienste, als auf den ersten Blick scheinen mag.

Müssen wir, wie im vorliegenden Fall, einen englischen Namen in unsere Sprache herübernehmnn, dann ist es doch gewiss vernünftig, einen solchen zu wählen, falls eine Wahl geboten ist, welcher nicht zu Verwechselungen führt. Viel häufiger gebrauchen die Engländer den Namen Sanderswood statt red Sandelwood, doch ist die Aneignung nicht rätlich, weil der Klang zu ähnlich ist, um Missverständnisse auszuschliessen. Dieses Bedenken erregt der auch bereits ins Deutsche übergegangene Name Caliatur nicht, seine allgemeine Gebräuchlichkeit sollte deshalb erstrebt werden.

Pterocarpus santalinus, Familie Leguminosae, ein im tropischen Asien heimischer, am häufigsten in den Gebirgen Südindiens und Ceylons vorkommender schwachwüchsiger Baum ist die botanische Quelle dieses Farbholzes. Die Blätter sind gefiedert in drei Blättchen, die in Trauben geordneten Blüten treten aus den Blattwinkeln. Wie bei andern Farbholzbäumen ist auch bei diesem nur das Kernholz brauchbar, welches in Blöcken von etwa Meterlänge geschnitten, in den Handel gebracht wird. Die frische Schnittfläche des Holzes hat eine reiche, tiefrote Farbe, welche durch den Einfluss der Luft allmählich dunkelbraun wird. Das Holz ist so schwer, dass es im Wasser sinkt, dicht, auf dem Bruche splitterig, riecht schwach aromatisch, schmeckt etwas zusammenziehend und nimmt eine schöne Politur an.

Das geraspelte Caliaturholz enthält etwa 16 % eines harzigen Körpers, der durch Alkohol, Ammoniak, starker Essigsäure und alkalinische Lösungen ausgezogen und Santalin oder Santalsäure genannt wird; er bildet das Färbemittel des Holzes. Santalin ist vollständig unlöslich in kaltem Wasser, es neutralisiert Alkalien und bildet mit ihnen unkrystallisierbare Salze. In reinem Zustande bildet es kleine prismatische Krystalle von schöner, rubinroter Farbe. Das Holz enthält noch zwei farblose krystallinische Körper in kleinen Mengen: Santal ($C_8H_6O_3$) und Pterocarpin ($C_{17}H_{16}O_5$), ferner einen formlosen Körper ($C_{17}A_{16}O_6$).

In früheren Jahrhunderten besass das Caliaturholz einen bedeutenden Ruf als Heilmittel und wurde in der Küche zum Färben feiner Speisen benutzt. Auch als Zahnpulver fand es Verwendung. Im Verbreitungsgebiete dieses Baumes gilt heute noch der aus Einschnitten des Stammes hervorgequollene rote, dicke Saft von zusammenziehendem Geschmack, als ein gutes Mittel für manche Krankheiten. Gegenwärtig wird Caliaturholz in den Kulturländern nur als Farbstoff verwendet, der in der Calicodruckerei, mehr noch in der Wollfärberei, eine beträchtliche Wichtigkeit besitzt, weil er sehr dauerhafte Farben liefert. Selten wird Caliaturholz allein verwendet, in welchem Falle es rot oder rotbraun färbt, je nach der Beize; gewöhnlich wird es als Grund für Indigo oder in Verbindung mit anderen Farbstoffen benutzt, um den gewünschten Farben einen rötlichen Stich zu geben.

Die Präsidentschaft Madras bildet die vorzüglichste Bezugsquelle für Caliaturholz, hier wird auch der Baum kultiviert, namentlich seit es eine indische Forstverwaltung gibt. Angespornt durch den steigenden Begehr erweitert diese Behörde die Kultur des Caliaturbaumes, was zur Nachahmung anspornen sollte. Der Samen wird wohl am besten aus der Stadt Madras bezogen. Für den Anbau gilt das von dem Sapanbaum Gesagte.

Für Kulturpläne darf übrigens nicht unbeachtet bleiben, dass Caliaturholz billiger ist wie Sapanholz. Im März 1887 wurde es in Hamburg mit 13 bis 14 Mark pro 100 Kilogramm notiert.

Ein naher Verwandter des Caliaturbaumes ist Pterocarpus indicus, sein Holz wird ebenfalls unter dem Namen Sanderswood oder Caliatur von Indien exportiert — zwei Namen, die gewöhnlich unterschiedslos gebraucht werden.

Indien besitzt noch einen andern Rotholzbaum, den Ruktachundun (Adenanthera pavonina, Familie Leguminosae), dessen Holz zuweilen gleichfalls als Sandersholz oder Caliaturholz ausgeführt wird, jedoch stets nur in kleinen Pöstchen. In Indien findet es dagegen eine ausgedehnte Verwendung in den Färbereien.

Camholz.

Barholz ist ein anderer Name für dieses Rotholz, was erst in jüngster Zeit festgestellt wurde. Früher glaubte man zwischen Camholz und Barholz unterscheiden zu müssen, weniger wegen eines Qualitätsunterschiedes, als eines vermeintlichen verschiedenen Ursprungs. Der Baum, welcher dieses Holz liefert, ist an der Westküste des tropischen Afrika's heimisch und wird von den englischen Botonikern Baphia nitida, Familie Leguminosae, genannt. De Candolle gab ihm den Namen Pterocarpus angolensis, er lässt ihn also ein Gattungsverwandten des Caliaturbaumes sein, jedenfalls stehen sich die Hölzer dieser Bäume in ihren Eigenschaften nahe, was die Franzosen anerkennen, indem sie das Camholz Santal rouge d'Afrique nennen.

Die Portugiesen brachten zuerst dieses Farbholz nach Europa, zunächst von Sierra Leone aus, wo es Kambi genannt wird, ein Name, der von den Engländern zu Camwood verstümmelt wurde.

Das Camholz wird nicht so reich an Farbstoff gehalten, wie das Caliaturholz, aber zu denselben Zwecken und in derselben Weise verwendet.

Fustik.

Für dieses Farbholz haben wir im Deutschen noch keinen feststehenden Namen. In den Hansestädten wird es nach altem Herkommen Gelbholz, von den Importeuren gelegentlich auch Fustik genannt, ein Name, der nicht selten im Binnenlande gebraucht wird. In technischen Schriften finde ich häufig die englische Bezeichnung alter Fustik gebraucht, im Gegensatz nämlich zum jungen Fustik, der richtiger Fisetholz genannt wird. Seit mehr wie ein gelbes Farbholz in den Handel kommt, ist der Name Gelbholz für eines derselben nicht mehr empfehlenswerth, weil Veranlassung gegeben wird zu Verwechselungen. Und gewiss ist es nicht rätlich, in Nachahmung der Engländer von altem und jungem Fustik zu sprechen. Wenn wir zwischen Fustik und Fiset unterscheiden, haben wir deutliche, zu keinem Missverständnis führende Namen für die zwei in Betracht kommenden Farbhölzer. Mich dünkt, es kann nur zur Empfehlung meines Vorschlags gereichen, dass Fustik im Englischen Fustik, im Französischen und Spanischen Fustoc, dass Fiset im Spanischen Fustete, im Französischen und Portugiesischen Fustet ist, da dadurch im kaufmännischen Leben eine grössere Sicherheit in der Erkennung des gemeinten Farbholzes gegeben wird.

Fustik ist das Produkt von Maclura tinctoria, Familie Moraceae, ein im tropischen Amerika heimischer grosser Baum mit langrunden, zugespitzten Blättern und geniessbaren, aber nicht besonders geschätzten Früchten. Das Holz ist bräunlichgelb, wird aber durch den Einfluss der Luft fast braun. Zuweilen wird es zu Furnieren und Dreherarbeiten benutzt, seine hauptsächlichste Verwendung ist jedoch in der Färberei. Wie andere Farbhölzer wird auch Fustik in Blöcken verschifft und in den Bestimmungsländern zum Gebrauche für die Färbereien geraspelt. Der färbende Stoff des Fustiks wird Moritansäure genannt, er hat diese Zusammensetzung: $C_{26}H_{16}O_{20}$, und kann durch Abdampfung der wässerigen Lösung in Krystallen ausgeschieden werden. Fustik färbt sehr dauerhaft, aber etwas dumpf, und wird daher vorzugsweise in Verbindung mit anderen Farben verwendet.

Die Herkunft des Fustiks bedingt Qualitätsunterschiede, die in den Preisen Ausdruck finden, wie die folgenden Hamburger Notierungen vom März 1887 zeigen:

Cuba	12	bis	14	Mark	pro 100 Kilogramm.
Campeche-Tampico	9,50	„	10,50	„	
Maracaibo	8,50	„	9,50	„	

Die in Nordamerika heimische Osage Orange (Maclura aurantiaca) ist mit dem Fustikbaum nahe verwandt, ihr Holz färbt ebenfalls gelb und dient zuweilen als Ersatz für Fustik.

Fiset.

Rhus cotinus, Familie Anacardiaceae, im gewöhnlichen Leben Perückensumach oder venetianischer Sumach genannt, liefert dieses Farbholz, das schön orangegelb und, wenn mit richtigen Beizen vorgearbeitet, auch dauerhaft färbt. Dieser etwa 2 Meter hohe Strauch ist im südlichen Europa und in Vorderasien heimisch; die vorzüglichsten Bezugsquellen seines Produktes sind die jonischen Inseln und Morea. Der Strauch ist sommergrün, die Blätter sind verkehrt eiförmig, steif, glatt, ganz, am Grunde gerundet und sitzen an langen Stilen. Die kleinen, langgestielten Blüten sind grünlich weiss und in lockeren Rispen geordnet, nach dem Verwelken fallen die meisten Blüten ab, ihre Stiele verlängern sich bis 2 Zentimeter und entwickeln wagerecht stehende Haare, während die Stiele der wenigen fruchttragenden Blüten kahl bleiben. Das eigentümliche Aussehen der gruppierten, behaarten Blütenstiele hat zu dem Namen Perückensumach Veranlassung gegeben. Der Saft ist giftig. Das seidenartige Holz dient nicht allein zum Färben, sondern auch zu Furnieren.

Quebrachoholz.

Seit einigen Jahren wird dieser Artikel von Havre und einigen anderen französischen Häfen aus Argentinien importiert; seine botanische Quelle ist Loxopterygum Lorentzii.

Quebracho colorado, schlechtweg Quebracho genannt, hat ein spezifisches Gewicht von 1,11 bis 1,137, ist sehr hart und auf dem Querschnitt hell bis dunkelbraunrot. Es enthält 18 bis 20 % eines Gerbstoffes, welcher nicht mit dem der Eichenrinde und des Kastanienholzes übereinstimmt, ausserdem 2,8 % einer anderen zusammenziehenden Säure, welche von tierischer Haut nicht fixiert wird und sich gegen Reagentien wie Gallussäure verhält, ferner einen Farbstoff, mit dem sich schön gelb färben lässt. Die wässerige Abkochung des Holzes ist schwach sauer, von rötlich gelber Farbe, trübt sich, wenn konzentriert, beim Erkalten unter Abscheidung eines rotbraunen Körpers.

Konzentrierte Schwefelsäure, in geringen Mengen zugesetzt, erzeugt eine prachtvoll rosenrote Färbung und der Gerbstoff schlägt sich fleischfarbig nieder. Konzentrierte Salzsäure bewirkt Fällung ohne Rosafärbung, konzentrierte Salpetersäure erzeugt einen gelbbraunen, konzentrierte Phosphorsäure einen fleischfarbigen Niederschlag. Beim Kochen mit verdünnter Schwefelsäure spaltet die Quebrachogerbsäure keine Gallussäure ab.

Quebracho soll sich unter Umständen so gut wie Sumach zur Fabrikation von Saffianleder eignen, namentlich für solche, die dunkele Farben haben sollen. Mit einem angeblichen Gerbstoffgehalt von 20 % wird er in Havre zum Preis von 21 Mark pro 100 Kilogramm geliefert.

Quebrachoextrakt, mit einem angeblichen Gerbstoffgehalt von 70 bis 75 %, ist in Hamburg und Bremen bereits ein gangbarer

Färbeartikel geworden. Die Notierungen in Hamburg vom März 1887 lauteten: fester Extrakt 58 bis 60 Mark, flüssiger Extrakt 44 bis 46 Mark pro 100 Kilogramm.

Grünes Ebenholz.

Nur England importiert dieses Farbholz in ansehnlichen Mengen aus dem tropischen Südamerika. Die botanische Quelle ist Jacaranda ovalifolia, Familie Bignoniaceae, ein stattlicher Baum mit prangenden, in Trauben geordneten Blüten. Das Holz ist olivengrün und hart, es wird gewöhnlich in Blöcken von 75 Zentimeter Länge verschifft und zuweilen zu Tischler- und Dreherartikeln verarbeitet.

Es färbt olivengrün, braun und gelb, je nach den angewendeten Beizen.

Die wohlriechenden Hölzer.

Mit diesem Abschnitt ist bezweckt, in gedrängter Kürze eine Zusammenstellung der bekanntesten wohlriechenden Hölzer zu geben, ohne Rücksicht darauf, dass einige in einem anderen Teile dieses Buches ausführlicher besprochen sind. Obgleich Wohlgerüche sehr weit im Pflanzenreiche verbreitet sind, finden sie sich doch nicht oft in dem Holze der Bäume und Sträucher. Am häufigsten sind sie den Blüten eigen und in ganz besonderer Fülle sind sie in manchen Blättern enthalten, wie in denjenigen des Zitronengrases, der Fasamorchidee (Angraecum fragrans), von Eucalyptus citriodora und E. odorata. Manchmal sind die Samen mit Wohlgeruch begabt, wie die Vanilleschote, die Muskatnuss, die Tonkabohne (Dipterix odorata) der Moschussamen (Abelmoschus moschatus), die Samen von Oxydendron Cuyumany und von Myrospermum frutescens in Südamerika. In manchen Bäumen sind die aromatischen Bestandteile am stärksten in der Rinde entwickelt, wie im Zimt und Cassiabaum, im Sassafras von Tasmanien (Atherosperma moschata), Croton cascarilla und C. eleutheria auf den Bahamas. Von mehreren derselben werden ätherische Öle gewonnen.

Zu anderen Zwecken pflegt man die Hölzer gemäss ihrer Eigenschaften und Ähnlichkeiten zu gruppieren, da das aber mit den wohlriechenden Hölzern noch nicht versucht wurde, auch kaum durchführbar ist, so reihe ich sie ohne systematische Anordnung.

Die Rinde von Ocotea aromatica in Neu-Caledonien besitzt einen starken Sassafrasgeruch und sehr wohlriechend ist die Rinde von Alyxia aromatica, heimisch in Java und Cochinchina. Von diesen beiden Baumarten ist es noch nicht festgestellt, ob nur die Rinde oder auch das Holz wohlriechend ist.

Tahiti besitzt in Ixora odorata ein festes und wohlriechendes Holz.

In Tasmanien und Australien findet sich der Moschusbaum (Eurybia argophylla), dessen Holz einen angenehmen Geruch und eine schön gefleckte Farbe hat; es ist recht brauchbar zu Möbeln, Dreherarbeiten und Parfümeriezwecken. Das australische Buchsholz (Bursaria spinosa) hat ebenfalls einen angenehmen aber vergänglichen Geruch. Das Riechholz von Tasmanien (Alyxia buxifolia) besitzt einen Geruch, der an die Tonkabohnen erinnert. Es ist ein krakeliger, an der Küste wachsender Strauch, mit einem Stamme von höchstens 12 Zentimeter Durchmesser. Er produziert sonach kein dickes vielfach verwendbares Holz, was zu bedauern ist, da es fein und festfaserig und von schönem lichtbraunem geflecktem Aussehen ist. Ob die Kultur aus dem Strauche einen wertvollen Nutzbaum machen könnte?

Die Kolonie Westaustralien ist stolz auf ihren himbeerduftenden Baum (Acacia acuminata), der diesen Namen empfing, weil sein Holz ähnlich wie Himbeeren, richtiger wie Himbeergallerte riecht. Es ist ein schönes Holz, sehr geeignet für die Tischlerei. Ostaustralien besitzt den wohlriechenden Myall (Acacia homalophylla), der ein sehr hartes, schweres Holz liefert, welches einen starken, köstlichen Veilchengeruch ausströmt. Es ist dunkel und schön markirt, wodurch es viel verwendbar in der Tischlerei und Dreherei ist. Leider wächst der Stamm selten über 30 Zentimeter im Durchmesser, trotzdem wird er zuweilen in der Fournierschneiderei benutzt. Auf der Londoner Weltausstellung von 1862 wurden von Queensland, wo der Baum am häufigsten vorkommt, Luxusartikel aus diesem Holze zur Schau gebracht, dessen bemerkenswerte Eigenschaften seitdem allgemein bekannt wurden und Veranlassung zu einer dauernden Nachfrage in Europa gab, zur Fabrikation von Kästchen für Handschuhe, Briefpapier u. s. w.

So lange das Myallholz unpoliert bleibt, bewahrt es seinen eigentümlichen Veilchengeruch, was in solcher Vollkommenheit bei keinem anderen bekannten Holze der Fall ist.

In der Nähe des Murrayflusses wächst die Wüstensandarakfichte (Callitris verrucosa), ein mittelgrosser Baum, dessen Stamm selten mehr wie 45 Zentimeter Durchmesser hat. Das Holz besitzt einen, wie man sagt, die Insekten vertreibenden Geruch, der an Kampfer erinnert, daher der gelegentlich gebrauchte Gleichname Kampferbaum. Die dunkele Schönheit des Holzes macht es für kleine Tischlerarbeiten recht brauchbar. Die nahe verwandte Bergsandarakfichte hat ähnliche Eigenschaften und dient denselben Zwecken.

Der australische Sassafrasbaum (Atherosperma moschata) hat eine aromatische Rinde, die ein ätherisches Öl liefert, das dem nordamerikanischen Sassafrasöl gleicht, wenn ihm etwas Kümmelöl zugesetzt wird. Das dunkelgestreifte, oft schöne Figuren zeigende Holz, riecht nur sehr schwach, es wird von den Tischlern geschätzt, weil es eine schöne Politur annimmt.

Der nordamerikanische Sassafrasbaum (Sassafras officinalis) ist stark aromatisch, sowohl im Geruch wie Geschmack, infolge der Gegenwart eines gelben ätherischen Öls, das zu einem Handelsartikel geworden ist. Da der Geruch die Insekten vertreibt, benutzt man in Indien das Sassafrasholz zum Auskleiden von Koffern, Kommoden, Kisten u. s. w.

Der Sumpfsassafrasbaum (Magnolia glauca) ist ebenfalls in Nordamerika heimisch, seiner wohlriechenden Rinde streben die Biber begierig nach, daher der Gleichname Biberbaum.

Der brasilianische Sassafrasbaum (Nectandra cymbarum) besitzt eine aromatische Rinde, während das Holz kaum einen Wohlgeruch bemerken lassen soll.

Das Santalholz ist das Produkt verschiedener Arten der Gattung Santalum, von welchen S. album die grösste Wichtigkeit besitzt. Da es ein hartes, dichtes, schönes Holz ist, dient es zu verschiedenen Verwendungen in der Tischlerei und Holzschnitzerei, wie Schreibpulte, Fächer, Albumdecken, Handschuhkästchen u. s. w. Die bemerkenswerteste Eigenschaft dieses Holzes besteht aber in seinem eigentümlichen Geruch, von einem ätherischen Öle herrührend, das in Indien vielfach zu Parfümeriezwecken verwendet wird. Die Wurzeln, welche am ölreichsten sind und die Späne wandern in die Destillerie, das gewonnene Öl dient als Grundbestandteil von manchen Parfümölen, dient auch manchmal zum Aromatisieren von gewöhnlichem Holz, um es als Santalholz zu verkaufen. Die wohlhabenden Hindus zeigen ihren Reichtum und ihre Verehrung für die toten Angehörigen, indem sie Santalblöcke auf die zur Leichenverbrennung errichteten Scheiterhaufen werfen.

Ausser S. album besitzt Indien S. myrtifolium. Die erstere Art ist schwachwüchsig, selten überschreitet sie die Höhe von 8 Meter. Der Export ihres Holzes von Madras ist beträchtlich, namentlich nach Bombay, Bengalen, Pegu und dem persischen Golf, wo es vorzugsweise zum Räuchern der Tempel und Wohnungen der Reichen dient. Zu gleichen Zwecken importieren die Chinesen nicht allein beträchtliche Mengen Santalholz, sondern auch Santalsägspäne, die sie zu kleinen Kuchen formen, um sie zu verbrennen. Oft werden sie auch, in niedliche Säckchen gefüllt, von den Frauen als Gegenzauber getragen.

Australien bringt ein geringwertiges Santalholz in den Handel, das von Santalum lanceolatum, S. oblongatum, S. obtusifolium und S. venosum produziert wird — Bäume, welche in Queensland und Westaustralien vorkommen. Die letztere Colonie verschiffte seither jährlich etwa 7000 Tonnen dieses Holzes, doch beginnt die Ausfuhr zu fallen, weil die Vorräte in den bewohnten Gegenden nahezu erschöpft sind und der Transport aus entfernten Inlandsorten sehr kostspielig ist.

Mehrere Santalarten sind über einen Teil der Südseeinseln verbreitet. Die südwestlichen Gruppen, umschliessend Neu-Caledonien, die Loyalitätsinseln, die Neu-Hebriden, Espirito-Santo und einige Andere, sind am reichsten bedacht. Die Fidschis, welche in den letzten 30 Jahren mehrere tausend Tonnen Santalholz verschifften, besitzen nur noch dürftige Vorräte.

Santalum austro-caledonicum in Neu-Caledonien liefert eine der geschätztesten Santalholzsorten, wegen der Stärke und Feinheit des Geruches. Dieser Baum wurde in rücksichtslosester Weise fast ausgerottet, ist aber in der neuesten Zeit unter Kultur gebracht worden. Das aus dem Holze destillierte Öl wird in Frankreich mit 140 Mark pro Kilogramm bezahlt. Wie bei anderen Santalhölzern, hat auch bei diesem nur das Kernholz Wert. Der Stamm und die dickeren Äste werden in Längen von 0,75 bis 1,50 Meter zerlegt und der Splint nebst der Rinde mit der Axt abgehauen, eine Hantierung die Reinigen genannt wird. Dadurch wird ein Block von 30 Zentimeter Durchmesser zu einem 12 bis 15 Zentimeter dicken Scheit.

Auf den Sandwichinseln kommen vor: Santalum ellipticum und S. Freycinetianum, die letztere Art wird auch in Tahiti gefunden; ihr Holz ist geringwertig, da es erst in hohem Alter einen schwachen Geruch annimmt.

Das Holz von Myoporum tumifolium wird auf mehreren Südseeinseln zuweilen als Ersatz für Santalholz benutzt. Frisch geschnitten besitzt es einen angenehmen Geruch, den es aber bald verliert.

Das Bastardsantalholz von Australien (Erimophila Mitchelii) strömt einen starken, den Insekten widerwärtigen Geruch aus. Es ist hart, braun, schön markiert und daher empfehlenswert zu Furnieren.

Das wohlriechende Cedernholz des Handels stammt vorzugsweise von Cedrela odorata, ein in Cuba, Mexiko und Zentralamerika heimischer Baum. Den gleichen Namen führt das Holz der roten oder Bleistiftceder (Juniperus virginiana), welche in den Südstaaten der nordamerikanischen Union vorkommt und in Baiern eingeführt wurde, um das zur Bleistiftfabrikation nötige Holz im eigenen Lande zu erzeugen. Aus diesem Holze wird das wohlriechende Öl Cedrine destilliert.

Britisch Guiana liefert ebenfalls ein Cedernholz (Icica altissima), das einen so starken aromatischen Geruch besitzt, dass es die Insekten vertreibt; es ist brauchbar in der Tischlerei.

Die Steinkiefer, Zürbelkiefer (Pinus Cembra), vorzugsweise in Russland verbreitet, liefert ebenfalls ein wohlriechendes Holz.

Das wohlriechende in der Tischlerei viel gebrauchte Rosen- oder Palisanderholz wird, wie M. Brogel ermittelt hat, von 2 oder 3 Arten der Gattung Triptolomea produziert, doch wird dem von anderer Seite widersprochen. (S. i. d. Abschnitt Rosenhölzer.)

Das seltene südamerikanische Holz Palo santo, dessen botanische Quelle man noch nicht kennt, besitzt einen feinen Geruch. den es niemals verliert. Es ist grünlich gefärbt, fest, elastisch und nimmt eine prächtige Politur an. Vor mehreren Jahren wurde den Parana herunter ein Block dieses Holzes geflösst, der 8 Meter lang war und 40 Zentimeter im Geviert mass. Der Baum scheint also von beträchtlicher Grösse zu sein, was sehr für die Wahrscheinlichkeit der Rentabilität seiner Kultur spricht. Wer will sein Vorkommen und sein Wesen erforschen?

Das Veilchenholz von Britisch-Guiana (Andira violacea) verdankt seinen Namen mehr seiner Farbe wie seinem Geruch.

Das aus dem östlichen Asien stammende Kampferholz ist wohlbekannt als ein gutes Schutzmittel gegen die Motten; es entstammt dem japanischen Kampferbaum (Camphora officinarum). Sumatra und Borneo besitzen einen anderen Kampferbaum, mit dem wissenschaftlichen Namen Dryobalanops aromatica. Nicht allein Holz und Rinde, sondern auch Blätter und Früchte dieses Baumes riechen nach Kampfer. In Sumatra wird dieser Baum häufig an der Westküste gefunden, gewöhnlich in ausgedehnten Urwäldern, aber niemals in höheren Erhebungen wie 300 Meter. Er ist von ungewöhnlicher Grösse, der grade Stamm hat zuweilen einen Umfang von 6 Meter und die gigantische Krone überragt die benachbarten Waldbäume oft 30 Meter. Selten liefert ein Baum mehr wie ein $^1/_4$ Kilogramm Kampfer und dieser geringen Ausbeute muss er zum Opfer fallen. Stamm und Wurzeln werden in kleine Splitter gehauen, um die in den Höhlungen, namentlich an den Astauswüchsen, versteckten Kampferkörner zu finden. Aus den Holzspänen quillt ein ätherisches Öl, das zuweilen gesammelt wird, doch soll diese Arbeit nicht lohnen. Das Holz wird als zäh, dauerhaft und geeignet zum Schiffbau geschildert, da es von den in dem indischen Ozean so gefährlichen Seewürmern seines Geruches wegen nicht angegriffen wird. Da es ölig ist, rosten die eingeschlagenen Nägel und Klammern nicht.

Französisch Guiana exportiert ein Bois de rose femelle genanntes Holz, wahrscheinlich von dem Baume Licaria odorata, das einen köstlichen, an Bergamotöl erinnernden Geruch besitzt, der aber so ausserordentlich flüchtig ist, dass das Holz erst unmittelbar vor der Füllung der Destillierblase pulverisiert werden darf. Das Öl wird seit neuerer Zeit von den pariser Parfümeriefabriken verwendet. Das Holz ist gelb und grobfaserig und kaum zu einem anderen Zwecke benutzbar als dem vorstehenden.

Keine wohlriechenden Hölzer werden von den Südasiaten höher geschätzt wie die, welche die Handelsnamen Lignum aloes, Garoe, Calambak oder Adlerholz führen. Noch ist nicht zuverlässig festgestellt, von welchen Bäumen sie produziert werden. Das beste Aloe- oder Adlerholz soll von Aleoxylon agallochum, Familie Leguminosae, heimisch in Cochinchina, stammen. Aquilaria ovata und A. agallocha, Familie Aquilariaceae, die in anderen Teilen des tropischen Asiens vorkommen, sollen geringere Sorten Aloe- oder Adlerholz liefern. Alle sind stark wohlriechend und werden gelegentlich in Europa zu feinen Luxusartikeln verarbeitet. Nur das Kernholz ist brauchbar, der Splint ist weiss und geruchlos.

Aquilaria agallocha ist ein mittelhoher Baum, der am Golf von Siam in den Gebirgen von Borneo, Sumatra und Java wächst. Das Holz ist fest, gelb mit schwarzen Streifen und gibt, nur wenn es gerieben oder gespalten wird, einen Rhabarbergeruch ab, der einem dunkelfarbigen Harze entstammt, wie bei allem Holze von gleichem Namen.

Als Weihrauchholz wird das Produkt von Icica guyanensis heimisch in Guiana, bezeichnet.

Rhodiumholz ist ursprünglich das Produkt von Liquidambar orientale, ein in Vorderasien heimischer, kleiner Baum. Später wurde dieser Name übertragen auf das Holz von Convolvulus floridus, C. scoparius, zwei auf den canarischen Inseln vorkommende Sträucher, wie auf Amyris balsamifera, ein kleiner Baum Jamaicas. Alle diese Quellen liefern ein Holz, das angenehm rosenähnlich duftet, wenn es gerieben wird und welches in der Destillierblase das ätherische, wohlriechende Rhodiumöl abgibt.

Der californischen Staatsuniversität wurde von dem Departement of Agriculture & Commerce in Cawnpore, Indien, ein Geschenk von Samen verschiedener indischer Bäume übermittelt, begleitet von einem Briefe des Assistant Directors in Cawnpore, der so belehrend ist, dass ich glaube, seinen wesentlichen Inhalt mitteilen zu sollen:

Der Dhak (Butea frondosa) kommt im ganzen nordwestlichen Indien zahlreich vor, wildwachsend auf dem unbebauten Gelände der Ebenen. Das Holz wird zu Brunnenröhren verwendet, vorzugsweise aber zum Brennen, für welchen Zweck es vorzüglich ist. Mit Ausnahme des Babul (Acacia arabica) ist es der einzige Baum, der auf wüstenartigem Boden freudig gedeiht, selbst auf solchem, der schwach mit Alkalien durchsetzt ist. In den Ebenen kommt er häufig über die Strauchhöhe nicht hinaus, allein auf den Vorhügeln der Gebirge entwickelt er sich zu einem richtigen Baume. Im März ruft er durch seine traubenförmigen, grossen, orangeroten Blüten eine ausserordentliche Wirkung hervor, die oft mit derjenigen eines Waldfeuers verglichen worden ist. Eine gelbe Farbe wird aus den Blüten gewonnen, welche einigen Handelswert besitzt. Der Same sollte sofort nach der Ankunft in Californien gesät werden, ohne ihn aus den Schoten zu nehmen und zwar auf die dauernden Standorte, da die Bäumchen das Verpflanzen nicht vertragen.*)

Der Schischam (Dalbergia sissu) ist ein grosser Baum mit lichtgrüner, delikater Belaubung und kleinen, gelblichweissen Blüten. Er kommt in den unteren Himalayawäldern vor und zwar nur auf leichten Böden. Am üppigsten gedeiht er auf niedrig liegendem, leichtem, sandigem Schwemmland. Das Kernholz ist dunkelbraun und in der Tischlerei sehr geschätzt, vielleicht mehr wie ein anderes in Indien produzierte Holz, Mahagoni ausgenommen. Die jungen Blätter und Zweige werden als Viehfutter, auch als Arzenei benutzt.

Die Fortpflanzung kann durch Samen und auch sehr leicht durch Stecklinge geschehen, die 30 Zentimeter lang sein sollen. Die Pflanzweite auf den dauernden Standorten muss 9 Meter betragen. Der Same muss in den Hülsen gesät werden, was auf ein Beet der Baumschule geschehen mag. Bei Beginn der nächsten Regenzeit kann die Verpflanzung der Sämlinge stattfinden.

Die indische Tamarinde (Tamarindus indicus) ist ein grosser, oft 25 Meter hoher Baum, der in ganz Indien kultiviert wird. Der Stamm ist kurz, dick und trägt eine prächtige, breite und hohe Krone. Die Blätter sind gefiedert, den gelben, in losen Trauben geordneten Blüten folgen Samenschoten, die ein säuerliches, häufig präserviertes Mark enthalten; es ist ein unschätzbares Mittel gegen Skorbut. Der Baum wächst ausserordentlich langsam. Der Same wird im April in die Baumschule gesät. Die Sämlinge müssen während des kalten Wetters beschützt und im Februar oder während der Regenzeit verpflanzt werden. Die Bäume sollten an Wegen in Abständen von 12 Meter stehen. Das Holz ist für keinen anderen Zweck wie zum Brennen brauchbar.

Der Nimi (Melia indica) ist ein grosser, in ganz Indien verbreiteter Baum, der auf jedem Boden wächst. Die Rinde ist grau

---

*) Anm. d. V. Dieser Baum bildet eine bevorzugte Wohnung des Lackinsekts und ist die Quelle des Bengalkinos.

und mit zahlreichen senkrechten und schrägen, verschrumpften Rissen durchfurcht. Die Blätter sind ungleichseitig gefiedert. Die kleinen weissen Blüten strömen einen starken, nicht gerade angenehmen Honiggeruch aus. Die Frucht enthält ein herbes, bitteres Öl, das als Heilmittel, zum Vertreiben der Insekten auf Tierkörpern, in Gärten und im Felde und schliesslich zu Beleuchtungszwecken dient. Die Indier glauben an hundert heilende Eigenschaften, welche die Rinde, das Holz und die Blätter dieses Baumes besitzen sollen. Das Holz ist kräftig und eignet sich zu Bauzwecken. Der Same kann in die Baumschule oder auf die dauernden Standorte gesät werden. In letzterem Falle legt man 4 oder 5 Samen an eine Pflanzstelle und lässt nur den stärksten Sämling fortleben. Aus der Baumschule müssen die Sämlinge während der Regenzeit versetzt werden. Die Pflanzweite soll 12 Meter betragen.

Der Kikar oder Babul (Acacia arabica) wächst unter günstigen Umständen zu einem stattlichen Baume, bedeckt mit langen, geraden, weisslichen Dornen, deren Spitzen sehr scharf und oft bräunlich gefärbt sind. Die Blätter sind gefiedert, die in runden Köpfen geordneten Blüten sind gelb. Die Rinde und Samenschoten werden in den Gerbereien in Mengen verbraucht. Die Blätter bilden ein vortreffliches Viehfutter. Das aus der Rinde quellende Gummi (arabisches Gummi) hat Handelswert. Der Baum ist in Nordindien weit verbreitet, östlich und südlich der Regionen welche vom Frost heimgesucht werden, den er nicht verträgt. Er gedeiht gut auf schweren Böden und kommt selbst auf kiesigem Boden fort. Das Holz wird zu Werkzeugstielen und schweren Wägen verarbeitet. Der Same wird bei Beginn der Regenzeit in die Baumschule gesät, besser noch auf die dauernden Standorte. Saatplätze von 60 Zentimeter im Geviert werden an den Wegsäumen vorbereitet, in Abständen von 3 Meter. Wenn die Sämlinge wachsen, werden sie bis zum 7. oder 8. Jahre ausgedünnt, indem in jedem Jahre einige der schwächsten den Platz räumen müssen. Schliesslich soll nur ein Bäumchen an der Saatstelle bleiben. Später fällt abwechselnd ein um das andere Bäumchen fort, so dass ein Abstand von 6 Meter entsteht. Und schliesslich wird der Abstand auf 12 Meter durch Abholzung erweitert.

Der Renrya (Acacia uncophea) und Chamikar (Prosopis spicyon) sind zwei Bäume, welche wie der Kikar zu behandeln sind. Sie wachsen auf jedem Boden, aber sehr langsam und dürfen nicht verpflanzt werden.

Ich mache darauf aufmerksam, dass diese Anleitung nur für die Bepflanzung von Strassen zu verstehen ist. In der Forstkultur sind diese Bäume dicht zu pflanzen und allmählich zu durchforsten.

Die kulturwürdigen Hölzer.

In diesem Abschnitt soll die Beschreibung derjenigen Hölzer gegeben werden, welchen im Handel und in den Gewerben eine solche Wertschätzung zu Teil wird, dass sie zum Anbau Beachtung verdienen, doch darf das Verzeichnis bei unserer lückenhaften Kenntnis der tropischen Wälder nicht als abgeschlossen betrachtet werden. Sehr nahe liegt die Wahrscheinlichkeit der Entdeckung tropischer Hölzer, die sich den gekannten besten an die Seite stellen, mithin ebenfalls kulturwürdig sind.

Der Tadel wird seine Stimme erheben, warum ich nicht eine Gruppierung auf botanischer oder geographischer Grundlage vorgenommen habe. Meine Erwiderung lautet: von einigen Hölzern wissen wir überhaupt noch nicht die botanische Quelle, von anderen ist sie zweifelhaft und über mehrere streiten sich die Gelehrten, welcher Gattung und Familie sie beizuzählen sind. Da ich kein wissenschaftliches, sondern ein für den praktischen Gebrauch bestimmtes Buch schreibe, so muss ich mich an die vorhandenen Handelsnamen halten und diese sind in nicht wenigen Fällen gleichlautend für mehrere Hölzer ohne botanische Verwandtschaft und von verschiedener geographischer Herkunft. Würde ich solche gleichnamigen Hölzer trennen, behufs Gruppierung auf botanischer oder geographischer Grundlage, dann verlöre dieser Abschnitt an Übersichtlichkeit für den Mann der Praxis.

Für die nordamerikanischen Hölzer treffen diese Bedenken nicht zu, sie sind sämtlich botanisch festgestellt und seit in den Berichten über den Zensus und die geologischen Vermessungsarbeiten die wissenschaftlichen Namen der Bäume in Übereinstimmung mit Bentham und Hooker für die Laubhölzer und mit Carrière für die Nadelhölzer angeführt, also gewissermassen officiell wurden, verschwindet voraussichtlich der seitherige Namenwirrwar in naher Zukunft, wodurch volle Klarheit auf diesem Gebiete herrschen wird. Diese officiellen wissenschaftlichen Namen sind auch in diesem Buche durchgehends angewendet. Da ferner die nordamerikanischen Hölzer keine gleichlautende Handelsnamen mit Hölzern anderer geographischer Herkunft führen, so können sie unbedenklich zu einer Gruppe behufs Erhöhung der Übersichtlichkeit dieser Darlegung zusammengestellt werden. Dasselbe gilt für die kleine Gruppe der europäischen Hölzer.*)

Die nordamerikanischen Hölzer.**)

1. Eichenholz.

Die zur Familie Cupuliferae gehörende Gattung Quercus (Eiche) zerfällt in etwa 250 Arten, welche vorzugsweise in der gemässigten Zone der nördlichen Erdhälfte heimisch sind; einige kommen in den Gebirgen des engeren Tropengürtels, in Südamerika und dem malayischen Archipel vor, nur sehr wenige finden sich in der kalten Zone; Australien besitzt nicht eine Art. Auf Nordamerika entfallen 40 Arten, welche auf Grund der Rindenfarbe in weisse und schwarze Eichen getrennt werden. Die Ersteren wachsen langsamer wie die Letzteren und liefern ein in jeder Hinsicht vorzüglicheres Holz. Die schwarzen Eichen haben durchgehends eine rauhe, dunkle Rinde, ihr Holz ist spröd und porös und der Unterschied zwischen Splint und Kernholz weniger deutlich wie bei den weissen Eichen.

Von dieser stattlichen Artenzahl können nur die wenigen, unten angeführten, zur Kultur für die Holzproduktion empfohlen werden. Für die Rindenproduktion sind bereits an anderer Stelle zwei Arten als beachtenswert bezeichnet worden: die Kastanieneiche der Pazifikküste (Quercus densiflora), welche nicht mit der Kastanieneiche der atlantischen Staaten (Quercus prinus), verwechselt werden darf, deren Rinde übrigens ebenfalls in den

*) Anmerkung: Die botanischen Namen der Nadelhölzer wurden nach den Beschlüssen des Dresdener Kongresses der deutschen Coniferen-Kenner und Züchter von 1887 eingetragen.

**) Anmerkung: Über die in Zahlen ausdrückbaren physikalischen Eigenschaften ist die betreffende Tabelle im Abschnitte über die Holzkunde nachzulesen. Die nachfolgend angeführten physikalischen Eigenschaften sind zum grösseren Teile dem Zensusbericht von 1880 entlehnt; obgleich derselbe als Standvermerk gilt, nahm ich doch Abänderungen und Ergänzungen vor, die sich auf beste fachmannische Urteile stützen.

Gerbereien geschätzt ist und in ihrem Verbreitungsgebiete sogar der Rinde jeder andern weissen Eiche vorgezogen wird.

Dieser letztere Baum erreicht eine Höhe von 24 bis 30 Meter, bei einem Durchmesser von 0,90 bis 1,20 Meter; er wächst auf felsigem Gelände und erreicht seine stärkste Entwickelung im südlichen Alleghanygebirge. Das Holz ist schwer, stark, fest, sehr zäh, dicht, zum Werfen während des Trocknens geneigt und dauerhaft in Berührung mit der Erde. Die Markstrahlen sind sehr breit und deutlich, die Farbe ist dunkelbraun, etwas heller ist der Splint. Für Eisenbahnschwellen, Zäune u. s. w. findet dieses Holz ausgedehnte Verwendung.

Ferner die Färbereiche (Quercus tinctoria), die zwar in erster Linie für die Rindenproduktion in Aussicht zu nehmen, deren Holz aber auch marktfähig ist. Dieser Baum erreicht eine Höhe von 36 bis 48 Meter, bei einem Stammdurchmesser von 0,90 bis 1,80 Meter und kommt gewöhnlich auf trockenem, kiesigem Hügelland vor. Die bescheidenen Ansprüche an den Boden bilden einen Vorzug dieser Eichenart. Das Holz ist schwer, hart, stark, nicht zäh, grobfaserig, zum Werfen beim Trocknen geneigt. Die Jahresringe sind durch mehrere Reihen sehr grosser Gefässöffnungen abgegrenzt. Die Farbe ist hellbraun, ins Rötliche schillernd, der Splint ist viel heller. Die vorzüglichste Verwendung dieses Holzes ist zu Fässern und anderen Gefässen, welche trockene Gegenstände aufnehmen sollen; auch als Brennstoff ist es geschätzt.

a. Weisseiche (Quercus alba).

Diese wichtigste Eiche Nordamerika's erreicht eine Höhe bis 45 Meter, bei einem Durchmesser von 2,40 Meter. Diese Ausdehnungen wechseln aber mit den klimatischen und Bodenverhältnissen. Die weisse Rinde, nach welcher der Baum benannt ist, zeigt mitunter grosse schwarze Flecken; sie ist an jungen Bäumen in Vierecke geteilt, an älteren bilden diese Vierecke, besonders auf feuchtem Boden, aneinandergefügte Platten. Die Blätter haben regelmässig abgerundete Einschnitte zwischen länglichrunden Lappen; je feuchter der Standort, desto tiefer die Einschnitte. Die jungen Blätter haben auf der Sonnenseite eine rötliche, auf der Schattenseite eine weisslichgrüne Färbung. Die älteren Blätter sind oben glänzend hellgrün, unten grau- oder blassgrün. Im Herbste nach kalten Nächten zeigen die welkenden Blätter bläuliche, violette, mit rotbraun und rötlichgelb abwechselnde Schattierungen. Nur diese Eichenart behält, in ihrem Verbreitungsgebiet, das Laub den Winter hindurch bis zum nächsten Frühjahr und zeichnet sich dadurch, wie durch ihre ausnehmend weisse Rinde, vor den übrigen Eichenarten während des Winters aus. Die Blüte erscheint gewöhnlich im Mai; dann entwickeln sich die graubraunen, bisweilen gräulichblauen Eicheln in rauhen, wenig vertieften, grauschuppigen Bechern; sie stehen an 2 bis 3 Zentimeter langen Stielen bald paarweise, bald einzeln und sind ziemlich gross, länglich rund und von süsslichem Geschmack. Die Bäume tragen gewöhnlich sehr schwach, oft kann man auf weiten Strecken kaum einige Hände voll Eicheln auflesen.

Von Canada bis Texas wächst diese Eichenart; im Norden und Süden spärlicher, auch nicht häufig in den überaus fruchtbaren Marschländern an den Ufern der grossen Ströme des Westens, am zahlreichsten tritt sie auf und erreicht ihre höchste Entwickelung an den westlichen Abhängen des Alleghanygebirges und im Thale des Ohio, wo sie oft einen grossen Bestandteil der Wälder bildet.

Das Holz wird von Sachkennern folgendermassen charakterisiert: hellbraun mit einem Stich ins Rötliche, der Splint ist lichtbraun bis strohgelb, stark, schwer, dicht, sehr zäh, elastisch, dauerhaft in Berührung mit der Erde.

Die Jahresringe sind scharf abgegrenzt durch mehrere Reihen grosser, offener Gefässröhren; die Markstrahlen sind breit und sehr deutlich. Wenn nicht vorsichtig getrocknet, wirft es sich stark, schrumpft und reisst, daher hat es wenig Wert zur Bretterverschneidung. Das Schrumpfen beträgt etwa $^1/_{32}$ der anfänglichen Ausdehnung. Versuche zeigten: 1. dass behauenes Holz 10 % in einem Jahr und 5 % in 4 Jahren mehr an Gewicht verlor, wenn die Fällung in der warmen statt der kalten Jahreszeit stattfand; 2. dass Blöcke in der Rinde 8 % in einem Jahre und 17 % in 4 Jahren mehr an Gewicht verloren, wenn die Fällung im Sommer statt im Winter erfolgte.

Das spezifische Gewicht bewegt sich zwischen 0,7 und 1,1. Ein Kubikmeter wiegt durchschnittlich 705 Kilogramm in trockenem und 1121 Kilogramm in grünem Zustand.

Zwischen englischen und nordamerikanischen Sachkennern herrschte ein jahrelanger Streit, ob das Holz der Weisseiche oder der Sommer- und Wintereiche, welche in England im Gegensatz zu Deutschland ganz gleichwertig geschätzt werden, vorzüglicher sei. Gegenwärtig erfährt die Behauptung selten Widerspruch, das Holz der Sommer- und Wintereiche sei dichter und tragkräftiger, dasjenige der Weisseiche zäher und elastischer, beide Hölzer besitzen demnach für bestimmte Zwecke besondere Vorzüge. Besonders bemerkenswert ist die Elastizität des Weisseichenholzes: Bretter in gedämpftem Zustand können ohne Gefahr des Bruchs oder Splitterung in die schwierigsten Formen gebogen werden.

Dieser Streit könnte übrigens nur dann zum endgültigen Austrag gebracht werden, wenn das Holz von Weisseichen und Wintereichen geprüft würde, die auf dem gleichen Standorte wüchsen und das ist bis jetzt noch nicht möglich gewesen. Allbekannt ist, dass das Holz der Weisseiche beträchliche Qualitätsunterschiede zeigt, die auf klimatische und Bodenverhältnisse zurückzuführen sind. Auf dem ziemlich häufig gefundenen Standorte, welcher im Frühjahr überschwemmt, im Reste des Jahres aber trocken bleibt, ist der Frühjahrswuchs locker und porös, während der Sommerwuchs hart und dicht ist. Solches Holz ist weder stark noch dauerhaft, dagegen besitzt es infolge seiner verschiedenen Faserung ein sehr gefälliges Aussehen und wird daher in der Tischlerei geschätzt. Auf einem sonnigen Standorte mit einem, das ganze Jahr hindurch mässig feuchten Lehmboden wird das Holz so dicht, stark und dauerhaft, dass sich selbst hochgestellte Ansprüche befriedigt fühlen.

Das Holz wird spröde und brüchig, sobald die Bäume ihre Reife erreicht haben; am zähesten und kräftigsten ist es bei einem Alter von 80 bis 100 Jahren. Das Holz der ganz jungen Stämme ist seiner ausserordentlichen Elastizität und genauen Teilbarkeit wegen zu Fassreifen, Peitschenstielen und mancherlei Flechtwerken sehr geeignet. Das ältere Holz wird in ausserordentlichen Mengen zu Fassdauben, Wägen und Ackergeräten verarbeitet, für welche Zwecke es vorzüglicher erachtet wird, wie das Holz der Winter- und Sommereiche. Ferner findet es Verwendung zu Bahnschwellen, Zäune, Hausbauten und Tischlerarbeiten. Schöne Möbel werden aus dem Wurzelholze gefertigt, da dasselbe aber schwer bearbeitbar und teuer ist, bleibt seine Benutzung beschränkt. In hoher Achtung steht Weisseichenholz bei den nordamerikanischen Schiffbauern, die es übrigens jetzt nicht mehr so häufig benutzen wie früher, weil gute Qualitäten stark im Preise gestiegen sind, und das Holz überhaupt von Eisen und Stahl im Schiffbau mehr und mehr verdrängt wird. Die englischen Schiffbauer haben stets das Holz der Wintereiche bevorzugt nnd wohl mit Recht.

In Bezug auf spezifische Schwere nimmt das Weisseichenholz unter den nordamerikanischen Hölzern den 124. Rang, auf verhältnismässigen Brennwert den 63. Rang, auf den Coeffizienten der Elastizität den 12. Rang, auf Bruchfestigkeit den 89. Rang, auf Druckfestigkeit den 89. Rang und auf Eindruckfestigkeit den 109. Rang ein. Das Holz anderer Eichenarten steht bald in dem einen, bald in dem andern Rang höher, doch ist daran zu erinnern, dass die Wertschätzung eines Holzes auch nach seiner Grad- und Dickstämmigkeit und Astfreiheit zu beurteilen ist, und in dieser Hinsicht gebührt der Weisseiche der erste Rang unter den nordamerikanischen Eichen, während sie der Sommer- und Wintereiche vollständig gleich steht.

In der zu befolgenden Anbaumethode schliesst sich die Weisseiche eng an die Sommereiche an. Zwar wird sie auf vielen Bodenarten gefunden, allein ihre höchste Entwickelung erreicht sie auf mässig feuchtem, kalkhaltigem Lehmboden, der tiefgründig sein muss, da die Weisseiche eine Pfahlwurzel bis zur Tiefe von $1^1/_2$ Meter treibt. In Folge dessen übt auch der Untergrund einen entschiedenen Einfluss auf das Wachstum und die Qualität des Holzes aus. Mässig geklüftetes Kalkgestein, die milden Thonschiefer, die reicheren Sandsteine, Mergel, Granit, Basalt, Grünstein und thoniger Porphyr werden als günstiger Untergrund betrachtet, da sie kein Grundwasser halten und doch dauernd frisch bleiben.

Die Weisseiche bevorzugt, gleich der Sommereiche, warme Thäler und sonnige Vorberge. Freistehend ist sie geneigt, sich tief zu verästeln, allein wenn sie steht gemäss der forstlichen Regel: mit freier Krone, beschattetem Stamme und bedecktem Fuss, dann bleibt sie bis zu drei Viertel ihrer Gesamthöhe astfrei und bildet einen schönen, geraden, dicken Stamm.

Wie andere Eichen, ist auch die Weisseiche von Natur nicht dazu bestimmt, ungemischte Wälder zu bilden, sondern sie verlangt die Hilfe von schattenspendenden und bodenverbessernden Bäumen.

In der gemässigten Zone erweist sich die Buche am geeignetsten für diesen Dienst, denn sie bezieht ihre Nahrung mehr von der Oberfläche des Bodens, während die Eiche die ihrige mehr in der Tiefe sucht. Nächst der Buche sind die Kiefer und andere seichtwurzelnde Nadelhölzer gute Gesellschafter der Eiche. Wie bereits in den Grundzügen der Forstkultur angegeben wurde, müssen die Schutzbäume allmählich so ausgelichtet werden, dass den Eichen der ganze Boden eingeräumt ist, wenn sie sich ihrer Reife zuneigen. Wo es nicht möglich ist, den Stamm einer Eiche genügend zu beschatten, muss man zu dem Hilfsmittel greifen, die unteren Äste frühzeitig zu entfernen, um einen hohen astfreien Stamm zu erzielen.

Es ist noch festzustellen, wann die Weisseiche ihre Reife erreicht. Die Behauptung findet vielseitige Zustimmung, in einem warmen Klima würde sie am vorteilhaftetsen etwa im 100. Lebensjahre gefällt. Ihr Wachstum ist langsam aber stetig. Die nordamerikanischen Samenhandlungen liefern Eicheln der Weisseiche für 5 Mark pro Kilogramm. Im Durchschnitte gehen 180 bis 200 Eicheln auf das Kilogramm.

b) **Posteiche, Eiseneiche** (Quercus obtusiloba).*)

Diese Art kommt östlich des Alleghanygebirges vor, vorzugsweise an den hohen Ufern des Hudson und südwärts durch Virginien bis Louisiana, stets auf trockenem, kiesigem Boden. Die Laubkrone ist zwar ausgebreitet, bildet aber kein geschlossenes Dach, an den stark abwärts geneigten Ästen wird diese Art auch nach dem Abfalle des Laubes leicht erkannt. Die Rinde ist dünn und weissgrau, die kurzgestielten Blätter sind oben dunkelgrün, unten grünlichgrau und haben 5 stumpfe, durch enge Ausschnitte getrennte Lappen. Die Blattrippen färben sich beim Welken rosenrot, wodurch sich diese Eiche von der Scharlacheiche unterscheidet. Die Blüten erscheinen im Mai; die Eicheln sind klein, länglich und von angenehm süsslichem Geschmack.

Der Baum erreicht selten eine grössere Höhe wie 24 Meter, bei einem Stammdurchmesser von 0,90 bis 1,50 Meter, und diese geringen Grössenverhältnisse sind es, welche den Wert des im Übrigen sehr schätzbaren Baumes beeinträchtigen. Doch ist es des Ver-

---

*) Anmerkung: Die Bezeichnung „Posteiche" ist in der deutschen Dendrologie kaum oder gar nicht bekannt; daher unser entsprechender Zusatz: Eiseneiche. H. H.

suches wert, ob durch die Kultur, von welcher bisher abgesehen wurde, eine befriedigerende Stammdicke zu erzielen ist, zumal dabei ein Boden in Betracht kommt, so mager und trocken, dass er für eine andere unter Kultur befindliche Eichenart untauglich ist.

Das Holz ist schwer, hart, dicht und dauerhafter, stärker und feinfaseriger wie das Weisseichenholz, dem es nur in Bezug auf Elastizität nachsteht. Die Farbe ist hellbraun bis gelb, der Splint ist hellgelb, die Jahresringe sind durch 1 bis 3 Reihen nicht grosser, offener Gefässröhren begrenzt. Die Markstrahlen sind zahlreich und deutlich. Vorsicht ist im Trockenen geboten, da sich sonst das Holz stark wirft.

In Berührung mit der Erde ist dieses Holz sehr dauerhaft, daher es für Bahnschwellen und Bauzwecke stark begehrt ist. Zu Pfählen und Fassdauben wird es dem Weisseichenholz vorgezogen und im Schiffbau ihm gleichgestellt, liefert aber seines geringen Umfanges wegen fast nur Kniee, selten Planken. Auch zu Ackergeräten und im Wagenbau findet es vielfache Verwendung.

Unter den nordamerikanischen Hölzern nimmt dieses Holz den 66. Rang in spezifischer Schwere, im verhältnismässigen Brennwert den 64. Rang, im Coefficienten der Elastizität den 175. Rang, in der Bruchfestigkeit den 104. Rang, in der Druckfestigkeit den 104. Rang und in der Eindruckfestigkeit den 104. Rang ein.

Bei dieser Rangeinteilung darf nur nicht übersehen werden, dass sie erfolgte auf Grund der Ermittelung der Durchschnittsqualität einer beschränkten Anzahl Stäbe. Wenn ich oben sagte, das Posteichenholz sei stärker wie das Weisseichenholz, so stützte ich mich auf das Urteil erfahrener Architekten und wenn das mit der hier angeführten Rangeinteilung nicht ganz übereinstimmt, so ist das durch die Qualitätsunterschiede zu erklären, welche jedes Holz aufweist.

Die nordamerikanischen Samenhandlungen führen keine Eicheln der Posteiche, besorgen sie aber auf Wunsch ohne Schwierigkeit.

c) Lebenseiche (Quercus virens).

Diese bereits an anderer Stelle erwähnte immergrüne Eichenart, kommt vom südlichen Virginien der Küste entlang bis zur Mündung des Mississippi vor, von da verbreitet sie sich bis zum westlichen Texas und nach dem nördlichen Mexiko, wo sie bis zu

Erhebungen von 1800 bis 2400 Meter steigt. Ob sie von dort bis Costarica, wo sie gefunden wurde, fehlt oder vorhanden ist, bleibt der Forschung vorbehalten.

In Nordamerika erreicht sie ihre höchste Entwickelung an der Küste von Florida, in ganz geringer Erhebung über dem Meeresspiegel; hier bildet sie mit Magnolien und anderen immergrünen Bäumen zusammenhängende Wälder, von welchen sich die Bundesregierung die wertvollsten reserviert hat, zur Sicherung des für ihre Werften nötigen Schiffsbauholzes dieser Qualität.

Das Holz ist sehr schwer, hart, stark, zäh, sehr dicht, schwierig zu bearbeiten und einer schönen Politur fähig. Die Jahresringe sind undeutlich, oft schwer zu unterscheiden, sie enthalten viele, kleine, offene Gefässröhren, geordnet in kurzen, abgerissenen Reihen, gleichlaufend mit breiten, deutlichen Markstrahlen. Die Farbe ist lichtbraun oder gelb, der Splint ist nahezu weiss und frei von dem klebrigen Stoff, der die Poren des dichteren Kernholzes erfüllt und es dauerhafter macht. Trotzdem ist auch der Splint brauchbar, ausgenommen im Schiffbau. Das Holz wirft sich stark, wenn es während des Trocknens den Sonnenstrahlen oder dem Winde ausgesetzt ist. Bei sorgfältiger Behandlung kann es schon in wenigen Monaten so weit getrocknet sein, dass es im Schiffbau verwendbar ist.

Nach der an anderer Stelle gegebenen Tabelle nimmt dieses Holz unter den nordamerikanischen Hölzern in der spezifischen Schwere den 25. Rang ein, im verhältnismässigen Brennwert den 24. Rang, im Coefficienten der Elastizität den 48. Rang, in der Bruchfestigkeit den 57. Rang, in der Druckfestigkeit den 63. Rang und in der Eindrucksfestigkeit den 33. Rang.

Der Baum wächst 15 bis 18 Meter hoch, bei einem Stammdurchmesser von 1,50 bis 2,10 Meter.

Wenn der Stamm nicht beschattet ist, wächst er selten gerade und treibt viele, starke Äste, doch das ist in den Augen der Schiffbauer ein Vorzug, da sie das Lebenseichenholz zu Knieen und anderen gekrümmten Stücken haben wollen. Ausserordentliche Dauerhaftigkeit im und über dem Wasser, frei von Säure, welche Eisen angreift — das sind die beiden geschätztesten Eigenschaften dieses Holzes für den Schiffbau, in welchen es vorzugsweise Verwendung findet, wenn gleich nicht mehr so massenhaft wie früher, weil Eisen und Stahl das vorherrschende Schiffbaumaterial geworden sind.

Eine andere Verwendung ist als Werkholz, namentlich zu Wagnerarbeiten und landwirtschaftlichen Maschinen.

An Aufforderungen, diesen nützlichen Baum unter Kultur zu nehmen, hat es nicht gefehlt und die grösseren nordamerikanischen Samenhandlungen bieten Eicheln zum Preise von 5 Mark pro Kilogramm an, allein da, wo die Lebenseiche fortkommen kann, hat man die Forstkultur überhaupt bis jetzt überflüssig gehalten. Man will beobachtet haben, dass dieser Baum schnell wächst und auf feuchtem, humusreichem Boden zur kräftigsten Entwickelung gelangt.

d) **Burreiche** (Quercus macrocarpa).

Diese schöne dichtbelaubte Art erreicht eine Höhe bis zu 50 Meter bei einem Stammdurchmesser bis zu 2 Meter, sie kommt von Nova Scotia im Norden bis Texas im Süden vor, und verbreitet sich am weitesten westlich und nordwestlich von allen Eichenarten der atlantischen Küstenwälder. Am kräftigsten entwickelt sie sich auf Prärie- und Schwemmboden. Die Blätter sind bisweilen 36 Zentimeter lang und 18 Zentimeter breit, von unregelmässiger Gestalt, bald mehr, bald weniger tief und breit ausgeschnitten, bisweilen gezähnt und von vollgrüner Farbe. Die Blütezeit ist im Mai; die Eicheln sind die grössten aller nordamerikanischen Arten und werden von den buchtigen Bechern über die Hälfte bedeckt; die Ränder der dicken, rauhen Becher sind dicht behaart; an schattigen Standorten aber weniger und in diesem Falle sind die Ränder einwärts gebogen.

Das Holz ist schwer, stark, hart, zäh, dicht, dauerhafter in Berührung mit der Erde wie dasjenige anderer nordamerikanischer Eichenarten. Die Jahresringe sind begrenzt durch 1 bis 3 Reihen kleiner offener Gefässröhren. Die Markstrahlen sind deutlich und oft breit. Die Farbe ist dunkel- oder reichhellbraun, der Splint ist viel heller.

Rangstellung unter den nordamerikanischen Hölzern die 128. in spezifischer Schwere, die 129. im verhältnismässigen Brennwert, die 128. im Coefficienten der Elastizität, die 68. in der Bruchfestigkeit, die 107. in der Druckfestigkeit, die 88. in der Eindrucksfestigkeit.

Die Verwendung stimmt mit der des Weisseichenholzes überein und mag es daher überflüssig erscheinen, diesen Baum zur Kultur zu empfehlen, allein es wird von ihm behauptet, er wüchse am schnellsten von allen nützlichen Eichenarten Nordamerika's, der Lebenseiche ausgenommen, und dann bequemt er sich leichter einem rauhen Klima an wie die Weisseiche — das sind zwei beachtenswerte Vorzüge. Auch verdient Erwähnung, dass er mehr Schatten verträgt, wie die Weisseiche, Sommereiche und Wintereiche. Die nordamerikanischen Samenhandlungen u. A. Hiram Sibley & Co. in Rochester bieten Eicheln dieser Art zu $2^1/_2$ Mark pro Kilogramm an.

e) **Korbeiche** (Quercus Michauxii).

Von Delaware südlich bis zum nördlichen Florida, in den Golfstaaten, Arkansas, Kentucky, dem südlichen Illinois und Indiana ist diese, von allen weissen Eichen der Golfstaaten nützlichste Art, verbreitet. Der Baum erreicht eine Höhe von 24 bis 36 Meter, bei einem Stammdurchmesser von 1,20 bis 2,10 Meter, und kommt vorzugsweise an Flussufern und auf häufig überschwemmtem Gelände vor; seine kräftigste Entwickelung erreicht er auf tiefem Schwemmboden in Louisiana und Arkansas.

Das Holz ist schwer, hart, sehr stark, zäh, dicht, sehr dauerhaft in Berührung mit der Erde und leicht spaltbar. Die Jahresringe sind begrenzt durch wenige, grosse, offene Gefässröhren. Die Markstrahlen sind deutlich und breit. Die Farbe ist lichtbraun, der Splint ist nicht heller, sondern dunkler wie das Kernholz.

Dieses Holz findet eine ausgedehnte Verwendung zu Ackergeräten, Rädern, Körben, für welche es für unübertrefflich gehalten wird, Küferarbeiten, Bauzwecken und als Brennstoff.

Die grossen, süssen Eicheln werden von den Rindern gierig gefressen, daher diese Art auch den Namen Kuheiche führt. Andere Tiere naschen die Eicheln ebenfalls gerne.

Rangstellung unter den nordamerikanischen Hölzern: die 85. in spezifischer Schwere, die 84. im verhältnismässigen Brennwert, die 112. im Coefficienten der Elasticität, die 30. in der Bruchfestigkeit, die 121. in der Druckfestigkeit, die 89. in der Eindrucksfestigkeit.

Die nordamerikanischen Samenhandlungen führen diese Eicheln nicht, besorgen sie aber.

2. Buchenholz.

Die Familie Cupuliferae besteht nur aus den 6 Gattungen Quercus, Fagus, Castanea, Ostrya, Castanopsis und Carpinus, spielt aber trotzdem eine wichtige Rolle in der Zusammensetzung der Wälder der Erde. Die Gattung Fagus (Buche) zerfällt in etwa 25 Arten, von welchen eine in Europa, eine in Nordamerika, die übrigen in Japan, Südamerika, Australien und Neuseeland heimisch sind.

Nordamerikanische Buche (Fagus ferruginea).

Diese der europäischen Buche (Fagus sylvatica) ähnliche Art, erreicht eine Höhe von 25 Meter bei einem Stammdurchmesser von 1 bis 1,20 Meter und kommt vorzugsweise in Kentucky, Tennessee und an den Ufern des Ohio vor, wo sie den vorherrschenden Bestandteil ausgedehnter Wälder bildet. Die Rinde des Stammes ist dick, grau und selbst an den ältesten Bäumen ohne Furchen und Risse. Die Blätter sind länglich eiförmig, zugespitzt gezahnt, glänzend grün und während des Frühjahrs mit feinen, weichen Härchen eingefasst, die sich allmählich verlieren. Die kleinen grünlichen Blüten erscheinen im Mai und sind in rundlichen, hängenden Büscheln geordnet. Die Früchte sind längliche, nussähnliche, mit weichen, biegsamen Stacheln besetzte Kapseln, welche sich zur Zeit der Reife von selbst öffnen und 2 dreieckige Samen enthalten.

Das Holz ist sehr hart, stark, zäh, sehr dicht, nicht dauerhaft, wenn abwechselnd der Nässe und Trockenheit ausgesetzt, aber sehr dauerhaft, wenn beständig unter Wasser, zum Werfen während des Trocknens geneigt, fähig, eine schöne Politur anzunehmen. Die Markstrahlen sind breit und sehr deutlich, die Farbe wechselt sehr, gemäss dem Boden und Standort, von dunkelrotbraun bis zu einem lichten Rot, der Splint ist nahezu weiss. Es findet eine ausgedehnte Verarbeitung zu Stühlen, Schuhleisten, Mangelwalzen, Spulen, Wasserbauten, Kisten u. s. w. In der Kohlenbrennerei wird es hoch geschätzt, und gilt als eines der besten Brennhölzer.

Unter den nordamerikanischen Hölzern nimmt es in der spezifischen Schwere den 184. Rang, im verhältnismässigen Brennwert den 181. Rang, im Coefficienten der Elastizität den 32. Rang, in der Bruchfestigkeit den 24. Rang, in der Druckfestigkeit den 126. Rang, in der Eindrucksfestigkeit den 135. Rang ein.

Bezüglich der Wachstumsbedingungen weicht die nordamerikanische Buche nur darin von der europäischen ab, dass sie einen feuchten Boden verlangt, kommt sie doch an den Ufern von Flüssen und Grenzen von Sümpfen zur höchsten Entwickelung. Sie geht auch nicht so weit nach Norden. Im Übrigen gilt von beiden, dass sie von den harten Hölzern der gemässigten Zone die einzigen sind, welche von der Natur ausgezeichnet beeigenschaftet sind, ungemischte Wälder zu bilden. In der Jugend bedürfen sie Schutzbäume, die von der eigenen Art oder Birken, Ulmen oder Nadelhölzer sein mögen. Das Wachstum ist anfänglich langsam, aber doch schneller wie dasjenige der Sommer-, Winter- und Weisseiche.

Wenn tief beschattet, wachsen die jungen Bäume spindelig bis Meterhöhe, um erst weiter zu wachsen, wenn sie mehr Licht empfangen. Die kalireichen Blätter verwesen rasch und bilden einen ausgezeichneten Humus. Im Hochwald ist der richtige Platz der Buche, wächst sie doch am freudigsten, wenn die Belaubung ein ununterbrochenes Dach bildet, welches die Sonne hindert, den Boden auszutrocknen. Für den Schlagholzbetrieb ist die Buche nicht geeignet, denn ihre Fähigkeit, Schösslinge zu treiben, ist nicht bedeutend und das Wachstum der letzteren ist langsam.

Die Reife tritt etwa im 100. Jahre ein, doch lehrt die Erfahrung, dass nichts gewonnen wird, wenn man den Stamm einen grösseren Durchmesser, wie 75 Zentimeter, erreichen lässt.

Der Boden soll reich an Humus und Mineralien sein; sandiger Lehm, wenn nicht zu trocken, sagt der Buche zu, auf armem oder seichtem Boden wächst sie langsam. Die wahre Heimat der Buche ist auf einem aus Kalkstein, Basalt oder Grünstein hervorgegangenen Boden, falls er nicht zu seicht ist. Die Wirkung eines hohen Kalkgehaltes des Bodens zeigt sich in der Glätte der Rinde, der Geradheit der Stämme und der Astlosigkeit bis zur bedeutenden Höhe; das jährliche Wachstum ist beträchtlich und die Fortpflanzung auf natürlichem Wege bietet keine Schwierigkeit. Auf geschützten Standorten mit kalkreichem Boden beginnt die Buche etwa im 20. Jahre Samen zu tragen und fährt damit in Fülle fort, in Unterbrechungen von 3 bis 5 Jahren.

Die nordamerikanischen Samenhandlungen bieten Samen von Fagus ferruginea zum Preise von 15 Mark pro Kilogramm an. Zwischen 2500 bis 4000 Samen gehen auf das Kilogramm.

3. Kastanienholz.

Nordamerika besitzt 2 Kastanienarten, von welchen die eine (Castanea pumila) zwar ein dichteres, feinfaseriges und dauerhafteres Holz liefert, wie irgend eine andere Kastanienart, zum Anbau aber nicht empfohlen werden kann, weil ihr Stamm von so geringer Ausdehnung ist, dass er nur eine beschränkte Verwendung zulässt.

Nordamerikanische Kastanie (Castanea vulgaris var. americana) früher Castanea americana.

Ein grosser Baum, bis 30 Meter hoch, bei einem Stammdurchmeser von 1 bis 4 Meter. Die etwa 15 Zentimeter langen und 3 Zentimeter breiten, länglichen, scharf gezahnten Blätter haben eine schöne, glänzend grüne Farbe und auf der untern Seite hervorstehende Rippen. Die weisslichen, unangenehm riechenden Blüten erscheinen im Mai und stehen an 10 bis 12 Zentimeter langen Stielen haufenweise wie bei der Rosskastanie. Die kugelförmigen, mit feinen Stacheln besetzten Früchte enthalten zwei, an der einen Seite abgeplattete, etwa $2^1/_2$ Zentimeter lange, braune, am unteren Ende weissliche Nüsse, welche süsser sind wie die Edelkastanien.

Dieser Baum erreicht seine höchste Entwickelung an der mittleren und westlichen Abdachung des Alleghanygebirges, nördlich wie südlich, von da wird er seltener gefunden. Der Niagara bildet die nördliche Verbreitungsgrenze.

Das Holz ist in seiner Jugend sehr elastisch, im Alter wird es spröde; unter der Belastung beugt es sich zuerst beträchtlich und bricht dann plötzlich. Es ist leicht, weich, grobfaserig und ausserordentlich dauerhaft, sowohl unter Wasser, wie auch, wenn es abwechselnd der Nässe und Trockenheit ausgesetzt ist, ebenso in Berührung mit der Erde. Ferner ist es leicht spaltbar und nimmt eine schöne Politur an. Wenn nicht vorsichtig behandelt, wirft es sich beim Trocknen. Die Jahresringe sind durch mehrere

Reihen grosser, offener Gefässröhren begrenzt. Die Markstrahlen sind zahlreich und undeutlich. Die Farbe ist braun, der Splint ist heller wie das Kernholz. Das Kastanienholz ist in der Tischlerei sehr begehrt und wird massenhaft zu Eisenbahnschwellen verarbeitet, die sich durch eine hervorragende Dauerhaftigkeit auszeichnen. Zu Dachschindeln wird es dem Eichenholze vorgezogen. Zuweilen wird es zu Fassdauben verwendet, doch, wegen seiner Porosität, nur dann, wenn die Fässer zum Aufbewahren trockener Gegenstände bestimmt sind. Die aus ihm gewonnene Kohle ist ausgezeichnet.

Rangstellung unter den nordamerikanischen Hölzern: den 366. in spezifischer Schwere, den 365. in verhältnismässigem Brennwerth, den 160. im Coefficienten der Elastizität, den 192. in der Bruchfestigkeit, den 234. in der Druckfestigkeit, den 239. in der Eindruckfestigkeit.

Der Kastanienbaum verlangt einen leichten, kiesigen Boden; er bevorzugt einen solchen, der aus der Verwitterung von Granit, Gneis oder Sandstein hervorgegangen ist. Auf Kalkboden kommt er nicht fort und verkümmert auf thonigem oder sumpfigem Boden. Mässig hohe Berghänge sind seine Lieblingsstandorte, doch dürfen sie dem Meere nicht zu nahe liegen. Da sich die Sämlinge nicht leicht verpflanzen lassen, sollte die Aussaat auf die dauernden Standorte geschehen. Die Bäume sind von frühester Jugend an lebenszäh und entwickeln sich kräftig, vorausgesetzt, sie stehen nicht im Schatten, den sie nicht vertragen können. Die Wurzeln gehen tief in die Erde, doch nicht so tief wie diejenigen der Eiche. Bis zum 60. oder 70. Jahre wachsen sie sehr schnell, dann langsam und leben nach ihrer Reife lange fort. Es bietet aber keinen Vorteil, den Kastanienbaum älter wie etwa 80 Jahre werden zu lassen, da er später leicht geneigt ist, hohl zu werden.

Zum Schlagholzbetriebe eignet sich dieser Baum ausgezeichnet, weil er viele und kräftige Schösslinge treibt, doch dürfen keine Reservebäume stehen bleiben, da der Schatten, wie erwähnt, schädlich wirkt.

Die nordamerikanischen Samenhandlungen bieten Kastanien zu 4 Mark pro Kilogramm an.

4. Birkenholz.

Von den etwa 30 Birkenarten der Erde entfallen 6 auf Nordamerika, von welchen die beiden folgenden eine besondere Beachtung zu Anbauversuchen in andern Ländern verdienen, sowohl ihres günstigen Wuchses, wie ihres wertvollen Holzes wegen. Auf die hohe Rangstellung des Letzteren unter den nordamerikanischen Hölzern, bezüglich der physikalischen Eigenschaften mache ich besonders aufmerksam.

Wie alle Birkenarten, können auch diese nur im Mischwald angepflanzt werden, wobei zu berücksichtigen ist, dass ihre Kronen keine starke Beschattung vertragen.

a. Gelbe Birke. (Betula lutea, Familie Betulaceae)
Gleichname: graue Birke.

Das ist die grösste aller Birkenarten, sie erreicht oft eine Höhe von 25 bis 29 Meter, bei einem Stammdurchmesser von 0,90 bis 1,20 Meter, wächst und reift schnell. Verbreitet ist sie vom mittleren Canada, südlich dem Alleghanygebirge entlang, bis zu den höchsten Erhebungen von Nordcarolina und Tennessee.

Die Rinde ist gelblich oder silbergrau und löst sich in sehr dünnen Schichten ab. Die Blätter sind schwach herzförmig, oft lassen sie diese Form nicht erkennen und verengen sich dann gegen den Grund; oben sind sie dunklergrün wie unten, gewöhnlich sind ihre Rippen an der untern Seite flaumig.

Das Holz ist schwer, sehr stark und hart, sehr dicht, seidenartig und nimmt eine schöne Politur an. Die Markstrahlen sind zahlreich und undeutlich. Die Farbe ist hellbraun, ins Rötliche schimmernd, der schwere Splint ist nahezu weiss.

Die Verwendung findet statt zu Möbeln, Radnaben, Dreherarbeiten, Bürsten, Spulen, Schuhstiften, Spielwaaren und Kisten, ferner als Brennstoff.

Rangstellung unter den nordamerikanischen Hölzern: Die 204. im spezifischen Gewicht, die 200. im verhältnismässigen Brennwert, die 10. im Coefficienten der Elastizität, die 10. in der Bruchfestigkeit. die 34. in der Druckfestigkeit, die 97. in der Eindrucksfestigkeit.

Dieser grösste Laubholzbaum der nördlichen, atlantischen Küstenstaaten und einer der nützlichsten, wird auf feuchten, mässig tiefen, humusreichen Waldböden gefunden, doch bequemt er sich leicht anderen Bodenarten an, ebenso anderen Klimaten, obgleich ihm eine kühle Temperatur am meisten zuzusagen scheint.

Der Same dieser Birkenart ist von den nordamerikanischen Samenhandlungen zum Preise von 30 Mark pro Kilogramm zu beziehen. Dieser Preis ist nur scheinbar hoch, denn der Same ist so leicht, dass 250 000 bis 500 000 auf das Kilogramm gehen.

b) Schwarze Birke (Betula lenta).

Nicht zu verwechseln mit Betula nigra, deren volkstümlicher Name rote Birke ist.

Gleichnamen: Kirschbirke, süsse Birke, Mahagonibirke.

Das Verbreitungsgebiet dieser Art fällt mit demjenigen der vorhergehenden fast zusammen. Der Baum erreicht eine Höhe von 18 bis 24 Meter bei einem Stammdurchmesser von 0,90 bis 1,50 Meter. Er kommt auf demselben Boden vor wie die gelbe Birke, wächst aber nicht so schnell wie diese, liefert aber wertvolleres Holz, unfraglich das wertvollste aller Birkenhölzer.

Die Rinde ist dunkelbraun und süssaromatisch. Die Blätter sind oval oder länglich oval, von einem mehr oder weniger herzförmigen Grunde, scharf zugespitzt, scharf und fein rundum gezahnt; oben glänzend grün, unten behaart mit Ausnahme an den Adern. Die weiblichen Blütenkätzchen sind $2^1/_2$ bis 3 Zentimeter lang, länglich cylinderisch, die Schuppen mit kurzen abschweifenden Lappen.

Das Holz ist schwer, sehr stark und hart, dicht, seidenartig, leicht zu bearbeiten und nimmt eine schöne Politur an. Die Markstrahlen sind zahlreich und undeutlich. Die Farbe ist dunkelbraun, in's Rötliche schillernd, der Splint ist hellbraun oder gelb.

In Nova Scotia und Neu-Braunschweig wird dieses Holz massenhaft im Schiffbau verbraucht, im übrigen Verbreitungsgebiete dient es als Brennstoff, ganz vorwiegend aber zur Fabrikation von Möbeln. Seit man gelernt hat, dieses Holz so zu beizen, dass es von Mahagoni kaum zu unterscheiden ist, hat es eine grosse Wichtigkeit für die Tischlerei erlangt und gilt für diesen Zweck als eines der vorzüglichsten Hölzer Nordamerikas. Auf die erwähnte, täuschende Ähnlichkeit ist der Name Mahagonibirke zurückzuführen. Zwar steht das schwarze Birkenholz dem

Mahagoni nicht gleich, allein es ist so schön und dabei vergleichsweise so billig, dass seine hohe Beliebtheit leicht begreiflich ist. Auch für die innere Auskleidung der Häuser findet es Verwendung und bietet hier, wenn farbig poliert, ein wahrhaft reiches Aussehen. Noch ist seiner Eigenschaft zu gedenken, dass es, wenn sorgfältig getrocknet, später niemals schrumpft noch sich wirft. Bis zum Markkerne ist das Holz gewöhnlich gesund und wenn Herzrisse auftreten, sind sie klein, bei seiner Verarbeitung kann also nur ein geringer Abfall stattfinden. England importiert dieses Holz in beträchtlichen Mengen, in behauenen Blöcken von 1,8 bis 6 Meter Länge und 30 bis 75 Zentimeter Durchmesser.

Rangstellung unter den nordamerikanischen Hölzern: die 110. im spezifischen Gewicht, die 108. im verhältnismässigen Brennwert, die 3. im Coefficienten der Elastizität, die 5. in der Bruchfestigkeit, die 33. in der Druckfestigkeit, die 169. in der Eindruckfestigkeit.

In Bezug auf Samen und Bodenansprüche gilt das von der gelben Birke Gesagte.

5. Magnolienholz.

Von den 7 in Nordamerika vorkommenden Magnolienarten ist nur die folgende zum Anbau behufs der Holzproduktion zu empfehlen.

Grossblütige Magnolie

(Magnoliagrandiflora, Familie Magnoliaceae.)

Gleichnamen: Big Laurel; Bull Bay.

Dieser prächtige, immergrüne Baum erreicht seine grösste Entwickelung am östlichen Mississippiufer zwischen Vicksburg und Natchez und im westlichen Louisiana; er kommt in ganz Florida vor, an der Küste der Golfstaaten und im südwestlichen Arkansas; im Mississippithal geht er nördlich bis 32° 30′. Unter günstigen Verhältnissen erreicht er eine Höhe von 24 Meter bei einem Stammdurchmesser von 0,60 bis 1,20 Meter.

Die Krone bildet häufig einen vollkommenen Kegel, auf einem graden astfreien Stamm thronend, der einer schönen Säule gleicht. Die Wurzeln sind weit verzweigt, aber spärlich mit Faserwurzeln besetzt. Die Rinde ist glatt, gräulich und schmeckt unangenehm bitter. Die Grösse der Blätter schwankt zwischen 15 bis 30 Zentimeter Länge und 8 bis 10 Zentimeter Breite; sie sind stets glatt, glänzend und ganz. Die Blüten erscheinen an den Spitzen des letztjährigen Wuchses, ihr Durchmesser ist 15 bis 25 Zentimeter, der Geruch ist süss und überwältigend, gefolgt werden sie von fleischigen ovalen Zapfen, etwa 10 Zentimeter lang, welche eine grosse Anzahl Zellen enthalten, die sich längsweise öffnen und je 2 bis 3 lebhaft rote Samen zeigen, die an feinen Härchen festhängen, aber bald aus den Zellen fallen. Die rote Fleischhülle verwest allmählich und zurück bleibt ein nackter Stein mit einem milchigen Kern.

Das Holz ist schwer, hart, nicht stark, dicht, seidenartig und leicht zu bearbeiten. Die Markstrahlen sind sehr zahlreich und dünn. Die Farbe ist rahmweiss oder lichtbraun, der schwerere Splint ist nahezu weiss. Gewiss ist es beachtenswert, dass ein nahezu weisses Holz von diesem Baume gewonnen werden kann und hinzuzufügen ist: es nimmt eine schöne Politur an.

Rangstellung unter den nordamerikanischen Hölzern: die 226. im spezifischen Gewicht, die 223. im verhältnismässigen Brennwert, die 139. im Coefficienten der Elastizität, die 139. in der Bruchfestigkeit, die 118. in der Druckfestigkeit, die 131. in der Eindruckfestigkeit.

Sehr brauchbar ist dieses Holz zu feinen Möbeln und zur inneren Auskleidung von Häusern.

Der Same ist stets bei den grösseren Samenhandlungen zum Preise von 15 Mark pro Kilogramm käuflich. Die Gärtner pflegen diesen Baum durch Absenker zu vermehren, um Nachkommen zu erziehen, die früher blühen wie Sämlinge.

Für die Forstkultur ist dieses Fortpflanzungsverfahren nicht angänglich und um so weniger der Ausführung wert, weil es hier durchaus nicht darauf ankommt, ob die Bäume 6 oder 8 Jahre früher blühen oder nicht. Sämlinge treiben stärkere und verzweigtere Wurzeln wie Absenker, sie sind langlebiger, es kann also nicht zweifelhaft sein, welchem Verfahren der Vorzug zu geben ist. Bemerkt sei noch, dass die Magnolien am besten im Schatten anderer Bäume gedeihen und tiefen, lockeren Humusboden oder tiefen sandigen Lehm mit beträchtlichem Humusgehalt beanspruchen. Eine reichliche Feuchtigkeit, die aber nicht zu Nässe, namentlich nicht im Untergrund, ausartet, darf dem Boden nicht fehlen.

6. Tulpenholz.

Tulpenbaum (Liriodendron tulipifera, Familie Magnoliaceae).

Gleichnamen: gelbe Pappel, Weissholz.

Diese Art, die einzige der Gattung Liriodendron, ist in Europa schon längst eingeführt, aber nur als Zierbaum. Unter allen Laubhölzern Nordamerikas erreicht der Tulpenbaum die bedeutendste Höhe und Dicke. Gewöhnlich wird er 30 bis 40 Meter hoch bei einem Stammdurchmesser von 2 bis 3 Meter, allein in günstigen Lagen sind die Bäume von 50 bis 60 Meter Höhe, bei einem Stammdurchmesser von 4 Meter nicht selten.

Die aschgraue Rinde der jungen Bäume ist weich und glatt, beginnt jedoch bald rissig zu werden und die Tiefe der Furchen steht im Verhältnis zum Alter des Baumes. Die 15 bis 20 Zentimeter breiten, dreilappigen, etwas fleischigen, hellgrünen Blätter stehen an langen Stielen wechselweise und kommen im Frühjahr bei dem ersten warmen Wetter zum Vorschein. Die tulpenförmigen Blüten zeigen sich in südlichen Gegenden im April, in nördlichen erst im Juni und sind von verschiedener Farbe aber stets geruchlos; am häufigsten sind sie grünlichgelb, zuweilen orangefarbig oder goldgelb. Die Früchte sind aus zahlreichen Schuppen zusammengesetzt, 5 bis 8 Zentimeter lang und enthalten 70 bis 80 Samen.

Verbreitet ist der Tulpenbaum vom südwestlichen Vermont im Norden durch das westliche Neu-England südwärts bis zum Norden von Florida; westlich durch den Staat New-York bis zum Michigansee und von da südwärts dem östlichen Ufer des Mississippi entlang bis zum 31. Breitegrad. In den beiden Virginien erreicht er seine höchste Entwickelung. Das Holz ist leicht, weich, nicht stark, spröde, sehr dicht, gradfaserig und leicht zu bearbeiten. Die Markstrahlen sind zahlreich und nicht deutlich. Die Farbe ist hellgelb, zuweilen ins Bräunliche schimmernd, der Splint ist nahezu weiss.

Liriodendrin, ein tonisches Mittel, wird durch Alkohol aus dem bitteren Baste, namentlich der Zweige und Wurzeln, gewonnen.

Rangstellung unter den nordamerikanischen Hölzern: die 385. in spezifischer Schwere, die 383. im verhältnissmässigen Brennwert, die 131. im Coefficienten der Elastizität, die 215. in der Bruchfestigkeit, die 242. in der Druckfestigkeit, die 273. in der Eindruckfestigkeit.

Es ist wohl zu beachten, dass der Boden die Holzqualität dieses Baumes stark beeinflusst und zwar so sehr, dass man in Virginien von einer „gelben Pappel“, „weissen Pappel“ und „blauen Pappel“, spricht, ob hierbei Abgliederungen in Spielarten stattgefunden, bleibt noch zu ermitteln. Die „gelbe Pappel“ ist am wertvollsten, sie wächst auf tiefem, lockerem Lehmboden und ihr Holz ist es, welches oben charakterisiert wurde und von welchem noch unten die Rede ist. Die „weisse Pappel“ kommt auf kiesigem, hochgelegenem Boden vor, ihr Stamm erreicht nicht die Höhe wie der vorhergehende und ihr Holz ist grobfaseriger und weniger dauerhaft. Von der „blauen Pappel“ ist im allgemeinen dasselbe zu sagen.

Auf diese Abweichungen sollte bei Samenbezügen zu Anbauzwecken Rücksicht genommen werden.

Das Tulpenholz dient, weil es weich und leicht bearbeitbar ist, häufig als Ersatz des Kiefernholzes zur inneren Auskleidung der Häuser und da es zugleich eine schöne Politur annimmt, ist es in der Möbeltischlerei sehr begehrt. Ferner findet es vielfache Verwendung zu kleinen Holzwaren, auch zu Pumpen, Schindeln, Thüren u. s. w., doch muss es in diesen wie in allen Fällen, wo es der Witterung ausgesetzt ist, mit einem Anstrich geschützt werden, da es sonst nicht dauerhaft ist. Als Grund zu Fournieren wird es ebenfalls geschätzt.

Im Holzgeschäfte des östlichen Nordamerika's hat dieses Holz stets eine wichtige Rolle gespielt, in neuester Zeit aber ist seine Bedeutung noch gestiegen, durch die lebhafte Nachfrage, welche es in Grossbritannien findet.

In diesem Lande ist es unter dem Namen Kanarienholz gekannt, seltener wird es als Gelbholz bezeichnet. Die forstliche Kultur des Tulpenbaumes ist gewiss empfehlenswert, da er schnell wächst, sein umfangreicher, bis zu bedeutender Höhe astfreier Stamm vorteilhaft verschneidbar ist und das Holz einen jederzeit offenen Markt findet.

Die Fortpflanzung durch Samen ist sehr leicht, derselbe sollte in feine Lauberde gesät und nur schwach bedeckt werden. Die Verpflanzung ist etwas schwierig, da die Sämlinge eine starke Pfahlwurzel und wenige Faserwurzeln treiben. Es empfiehlt sich die Aushebung mit dem Ballen und die Kürzung der Pfahlwurzel mit einem scharfen Messer.

Ein windgeschützter, sonniger Standort verdient in allen Klimaten den Vorzug. Tiefgründiger, nicht zu trockener Lehm- oder Schwemmboden ist dem Wachstum und der Holzqualität am günstigsten. Die Krone des Baumes verlangt viel Licht, zum mindesten so viel wie diejenige der Eiche. Da die Stümpfe viele und kräftige Schösslinge treiben, ist der Tulpenbaum zum Schlagholzbetrieb geeignet.

Zwischen 25 000 bis 50 000 Samen gehen auf das Kilogramm, für welches die nordamerikanischen Samenhandlungen 4 Mark notieren. Da ein beträchtlicher Prozentsatz des Samens nicht keimt, empfiehlt es sich beim Bezuge wie bei der Aussat darauf Rücksicht zu nehmen.

7. Stechpalmenholz.

Nordamerikanische Stechpalme (Ilex opaca, Familie Ilicineae).

Das Verbreitungsgebiet dieses schönen, immergrünen Baumes beginnt nördlich im mittleren Massachusetts und dehnt sich südwärts bis tief nach Florida hinein, wendet sich durch die Golfstaaten und zieht sich dem Mississippithal hinauf bis ins südliche Indiana.

Unter günstigen Verhältnissen erreicht er eine Höhe von 15 Meter, bei einem Stammdurchmesser von 0,50 bis 1,20 Meter.

Die Rinde der alten Bäume ist glatt und weisslich grau, an jüngerem Wuchse ist sie dagegen grün und glänzend. Die Blätter sind oval, scharf zugespitzt, stachelig an den Rändern, glänzend und von lichtgrüner Farbe; die im Mai oder Juni austreibenden weisslichen Blüten sind unscheinbar und werden gefolgt von schönen, runden, scharlachroten Beeren, die lange an den Zweigen hängen, oft während des ganzen Winters.

Das Holz ist leicht. weich, nicht stark, zäh, dicht, sehr feinfaserig und leicht zu bearbeiten. Die Markstrahlen sind zahlreich und undeutlich. Die Farbe ist auffallend weiss, fast reinweiss ist der Splint, doch bräunt sich die Oberfläche bei längerer Berührung mit der Luft.

Der allen Arten dieser Gattung gemeinsame Bitterstoff Ilicin ist aus den Früchten dieses Baumes gewonnen worden.

Rangstellung unter den nordamerikanischen Hölzern: die 261. in spezifischer Schwere, die 261. in verhältnismässigem Brennwert, die 250. im Coefficienten der Elastizität, die 195. in der Bruchfestigkeit, die 188. in der Druckfestigkeit, die 156. in der Eindruckfestigkeit.

Dieses Holz, das sich leicht beizen lässt und eine schöne Politur annimmt, ist zur Anfertigung von Möbeln und zur inneren Auskleidung der Häuser vorzüglich geeignet. Ferner wird es zu feinen Drechslerarbeiten, mathematischen Instrumenten und zu Schnitzereien gebraucht. Üblich ist es in der neuesten Zeit geworden, auf dieses Holz zu malen. Dasselbe hat nur den einen störenden Nachteil, dass es sich während des Trocknens stark wirft. Als das beste Verfahren diesem Übel vorzubeugen, wird empfohlen, die Blöcke, bevor sie zu Brettern versägt werden, längere Zeit in einem feuchten Schuppen und selbst ins Freie zu legen. Das schliesst nicht aus, dass das Trocknen mit grösster Vorsicht durchgeführt werden muss.

Die Stechpalme verlangt einen geschützten Standort und einen kiesigen, humusreichen, etwas feuchten Boden. Dementsprechend wird sie am häufigsten in Wäldern, an Ufern von Wasserläufen gefunden. Zwar kommt sie auch auf trockenem, sandigem Lehmboden vor. erreicht hier aber nicht ihre kräftigste Entwickelung.

Der Same wird von den nordamerikanischen Samenhandlungen zu 10 Mark pro Kilogramm angeboten.

8. Ahornholz.

Von den etwa 50 Ahornarten der Erde entfallen 9 auf Nordamerika, von welchen ich nur eine zum Anbau empfehlen kann, obgleich Acer macrophyllum u. A. rubrum häufig ebenfalls als kulturwürdig bezeichnet werden. Da es sich nur um die Auswahl des Besten handelt, muss die Beschränkung aufrecht erhalten bleiben auf den

Zuckerahorn (Acer saccharinum, Familie Sapindaceae),

welcher nicht nur einer der nützlichsten, sondern auch der prächtigsten Bäume Nordamerika's ist. Zu den nützlichsten müsste er zählen, selbst wenn er nicht zu der an anderer Stelle ausführlich besprochenen Zuckergewinnung diente. Es ist ein die wärmste Empfehlung verdienender Wald-, Zier- und Alleebaum.

Unter günstigen Verhältnissen erreicht er eine Höhe von 36 Meter bei einem Stammdurchmesser von 1,20 Meter. Gewöhnlich wird er aber nur 24 Meter hoch, bei einem Stammdurchmesser von 0,70 bis 0,80 Meter. Der Stamm ist gerade ohne irgend eine Krümmung, und zeigt hier und da vorspringende Knorren und Auswüchse. Die Rinde ist von so heller Farbe, dass sie ein leichtes Erkennungszeichen für diesen Baum bildet. An freien Standorten, wo er sich nach allen Seiten entfalten kann, zeichnet er sich durch die ausserordentliche Schönheit der dicht belaubten, regelmässigen Krone aus. Die handförmigen, fünflappigen Blätter sind bei verschiedener Länge gewöhnlich 8 bis 12 Zentimeter breit; sie stehen an langen Stielen paarweise entgegengesetzt und sind oben anfänglich glänzend, später matt hellgrün, unten weisslich, anfänglich mit einem weissen Flaum überzogen, später glatt. Im Herbste färben sie sich in allen Schattierungen, von dem hellsten Gelb bis zum tiefsten Carmoisinrot — eine Pracht, die alle empfindenden Menschen hoch entzückt. Wer eine farbenschimmernde Herbstlandschaft liebt, wessen Auge sich nicht allein an der erwachenden, sondern auch an der ersterbenden Natur weiden will, der pflanze den Zuckerahorn. Freilich, seine reichste Farbenpracht entfaltet er nur da, wo der echte, charaktervolle Winter auftritt.

Die grünlichgelben Blüten erscheinen im April und Mai, sie hängen an dünnen Stielchen und werden von nussähnlichen, geflügelten Samen gefolgt, die anfangs Oktober reifen.

Der Zuckerahorn kommt vor im südlichen Neufundland, an der St. Lorenzobai, längs der nördlichen Ufer der grossen Seen, von da südlich dem Alleghanygebirge entlang bis zum nördlichen Alabama und westlichen Florida, bis zum östlichen Kansas und östlichen Texas. Seine grösste Entwickelung erreicht er in der

Region der grossen Seen, wo er oft den vorherrschenden Bestandteil ausgedehnter Wälder bildet. Nadelhölzer scheinen ihm keine lieben Genossen zu sein, am ehesten verträgt er sich mit der Hemlocktanne, dagegen kommt er häufig in Gemeinschaft mit Buchen, Eschen, Eichen, Ulmen und Linden vor, zuweilen bildet er sogar reine Wälder, die aber nicht von grosser Ausdehnung sind.

Das Holz ist schwer, hart, stark, elastisch, dicht, feinfaserig und nimmt eine sehr schöne Politur an. Die Markstrahlen sind zahlreich und dünn, die Farbe ist hellbraun, ins Rötliche schimmernd, der Splint ist heller. Unter den hellen, harten Hölzern Nordamerika's, gilt dieses als das schönste. Zuweilen finden sich Stammstücke mit eigentümlicher Maserung, die als „gekräuselter Ahorn" und „Vogelaugenahorn" in den Handel kommen und so hoch geschätzt sind, dass sie, namentlich die letztere Sorte, Preise wie Mahagoni bringen.

Das Ahornholz ist nicht so dauerhaft wie das Holz der vorzüglicheren Eichenarten, namentlich nicht wenn es abwechselnd der Nässe und Trockenheit ausgesetzt ist; unter Wasser ist es dagegen so dauerhaft, dass es Verwendung im Schiffbau findet. Wegen der schönen, seidenartig glänzenden Politur, die es annimmt, eignet es sich vorzüglich zu allen feineren Tischler- und Drechslerarbeiten. Seiner Härte wegen dient es zur Anfertigung von Wagenachsen, Speichen, Schlittenkufen, Kammrädern in Mühlen u. s. w. Auch Fensterrahmen, Schuhleisten, Handgeräte und noch viele andere Artikel werden aus diesem Holze hergestellt. Nicht sein geringster Vorzug ist sein hoher Brennwert. Um es von dem Holze anderer Ahornarten sicher zu unterscheiden, bedient man sich des Betupfens mit Eisenvitriollösung, welche das Holz des Zuckerahorns grünlich, das der anderen Ahornarten dunkelblau färbt.

Die Asche des Zuckerahorns ist sehr kalireich und wird deshalb häufig zur Pottaschebereitung benutzt.

Rangstellung unter den nordamerikanischen Hölzern: die 178. in spezifischer Schwere, die 175. im verhältnismässigen Brennwert, die 9. im Coefficienten der Elastizität, die 21. in der Bruchfestigkeit, die 32. in der Druckfestigkeit, die 71. in der Eindrucksfestigkeit.

Es sei noch bemerkt, dass vom westlichen Vermont bis südlichen Missouri mit Abzweigungen nach dem nördlichen Alabama und südwestlichen Arkansas eine Spielart des Zuckerahorns: Acer saccharinum var. nigrum, vorkommt, deren Holz in allen physikalischen Eigenschaften demjenigen der Grundform nachsteht. Ungleich der letzteren zieht sie einen feuchten, fettbodigen Standort an den Ufern von Gewässern vor. Kenntlich ist sie an ihren breiter gelappten, unten oft flaumigen Blättern.

Der Zuckerahorn bevorzugt einen frischen, kräftigen, mineralreichen Boden, der aus verwittertem Kalkstein, Basalt, Grünstein, Thonschiefer oder Granit hervorgegangen ist, also ähnlich, wie ihn die Buche beansprucht, doch kann er nicht so viel Feuchtigkeit wie diese vertragen. Er gedeiht nicht in tiefem Sandboden, noch in steifem Thon und auch nicht auf dauernd nassem Gelände, daher wird er nicht in Gesellschaft mit Bäumen gefunden, denen ein sumpfiger Standort zusagt. Lieber wohnt er im Gebirge, in dem er ziemlich hoch steigt, wie auf der Ebene, doch kommt er auf der letzteren recht gut fort, wenn er einen zusagenden Boden findet.

Zwischen 8000 bis 12000 Samen gehen auf das Kilogramm, das von den nordamerikanischen Samenhandlungen mit 15 Mark notiert wird. Der in lockere Lauberde gesäte Same keimt leicht und die Sämlinge sind lebenszäh, wie schon daraus hervorgeht dass wenige Waldbäume Nordamerika's eine gleiche Befähigung zeigen, wie der Zuckerahorn, einen verlorenen Raum wieder zu gewinnen. Wo ein aus diesem Baum bestehender Wald, teilweise scharf begrenzt, abgeholzt wird und weidendes Vieh bleibt von der Lichtung ausgeschlossen, springen im nächsten „Samenjahr“, das alle 2 bis 3 Jahre einmal eintritt, junge Ahorne bis auf eine Entfernung von etwa 100 Meter von den Grenzbäumen, so dicht wie Schilf auf. In den folgenden Samenjahren rückt das junge Gehölz weiter und weiter vor, bis die ganze Lichtung bedeckt ist. Im Kampfe um's Dasein gehen viele dieser Bäumchen zu Grund, die Überlebenden entwickeln sich dagegen kräftig und in etwa 10 Jahren haben die Stärkeren einen Stammdurchmesser von 15 Zentimeter erreicht. Wird umsichtig mit der Axt ausgeholzt, dann stehen die Bäume im 20. Jahre zur Zuckergewinnung bereit.

Die Lebenszähigkeit der Sämlinge zeigt sich auch bei der Verpflanzung, die niemals fehlschlägt, wenn sie nur mit einiger Vorsicht geschieht, ferner können sie in der Beschneidung geradezu misshandelt werden, ohne ihr Leben zu vernichten. Diese Eigenschaften, im Vereine mit dem schönen, ebenmässigen Wuchse, haben dem Zuckerahorne eine Bevorzugung bei der Anlage von Alleen verschafft, aber nicht im Weichbilde grosser Städte, da er Rauch und Kohlenstaub nicht verträgt. Als Alleebaum pflegt er sich in einer Stammhöhe von 4 Meter zu verästeln. Wenn das zu niedrig erscheint, schneide man einige der unteren Äste in der Jugend ab und überlasse im weiteren die Krone sich selber.

Als Waldbaum muss der Zuckerahorn zunächst dicht gepflanzt werden, um ihn so in die Höhe zu treiben, dass er sich erst in einer Stammhöhe von 12 Meter verästelt. Wo es zweckmässig scheint, mag man ihm in früher Jugend die unteren Äste wegschneiden.

Er verträgt mehr Schatten wie die Esche, aber nicht so viel wie die Buche, er gilt als ein lichtbedürftiger Baum, der nur dann im starken Schatten fortkommt, wenn der Boden sehr günstig ist. Darauf ist Rücksicht zu nehmen, wenn ihm schnellwachsende Schutzbäume beigesellt werden. In Nordamerika wurde der Zuckerahorn bis jetzt fast immer von Jugend auf ungemischt angepflanzt, ein Verfahren, das vollkommen befriedigte, vorausgesetzt, die Lichtung erfolgte nach forstlichen Regeln.

Auch für den Schlagholzbetrieb eignet sich der Zuckerahorn aber nur auf feuchtem, fruchtbarem Boden, auf trockenem, magerem Boden treibt sein Stumpf nur wenige, langsam wachsende Schösslinge aus.

9. Akazienholz.

Falsche Akazie. (Robinia Pseud-Acacia, Familie Leguminosae.)

Heimisch ist dieser Baum im Alleghanygebirge von Pennsylvanien bis zum nördlichen Georgia und erreicht seine höchste Entwickelung in den Bergen von West-Virginien; verbreitet ist er aber über die ganze nordamerikanische Union und in Europa züchtet man ihn schon lange als Zier- und Nutzbaum. Nur unter günstigen Verhältnissen erreicht er eine Höhe von 22 bis 25 Meter bei einem Stammdurchmesser von 1 bis 1.20 Meter, gewöhnlich wird er nur etwa 15 Meter hoch, bei einem Stammdurchmesser von 0.60 bis 0.90 Meter.

Bei alten Bäumen ist die Rinde des Stammes und der grösseren Äste dick und tief gefurcht, bei jungen dagegen glatt und mit scharfen, starken Dornen besetzt. Die Blätter sind länglich-oval und so ausserordentlich glatt, dass weder gröberer Staub noch Wassertropfen haften bleiben, sie sind fast stiellos und stehen paarweise gegenüber an dünnen Zweigen. Die Blüten sind weiss, zuweilen etwas gelblich oder rötlich, in Büscheln geordnet und verbreiten einen starken angenehmen Geruch.

Die dunkelbraunen oder schwärzlichen Samen sind zu je 5 oder 6 in gelblichweissen, 5 bis 8 Zentimeter langen und etwa 1 Zentimeter breiten Schoten enthalten. Die Wurzeln kriechen zum Teil an und auf der Erdoberfläche fort und zeigen eine starke Neigung, Schösslinge zu treiben. Seit er kultiviert wird, hat sich dieser Baum in viele Spielarten gegliedert: mit gelben und roten Blüten, mit oder ohne Dornen, mit schmäleren oder breiteren Blättern u. s. w.

Das Holz ist schwer, ausserordentlich hart und stark, dicht, sehr dauerhaft, selbst in Berührung mit der Erde und nimmt eine schöne Politur an. Die Jahresringe sind deutlich abgegrenzt durch 2 oder 3 Reihen grosser offener Gefässröhren. Markstrahlen sind nicht sichtbar, weder ist ein Geruch noch ein Geschmack bemerklich. Auf der Drehbank ist es leicht, anderweitig aber schwer zu bearbeiten. Die Farbe wechselt in Folge des Einflusses des Bodens, am häufigsten ist sie grünlichgelb, zuweilen braun, gelb oder weisslich, der Splint ist stets heller. Im nordamerikanischen Holzhandel wird die braune Farbe am höchsten geschätzt, zumal wenn sie ins Rötliche schimmert, es folgt die grünlichgelbe und schliesslich die weissliche, welche als ein Zeichen geringer Dauerhaftigkeit betrachtet wird.

Rangstellung unter den nordamerikanischen Hölzern: die 138. in spezifischer Schwere, die 137. im verhältnismässigen Brennwert, die 19. im Coeffizienten der Elastizität, die 3. in der Bruchfestigkeit, die 13. in der Druckfestigkeit, die 70. in der Eindrucksfestigkeit.

Das Akazienholz ist für den Schiffbau sehr begehrt und würde eine viel ausgedehntere Verwendung in dieser Industrie finden, wenn es einen grösseren Umfang hätte. In bedeutenden Mengen wird es zu Bahnschwellen und Bauten benutzt, ganz besonders ist es zu Werkholz und Drechslerarbeiten geeignet. Nur wenige Hölzer werden von den Wagnern gleich hoch oder höher geschätzt. Die Erfahrung lehrt, dass der Akazienbaum in seinem 40. bis 50. Jahre das beste Holz liefert — ein verhältnismässig kurzer

Zeitraum, der stark für die Rentabilität der Kultur spricht, zumal wenn man das schnelle Wachstum in's Auge fasst.

Die Rinde der Wurzel wirkt tonisch, in grösseren Gaben abführend und erbrechend.

Früher wurde die falsche Akazie in Nordamerika als Nutzbaum ausgedehnt angebaut, doch wird jetzt nur noch selten ein solcher Versuch gewagt, weil die Bäume in der Regel der Akazienschabe (Cyllene picta) zum Opfer fallen. Noch andere Feinde greifen ihn an: mehrere Arten Bock- und Springkäfer zernagen Rinde, Bast und Holz, die Raupen mehrerer Tag- und Nachtschmetterlinge verzehren die Blätter und Blüten, fressen auch die Schoten an und zerstören den Samen.

Die falsche Akazie gedeiht am besten auf lockerem, nahrhaftem Lehmboden und je mineralreicher derselbe ist, desto härter wird das Holz. Boden, der aus verwittertem Basalt hervorgegangen ist, sagt ihr sehr zu und dieser erzeugt ein vorzügliches Holz. Auf mageren Böden beginnt sie bald zu verkrüppeln oder hohl zu werden, bevor sie eine verwendbare Grösse erreicht. Der Standort muss geräumig und sonnig, dabei vor rauhen Winden geschützt sein.

Die Zucht aus Samen ist derjenigen aus Wurzelschösslingen weit vorzuziehen. Der Erstere verliert, aus den Schoten genommen, seine Keimkraft schon nach 2 Jahren, während er sie in den Schoten 5 bis 6 Jahre bewahrt.

Man legt die Samen vor der Aussaat in lauwarmes, aber nur nicht heisses Wasser und sät diejenigen, welche nach 24 Stunden ihre Keimkraft durch Aufquellen dargethan haben, etwa $1\frac{1}{2}$ Zentimeter tief in feinpulverisierte Gartenerde und zwar am zweckmässigsten im Frühjahr. Gewöhnlich erreichen die Sämlinge bis zum Herbst hinreichende Stärke, um in die Baumschule versetzt zu werden. Auf den dauernden Standorten soll die Pflanzweite 6 Meter betragen, mit Zwischenpflanzungen von tiefwurzelnden Baumarten, da mit seichtwurzelnden die falsche Akazie sich nicht verträgt. Als unerlässliche Kulturarbeiten sind zu bezeichnen: das Abhauen der geknickten und absterbenden Äste und Zweige wie der Wurzelschösslinge.

10. Mesquitholz.

Mesquit (Prosopis juliflora, Familie Leguminosae).

Gleichnamen: Algaroba, Honey Locust, Honey Pod.

Dieser, der falschen Akazie in der Erscheinung ähnliche Baum, ist im nördlichen Mexiko, in Südcalifornien, Arizona, Neu-Mexiko und im westlichen Texas verbreitet. Auf günstigem Boden erreicht er eine Höhe von 9 bis 15 Meter, bei einem Stammdurchmesser von 0,70 bis 0,90 Meter; auf felsigem Gelände verkümmert er zu einem Busch. An den Säumen von Wüstenflüssen bildet er oft Wälder, im Thale des Santa Cruz in Arizona erreicht er seine höchste Entwickelung innerhalb der nordamerikanischen Union. Im westlichen Texas erreicht er in Folge der jährlichen Präriebrände nur Meterhöhe, während sich die Wurzeln ausserordentlich entwickeln, oft wiegen sie 100 bis 200 Kg. Die Texaner sprechen daher von Untergrundwäldern. Im westlichen Texas liefern dieselben das billigste und vorzüglichste Brennholz. Von seinem Werte spricht, dass es unverkohlt in den Schmiedeessen zur Verwendung kommt. In anderen Gegenden des Verbreitungsgebietes, bildet das Stammholz das vorzüglichste und oft einzige Brennholz; es brennt langsam mit klarer Flamme und liefert vorzügliche Kohlen, die aber zur Dampferzeugung unbrauchbar sind, da sie zerstörend auf die Kessel wirken. Das Holz ist schwer, sehr hart, nicht stark, dicht, schwierig zu bearbeiten, fast unzerstörbar in Berührung mit der Erde und enthält viele, gleichmässig verteilte, grosse, offene Gefässröhren. Die Markstrahlen sind zahlreich und deutlich. Die Farbe ist reich dunkelbraun oder rot, der Splint klargelb.

Rangstellung unter den nordamerikanischen Hölzern: Die 108. in spezifischer Schwere, die 115. im verhältnismässigen Brennwert, die 266. im Coefficienten der Elasticität, die 281. in der Bruchfestigkeit, die 42. in der Druckfestigkeit, die 27. in der Eindruckfestigkeit.

Verwendung findet dieses Holz zu Hausbauten, Drechslerarbeiten, Radfelgen, und, weil es eine sehr schöne Politur annimmt, zu Möbeln. Bedeutende Mengen werden zu Kohlen gebrannt, die erster Qualität sind. In einigen texanischen Städten hat es zur Holzpflasterung sehr befriedigt.

Aus dem Stamme quillt ein dem arabischen ähnliches Gummi, das Handelswert besitzt; die unreifen markigen Fruchtschoten enthalten viel Traubenzucker und bilden ein geschätztes Nahrungsmittel für Menschen und Tiere.

Die Engländer haben versucht, diesen nützlichen Baum in wüstenähnliche Gegenden ihrer Colonien einzuführen, mit welchem Erfolg bleibt abzuwarten. Es ist nicht leicht, gesunden Samen zu finden, da ihm gewisse Insekten stark nachstellen. Wegen Bezüge muss man sich an die grösseren nordamerikanischen Samenhandlungen wenden.

11. Kirschholz.

Von den etwa 80 Arten der Gattung Prunus sind 11 in Nordamerika heimisch, welche zwar alle ein gutes Holz liefern, doch ist nur die folgende anbauwürdig.

Schwarzer Kirschbaum (Prunus serotina, Familie Rosaceae).
Gleichname: Rumkirschbaum.

Diese Art hat eiförmig zugespitzte Blätter, oben glatt, unten längs der Mittelrippe haarig, an den gezahnten Rändern etwas umgebogen; an den Blattstielen sitzen zwei drüsenähnliche Auswüchse. Die Blüten sind in länglichen Trauben geordnet, ihnen folgen runde, schwarzpurpurfarbige, geniessbare, aber unschmackhaft bittere Früchte. Die fast schwarze Rinde zeigt häufige Unebenheiten und springt oft auf in kleinen, rundlichen Flächen, die sich allmählich ablösen.

Verbreitet ist dieser Baum vom südlichen Ufer des Ontariosee's bis tief nach Florida hinein, westlich bis zum Missouri und bis zum Thale des oberen Laufes des San Antonioflusses in Texas; seine grösste Entwickelung erreicht er in den Gebirgen von West-Virginien. Hier wächst er bis zur Höhe von 30 Meter bei einem Stammdurchmesser von 1,20 bis 1,50 Meter, in anderen Gegenden findet er sich 18 bis 24 Meter hoch, bei einem Stammdurchmesser von 0,75 bis 1,10 Meter.

Die Rinde der jungen Zweige und Wurzeln hat einen scharfen, bitteren, aromatischen Geschmack und wird als tonisches und krampfstillendes Mittel häufig in der Heilkunst angewendet; sie enthält einen kleinen Prozentsatz Blausäure.

Das Holz ist leicht, hart, stark, dicht, geradfaserig, leicht zu bearbeiten, die Markstralen sind zahlreich und dünn. Die

Farbe ist anfangs matthellrot, dunkelt aber bald in Berührung mit der Luft; der dünne Splint ist gelb.

Rangstellung unter den nordamerikanischen Hölzern: die 260. in spezifischer Schwere, die 259. im verhältnismässigen Brennwert, die 157. im Coefficienten der Elasticität, die 119. in der Bruchfestigkeit, die 61. in der Druckfestigkeit, die 119. in der Eindruckfestigkeit.

Dieses Holz ist in der Möbeltischlerei, nicht allein Nordamerika's, sondern auch Englands, so hoch geschätzt, dass grosse, gesunde Stücke bereits beginnen selten zu werden, und zwar, weil es sich nicht wirft, nachdem es getrocknet ist, eine schöne Politur annimmt und durch Beizung dem Rosenholz, Mahagoni und Ebenholz im Aussehen sehr nahe gebracht werden kann. Seine Schönheit nimmt mit dem Alter zu und es kommt eine Zeit, wo es kaum von dem Mahagoni zu unterscheiden ist. Ferner ist das Holz in grossen, astfreien Blöcken zu haben, denn der Baum pflegt sich erst in einer Höhe von 18 bis 20 Meter zu verästeln, und die Blöcke zeigen höchstens ganz schwache Risse am Kern, falls sie vorsichtig getrocknet wurden. Kranke Stellen kommen sehr selten vor, das Holz kann also mit wenig Abfall verarbeitet werden.

Der schwarze Kirschbaum ist nicht wählerisch in der Bodenart, am besten gedeiht er übrigens auf nicht zu feuchtem, sandigem Schwemmboden. Zur Anpflanzung auf der Prärie hat er sich recht geeignet erwiesen, doch bedarf er einigen Windschutzes in der Jugend, wenn er gerad wachsen soll. Keinenfalls darf er als Ausnahme von der Regel gelten, dass er mit dichter Anpflanzung und allmählicher Auslichtung aufwachsen muss, da er sonst in Bezug auf die astfreie Höhe des Stammes zu wünschen übrig lässt. Er wächst schnell unter einigermassen günstigen Umständen, verträgt sich gut mit anderen Bäumen und kann auf einem ziemlich stark beschatteten Standort stehen.

Der Same ist in den nordamerikanischen Samenhandlungen für 10 Mark pro Kilogramm käuflich. Zwischen 3000 und 5000 Kerne gehen auf das Kilogramm.

12. Hartriegelholz.

Hartriegel (Cornus florida. Familie Cornaceae).
Gleichnamen: grossblütiger Kornelkirschbaum; im Englischen: flowering dogwood.

Von allen Hartriegelarten ist die grossblütige bei weitem die schönste und nützlichste; unter günstigen Umständen erreicht sie eine Höhe von 12 Meter, bei einem Stammdurchmesser von 0.45 Meter, doch wächst sie im Durchschnitt nicht höher wie 9 Meter bei einem Stammdurchmesser von 0.30 Meter. Der Stamm ist mit einer schwarzen Rinde bedeckt, die kreuzweise aufplatzend, eine rauhe Oberfläche bildet; die Äste sind weniger zahlreich wie bei anderen Bäumen. Die etwa 8 Zentimeter langen, eiförmigen, zugespitzten Blätter stehen paarweise und sind oben dunkelgrün und stark gerippt, unten weisslich grün; gegen Ende des Sommers sind sie häufig mit schwärzlichen Flecken besprenkelt. Ende Herbst werden sie mattrot. Die kleinen gelblichen, von 4 weissen, bisweilen ins Violette schimmernden Blättern umgebenen, in Büscheln geordneten Blüten zeigen sich von Ende März bis Anfang Mai, geben dem Baum während dieser Zeit ein, einem blühenden Apfelbaum ähnliches, prachtvolles Aussehen und machen ihn dadurch zu einer der grössten Zierden der nordamerikanischen Wälder. Die Früchte sind ineinander verwachsene, länglich runde Beeren von blutroter Farbe und saurem Geschmack, die erst anfangs Winter durch die Einwirkung des Frostes einigermassen geniessbar werden.

Die nördliche Verbreitungsgrenze dieses Baumes zieht sich durch das südliche Neu-England westlich bis zum südlichen Minnesota — eine Region, wo der Winter streng und langdauernd auftritt. Die südliche Grenze läuft durch das mittlere Florida nach dem Thale des Brazosflusses in Texas.

Das Holz ist schwer, hart, stark, dicht, feinfaserig, seidenartig, nimmt eine ausserordentlich schöne Politur an und ist schwer zu bearbeiten; es muss vorsichtig getrocknet werden, da es sich sonst stark wirft. Die Markstrahlen sind zahlreich und deutlich. Die Farbe ist braun, zuweilen ins Grünliche, zuweilen ins Rötliche schimmernd, der Splint weisslich.

Rangstellung unter den nordamerikanischen Hölzern: die 79. in spezifischer Schwere, die 77. im verhältnismässigen Brennwert, die 182. im Coefficienten der Elastizität, die 91. in der Bruchfestigkeit, die 75. in der Druckfestigkeit, die 43. in der Eindruckfestigkeit.

Obgleich nur von mässigem Umfange, wird das Hartriegelholz doch sehr geschätzt, namentlich zu Drechslerarbeiten, Schnitzwerken, Radnaben, Schlittenkufen, Werkzeugstielen, Hausgeräten, Fassreifen u. s. w. Es brennt mit einer sehr heissen Flamme und hinterlässt eine auffallend weisse Asche.

Die Rinde, namentlich diejenige der Wurzeln, besitzt bittere, tonische Eigenschaften und wird häufig anstatt Chinin gegen Malaria angewendet; ausserdem dient sie zur Tintenfabrikation. Aus der Rinde der Faserwurzeln wissen die Indianer eine scharlachrote Farbe zu gewinnen. Eine Abkochung der Blüten wird als Mittel gegen das Wechselfieber und der Saft der Früchte als krampfstillend empfohlen.

Der Hartriegel gedeiht am besten auf kiesigem, humusreichem, feuchtem Boden, sowie er häufig in der Nähe von Flüssen und Bächen gefunden wird; der Standort muss geschützt sein.

Die nordamerikanischen Samenhandlungen pflegen den Samen des Hartriegels nicht zu führen, besorgen ihn aber ohne Schwierigkeit.

13. Tupeloholz.

Tupelobaum (Nyassa sylvatica, Familie Cornaceae).
Gleichnamen: Sour Gum, Black Gum, Pepperidge.

Gewöhnlich erreicht dieser Baum eine Höhe von etwa 15 Meter bei einem Stammdurchmesser von 0,60 bis 0,75 Meter; unter besonders günstigen Umständen gewinnt er den doppelten Umfang. Die Rinde ist dick, tief gefurcht und häufig in regelmässige Sechsecke getheilt. Die 8 bis 10 Zentimeter langen Blätter sind länglich oval, auf der unteren Seite bläulich grau und stehen wechselweise, an den Enden der Schösslinge häufig in Wirteln. Die kleinen, unscheinbaren Blüten erscheinen im April und Mai, die zahlreichen, paarweise an einem etwa 5 Zentimeter langen Stiele sitzenden, erbsengrossen, dunkelblauen Früchte reifen im Oktober und bleiben noch einige Zeit nach dem Abfall des Laubes auf den Bäumen.

Das Holz ist schwer, weich, stark, sehr zäh, schwierig zu bearbeiten, zum Werfen geneigt, wenn nicht sorgfältig getrocknet, in Berührung mit der Erde nicht dauerhaft. Viele kleine, offene Gefässröhren sind regelmässig verteilt, die zahlreichen Markstrahlen sind dünn. Die Farbe ist hellgelb, oft nahezu weiss, der Splint ist kaum von dem Kernholz zu unterscheiden. Nach längerer Berührng mit der Luft dunkelt das Hellgelb zu Braun, bisweilen ins Rötliche schimmernd.

Weil dieses Holz sich sehr schwer spaltet, wird es häufig zu Radnaben, Radzähnen, Speichen, Bohlen, Jochen, Walzen für Glasfabriken u. s. w. verwendet; an der mexikanischen Golfküste dient es zu Pfeilern für Landungsbrücken, weil es im Wasser dauerhaft ist. Als Brennstoff ist es vorzüglich, denn es brennt langsam und mit heisser Flamme.

Rangstellung unter den nordamerikanischen Hölzern: die 227. in spezifischer Schwere, die 224. im verhältnismässigen Brennwert, die 184. im Coefficienten der Elastizität, die 118. in der Bruchfestigkeit, die 131. in der Druckfestigkeit, die 133. in der Eindruckfestigkeit.

Wenn ich den Tupelobaum zum Anbau empfehle, so geschieht es hauptsächlich, weil er auf einem Boden am besten gedeiht, den man entweder unbenutzt lässt, wenn man ihn nicht zu landwirtschaftlichen Zwecken entwässert oder geringwertigen Hölzern wie Aspen, Weiden und Erlen einräumt: auf Sumpf- und moorigem Boden. Zwar kommt er auch auf trockenem Gelände fort, erreicht aber nicht die Entwickelung wie auf einem Boden, wo seine Wurzeln in Wasser gebadet sind. Hier darf man ihn übrigens nicht zur vollen Reife kommen lassen, da er geneigt ist, hohl zu werden, sobald er aufhört, kräftig zu wachsen.

Aus dem Verbreitungsgebiet lässt sich folgern, wo dieser Baum wahrscheinlich mit Erfolg eingeführt werden kann: die nördliche Grenze läuft vom südlichen Maine westlich nach dem mittleren Michigan, die südliche zieht sich von der Tampabai in Florida nach dem Brazosflusse in Texas.

Für den Samenbezug gilt was von dem vorhergehenden Baum bemerkt wurde.

14. Virginisches Dattelpflaumenholz.

Virginische Dattelpflaume (Diospyros virginiana, Familie Ebenaceae). Gleichname: Persimmon.

Diese Art, welche unter günstigen Verhältnissen 30 Meter Höhe und 0,60 Meter Stammesdicke erreicht, gewöhnlich aber nur halb so hoch und dick wird, ist von der südeuropäischen Dattelpflaume dadurch leicht zu unterscheiden, dass ihre eiförmigen Blätter hellgrün auf beiden Seiten, 15 Zentimeter lang und 10 Zentimeter breit sind. Die blassgelben, zuweilen etwas grünlichen Blüten erscheinen im Juni und Juli, ihnen folgen gelbe rundliche Früchte, gefüllt mit einem fleischigen Mark, welches 7 bis 8 halbeirunde, harte, dunkelpurpurne Kerne enthält. Erst der Frost macht die Frucht geniessbar, kann ihr übrigens nicht den herben, zusammenziehenden Geschmack nehmen; von vielen zahmen und wilden Tieren wird sie gern gefressen.

Verbreitet ist dieser Baum vom mittleren Connecticut bis zum Caloosafluss in Florida, westlich bis zum östlichen Kansas und südöstlichen Jowa; seine höchste Entwickelung erreicht er auf dem fruchtbaren Schwemmboden des unteren Ohiothales. In den Südstaaten hat er oft verlassene Felder vollständig eingenommen.

Das Holz ist schwer, hart, stark, sehr dicht, nimmt eine ausserordentlich schöne Politur an, enthält einige zerstreut stehende offene Gefässröhren; ein oder mehrere Reihen ähnlicher Gefässröhren begrenzen die Jahresringe. Die Markstrahlen sind zahlreich und deutlich. Die Farbe ist dunkelbraun, oft nahezu schwarz, der dicke Splint ist lichtbraun und enthält oft zahlreiche, dunkle Flecken.

Rangstellung unter den nordamerikanischen Hölzern: die 93. in spezifischer Schwere, die 92. im verhältnismässigen Brennwert, die 198. im Coefficienten der Elastizität, die 102. in der Bruchfestigkeit, die 94. in der Druckfestigkeit, die 32. in der Eindruckfestigkeit.

Dieses Holz ist besonders gesucht zu feinen Drechslerarbeiten und wird hoch bezahlt, wenn es nahezu schwarz ist — eine Farbe, die sich nur in den alten Stämmen findet. Solche Holzstücke werden tief schwarz gebeizt und dienen als Ersatz für Ebenholz, mit dem es botanisch verwandt ist. Ferner wird das Dattelpflaumenholz zu Messerstielen, Schrauben, Schuhleisten, Weberschiffchen u. s. w. verarbeitet.

Eine Abkochung des ausserordentlich bitteren Bastes und der unreifen Früchte wird häufig gegen Durchfall und innere Blutungen angewendet. Der Baum gedeiht am besten auf warmem, mässig feuchtem Schwemmboden. Seinen Samen bieten die nordamerikanischen Samenhandlungen zu 20 Mark pro Kilogramm an.

15. Schwarzes Dattelpflaumenholz.

Schwarze Dattelpflaume. (Diospyros texana, Familie Ebenaceae.)
Gleichname: schwarze Persimmon, mexikanische Persimmon, Chapote.

Dieser nahe Verwandte des vorherigen Baumes weicht in seiner Erscheinung hauptsächlich darin von ihm ab, dass er nur 10 Meter hoch wird bei einem Stammdurchmesser von 0.30 Meter und kleine, schwarze, süsse, fade Früchte hervorbringt. Das Verbreitungsgebiet liegt im westlichen Texas und nördlichen Mexiko. Auf Schwemmland am Guadalupefluss erreicht er seine höchste Entwickelung in Texas, in Mexiko wächst er auf gutem Boden höher wie angegeben. Das Holz ist schwer, hart, sehr dicht, seidenartig und nimmt eine ausserordentlich schöne Politur an: einige sehr kleine, offene Gefässröhren stehen weit zerstreut. Die Markstrahlen sind zahlreich und dünn. Die Farbe ist nahezu schwarz, oft gelb gestreift, der dicke Splint ist klar hellgelb.

Rangstellung unter den nordamerikanischen Hölzern: die 62. spezifischer Schwere, die 73. im verhältnismässigen Brennwert, — andere Eigenschaften nicht untersucht.

Dieses Holz wird ebenfalls zu feinen Drechslerarbeiten verwendet, wodurch es sich aber besonders auszeichnet, ist seine Verwendbarkeit in der Holzschneidekunst; für diesen Zweck wird es unter den amerikanischen Hölzern als der beste Ersatz des Buchsholzes betrachtet.

Den Samen dieses Baumes führen die nordamerikanischen Samenhandlungen nicht, besorgen ihn aber auf Wunsch.

16. Eschenholz.

Von den etwa 20 Eschenarten der Erde, die alle in der nördlichen gemässigten Zone vorkommen, sind 10 in Nordamerika heimisch, von welchen aber nur eine zum Anbau empfehlenswert ist, da die übrigen teils entschieden geringeres Holz liefern, teils niedriger im Wuchs bleiben, ohne besseres Holz zu erzeugen.

Weisse Esche (Fraxinus americana, Familie Oleaceae.)

Wegen der vorzüglichen Eigenschaften ihres Holzes, der Schnelligkeit ihres Wuchses und der Schönheit ihrer Erscheinung gehört die weisse Esche zu den hervorragendsten Waldbäumen Nordamerika's. Ihre durchschnittliche Höhe ist 21 bis 25 Meter, bei einem Stammdurchmesser von 0,80 bis 1,20 Meter, in sehr seltenen Fällen ist eine Höhe von 42 Meter, bei einem Stammdurchmesser von 1,80 Meter beobachtet worden. Die Rinde des Stammes spaltet sich in tiefe Furchen; die Äste gehen in regelmässigen Entfernungen allmählich dünner und kürzer vom Stamme in doppelter Krümmung ab und bilden eine sehr gleichmässige Krone; die Zweige sind dick und endigen in einer grossen Endknospe. Die jüngeren Triebe sind bläulichgrau und glatt; die Endknospen blassbraun und äusserst bitter, wodurch diese Art von der europäischen Esche leicht zu unterscheiden ist. Die paarweise entgegengesetzt stehenden Blätter sind 30 bis 35 Zentimeter lang und bestehen aus 3 bis 4 Paar Einzelblättchen mit einem Endblättchen. Diese Blättchen sind 8 bis 10 Zentimeter lang, 5 Zentimeter breit, eiförmig, zugespitzt, zart und stehen an ganz kurzen Stielchen; im Frühling sind sie mit einem zarten Flaum bedeckt, der später verschwindet, im Sommer glatt, oben hellgrün, unten weisslichgrün. Die hellgrünen Blüten erscheinen gewöhnlich im Mai, die 4 Zentimeter langen, in der Nähe des Stiels walzenförmigen, dann abgeflachten Flügelfrüchte reifen früh im Herbst. Wenn dieselben zur Saat dienen sollen, müssen sie sofort bei ihrer Reife gesammelt, dünn zum Trocknen ausgebreitet und in einem groben Sack an einem kühlen Ort aufbewahrt werden.

Die nördliche Verbreitungsgrenze läuft von Neu-Braunschweig nach dem Süden von Ontario und dem nördlichen Minnesota, die südliche zieht vom nördlichen Florida durch das mittlere Alabama und Mississippi, die westliche Grenze liegt im östlichen Nebraska, Kansas und Indianerterritorium. Die stärkste Entwickelung erreicht dieser Baum auf dem Schwemmboden des unteren Ohiothales. Im westlichen Texas tritt eine kleinere Spielart (var. texensis) auf, die kleinere Früchte und härteres, schwereres und dichteres Holz erzeugt.

Das Holz ist mässig schwer, hart, stark, gerad- und grobfaserig, dicht, leicht zu bearbeiten, ausserordentlich zäh und elastisch, wird aber in allen Bäumen spröde. Die Jahresringe sind deutlich begrenzt durch mehrere Reihen grosser, offener Gefässröhren, welche bei langsam gewachsenem Holz nahezu die ganze Breite des Jahresringes einnehmen. Die Markstrahlen sind zahlreich und undeutlich. Die Farbe ist hellbraun bis gelb, der dünne Splint ist heller, oft nahezu weiss.

Rangstellung unter den nordamerikanischen Hölzern: die 206. in spezifischer Schwere, die 205. im verhältnismässigen Brennwert, die 97. im Coefficienten der Elastizität, die 110. in der Bruchfestigkeit, die 137. in der Druckfestigkeit, die 106. in der Eindruckfestigkeit.

Wenn dieses Holz zur Zeit der Saftruhe gefällt und beim Trocknen sorgfältig behandelt wird, ist es sehr dauerhaft, andernfalls verwest es rasch, namentlich, wenn die Blöcke lange ungeschält bleiben; werden sie in geschältem Zustand dem Winde und der Sonne ausgesetzt, springen sie bis tief in's Innere auf. Sie sollten deshalb entweder sofort zu Brettern verschnitten oder, wie es auf den nordamerikanischen Werften zu geschehen pflegt, bis zum Gebrauche unter Wasser gehalten werden.

Mit allen Vorsichtsmassregeln langsam getrocknetes Holz wirft sich später nicht; diese Eigenschaft, im Verein mit anderen, macht es zu dem geschätztesten Material für Ruder, nicht allein in Nordamerika, sondern auch in Europa, wo gesunde Stücke von den Schiffbauern stets sehr gesucht sind. Ausserdem wird es im Schiffbau zu leichten Raastangen, Riegeln und noch anderen untergeordneten Zwecken verwendet.

Wo Tragkraft beansprucht wird, kann es infolge seiner bedeutenden Elastizität zu Bauten nicht benutzt werden, dagegen eignet es sich vorzüglich zur inneren Auskleidung der Häuser. Auch zu Möbeln ist es recht brauchbar, da es eine gute Politur annimmt, sich weder wirft noch rissig wird. In Nordamerika wird häufig Eschenholz und Ahornholz bei den Möbelarbeiten nebeneinander gelegt, eine Zuzammenstellung, die einen gewinnenden Eindruck macht.

Die hauptsächlichste Verwendung findet aber das Eschenholz im Wagenbau und in der Fabrikation landwirtschaftlicher Geräte, denn in diesen Gewerben ist es unersetzlich, weil es sich in gedämpftem Zustand in jede Form biegen lässt, ohne Beschädigung der Fasern. Freilich kommen dabei seine anderen guten Eigenschaften: Abwesenheit von Knorren und Astlöchern, Zähigkeit, Dauerhaftigkeit und festes Stehen in der Form ebenfalls in Betracht. Werkzeugstiele und manche andere kleine Artikel werden massenhaft aus Eschenholz gefertigt, ebenso Fassdauben, die denjenigen aus Eichenholz vorgezogen werden, wenn die Fässer zum Aufbewahren von Mehl und gepökeltem Fleisch dienen sollen.

Die Esche eignet sich vorzüglich zum Schlagholzbetrieb, weil der Stumpf viele kräftige Schösslinge treibt. Dieselben werden in Pausen von 4 bis 5 Jahren abgeholzt, wenn sie zu groben Flechtwaren, Spazierstöcken und Peitschenstielen dienen sollen und in Pausen von 8 bis 9 Jahren, wenn die Anfertigung von Lanzenschäften, Fassreifen, Angelruten oder kleinen Drechslerarbeiten in's Auge gefasst ist, ferner wenn Brennstoff zum Räuchern von Heringen gewünscht wird, zu welchem Zwecke das junge Eschenholz unübertrefflich gilt.

Nordamerika exportiert beträchtliche Mengen Eschenholz als Planken oder in teilweise verarbeitetem Zustande nach Europa, wo es früher einen ausgezeichneten Ruf genoss, in neuerer Zeit aber häufig abfällig beurteilt wird. Die Erklärung ist nicht schwer zu finden. Infolge des enormen Begehrs wird Eschenholz erster Qualität immer seltener, während die Holzhändler glauben, zweite und dritte Qualität als Ersatz bieten zu können. Und an solchen geringen Qualitäten fehlt es nicht, weil die Nordamerikaner überreife Bäume fällen, es mit der Fällungszeit nicht genau nehmen und das Schälen dem Fällen nicht immer unmittelbar folgen lassen. So kommt es, dass viel Eschenholz im Handel erscheint, das rote und gelbe Flecken und Streifen aufweist — die ersten Zeichen der Verwesung. Beim Ankaufe ist daher genau darauf zu achten, dass das Holz eine reine hellbraune Farbe, frei von gelben oder roten Flecken aufweist.

Unter „amerikanisches Eschenholz“ soll das Holz der weissen Esche zu verstehen sein, aus dem angegebenen Grunde wird jetzt das Holz anderer Eschenarten unterschoben. Am häufigsten dient hierfür das Holz der grünen Esche (Fraxinus viridis), eines kleineren Baumes wie die weisse Esche; dasselbe ist in der Struktur dem Holze der weissen Esche ganz ähnlich, aber etwas dunkler gefärbt und spröder.

Auch das Holz der blauen Esche (Fraxinus quadrangulata) wird unterschoben. Dieser Baum hält in der Grösse die Mitte zwischen der grünen und weissen Esche, sein Holz ist lichtgelb, hier und da braun gestreift, nicht stark, spröde und dauerhafter wie anderes Eschenholz im Wechsel von Nässe und Trockenheit.

Das „canadische Eschenholz“ des Handels stammt von der schwarzen Esche (Fraxinus sambucifolia), eines häufiger in Canada wie in der nordamerikanischen Union vorkommenden Baumes, der überschwemmten Boden so sehr bevorzugt, dass er den zweiten Namen Wasseresche führt. Das Holz ist dunkelbraun, sehr grobfaserig, dauerhaft, leicht spaltbar in dünnere Platten, weich, nicht stark, zäh; ist häufig mit Knorren und Astlöchern behaftet. Da es zum Zersplittern geneigt ist, eignet es sich nicht für gebogene Gegenstände, findet dagegen vorteilhafte Verwendung zur inneren Auskleidung der Häuser, in der Korbfabrikation und zu Bauzwecken, wo geringe Tragkraft beansprucht wird.

Das Holz der roten Esche (Fraxinus pubescens) kommt gelegentlich ebenfalls als canadisches Eschenholz, häufiger jedoch als amerikanisches Eschenholz in den Handel. Seine Farbe ist reichbraun, der Splint lichtbraun und gelb gestreift; es ist entschieden geringwertiger, namentlich nicht so elastisch wie das Holz der weissen Esche.

Trockener, magerer Boden taugt nicht zur Anpflanzung der weissen Esche, weil sie langsam wachsen und sprödes Holz liefern würde, andererseits ist auch ein sumpfiger Boden zu vermeiden, weil er die Qualität des Holzes nachteilig beeinflusst. Am geeignetsten ist ein lockerer, mineral- und humusreicher, feuchter Boden; er darf sogar so feucht sein, dass er der Erle zusagt. Selbst auf bindigem Boden gedeiht die Esche, wenn er nur fruchtbar ist.

Viel Licht ist ein Bedürfnis der Esche, um dasselbe zu befriedigen, braucht man keine Rücksicht auf Windschutz zu nehmen, denn dieser Baum gedeiht, wenn er den Wirkungen des Windes vollständig ausgesetzt ist.

Eine ungemischte Anpflanzung ist nachteilig, denn die Belaubung der Esche ist zu dünn, um den Boden so zu beschatten, dass er nicht austrocknet und den Graswuchs unterdrückt. Der letztere übt einen ungemein nachteiligen Einfluss auf die Entwickelung des Baumes aus. Als Gesellschafter mag man ihm geben: Eichen. Buchen. Ahorne, Ulmen, Linden, Tulpenbäume und Macluras — immer mit Berücksichtigung des Lichtbedürfnisses der Esche.

So hoch wie die Buche steigt die Esche in's Gebirge. Die letztere erzeugt nicht viel Samen und derselbe bewahrt nicht lange seine Keimkraft.

Der Same muss seicht, keinesfalls tiefer wie 2 Zentimeter in die Erde gelegt werden. Die Verpflanzung der Sämlinge bietet nicht die geringste Schwierigkeit.

Zwischen 25 000 und 50 000 Samen gehen auf das Kilogramm, welches von den nordamerikanischen Samenhandlungen mit 15 Mark notiert wird.

17. Catalpaholz.

Westlicher Catalpa. (Catalpa speciosa, Familie Bignoniaceae.)
Gleichname: harter Catalpa.

Mit Betonung muss darauf aufmerksam gemacht werden, dass dieser Baum nicht mit seinem nahen Verwandten: Catalpa bignonioides verwechselt werden darf, welcher schon seit geraumer Zeit in Europa als Zierbaum eingeführt und in Deutschland Trompetenbaum genannt wird. Denn für alle Nutzzwecke steht der westliche Catalpa über dem südlichen oder gemeinen, ferner ist er viel klimahärter, was sich auch schon aus den Verbreitungsgebieten der beiden Bäume folgern lässt. Der südliche Catalpa ist heimisch im westlichen Florida, im südwestlichen Georgia, im mittleren und südlichen Alabama und Mississippi; der westliche Catalpa kommt dagegen vor in Illinois, Indiana, Kentucky, Missouri und Arkansas.

Der westliche Catalpa ist grösser wie der südliche, denn während dieser eine Höhe von 12 bis 15 Meter bei einem Stammdurchmesser von 0,50 bis 0,75 Meter erreicht, bringt es jener zu einer Höhe von 20 bis 35, in Ausnahmefällen bis 45 Meter, bei einem Stammdurchmesser von 1 bis 2 Meter.

Die Rinde des westlichen Catalpas ist graubraun und mit vielen Furchen bedeckt. Die herzförmigen Blätter sind gross, oft 15 Zentimeter breit, unten flaumig, oben fahlgrün, spitz auslaufend. Die Blüten sind gross, trichterförmig, weiss, mit roten oder orangegelben Flecken im Innern besprenkelt und werden gefolgt von etwa 5 Zentimeter langen, hornförmig gebogenen, braunen Früchten, die dünne, flache Samen enthalten, welche einen langen, schmalen Flügel besitzen, der in einem Haarbüschelchen endet. Der Same mit dem Flügel ist etwa $2^1/_2$ Zentimeter lang und 25 Millimeter breit.

Die langen, schwanken Äste bilden eine verhältnismässig sehr breite Krone.

Das Holz ist leicht, weich, mässig stark, dicht, grobfaserig, ausserordentlich dauerhaft in Berührung mit der Erde, leicht zu bearbeiten und nimmt eine schöne Politur an. Die Jahresringe sind deutlich begrenzt durch mehrere Reihen grosser, offener Gefässröhren. Die Markstrahlen sind zahlreich und undeutlich. Die Farbe ist gelbbraun und dunkelt in Berührung mit der Luft zu braun. Der dünne Splint ist heller.

Rangstellung unter den nordamerikanischen Hölzern: die 388. in spezifischer Schwere, die 388. im verhältnismässigen Brennwert, die 181. im Coefficienten der Elastizität, die 230. in der Bruchfestigkeit, die 203. in der Druckfestigkeit, die 265. in der Eindruckfestigkeit.

Catalpaholz wird in bedeutenden Mengen zu Bahnschwellen verarbeitet, weil es in der Erde nahezu unzerstörbar ist. Das mag wohl die Entstehung gegeben haben zu einer Sage der Indianer: Der grossse Geist habe dieses Holz mit einem Zauber umgeben, der es vor der Zerstörung schützen soll. Es sei daher eine Sünde, dieses Holz zu verbrennen, seine Benutzung zu anderen Zwecken sei dagegen erlaubt.

Es ist noch durch Erfahrung festzustellen, ob Bahnschwellen von Catalpaholz bei schwer belastendem Verkehr auf die Dauer befriedigen, weil das Holz weicher ist wie das für diesen speziellen Zweck gewöhnlich verwendete Eichen-, Akazien- und Terpentinkiefernholz. Auf Zweigbahnen, Nebengeleisen und Hauptbahnen mit schwachem Verkehr haben sich die Schwellen aus Catalpaholz so gut bewährt, dass mehrere Bahngesellschaften Anpflanzungen von

Catalpabäumen ausführen liessen zur Deckung ihres bezüglichen Bedarfes.

Sehr geeignet ist das Catalpaholz zu Telegraphenstangen, Zäunen, Schindeln, Rebpfählen, Hopfenstangen, Gefässen, Särgen, innerer Auskleidung der Häuser und Bauzwecken, wo keine starke Tragkraft beansprucht wird. Da es sich nicht wirft und nicht rissig wird, wenn sorgfältig getrocknet, schön gemasert und leicht zu bearbeiten ist, findet es eine steigende Verwendung zu Möbeln und zur inneren Auskleidung der Eisenbahnwagen.

Ausser der Vielverwendbarkeit des Holzes sprechen noch andere Gründe zu Gunsten der Kultur dieses Baumes. Zunächst passt er sich leicht dem verschiedenartigsten Klima an. Er übersteht die sibirischen Winter von Minesota und Jowa, gedeiht am Golfe von Mexiko, ist in dem heissen Südindien, in Australien, Tasmanien und Südafrika eingeführt worden; er besitzt eine grosse Widerstandsfähigkeit gegen die Dürre, wächst freudig auf der windgepeitschten Steppe und ist einer der wenigen Bäume, die am Seestrande fortkommen. Wenn er einmal festen Fuss gefasst hat, erträgt er die schwersten Misshandlungen; immer und immer wieder treibt er Schösslinge aus seinem Stumpfe, niemals dagegen aus seinen Wurzeln.

Ein fernerer Vorzug ist das ausserordentlich rasche Wachstum dieses Baumes. Der Ailanthus oder chinesische Götterbaum gilt mit Recht als einer der schnellwachsendsten Bäume. In einer grösseren Anpflanzung, welche die Kansas City Fort Scott & Gulf Railroad Company auf ihrem Gelände mit Catalpa- und Götterbäumen Seite an Seite ausführen liess, wurde nach 6 Jahren das durchschnittliche Wachstum ermittelt, mit diesem Resultat: Catalpabäume 5,4 bis 6,3 Meter Höhe, 0,30 bis 0,45 Meter Durchmesser; Götterbäume 4,8 bis 5,4 Meter Höhe, 0,25 bis 0,37 Durchmesser.

Der Catalpa ist nicht wählerisch im Boden; er entwickelt sich aber am üppigsten auf feuchtem, fruchtbarem Schwemmboden, während er auf trockenem Boden verkrüppelt. Durch Stecklinge lässt er sich leicht fortpflanzen, ebenso durch Saat, die viel empfehlenswerter ist. Der Same darf nicht tiefer wie 1 Zentimeter mit feiner Erde bedeckt werden. Das Saatbeet ist sehr sorgfältig von Unkraut rein zu halten. Mehrere Züchter haben empfohlen, den Wuchs des ersten Jahres bis nahe über dem Boden zurückzuschneiden, es entwickele sich dadurch im zweiten Jahre ein um so kräftigeres Stämmchen. Die Anpflanzung muss nach forstlicher Regel gedrängt erfolgen, da die Bäume sich sonst viel tiefer wie wünschenswert verästeln; sie vertragen viel Schatten. Unter günstigen Verhältnissen kann schon nach 5 Jahren die erste Auslichtung stattfinden.

Zwischen 75 000 und 120 000 Samen gehen auf das Kilogramm, welches von den nordamerikanischen Samenhandlungen mit 20 Mark notiert wird.

18. Sassafrasholz.

Sassafras (Sassafras officinalis, Familie Lauraceae).

Gewöhnlich erreicht dieser Baum eine Höhe von 12 bis 15 Meter, bei einem Stammdurchmesser von 0,60 bis 0,90 Meter, unter günstigen Verhältnissen aber eine solche von 24 bis 27 Meter bei einem Stammdurchmesser von 1,80 bis 2,25 Meter. Die Stammrinde ist grau und gefurcht, die der jungen Zweige rötlichgrün und glatt. Aus den Wurzeln älterer Bäume schiessen zahlreiche Schösslinge auf, die jedoch selten höher wie 2 bis 3 Meter werden. Die 10 bis 12 Zentimeter langen Blätter stehen abwechselnd und sind anfangs wollig und zart, werden aber nach kurzer Zeit glatt und stärker. Bemerkenswert ist die verschiedene Form der Blätter an demselben Baume; die sich am frühesten entfalten, sind gewöhnlich durchaus eiförmig, die etwas späteren haben dieselbe Form mit einem Lappen an der Seite und die letzten haben regelmässig 3 Lappen. Die Blüten, welche sich vor den Blättern entwickeln, erscheinen in südlichen Gegenden Ende März, in nördlichen anfangs Mai. Sie sind blassgrün und stehen auf kurzen dünnen Stielen, an den Seiten der Zweige, unter den Blättern. Die Früchte sind dunkelblaue Beeren, welche in kleinen, glänzend roten Bechern, an 3 bis 5 Zentimeter langen Stielen sitzen und von den Vögeln gerne gefressen werden.

Die nördliche Grenze des Verbreitungsgebietes dieses Baumes läuft von dem östlichen Massachusetts durch das südliche Ontario nach dem mittleren Michigan und dem südöstlichen Jowa; die südliche zieht von dem mittleren Florida nach dem Thale des Brazosflusses in Texas.

Das Holz ist leicht, weich, nicht stark, spröde, grobfaserig, sehr dauerhaft in Berührung mit der Erde, schwach aromatisch, zum Werfen während des Trocknens geneigt. Die Jahresringe sind deutlich begrenzt mit 3 oder 4 Reihen grosser, offener Gefässröhren. Die Markstrahlen sind zahlreich und dünn; die Farbe ist dumpf orangebraun, der dünne Splint lichtgelb.

Rangstellung unter den nordamerikanischen Hölzern: die 314. in spezifischer Schwere, die 312. im verhältnismässigen Brennwert, die 281. im Coefficienten der Elastizität, die 242. in der Bruchfestigkeit, die 232. in der Druckfestigkeit, die 196. in der Eindruckfestigkeit.

Zu Bauzwecken eignet sich das Sassafrasholz, seiner Weichheit wegen, eigentlich nicht, da aber die Erfahrung gelehrt, dass es, von der Rinde befreit, der Verwesung sehr lange widersteht und seines eigentümlichen Geruches wegen von Insekten nicht angegriffen wird, so benutzt man es gerne zu Schwellen und Pfosten bei leichten ländlichen Gebäuden, ferner wird es, um dieser Eigenschaften willen, massenhaft zu Bettstellen, Kisten, Kommoden, Gefässen und Zäunen verarbeitet.

In neuerer Zeit wird das Sassafrasholz nach tropischen Ländern exportiert zur inneren Auskleidung von Koffern und anderen Behältern, welche nebst ihrem Inhalt vor Insektenfrass geschützt werden sollen.

Der Sassafras ist von Wichtigkeit für die Heilkunst. Aus den Wurzeln, zuweilen auch aus dem weniger aromatischen Stammholz, wird das bekannte Sassafrasöl destilliert — ein sehr kräftiges, anregendes und schweisstreibendes Mittel. Der aus der Rinde und dem Mark der jungen Zweige gepresste Saft gilt als schleimlösend, der aus den frischen Blüten bereitete Thee als magenstärkend.

In Louisiana werden die Blätter, spinatähnlich zubereitet, gegessen und im ganzen Verbreitungsgebiete des Baumes wird aus den jungen Schösslingen und der Wurzelrinde ein wohlschmeckendes, unter dem Namen Rootbeer bekanntes Getränk bereitet, dessen Genuss sehr zuträglich ist.

Der Sassafras nimmt mit jedem lockerem Boden fürlieb, zumal wenn er feucht ist. Die Fortpflanzung geschieht am besten durch Samen, der aber oft 2 Jahre im Boden liegt bis er keimt. Stecklinge bewurzeln sich leicht, müssen aber in den ersten Jahren vor rauhen Winden und starker Besonnung geschützt werden.

Den Samen pflegen die nordamerikanischen Samenhandlungen nicht zu führen, besorgen ihn aber.

19. Californisches Lorbeerholz.

Berglorbeere (Umbellaria californica. Familie Lauraceae).
Gleichnamen: Gewürzbaum, Baybaum.

Ein schöner, immergrüner Baum mit hängenden Ästen, die eine dichte Krone bilden. Die glänzend bronzegrünen Blätter sind lanzenförmig, 8 bis 10 Zentimeter lang, $1^1/_2$ bis $2^1/_2$ Zentimeter breit, ganz und abwechselnd stehend. Sie enthalten ein scharfes, aromatisches Öl, das zum Niesen reizt und sich bemerklich macht, wenn die Blätter gerieben oder gequetscht werden. Die in Büscheln geordneten grüngelben Blüten werden von purpurnen Früchten gefolgt, von der Grösse und Form der Zwetschen und enthalten unter dünnem Mark einen Stein. Die Blüten erscheinen im März und April, die Früchte reifen im August und September und bleiben bis zum nächsten Jahre hängen. Die Rinde ist gelbbraun, bei jungen Bäumen glatt, bei ältereren etwas rissig.

Verbreitet ist der Berglorbeer im californischen Küstengebirge, an der westlichen Abdachung der Sierra nevada und im südöstlichen Oregon. Obgleich immergrün, wird er merkwürdigerweise im Norden seines Verbreitungsgebietes viel stattlicher wie im Süden. Hier bleibt er häufig ein Busch, während er sich dort zu einem Baume entwickelt von 24 bis 30 Meter Höhe bei einem Stammdurchmesser von 1,20 bis 1,80 Meter. Das sind Höchstmasse, im Durchschnitt darf man die Höhe mit 18 Meter und den Stammdurchmesser mit 0,80 Meter annehmen.

Das Holz ist schwer, hart, stark, dicht, nimmt eine ausnehmend schöne Politur an und enthält zahlreiche, kleine, regelmässig verteilte, offene Gefässröhren. Die Markstrahlen sind zahlreich und dünn. Die Farbe ist reich lichtbraun, der Splint heller.

Rangstellung unter den nordamerikanischen Hölzern: die 210. in spezifischer Schwere, die 206. im verhältnismässigen Brennwert, die 75. im Coefficienten der Elastizität, die 132. in der Bruchfestigkeit, die 52. in der Druckfestigkeit, die 128. in der Eindruckfestigkeit.

An der ganzen nordamerikanischen Pazifikküste gibt es keinen Baum, der ein so schönes, brauchbares Holz für Möbel und die innere Auskleidung der Häuser liefert wie der Berglorbeer. Seine Bedeutung wird dadurch beschränkt, dass er im grössten Teile seines Verbreitungsgebietes nur von mässigem oder gar schmächtigem Stammumfange vorkommt, der nur ein Verschneiden zu Furnieren zulässt. Möbel, ganz aus diesem Holze, bieten ein wahrhaft reiches Aussehen; sie gewähren die weiteren Vorteile, dass sie sich nicht werfen, nicht rissig und nicht von Insekten angegriffen werden.

In Oregon wurde dieses Holz gerne im Schiffbau verwendet, allein die Preise sind allmählich so sehr gestiegen, dass es jetzt selten diese Verwendung findet.

Dieser schöne, nützliche Baum ist unfraglich würdig, unter Kultur genommen zu werden; wenn das bis jetzt noch nicht an der Pazifikküste geschah, so dürfen daraus keine gegenteiligen Schlüsse gezogen werden, denn hier befasst man sich überhaupt noch nicht mit der Forstkultur. Der Berglorbeer wird am häufigsten an den kiesigen Ufern der Gebirgsbäche gefunden, offenbar sagt ihm Bodenfeuchtigkeit sehr zu, doch sah ich ihn nicht selten auf ganz trockenen, aber fruchtbaren Standorten kräftig gedeihen. Da wo er zur kräftigsten Entwickelung kommt, in den Thälern des südöstlichen Oregons, herrscht ein Klima, das mit demjenigen von Südtyrol recht gut vergleichbar ist.

Den Samen notieren die californischen Samenhandlungen mit 20 Mark pro Kilogramm.

20. Ulmenholz.

Von den 16 Ulmenarten der Erde, die vorzugsweise in der nördlichen gemässigten Zone vorkommen, entfallen 5 auf Nordamerika, die alle ein gutes Holz liefern, von welchen ich aber doch nur eine zum Anbau empfehlen kann. Zwar ist die weisse oder amerikanische Ulme (Ulmus americana) die grösste dieser Gruppe und liefert das meiste Holz in den Handel, doch übergehe ich sie, weil in Fachkreisen übereinstimmend anerkannt wird, das Holz der europäischen Ulme (Ulmus campestris) sei härter und dauerhafter, während der Baum gleiche Grössenverhältnisse zeige.

Felsenulme (Ulmus racemosa, Familie Urticaceae).
Gleichnamen: Korkulme, Hickoryulme, Klippenulme.

Diese Art erreicht eine Höhe von 20 bis 30 Meter bei einem Stammdurchmesser von 0.90 Meter, während die amerikanische Ulme bis zu 30 und 35 Meter hoch wächst bei einem Stammdurchmesser von 1.80 bis 2,50 Meter. Ausser diesem Grössenunterschied weichen die beiden Bäume in ihrer Erscheinung dadurch von einander ab, dass die Felsenulme korkähnliche Ansätze an ihren Ästen besitzt, die ihr ein eigentümliches Aussehen geben und gelbe Blüten hervorbringt, während diejenigen der amerikanischen Ulme purpurfarbig sind. Den an den Zweigspitzen traubenförmig geordneten Blüten folgen behaarte Flügelfrüchte. Die Blätter sind spitzenförmig, 10 bis 12 Zentimeter lang, gezahnt, oben glänzend dunkelgrün, unten mattgrün, mit stark hervortretenden Rippen; sie stehen abwechselnd. Die Rinde des Stammes ist weich, tiefgefurcht und fast weiss. Der Stamm teilt sich in 3 oder 4 schräg aufstrebende Hauptäste, von welchen sich jeder in ebenso viele Nebenäste und so immer weiter regelmässig verzweigt, so dass eine quirlförmige, dichtbelaubte Krone, nach der Seite sich wölbend, gebildet wird.

Die Felsenulme ist verbreitet vom südwestlichen Vermont, durch das westliche New-York, durch Ontario, das südliche Michigan, das nordöstliche Jowa, von da südlich durch Ohio nach dem mittleren Kentucky. Die amerikanische Ulme hat ein weiteres Verbreitungsgebiet; es beginnt im Norden im südlichen Neufundland, zieht sich nach dem nördlichen Ufer des oberen See's und den östlichen Abhängen des Felsengebirges; südlich dehnt es sich bis zum Cap Canaveral in Florida und dem Thale des Conhoflusses in Texas.

Das Holz der Felsenulme ist schwer, hart, sehr stark, zäh, sehr dicht, nimmt eine schöne Politur an und ist schwer zu bearbeiten. Die Jahresringe sind mit 1 oder 2 Reihen kleiner, offener Gefässröhren begrenzt. Die Markstrahlen sind zahlreich und undeutlich. Die Farbe ist licht klarbraun, oft ins Rötliche schimmernd, der dicke Splint ist viel heller, manchmal nahezu weiss.

Rangstellung unter den nordamerikanischen Hölzern: die 149. in spezifischer Schwere, die 145. im verhältnismässigen Brennwert. die 64. im Coefficienten der Elastizität, die 37. in der Bruchfestigskeit, die 41. in der Druckfestigkeit, die 118. in der Eindruckfestigkeit.

Das Holz der amerikanischen Ulme unterscheidet sich von dem vorstehenden, dass es dunkler braun, grobfaseriger und weniger zäh ist, auch nicht eine gleich schöne Politur annimmt. Ich mache auf alle diese Unterschiede zwischen den beiden Arten aufmerksam, weil sie von Nichtkennern gewöhnlich für übereinstimmend gehalten. und ihr Holz unterschiedslos entweder als amerikanisches oder canadisches Ulmenholz auf die europäischen, zumal auf die englischen Märkte kommt.

Wie alles Ulmenholz, muss auch dasjenige der Felsenulme sehr sorgfältig getrocknet werden. Die Blöcke sollten unter keinen Umständen länger wie eine Woche der Sonne oder dem Winde schutzlos preisgegeben bleiben. Kënnen sie nicht sofort verschnitten werden oder sind sie zu Balken bestimmt, dann lässt man beim Schälen die Bastbedeckung zurück, bis die Blöcke ins Wasser gelegt werden können, wo sie bis zum Bedarf zu bleiben haben. Werden sie zu Brettern verschnitten, so sind diese an einem vollständig windgeschützten Orte zu trocknen; empfehlenswert ist, ihre Stirnenden mit einer Mischung aus Talg und Harz zu bestreichen. Alle diese Vorsichtsmassregeln sind nötig, weil das Ulmenholz leicht geneigt ist, im Trocknen tiefrissig zu werden, wodurch natürlich sein Wert stark beeinträchtigt wird.

Das Holz der Felsenulme kommt gewöhnlich astfrei und gesund auf den Markt, gelegentlich zeigt es Kernrisse, aber von milder Form und noch seltener ist ihm ein Fehler eigen, der dem aus einigen Gegenden stammende Holze der amerikanischen Ulme ziemlich häufig anhaftet: einige bei einander liegende Jahresringe sind weicher und poröser wie die übrigen und leicht zu erkennen an ihrer dunkleren Farbe. Selbstverständlich beeinträchtigen sie die Qualität und es ist daher beim Ankauf des Holzes darauf zu achten, dass es von durchaus gleichmässiger Farbe ist.

Dieses Holz ist sehr dauerhaft unter Wasser, ebenso wenn trocken gehalten, dagegen verwest es bald, wenn abwechselnd der Nässe und Trockenheit ausgesetzt — eine Eigenschaft, die es mit allem Ulmenholz gemein hat. Die Verwendung ist eine ausserordentlich vielfache: es wird im Schiffbau benutzt, zu Planken die unter Wasser bleiben, Drechsler und Möbeltischler gebrauchen es zu manchen Zwecken. ebenso die Zimmerleute und Wasserbauingenieure. Käsekisten, Butterfässer. Bahnschwellen und Särge sind andere Verwendungen, die bedeutendsten Mengen aber werden sicher in der Fabrikation landwirtschaftlicher Maschinen und im Wagenbau verarbeitet; zu Radnaben gilt es für unübertrefflich. da es selbst durch die heftigsten Stösse nicht rissig wird und nicht aufspringt. wenn Nägel eingeschlagen werden.

Während die amerikanische und europäische Ulmen einen feuchten, tiefgründigen. aber nicht sumpfigen Standort entschieden bevorzugen. wird die Felsenulme. wie schon ihr Name vermuten lässt. vorwiegend an felsigen Hängen und auf Uferklippen von Flüssen gefunden. Doch kommt sie auch auf tiefliegendem. feuchtem Thonboden vor und hier soll ihr Wachstum ein rascheres und üppigeres sein. wie auf felsigem Boden. wo sie sich langsam entwickelt. Welchen Einfluss diese verschiedenen Bodenarten auf die Qualität des Holzes üben. bleibt noch festzustellen.

Die Felsenulme gedeiht freistehend in offener. schutzloser Lage, verästelt sich aber dann in geringem Abstand vom Boden. Um einen geraden. astfreien Stamm von beträchtlicher Höhe zu erzielen. muss dieser Baum in der Jugend gesellschaftlich gedrängt stehen. Zur ungemischten Anpflanzung ist er übrigens nicht gut geeignet, mit Eschen. Ahornen und Buchen verträgt er sich ausgezeichnet. Wie andere Ulmenarten, kann auch diese zum Schlagholzbetriebe dienen. doch erlöscht ihre Kraft, Schösslinge zu treiben. in verhältnismässig kurzer Zeit.

Der Same verliert bald seine Keimkraft. er sollte daher möglichst unverweilt nach der Ernte gesät werden. Zwischen 15000 bis 25000 Samen gehen auf das Kilogramm. welches von den nordamerikanischen Samenhandlungen mit 15 Mark notiert wird.

21. Macluraholz.

Maclura. (Maclura aurantiaca, Familie Urticaceae.)
Gleichnamen: Osage Orange. Bois d'Arc.

Ein schöner, sommergrüner Baum mit graulicher Rinde und einer Belaubung, die lebhaft an den Orangebaum erinnert; die an den Zweigen sitzenden Dornen helfen den Vergleich begründen. Die Blätter sind 5 bis 7 Zentimeter lang, oval zugespitzt, glatt, ganz, oben glänzend grün. unten matt grün. Die Dornen, welche aus den oberen Blattwinkeln treten, sind einfach, sehr stark und 2 bis 3 Zentimeter lang. Die männlichen Blüten, welche im April erscheinen, sind unscheinbar, fast grün mit einem Schimmer in's Gelbe und sind in kleinen, hängenden Büscheln geordnet. Die weiblichen Blüten sind rund, von der Grösse einer Kirsche. Die im September reifende Frucht hat die Grösse einer bitteren Orange und enthält zahlreiche, langovale, abgeplattete Samen, von der Grösse eines Orangekerns, ferner eine süssliche Flüssigkeit, die an der Luft gerinnt wie Milch. Da diese einzige Art ihrer Gattung zweihäusig ist, muss Samen zur Fortpflanzung gesammelt werden, wo beide Geschlechter nachbarlich wachsen.

Heimisch ist dieser Baum im südwestlichen Arkansas, im südöstlichen Indianerterritorium, wo er im Thale des roten Flusses die grösste Entwickelung erreicht und im nördlichen Texas, verbreitet ist er aber, mit Ausnahme der nördlichen Staaten, über die ganze Union, teils als Heckenpflanze, teils als Waldbaum. Auf den Prärien und in den südlichen Gegenden der Pazifikküste gibt es keine beliebtere Heckenpflanze wie den Maclura. Zu diesem Zwecke kann er leicht in einer Höhe von $1^1/_2$ Meter gehalten werden, als Waldbaum, auf gutem Boden gezüchtet, wächst er bis zu 15 und 18 Meter hoch, bei einem Stammdurchmesser von 0,60 bis 0,80 Meter.

Das Holz ist schwer, ausserordentlich hart, sehr stark, elastisch, dicht, sehr dauerhaft in Berührung mit der Erde und dem Wetter ausgesetzt, seidenartig, nimmt eine schöne Politur an, schrumpft wenig beim Trocknen und enthält zahlreiche, kleine, offene Gefässröhren. Die Jahresringe sind durch breite Bänder grosser Gefässröhren deutlich begrenzt. Die Markstrahlen sind dünn, zahlreich, deutlich. Die Farbe ist anfänglich hell orange, bräunt sich aber durch Berührung mit der Luft, der Splint ist lichtgelb.

Rangstellung unter den nordamerikanischen Hölzern: die 100. in spezifischer Schwere, die 99. im verhältnismässigen Brennwert, die 122. im Coefficienten der Elastizität, die 27. in der Bruchfestigkeit, die 4. in der Druckfestigkeit, die 24. in der Eindruckfestigkeit.

Das Macluraholz findet eine ausgedehnte Verwendung zu Furnieren, Ackergeräten, Bahnschwellen, Radspeichen, Strassenpflaster, Zaunpfosten und ähnlichen Artikeln, für welche Härte,

Elastizität und Dauerhaftigkeit verlangt wird. Wie an anderer Stelle bereits erwähnt wurde, ist dieses Holz ein brauchbares Färbemittel.

Dieser Baum wächst fast auf jedem Boden, der nicht nass ist, am besten gedeiht er aber auf fruchtbarem Schwemmboden. Die Nordamerikaner pflegen den Samen wie Mais zu drillen, auch die folgende Bodenbearbeitung lehnt sich an die Maiskultur an. Die Sämlinge werden in einem Abstand von 30 bis 35 Zentimeter in den Reihen ausgelichtet, mit fortschreitendem Wachstum von den unteren Ästen befreit, denn seitliche Beschattung und Entfernung der unteren Äste ist zur Erzielung hochstämmiger Bäume notwendig. Ein freistehender ungepflegter Maclura verästelt sich in geringem Abstand von dem Boden und bleibt von niedrigem Wuchse. In 8 Jahren beginnt die Tragbarkeit. Der Baum wächst nicht rasch, und es dauert gewöhnlich 25 Jahre, bis er Bahnschwellen liefert. Da die Stümpfe viele und kräftige Schösslinge treiben, ist der Maclura auch zum Niederwaldbetrieb geeignet.

Zwischen 8000 bis 12 000 Samen gehen auf das Kilogramm, für welches die nordamerikanischen Samenhandlungen 7 bis 8 Mark notieren.

22. Wallnussholz.

Die Gattung Juglans wird von manchen Botanikern in 6, von anderen in 7 Arten gegliedert. Davon entfällt eine, die edle Wallnuss, auf Europa, 2 sind im östlichen Asien und 3 oder 4 in Nordamerika heimisch; 3 oder 4 — denn manche Botaniker wollen eine in Californien vorkommende Form Juglans californica genannt und nicht mit Juglans rupestris übereinstimmend gehalten wissen. Alle Wallnussarten liefern ein schönes, brauchbares Holz, zur Forstkultur kann ich aber nur empfehlen den

schwarzen Wallnussbaum (Juglans nigra, Familie Juglandaceae).

Diese schöne, stattliche Art erreicht eine Höhe von 24 bis 30 Meter bei einem Stammdurchmesser von 1,50 bis 2,50 Meter. Die Rinde ist dick, schwärzlich und an alten Stämmen tiefgefurcht. Die spitzlanzettförmigen, gezahnten, bisweilen leicht behaarten Blätter stehen kurzgestielt zu 6 bis 8 Paaren mit einem oder zwei Schlussblättchen an etwa 45 Zentimeter langen Stielen und geben, zerquetscht, einen starken, gewürzhaften Geruch von sich.

Die Blüten sind in hängenden Büscheln geordnet. Die starkriechende Frucht ist rund und enthält eine harte, an den Seiten etwas eingedrückte Nuss, die nicht so süss und angenehm schmeckt wie die edle Wallnuss, aber doch zum Pickeln ganz gut geeignet ist und reif auch in kleinen Pöstchen auf die Märkte der grossen Städte kommt.

Die nördliche Verbreitungsgrenze dieses Baumes zieht sich von dem westlichen Massachusetts nach dem südlichen Ufer des Eriesees, durch das südliche Michigan und Minnesota nach dem östlichen Nebraska; die südliche läuft vom westlichen Florida nach dem mittleren Alabama und Mississippi bis zum Thale des San Antonioflusses in Texas. Seine grösste Entwickelung erreicht er an den westlichen Abhängen des südlichen Alleghanygebirges.

Das Holz ist schwer, hart, stark, dicht, etwas grobfaserig, leicht zu bearbeiten, dauerhaft, wenn dem Wetter ausgesetzt und in Berührung mit der Erde, nimmt eine sehr schöne Politur an, wirft sich im Trocknen, wenn nicht sorgfältig behandelt und enthält zahlreiche, regelmässig verteilte, grosse, offene Gefässröhren. Die Markstrahlen sind zahlreich, dünn, nicht deutlich. Die Farbe ist gewöhnlich reich dunkelbraun, zuweilen schokoladebraun oder ins Rötliche schimmernd. Der dünne Splint ist viel heller, manchmal weisslich.

Rangstellung unter den nordamerikanischen Hölzern: die 242. in spezifischer Schwere, die 242. im verhältnismässigen Brennwert, die 65. im Coefficienten der Elastizität, die 113. in der Bruchfestigkeit, die 45. in der Druckfestigkeit, die 134. in der Eindruckfestigkeit.

In Nordamerika wird von allen einheimischen Hölzern dieses am höchsten geschätzt zu feinen Möbeln, zur inneren Auskleidung der Häuser, überhaupt als Luxusholz, ja es wird in der diesem Volke anhaftenden nationalen Überschwenglichkeit häufig dem Mahagoni gleichwertig an die Seite gestellt, was aber als eine entschiedene Übertreibung bezeichnet werden muss. Leicht begreiflich ist indessen die grosse Beliebtheit des schwarzen Wallnussholzes, die es nicht allein in ganz Nordamerika, sondern in neuerer Zeit auch in England erlangt hat, und obgleich diese Geschmacksrichtung als eine Mode zu betrachten ist, die wie auf allen Gebieten, so auch auf diesem sich unbeständig zeigen wird, so ist doch mit Gewissheit anzunehmen, dass das schwarze Wallnussholz, seiner vorzüglichen Eigenschaften wegen, jemals so wenig zu den vergessenen Hölzern gehören wird, wie das Mahagoni.

Da dieser Baum nirgends in zusammenhängenden Wäldern auftritt, und der heimische Verbrauch wie der Export des Holzes nach England in den letzten 15 Jahren ausserordentlich gestiegen ist, so ist bereits eine solche Knappheit, natürlich begleitet von einer entsprechenden Preiserhöhung, eingetreten, dass manche Verwendungen aufgegeben werden mussten. So wurde dieses Holz beispielsweise früher häufig im Schiffbau, zu Schindeln, Pfählen, Schwellen, Radspeichen, Ackergeräten u. s. w. benutzt, gegenwärtig ist es viel zu teuer zu diesen Zwecken. Dagegen wird es noch häufig zu Gewehrschäften, Drechslerartikeln, Modellen und kleinen Luxusholzwaren verarbeitet.

Die hohen Preise, welche für schöne Maserungen, wie sie sich an Astgabelungen und in grossen Wurzeln finden, geradezu enorm zu nennen sind, legen die Versuchung nahe, das weniger wertvolle Holz des nahe verwandten Butternussbaumes (Juglans cinerea) für das schwarze Wallnussholz zu unterschieben. Dieser Baum wird in der Regel nur 18 bis 24 Meter hoch, bei einem Stammdurchmesser von 0,60 bis 0,90 Meter. Sein Holz ist leichter, weicher, schwächer und grobfaseriger wie das schwarze Wallnussholz, von dem es sich weiter durch die Farbe unterscheidet, denn es ist hell lichtbraun, wird aber bei längerer Berührung mit der Luft dunkler. Es ist leichter geneigt wie jenes rissig zu werden, daher die Stirnenden der Blöcke und Planken gewöhnlich einen Anstrich erhalten — eine Vorsichtsmassregel, die übrigens auch häufig bei dem schwarzen Wallnussholz angewendet wird.

In neuerer Zeit haben die Nordamerikaner der Kultur des schwarzen Wallnussbaumes eine lebhafte Aufmerksamkeit geschenkt, mit der Behauptung, es sei für sie der rentabelste Waldbaum. Darin mögen sie Recht haben und wenn für andere Völker auch nicht das Gleiche gilt, so wird sich dieser Baum doch unfraglich als eine wertvolle Erwerbung da erweisen, wo er die Bedingungen seines Gedeihens findet; gesellt sich doch zur Vorzüglichkeit des Holzes der Vorteil eines ziemlich raschen Wachstums.

Am freudigsten gedeiht der schwarze Wallnussbaum auf kalk- und humusreichem, feuchtem Lehmboden oder auf Schwemmboden, der ebenfalls feucht ist. Ganz gut kommt er auf trockenem Boden fort, der tiefgründig ist, nur wächst er langsamer. Erfahrungen im letzten Jahrzehnt haben gezeigt, dass er sich zur Anpflanzung auf der regenarmen Prärie eignet, wie er denn überhaupt als klimahärter zu betrachten ist, wie der edle oder königliche Wallnussbaum (Juglans regia).

Um gerade, bis zur bedeutenden Höhe astfreie Stämme zu erzielen, muss der schwarze Wallnussbaum in Gesellschaft anderer Bäume angepflanzt werden, die seinen Stamm beschatten und ihn vor den Winden schützen. Die Eichenkultur bietet das treffendste Vorbild.

Da die jungen Bäume sehr leicht durch die Verpflanzung leiden, so empfiehlt sich die Saat auf die dauernden Standorte.

Die Holzqualität steht etwa im 100. Lebensjahr des Baumes auf ihrem Höhepunkt.

Schwarze Wallnüsse sind bei jeder nordamerikanischen Samenhandlung, häufig auch auf offenem Markte, käuflich. Der Preis beträgt etwa 9 Mark pro Bushel (rund 36 Liter).

23. Hickoryholz.

Die Gattung Carya, welche die neueren Botaniker von der Gattung Juglans ausschieden, zerfällt in 8 Arten, die sämtlich in Nordamerika heimisch sind. Wie bei den Wallnussbäumen, sind die Blüten der Hickorybäume, das ist der volkstümliche Name der Gattung Carya, einhäusig, nur stehen die männlichen Kätzchen nicht einzeln, sondern zu drei auf einem gemeinschaftlichen Stiele. Die Früchte bestehen nicht, wie bei den Wallnussbäumen, aus zwei Hälften, sondern sind vierklappig, und die grüne Fruchthülle löst sich gleichfalls entweder ganz oder bis zur Mitte in 4 Klappen. Ein bequemes Unterscheidungsmerkmal zwischen Wallnussbäumen und Hickorybäumen bildet das Mark der Zweige. Bei den Ersteren ist dasselbe durch Lamellen in treppenartige Fächer geteilt, bei den Letzteren ist es fest, aus einer gleichartigen Masse bestehend. Die Hickorybäume sind von schönem, schlankem Wuchse und länglicher Krone. Die Belaubung ist gefiedert, aber nicht so gross, wie die der Wallnussbäume. Die Rinde ist von weissgrauer Farbe, anfangs glatt, bei älteren Bäumen rissig, diejenige des jungen Wuchses ist von solcher Zähigkeit, dass sie als Bindematerial benutzt werden kann.

Von den 8 Arten halte ich nur die folgenden für kulturwürdig, wenn es sich um die Holzproduktion handelt. In der Früchteproduktion steht der Pecannussbaum (Carya olivaeformis) entschieden an der Spitze, allein er liefert ein geringwertiges Holz.

a) **Weisser Hickorybaum.** (Carya alba, Familie Juglandaceae.)
Gleichnamen: Shellbarkhickory, Shagbarkhickory.

Allgemein wird diese Art als die wertvollste anerkannt; sie ist die grösste der Gattung, erreicht gewöhnlich eine Höhe von 24 bis 30 Meter, bei einem Stammdurchmesser von 0,90 bis 1,20 Meter, ausnahmsweise wird sie bis zu 40 Meter hoch gefunden. Der Stamm bleibt bis zu drei Viertel seiner Höhe fast gleichmässig stark und frei von Ästen. Die ältere Rinde ist in zahlreiche, länglich viereckige Stücke geteilt, die nur in ihrer Mitte am Stamme festsitzen. Die länglich eiförmigen Fiederblättchen sind gross, gezahnt, leicht behaart an der unteren Seite und stehen zu zwei Paaren mit einem Endblättchen an einem 25 bis 40 Zentimeter langen Stiele; sie haben einen gewürzigen Geruch, gleich den Wallnussblättern. Die Blüten erscheinen im Mai; die geniessbaren, einen bedeutenden Handelsartikel bildenden Nüsse reifen im Oktober.

Die nördliche Verbreitungsgrenze dieses Baumes zieht sich vom St. Lorenzostrom nach den nördlichen Ufern des Ontario- und Eriesees, nach dem südlichen Michigan und dem südöstlichen Minnesota, die südliche läuft vom westlichen Florida durch das mittlere Alabama nach dem östlichen Texas; seine grösste Entwickelung erreicht er auf den westlichen Abhängen des Alleghanygebirges.

Diese Art bedarf zu ihrem Gedeihen eines frischen, aber nicht nassen, tiefgründigen Bodens. In den ersten 8 bis 10 Jahren wächst sie langsam, dann aber rasch; späte Frühjahrsfröste fügen ihr Schaden zu.

Das Holz ist schwer, sehr hart und stark, zäh, elastisch, dicht; die Jahresringe sind deutlich begrenzt von 1 bis 3 Reihen grosser, offener Gefässröhren. Die Markstrahlen sind zahlreich und dunn. Frisch gefällt hat es einen etwas bitteren Geschmack und einen milden Geruch; es ist dann nahezu weiss, wird aber durch Berührung mit der Luft bald braun; der dünne und gleichwertige Splint ist und bleibt weisslich. Die mikroskopische Untersuchung zeigt ein Gefüge, eine so feine Verteilung der dünnen Markstrahlen und eine so regelmässige Anordnung der Gefässe, wie es bei anderen Harthölzern, wie Esche, Hainbuche u. s. w., nicht der Fall ist.

Rangstellung unter den nordamerikanischen Hölzern: die 64. in spezifischer Schwere, die 63. im verhältnismässigen Brennwert, die 12. im Coefficienten der Elastizität, die 12. in der Bruchfestigkeit, die 30. in der Druckfestigkeit, die 65. in der Eindruckfestigkeit.

b) Spötternussbaum. (Carya tomentosa.)

Gleichnamen: schwarzer Hickory, Weissherzhickory, grosser Knospenhickory, Bullennuss, Königsnuss.

Die nördliche Verbreitungsgrenze dieser Art zieht sich vom St. Lorenzostrom nach den nördlichen Ufern des Ontario- und Eriesees bis zum östlichen Nebraska, die südliche geht von der Tampabai in Florida aus und läuft nach dem Thale des Brazosflusses in Texas. Der Baum erreicht eine Höhe von 24 bis 33 Meter, bei einem Stammdurchmesser von 0,90 bis 1,20 Meter.

Die Knospen sind gross, oval, bräunlichgelb, die zu 3 Paaren mit einem Endblättchen sitzenden Fiederblätter sind umgekehrt eiförmig, gezahnt. unten behaart. Die Frucht ist mittelgross, rundlich, mit sehr harter Schale, die sich schwer öffnen lässt, darauf bezieht sich der Name Spötternuss.

Hervorzuheben ist, dass diese Art die einzige der Gattung ist, welche trockenen Boden bevorzugt und das ist auch die Ursache. warum ich sie hier als kulturwürdig anführe; selbst auf Boden mittlerer Qualität wächst sie kräftiger. Das Holz ist schwer, sehr hart, stark, zäh, elastisch, sehr dichtfaserig, beim Trocknen zum Werfen geneigt und enthält einige grosse, regelmässig verteilte, offene Gefässröhren. Die Markstrahlen sind zahlreich, dünn und undeutlich. Die Farbe ist reich dunkelbraun, der dicke brauchbare Splint nahezu weiss.

Rangstellung unter den nordamerikanischen Hölzern: die 75. in spezifischer Schwere, die 76. im verhältnismässigen Brennwert, die 42. im Coefficienten der Elastizität, die 28. in der Bruchfestigkeit, die 39. in der Druckfestigkeit, die 54. in der Eindruckfestigkeit.

c. **Muskatnusshickorybaum** (Carya myristicaeformis).

Diese Art besitzt das beschränkteste Verbreitungsgebiet der Gattungsmitglieder; es liegt in Südcarolina, nahe der Küste und in Arkansas, vom Arkansasfluss bis zum Thale des roten Flusses, ihre grösste Entwickelung erreicht sie im südlichen Arkansas. Daraus lässt sich folgern, dass dieser Baum nur in der halbtropischen Zone und in wärmeren Gegenden der gemässigten Zone fortkommt, doch könnte sich die Wahrscheinlichkeit als trügerisch erweisen und die Einführung auch in kühlere Gegenden der gemässigten Zone erfolgreich sein.

Auf feuchtem, tiefgründigem Boden erreicht der Muskatnusshickorybaum, so genannt, weil seine Früchte in der Form den Muskatnüssen ähneln, eine Höhe von 24 bis 30 Meter, bei einem Stammdurchmesser von 0,60 bis 0,90 Meter. Ich mache darauf aufmerksam, dass sein Holz dasjenige aller übrigen Hickoryarten an Elastizität. Druckfestigkeit und Eindruckfestigkeit übertrifft, während es in Bezug auf Bruchfestigkeit sogar an der Spitze aller nordamerikanischen Hölzer steht.

Das Holz ist schwer, hart. sehr stark nnd zäh, dicht und enthält zahlreiche kleine, offene Gefässröhren. Die Jahresringe sind von 1 bis 3 Reihen grosser Gefässröhren begrenzt. Die Markstrahlen sind zahlreich, dünn und undeutlich. Die Farbe ist lichtbraun. der Splint heller.

Rangstellung unter den nordamerikanischen Hölzern: die 87. in spezifischer Schwere, die 86. im verhältnismässigen Brennwert, die 8. im Coefficienten der Elastizität, die 1. in der Bruchfestigkeit, die 28. in der Druckfestigkeit. die 37. in der Eindruckfestigkeit.

Die vorstehenden, wie die nicht angeführten Hickoryhölzer dienen alle denselben Zwecken. Sie gelten als das beste Brennholz. welches in den nordamerikanischen Wäldern zu finden ist, einige selten vorkommende Hölzer vielleicht ausgenommen und werden deshalb bei Brennwertvergleichungen als Standard angenommen; in Übereinstimmung damit nehmen sie den ersten Rang in der Kohlenbrennerei ein. Zum Räuchern der Schinken. sowie zum Trocknen der Tabakblätter, welche zu Kau- und Rauchtabak verarbeitet werden sollen, gilt Hickoryholz für unübertrefflich.

Junge Hickorybäume geben vorzügliche Fassreifen, Peitschenstiele und Spazierstöcke; das ältere Holz wird massenhaft zu Werkzeugstielen verarbeitet, welchem Zwecke es ausgezeichnet entspricht. Die bedeutendste Verwendung findet es aber im Wagenbau und in der Fabrikation landwirtschaftlicher Maschinen, und seine hohe Brauchbarkeit hierfür ist es namentlich, was ihm einen weltweiten Ruf verschafft hat. Bei fabrikmässiger Herstellung der Räder wird in Nordamerika fast stets diese Zusammensetzung eingehalten: die Felgen aus Hickoryholz, die Speichen aus Weisseichenholz, die Naben aus Ulmenholz. Alle Fremden, welche Nordamerika betreten, erstaunen über die nur 2 Zentimeter breiten Räder der unter den Namen Buggies bekannten leichten offenen Luxuswagen. Diese Räder haben nur zwei Felgen und würden nicht herstellbar sein ohne das Hickoryholz.

Indessen dürfen auch die Schattenseiten dieses ausgezeichneten Holzes nicht verschwiegen werden: abwechselnd der Nässe und Trockenheit ausgesetzt, zumal wenn die Nässe mit Wärme begleitet ist, zeigt es geringe Dauerhaftigkeit, ferner greift es der Holzwurm gerne an. Weniger Bedeutung hat, dass es nach einer Reihe von Gebrauchsjahren spröde wird; denn welches Holz verliert nicht mit der Zeit seine Elastizität?

Diese nicht zu leugnenden Schattenseiten führen im Auslande öfters zu einer über das gerechtfertigte Mass hinausgehenden ungünstigen Beurteilung, ja Verurteilung des Hickoryholzes. So ersehe ich aus Fachschriften, dass in neuerer Zeit deutsche Wagenfabrikanten ihre Stimmen gegen das importierte Hickoryholz erheben, es als wurmstichig, spröd und in allen seinen Eigenschaften als aufgepufft bezeichnen; sie raten dem besseren Akazienholz den Vorzug zu geben, das man seither nur nicht gewürdigt habe, weil es ein Produkt der eigenen Erde sei.

Patriotische Vorschläge finden bei mir stets eine freundliche Aufnahme; allein in diesem Falle muss ich kühl darauf verweisen, dass die falsche Akazie dieselbe Heimat wie die Hickorybäume hat, und wer sich die Erstere aneignet, kann und sollte sich auch die Letztere aneignen — der Anfang damit ist ja bereits in Deutschland gemacht. Ferner muss ich scharf betonen: wenn schon eine Baumart Holz von verschiedener Qualität liefert, wie gross müssen da die Qualitätsunterschiede sein. wenn das Holz verschiedener, wenn auch nahe verwandter Bäume unter einem Handelsnamen zur Beurteilung gelangt? Ich bezweifle stark, ob jemals Holz vom Muskatnusshickorybaum exportiert wurde; der Spötternussbaum liefert jedenfalls nur geringe Holzmengen zur Ausfuhr. Was als Hickoryholz verschifft wird, entstammt grösstenteils dem geschilderten weissen Hickorybaum, dem Schweinenussbaum (Carya porcina) und dem Bitternussbaum (Carya amara), gelegentlich auch dem Sumpfhickorybaum (Carya aquatica), dieser kleinsten und geringwertigsten Art der Gattung. Der dickrindige Hickorybaum (Carya sulcata) ist zu selten und auf zu wenige Gegenden beschränkt, als dass anzunehmen ist, sein Holz gelange in den Handel. Dasselbe steht dem Holze des weissen Hickorybaumes nahe, ohne ihm gleichwertig zu sein. Die beiden Bäume stehen sich in verwandtschaftlicher Hinsicht am nächsten innerhalb der Gattung.

Nun wächst der weisse Hickorybaum oft nicht auf frischem, sondern auf feuchtem, häufigen Überschwemmungen ausgesetzten Boden — auf einem Standorte also, der verwerflich ist zur Produktion von Werkholz. Die anderen erwähnten Arten, welche selbst dann geringwertiges Holz wie der weisse Hickorybaum liefern, wenn sie an seiner Seite auf frischem Boden wachsen, werden ganz vorzugsweise auf nassem, oft sumpfigem Boden gefunden. Solches Holz ist vergleichsweise porös, wenig dauerhaft und wird, wenn auch anfangs elastisch, sehr bald spröd. Das Holz des Sumpfhickorybaumes ist von vornherein so spröde, dass es in Nordamerika nicht als Werkholz, sondern als Brennstoff, zu Zäunen u. s. w. benutzt wird.

Noch eine andere Ursache gibt es für die häufig unbefriedigende Qualität des Hickoryholzes: die Bäume werden oft zu einer Zeit gefällt, wo es ein Forstmann nie und nimmer gestatten würde. Die Nordamerikaner nehmen es überhaupt nicht genau mit der Fällungszeit, und am wenigsten in diesem Falle, weil sich auf dem nassen Standorte der Hickorybäume während der Zeit der grössten Saftruhe häufig nicht arbeiten lässt. Verschlimmert wird dieser Missgriff oft noch durch das lange Hinausschieben der Schälung der Blöcke.

Dieser Tadel ist nicht auf die ganze Hickoryholzproduktion auszudehnen. Es kommen von diesem Holze gute Qualitäten in beträchtlichen Mengen auf den Markt, dieselben dienen aber grösstenteils dem heimischen Verbrauch. Es muss den nordamerikanischen Fabrikanten von Wagen und landwirtschaftlichen Maschinen zum Ruhme nachgesagt werden, dass sie bei dem Ankauf ihres Holzbedarfes mit peinlicher Sorgfalt verfahren und sich durch hohe Preise für gute Qualitäten nicht abschrecken lassen. Andernfalls würden sie die Überlegenheit ihrer Fabrikate auf dem Weltmarkte nicht errungen haben. Das Beste bleibt also im Lande. das wenig Bessere schwimmt über den Ozean nach Europa.

Selbst das beste Hickoryholz wird in Nordamerika noch durch ein Bad in heissem Leinöl verbessert, um die oben bezeichneten Schattenseiten abzuschwächen. Es ist nicht zu viel behauptet, dass aus keiner Fabrik ein Rad hervorgeht, das nicht vor dem Beschlagen in einem Kessel mit siedendem Leinöl eine halbe Stunde langsam umgedreht wurde.

Die Kultur der Hickorybäume schliesst sich eng an diejenige der Wallnussbäume an. Welcher Boden zu wählen ist, wurde bereits bemerkt. Die Saatnüsse sind aus denselben Quellen und zu annähernd denselben Preisen zu beziehen, wie schwarze Wallnüsse, doch empfehle ich in Anbetracht der weiten Verbreitungsgebiete des weissen Hickorybaums und Spötternussbaums, die Vorsicht für Einführungsversuche in kältere Gegenden der gemässigten Zone, Saatgut aus dem Norden der Verbreitungsgebiete stammend, zu beziehen. Dasselbe gilt in verstärktem Masse von Pflänzlingen, die in Baumschulen, welche sich der Züchtung von Waldbäumen widmen, beispielsweise W. W. Johnson in Snowflake in Michigan, bereits einmal verpflanzt, für 20 Mark pro 100 Stück käuflich sind. Es gibt übrigens auch in Deutschland einige Baumschulen, welche Hickorybäumchen liefern. Um den Samen des Muskatnusshickorybaumes zu beziehen, muss man die Vermittelung einer grösseren Samenhandlung in Nordamerika in Anspruch nehmen. Pflänzlinge dieser Art sind meines Wissens in keiner Baumschule zu haben.

Die Saat der Nüsse geschieht wie diejenige der Wallnüsse. Da die Sämlinge starke Pfahlwurzeln treiben, wird häufig das

Verpflanzen mit gleichzeitigem Pikieren empfohlen, nicht ohne energischen Widerspruch zu finden. Notwendig, wie man namentlich in Deutschland meint, ist diese Massregel nicht, man gelangt zu recht befriedigenden Erfolgen durch Saat auf die dauernden Standorte und wer das Versetzen und Pikieren in der Baumschule nicht mit Sorgfalt ausführen kann oder mag, oder wer auf einer regenarmen Steppe wohnt, wendet sich am besten dem letzteren Verfahren zu. Unzweifelhaft kann aber durch das Versetzen und Pikieren die Bewurzelung verstärkt werden, doch ist zu betonen. dass die Hickorybäume diese Behandlung nur in ihrer frühesten Jugend ohne Schaden vertragen, später hat sie einen bedeutenden Stillstand in der Entwickelung zur Folge. Und darin scheint man bei den Einführungsversuchen in Deutschland Fehler gemacht zu haben, wie ich aus dem Austausche der Erfahrungen in Fachzeitschriften schliessen muss. Beispielsweise meinte ein Enttäuschter. die Hickorybäume eigneten sich nicht für das deutsche Klima, da die seinigen in 8 Jahren nur 5 Fuss hoch gewachsen seien. obgleich er sie dreimal versetzt habe. Das müsste richtiger heissen „trotzdem“ er sie dreimal versetzt habe. Übrigens mache ich darauf aufmerksam, dass alle Hickoryarten in der Jugend, etwa bis zum 10. Jahre, langsam wachsen, was nicht entmutigen darf, denn von da ab ist die Entwickelung um so kräftiger.

Als die vorteilhafteste Behandlung erscheint das Pikieren ohne gleichzeitiges Versetzen, auszuführen bei grösseren Anlagen mit dem an anderer Stelle geschilderten Baumgräberpflug. Wo sich dessen Anschaffung nicht lohnt, mag man das zuweilen von den Nordamerikanern geübte Verfahren nachahmen, wenn sie junge Hickorywildlinge aus den Wäldern verpflanzen. Da sie das häufige Fehlschlagen einer solchen Übertragung kennen, heben sie an einer Seite der Wurzeln ein Loch aus und stossen mit einem scharfen Instrument ein Stück der Pfahlwurzel ab. Dann füllen sie das Loch wieder aus und lassen das Bäumchen bis zum nächsten Jahre stehen. wo es gefahrlos verpflanzt werden kann.

Gleich den Wallnussbäumen sollen auch die Hickorybäume nicht ungemischt angepflanzt werden und gleich diesen mag man die unteren Äste zur Erzielung eines hohen, astfreien Stammes in der Jugend abschneiden, niemals darf der Hauptast eingespitzt werden. Zum Schlagholzbetrieb sind die Hickorybäume recht geeignet.

denn ihre Stümpfe treiben kräftige Schösslinge aus, die eine vielseitige Verwendung finden können, wie aus obigen Angaben ersichtlich ist.

24. Oregoncedernholz.

Lawsonceder (Chamaecyparis Lawsoniana, Familie Coniferae).
Gleichnamen: Port Oxfordceder,
Oregonceder, weisse Ceder, Lawsons Cypresse, Ingwerkiefer.

Die Gattung Chamaecyparis besteht nur aus 7 Arten, von welchen eine im östlichen, zwei im westlichen Nordamerika und vier im östlichen Asien heimisch sind.

Die Lawsonceder ist ein auch in Europa bekannter prächtiger Zierbaum, der als solcher selbst an der Pazifikküste, wo man, wie überall auf der Erde, den Propheten des eigenen Landes nicht zu achten pflegt, die verdiente Würdigung gefunden hat. Hier, in seiner Heimat, ist er aber auch von hoher wirtschaftlicher Bedeutung. In Californien kommt dieser Baum selten vor, sein eigentliches Verbreitungsgebiet ist die Küste von Oregon in einer Breite von etwa 50 Kilometer. Er erreicht eine Höhe von 45 bis 60 Meter bei einem Stammdurchmesser von 1,80 bis 4 Meter. Die schlanken Äste stehen entweder wagerecht oder sanft geneigt, die Zweige breiten sich fächerartig und sind anmutig mit der Spitze aufwärts gebogen. Die Nadeln sind klein, zugespitzt, tiefgrün, mehr oder weniger mit Drüsen besetzt. Unter jeder Schuppe der Zapfenfrucht liegen 2 bis 4 Samen.

Das Holz ist leicht, hart, stark, sehr dichtfaserig, leicht zu bearbeiten, sehr dauerhaft in Berührung mit der Erde, von wohlriechendem Harz durchdrungen, seidenartig, nimmt eine schöne Politur an. Die Schichten der kleinen Sommerzellen sind dünn, die Markstrahlen sind zahlreich und sehr undeutlich. Die Farbe ist rahmgelb oder nahezu weiss, der dünne Splint ist kaum vom Kernholz zu unterscheiden.

Rangstellung unter den nordamerikanischen Hölzern: die 352. in spezifischer Schwere, die 350. im verhältnismässigen Brennwert, die 31. im Coefficienten der Elastizität, die 97. in der Bruchfestigkeit, die 135. in der Druckfestigkeit, die 275. in der Eindruckfestigkeit.

Verwendet wird dieses Holz massenhaft zu Bahnschwellen, Zaunpfosten. Schwefelhölzern und im Schiffbau zu Deckplanken und Zwischendeckplanken. Auch zur inneren Auskleidung der Häuser ist es sehr geschätzt, wie für viele andere Zwecke, wo ein klares, astfreies, weiches, dauerhaftes Holz verlangt wird. Es ist das bevorzugteste Holz an der Pazifikküste für Eimer, Zuber und ähnliche Gefässe; wenn dieselben mit Messingreifen gebunden sind, machen sie einen sehr gefälligen Eindruck, dabei sind sie dauerhaft.

Nicht selten wird es auch zu Möbeln verarbeitet, nicht allein seiner schönen. klaren, hellen Farbe wegen, sondern auch weil sein Harzgeruch ein kräftiges Vertreibungsmittel für Insekten ist. In solchen Möbeln können aber keine delikaten Gewebe aufbewahrt werden, weil sie von dem flüchtigen Harzöl durchdrungen und verfärbt werden. Auch harte, glatte Gegenstände bedecken sich bald mit einem harzigen Überzug.

Der Same ist von allen californischen Samenhandlungen zum Preise von 30 bis 50 Mark pro Kilogramm, je nach der Grösse des Auftrags, zu beziehen. Derselbe darf bei der Saat nur mit sehr wenig Erde bedeckt werden.

Die Lawsonceder ist nicht wählerisch im Boden, doch muss derselbe feucht oder frisch, nicht trocken oder sumpfig sein. Am zweckmässigsten wird dieser Baum mit anderen Nadelhölzern gemischt angepflanzt; wie sehr ihm eine seitliche Beschattung not thut, geht daraus hervor, dass er. als Zierbaum freistehend. sich ganz tief verästelt, während er als Waldbaum einen ast- und knorrenfreien Stamm von 15 bis 30 Meter Höhe zeigt, bei einer Gesamthöhe von 45 bis 60 Meter.

Früher wurde die gelbe oder Sitkacypresse übereinstimmend mit der Lawsonceder gehalten; Carrière aber hat sie als Chamaecyparis nutkaensis getrennt; sie unterscheidet sich von der Lawsonceder durch gedrängteren Wuchs und etwas dunkleres Holz. Es ist der wichtigste Waldbaum Alaska's und wohl wert, in andere nordische Gegenden eingeführt zu werden. Die Lawsonceder scheint in der ganzen gemässigten und halbtropischen Zone ihr Fortkommen zu finden.

25. Weisses Cedernholz.

Weisse Ceder (Chamaecyparis sphaeroidea, Familie Coniferae).

Die Nordamerikaner kennen noch eine andere weisse Ceder: Thuya occidentalis, ein kleinerer Baum, der geringwertigeres Holz liefert. Die in Rede stehende weisse Ceder erreicht eine Höhe von 24 bis 27 Meter, bei einem Stammdurchmesser von 0,60 bis 1,20 Meter. Die Blätter sind sehr klein, schuppenförmig, fahl, glänzend grün und sitzen in 4 Reihen. Die Blüten sind einhäusig und sitzen an den Enden verschiedener Zweige. Die weiblichen Kätzchen sind rund, ebenso die Früchte, welche, fest geschlossen, sich bei der Reife öffnen. Die Schuppen sind dick, spitz und bedecken an ihrem Grunde die wenigen Samen. Verbreitet ist dieser Baum vom südlichen Maine bis nördlichen Florida und der Golfküste entlang.

Das Holz ist sehr leicht und weich, nicht stark, dichtfaserig, leicht zu bearbeiten, wohlriechend, sehr dauerhaft unter Wasser, in Berührung mit der Erde und dem Wetter ausgesetzt. Die Schichten der kleinen Sommerzellen sind dünn, dunkelfarbig und deutlich. Die Markstrahlen sind zahlreich und undeutlich. Die Farbe ist lichtbraun ins Rötliche schimmernd, dunkelt nach in Berührung mit der Luft; der Splint ist heller.

Rangstellung unter den nordamerikanischen Hölzern: die 423. in spezifischer Schwere, die 424. in verhältnismässigem Brennwert, die 302. im Coefficienten der Elastizität, die 289. in der Bruchfestigkeit, die 309. in der Druckfestigkeit, die 301. in der Eindruckfestigkeit.

Dieses Holz findet eine massenhafte Verwendung zu Schindeln, Zäunen, Telegraphenstangen, Bahnschwellen, wo leichter Verkehr stattfindet, billigen Möbeln, zur inneren Auskleidung der Häuser und im Bootbau. Ganz besonders geeignet aber ist es zur Herstellung von Spielwaren, Gefässen und jenen kleinen Holzwaren, mit welchen sich die Nordamerikaner einen weltweiten Markt erobert haben. Die Kohle wird von den Pulverfabriken gekauft. Als vorzüglich gilt auch der diesem Holze entstammende Kienruss.

Auf diesen nützlichen Baum mache ich deshalb mit Betonung aufmerksam, weil er sich zur Bepflanzung von Sümpfen eignet, die selbst nicht für Erlen und Weiden taugen. Häufig siedelt er sich in so tiefen Sümpfen an. dass seine Wurzeln keinen kräftigen

Halt gewinnen. und er von einem starken Sturm umgeworfen wird. In einigen Sümpfen New-Jersey's liegen. wahrscheinlich seit Jahrhunderten, enorme Mengen dieses Holzes in wohlerhaltenem Zustand. welche. nun so zu sagen, bergmännisch ausgebeutet werden. Die Bäume liegen, offenbar vom Sturm umgeworfen, gekreuzt übereinander. Wenn mit Hülfe von eisernen Stangen die Lage eines abbauwürdigen Baumes entdeckt ist. werden die Wurzeln abgehauen, der Stamm erscheint dann schwimmend an der Oberfläche. wo er in Blöcke zerlegt wird. Die Arbeiter stehen auf einem Floss.

Für die gemässigte Zone dürfte dies der wertvollste Sumpfbaum sein. Derselbe wächst schnell, verträgt viel Schatten und ist leicht fortzupflanzen. Den Samen führen die nordamerikanischen Samenhandlungen nicht, besorgen ihn aber. Bei Bestellungen ist der botanische Name anzuführen. da sonst eine Verwechselung um so wahrscheinlicher ist. weil der Same der genannten anderen weissen Ceder gewöhnlich vorrätig gehalten wird.

26. Rotes Cedernholz.

Rote Ceder (Juniperus virginiana, Familie Coniferae).

Gleichnamen: Bleistiftceder, Savin.

Wie der botanische Name sagt, gehört dieser Baum zu den Wachholdergewächsen. die in 28 Arten zerfallen, von welchen 4 in Nordamerika heimisch sind. Den Namen Ceder trägt er, gleich einer Zahl verschiedener anderer Bäume, mit Unrecht. Er ist, von allen nordamerikanischen Mitgliedern der Familie Coniferae am weitesten verbreitet. gehört er doch zu den wenigen Pflanzenarten. die östlich und westlich von den Felsengebirgen heimisch sind. Seine nördliche Verbreitungsgrenze läuft vom südlichen Neu-Braunschweig nach dem Norden von Michigan, Wisconsin und Minnesota, die südliche zieht sich von der Tampabai in Florida bis zum Coloradofluss in Texas; diese Hälfte des Verbreitungsgebietes findet ihren Abschluss am 100. Längengrad. In Utah, Arizona und Nevada tritt dieser Baum selten, in Californien und Oregon gar nicht auf, dagegen ist er ziemlich häufig in Britisch Columbia.

Die rote Ceder erreicht eine Höhe von 20 bis 25 Meter; im Thale des roten Flusses in Texas, wo er sich am kräftigsten entwickelt, kommen Exemplare von 30 Meter Höhe vor; zum Busche wird er an seiner nördlichen Verbreitungsgrenze.

Die Blätter sind klein, schuppenartig, zugespitzt und stehen entgegengesetzt. Die sehr kleinen Kätzchenblüten sind zweihäusig, zuweilen einhäusig und werden von kleinen, beerenartigen, harzigen, aufrechtstehenden Früchten gefolgt.

Das Holz ist leicht, weich, nicht stark, spröd, sehr fein-, dicht- und geradfaserig, wohlriechend, von bitterem Geschmack, der gegen die Angriffe der Insekten schützt, leicht zu bearbeiten und sehr dauerhaft in Berührung mit der Erde. Die Schichte der kleinen Sommerzellen ist breit und deutlich. Die Markstrahlen sind zahlreich und sehr undeutlich. Die Farbe ist dumpfrot, der dünne Splint nahezu weiss.

Grünes Holz wiegt 512 Kilogramm pro Kubikmeter, trockenes 448 Kilogramm.

Beim Trocknen findet also ein vergleichsweise geringer Gewichtsverlust statt, deshalb vollzieht sich dieser Vorgang schnell.

Rangstellung unter den nordamerikanischen Hölzern: die 325. in spezifischer Schwere, die 324. im verhältnismässigen Brennwert, die 244. im Coefficienten der Elastizität, die 165. in der Bruchfestigkeit, die 195. in der Druckfestigkeit, die 183. in der Eindruckfestigkeit.

Benutzt wird dieses Holz zu Bahnschwellen, Zaunpfählen, Möbeln, Schachbrettern, Linealen, Gefässen, Hohlmassen und zur inneren Auskleidung der Häuser, seine bekannteste Verwendung aber findet es zu Bleistiften, behaupten doch Sachkenner, es sei das einzige Holz, welches zu diesem Zwecke vollständig befriedige. Das war auch die Ursache, warum die bayerische Regierung schon vor Jahren diesen Baum in ihre Wälder einführte und wie wohl sie daran that, zeigt die in der Gegenwart mehr und mehr zu Tage tretende Knappheit an diesem Holze, denn für dasselbe ist der Begehr steigend, nicht allein im Inlande, sondern auch im Auslande, wohin es in runden wie behauenen Blöcken exportiert wird, während die Forterhaltung des langsam wachsenden Baumes der Natur überlassen bleibt.

Eine Abkochung der Früchte dient als harntreibendes Mittel.

Die rote Ceder wird am häufigsten auf trockenen, kiesigen Hängen, von hart am Meeresstrande bis zu bedeutenden Erhebungen im Inlande gefunden. Kalksteinboden scheint ihr besonders zuzusagen. In den Golfstaaten, namentlich in der Nähe der Küste, kommt sie auf sumpfigem Gelände vor. Auf kiesigen Ufern von Wasserläufen soll sie sich am schnellsten und kräftigsten entwickeln.

Es empfiehlt sich, den Samen, welchen die nordamerikanischen Samenhandlungen für 10 Mark pro Kilogramm anbieten, leicht zu quetschen und mit einer annähernd gleichen Menge nasser Holzasche zu vermengen. In etwa 3 Wochen haben die Alkalien der Asche den Harzstoff des Samens zerlegt und der letztere kann nun rein gewaschen und in feine, mit Sand vermischte Lauberde gesät werden. Nach 2 Jahren mag die Verpflanzung stattfinden.

Die rote Ceder ist sehr widerstandsfähig gegen Dürre und verträgt eine ziemlich starke Beschattung.

27. Schwarzes Cypressenholz.

Schwarze Cypresse. (Taxodium distichum, Familie Coniferae.)
Gleichnamen: kahle Cypresse, sommergrüne Cypresse, rote Cypresse, weisse Cypresse.

Es ist kaum nötig, darauf hinzuweisen, dass die volkstümlichen Namen der nordamerikanischen Bäume teilweise im Widerspruch stehen mit der botanischen Klassifikation, am häufigsten ist dies mit den sogenannten Cedern und Cypressen der Fall. Auch der in Rede stehende Baum ist keine Cypresse, sondern gehört einer Gattung an, die in Nordamerika nur durch eine Art vertreten und den Eiben (Gattung Taxus) nahe verwandt ist. Er ist sommergrün, was an ihm, den milderen Gegenden angehörigen Nadelholzbaum hervorzuheben ist. Seine nördliche Verbreitungsgrenze läuft vom südlichen Delaware nach dem südlichen Illinois, die südliche zieht sich vom Cap Romano in Florida, mit Umfassung der Golfstaaten, nach dem Thale des Nuecesflusses in Texas.

Die Blüten sind einhäusig und sitzen an demselben Zweige; die weiblichen Kätzchen sind länglich oval und in kleinen Bündeln geordnet. Die Zapfenfrüchte sind rund, geschlossen, aus sehr dicken, etwas schildförmigen Schuppen gebildet, zwei scharfkantige Samen liegen unter jeder Schuppe. Die schmalen, linealischen Blätter sind paarweise, sie fallen im Herbst ab, nebst einem Teile der dünnen, laubartigen Zweige vom letzten Wuchse.

Die Höhe dieses stattlichen Baumes bewegt sich zwischen 25 und 45 Meter, bei einem Stammdurchmesser von 1,80 bis 4 Meter.

Das Holz ist leicht, weich, dicht- und geradfaserig, nicht stark, leicht zu bearbeiten, sehr dauerhaft in Berührung mit der Erde und unter Wasser fast unzerstörbar. Die Schichten der kleinen Sommerzellen sind breit, deutlich und harzig. Die Markstrahlen sind zahlreich und sehr undeutlich. Die Farbe ist dunkelbraun bis hellbraun, der Splint nahezu weiss. Im Holzgeschäfte wird zwischen schwarzem und weissem (in Wahrheit dunkelbraunem und hellbraunem) Cypressenholz von derselben Baumart unterschieden und ist noch festzustellen, ob diese Farbenabweichung auf Einflüsse des Bodens zurückzuführen ist oder ob sich der Baum in zwei Spielarten gegliedert hat; wahrscheinlicher ist das erstere.

Dieses Holz findet in seinem Verbreitungsgebiet eine massenhafte Verwendung, vorzugsweise zu Schindeln, Zäunen, Gefässen und kleinen Holzwaaren, zur inneren Auskleidung der Häuser und zu Bahnschwellen, die sich aber nur für leichten Verkehr bewähren; für schweren Verkehr ist das Holz zu weich.

Die schwarze Cypresse bedarf viel Licht und eines sehr feuchten bis nassen Bodens, sie wird auf tiefgründigen, humusreichen Flussufern, häufiger in wasserreichen Sümpfen gefunden, wo die Wurzeln der älteren Bäume oft teilweise entblösst und eigentümlich knieförmig gebogen sind. Der untere Stammteil ist zuweilen hohl. Das beste Holz soll sie auf feuchtem Sandboden, der kein stehendes Wasser hält, liefern.

Die Fortpflanzung durch Samen soll leicht sein, wie behauptet wird, keinenfalls auf Grund zahlreicher Versuche, denn dieser Baum wurde noch nicht forstlich angepflanzt und dient auch nicht als Zierbaum. Die nordamerikanischen Samenhandlungen führen den Samen nicht, besorgen ihn aber.

28. Rotholz.

Rotholzbaum (Sequoia sempervirens, Familie Coniferae).

Ein Californien eigentümlicher Baum; seine nördliche Verbreitungsgrenze fällt mit der Nordgrenze dieses Staates zusammen, während er nach Süden nicht weiter wie das County Santa Cruz vordringt und zwar in einem Küstenstreifen von nicht über 50 Kilometer Breite. Die dicke Rinde ist hellzimtbraun. die spitz zulaufenden Nadeln sind oben dunkelgrün, unten gräulich seegrün, sie stehen zweireihig an den Zweigen. Die Blüten sind einhäusig, im zweiten Jahre reifen die etwa 3 Zentimeter langen und 1½ Zentimeter dicken, holzigen, ovalen Zapfenfrüchte. Die Samen sind flach. länglichoval, mit dicken, schwammigen Rändern.

Zählt man die höchsten Bäume der Erde auf, dann nennt man auch den Rotholzbaum, erreicht er doch eine Höhe von 60 bis 92 Meter bei einem Stammdurchmesser von 2,40 bis 7 Meter. Sein einziger noch lebender Gattungsverwandte, der vielgenannte Mammutbaum oder Wellingtonia gigantea (Sequoia gigantea), gilt für grösser, allein das ist nur wahr, wenn man die wenigen Gruppen in Calaveras county, die von Reisenden als Wunder Californicus besucht werden, in Vergleich zieht. Es sei hier der weitverbreitete Irrtum berichtigt, der Mammutbaum sei nur noch in jenen, unzählige mal geschilderten Gruppen vorhanden. Dem ist nicht so. Tiefer im Gebirge von den letzteren, dehnt er sich über ein Gebiet von 44 englischen Quadratmeilen, bildet aber an keinem Punkt einen so riesenhaften Wald, wie der Rotholzbaum an der wenig besuchten Küste des County's Del Norte. Beiläufig bemerkt, ist das Holz des Mammutbaumes geringwertiger wie das des Rotholzbaumes, deshalb wird es auch nicht benutzt, obgleich in dem angegebenen, eigentlichen Verbreitungsgebiet die Holzgewinnung nicht verboten ist.

Das Holz des Rotholzbaumes ist leicht. weich, nicht stark, sehr spröde, grobfaserig, dicht, nimmt eine schöne Politur an, spaltet und bearbeitet sich leicht, hat einen schwach bitterlichen Geschmack, ist sehr dauerhaft in Berührung mit der Erde und wenig dauerhaft, wenn dem Wetter ausgesetzt; es enthält entweder sehr wenig oder gar kein Harz, da es zu Weinfässern benutzt wird, ohne Nachteil für den Inhalt. Die Schichten der kleinen Sommerzellen sind dünn, dunkelfarbig und deutlich. Die Markstrahlen sind zahlreich und sehr undeutlich. Die Farbe ist klarlichtrot, der dünne Splint nahezu weiss.

Rangstellung unter den nordamerikanischen Hölzern: die 387. in spezifischer Schwere, die 386. im verhältnismässigen Brennwert, die 241. im Coefficienten der Elasticität, die 246. in der

Bruchfestigkeit, die 196. in der Druckfestigkeit, die 287. in der Eindruckfestigkeit.

So ist das wichtigste Nutzholz Californicus beschaffen — das wichtigste, weil es gegenwärtig noch in Fülle vorhanden ist, selbst im Vergleiche zu dem grossartigen Bedarfe, sowie in einem Gebiete steht, wo die Gewinnung am leichtesten und billigsten im Staate ist und eine vielseitige Verwendbarkeit zulässt. Wenn es in Californien auch, nach der landesüblichen Bauweise, zur äusseren Bekleidung der Häuser, zu Schindeln und Zäunen benutzt wird, so darf das in Bezug auf seine Wetterfestigkeit nicht irre führen. Was auch von Seite Derer gesagt wird, die an dem Aufpuffen dieses Holzes ein Interesse haben oder es als eine patriotische Pflicht erachten, dasselbe hervorzuheben — die Haltbarkeit des Rotholzes ist von geringer Dauer, wenn dem Wetter ausgesetzt, und wenn dies schon in dem trockenen Klima Californiens zu beobachten ist, um wie viel auffälliger muss es in einem regenreichen oder nur luftfeuchtem Klima sein?! In Californien lebt man der Gegenwart, ohne berechnenden Blick in die Zukunft, so erklärt sich die Verwendung des massenhaft auf den Markt kommenden billigen Rotholzes zu den angegebenen ungeeigneten Zwecken. Da dasselbe seit einigen Jahren in steigenden Mengen ausgeführt wird, so schien mir diese Darlegung geboten zu sein.

Dagegen ist das Rotholz unzweifelhaft recht gut geeignet zur inneren Auskleidung der Häuser, ebenso zu billigen Möbeln. Zu diesen Zwecken empfiehlt es sich durch seine angenehme Farbe, seine klare Faserung, leichte Bearbeitung und „festes Stehen“. Über den letzteren Vorzug ist erklärend hinzuzufügen, dass das Rotholz leicht trocknet mit geringer Neigung zum Werfen, trotzdem darf es nur gut getrocknet verarbeitet werden, da es die Eigentümlichkeit besitzt, mehr wie andere Hölzer in der Längenrichtung zu schrumpfen.

Zuweilen finden sich im Rotholz ähnliche Maserungen wie im Zuckerahornholz, ebenfalls Vogelaugen genannt, die als prächtiges Luxusholz in der Möbeltischlerei hochgeschätzt und entsprechend bezahlt werden.

Seiner Farbe und leichten Spaltbarkeit wegen ist das Rotholz zu Cigarrenkistchen sehr brauchbar, ferner ist seine Benutzung empfehlenswert für Lohfässer, Särge, Modelle, Bahnschwellen und Kisten, namentlich leichte Obstkisten.

Der Brennwert ist gering, wohl brennt es leicht und mit heller Flamme, aber mit sehr wenig Wärmeentwickelung.

Das Rotholz kommt selten und nur in milder Form mit Kernrissen, Sternrissen oder Tassenrissen auf den Markt, dagegen sind weissgelbe Flecken an Stücken aus den unteren Stammteilen ziemlich häufig; sie deuten die beginnende Verwesung an. Daher ist beim Ankaufe darauf zu achten, dass das Rotholz eine durchaus klare, fleckenlose, lichtrote Farbe besitzt.

Für den Rotholzbaum scheinen die Seenebel eine Lebensbedingung zu sein, denn nur so weit, wie dieselben reichen, dringt er ins Inland vor. Die vielen verunglückten Einführungsversuche in andere Länder scheinen vorzugsweise durch die Nichtbeachtung dieser Thatsache verschuldet zu sein.

In seiner Heimat kommt dieser Baum auf einem Boden vor, der aus Sandstein und Basalt hervorgegangen ist, wie auf Schwemmboden, den das Meer angesetzt hat. Auf dem letzteren erreicht er seine grösste Entwickelung, allein auf Kosten der Qualität seines Holzes. Bemerkenswert ist, dass da, wo im Verbreitungsgebiet inselartig Kalkstein auftritt, der Rotholzbaum fehlt. Feuchtigkeit des Bodens ist eine Wachstumsbedingung, auf trockenem, seichtem Boden findet sich dieser Baum entweder gar nicht oder verkrüppelt.

Weil zu den Nadelhölzern gehörend, ist es eine auffallende Eigenschaft des Rotholzbaumes, dass er viele und kräftige Schösslinge aus dem Stumpf treibt. Auf diese Weise erneuern sich die abgeholzten Rotholzwälder.

Der Rotholzbaum wächst von frühester Jugend auf kräftig und verträgt ziemlich viel Schatten.

Den Samen dieses Baumes bieten die californischen Samenhandlungen mit 30 Mark pro Kilogramm an.

29. Weymouthskiefernholz.

Von den etwa 70 Kiefernarten der Erde entfallen 26 auf Nordamerika, von welchen als eine der wichtigsten zu betrachten ist die

Weymouthskiefer (Pinus Strobus, Familie Coniferae).
Gleichname: White Pine.

Ein schon seit ungefähr 100 Jahren in Europa eingeführter Baum, mit sehr dünnen, glänzenden Nadeln, die zu je 5 in einem

Büschel stehen. Die Rinde ist glatt, mit Ausnahme bei alten Bäumen; die Fruchtzapfen sind dünn, cylindrisch, oft etwas gebogen, 10 bis 12 Zentimeter lang; die Schuppen sitzen ziemlich lose; der Same ist glatt.

Die Höhe des Baumes bewegt sich zwischen 24 und 52 Meter, bei einem Stammdurchmesser von 1,20 bis 3,50 Meter. Das Verbreitungsgebiet umfasst Neufundland, auf dem Festlande zieht die nördliche Grenze von der nördlichen Küste der St. Lorenzobai nach dem Nipigonsee und dem Thale des Winnipegflusses, die südliche läuft von Pennsylvanien nach dem Südufer des Michigansees, mit einer Abzweigung längs des Alleghanygebirges bis zum nördlichen Georgia. Die höchste Entwickelung erreicht dieser Baum in der Region der grossen Seen, wo er teils ausgedehnte Wälder bildet, teils in Gruppen in den Laubholzwäldern auftritt. Nördlich vom 47. Breitegrad, südlich von Pennsylvanien, im mittleren Michigan und Minnesota kommt er seltener vor, ist kleiner und liefert geringwertigeres Holz.

Das Holz ist weich, leicht, nicht stark, sehr dicht- und geradfaserig, leicht zu bearbeiten und nimmt eine schöne Politur an.

Die Schichten der kleinen Sommerzellen sind dünn, nicht deutlich, die Harzgefässe sind klein, weder zahlreich noch deutlich. Die Farbe ist fahlgelb, zuweilen ins bräunliche oder rötliche schimmernd.

Ich glaube hier auf folgenden Widerspruch aufmerksam machen zu sollen: in manchen nordamerikanischen Fachschriften wird das Weymouthskiefernholz harzfrei erklärt, während es Heinrich Mayr an die Spitze der harzigen Nadelhölzer stellt, wie in einem anderen Abschnitte dargethan wurde. Jedenfalls liegt die Wahrheit in der Mitte.

Rangstellung unter den nordamerikanischen Hölzern: die 408. in spezifischer Schwere, die 409. im verhältnismässigen Brennwert, die 161. im Coefficienten der Elastizität, die 232. in der Bruchfestigkeit, die 271. in der Druckfestigkeit, die 293. in der Eindruckfestigkeit.

Als Nachteile dieses Holzes sind zu bezeichnen: es ist nur in trockener Luft dauerhaft, quillt und schrumpft stark, wenn sich im Feuchtigkeitsgehalte der Luft bedeutende Schwankungen vollziehen, für manche Verwendungen ist seine Weichheit ein ernstliches Hindernis, es ist Kernrissen und Kreisrissen ausgesetzt, und die nächsten Jahresringe um den Markkern alter Stämme sind gewöhnlich schwammig und die oberen Stammteile sind knorrig.

In der Sägemühlenindustrie des östlichen Nordamerika's spielte bis jetzt das Weymouthskiefernholz die weitaus wichtigste Rolle. dort wird kein anderes Holz in annähernden Mengen zu Brettern. Schindeln, Latten u. s. w. verschnitten. Im Verbreitungsgebiet des Baumes ist sein Holz das gebräuchlichste Baumaterial, obgleich den Balken keine schwere Belastung zugemutet werden darf und die dem Wetter ausgesetzten Holzteile nicht lange dauern. In Gegenden, wohin das Holz in Form von Brettern exportiert wird, dient es vorzugsweise zur inneren Auskleidung der Häuser, zu welchem Zwecke es bei den Tischlern sehr beliebt ist, weil es sich leicht und schön bearbeitet. Ferner dient es zur Anfertigung von billigen Möbeln, Modellen. Schwefelhölzern und verschiedenen Holzwaren. Als Brennstoff hat es kaum Wert. Im Schiffbau wurde dieses Holz früher in ausgedehnterem Masse benutzt wie

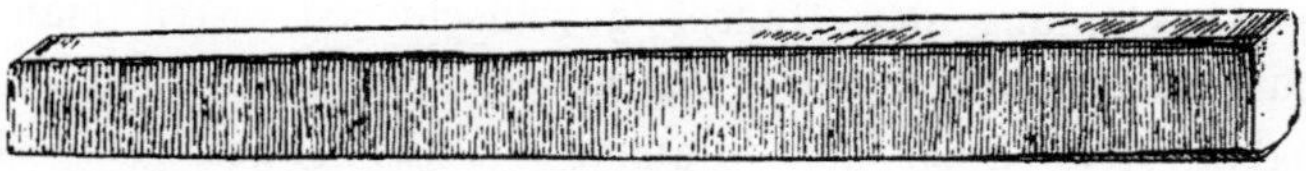

Figur 57.

jetzt. Die Zeit liegt noch nicht lange zurück, wo Weymouthskiefernmasten als allerersten Ranges betrachtet wurden, gegenwärtig werden sie mehr und mehr verdrängt von Douglastannen- und Kaurikiefernmasten, mehr vielleicht noch von eisernen Masten. Das Weymouthskiefernholz wird immer noch in beschränkter Menge zu Deck- und Zwischendeckplanken, Schanzkleidungen, Kabinen u. s. w. verwendet, doch sehen sich die Schiffbauer lebhaft nach einem Ersatze um, da sie sehr wohl wissen, dass die Vorräte dieses Holzes rasch der Erschöpfung entgegengehen. Ist doch von amtlicher Seite berechnet worden. dass die hierbei ganz vorzugsweise in Betracht zu ziehenden Staaten Michigan. Wisconsin und Minnesota in 15 Jahren ihren Bestand an Weymouthskiefern aufgearbeitet haben werden. Jetzt beginnt schon die Auswanderung der Sägemüller aus jener Region nach dem Verbreitungsgebiet der Terpentinkiefer.

Nach Europa wird das Weymouthskiefernholz exportiert, teils in Blöcken von 5 bis 12 Meter Länge und 0,37 bis 0,65 Meter im Quadrat, so sorgfältig behauen wie die Figur 57 zeigt. teils in

Brettern von 3 bis 6 Meter Länge, von verschiedener Breite und Dicke. Die Letzteren werden in 3 Qualitäten sortiert und mit einem Rötelstein I. II. und III. markiert. In den Fakturen und Marktberichten wird ein weiterer Unterschied gemacht zwischen bright (hell) und floated (geflösst). Das geflösste Holz hat etwas von seiner hellen Farbe eingebüsst, was eine kleine Einbusse am Preise, gegenüber dem nicht geflössten Holze, zur Folge hat.

Da das Weymouthskiefernholz für Nordamerika etwa dieselbe Wichtigkeit besitzt, wie das Kiefernholz für das nördliche und mitttere Europa, so sind häufig vergleichende Abwägungen angestellt und die Frage aufgeworfen worden, welcher der beiden Bäume der wertvollere sei. Meines Erachtens schwebt ein Vergleich zwischen zwei Hölzern, die für verschiedene Zwecke geeignet sind, in der Luft. Kein Sachkenner wird dem Weymouthskiefernholz dieselbe Traglast zumuten wie dem Holz von Pinus sylvestris und von ihm eine gleiche Wetterfestigkeit erwarten, wo dagegen ein leichtes, weiches, sich schön bearbeitendes Holz zur inneren Auskleidung der Häuser gewünscht ist, wird man dem Weymouthskiefernholz den Vorzug geben.

Daher steht auch der folgende Vergleich des Bundesforstkommissars auf schwankenden Füssen. Nach der Erfahrung bedarf die Weymouthskiefer in Nordamerika eines 90 jährigen Wachstums, um Holz erster Qualität zu produzieren. Nach der Theorie, dass die spezifische Schwere eines Holzes das beste Wahrzeichen sei für den Wert als Brennstoff und zu Bauzwecken, ist die folgende Gegenüberstellung zu beurteilen: die spezifische Schwere des Holzes einer 90 jährigen Weymouthskiefer wurde mit 0,4118 ermittelt, die spezifische Schwere des Holzes einer in Nordamerika gewachsenen 75 Jahre alten Kiefer (Pinus sylvestris) dagegen mit 0,491.

Daraus kann höchstens gefolgert werden, die Kiefer liefere unter gleichen Wachstumsverhältnissen eher verwendbares Holz wie die Weymouthskiefer, aber nicht, dass sie wertvoller oder rentabeler sei wie diese, denn die Holzpreise sprechen dabei mit.

Es war nur natürlich, dass ein so wichtiger Baum wie die Weymouthskiefer die Aufmerksamkeit der europäischen Forstleute und den Wunsch der Aneignung erregte. Den zahlreichen Einführungsversuchen sind bis jetzt nur Enttäuschungen gefolgt. Am abfälligsten haben die französischen Forstleute über diesen Baum geurteilt: er sei nicht den Platz wert, den er einnähme, von den Kulturkosten zu schweigen. In England, wo ihn Lord Weymouth einführte, dem zu Ehren er Weymouthskiefer genannt wurde, verurteilte man das selbstgezüchtete Holz als unbrauchbar und pflanzte ihn fortan nur noch zur Zierde in den Parks an. Die deutschen Forstleute, die auf eine 100jährige Erfahrung mit diesem Baum zurückblicken, scheinen zu keinem übereinstimmenden Urteil gekommen zu sein — aus seiner vollständigen Vernachlässigung in der Forstkultur lassen sich aber leicht Folgerungen ziehen. Indessen höre ich, dass in den letzten Jahren Deutschland bedeutende Samenbezüge in Nordamerika gemacht hat: die Anbauversuche sollen also jedenfalls wiederholt werden.

Haben die enttäuschten Forstleute unberücksichtigt gelassen, dass die Weymouthskiefer nur im Norden ihres Verbreitungsgebietes wertvolles Holz liefert, also in einem Klima mit langen, strengen Wintern und kurz begrenzter jährlicher Wachstumszeit? Für Frankreich und England muss diese Frage wohl bejaht werden. Ist das 90 bis 100jährige Wachstum der Weymouthskiefer abgewartet worden, bis das Holz auf seinen Wert geprüft wurde? Zum mindesten haben die französischen Forstleute zu hastig geurteilt. Vielleicht sind auch Missgriffe bei der Wahl des Bodens gemacht worden. Auf Kalksteinboden kommt die Weymouthskiefer kaum fort, auf seichtem, felsigem Gelände liefert sie ein wertloses Holz. Sie zieht Flussthäler Höhenrücken vor und gedeiht am freudigsten auf leichtem, lehmigem, feuchtem Sandboden mit thonigem Untergrund. Schwemmboden sagt ihr ebenfalls zu; jedenfalls ist sie nur auf einem tiefgründigen, mehr feuchtem wie trockenem Boden erfolgreich anzubauen, da sie sich empfindlich gegen dürren zeigt. Die Weymouthskiefer wächst rasch, verträgt nicht viel Schatten und wird am besten mit Laubhölzern gemischt angepflanzt.

Den Samen dieses Baumes bieten die nordamerikanischen Samenhandlungen mit 15 Mark pro Kilogramm an. Auf das Kilogramm gehen zwischen 15000 und 25000 Samen.

30. Zuckerkiefernholz.

Zuckerkiefer (Pinus Lambertiana, Familie Coniferae).

Von diesem Baum wird gesagt, er sei die grösste Kiefernart der Erde und wenn sich darüber auch streiten lässt, so ist er doch unzweifelhaft eine der grössten Kiefernarten. Seine Höhe bewegt sich zwischen 46 und 92 Meter bei einem Stammdurchmesser von 3 bis 7 Meter. Die Rinde ist lichtbraun, glatt und löst sich beim Vorgange der Erneuerung in kleinen Stücken ab. Die Nadeln sind 8 bis 12 Zentimeter lang, an den Rändern kaum bemerklich gezahnt, blaugrün, im Alter etwas gedreht und in Büscheln zu 5 geordnet. Die Samenzapfen reifen im zweiten Jahr, sie sind von hellbrauner Farbe, cylindrisch, 25 bis 40 Zentimeter lang, 8 bis 10 Zentimeter im Durchmesser und sitzen an 7 Zentimeter langen Stielen. Die Schuppen überklappen sich lose, sie bedecken den glatten, schwarzen, ovalen, etwas geflachten Samen mit Flügeln, die nicht ganz zweimal so lang wie breit sind.

Verbreitet ist dieser Baum in Oregon, im Küsten- und Cascadegebirge, von den Quellen des Mackenzieflusses und dem Thale des Rogueflusses südwärts bis zur californischen Grenze; in Californien an der westlichen Abdachung der Sierra nevada, dem Küstengebirge entlang bis zu den Santa Luciabergen, in den San Bernardino- und Cuyamacabergen.

Seine grösste Entwickelung erreicht er in der Sierra nevada des mittleren Californieus, in Erhebungen von 1200 bis 1800 Meter. Manche irrige Folgerungen in Bezug auf die klimatischen Ansprüche dieses Baumes sind aus der Thatsache gezogen worden, dass er in den angegebenen Erhebungen das freudigste Gedeihen zeige. Die Erklärung ist im Boden zu suchen. Die Sierra nevada besteht aus Granit, bedeckt mit jüngerem, vulkanischem Gestein. Nun verschwundene Gletscher haben auf dem etwa 3000 Meter hohen Kamm des Gebirges die vulkanische Decke bis auf die granitne Unterlage durchschnitten und die Geschiebe in der Erhebung von 1200 bis 1800 Meter als Moränen abgelagert.

Es wird nun begreiflich sein, warum in dieser Höhenlage nicht allein die Zuckerkiefern, sondern alle Waldbäume dieses Gebirgs zur höchsten Entwickelung gelangt sind. In keiner anderen Gegend ihres Verbreitungsgebietes findet die Zuckerkiefer einen gleich fruchtbaren Boden, wie hier, wo in feuchten Einsattelungen und Schluchten die riesigsten Exemplare vorkommen. Tritt sie auch im Küstengebirge auf, so scheint sie doch die Seenebel zu scheuen, denn nicht weiter dringt sie nach dem Strande vor, als bis zu den Vorposten des Rotholzbaumes. In diesem Gebirge wächst sie auf Böden, die aus Basalt und Trapp hervorgegangen sind, auf feuchten bis frischen, aber nicht sumpfigen Standorten.

Das Holz ist sehr leicht, weich, grob- und geradfaserig, dicht, seidenartig, leicht zu bearbeiten. Die Schichten der kleinen Sommerzellen sind dünn, deutlich, harzreich. Die Harzadern sind zahlreich, sehr gross und deutlich. Die Markstrahlen sind zahlreich und undeutlich. Die Farbe ist ganz lichtbraun, der Splint nahezu weiss. Der Geruch ist schwach aromatisch, der Geschmack süsslich.

Rangstellung unter den nordamerikanischen Hölzern: die 414. in spezifischer Schwere, die 414. im verhältnismässigen Brennwert, die 247. im Coefficienten der Elastizität, die 276. in der Bruchfestigkeit, die 276. in der Druckfestigkeit, die 283. in der Eindruckfestigkeit.

Das Zuckerkiefernholz gilt als das wertvollste Holz der Sierra nevada. Für die grossartige Sägemühlenindustrie besitzt es dieselbe Wichtigkeit wie das Weymouthskiefernholz für die Sägemühlen in der Region der grossen Seen. Es wird zu Brettern und Latten verschnitten, die zur inneren Auskleidung der Häuser, zu Fensterläden, Modellen, Holzwaaren, Zahnstochern u. s. w. verarbeitet werden. Den langjährigen Streit, ob das Zuckerkiefernholz mit dem nahe verwandten, fast denselben Zwecken dienenden Weymouthskiefernholz gleichwertig sei, haben die Zensusbeamten zu Ungunsten des Ersteren entschiedeu, allein die californischen Architekten beruhigen sich bei diesem Urteile nicht. Sie behaupten, für die in Betracht kommenden Verwendungen sei es gleichgültig, ob das Zuckerkiefernholz spezifisch etwas leichter und von geringerer Bruchfestigkeit sei wie das Weymouthskiefernholz, diesem gegenüber sei es nur durch seinen grösseren Reichtum an Harz im Nachteil, das nach der Verarbeitung oft durch die Politur oder den Anstrich dringe. Diesem Uebelstande könne indessen durch ein mehrwöchiges Wasserbad der Blöcke oder Bretter zur Auslaugung des Harzes vorgebeugt werden. Geschähe das, dann sei das Zuckerkiefernholz von gleicher Güte wie das Weymouthskiefernholz.

Ob diese Behauptung voll begründet ist oder nicht, jedenfalls ist die Zuckerkiefer eines Einführungsversuches wert da, wo das Gelingen wahrscheinlich ist, denn sie besitzt Eigenschaften, welche sie dem Forstmanne empfehlen. Derselbe wird es zu würdigen wissen, dass die Äste und Zweige so schlank und elastisch sind, dass sie weder Wind- noch Schneebruch zulassen. Während eines Sturmes in der Sierra nevada kann eine dichterische Phantasie einen Vergleich finden zwischen den flatternden Haaren von Riesenweibern und den wehenden Kronen der Zuckerkiefern, so sehr schmiegen sich dieselben der Luftströmung an. Der gerade, umfangreiche, bis zu bedeutender Höhe astfreie Stamm spricht ebenfalls zu Gunsten der Zuckerkiefer, ebenso ihre Lebenszähigkeit. Vielleicht befriedigen Einführungsversuche da, wo solche mit der Weymouthskiefer zu Enttäuschungen führten.

Aus den Stammwunden der Zuckerkiefer quillt ein süsslicher Stoff, dessen richtige Bezeichnung wahrscheinlich Gummiharz ist, und der von Indianern und Bergleuten zuweilen als Abführmittel benutzt wird. Diesem Stoffe verdankt die Zuckerkiefer ihren Namen; dieselbe als Zuckerquelle in Aussicht zu nehmen, wie es geschehen ist, klingt über die Massen lächerlich.

Den Samen dieses Baumes liefern die californischen Samenhandlungen zu 30 Mark pro Kilogramm.

31. Rotkiefernholz.

Rote oder harzige Kiefer. (Pinus resinosa, Familie Coniferae.)
Gleichname: Red Pine.

Ein in Neufundland, von der nördlichen Küste der St. Lorenzobai bis zum Thale des Winnipegflusses und nach Süden bis zum mittleren Michigan und Minnesota und zum nördlichen Pennsylvanien heimischer Baum. Seine Höhe bewegt sich zwischen 24 und 46 Meter bei einem Stammdurchmesser von 0,60 bis 1,40 Meter; die grösste Entwickelung erreicht er im nördlichen Wisconsin und Minnesota, auf leichtem, sandigem Lehmboden oder trockenen, felsigen Hügelrücken.

Die Rinde ist rötlich, darauf ist der Name des Baumes begründet und in breiten Flächen abgefurcht. Die langen Nadeln stehen paarweise an den zahlreichen, aber selten dicken Zweigen und bilden eine dichte Belaubung. Der Wuchs des Stammes ist gerad, nur zuweilen über dem Wurzelhals etwas gebogen.

Das Holz ist leicht, nicht stark, hart, dicht, dauerhaft, grobfaserig, elastisch und bearbeitet sich leicht mit einem schönen, seidenartigen Glanz. Die Schichten der kleinen Sommerzellen sind breit, dunkelfarbig, sehr harzreich. Der Harzadern sind wenig, klein, nicht deutlich. Die Markstrahlen sind zahlreich und dünn. Die Farbe ist weiss, mit einem rötlichen Schimmer, der Splint ist gelb, oft nahezu weiss und verhältnismässig dünn.

Rangstellung unter den nordamerikanischen Hölzern: die 332. in spezifischer Schwere, die 331. im verhältnismässigen Brennwert, die 50. im Coefficienten der Elastizität, die 136. in der Bruchfestigkeit, die 147. in der Druckfestigkeit, die 270. in der Eindruckfestigkeit.

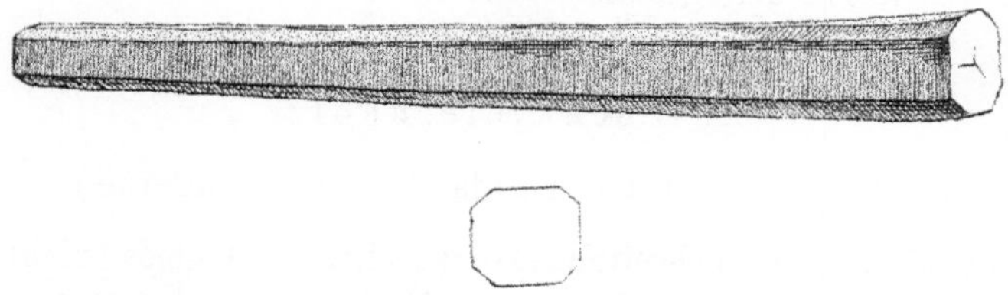

Figur 58.

Dieses Holz wird massenhaft zu Brettern verschnitten und als Balken zu leichteren Bauten verwendet. Bei den Zimmerleuten und Tischlern ist es sehr beliebt, weil es beim Trocknen nicht zu starkem Werfen und Schrumpfen geneigt ist und, gut getrocknet, vorzüglich steht. Die Blöcke sind gewöhnlich gesund und fest bis auf den Markkern und der Splint ist dünn; es gibt also wenig Abfall bei der Bearbeitung.

Die Bretter kommen hauptsächlich zur inneren Auskleidung der Häuser und in der Tischlerei zur Verwendung. Im Schiffbau findet dieses Holz eine starke Benutzung zu Deck- und Zwischendeckplanken wie zu Raastangen.

Canada macht ein lebhaftes Exportgeschäft in diesem Holze nach England, wo es so sehr geschätzt wird, dass es stets seinen richtigen Namen führt und nicht, wie die übrigen Nadelhölzer Canada's, unter dem Sammelnamen Canada spruce inbegriffen wird. Die zur Ausfuhr gelangenden Blöcke haben die in der Figur 58 veranschaulichte Form; sie sind im engen Anschluss an die stark verjüngt zulaufende Form des Stammes behauen.

Die Rotkiefer ist wiederholt der Aufmerksamkeit der Forstleute empfohlen worden, weil sie rasch wächst und ein grosses Anbequemungsvermögen an Boden und Klima zeigt. Sie trotzt dem Sturme an der atlantischen Küste und gedeiht in dem reichen Schwemmboden des heissen Mississippithales; auf den trockenen, sandigen Ebenen des westlichen Kansas hat sie sich eingewöhnt und die sibirischen Winter von Wisconsin und Minnesota vermögen ihr keinen Schaden zu thun. Auf trockenem, armem Boden entwickelt sie sich rascher, wie irgend ein anderer, ebenso nützlicher Nadelbaum Nordamerika's.

Der Same wird aus mir unbekannten Gründen von den nordamerikanischen Samenhandlungen zu dem auffallend hohen Preise von 80 Mark pro Kilogramm notiert.

32. Pechkiefernholz.

Pechkiefer. (Pinus rigida, Familie Coniferae.)

Die nördliche Verbreitungsgrenze dieses Baumes zieht sich von Neu-Braunschweig nach dem nördlichen Ufer des Ontariosees, die südliche läuft durch das nördliche Georgia nach den westlichen Abhängen des Alleghanygebirges bis Kentucky. Er erreicht eine Höhe von 12 bis 24 Meter bei einem Stammdurchmesser von 0,60 bis 0,90 Meter. Der Wuchs ist vollkommen gerad, die 10 bis 12 Zentimeter langen, dunkelgrünen Nadeln stehen zu drei, die 3 bis 8 Zentimeter langen Fruchtzapfen sind oval bis langoval, hängen oft in Bündeln, die scharfkantigen Schuppen sind an der Spitze rückwärts gebogen, die dunkle Rinde ist sehr rauh. Die Blüten erscheinen im Frühjahr, die Fruchtzapfen reifen erst im Herbst des nächsten Jahres.

Das Holz ist schwer, hart, gerad- und grobfaserig, elastisch, stark, sehr dauerhaft, harzreich und im Vergleiche zu anderen Nadelhölzern etwas schwer zu bearbeiten. Die Schichten der kleinen Sommerzellen sind breit, sehr harzreich und deutlich. Die

Harzadern sind zahlreich, nicht gross. Die Markstrahlen sind zahlreich und undeutlich. Die Farbe ist lichtbraun oder rötlich, der Splint ist gelb, oft nahezu weiss.

Rangstellung unter den nordamerikanischen Hölzern: die 308. in spezifischer Schwere, die 308. im verhältnismässigen Brennwert, die 26·. im Coefficienten der Elastizität, die 168. in der Bruchfestigkeit. die 258. in der Druckfestigkeit, die 199. in der Eindruckfestigkeit.

Ich glaube bemerken zu sollen, dass dieses Holz von den Zensusbeamten jedenfalls eine zu ungünstige Beurteilung erfahren hat, dieselbe steht im Widerspruch mit der Wertschätzung von seiten anerkannter Autoritäten und auch mit der Thatsache, dass dieses Holz eine wichtige Rolle im Handel, namentlich im Export, spielt. Ich bin daher bei der Beschreibung nicht dem Zensusbericht gefolgt. Es ist zu beachten, dass das Holz aus dem südlichen Verbreitungsgebiet viel besser ist wie aus dem nördlichen.

Das Pechkiefernholz findet eine ausgedehnte Anwendung im Schiffbau zu Raastangen, Deck- und Bodenplanken u. s. w.. ebenso bei Hausbauten als Querbalken. seltener als Tragbalken. Zu Brettern wird es nicht häufig verschnitten und in der Tischlerei wenig verarbeitet. In der Teerbrennerei wird es massenhaft verbraucht; als Brennstoff ist es sehr geschätzt.

Exportiert wird dieses Holz nach englischen und anderen europäischen Häfen in behauenen Blöcken von 6 bis 13 Meter Länge und 0,28 bis 0,45 Meter im Quadrat oder in Planken von derselben Länge und 0.8 bis 0,12 Meter Dicke. Jene wie diese sind ast- und knorrenfrei, haben aber zuweilen Kern- und Kreisrisse.

Die Pechkiefer kommt in der Regel auf trockenem, sandigem oder felsigem und nur ausnahmsweise in sumpfigem Boden vor, sie nimmt also mit armem Boden fürlieb. Hervorzuheben ist. dass sie auch am Seestrande gedeiht, auf lockerem, sandigem Boden, wenn er nur nicht aus Flugsand besteht. Die Wurzeln dringen tief in den Boden, das erste Wachstum ist rasch. Da die Verpflanzung schwierig ist, wird gewöhnlich auf die dauernden Standorte gesät. — Dieser Baum verträgt nicht viel Schatten.

Den Samen dieses Baumes bieten die nordamerikanischen Samenhandlungen mit 30 Mark pro Kilogramm an.

33. Wiesenkiefernholz.

Wiesenkiefer (Pinus cubensis, Familie Coniferae).

Gleichnamen: Sumpfkiefer, Bastardkiefer.

Das Verbreitungsgebiet dieses Baumes dehnt sich von Süd-Carolina im Norden bis tief nach Westindien im Süden, stets als Küstenstreifen von nicht über 100 Kilometer Breite. Er erreicht eine Höhe von 24 bis 30 Meter bei einem Stammdurchmesser von 0,60 bis 0,90 Meter und kommt auf leichtem, sandigem Boden, den Dünen und Morästen der Küste entlang, an nassen, thonigen Ufern von Teichen und auf verlassenen Feldern vor, gegenwärtig breitet er sich rasch über das Gelände aus, auf welchem die Terpentinkiefer abgeholzt wurde.

Das Holz ist schwer, ausserordentlich hart, sehr stark, zäh, grobfaserig, dicht, dauerhaft. Die Schichten der kleinen Sommerzellen sind sehr breit, harzreich und deutlich. Die wenigen Harzadern sind nicht gross. Die Markstrahlen sind zahlreich und deutlich. Die Farbe ist reich dunkelorangegelb; der Splint heller, oft nahezu weiss.

Rangstellung unter den nordamerikanischen Hölzern: die 117. in spezifischer Schwere, die 116. im verhältnismässigen Brennwert, die 5. im Coefficienten der Elastizität, die 18. in der Bruchfestigkeit, die 23. in der Druckfestigkeit, die 145. in der Eindruckfestigkeit.

Ein Vergleich zeigt, dass dieses Holz eine noch etwas höhere Rangstellung einnimmt, wie das nahe verwandte hochgeschätzte Gelbkiefernholz und hat diesem gegenüber den Vorteil, dass der Baum wegen der grösseren Fruchtbarkeit leichter fortzupflanzen ist, wie die Gelb- oder Terpentinkiefer. In Florida dient die Wiesenkiefer zur Terpentingewinnung, in welcher Nutzung sie der Terpentinkiefer nicht nachstehen soll. Die Wiesenkiefer wächst rasch, ist leicht fortzupflanzen, trägt früh Samen und ist lichtbedürftig.

Den Samen der Wiesenkiefer führen die nordamerikanischen Samenhandlungen nicht, besorgen ihn aber.

34. Gelbkiefernholz.

Terpentinkiefer. (Pinus palustris, Familie Coniferae.)
Gleichnamen: südliche oder östliche, häufig kurzweg Gelbkiefer. langblättrige Kiefer, südliche Kiefer, harte Kiefer, Georgiakiefer.

Obgleich der Name Terpentinkiefer immer allgemeingebräuchlicher wird, kommt das Holz doch nach wie vor als Gelbkiefer in den Handel, trotzdem dadurch Verwechselungen begünstigt werden. denn auch die im östlichen Nordamerika heimische Pinus mitis wird Gelbkiefer genannt, ebenso die westlich von den Felsengebirgen vorkommende Pinus ponderosa.

Schon bei der Schilderung der Terpentinbereitung wurde von diesem Baume gesagt, er sei der wichtigste Nordamerika's für diese Nutzung, an dieser Stelle muss seine hohe Bedeutung als Holzproduzent betont werden. Gleich hier sei bemerkt, dass im nordamerikanischen Holzhandel das Pechkiefernholz und Gelbkiefernholz nicht selten verwechselt werden, beide gehen oft, und in Neu-England durchweg, als „hartes Kiefernholz“. Das Gelbkiefernholz verdient übrigens entschieden den Vorzug.

Die Terpentinkiefer gehört zu den wenigen Bäumen Nordamerika's, die ausgedehnte, ungemischte Urwälder bilden, was um so auffälliger ist, weil sie sich durch eine geringe Fruchtbarkeit auszeichnet, oft trägt sie in 4 bis 5 auf einander folgenden Jahren nicht. Dadurch erklärt es sich leicht, warum überall, wo sie abgeholzt wird, die erwähnte Wiesenkiefer oder die Rosmarinkiefer (Pinus Taeda) in ihre Stelle tritt. Freilich bildet sie nicht überall ungemischte Wälder, das ist vorzugsweise in ihrem nördlichen Verbreitungsgebiet der Fall, welches im südöstlichen Virginien beginnt und in Nordcarolina seinen Schwerpunkt findet. Im Süden des fast bis zur mexikanischen Grenze reichenden Verbreitungsgebietes, namentlich in den Golfstaaten, steht die Terpentinkiefer häufig in Gesellschaft von Eichen und anderen sommergrünen Bäumen. Nur in geringen Erhebungen kommt dieser Baum vor und selten in grösseren Entfernungen vom Meer wie 270 Kilometer und gewöhnlich auf trockenem, sandigem Lehmboden, selten wird er an den nassen Ufern von niedrigen Sümpfen gefunden. Seine Höhe bewegt sich zwischen 20 und 30 Meter bei einem Stammdurchmesser von 0,60 bis 1,20 Meter.

Das Holz ist schwer, ausserordentlich hart, sehr stark, zäh, grobfaserig, dicht, dauerhaft. Die Schichten der kleinen Sommerzellen sind breit, sehr harzreich, dunkelfarbig. Die wenigen Harzadern sind nicht deutlich. Die Markstrahlen sind zahlreich und deutlich. Die Farbe ist lichtrot oder orangegelb, der dünne Splint ist nahezu weiss.

Rangstellung unter den nordamerikanischen Hölzern: Die 168. in spezifischer Schwere, die 167. im verhältnismässigen Brennwert, die 7. im Coefficienten der Elastizität, die 20. in der Bruchfestigkeit, die 29. in der Druckfestigkeit, die 178. in der Eindruckfestigkeit.

Die nordamerikanischen Fachleute behaupten: das Gelbkiefernholz ist das allgemein nützlichste Nadelholz unserer Wälder, und wenn man die Bewegungen des Holzhandels beobachtet, kann man ihnen nicht widersprechen. Die Behauptung ist aber jedenfalls zu weitgehend: das Gelbkiefernholz würde vollständig an Stelle des Weymouthskiefernholzes treten, wenn dessen Vorräte erschöpft seien. Dem steht entgegen, dass das Weymouthskiefernholz für gewisse Zwecke seiner hellen Farbe, Leichtigkeit und leichten, schönen Bearbeitung wegen beliebt wurde, das Gelbkiefernholz aber viel schwerer, dunkler, harzreicher und schwieriger zu bearbeiten ist. Wo diese Eigenschaften nicht stören, findet es dieselbe Verwendung wie Weymouthskiefernholz oder anderes dichteres Nadelholz, als Beweis dafür können die bedeutenden und in jedem Jahre steigenden Brettermengen dienen, welche von der grossartigen Sägemühlenindustrie in den Terpentinkiefernwäldern auf den Markt gebracht werden. Für Bauzwecke nimmt das Gelbkiefernholz unter allen nordamerikanischen Nadelhölzern den ersten Rang ein; wetteifert es doch in der Tragkraft mit dem Weisseichenholz und lässt seine Dauerhaftigkeit in Folge des Harzreichtums wenig zu wünschen übrig. Im Schiffbau findet es schon seit vielen Jahrzehnten eine ausgedehnte Verwendung zu Deck- und Zwischendeckplanken, Riegeln, Raastangen u. s. w. Wo ein leichteres Holz wie Eichenholz, bei nur wenig geringerer Tragkraft und Festigkeit, gewünscht wird, pflegen Architekten und Ingenieure dem Gelbkiefernholz den Vorzug zu geben. Dasselbe hat sich auch zu Bahnschwellen und Telegraphenstangen sehr bewährt, ferner wird es zu Zäunen, Pumpen, Wasserleitungen und vielen sich der Aufzählung entziehenden Zwecken benutzt.

Der dünne Splint des Gelbkiefernholzes ist unbrauchbar, obgleich er schwerer ist wie das Kernholz, in Folge seines grösseren Harzreichtums. Die Erfahrung, namentlich im Schiffbau, lehrt, dass das schwerste Gelbkiefern- und Pechkiefernholz, nicht notwendigerweise das kräftigste sein muss, da das grössere Gewicht eine Folge des höheren Harzgehaltes ist. Entscheidend ist vielmehr die Gleichmässigkeit der Faserung bis auf den Markkern. Als ein Vorzug des Gelbkiefernholzes ist seine in der Regel gleichmässige Faserung und seine Freiheit von Fehlern zu bezeichnen. Das Trocknen des Kernholzes vollzieht sich verhältnismässig schnell, für Schiffbauzwecke genügen wenige Monate.

Die Terpentinkiefer wächst in den ersten 5 Jahren langsam und muss ein vergleichsweise hohes Alter erreichen, um Holz erster Qualität zu liefern. Zur kräftigen Entwickelung verlangt sie ein luftfeuchtes Klima und viel Licht — von allen nordamerikanischen Kiefern verträgt sie am wenigsten Schatten.

Den Samen dieses Baumes führen die nordamerikanischen Samenhandlungen nicht, wenn sie ihn besorgen, wird es zu hohen Preisen geschehen, weil die Sammler, aus der erwähnten Ursache, oft auf weiten Strecken vergeblich suchen. Diesem Nachteile steht der Vorteil gegenüber, dass der Same in hohem Grade keimkräftig ist.

35. Westliches Gelbkiefernholz.

Westliche Gelbkiefer. (Pinus ponderosa, Familie Coniferae.)
Gleichname: Bullkiefer.

Da wo die Zuckerkiefer vorkommt, hat sie zur Gesellschafterin die westliche Gelbkiefer, wahrscheinlich so genannt, weil die Belaubung gelbgrün ist, wodurch sie von der blaugrünen der Zuckerkiefer lebhaft absticht. Das Verbreitungsgebiet der Gelbkiefer ist ein viel grösseres wie das der Zuckerkiefer, denn die Nordgrenze zieht sich durch das innere von Britisch Columbia nach den schwarzen Bergen von Dakota, die südliche Grenze fällt etwa mit der Grenze von Mexiko bis zum westlichen Texas zusammen. Da wo sie ihre grösste Entwickelung erreicht, an den westlichen Abhängen des mittleren und nördlichen Californicns, bewegt sich ihre Höhe zwischen 60 und 90 Meter bei einem Stammdurchmesser von 3,60 bis 4,57 Meter, sie muss also zu den grössten Kiefernarten der Erde gerechnet werden. Im ganzen

Felsengebirge ist sie viel kleiner, selten wird sie hier höher wie 30 Meter gefunden. Nächst der Douglastanne ist dieser Baum der verbreitetste und wichtigste in den Wäldern westlich der Felsengebirge, im östlichen Washington und Oregon, im westlichen Montana und Idaho, in den schwarzen Bergen Dakota's, in Arizona, Neu-Mexiko und Westtexas deckt er vorzugsweise den Holzbedarf der Sägemühlen nud in Californien kommt sein Holz häufig unter dem Namen und als Ersatz des Zuckerkiefernholzes auf den Markt.

Die Rinde der Gelbkiefer ist sehr dick und auffallend hellrotbraun, tief gefurcht, wodurch grosse, glatte Flächen begrenzt werden, die sich durch den Vorgang der Erneuerung allmählich ablösen. Die ovalen Fruchtzapfen sind etwa 10 Zentimeter lang, bei einem Durchmesser von 4 bis 5 Zentimeter; oft in Bündeln von 3 bis 5 geordnet.

Das Holz wechselt sehr in der Qualität, das bessere ist schwer, hart, stark, spröde, dicht, mässig feinfaserig, nicht wetterfest. Die Schichten der kleinen Sommerzellen sind breit oder eng, deutlich und sehr harzreich. Die wenigen Harzadern sind dünn. Die Markstrahlen sind zahlreich und undeutlich. Die Farbe ist weissrot oder lichtbraun, der dicke Splint ist nahezu weiss.

Rangstellung unter den nordamerikanischen Hölzern: die 345. in spezifischer Schwere, die 342. im verhältnismässigen Brennwert, die 146. im Coefficienten der Elastizität, die 179. in der Bruchfestigkeit, die 236. in der Druckfestigkeit, die 237. in der Eindruckfestigkeit.

Grösstenteils wird dieses Holz in den Sägemühlen zu Brettern und Latten verschnitten, ein Teil dient zu Bahnschwellen, Zaunriegeln und ähnlichen Verwendungen.

Die Gelbkiefer kommt in der Regel auf trockenen, felsigen Bergrücken oder Ebenen vor, selten wird sie in sumpfigem Boden gefunden. Sie ist ein echter Gebirgsbaum und auf diese Eigenschaft hin mag sie bei den Forstleuten Beachtung finden. In der Sierra nevada steigt sie bis zu Erhebungen von 3000 Meter und entwickelt sich bis zu 2500 Meter zu einem grossen, stattlichen Baum. Doch ist sie lange nicht so sturmfest wie die Zuckerkiefer, was bei der Anpflanzung in Berücksichtigung zu ziehen ist. Zu ihren Gunsten ist noch zu sagen, dass sie sich schnell und kräftig entwickelt.

Während des nordamerikanischen Bürgerkrieges diente diese Gelbkiefer, statt der östlichen, zur Terpentingewinnung, die aber später nicht mehr lohnte, weil die westliche Gelbkiefer nicht, wie die östliche, grosse ungemischte Wälder bildet, sondern einzeln oder in Gruppen zerstreut steht, wodurch die Arbeitslöhne die Rentabilität unmöglich machen.

Den Samen dieses Baumes bieten die californischen Samenhandlungen mit 15 Mark pro Kilogramm an.

36. Schwarzfichtenholz.

Schwarzfichte (Picea nigra, Familie Coniferae).

Die Gattung Picea zerfällt in 20 Arten, von welchen 7 in Nordamerika vorkommen.

Die Schwarzfichte ist ein schöner, zuweilen in den Parks angepflanzter Baum, der eine Höhe von 15 bis 21 Meter, bei einem Stammdurchmesser von 0,60 bis 0,90 Meter erreicht und seinen Namen den dunkeln Zapfen verdankt. Das Verbreitungsgebiet ist Neufundland, auf dem Festlande von der Hudsonsbay nach der Mündung des Mackenzieflusses, den östlichen Abhängen des Felsengebirges entlang, das mittlere Michigan, Wisconsin und Minnesota und dem Alleghanygebirge entlang bis zu den höchsten Gipfeln von Nordcarolina.

Er gedeiht am besten auf leichtem, felsigem, trockenem Boden, auf sumpfigem Gelände verkrüppelt er.

Das Holz ist weich, leicht, elastisch, nicht stark, dicht- und geradfaserig, seidenähnlich. Die Schichten der kleinen Sommerzellen sind dünn und harzreich. Die wenigen Harzadern sind klein und die wenigen Markstrahlen sind deutlich. Die Farbe ist weissrot, oft nahezu weiss, der Splint ist heller.

Rangstellung unter den nordamerikanischen Hölzern: die 357. in spezifischer Schwere, die 355. im verhältnismässigen Brennwert, die 62. im Coefficienten der Elastizität, die 162. in der Bruchfestigkeit, die 204. in der Druckfestigkeit, die 286. in der Eindruckfestigkeit.

Dieses Holz wird massenhaft in Sägemühlen zu Brettern und Latten verschnitten, die unter dem Namen Spruce in den Handel kommen und lebhaft nach Europa exportiert werden. Das Holz der nahe verwandten Weissfichte (Schimmelfichte. Picea alba) geht in der nordamerikanischen Union stets ebenfalls unter dem Namen Spruce, während man es in Canada gewöhnlich als White spruce gesondert hält und nur die übrigen Fichtenhölzer einfach als Spruce verkauft. Der Grund ist schwer ersichtlich. Die Weissfichte ist wohl der weitaus häufigste Baum in Britisch Nordamerika und wächst etwas grösser wie die Schwarzfichte, allein ihr Holz ist nicht gleichwertig, es zeigt geringere Zahlen in der spezifischen Schwere, Elastizität, Bruchfestigkeit, Druckfestigkeit und Eindruckfestigkeit.

Der äusserliche Unterschied ist allerdings gering. Das Weissfichtenholz hat mehr Markstrahlen wie das Schwarzfichtenholz und schimmert in's Gelbe, während das letztere in's Rötliche schimmert. Die Bretter der beiden Hölzer kommen in 3 Qualitäten in den Handel, von welchen die dritte sehr knorrig zu sein pflegt.

Den Samen der Schwarz- wie Weissfichte liefern die nordamerikanischen Samenhandlungen zu 10 Mark pro Kilogramm. Beide Bäume wachsen schnell und vertragen nur eine mässige Beschattung.

37. Strandfichtenholz.

Strandfichte, Sitcha-Fichte (Picea sitchensis, Familie Coniferae).

Tideland Spruce in Californien.

Ein stattlicher Baum von grosser, industrieller Wichtigkeit, der eine Höhe von 45 bis 60 Meter, bei einem Stammdurchmesser von 2,40 bis 5,20 Meter, erreicht. Der Stamm wächst pyramidal und ist mit einer schuppigen, dicken, rotbraunen Rinde bedeckt. Die Nadeln sind flach, zugespitzt, etwa 2—3 Zentimeter lang. Die Fruchtzapfen sind cylinderisch oval, 8 Zentimeter lang, fahlgelb, der Same ist dünn und hängt an einem dreimal längeren Flügel.

Der Baum wird, ob mit Recht oder Unrecht sei dahin gestellt, die riesigste aller Fichten genannt. Er wächst, wie sein Name andeutet, am Strand, selten dringt er tiefer wie 100 Kilometer in's Inland vor. Meistens wird er auf feuchtem Boden gefunden, allein er kommt auch auf kiesigen Hügelrücken sehr gut fort, aber nicht auf Dünensand.

Das Verbreitungsgebiet dieses Baumes liegt von Alaska im Norden, der Küste entlang bis zum County Mendocino in Californien, seine grösste Entwickelung erreicht er in Oregon und Washington, nahe der Mündung des Columbiaflusses, wo er einen 15 bis 75 Kilometer breiten, fast ununterbrochenen Waldgürtel bildet.

Das Holz ist leicht, weich, nicht stark, dicht- und geradfaserig, seidenartig. Die Schichten der kleinen Sommerzellen sind eng, nicht deutlich, die wenigen Harzadern sind undeutlich. Die Markstrahlen sind zahlreich und hervortretend. Die Farbe ist lichtbraun in's Rötliche schimmernd, der Splint ist nahezu weiss.

Rangstellung unter den nordamerikanischen Hölzern: die 379. in spezifischer Schwere, die 378. im verhältnismässigen Brennwert, die 105. im Coefficienten der Elastizität, die 223. in der Bruchfestigkeit, die 261. in der Druckfestigkeit, die 295. in der Eindruckfestigkeit.

Unter dem einfachen Namen Spruce spielt dieses Holz eine wichtige Rolle im Handel der Pazifikküste, im Auslande wird es gewöhnlich California Spruce genannt. Grösstenteils wird es zu Brettern verschnitten, die zur inneren Auskleidung der Häuser, zu Holzwaaren und Küferarbeiten und im Schiffbau zu Zwischendeck- und Bodenplanken dienen. Der kleinere Teil wird zu leichteren Bauten, Zäunen u. s. w. verwendet.

Da die Zahl der am Seestrande gedeihenden Nutzbäume gering ist, sollte dieser schnellwachsende, wertvolle Baum der Beachtung der Forstleute nicht entgehen. Da wo er seine höchste Entwickelung erreicht, an der Mündung des Columbia, herrschen den grössten Teil des Jahres rauhe, kalte Winde, die häufig zu Stürmen übergehen. Dicke Nebel sind dort eine gewohnte Witterungserscheinung; strenge Winter treten nicht auf.

Den Samen der Strandfichte führen die californischen Samenhandlungen nicht, können ihn aber ohne Schwierigkeit besorgen.

38. Douglasfichtenholz.

Douglasfichte (Pseudotsuga Douglasi, Familie Coniferae).
Gleichnamen: Douglastanne, Oregonfichte, rote Fichte, gelbe Fichte.

Früher allgemein als Abies Douglasi gekannt, ist dieser Baum von Carrière zu einer besonderen Gattung mit nur dieser einen Art gesondert worden. Die Rinde ist dunkelbraun, bei älteren Bäumen sehr dick und tief gefurcht. Die Nadeln sind etwa $2^1/_2$ Zentimeter lang, linealisch, mit glatten Rändern, deutlich gestielt, oben leicht gefurcht, unten mit einem schwach bläulichen Schimmer. Die Blüten treten aus den Winkeln der letztjährigen Blätter, die im ersten Jahre reifenden Fruchtzapfen sind hängend, länglich eiförmig, zugespitzt, 8 bis 12 Zentimeter lang, $2^1/_2$ bis 5 Zentimeter im Durchmesser. Die verhältnismässig wenigen Schuppen sind gross und lose geordnet.

Verbreitet ist dieser Baum im Küstengebirge und auf den inneren Hochebenen von Britisch Columbia, südlich vom 55. Breitegrad und östlich bis zu den östlichen Abhängen des Felsengebirges, wo der 51. Breitegrad die nördliche Grenze bildet. Ferner in den Gebirgen von Washington, Oregon, im californischen Küstengebirge und an der westlichen Abdachung der Sierra nevada, in den Gebirgszügen von Idaho und vom westlichen Montana, Wyoming und Colorado, im Guadalupegebirge von Texas, im Wahsatch- und Uintahgebirge, in den Gebirgszügen des nördlichen und östlichen Arizona's und im nördlichen Mexiko. Dieses Gebiet lässt eine Lücke zwischen der Sierra nevada und dem Wahsatchgebirge, südlich von den blauen Bergen Oregons und nördlich von Arizona, wo bis jetzt dieser Baum noch nicht entdeckt wurde, der als der weitverbreitetste und wichtigste Waldbaum der Pazifikregion gelten muss.

Er erreicht eine Höhe von 60 bis 92 Meter bei einem Stammdurchmesser von 0,80 bis 3,65 Meter; in den Felsengebirgen bleibt er jedoch bedeutend kleiner, hier wächst er selten bis zu 30 Meter Höhe. Eine Form mit grösseren Fruchtzapfen und schmäleren, spitzeren Nadeln (var. macrocarpa, Engelmann) kommt in den San Bernardino- und Cuyamacabergen in Südcalifornien vor — ein kleiner Baum mit dunklerem, leichterem und geringwertigerem Holz wie die Grundform.

Das Holz ist hart, stark, dauerhaft, dicht, zäh und elastisch, gerad- und regelmässig gefasert und schwieriger zu bearbeiten wie viele andere Nadelhölzer. Durch eine Fülle von spiraligen Holzzellen unterscheidet es sich von allen anderen Nadelhölzern. Die Schichten der kleinen Sommerzellen sind breit, sie nehmen die volle Hälfte der Breite der Jahresringe ein, sind dunkelfarbig, deutlich und werden bald so hart, dass sie schwierig zu durchschneiden sind. Die Markstrahlen sind zahlreich und undeutlich. Die Farbe wechselt von hellrot zu gelb, der dünne Splint ist nahezu weiss.

Rangstellung unter den nordamerikanischen Hölzern: die 307. in spezifischer Schwere, die 306. im verhältnismässigen Brennwert, die 20. im Coefficienten der Elastizität, die 101. in der Bruchfestigkeit, die 86. in der Druckfestigkeit, die 252. in der Eindruckfestigkeit.

Bei der Aufmerksamkeit, welche man in der Neuzeit diesem Baume im Auslande, zumal in Deutschland, geschenkt hat, glaube ich scharf betonen zu sollen, dass sein Holz ungewöhnlich grosse Abweichungen in der Qualität zeigt. Von einem Baume, der, wie die Douglasfichte, von der Meeresgleiche bis zu Erhebungen von fast 3000 Meter vorkommt, der sich dem feuchten Küstenklima anbequemte und die bitterstrengen Winter im Felsengebirge überdauert, der im heissen, regenarmen Arizona und im sprüchwörtlich regenreichen Oregon wohnt, wird man kein Holz gleicher Qualität erwarten, aber auffallend ist die Erscheinung, dass da, wo die Douglasfichte ihre grösste Entwickelung erreicht, im westlichen Washington, namentlich in der Umgebung des Pugetsundes, wo sie grosse, zusammenhängende Wälder bildet, bedeutende Qualitätsabweichungen beobachtet werden. Die Sägemüller unterscheiden hier zwischen der „roten und gelben Fichte.“ Die Erstere liefert dunkeleres und grobfaseriges, als geringwertiger erachtetes Holz wie die Letztere. Manche glauben diesen Unterschied durch Gliederungen in Spielarten, also durch Abweichungen von der Grundform, erklären zu können, allein gewiegte Botaniker haben diese Annahme verworfen und die Vermutung ausgesprochen, Altersunterschiede böten die Erklärung, die Sägemüller aber schütteln dazu die Köpfe.

Wie noch so vieles im Wesen der nordamerikanischen Waldbäume zu erklären ist, so auch diese Erscheinung, welche im Auge zu behalten man im Auslande wohl thun wird, damit man bei Einführungsversuchen diesen Baum nicht voreilig verurteilt.

Wohin man auch die Douglasfichte überträgt, man wird erforschen müssen, auf welchem Boden sie das beste Holz liefert. In ihrer Heimat bequemt sie sich, ausser dem Sumpfe, jedem Boden an, allein es ist noch festzustellen, auf welchem das Holz erster

Qualität wird. In dem erwähnten Gebiete am Pugetsund ist der Boden aus Basalt und noch jüngerem, vulkanischem Gestein hervorgegangen. Nebel, Regen und Winde sind häufig, der Winter aber tritt milde auf. Hier will man ein im Vergleiche mit anderen Nadelhölzern schnelles Wachstum der Douglasfichte beobachtet haben.

Auf die Thatsache glaube ich aufmerksam machen zu sollen, dass man schon vor vielen Jahren im östlichen Nordamerika diesen Baum einzuführen suchte und zu diesem Zwecke Samen von der Pazifikküste bezog. Die mehrmals wiederholten Versuche schlugen vollständig fehl, man sah darin eine weitere Bestätigung der Erfahrung, dass die Bäume der Pazifikwälder östlich des Felsengebirges nicht gedeihen. Verhältnismässig spät wurde die Douglasfichte im Felsengebirge entdeckt, anfänglich aber, wegen ihres schwächeren Wuchses, für eine Abart gehalten. Botaniker stellten jedoch die Übereinstimmung mit der Grundform fest, und nun wurden jene Einführungsversuche mit Samen von den am weitesten nach Osten vorgeschobenen Bäumen erneuert, diesmal mit vollem Erfolge. Gleiche Bestrebungen, mit gleichen Enttäuschungen und Erfolgen haben bezüglich der westlichen Gelbkiefer (Pinus ponderosa) stattgefunden.

Die nordamerikanischen Samenhandlungen bieten den Samen der Douglasfichte mit 75 Mark pro Kilogramm ohne Angabe des Herkunftsortes an; der Besteller darf es aber nicht unterlassen, sich darüber zu unterrichten.

Das Holz der Douglasfichte geniesst als Oregonpine *) einen weltweiten Ruf, vorzugsweise wird es von den Sägemühlen am Pougetsunde und im nordwestlichen Oregon in den Handel gebracht. Es dient als Balken zu Haus- und Brückenbauten, als Bretter zur inneren Auskleidung der Häuser, zu Tischlerarbeiten und Holzwaaren, auch als Brennstoff und zu Bahnschwellen ist es beliebt. Schiffsmasten aus diesem Holze sind sehr geschätzt, doch vertragen sie nicht so viel Reibung wie die aus Kaurikiefernholz.

Zur besonderen Empfehlung dient dem Douglasfichtenholz, dass es auffallend frei von Knorren und unregelmässigen Faserungen ist. In Sägemühlen werden oft Stämme von 24 Meter Länge

*) Anm. Richtiger wäre Oregon Spruce oder Oregon Fir; denn Pine ist Kiefer, Spruce: Fichte und Fir: Tanne.

zerlegt, die nicht einen Knorren enthalten. — Für Einführungsversuche seien noch diese Winke gegeben: die Douglasfichte besitzt eine grosse Widerstandsfähigkeit gegen Dürre, sie gedeiht auf windigen Standorten und verträgt ziemlich viel Schatten.

39. Edeltannenholz.

Edeltanne*), Edelweisstanne (Abies nobilis, Fam. Coniferae). Gleichname in Amerika: Rote Tanne. In Deutschland: Silbertanne.

Die Gattung Abies zerfällt in 24 Arten, die alle auf der nördlichen Erdhälfte heimisch sind, 9 derselben kommen in Nordamerika vor.

Die Edeltanne ist ein Baum, der seiner stattlichen Schönheit wegen weite Anerkennung gefunden hat und in vielen Ländern als Zierbaum eingeführt wurde. Er erreicht eine Höhe von 60 bis 92 Meter, bei einem Stammdurchmesser von 2,40 bis 3 Meter. Die dicke Rinde ist aussen zimtbraun, innen rot. Die Nadeln sind steif, etwas aufwärts gebogen, gespitzt, glänzend, etwa $2\frac{1}{2}$ Zentimeter lang und bedecken die obere Seite der Zweige. Die Fruchtzapfen sind cylinderisch, aufrecht, 15 bis 20 Zentimeter lang, stumpf zugespitzt, die Schuppen sind verhältnismässig schmal, die dünnen Samen haben Flügel, die breiter wie lang sind.

Das Verbreitungsgebiet zieht sich vom Columbiafluss dem Cascadegebirge südlich entlang bis nach dem nördlichen Californien, in einzelnen, aber in den kräftigst entwickelten Exemplaren, tritt er im Küstengebirge von Oregon auf.

Das Holz ist leicht, hart, stark, sehr dichtfaserig. Die Schichten der kleinen Sommerzellen sind breit, deutlich, harzig, dunkelfarbig.

Die Markstrahlen sind dünn und kaum zu erkennen. Die Farbe ist lichtbraun, ins rötliche schimmernd, der Splint ist etwas dunkler.

Rangstellung unter den nordamerikanischen Hölzern: die 360. in spezifischer Schwere, die 359. im verhältnismässigen Brennwert, die 21. im Coeffizienten der Elastizität, die 109. in der Bruchfestigkeit, die 149. in der Druckfestigkeit, die 215. in der Eindruckfestigkeit.

---

*) Anm. Nicht zu verwechseln mit der deutschen „Edeltanne“ = Weisstanne (Abies Pectinata DC.). Unter Silbertanne versteht der Amerikaner und Engländer sämtliche echten „Tannen“ Abies.

Von den 9 nordamerikanischen Arten der Gattung Abies liefert die Edeltanne das vorzüglichste Holz, und wenn es bis jetzt wenig benutzt wurde, so liegt die Erklärung in der Unzugänglichkeit der Wälder, die in Gebirgsgegenden liegen, wohin keine Wasserstrasse führt und bis jetzt noch keine Eisenbahn gebaut ist. Zu bezweifeln aber ist nicht, dass die Edeltanne als Waldbaum eine Zukunft hat. Damit ihm diese wird, ist es wichtig, dass ihm Verwechselungen mit seinen Artgenossen erspart bleiben. Im Cascadegebirge bildet er gemeinschaftlich mit der Abies amabilis und im nördlichen Californien mit der Abies magnifica, die ebenfalls rote Tanne (Fir) genannt wird, ausgedehnte Wälder. Diese beiden Arten liefern aber ein beträchtlich geringwertigeres Holz wie die Edeltanne.

Die Letztere scheint sich nach den Erfahrungen, welche als Zierbaum mit ihr gemacht wurden, jedem Boden anzubequemen, der nicht nass ist. In ihrer Heimat kommt sie vorzugsweise auf Böden vor, die aus Granit, Basalt, Lava und Sandstein hervorgegangen sind.

Den Samen dieses Baumes liefern die californischen Samenhandlungen für 60 Mark pro Kilogramm.*)

40. Tamarackholz.

Tamarack (Larix occidentalis, Familie Coniferae).

Wie der botanische Name erkennen lässt, ist dieser Baum ein Gattungsgenosse der europäischen Lärche, zwei andere besitzt Nordamerika noch, die aber entschieden geringwertigeres Holz liefern. Das Holz der vorzugsweise auf sumpfigem Gelände von Neufundland bis Pennsylvanien vorkommenden Larix americana, gewöhnlich Hackmatack, seltener ebenfalls Tamarack genannt, wird zwar häufig zu Bahnschwellen, Telegraphenstangen und auf den nordamerikanischen Schiffswerften verwendet, allein man hat erkannt, dass es von geringerer Güte ist, wie das Holz der europäischen Lärche, was Veranlassung gegeben hat, die Letztere in Nordamerika einzuführen, wo sie recht gut gedeiht.

*) Anm. Es verdient hervorgehoben zu werden, dass die californischen Samensammler äusserst unzuverlässig in Bezug auf die Benennung der Bäume sind. Wer sicher gehen will, informire sich genau nach guten amerikanischen Werken, z. B. „The woods of the United States“ von Prof. C. S. Sargent.

Anders verhält es sich mit der Tamarack, die ein vorzügliches Holz liefert, das in Bezug auf Elastizität den ersten Rang unter den nordamerikanischen Hölzern einnimmt. Heimisch ist dieser Baum in Britisch Columbia, südlich vom 53. Breitegrad, in den Gebirgen von Washington und von da östlich bis zu den westlichen Abhängen des Felsengebirges in Montana; südlich vom Columbia kommt er nur in den blauen Bergen von Oregon vor.

Er ist nach der Douglasfichte der grösste und wertvollste Baum des Columbiabeckens. Seine Höhe bewegt sich zwischen 30 und 45 Meter bei einem Stammdurchmesser von 0,90 bis 1,50 Meter. Die kurzen, schwanken Äste sind hängend, und da sie sich nicht verzweigen, bietet der Baum ein kahles Aussehen. Die Nadeln sind lang, sehr dünn und bläulichgrün. Die Fruchtzapfen haben die Form und Grösse von Taubeneiern und sind mit kurzen, breiten Schuppen bedeckt. Der Stamm wächst vollkommen gerade.

Die Tamarack ist ein Gebirgsbaum, sie kommt in Erhebungen von 700 bis 1500 Meter vor, hauptsächlich an den Ufern von Gewässern, doch darf daraus nicht geschlossen werden, sie sei, gleich der Hackmatack, ein Sumpfbaum. Die Tamarack liebt einen feuchten, durchlassenden Boden, in dem sich niemals Grundwasser sammelt, ferner viel Sonnenlicht und Luft. Nirgends bildet sie ungemischte Wälder, stets steht sie zerstreut zwischen anderen Waldbäumen, wie wir es auch bei der europäischen Lärche zu sehen gewohnt sind.

Das Holz ist schwer, ausserordentlich stark und hart, dicht grobfaserig, seidenartig, nimmt eine schöne Politur an und ist sehr dauerhaft in Berührung mit der Erde. Die Schichten der kleinen Sommerzellen sind breit, sehr harzreich, dunkelfarbig. Die wenigen Harzadern sind undeutlich. Die Markstrahlen sind zahlreich und dünn. Die Farbe ist licht hellrot, der dünne Splint ist nahezu weiss.

Rangstellung unter den nordamerikanischen Hölzern: die 135. in spezifischer Schwere, die 130. im verhältnismässigen Brennwert, die 1. im Coefficienten der Elastizität, die 7. in der Bruchfestigkeit, die 15. in der Druckfestigkeit, die 191. in der Eindruckfestigkeit.

Nur gelegentlich wird dieses Holz zu Brettern verschnitten, vorzugsweise wird es zu Bahnschwellen, Telegraphenstangen, Pfosten, Balken, im Schiffbau, überhaupt zu den Zwecken gebraucht, für welche man das europäische Lärchenholz zu verwenden pflegt.

Den Samen dieses Baumes führen die nordamerikanischen Samenhandlungen nicht; um ihn zu beziehen, setzt man sich am besten mit den californischen Samenhandlungen in Verbindung.

(Siehe Anm. auf Seite 616.)

Verschiedene Hölzer.

1. Akazienhölzer.

Die aus Bäumen und Sträuchern bestehende Gattung Acacia gehört zur Familie Leguminosae und zur Unterfamilie Mimoseae. Ihre etwa 420 Arten sind weit zerstreut über die warme Region der Erde, doch entfällt die überwiegende Mehrheit auf Australien und Afrika, während Europa leer ausgeht. Da im gewöhnlichen Leben nicht selten Akazien und Mimosen verwechselt werden, sei bemerkt, dass sich die Gattungen Acacia und Mimosa innerhalb ihrer Familie am nächsten stehen, aber doch folgende leicht erkenntlichen Unterscheidungsmerkmale besitzen: die Blüten der Ersteren haben mehr Staubfäden wie die Letzteren, und den zweiklappigen Fruchtschoten fehlen die Querabteilungen der Mimosenschoten.

Die Blüten der Akazien sind klein und in rundlichen oder länglichen Büscheln geordnet. Die Blätter sind im allgemeinen gefiedert, bei einigen, grösstenteils in Australien heimischen Arten sind die Blattstiele geflacht und dienen als Blätter. Diese Arten werden deshalb blätterlose Akazien genannt; bei mehreren stehen die Ränder der Blattstiele gegen Himmel und Erde, weshalb die Kronen keinen vollkommenen Schatten werfen können.

Eine beträchtliche Zahl der Arten besitzt eine mehr oder minder hervorragende Wichtigkeit für Handel und Industrie, wenige aber nur bezüglich ihres Holzes. Acacia arabica, A. vera, A. Ehrenbergii, A. speciosa und A. tortilis liefern arabisches Gummi, von A. verek, A. seyal, A. nilotica und A. Andansonii wird das Senegalgummi, von A. gummifera das Berbereigummi gewonnen. Ein ähnliches, aber geringwertigeres Gummi erzeugen die in Australien heimischen A. decurrens, A. mollissima, A .dealbata und A. affinis, sowie die in Südafrika vorkommende A. karru. Der Catechu ist ein Produkt von A. catechu, die Fruchtschoten von A. concinna bilden in Indien einen Handelsartikel, da die Samen die Stelle der Seife vertreten können. In Nordafrika werden die Fruchtschoten von A. nilotica unter dem Namen Neb-neb als Gerbstoff gebraucht. Die Samen von A. niopa dienen, geröstet und gepulvert, in Südamerika als Schnupftabak. Die an der Mittelmeerküste gezüchtete A. farnesiana liefert in ihren Blüten das geschätzte, wohlriechende Cassiaöl.

Eine steigende Wichtigkeit als Gerbstoff besitzt die Rinde von A. decurrens und A. dealbata, welche unter dem Namen Mimosarinde von Australien in den Handel gebracht wird. Die Kultur dieser Bäume zum Zwecke der Rindengewinnung ist in dem 2. Bande der tropischen Agrikultur ausführlich geschildert. Ebenfalls zum Gerben dient die Rinde von A. arabica, vorzugsweise in Indien wo sie den Namen Babulrinde führt.

Zwar findet das Holz mehrerer der genannten Arten Verwendung, namentlich von A. decurrens und A. acacia, allein es gilt gewissermassen nur als Nebenprodukt, da es seines geringen Umfangs wegen nur eine beschränkte Verwendung finden kann Verarbeitet wird es vorzugsweise zu Fassreifen, Radspeichen, Radnaben, Deichseln und Werkzeugstielen. Gerühmt wird seine Dauerhaftigkeit und Härte.

Zum ausschliesslichen Zwecke der Holzproduktion haben bis jetzt nur die folgenden wenigen Arten Beachtung gefunden, vielleicht mag ihre Zahl durch die fortschreitende Kenntnis der tropischen und halbtropischen Wälder eine kleine Erhöhung erfahren.

a) Myallholz.

Acacia homalophylla, heimisch im östlichen Australien, vorzugsweise in der Kolonie Queensland, liefert das Holz des obigen Namens. Der Baum ist schwachwüchsig, der Stammdurchmesser ist selten über 0.30 Meter, das dunkelbraune, harte, schwere, wohlriechende Holz daher nur von mässigem Umfange, was natürlich seine Verwendbarkeit beschränkt. Vorzugsweise dient es zu Fournieren und Drechslerarbeiten, namentlich zu Tabakpfeifen, die in Australien sehr beliebt sind.

So lange das Holz unpoliert bleibt, bewahrt es seinen eigentümlichen Veilchengeruch.

Der Same dieser Art, wie der folgenden, kann von jeder australischen Samenhandlung, beispielsweise von C. F. Creswell in Melbourne, bezogen werden.

b) Schwarzholz.

Blackwood wird in Australien sowohl der Baum Acacia melanoxylon wie sein Holz genannt. Das ist eine der grössten Akazien. sie erreicht eine Höhe von 24 Meter bei einem Stammdurchmesser von 0,60 bis 0,90 Meter. Heimisch ist sie im östlichen Australien und in Tasmanien, wo sie in tiefgründigen Böden, vorzugsweise in feuchten Thälern und an Flussufern vorkommt.

Das Holz steht in dem genannten Verbreitungsgebiet in hoher Wertschätzung, es ist dunkelbraun, hart, dauerhaft und nimmt eine so schöne Politur an wie Wallnussholz. Verarbeitet wird es zu feinen Möbeln, Eisenbahnwagen, Billardtischen, Fournieren und im Schiffbau. In gedämpftem Zustand biegt es sich leicht ohne Beschädigung der Fasern.

Über die Bruchfestigkeit und Elastizität sind Zahlen im Abschnitte über die Holzkunde zu finden.

c) Himbeerduftendes Holz.

Acacia acuminata, heimisch in Westaustralien, liefert dieses wie Himbeergallerte duftende Holz. von dem in seinem Verbreitungsgebiet mit hoher Anerkennung bezüglich seiner Brauchbarkeit zu feinen Möbeln und ähnlichen Gegenständen gesprochen wird, auch in England haben die wenigen dahin exportierten Pöstchen recht gut gefallen. Indessen haben Ausländer noch zu wenig Gelegenheit zur Beurteilung gehabt, als dass eine abgeschlossene Charakteristik gegeben werden könnte.

d) Sabicuholz.

Ein schon lange in Europa gewürdigtes Holz, das der in Westindien heimischen Acacia formosa entstammt. Am häufigsten kommt der Baum in Cuba vor und fast nur von dort findet der Export des Holzes statt. Der Stamm wächst häufig nicht ganz gerade und erreicht nur eine astfreie Höhe von 6 bis 12 Meter, bei einem Durchmesser von 0,40 bis 0,80 Meter, doch wird dieser Nachteil in hohem Grade aufgewogen durch die fast vollständige Fehlerfreiheit und den sehr dünnen Splint, sowie das unbedeutende Schrumpfen während des Trocknens. Bei der Bearbeitung gibt es also wenig Abfall, zumal Kernrisse, Sternrisse und Kreisrisse nur sehr selten und immer nur in der mildesten Form auftreten; auch wird das Holz während des Trocknens niemals rissig. Gelegentlich besitzt dasselbe jedoch einen Fehler, der für die Käufer um so bedenklicher ist, als er erst nach der Zerlegung der Blöcke entdeckt werden kann. Er besteht in zerrissenen Fasern in der Nähe des Markkerns, datiert also sehr wahrscheinlich aus der Jugend und mag durch starke Schwankungen des Stammes unter der Gewalt von Stürmen entstehen.

Die Annahme ist berechtigt, dass dieser Fehler, wie der oft gekrümmte Wuchs des Stammes, durch die Forstkultur, wenn nicht gerade vollständig ausgemerzt, so doch auf eine äusserste Seltenheit herabgedrückt werden kann. Eine forstliche Behandlung hat dieser Baum bis jetzt nicht erfahren, am wenigsten in Cuba, wo die Wälder einer Raubwirtschaft der rohesten Art unterworfen sind.

Das Sabicuholz ist von dunkelkastanienbrauner Farbe, hart, schwer, stark, dichtfaserig, nimmt eine sehr schöne Politur an und ist ausserordentlich dauerhaft, selbst wenn es ohne Anstrich oder Lack dem Wetter ausgesetzt ist. Häufig ist es prächtig dunkel gemasert, solche Stücke bezahlen die Möbeltischler mit sehr hohen Preisen.

Damit ist eine Verwendung dieses Holzes angedeutet: in der Möbeltischlerei. Im weiteren Sinne ist es ein Luxusholz, muss es doch häufig Rosen- und Jacarandaholz ersetzen. Ferner wird es im Schiffbau benutzt zu Riegeln, Säulen, Maschinenträgern u. s. w. — Sein bedeutendes spezifisches Gewicht, das im Durchschnitt 0,916 beträgt, verhindert seine ausgedehnte Anwendung bei Hausbauten.

Über die in Zahlen ausdrückbaren physikalischen Eigenschaften ist die betreffende Tabelle im Abschnitt über die Holzkunde nachzusehen. Ein Vergleich zeigt, dass das Sabicuholz einen hohen Rang einnimmt in Bezug auf Bruchfestigkeit, Druckfestigkeit, Zugfestigkeit und Elastizität. Nur mit wenigen Hölzern teilt das Sabicuholz die Eigenschaft, dass es eine hohe Belastung trägt ohne Anzeichen des Bruches. Wird aber die Belastung weiter erhöht bis über das Höchstmass, dann bricht es plötzlich mit lautem Krach in eine Masse formloser Splitter auseinander.

2. Angeliqueholz.

Seit Anfang der siebziger Jahre hat sich französisch Guiana bemüht, dieses Holz in Europa einzuführen, bis jetzt aber nur mit Erfolg in Frankreich. Es entstammt dem mässig grossen Baume **Dicorenia paraensis**, der einen astfreien Block bis zu 15 Meter Länge bei einem Durchmesser von 0,80 bis 1 Meter liefert. Auch in Holländisch Guiana soll er vorkommen, aber in geringerer Zahl.

Das Holz ist **rötlichbraun**, mässig hart, stark, zäh, elastisch und nicht schwierig zu bearbeiten, obgleich es sich nicht leicht spaltet. Gewöhnlich liegen die Fasern dicht und grad, nur selten sind sie gemasert. Der Splint ist sehr dünn. Andere Fehler, wie gelegentliche Kernrisse in milder Form, besitzt dieses Holz in der Regel nicht. Es ist frei von Knorren und, mit der erwähnten Ausnahme, gesund bis auf den **Markkern**. Bei der Verarbeitung gibt es mithin sehr wenig Abfall.

Das Holz soll sehr dauerhaft im Wasser sein und von manchen Insekten verschont bleiben, die andere Hölzer angreifen, weil es einen unangenehmen Geruch ausströmt, der sich allerdings nach und nach verliert. Das ist ein Vorteil und zugleich ein Nachteil, weil dadurch die Verwendbarkeit beschränkt wird.

Die Franzosen verwendeten bis jetzt dieses Holz vorzugsweise im Schiffbau, empfehlen es aber für Bauzwecke im allgemeinen. Die wenigen gemaserten Stücke mögen sich für die Möbeltischlerei eignen.

Die spezifische Schwere wird mit 770 bis 820 angegeben.

3. Araukarienhölzer.

Die Gattung Araucaria, zur Familie Coniferae gehörend, besteht aus hohen Bäumen, die auf der südlichen Erdhälfte heimisch sind und als gemeinsames Merkmal zweihäusige Blüten besitzen; die Staubfäden der männlichen Blüten sind in 10 bis 12 Kapseln enthalten, welche an der Spitze jeder Schuppe hängen, die weiblichen Blüten sitzen zu zwei unter den Schuppen, jede hat eine Samenknospe.

Alle Arten sind immergrün, ihre Blätter sind breiter wie diejenigen der Kiefern und Tannen, denen sie übrigens in ihrem Gesamtaussehen gleichen.

A. imbricata, zuweilen Chilifichte genannt, kommt in den Andes von Chili vor, an deren westlichen Abhängen sie ausgedehnte Wälder bildet, aber nicht nördlicher wie Santiago gedeiht, da sie ein mässig feuchtes Klima beansprucht. Unter günstigen Verhältnissen erreicht sie eine Höhe von 45 Meter, unter weniger günstigen nur eine solche von 30 Meter, stets aber ist der Stamm schnurgerad und knotenfrei. Die Rinde der jungen Bäume ist bis etwa zum 15. Jahre mit Blättern besetzt, ferner sind junge Bäume fast vom Grunde aus verästelt, alte Bäume tragen dagegen eine Krone auf hohem, astfreiem Stamm. Die Fruchtzapfen sind rundlichoval, 20 bis 25 Zentimeter im Durchmesser, die Schuppen enden in einer langen ahlförmigen Spitze, die Samen sind keilförmig und fast 3 Zentimeter lang. Die Rinde ausgewachsener Bäume ist 10 bis 15 Zentimeter dick, die Borke besitzt eine korkartige Textur, der Bast ist schwammig-porös.

Aus allen Teilen des Baumes quillt Harz aus und zwar in Fülle bei Verwundungen. Die Blätter sind lanzettlich, etwa 4 Zentimeter lang, $^1/_2$ Zentimeter am Grunde breit und spitz zulaufend. Diese Araukarie hat eine weite Verbreitung als Zierbaum gefunden, in Chili aber ist sie ein Nutzbaum von Bedeutung, denn sie liefert ansehnliche Mengen Holz zu verschiedenen Bauzwecken. Dasselbe ist schwer, hart, grobfaserig, gelblichweiss und häufig schön gemasert. Zu Schiffmasten wird es als sehr geeignet bezeichnet. Das Harz ist weiss, besitzt einen nicht unangenehmen Geschmack und einen Geruch, der an Weihrauch erinnert. Es dient als Pflaster für Quetschungen. Die Samen schmecken ähnlich wie Kastanien; sie bilden ein wichtiges Nahrungsmittel der Indianer, welche sie roh, gekocht und geröstet essen. Zuweilen dienen sie zur Branntweindestillation.

Ein Fruchtzapfen enthält bei günstigster Entwickelung 200 bis 300 Samen, und 20 bis 30 dieser grossen Fruchtzapfen trägt ein in voller Lebenskraft stehender Baum.

A. brasiliana, in Südbrasilien vorkommend, hat gespreizte, lanzettliche Blätter und eine offenere und mehr ausgebreitetere Tracht wie A. imbricata. Die Samen dienen ebenfalls als Nahrungsmittel, in welcher Fülle sie wachsen, zeigt, dass sie auf dem Markte von Rio de Janeiro regelmässig verkauft werden. Das weissliche, grobfaserige Holz wird in Südbrasilien vielfach zu Bauzwecken verwendet, für die es sich recht geeignet erweist, nur wird seine geringe Dauerhaftigkeit im Wechsel von Nässe und Trockenheit beklagt. Das Harz wird mit Wachs vermischt zu Kerzen verarbeitet.

A. excelsa führt den volkstümlichen Namen Norfolkfichte; sie ist auf der Norfolkinsel heimisch und wohl die grösste der Araukarien, erreicht sie doch eine Höhe von 48 bis 60 Meter, mit einem Stamm von 2,50 bis 3 Meter Durchmesser und ist 24 bis 30 Meter hoch astfrei. Die Blätter der jungen Bäume sind linealisch, diejenigen der alten Bäume länglichoval und dicht verworren. Die länglichovalen Fruchtzapfen haben eine Länge von 10 bis 12 Zentimeter.

Das Holz ist weisslich, zäh, dicht und schwer, lässt sich aber trotzdem ziemlich leicht bearbeiten. Es dient zu verschiedenen Bauzwecken, ist jedoch dem Wetter ausgesetzt nicht dauerhaft.

Diese Araukarie ist, nächst der A. imbricata, als Zierbaum am bekanntesten geworden, in der Umgebung von Sidney spielt sie für diesen Zweck eine wichtigere Rolle wie andere Bäume, dort erregt sie durch ihre stattliche, anmutige Erscheinung sofort die Aufmerksamkeit der Reisenden. Aber nur soweit wie die Seeluft ihre Wirkung ausübt, findet sich diese Araukarie; tiefer landeinwärts hat sich ihre Zucht noch immer erfolglos erwiesen. Bemerkenswert ist, dass in der Umgebung von Santiago in Chili die heimische A. imbricata des trockenen Klima's wegen schlecht fortkommt, während hier A. excelsa freudig gedeiht.

Der Same besitzt mehrere Eigentümlichkeiten, die interessant zu wissen sind, zumal sie schon mehrfach die Ursache zu gerichtlichen Prozessen zwischen Baumschulenbesitzern und Samenverkäufern geworden sind. Da, wie bei der ganzen Gattung, so auch bei dieser Art die Blüten zweihäusig sind, kann eine Befruchtung nur erwartet werden, wo männliche und weibliche Bäume nahe beisammen stehen. In diesem Falle reift eine Ernte in jedem 3. Jahre. Die Samen in den mittleren Ringen der Fruchtzapfen sind am kräftigsten entwickelt, besitzen also die stärkste Keimkraft, während diejenigen in den beiden Enden nahezu werthlos sind. Wenn der gesamte Samen eines Zapfens zu 50 % keimt, wird er als Durchschnittsqualität betrachtet. Ein Baum mag übrigens abwechselnd eine vollständig wertlose und eine hochprozentig keimfähige Ernte hervorbringen. In anderen Jahren zeigt eine sorgfältige Prüfung einen klaffenden Unterschied zwischen Samen von den oberen und unteren Ästen.

Über diese Thatsachen sind die Züchter noch vollständig im Dunkeln und wie wenig sie den Samen zu beurteilen wissen, erhellt daraus. dass ich von einem bedeutenden Baumschulbesitzer in Sidney hörte, er habe in einem Jahre 6 Säcke Samen gesäet und nicht einen Sämling gesehen. Den Samen pflegen die Züchter so eng wie möglich zu säen.

Die Moretonbaifichte gleicht der Norfolkfichte sehr, ist aber nach den neueren Botanikern keine Araukarie, sondern gehört zu der erst in jüngster Zeit gegründeten Gattung Entassa oder Altingia. Heimisch ist sie in Neu-Süd-Wales, ihre Höhe bewegt sich zwischen 18 und 38 Meter, bei einem Stammdurchmesser von 1,2 bis 2,4 Meter. Die Blätter der älteren Bäume sind lanzettlich und geschweift. Das gelbliche, grobfaserige, starke Holz wird zu Boot- und Hausbauten, wie zu ordinären Möbeln benutzt.

Von Araucaria Bidwillii ist mir nur bekannt, dass ihre grossen Samen den Eingeborenen an der Moretonbai zur Nahrung dienen.

4. Buchstabenholz.

Eines der schönsten und seltensten Luxushölzer. Es ist das Kernholz eines in den Wäldern von Britisch Guiana vereinzelt auftretenden Baumes, zu derselben Familie (Artocarpaceae) wie der Brodfruchtbaum gehörend. Poeppig nannte ihn Brosimum Aubletti. Aubiet dagegen Piratinera guianensis. Seine Höhe beträgt 18 bis 21 Meter, bei einem Stammdurchmesser von 0,6 bis 0,9 Meter. Der Splint ist weiss und mässig hart, das Kernholz, welches selten einen grösseren Durchmesser wie 20 Zentimeter besitzt, ist ausserordentlich hart und schwer, die Farbe ist reich dunkelbraun, besprenkelt mit ganz tiefbraunen. nahezu schwarzen Flecken. die viel regelmässiger geordnet sind, als es bei Holzmarkierungen der Fall zu sein pflegt und dadurch eine entfernte Ähnlichkeit mit den dicken Buchstaben der altertümlichen Druckschrift besitzen. Da es selten und teuer ist, findet es nur eine beschränkte Verwendung. In England, wohin es in kleinen

Pöstchen exportiert wird, dient es zu feinen Fournieren und eingelegten Arbeiten, in Guiana werden kleine Möbel und Schmuckkästchen daraus verfertigt. Früher schnitzten sich die Indianer Guiana's ihre Bogen aus diesem Holz; seit sie es zu verführerisch teueren Preisen verkaufen können, begnügen sie sich, geringwertigere Hölzer zu diesem Zwecke zu verwenden.

5. Buchsholz.

Die Gattung Buxus, zur Familie Euphorbiaceae gehörend, besteht aus immergrünen Sträuchern und kleinen Bäumen, mit gegenüberstehenden ganzen Blättern, die sich leicht spalten lassen. Die grünlichen, unscheinbaren Blüten sind in kleinen achselständigen Büscheln geordnet und einhäusig. Die männlichen Blüten bestehen aus 4 Blättern und 4 Staubfäden, die weiblichen Blüten bestehen aus 3 bis 4 grösseren Blättern und 3 verkümmerten Blättern am Grunde, einer Samenknospe, gekrönt mit 3 Griffeln und 2 honigschwitzenden Drüsen. Den Blüten folgen Kapselfrüchte mit 3 Zellen und ebenso viel Klappen, jede Zelle enthält 2 bis 3 schwarze Samen.

Die wichtigste Art ist der gemeine Buchsbaum (B. sempervirens), welcher im südlichen Europa und vorderen Asien heimisch ist. In Europa kennt man ihn nur als Zierstrauch, in Kleinasien und im Kaukasus aber hilft er Wälder bilden, erreicht aber auch hier nur eine Höhe von 7,5 Meter, bei einem Stammdurchmesser von höchstens 0,30 Meter. Die ovalen Blätter sind etwa $1^1/_2$ Zentimeter lang, glatt, glänzend und tiefgrün. Die Äste stehen gedrängt und verwachsen in einander, dadurch entsteht eine ausserordentlich dichte Krone. Mehrere Spielarten werden kultiviert, die bekannteste ist der Zwergbuchs, welcher zu Gartenbeeteinfassungen dient.

Die Blätter haben einen unangenehmen, bitteren Geschmack und einen Geruch, der manchen Menschen unleidlich ist. Ihr Genuss verursacht starken Durchfall.

Das Holz ist schwerer wie ein anderes, das in Europa wächst, und das einzige europäische, welches im Wasser sinkt; die spezifische Schwere wird mit 0,950 bis 1020 angegeben. Es ist schön gelb, ausserordentlich hart und stark, frei von Kernrissen und so fest und dicht am Markkern wie kein anderes Holz. Seine Textur ist fein, regelmässig und geschlossen, es nimmt eine sehr schöne

Politur an und wird nicht vom Holzwurm angegriffen. Es bearbeitet sich glatt und mit seidenartigem Glanze, spaltet sich von aussen etwas spiralig, wirft sich nicht und schrumpft nicht, wenn es gut getrocknet ist.

Spanien und Portugal nahmen früher bedeutenden Anteil an der Produktion dieses Holzes, gegenwärtig kommen sie als Bezugsquelle nur wenig in Betracht, als solche haben nur noch Wichtigkeit die Wälder am südlichen Abhange des Kaukasus, doch gehen auch hier die Vorräte so stark auf die Neige, dass die Vorsicht gebot, nach einem Ersatz zu suchen, doch hat man einen voll befriedigenden bis jetzt nicht gefunden, obgleich man die Augen über die Baumwelt der ganzen Erde schweifen liess. Das Buchsholz von Abassia gilt gegenwärtig für das beste.

Das kaukasische Buchsholz kommt über die Häfen des schwarzen Meeres zur Verschiffung in Blöcken von 0,8 bis 2,5 Meter Länge und einem Durchmesser von 0,08 bis 0,30 Meter, welche noch die dünne, glatte, graue Rinde der Stämme tragen. Der Splint ist nicht erkenntlich. Es wird nach Gewicht verkauft und zu Drechslerarbeiten, Flöten und andern Blasinstrumenten, Holzschnitzereien und mathematischen Instrumenten verwendet, unübertroffen aber ist es für die Holzschneidekunst, denn es gestattet einen so scharfen, feinen Ausstich wie Metall, während es die Tusche besser annimmt. In Spanien und Portugal wird aus den Spänen ein Öl destilliert, das als Mittel gegen Zahnweh und zu anderen Heilzwecken benutzt wird.

Der balearische Buchsbaum (B. balearica), heimisch auf den Balearen, in Corsika und der Türkei, ist grösser wie der vorhergehende und hat dreimal grössere Blätter; er ist empfindlicher gegen den Frost wie jener. Das Holz ist von geringerer Güte wie das echte Buchsholz, wird aber trotzdem in Mengen über Constantinopel nach Europa und Nordamerika verschifft, wo es zum weitaus grössten Teile der Holzschneidekunst dient. Was diese nicht aufbraucht, wird zu kleinen Drechslerarbeiten verwendet. Dieses Holz ist ebenfalls von geschlossener feiner Textur, aber nicht so hart, und hellgelber wie das echte Buchsholz. Auch diese Blöcke tragen die dünne, graue Rinde der Stämme, die nicht glatt, sondern mit vielen kleinen Knoten besetzt ist. Zuweilen hat dieses Holz ungesunde Flecken und eine gedrehte Faserung.

Buxus Macowani ist in Südafrika heimisch; obgleich das Holz die Güte des echten Buchsholzes nicht voll erreicht, wird es doch als Ersatz desselben von England importiert.

Der australische Buchsbaum ist nicht mit den vorhergehenden Bäumen verwandt, wie sein wissenschaftlicher Name Pittosporum undulatum andeutet. Das Holz besitzt eine starke Ähnlichkeit mit dem echten Buchsholz und ist deshalb mit Erfolg zu seinem Ersatz empfohlen worden.

Eine steigende Wichtigkeit als Ersatz des echten Buchsholzes gewinnt das westindische Buchsholz, das übrigens nicht von Westindien, sondern von Venezuela kommt. Über Puerto Cabello finden regelmässige Verschiffungen nach Hamburg statt. Die botanische Quelle ist noch nicht sicher festgestellt. Die verschiedenen Sorten führen die Marken N, A, C-H, G. Die Marke N (Naranjillo) ist am meisten geschätzt, doch kann sie nicht als vollständiger Ersatz des echten Buchsholzes betrachtet werden. Neben ihr hat sich nur noch die Marke A (Atata) Bedeutung erringen können. In Venezuela heisst dieses Holz Amarilla yema de huero (d. i. dottergelb), es soll von Aspidosperma Vargasii stammen. Die anatomische Untersuchung des westindischen Buchsholzes schliesst jeden Zweifel aus, dass Quebracho blanco sein nächster Verwandter sei, daher ebenfalls von Aspidosperma-Arten abstammen müsse, falls vorstehende Behauptung richtig ist.

Das westindische Buchsholz hat eine gleichmässig hell dottergelbe Farbe; auf Sehnenschnitten ist ein leichter Flader eben erkenntlich, hervorgerufen durch eine äusserst zarte jahrringähnliche Schichtung des Holzes. Auf dem geglätteten Querschnitte sieht man schon mit unbewaffnetem Auge dicht gedrängte, feine, geradläufige Markstrahlen und mit der Lupe überdies zahlreiche, unregelmässig zerstreute, helle Pünktchen. Das Holz ist mässig hart, leicht spaltbar und hat 1,39 spezifisches Gewicht.

Das Holz ist überaus reich an Gefässen, welche sowohl vereinzelt wie in unregelmässigen Gruppen aneinander gelagert vorkommen. Sie sind über die ganze Breite des Querschnitts zerstreut, meist 0,4 mm weit und fast kreisrund. Die Gefässwand ist ansehnlich verdickt und von zahlreichen Poren durchzogen. Stopfzellen fehlen. Die meisten Markstrahlen bestehen aus 3 Reihen in ausstrahlender Richtung stark gestreckter, dünnwandiger, von Poren reichlich durchsetzter Zellen. Die Zellen der einreihigen

Markstrahlen sind breiter und weniger gestreckt. In manchen Markstrahlenzellen finden sich grosse, schlecht ausgebildete Krystalle.

Eine Verwechselung dieses Holzes mit dem echten Buchsholz ist geradezu unmöglich. Abgesehen von andern Merkmalen sind die leiterförmig gelöcherten Gefässe des Buchsholzes bezeichnend.

Auch das erwähnte weisse Quebrachoholz ist als Ersatz des echten Buchsholzes empfohlen worden, doch steht es wegen seiner ungewöhnlichen Härte, seiner geringen Gleichmässigkeit, durch die geringe Zahl weiter Gefässe und die breiten Markstrahlen weit hinter dem westindischen Buchsholz zurück. Von seiner Verwendung zu feinern Holzschneidearbeiten kann keine Rede sein.

6. Calamanderholz.

Ein Name, der wahrscheinlich eine Verstümmelung von Coromandel ist; fanden doch wahrscheinlich aus diesem Gebiete die ersten Ausfuhren dieses Holzes statt. Dasselbe gilt als hochfein, es gleicht dem Rosenholz, übertrifft es aber an Schönheit und Dauerhaftigkeit. Der Baum, welcher es produziert, wird von der Wissenschaft Diospyros hirsuta, nach anderen Botanikern D. quaesita genannt, er gehört also derselben Gattung wie die Ebenholzbäume an. Er hat längliche, abgestumpfte Blätter, die unten flaumig sind, die stiellosen Blüten sitzen in Ähren enggedrängt. Heimisch ist er im südlichen Indien und in Ceylon, hier namentlich in den Wäldern am Fusse des Pik Adam. Doch haben früher die Holländer und später die Engländer den Baum so schonungslos gefällt, dass er nun ausserordentlich selten geworden ist. Blöcke von ansehnlicher Grösse können selbst für die höchsten Preise kaum noch beschafft werden.

Dieses Holz liefert Fourniere von unübertroffener Schönheit, auf delikatem, rehbraunem Grunde heben sich anmutig geordnet nahezu schwarze Flecken und Wellenlinien ab.

Die Faserung ist sehr dicht, das spezifische Gewicht beträgt 0.980.

7. Casuarinahölzer.

Die Gattung Casuarina, Familie Amentaceae, Unterfamilie Casuarineae, welche von manchen Botanikern als eine besondere Familie betrachtet wird, besteht aus Bäumen, die fast ausschliesslich in Australien heimisch sind. Nur eine Art, C. equisetifolia, kommt gleichfalls auf den Südseeinseln, im malayischen Archipel und an der Ostküste der Bai von Bengalen, nördlich bis Arracan vor. Einige Arten haben mehr Strauch- wie Baumform, andere sind stattliche Bäume, alle aber haben ein eigentümliches Aussehen, hervorgerufen durch ihre langen, schwanken, drahtartigen, hängenden Zweige, gliederartig besetzt mit sehr kleinen, grünen Schuppenblättern. Die Blüten haben weder Kelch noch Blumenkrone und sind einhäusig. Die männliche Blüte hat nur einen Staubfaden, die weibliche nur eine einzellige Samenknospe, jene ist in Ähren, diese in dichten Köpfen geordnet. Die Frucht besteht aus verhärteten Deckblättern, vereinigt in einem Zapfen und umschliessend kleine beflügelte Samen.

Etwas mehr wie 20 Arten dieser Gattung sind bekannt, davon treten als wichtig hervor die bereits genannte C. equisetifolia, sowie C. quadrivalvis. Die erstere wird in Australien He Oak und auf den Gesellschaftsinseln Toa oder Aitoa genannt, sie kommt auf trockenen Hügeln vor und liefert ein sehr geschätztes Brennholz. Früher fertigten die Südseeinsulaner ihre Keulen aus diesem Holz, die so hart und dauerhaft waren, dass die ersten, jene Inselwelt besuchenden Seefahrer dem Holze den bis jetzt sich erhaltenden Namen Eisenholz gaben.

C. quadrivalvis wird in Australien She Oak oder Beefwood genannt, der letztere Name bezieht sich auf die fleischrote Farbe des Holzes. Dasselbe ist schwer, sehr hart und tragkräftig, dicht, ausserordentlich dauerhaft, namentlich unter Wasser und nimmt eine schöne Politur an. Es ist ein vorzüglicher Brennstoff, liefert ausgezeichnete Kohlen und dient zur Anfertigung von Möbeln. Weitergehenden Verwendungen steht der geringe Umfang des Holzes hindernd entgegen, denn der Baum erreicht nur eine Höhe von 6 bis 7 Meter, bei einem Stammdurchmesser von 0,30 bis 0,40 Meter.

Diese Art hat sich von ihrer engeren Heimat Neu-Süd-Wales über das ganze ostaustralische Küstengebiet verbreitet, ist später der Küste von Ostafrika und dann Südindien zugewandert und hier hat sie eine ganz besondere Beachtung gefunden, eine Würdigung ihrer Tauglichkeit zur Bepflanzung der Dünen. Die indische Forstverwaltung hat bereits beträchtliche Strecken Dünenwüsten in Südindien mit diesem Baum bebaut und fährt in dieser Thätigkeit eifrig fort.

Die Tauglichkeit zur Aufforstung der Dünen hat mich veranlasst, diese Casuarina im 3. Bande der tropischen Agrikultur unter die nützlichen Wüstenpflanzen einzureihen, doch glaube ich auch an dieser Stelle auf sie aufmerksam machen zu sollen, da die Zahl der zu diesem Zwecke geeigneten, nützlichen Bäume sehr beschränkt ist.

Der Same kann von Melbourne, Sidney und Madras bezogen werden. Der Aussaat auf die dauernden Standorte folgt eine zweijährige Pflege der jungen Bäumchen durch gelegentliches Begiessen, etwas Sonnen- und Windschutz u. s. w., sie sind dann so weit gekräftigt, dass sie sich selbst überlassen werden können.

Cedernholz (siehe Seite 715—719.)

8. Chittagonyholz.

Bastardcederholz ist ein anderer Name für dieses schöne, in Indien sehr geschätzte Holz, das dem in Bengalen heimischen, stattlichen Baume Chickrassia tabulens, Familie Cedrelaceae, entstammt. Es dient für alle Zwecke wie das Mahagoni, dem es ähnlich ist, doch wirft es sich leichter und besitzt auch nicht dessen spezifische Schwere. In Indien verschneidet man es vorzugsweise zu Fournieren, deren Schönheit gerühmt wird.

9. Ebenhölzer.

Unter dem Namen Ebenholz kommen verschiedene Hölzer unter besonderen Sortennamen in den Handel, von welchen jedes einer anderen botanischen Quelle entstammt. Von gutem Ebenholz wird verlangt, dass es ausserordentlich hart und dicht, schwerer wie Wasser, feinfaserig, tiefschwarz sei und eine schöne Politur annehme — eine Anforderung, welcher die verschiedenen Sorten in höherem oder niederem Grade entsprechen und demgemäss wechselt ihre Wertschätzung. Verwendet wird das Ebenholz zu Möbeln, feinen, eingelegten Arbeiten und Drechslerartikeln, überhaupt zu Luxusgegenständen, für welche man ein fein polierbares Holz wünscht, das nicht im mindesten schrumpft, sich nicht wirft oder rissig wird. In der letzteren Hinsicht lassen die falschen Ebenhölzer zu wünschen übrig — diejenigen Hölzer sind gemeint, welche eine natürliche, dunkle, aber doch nicht schwarze Farbe haben und durch Beize dem Aussehen des echten Ebenholzes gleich gebracht werden. Das letztere dient ferner, der hervorgehobenen Eigenschaften wegen, den Maschinentechnikern zur Anfertigung gewisser Modellwerke.

Die besten Ebenhölzer entstammen der Gattung Diospyros, Familie Ebenaceae und unter ihren Arten nimmt unbestritten D. ebenum den ersten Rang ein. Dieser Baum ist in Ceylon heimisch, wo er früher auf einigen Tiefebenen zahlreich und in so stattlichen Exemplaren vorkam, dass Blöcke von 0,60 Meter Durchmesser, gewöhnlich in der Länge von 3 bis 4 Meter in den Handel gebracht werden konnten. Durch schonungslose Abholzung ist der Baum selten geworden und kaum gelingt es noch, einen Block von 0,25 Meter Durchmesser zu beschaffen.

Ursprünglich wurde nur das Holz dieses Baumes Ebenholz genannt, erst als die Europäer zu kolonisieren anfingen, wurde dieser Name auf andere schwarze oder nahezu schwarze Hölzer übertragen, die für den Handel um so wichtiger wurden, als die Vorräte von jenen stark zusammenschmolzen. D. ebenum hat eine schwarze Rinde, unter der ein vollständig weisser Splint liegt, welcher in ein so gleichmässiges, tiefschwarzes Kernholz übergeht, wie es kein anderer sogenannter Ebenholzbaum besitzt. Einer derselben (D. ebenaster) ist ebenfalls in Ceylon heimisch, wo er von den Singhalesen Caduberia genannt wird; ausserdem kommt er in Südindien vor. Das Holz ist schwarz, schön gelbbraun gestreift, aber weder so dicht noch dauerhaft wie das echte Ebenholz. Wenn in den Ausfuhrlisten Ceylons für das Fiskaljahr 1886/87 Ebenholz mit 7500 Tonnen angegeben ist, so darf mit Sicherheit angenommen werden, dass der weitaus grösste Teil das Produkt von D. ebenaster war.

D. melanoxylon ist der Ebenholzbaum von Koromandel, er liefert dem Handel beträchtliche Mengen sehr guten Ebenholzes. Das mag wohl der grösste Baum seiner Gattung sein, denn sein Stamm gewinnt einen Umfang von 2,4 bis 3 Meter. Die Rinde ist, wie bei den meisten, wenn nicht allen Arten von Diospyros, gerbsäurehaltig. Die steifen Äste wachsen unregelmässig, die langovalen Blätter sind ganz, die weissen Blüten haben einen fünflappigen Kelch und werden von kleinen, runden, fleischigen Beerenfrüchten mit 2 bis 8 Samen gefolgt. Dieser Baum wird in

Indien der Forstkultur gewürdigt, was als ein Fingerzeig bei der Wahl von Ebenholzbäumen zu Anbauversuchen dienen mag.

D. tomentosa. in Nordbengalen heimisch, liefert ein schwarzes, schweres, hartes Ebenholz von guter Qualität, eine andere indische Art. D. montana, produziert ein nahezu schwarzes Holz mit weissen Adern. Das tiefdunkelbraune Holz von D. Roylei, ebenfalls in Indien heimisch. führt auch den Namen Ebenholz.

Mauritius und Madagaskar besitzen in D. reticulata einen Ebenholzbaum. der ein vorzügliches Produkt liefert.

Der Name Ebenholz ist auch auf das Holz mehrerer Bäume übertragen worden, die nicht zur Gattung Diospyros gehören. So in Abessinien auf das schwarze, schwere Holz des Mozzungha, eine Art oder zwei, das ist noch festzustellen, der Gattung Fornasinia, Familie Leguminosae.

Das westindische Ebenholz ist ein Ausfuhrartikel von einigem Belang. Es entstammt dem schwachwüchsigen Baume Brya ebenus, Familie Leguminosae, der selten höher wie $3^1/_2$ Meter wird, bei einem Stammdurchmesser von nur 0,10 Meter. Die schwanken Äste sind dornig und zu gewissen Jahreszeiten mit orangegelben, wohlriechenden Blüten besetzt. Das Holz ist grünlichbraun, schwerer wie Wasser, ausserordentlich hart und nimmt eine schöne Politur an. Es wird hauptsächlich von musikalischen Instrumentenmachern begehrt.

Das mittlere wie südliche Afrika besitzen Ebenholzbäume, die wahrscheinlich der Gattung Diospyros angehören, was festzustellen späteren Forschungen vorbehalten bleibt.

Seit anfangs der siebziger Jahre bringt das französische Guiana Ebenholz in den Handel, das offenbar mehreren Baumarten entstammt, was auch durch Forschungen aufzuhellen bleibt. Drei Sorten werden unterschieden: Ebène, grünlich. sehr hart, schwer, stark und gleichmässig dicht; Ebène rouge. dunkelrot, hart, schwer und geradfaserig, aber nicht so dicht wie das vorhergehende; Ebène verte, dunkelgrün. sehr hart, schwer. dicht. Die drei Sorten finden Verwendung zu feinen Möbel- und Drechslerarbeiten.

Alle Ebenholzsorten werden auf den europäischen Märkten nach dem Gewicht verkauft.

10. Eisenhölzer.

Wegen ihrer ausserordentlichen Härte und Schwere empfingen in verschiedenen Ländern Hölzer, die in keiner verwandtschaftlichen Beziehung zu einander stehen, den Namen Eisenholz.

Im südlichen und östlichen Asien geniesst die Sorte Eisenholz den besten Ruf, weshalb sie zuweilen echtes Eisenholz genannt wird, welche von Metrosideros vera, Familie Myrtaceae, stammt, ein im malayischen Archipel heimischer Baum, mit oval lanzettlichen, kurzgestielten, glatten Blättern. Dieses Holz ist von Malayen, Chinesen und Japanern zur Herstellung von Rudern sehr geschätzt, zuweilen machen sie für kleine Fahrzeuge auch Anker daraus. Kleine Pöstchen werden dann und wann nach England verschifft. Die Rinde gilt in Japan als ein Heilmittel für hartnäckigen Durchfall.

Birma besitzt in Muba buxifolia, Familie Ebenaceae, einen Eisenholzbaum.

In Indien und Ceylon wird das Holz von Mesua ferrea, Familie Guttiferae, Eisenholz genannt, ein Baum der häufig nahe den buddhistischen Tempeln gepflanzt wird, seiner wohlriechenden Blüten wegen, mit welchen die Götzenbilder geschmückt werden. Die Blüten gleichen kleinen weissen Rosen und stechen auffallend ab von den tief carmoisinroten Knospen und Trieben. Das Holz ist sehr hart, so ist auch dasjenige von Mesua speciosa, ein dem vorigen nahe verwandter und in seinem Verbreitungsgebiete vorkommender Baum, der ebenfalls, aber nicht allgemein üblich, Eisenholzbaum genannt wird.

Das Holz von Repris undulata, Familie Diosmaceae, ist in Südafrika als weisses Eisenholz gekannt. Es ist sehr zäh und hart und wird hauptsächlich zu Achsen, Pflügen und anderen Ackerbaugeräten gebraucht. Das schwarze Eisenholz desselben Gebietes ist das Produkt von Olea laurifolia, Familie Oleaceae, und findet dieselbe Verwendung wie das weisse Eisenholz, ausserdem zu Möbeln.

Mauritius besitzt ein weisses Eisenholz, dort bois de fer blanc genannt, das von Sideroxylon cinereum, Familie Sapotaceae, stammt. Das gewöhnliche Eisenholz dieser Insel ist das Produkt von Stadtmannia sideroxylon, Familie Sapindaceae, ein früher häufiger, jetzt aber sehr seltener Baum.

Als westindisches Eisenholz gelten die Produkte von Colubrina reclinata und C. ferrugina, Familie Rhamnaceae und von Aegiphila martinicensis, Familie Verbenaceae. Martinique besitzt einen besonderen Eisenholzbaum in Ixora triflorum, nach Anderen Siderodendron triflorum, Familie Rubiaceae, ebenso Jamaica in Zanthoxylum pterota, Familie Rutaceae. Das Holz des Letzteren wird in kleinen Pöstchen nach England exportiert, wo es vorzugsweise in den königlichen Werften Verwendung findet. Es ist eines der bruchfestesten aller bekannten Hölzer. Bei einem vergleichenden Versuche in einer königlichen Werft mit Stäben, 12 Zoll lang und 2 Zoll im Quadrat, forderte Eisenholz ein Bruchgewicht von 14991 Pfund, es folgten: Grünherz 12215 Pfund, Moraholz 9700 Pfund, blaues Gummibaumholz 7167 Pfund, Purpurherz 6393 Pfund.

Guiana besitzt in Robinia ponacoco, Familie Leguminosae, einen Eisenholzbaum.

Apuleia ferrea und Caesalpina ferrea, Familie Leguminosae, sind zwei brasilianische Arten, die Eisenholz liefern.

In Mittelamerika stammt ein Eisenholz von Cocoloba grandifolia und C. pubescens, Familie Polygonaceae. Sehr wahrscheinlich ist es dieses Holz, welches in beträchtlichen Mengen unter dem Namen Cocoloba oder Cocobola in New-York von Aspinwall und anderen mittelamerikanischen Häfen eingeführt wird. Vorzugsweise dient es zu Messer- und Gabelstielen, für welchen Zweck es sich ganz besonders eignet, weil es sehr dicht und frei von Knoten ist und keine Neigung zum Reissen besitzt. Die gleichen Eigenschaften machen es wertvoll für die Fabrikanten von Blasinstrumenten. In der Tischlerei wird es selten benutzt, weil es sich nicht gut leimt. Es kommt in Blöcken von 100 bis 300 Kilogramm Gewicht zur Verschiffung.

Tasmanien besitzt ein Eisenholz, welches von Notelae ligustrina, Familie Oleaceae, stammt und vorzugsweise zu Schiffsblöcken verwendet wird.

In Nordamerika führt das Holz der folgenden Bäume den Namen Eisenholz: Ostrya virginica, Carpinus caroliniana, beide zur Familie Cupuliferae gehörend; Cyrilla racemiflora, Cliftonia ligustrina, beide zur Familie Cyrillaceae gehörend; Hypelate paniculata, Familie Sapindaceae, Olneya tesota, Familie Leguminosae, Bumelia lycioides, Familie Ebenaceae. Als roter Eisenholzbaum wird Reynosia latifolia, Familie Rhamnaceae, bezeichnet, als weisser Eisenholzbaum Hypelate trifoliato, Familie Sapindaceae und als schwarzer Eisenholzbaum Condalia ferrea, Familie Rhamnaceae.

Eisenholz, im Munde der Europäer, welche sich auf den Südseeinseln aufhalten, ist das Produkt von Casuarina equisetifolia, Familie Amentaceae.

Wenn die Neu-Seeländer von Eisenholz sprechen, meinen sie den Rata der Eingeborenen, der Wissenschaft als Metrosideros lucida bekannt.

11. Eucalyptushölzer.

Bis jetzt kennt man etwa 400 Arten der Gattung Eucalyptus, Familie Myrtaceae, die bis auf wenige Ausnahmen, die auf Neu-Guinea, Timor und die Molukken entfallen, in Australien und Tasmanien heimisch sind. In Australien werden die Eucalyptusbäume in der Regel Gummibäume genannt, eine Bezeichnung die, wie der beste Kenner der australischen Pflanzenwelt, Baron von Müller, mit Recht bemerkt, missleitend ist, denn jene Bäume produzieren kein Gummi, sondern einen Kino genannten Stoff. Begründeter Weise könnten die Gerberakazien (Acacia decurrens ect.) Gummibäume genannt werden, da sie ein wirkliches, dem arabischen ähnliches Gummi ausschwitzen. Es ist übrigens ein aussichtsloses Unterfangen, diesen Sprachgebrauch zu bekämpfen, zumal er die Eucalyptusbäume auf ihrer Wanderung über die Erde begleitet hat. Die Australier scheiden zwei Gruppen dieser Bäume aus, die eine nennen sie Ironbarktrees (Eisenrindenbäume) die andere Stringybarktrees (Faserrindenbäume), jene haben glatte, feste, diese offene faserige Rinden.

Gemeinschaftliche Merkmale der Eucalyptusbäume sind: immergrüne, lederige Blätter, die, in mehreren Fällen, nur in der Jugend ausgenommen, entweder schräge oder senkrecht hängen und mit Drüsen besetzt sind, welche ein wohlriechendes, flüchtiges Öl enthalten, das eine nahe Ähnlichkeit mit dem Cajeputöl besitzt. Die Blüten sind ohne Blumenblätter und gleichen denjenigen der Myrte. Die Knospen sind durch eine Klappe geschlossen, welche zurückspringt, wenn sich die Blüte entfaltet. In dem sich verhärtenden Kelch, welcher die Frucht bildet, liegen zahlreiche, kleine Samen, die nur zum geringeren Teile fruchtbar sind. Die meisten Arten zeichnen sich durch rasches Wachstum und viele durch eine beträchtliche Höhe aus, ist es doch jetzt eine ausgetragene Frage, dass die Mammutbäume Californiens (Sequoia gigantea) an Höhe, aber nicht an Umfang, überragt werden von einigen Exemplaren des mandelblätterigen Eucalyptusbaumes (E. amygdalina), welche damit als die höchsten Bäume der Erde anerkannt sind. Alle Eucalyptusbäume treiben Schösslinge aus den Stammstumpfen, können mithin zum Schlagholzbetrieb verwendet werden, doch ist diese Fähigkeit den verschiedenen Arten in stark abweichendem Grade eigen. Für eine bezügliche Gruppierung bedarf es indessen noch weiterer Erfahrungen.

Das bereits genannte Kino ist ein zusammenziehendes, dunkelrotes, formloses Harz, dessen wertvoller Teil Kinogerbsäure ist, und welches durch Einschnitte in den Stamm in halbflüssigem Zustand gewonnen wird. Es ist in den Rinden und dem Holze enthalten und zwar in den verschiedenen Arten, in stark abweichenden Prozentsätzen, wie Baron von Müller durch Untersuchungen gezeigt hat, deren Resultate er in der folgenden Tabelle niederlegte.

In 100 Teilen frischer Rinde waren enthalten:

	Kinogerbsäure	Wasser
Eucalyptus leucoxylon	21,94 %	51,13 %
" globulus	4,84	51,54
" rostrata	8,22	51,16
" Gunnii	3,44	54,09
" polyanthema	3,97	46,66
" melliodora	4,03	54,94
" obliqua	2,50	36,81
"	4,19	51,59
" amygdalina } rauhe Rinde	3,40	43,25
" " } rauhe Rinde	3,22	39,63
" goniocalyx	4,12	45,50
" macrorrhyncha	11,12	35,91
"	13,41	39,56
" viminalis, glatte Rinde	4,88	52,88
" rauhe "	5,03	54,10
" " junge "	5,97	55,03

Die Kinogerbsäure wird in der Heilkunst als zusammenziehendes Mittel benutzt, sie kann auch zum Gerben dienen, erreicht aber die Eichen- und Minerharinde nicht an Gerbkraft und gibt dem Leder eine dunkle Farbe. Die australischen Gerber gebrauchen sie als Beimischung zu anderen Gerbstoffen, in Fällen, wo sie auf eine helle Farbe des Leders kein Gewicht legen.

Die Blätter und junge Rinde von E. mannifera und E. viminalis erzeugen das australische Manna, ein harter, undurchsichtiger, süsser Stoff, der Melitose enthält. Brennende Eucalyptusblätter bilden ein Hausmittel zur Erleichterung des Asthma's und des Keuchhustens, frische Blätter werden zum Verbinden von Wunden gebraucht, ausserdem dienen sie zur Bereitung einer Tinktur, welcher von den Ärzten Heilwirkungen auf den Blasenkatarrh, auf Asthma und noch andere Krankheiten zugeschrieben wird. Auch von Wirkungen gegen die Malaria wurde früher viel gesprochen, allein sie werden gegenwärtig in Frage gestellt, jedenfalls sind sie viel unbedeutender wie diejenigen des Chinins.

Den nachfolgenden Schilderungen einer Gruppe von Eucalyptusbäumen habe ich vorauszuschicken, dass ich Baron von Müllers klassisches Werk über die Eucalypti als Führer benutzte, bei meiner Auswahl aber auch die neuern Erfahrungen über den Wert der betreffenden Hölzer, namentlich die Beurteilung, welche sie im Auslande erfuhren, berücksichtigte. Wie in allen sogenannten neuen Ländern, hat man sich auch in Australien nach Kräften bemüht, die natürlichen Hilfsquellen ins hellste Licht zu stellen, wozu die Weltausstellungsmanie die vortrefflichste Gelegenheit bot; nebenher wurde durch Rede und Schrift gewirkt. Scharf in den Vordergrund wurden die Eucalyptusbäume gestellt, alle erdenklichen guten Eigenschaften sollten sie besitzen, sollten wahre Wundererscheinungen sein, welche die ganze übrige Pflanzenwelt überstrahlten. Die Bewunderung der ganzen Gattung wurde zur Mode in allen Kulturländern und schliesslich artete sie in ein Eucalyptusfieber aus, gegen das sich selbst sonst kühl und klar denkende Männer nicht gewappnet zeigten. Dem Rausche ist, wie immer, die Entnüchterung gefolgt; es wird nun zugestanden, dass Schattenseiten übersehen und Lichtseiten zu hell beleuchtet wurden. Wenn die Australier ihre Eucalyptushölzer priesen und durch vielfache Verwendung ihren Worten Rückhalt liehen, wie musste das in der Auffassung des Vergleichs mit anderen australischen Hölzern entgegengenommen werden. Eine gleiche Beurteilung auf dem Weltmarkte, wo die Eucalyptushölzer mit den besten Hölzern aus allen Ländern in Wettbewerb zu treten haben, war kaum zu erwarten.

Möge nur nicht den hochgehenden Wogen der Begeisterung, wie es bereits hier und da geschehen ist, ein allgemeines Verdammungsurteil folgen. Die belehrende Erfahrung hat gezeigt, dass eine Gruppe Eucalyptusarten zusammengestellt werden kann, die zu den wertvollsten Waldbäumen der Erde gehören. Dieses Urteil ist nicht umzustossen, auch nicht durch den Hinweis auf eine gewisse Einseitigkeit ihrer Hölzer. Dieselben eignen sich durchgehends mehr für Bauten, Wagnerarbeiten, Bahnschwellen und dergleichen wie als Mitbewerber der Nadelhölzer für den Tischler. Wäre dem nicht so, Australien würde bei dem Überwiegen der Eucalyptusbäume in seinen Wäldern nicht nötig haben, jährlich bedeutende Mengen Nadelholz aus Nordamerika zu importieren.

Weiter geht die Erfahrung dahin, dass eine im Vergleiche zum Reichtum der Arten geringe Zahl, stets den Rang als Zierpflanzen behaupten wird. Obgleich sich auf die Letzteren meine Darlegungen in diesem Buche nicht erstrecken, so möge doch hier kurz bemerkt sein, dass die folgenden Eucalyptusarten zur Verwendung in der Zier- und Landschaftsgärtnerei geeignet sind und befriedigen werden:

E. viminalis aus Südaustralien und Tasmanien. ein klimaharter Baum von Ansehen einer Weide, mittlerer Grösse und mit linealisch-lanzettlichen Blättern von dunklem Meergrün.

E. avercula, so gross wie die vorhergehende. aber mit breiteren Blättern von dunkelgrüner Farbe. Die härteste und ausgezeichnetste Art aus Tasmanien.

E. verrucosa, eine eigentümliche harte Art von dem Fatiguegebirge, von zwergigem Wuchs. mit schönen, hellmeergrünen Blättern.

E. flexuosa, ein mittelgrosser Baum, der Trauerweide ähnlich, aus Südaustralien und Tasmanien. Die graugrünen Blätter sind linealisch-lanzettlich.

E. ficifolia. verdient wohl den ersten Rang für den in Rede stehenden Zweck. Diese Art ist schwachwüchsig, ziemlich klimahart und bringt schöne scharlachrote Blüten, schon von früher Jugend an, hervor.

E. cordata, ein kleiner Baum, am Huonfluss und an der Recherchebai heimisch. mit breiten herzförmigen Blättern von weisslicher Farbe.

E. Risdoni, ein schöner niedriger Baum mit meergrünen, lanzettherzförmigen Blättern von den Ufern des Dervent.

E. radiata, eine Art aus Neu-Süd-Wales, mit der grössten Veränderlichkeit des Laubes.

Um Contraste in Pflanzengruppen zu erzeugen, bedienen sich die Gärtner mit guter Wirkung der folgenden Arten, deren Laub und Zweige wie mit einem gepuderten Stoff bestreut erscheinen: E. pulverulenta, E. hemisphoia, E. melanophoia, E. pendula, E. stricta, E. piperita, E. longifolia und E. botryoides — alles stattliche Bäume, die aber niedrig gehalten werden können. Nun noch einige allgemeine Bemerkungen über die Kultur der Eucalyptusbäume, deren Fortpflanzung, wie hervorgehoben zu werden verdient, nicht die geringsten Schwierigkeiten bietet.

Der Same mehrerer Arten ist in Indien, Europa, Nordamerika und Argentinien käuflich, bei einer beabsichtigten Anpflanzung der unten geschilderten Waldbäume ist aber Australien die sicherste Bezugsquelle. Railton & Co. in Melbourne, G. Brunning & Sons in St. Kilda bei Melbourne und Anderson & Co. in Sidney werden gut bedienen. Pflänzlinge aus weiter Entfernung zu beziehen ist nicht ratsam, weil sie, als immergrüne Bäume, eine längere Trennung vom Boden nicht vertragen.

Die Fortpflanzung kann auch durch Stecklinge geschehen, ein Verfahren, das sich aber nicht für die Forstkultur, sondern nur für die Gärtnerei empfiehlt. Junge Seitenschösslinge des ersten Jahres, welche reif genug für diesen Zweck sind, werden in der Länge von 10 bis 15 Zentimeter in kalte, oder wenn es die Jahreszeit erfordert, in mässig warme Beete gesteckt, wo sie nach 2 oder 3 Wochen Wurzeln schlagen. Schon nach weiteren 3 oder 4 Wochen können die bewurzelten Stecklinge an eine gegeschützte Stelle der Baumschule versetzt werden, wo die jungen Bäume 2 Jahre lang bleiben mögen, um dann auf die dauernden Standorte übertragen zu werden.

Für die Saat des Samens bereitet man sich Beete aus mässig fruchtbarer, fein pulverisierter Gartenerde. Den in 15 Zentimeter von einander entfernten Reihen gelegten Samen bedeckt man mit Erde, die zur Hälfte aus Sand besteht, nicht höher wie 2 bis 3 mm. Wenn das Wetter warm und die Luft trocken ist, müssen die Beete täglich mittels einer feinen Brause begossen werden. In 8 bis 14 Tagen keimt der Same; wenn derselbe kräftig ist, wachsen die

Sämlinge so rasch in die Höhe, wie Pappeln und Weiden. Wenn sie 15 Zentimeter hoch sind, mag man sie in die Baumschule versetzen mit Beobachtung der Vorsicht, dass die Wurzeln nicht entblösst werden; die Pfahlwurzel ist zu pikieren. Die Sämlinge aller Eucalyptusbäume sind in den ersten beiden Jahren zart, die Blätter und jungen Zweige weich und krautig. Später zeigen die älteren bleibenden Blätter und die Rinde der Zweige und Stämme eine vergleichsweise zähe und feste Beschaffenheit; dann sind die Bäume zur Kultur auf den dauernden Standorten geeignet. Daher ist die vorläufige Übertragung der Sämlinge in die Baumschule ratsam. In Klimaten, wo die Saat auf Freilandbeete bedenklich erscheint, sind Kistchen empfehlenswert, 60 Zentimeter lang, 40 Zentimeter breit, 10 Zentimeter tief, mit vielen kleinen Löchern zur Entwässerung in den Böden. Diese Kistchen füllt man bis nahe an den Rand mit Gartenerde, sät wie in ein Freilandbeet und setzt sie in ein Kaltbeet, dessen Fenster durch Musselin zu beschatten sind. Ein geöltes Leinwanddach kann als Ersatz der Fenster dienen. Die tägliche Bewässerung darf nicht versäumt werden. Wenn die Sämlinge 5 Zentimeter hoch sind, muss ihre Abhärtung durch das Öffnen des Kaltbeetes in steigenden Zeitlängen beginnen. Die weitere Behandlung unterscheidet sich nicht von der bereits angegebenen.

In Indien pflegt man den Eucalyptussamen in Bambustöpfe zu säen — ein Verfahren, das in den Grundzügen der Forstkultur geschildert ist.

Die Verpflanzung auf die dauernden Standorte mag in Abständen von 2 Meter geschehen, und sollte am Schlusse der kühlen Jahreszeit, an trüben Tagen, ebenfalls mit Verhütung der Wurzelentblössung vorgenommen werden. In den beiden folgenden Jahren ist der Boden wiederholt mit dem Kultivator zu lockern und zu jäten: die Bäumchen werden von da ab den Boden so stark beschatten und sich so kräftig entwickelt haben, dass eine weitere Bodenbearbeitung nicht nötig ist. Drei Jahre nach der Anpflanzung kann in der Regel die Auslichtung beginnen und mag nach 3 und 3 Jahren wiederholt werden. Es werden dadurch Pfähle, Pfosten u. s. w. gewonnen.

Nicht selten wachsen die Bäume so schlank auf, dass sie in Gefahr schweben, vom Wind gebrochen zu werden. In diesem Falle köpft man sie wie Weiden, um die Stämme zu verdicken.

Bei einem solchen Wachstum in die Höhe, wie es diese Bäume zeigen, muss das Aufästen, worunter der Forstmann das Absägen der unteren Äste versteht, unterbleiben. Welche Ansprüche die unten geschilderten Arten an den Boden stellen, ist aus den Bemerkungen über ihr Vorkommen zu schliessen, bezüglich der klimatischen Anforderungen kann von allen gelten, dass sie keinen stärkeren Frost wie — 5 bis 7° C., je nach dem Standort und auch nur auf kurze Dauer, vertragen können. Nur einige schwachwüchsige und zwergige Eucalyptusarten vertragen höhere Kältegrade. Aus dem angegebenen Verbreitungsgebiet für jede Art erhellen am besten die klimatischen Bedingungen des Gedeihens.

Wenn ich in den folgenden Einzelschilderungen die wissenschaftlichen Namen an die Spitze stelle, und die volkstümlichen Benennungen stark zurücktreten lasse, so geschieht es, weil in den letzteren eine kunterbunte Verwirrung herrscht und auch, weil sie grösstenteils zu unpassend sind, als dass ihre Beibehaltung, viel weniger noch ihre Übertragung nach anderen Ländern empfehlenswert wäre. Wiederholt habe ich in der „tropischen Agrikultur" darauf aufmerksam gemacht, wie unglücklich und ungeschickt die Engländer und ihre colonialen Nachkömmlinge sind, wenn sie fremden Dingen einen Namen geben; hier verleugnen sie, wie so oft, ihren viel bewunderten praktischen Sinn. Um bei den Waldbäumen zu bleiben: wie phantasiearm zeigen sich die Nordamerikaner in den betreffenden Benennungen, welches Durcheinander herrscht in der Anwendung desselben Namens für verschiedene Arten, wie unpassend im Hinblick auf die Eigenschaften der Bäume sind oft die gewählten Bezeichnungen. Was in dieser Beziehung die Nordamerikaner Unverständiges geleistet haben, wird von den Australiern weit übertroffen. Es scheint, dass in dem zuletzt entdeckten Erdteil die Fähigkeit der Engländer zur Benennung neuer Gegenstände auf den Gefrierpunkt herabgesunken sei. Hier haben sie nicht allein unverständige, sondern sogar alberne Namen gewählt, und sie hätten es doch so leicht gehabt, das Armutszeugnis für ihre Phantasie zu umgehen, wenn sie sich die fast durchgehends kurzen und wohlklingenden Namen der Eingeborenen angeeignet hätten! Auch Baron von Müller beklagt die unverständigen Benennungen, so sagt er bezüglich Eucalyptus botryoides: es ist zu bedauern, dass ein so sinnloser Name wie Bastardmahagoni in ausgedehntem Masse Eingang in die Sprache der Kolonisten gefunden hat. Die Eingeborenen von Ostgippsland nennen diesen Baum Binnak und diejenigen bei Port Jackson Bangalay.

Über die Elastizität, Bruch- und Druckfestigkeit der Eucalyptushölzer, soweit sie ermittelt sind, geben die Tabellen im Abschnitt über die Holzkunde Auskunft.

a) Eucalyptus rostrata.

Der rote Gummibaum. Die zerstreut stehenden Blätter sind lanzettlich-sichelförmig und gleichfarbig auf beiden Seiten; die Zweigadern sind sehr fein, die Öldrüsen spärlich oder verborgen. Die Schirmblüten achselständig oder seitlich auswachsend, einzelstehend an dünnen Stielen, mit 4 bis 14 Blüten besetzt. Die Frucht ist nicht gross, rundlich, 3-, öfters 4-, selten 5-zellig, die kleinen Samen sind alle ohne Flügel, die unfruchtbaren sind sehr schmal.

Verbreitet ist diese Art fast über das ganze australische Festland, ausgenommen nur im Südwesten an einigen Küstenstrecken; in Tasmanien fehlt sie vollständig. Nirgends steigt sie hoch in's Gebirge, noch entfernt sie sich von den feuchten Oasen der Wüstenregionen. Ihre höchste Entwickelung erreicht sie an den Ufern von Wasserläufen oder auf dem Schwemmboden von Thalsohlen.

Dieser Baum kann als der allgemein nützlichste Eucalyptus, als die wichtigste Art der ganzen Gattung betrachtet werden. Obgleich er vom blauen Gummibaum an Schnelligkeit des Wachstums übertroffen wird, überragt er diesen doch an Wert wegen seines aussergewöhnlich dauerhaften Holzes, in welcher Beziehung er nur im Jarrahbaum (E. marginata) einen Wettbewerber hat, dem gegenüber er aber den Vorteil schnelleren Wachstums und des grösseren Anbequemungsvermögens an Boden und Klima besitzt; selbst in sumpfigen und schwach alkalinischen Böden kommt er fort und an so windgepeitschten Standorten, wo der blaue Gummibaum bald brechen würde. Niemals erreicht er die riesige Grösse von E. amygdalina und E. diversicolor; allein er wächst doch zur stattlichen Grösse von 30 bis 50 Meter, bei dem vergleichsweise starken Durchmesser von 3 bis 4 Meter, liefert also massiges Holz.

Nicht allein, dass er in dauernden, seichten Sümpfen leben kann, er ist auch einer der widerstandsfähigsten seiner Gattung gegen tropische Hitze.

Den Namen roter Gummibaum empfing diese Art von der dunkelrötlich braunen Farbe des Holzes und nicht von der Rindenfarbe, die nur gelegentlich schwach rötlich bräunlich, gewöhnlich aber glatt aschgrau oder weisslich ist. Die Eingeborenen am unteren Murrumbidgee nennen diesen Baum Biall.

Das Holz ist sehr dicht und ausserordentlich dauerhaft, namentlich im Boden, beim Trocknen schrumpft es in der Längenrichtung kaum bemerklich und widersteht einem enormen Druck. Es nimmt eine schöne Politur an, doch ist es so schwierig zu bearbeiten, dass es selten zu Möbeln benutzt wird. Dieser Verwendung ist auch sein Gewicht hinderlich, beträgt doch die spezifische Schwere 0,858 bis 1,005. Gebraucht wird dieses Holz hauptsächlich im Schiffbau für Planken und Riegel, für Wagnerarbeiten, namentlich als Felgen, für Zäune, Pfosten, Brücken- und Hausbauten, für Telegraphenstangen und Bahnschwellen. Beachtung verdient, dass die Regierung der Kolonie Viktoria auf Grund ihrer Erfahrungen nur noch dieses Holz zu Bahnschwellen und Brückenbauten verwenden lässt. Wenn Baron von Müller sagt, dieses Holz widerstände den Angriffen des Teredo und anderer Seetiere, so ist diese Behauptung von der Erfahrung unbestätigt geblieben. Wohl bleibt es im süssen wie salzigen Wasser lange Zeit frei von Verwesung, und es mag auch kein beliebter Angriffsgegenstand für die kleinen Seetiere sein, allein verschont bleibt es nicht, wofür unter anderen Beweisen die Zerstörung einer ansehnlichen Zahl Pfeiler der Schiffslände im Hafen von San Francisco vorliegt.

Mit diesen Pfeilern aus rotem Gummibaumholz wurde ein grösserer Versuch unternommen, um ihre Teredofestigkeit zu erproben, allein der Erfolg befriedigte nicht. Der Wert dieser Erfahrung kann nicht dadurch beeinträchtigt werden, dass der Teredo in auffallend starker Zahl im Hafen von San Francisco auftritt. Die Hölzer aller anderen, in Californien eingeführten Gummibäume wurden ebenfalls versucht, doch mit schlechterem Resultat. Darunter befanden sich weder der Karri noch Jarrah und nun hat die Hafenbehörde beschlossen, einen Versuch mit dem Holze des Ersteren zu machen, weil ihm das Zeugnis zur Seite steht, es habe im Hafen von Melbourne bereits 25 Jahre der Verwesung und dem Teredo widerstanden. Dem Jarrahholze wurde seither eine grössere Widerstandsfähigkeit nachgerühmt, daraus geht hervor, dass die Akten über das Für und Wider noch lange nicht geschlossen sind.

Das rote Gummibaumholz lässt sich ohne Schaden für seine Fasern biegen, vorausgesetzt, dass es vorher gedämpft wird. Seine Markstrahlen sind sehr zahlreich, fein, aus 1, 2 oder 3 Reihen Zellen gebildet, die dünnwandig und beträchtlich länger wie breit sind, wo sie sich den Gefässröhren nähern, sind sie mit Poren besprenkelt. Die Jahresringe werden markiert durch eine abwechselnd grössere oder geringere Zahl von Gefässröhren. Die letzteren stehen auf dem Querschnitte vereinzelt, ihre Wände sind kreisrund oder elliptisch mit einem durchschnittlichen Durchmesser von 0,15 Millimeter; sie sind verhältnismässig nicht dick und enthalten oft dünnwandige Zellen mit einem rotbraunen Stoff, der löslich ist in einer Lösung von kaustischem Kali und auch in den anderen Holzteilen vorkommt. Die Holzfasern sind durchschnittlich 0,015 Millimeter breit, dickwandig, punktiert, gewöhnlich in feinen Spitzen auslaufend, zuweilen gekrümmt und gelegentlich verzweigt.

Die frische Rinde enthält 7 bis 8 % Kino, welcher für Heilzwecke als eine der wirkungsvollsten Sorten gilt. Denn obgleich die meisten Eucalyptusbäume Kino produzieren, ist doch die Zusammensetzung, also auch der Wert, nicht übereinstimmend.

Das lufttrockene Holz enthält nach den Untersuchungen des Barons von Müller 4,38 % Kinogerbsäure und 16,62 % Kinorot; der letztere Stoff ist löslich in Alkohol, aber nicht in Wasser. Der Prozentsatz dieser beiden Stoffe wird in gleicher oder annähernder Höhe nur noch im Jarrahholz gefunden. Damit glaubt von Müller die aussergewöhnliche Widerstandsfähigkeit der beiden Hölzer gegen Verwesung im Wasser und Boden, und ihre Unzugänglichkeit für bohrende „Insekten“, soll wohl gemeint sein bohrende Kleintiere, erklären zu können.

Die frischen Blätter enthalten 0,88 % Eucalypto-Gallsäure, 4,68 % Eucalypto-Gerbsäure, 0,16 % Eucalyptussäure, 2,50 % Gummi, 0,72 % Eucalyptin und 10,42 % Fruchtzucker.

b) Eucalyptus pilularis.

Der Blackbutt. Die zerstreut stehenden Blätter sind lanzettlich-sichelförmig, oben glänzender wie unten, die Zweigadern sind sehr fein und zahlreich, die Öldrüsen verborgen. Die Schirmblüten meistens achselständig, einzelstehend, aus 4 bis 16 Blüten zusammengesetzt. Die halbovale Frucht ist 3- oder 4-, selten 5-zellig. Der unfruchtbare Same ist meistens nicht viel schmäler wie der fruchtbare, alle sind ohne Flügel.

Dieser Baum kommt vor in bewaldeten Gegenden von Ostgippsland bis Südqueensland, stets auf das Küstengebiet beschränkt. Unter günstigen Umständen erreicht er eine Höhe von 90 Meter, bei einem Stammdurchmesser von 12 bis 14 Meter, allein in der Regel ist er beträchtlich kleiner, 60 Meter darf als die durchschnittliche Höhe betrachtet werden. Die etwas faserige Rinde ist aussen schwarzgrau, innen bräunlich und von Querfasern durchzogen. Die Rinde der Äste und Zweige ist glatt, grau oder weisslich.

Das Holz erfreut sich eines ausgezeichneten Rufes für Bauzwecke, in Form von Balken und Brettern, Telegraphenstangen, Bahnschwellen, Schindeln und Raastangen; wird dagegen als Brennstoff geringwertig betrachtet, liefert indessen gute Kohlen.

Das spezifische Gewicht beträgt etwa 0,897. Im Laboratorium des Barons von Müller wurde ein Stab dieses Holzes, 4 Fuss lang und 2 Zoll im Quadrat, in der Mitte mit einem Gewicht von 980 Pfund belastet; die Beugung betrug 1,35 Zoll, während die Elastizität unbeeinträchtigt blieb. Das schliessliche Bruchgewicht betrug 1232 Pfund.

Die Sämlinge haben glatte, langrunde Blätter, grau an der unteren Seite und auffallend besprenkelt mit durchsichtigen Öldrüsen.

c) Eucalyptus botryoides

Der Bastardmahagoni der australischen Colonisten, der Bangalay und Binnak der Eingeborenen.

Die zerstreut stehenden Blätter sind lanzettlich-sichelförmig, oben dunkelgrüner und glänzender, unten fahler und dumpfgrüner; die feinen Seidenadern breiten sich fast quer aus, die Öldrüsen liegen sehr verborgen. Die an breiten, zusammengedrückten Stielen stehenden Schirmblüten sind achselständig, einzelstehend, aus 4 bis 9 Blüten zusammengesetzt. Die Frucht bis halboval, 3 bis 5 zellig, die unfruchtbaren Samen sind viel schmäler wie die fruchtbaren, diese wie jene haben keine Flügel.

Dieser Baum kommt vor vom Tyerssee durch Ostgippsland bis zu den südlichen Gegenden von Neu-Süd-Wales, hauptsächlich an Flussufern. aber auch an feuchten, sandigen Orten der Küste.

Die schattige, nahezu wagerechte, dunkelgrüne Belaubung gibt diesem schönen Baume ein eigentümliches, eindrucksvolles Aussehen, das mehr an eine Eugenia als an einen Eucalyptus erinnert. Gelegentlich erreicht er eine Höhe von 36 Meter, mit einem astfreien Stamm von 24 Meter und einem Durchmesser von 2.50 Meter. Er ist einer der wenigen seiner Gattung, welche mit Vorteil zur Aufforstung sandiger Küsten benutzt werden können. Die Rinde ist dunkel, etwas gefurcht und nicht abfallend am Stamme und den Hauptästen.

Das Holz ist lichtbraun. Es wird, wenn auf fruchtbarem Boden an Flussufern gewachsen, als eines der besten unter den Eucalyptushölzern betrachtet und vorzugsweise zu schweren Wagnerarbeiten, namentlich Felgen, verwendet. Schindeln aus diesem, zu allen Bauzwecken benutzbaren Holze, erfreuen sich eines besonders guten Rufes.

Wenn der Baum im Küstensand wächst, ist der Stamm oft knorrig, aber gesund bis auf den Markkern und brauchbar zu Brettern und Zaunpfosten.

d) Eucalyptus gomphocephala.

Der Tuart, Touart oder Tooart, auch Tewart geschrieben. Die an langen Stielen zerstreut sitzenden Blätter sind lanzettlich-sichelförmig, glänzend, unten etwas fahler wie oben, die Öldrüsen liegen verborgen. Die Schirmblüten sind achselständig, einzelstehend, aus 2 bis 6 Blüten zusammengesetzt. Die halbovale Frucht ist glockenförmig und 4zellig, der unfruchtbare Same ist kaum kleiner wie der fruchtbare, beide haben keine Flügel.

Dieser Baum ist in Westaustralien heimisch, wo er auf die Nähe des Oceans beschränkt ist und zwar auf kalkreichem Boden, überlagert mit Treibsand. Er erreicht eine Höhe von 36 Meter mit einem astfreien Stamme von 15 Meter. Die Belaubung ist für einen Eucalyptus sehr schattig. Die Rinde ist rauh, dunkelgrau, an jungen Bäumen glatt.

Das Holz ist hellgelb, auffallend hart und stark, sehr schwer, dicht und gedreht faserig, wodurch es sich sehr schwierig spalten lässt. Und was unter den Eucalyptushölzern als eine besonders wertvolle Eigenschaft gelten muss: es zeigt keine Neigung rissig zu werden.

Laslett, der Holzinspektor der britischen Admiralität, sagt über dieses Holz: es wächst gerad, ist strohfarbig, hart, schwer, zäh, stark und steif; die Faserung ist dicht und so gedreht, dass es schwierig zu spalten und zu bearbeiten ist. Es ist ein sehr gesundes Holz, das wenige oder keine Fehler besitzt, ausgenommen eine milde Form von Kernrissen, was einen kleinen Abfall nötig machte, wenn die Blöcke zu Brettern zersägt wurden. Zu grossen Balken benutzt, wird man es als ein sehr wertvolles Holz erkennen, namentlich wenn bedeutende Stärke beansprucht wird. Dieses Holz schrumpft sehr wenig im Trocknen und reisst nicht während dieses Vorganges. Charakteristisch für dieses Holz ist auch, dass es lange Zeit den Einwirkungen der Witterung widersteht. Ich weiss, dass es volle 10 Jahre diesen Einwirkungen ausgesetzt war und als es dann zur Verarbeitung zerlegt wurde, sah es innen so frisch aus wie neu gefälltes Holz. Gewiss kann kein besserer Beweis für seine Dauerhaftigkeit erbracht werden. Es wird im Schiffbau für Zwecke benutzt, welche grosse Stärke erfordern und für welche schweres Gewicht kein Hindernis ist. Für Bauten ist es kaum in diesem Lande (Grossbritannien) gekannt, obgleich es manche vorteilhafte Verwendung finden könnte, wie zu Pfeilern für Piers und Brücken und zu Dockschleusen, da es im Wasser widerstandsfähig gegen die Verwesung und eines der stärksten der bekannten Hölzer ist. Zum allgemeinen Gebrauch in den Gewerben wird es wahrscheinlich zu schwer befunden werden.

Spezifische Schwere 1,147 bis 1,194, im Durchschnitt 1,169.

Baron von Müller gibt folgende Empfehlung: wo in einem milden Klima ein kalkreicher Boden in der Nähe des Meeres bewaldet werden soll, verdient unter den Hartholzbäumen der Tuart die grösste Beachtung. Er wurde zuerst im botanischen Garten von Melbourne vor vielen Jahren unter Kultur genommen.

e) Eucalyptus leucoxylon.

Eisenrindenbaum in Victoria, weisser Gummibaum in Südaustralien; der Yerrick der Eingeborenen.

Die zerstreut stehenden Blätter sind schmal lanzettlich, etwas sichelförmig, selten langrund lanzettlich,. entweder graulich oder dumpfgrün auf beiden Seiten, an mässig langen oder kurzen Stielen. Die Adern sind weder zahlreich, noch breiten sie sich weit aus; die durchsichtigen Öldrüsen sind in Fülle vorhanden. Die achsel- oder seitenständigen Schirmblüten sind gelegentlich schwach ährenförmig, sie bestehen aus 3 bis 5, selten 6 bis 11 Blüten. Die halbovale Frucht ist 4 bis 7 zellig, nicht oder sehr selten kantig, die fruchtbaren Samen sind mit feinen Netzadern überzogen, ebenso die viel schmäleren, unfruchtbaren Samen; beide sind vergleichsweise sehr klein und ohne Flügel.

Dieser Baum kommt vor in Südqueensland, Neu-Süd-Wales und vielen Gegenden Victoria's, auf steinigen Höhenzügen der Sandstein- und Schieferformation. Nur unter sehr günstigen Verhältnissen erreicht er eine Höhe von 60 Meter, gewöhnlich bleibt er beträchtlich niedriger.

Die ganze Rinde bleibt an dem Stamm und wird deshalb tief gefurcht, sehr hart und dunkel. Die Blätter der jungen Bäume sind lanzettlich-oval, gegenständig und glatt.

Diese Art ist eine der besten der Gattung für ein feuchtes, tropisches Klima. In Victoria deutet eine rauhrindige Spielart oft einen goldführenden Boden an. Der süsse Blütensaft bildet eine beliebte Bienenweide.

Das Holz ist fahlgelb bis hellrötlichbraun, sehr hart, dauerhaft, ausserordentlich stark, nicht leicht spaltbar, dicht und geradfaserig und — nach dem Ausdrucke der Bauhandwerker — schwach fettig. Das spezifische Gewicht beträgt 1,024 bis 1,140. Die Gefässröhren stehen unregelmässig zerstreut und enthalten einige zellige Stoffe, deren Wände punktiert sind. Die Markstrahlen bestehen aus einfachen oder doppelten, selten dreifachen Reihen verlängerter Zellen mit ausserordentlich dünnen Wänden.

Die Verwendung ist diejenige der anderen besseren Eucalyptushölzer: für Bahnschwellen, Telegraphenstangen, Wagnerarbeiten, Ausschachtungen der Bergwerke, Schiff- und Hausbauten und Geräte, die aus starkem, schwerem Holz zu fertigen zweckmässig sind.

Im Laboratorium des Barons von Müller lieferte dieses Holz 28 % Kohlen erster Qualität, 45 % rohen Holzessig und 6 % Teer — Produkte, die selbstverständlich von allen Eucalyptushölzern und vielen anderen Hölzern gewonnen werden können, allein in wechselnden Quantitäten und Qualitäten. Ich habe längst gezeigt, sagt Baron von Müller, dass aus den inneren Schichten dieser Rinde, wie aller Eucalyptusrinden, Packpapier bereitet werden kann. Die Blätter enthalten in der Regel etwas mehr wie 1 % flüchtiges Öl. Verhältnismässig reich an Kino ist dieser Baum, 22 % sind in meinem Laboratorium nachgewiesen worden. Dieses Kino ist leicht löslich im Wasser, von schwacher, saurer Reaction, trübt sich durch Erwärmung, klärt sich aber wieder.

Wenn Baron von Müller wiederholt darauf hinweist, aus der Rinde der Eucalyptusbäume könne Papier bereitet werden, darf an der Thatsache selbst nicht gezweifelt werden. Es drängen sich aber die Fragen in den Vordergrund: gestatten die Fabrikationskosten die Herstellung? Und von welcher Qualität wird das Papier? Da die Papierfabrikanten gegenwärtig die ganze Pflanzendecke der Erde eifrig nach geeigneten Rohstoffen für ihren Gebrauch durchforschen und die ihrer Beachtung empfohlene Eucalyptusrinde unberücksichtigt gelassen haben, so ist anzunehmen, dass die Antworten auf jene Fragen unbefriedigend ausgefallen sind.

f) Eucalyptus Raveretiana.

Der graue Gummibaum oder Eisengummibaum. Die zerstreut stehenden 8 bis 12 Zentimeter langen, 2 bis 3 Zentimeter breiten Blätter sind dünn, oval oder länglich-lanzettlich, schwach sichelförmig, reichlich mit durchsichtigen Öldrüsen besprenkelt, heller unten wie oben, mit sehr feinen, etwas entfernt stehenden Adern. Die Blüten sind ausserordentlich klein, wenige bilden eine etwas zugespitzte Schirmblüte. Die Frucht ist sehr klein, 3- selten 4zellig; die Samen sind ohne Flügel, die unfruchtbaren sind kleiner aber kaum kürzer wie die fruchtbaren.

Dieser Baum, der eine Höhe von 90 Meter, bei einem Stammdurchmesser von 3 Meter, erreicht, kommt vor im östlichen Australien in feuchten Waldthälern, an den Ufern von Flüssen und Sümpfen.

Die Rinde stösst ihre äusseren Schichten ab, zum mindesten an den Ästen, welche dadurch grau und glatt erscheinen, am Stamme geschieht es oft nicht. Die Belaubung fällt zeitweilig fast vollständig ab.

Das Holz ist dunkelfarbig, dauerhaft, sehr hart, wertvoll zu unterirdischen Tragbalken, Bahnschwellen und ähnlichen Zwecken. Es widersteht den härtesten Stössen.

Baron von Müller meint, dieser Baum würde sich sehr wahrscheinlich als einer der besten der Gattung erweisen, um in feuchten, tropischen Ländern verhältnismässig schnell ein vorzügliches Hartholz zu erzeugen und ferner, um gesundheitlichen Zwecken zu dienen.

Auch von anderer Seite ist sein Anbau empfohlen worden, sowohl im Hinblick auf das ausserordentlich feste Holz, als auf den Ölreichtum der Blätter. Auf günstigem Boden entwickelt sich der Baum rasch, kaum 3 Meter hoch, beginnt er zu blühen.

g) Eucalyptus resinifera.

Der rote Mahagoni oder Waldmahagoni. Die zerstreut stehenden Blätter sind länglich oder schmal-lanzettlich, etwas gekrümmt, heller unten wie oben, die feinen, zahlreichen Zweigadern breiten sich nahezu quer aus. Die an einem zusammengedrückten Stiel stehenden Schirmblüten sind achselständig und aus 6 bis 11, seltener aus 3 bis 5 Blüten zusammengesetzt. Die Frucht ist halboval, glockenförmig, 3- bis 5-zellig, nicht oder selten kantig, die fruchtbaren Samen sind viel breiter wie die unfruchtbaren und sehr kantig; beide sind ohne Flügel. Die Rinde ist rauh, am Stamme bleibend, an den Ästen abschälend.

Verbreitet ist dieser, 40 bis 50 Meter hochwerdende Baum in Queensland und Neu-Süd-Wales, dringt aber nicht tief in das Inland.

Das Kino, welches er liefert, gilt für Heilzwecke als das beste der Gattung, hat es doch auch zuerst die Aufmerksamkeit der Ärzte auf diesen Stoff gelenkt. Dr. White benutzte es bald nach Gründung der Botanybaiansiedelung mit ausgezeichnetem Erfolg gegen Durchfall und berichtete, dass das Kino dieses Baumes sich vollständig in Weingeist auflëse, aber nur zu $^1/_6$ in Wasser. Heisses Wasser löst mehr wie die Hälfte auf, Alkohol mehr wie zwei Drittel, Äther ungefähr ein Zwanzigstel. Einschnitte in die Rinde beschleunigen und erhöhen den Fluss des Kinosaftes.

Über das Holz sagt Laslett, der Holzinspektor der britischen Admiralität: es ist tiefrot, sehr hart, schwer, stark, ausserordentlich steif und sehr schwierig zu bearbeiten. Es hat einfache, gerade Fasern und die sehr kleinen Poren sind mit einer weissen, harten spröden Aussonderung gefüllt. Der Baum ist im allgemeinen gesund, allein Herz- und Sternrissen unterwerfen und daher gewöhnlich nicht sehr fest um den Mittelpunkt, folglich kann das Holz nicht vorteilhaft verwendet werden, ausgenommen zu dicken Planken und starken Balken. In Australien wird es ausgedehnt im Schiffbau und zu Ingenieurwerken benutzt, in diesem Lande (Grossbritannien) wird es zum Bau von Kauffahrteischiffen gebraucht, wo ein schweres Material nicht beanstandet wird. Für Hausbauten und die Gewerbe wird es wahrscheinlich nicht stark verlangt werden, die ausserordentliche Härte und das schwere Gewicht schliessen es vom allgemeinen Gebrauche aus.

Durchschnittliches spezifisches Gewicht 1,150.

In Australien hat man Einwände gegen dieses Urteil erhoben und wenn man sich auch stets erinnern muss, dass dort ein hochgradiger Patriotismus, wie alle Naturschätze des Landes, so auch die Eucalyptushölzer, in das glänzendste Licht zu stellen sucht, so mag doch in diesem Falle eine Erklärung in der folgenden Bemerkung des Barons von Müller zu finden sein: E. resinifera zeigt beträchtliche Abweichungen in der Form, was nicht überraschen kann, wenn wir bedenken, über welches weite Gebiet sich dieser Baum verbreitet. So nehmen in der feuchten, heissen Region der Rockinghambai die Blätter eine breite, fast ovale Form an, nahezu gleichfarbig auf beiden Seiten und von dicker Beschaffenheit. Ich füge hinzu: wo so viele Formveränderungen auftreten, sollten da auch nicht beträchtliche Qualitätsunterschiede im Holze zu erkennen sein? Wie dem auch sei, das Holz dieses Baumes erfreut sich eines sehr guten Rufes in Australien, entsprechend seiner ausgedehnten Verwendung, namentlich wird die Dauerhaftigkeit gerühmt.

Baron von Müller hält diesen Baum sehr wertvoll für feuchte, tropische Länder.

h) Eucalyptus corynocalyx.

Der zuckerige Eucalyptus. Die zerstreut stehenden Blätter sind breit oder öfter länglich-lanzettlich, schwach gekrümmt, spärlich oder nicht mit Öldrüsen besetzt, mit einem öligen Glanz auf beiden Seiten, etwas heller unten wie oben, die zahlreichen Adern breiten sich mässig aus. Die seitlichen oder achselständigen Schirmblüten, an fast cylinderischen Stengeln sitzend, sind häufig unter den Blättern zusammengedrängt und aus 4 bis 16 Blüten zusammengesetzt. Die Frucht ist länglich-urnenförmig, die unfruchtbaren Samen sind meistens sehr breit und haben, gleich den fruchtbaren, keine Flügel.

Verbreitet ist dieser Baum dem Spencersgolf entlang in westlicher Richtung bis zur Streakybai, an steinigen Hängen des Berges Remarkable und in Wirrabara, zu einer beträchtlichen Höhe ins Gebirge steigend. Er erreicht eine Höhe von 36 Meter, bei einem Stammdurchmesser von 1,5 bis 1,8 Meter.

Der süsslichen Belaubung streben die Rinder und Schafe nach; sie weiden alle Blätter ab, die sie erreichen können, was sie bei keinem andern Eucalyptusbaum thun.

Das Holz findet die gleiche Verwendung wie die übrigen besseren Eucalyptushölzer. Von unterirdischen Pfosten wird berichtet, dass sie noch nach 15 Jahren frei von Zeichen der Verwesung waren.

Der besonderen Beachtung empfehle ich, was Baron von Müller über diesen Baum sagt: Für eine Wüstenregion ist er einer der vorzüglichsten von den nützlichen Eucalyptusbäumen. Aus diesem Grunde wählte ich diese Art zur Einführung in das trockene Hinterland von Algier. Unter den nützlichen Eucalyptusbäumen, welche im Stande sind, die langen Dürren wie die ausserordentliche Hitze der Wüstenregion zu ertragen, mögen für schnelle Holzproduktion erwähnt werden: E. polyanthema, E. bicolor, E. salubris, E. ochrophloia, E. salmonophloia und vielleicht E. terminalis. Obgleich E. rostrata ebenfalls fähig ist, eine ausserordentliche trockene Hitze zu ertragen und wegen seines massigen, sehr dauerhaften Holzes alle genannten Wüstenbäume an Wert weit überragt, kommt er doch nur an Orten fort, wo der thonige Untergrund stets etwas feucht bleibt, daher findet er sich bloss in Oasen und an den Ufern von Wasserläufen, wenn deren Bett auch zeitweilig lange trocken bleibt. An einer andern Stelle empfiehlt derselbe Autor auch E. mirotheca als Wüstenbaum.

Wenn es sich in einer Wüste nur um die schnelle Produktion von Brennholz handelt, mag noch E. pachyphylla in Betracht kommen. Diese Art wächst mehr strauchartig wie baumartig; die an langen Stielen stehenden Blätter sind dick, lederartig, oval und fein geadert; sie kommt in den Wüsten Mittelaustraliens, vom Sturts- und Hookerbach bis zum See Amadeus vor, wo sie die heissesten Dürren überdauert. Die Wärme, welche diese und andere mittelaustralischen Pflanzen ertragen, mag ausnahmsweise im Schatten auf 50° C. und in der Sonne auf 73°, oder selbst auf 55° C. im Schatten und 76° in der Sonne steigen.

i) Eucalyptus siderophloia.

Eisenrindenbaum in Neu-Süd-Wales. Die länglichen oder schmal-lanzettlichen Blätter sind schwach gekrümmt, fast von gleicher Farbe auf beiden Seiten, mit stark verborgenen Öldrüsen. Die achselständigen Schirmblüten sind aus etwa einem Dutzend Blüten zusammengesetzt. Die Frucht ist nahezu halboval, am Grunde etwas zugespitzt, kaum kantig. Die Samen sind alle ohne Flügel und die unfruchtbaren nicht sehr schmal. Die Rinde löst sich nicht ab; sie ist tief gefurcht, die Furchen sind gelblich oder dunkelbraun.

Verbreitet ist diese Art von den südöstlichen Distrikten Queenslands bis zu Port Jackson; sie erreicht eine Höhe von 45 Meter, bei einem Stammdurchmesser von 1,2 Meter.

Das ist der hauptsächlichste Eisenrindenbaum von Neu-Süd-Wales; er liefert für das Holzgeschäft dieser Colonie den überwiegenden Teil des „Eisenrindenholzes“, an dessen Produktion sich ausserdem die 4 Arten beteiligen: E. crebra, E. melanophloia, E. paniculata, E. leucoxylon. Das Eisenrindenholz von E. siderophloia wird aber besonders geschätzt; deshalb gehen auch die Vorräte der Erschöpfung entgegen.

Dieses Holz ist hellfarbig, schwer, stark, dauerhaft, wegen seiner ausserordentlichen Härte schwierig zu bearbeiten. Verwendet wird es zu Bahnschwellen, Telegraphenstangen, Tragbalken und allen Zwecken, wo bedeutende Stärke und Dauerhaftigkeit gefordert werden. Für Speichen zieht man es in Australien allen anderen Eucalyptushölzern vor, ebenso für Radzapfen in Mühlenwerken. Als Brennholz ist es erster Qualität.

k) Eucalyptus cornuta.

Der Yate. Die zerstreut stehenden Blätter sind gewöhnlich schmal-lanzettlich, schwach sichelförmig, von dicker Beschaffenheit, fast gleichfarbig auf beiden Seiten, die Adern breiten sich mässig aus, die Öldrüsen liegen sehr verborgen. Die seitenständigen Blütenstiele tragen 3 und mehr Blüten. Die gedrängt sitzenden

Früchte sind halboval-glockenförmig, 3- bis 4 zellig, die Samen sind ohne Flügel, die unfruchtbaren nicht sehr schmal.

Dieser westaustralische Baum kommt vor von der Umgegend der Geographebai ostwärts bis zur Nachbarschaft des Cap Arid Er eignet sich für armen Boden, der aus verwittertem Kalkstein hervorgegangen sein mag, doch zieht er einen feuchten Standort vor und gedeiht auch in einem feuchten, tropischen Klima. Betont zu werden verdient, dass er in Lagen angepflanzt werden kann, welche dem Winde schutzlos preisgegeben sind. Unter günstigen Verhältnissen entwickelt er sich sehr rasch, ist doch ein Wachstum von 3 Meter im Jahre beobachtet worden, doch geht er über eine mässige Höhe — 30 Meter etwa — niemals hinaus. Schon im jugendlichen, buschigen Zustande beginnt er zu blühen und Früchte zu tragen. Die Blätter der Sämlinge sind gegenständig, oval, gestielt.

Baron von Müller sagt: das harte, elastische Holz des Yate ist gesucht für Wagendeichsel, landwirtschaftliche Geräte und Bootrippen, wofür es sich im Werte der „englischen Esche" nähert. Es ist ein schweres Holz, das, selbst wenn gründlich getrocknet, im Wasser sinkt, die spezifische Schwere ist mit 1,235 ermittelt worden. Das ist wahrscheinlich zum grossen Teile der Dicke der Holzzellenwände und deren enger Höhlung beizumessen.

Wenn Baron von Müller von der „englischen Esche" spricht, wird er damit Fraxinus excelsior, die europäische Esche meinen, denn diese wird gewöhnlich von den Briten und ihre kolonialen Abkömmlingen als englisch, seltener als britisch bezeichnet. Weitere unglückliche vom Sprachgebrauch in das Schrifttum übergegangene Leistungen auf diesem Gebiet sind: die englische Eiche, worunter sowohl Quercus sessiliflora wie Qu. pedunculata verstanden wird, die englische Ulme (Ulmus campestris), die englische Linde (Tilia europea), die schottische Kiefer (Pinus sylvestris) u. a. m. Selbst der gemeine Hagedorn ist zum englischen Hagedorn gestempelt worden.

Was übrigens den Vergleich des Yateholzes mit dem Eschenholze betrifft, so hinkt er jedenfalls, schon allein wegen des bedeutenden Unterschieds im Gewicht der beiden Hölzer. Es ist zu bedauern, dass über viele Eucalyptushölzer bis jetzt noch keine Urteile nichtaustralischer Fachkenner vorliegen.

1) Eucalyptus goniocalyx.

Der gefleckte Gummibaum in Viktoria. In andern Gegenden führt er die Namen: der blauweisse Gummibaum, der graue oder Bastardbuchs, selbst einen so albernen wie Bergesche.

Die zerstreut stehenden Blätter sind länglich oder sichelförmig - lanzettlich, gleichfarbig auf beiden Seiten, nicht stark glänzend. Die Öldrüsen liegen verborgen oder sind durchsichtig die dünnen Adern breiten sich nur mässig aus. Die achselständigen, einzelstehenden Blütenstengel tragen 4 bis 7 Blüten, selten weniger. Die halbovale Frucht ist 3- oder 4-zellig, besäumt mit 2 bis 4 mehr oder weniger deutlichen Kanten. Die Samen sind ohne Flügel, die unfruchtbaren meistens schmäler wie die fruchtbaren.

Dieser Baum kommt vor in der Umgegend von Portlandbai und von Wimmera ostwärts bis zu den Flüssen Gellibrand, Ovens und Hume, und südlich durch Gippsland bis in die Nähe von Braidwood in Neu-Süd-Wales, auf Tiefebenen bis zu Erhebungen von 900 Meter. In fruchtbaren Thälern erreicht er eine Höhe von 90 Meter, bei einem Stammdurchmesser von 1,8 bis ausnahmsweise 3 Meter.

Die Sämlinge haben herzförmige oder ovalrunde, gegenständige, sitzende Blätter, oft viel heller oben wie unten, die Stiele sind nicht viereckig.

Das Holz ist hellgelb bis braun, hart, zäh und gewöhnlich frei von Kinoadern, ausserordentlich dauerhaft, namentlich in der Erde. Es wirft sich nicht und in Folge seiner verflochtenen Holzfasern ist es beinahe so schwierig zu spalten, wie das Holz von E. rostrata. Es ist sehr geschätzt von den Wagenbauern, die es hauptsächlich zu Speichen verwenden, ferner wird es benutzt im Schiffbau und zu Bahnschwellen: es gilt als ein gutes Brennholz.

Die durchschnittliche Weite der Gefässröhren ist 0,12 Millimeter, ihre Wände sind dünn und die Holzfasern sind etwas geflacht, mässig dick und bis zu 0,02 Millimeter breit. Die sehr zahlreichen Markstrahlen bestehen aus 1 bis 2 Reihen kurzer Zellen.

m) Eucalyptus amygdalina.

Der Wangara der Urbewohner, der Rieseneucalyptus, der weisse oder Sumpfgummibaum der Kolonisten. Die sichelförmig-lanzettlichen Blätter, meistens tiefgrün und etwas glänzend auf beiden Seiten, sitzen an kurzen Stielen zerstreut oder selten gegenständig an schlanken Zweigen. Die Öldrüsen sind sehr zahlreich und durchsichtig. Die achselständigen, an sehr kurzen Stielen sitzenden Schirmblüten bestehen öfter aus vielen wie wenigen Blüten. Die kleine Frucht ist halboval, 3 bis 5 zellig, die fruchtbaren wie unfruchtbaren Samen sind sehr klein und haben keine Flügel.

Verbreitet ist diese Art von den südlichen und den ganzen feuchten, östlichen Distrikten der Kolonie Victoria bis zu dem blauen Gebirge und dem Küstengebiet von Neu-Süd-Wales. In Tasmanien ist sie häufig; hier wie auf dem australischen Festland steigt sie bis zu Erhebungen von 1200 Meter. Unter den grossen Eucalyptusarten gilt sie für eine der klimahärtesten.

Wie oben schon bemerkt wurde, muss dieser Baum als der höchste der Erde gelten und in seiner Gattung nimmt er einen ersten Rang ein, bezüglich der schnellen Produktion von hartem Holz. Und er liefert ein Holz, das zu den besseren Eucalyptushölzern zählt; in der Ölgewinnung aus seiner reichen Belaubung wird er nicht übertroffen und wahrscheinlich nicht erreicht von irgend einem Baume der Erde.

Für Länder, wo weder strenge Kälte noch starke, feuchte Wärme auftritt, ist dieser Baum jedenfalls eine wertvolle Erwerbung. Unter verschiedenen klimatischen und Bodenverhältnissen nimmt er wechselnde Formen an. So gewinnt er in bewässerten Schluchten kühler Gebirgszüge seine riesigste Höhe, bei einem vollkommen geraden Stamme, der glatt und fast weiss erscheint, weil sich die äusseren Rindenschichten vollständig ablösen; unter dieser Wachstumsgunst hat er, in Bezug auf Höhe, nur den Karri (E. diversicolor) als einzigen Wettbewerber. An offeneren und trockeneren Standorten bleibt jener Baum viel niedriger, selbst vergleichsweise zwergig, mit rauher, faseriger Rinde. Unter solchen Umständen wird er in Victoria Pfeffermünzbaum und in Neu-Süd-Wales Messmatebaum genannt — zwei Namen, welche in anderen Gegenden anderen Bäumen beigelegt werden.

Also nur unter besonders zusagenden Wachstumsverhältnissen wird E. amygdalina riesig, worunter man eine Höhe von 120 Meter bei einem Stammdurchmesser von 7,5 Meter und einem astfreien Stamme von 88 Meter verstehen muss, obgleich einige wenige Exemplare annähernd 150 Meter hoch gefunden wurden.

Das Holz ist im Vergleiche zu anderen Eucalyptushölzern nicht schwer, schwimmt es doch im Wasser; in der Erde ist es nicht dauerhaft und ist auch kein Brennstoff erster Qualität, allein es ist brauchbar zu vielen Bauzwecken und Hausgeräten. Es lässt sich leicht spalten und wirft sich beim Trocknen nicht. Aus Baron von Müllers Bemerkung: der Stamm, wenn gefällt, verwest rascher wie derjenige vieler anderer Eucalyptusbäume, lässt sich schliessen, dass das Holz nicht wetterfest ist.

Betreffs der Ölgewinnung kann für E. amygdalina kein besseres Zeugnis ausgestellt werden, als es in der folgenden Tabelle geschehen ist. Baron von Müller erhielt aus 1000 Pfund frischen Blättern mit Stielen und Zweigen von:

E. viminalis	7	Unzen	E. globulus	120	Unzen
„ melliodora	7	„	„ goniocalyx	150	„
„ rostrata	15	„	„ leucoxylon	160	„
„ obliqua	80	„	„ amygdalina	500	„

Dieses durchschnittliche Ergebnis mehrerer Untersuchungen schwankt in den verschiedenen Jahreszeiten; während der kühlen Monate ist es bemerklich geringer wie im Sommer.

Das Öl von E. amygdalina ist hellgelb, dünn, von stechendem cajeputähnlichem Geruch, von erst kühlendem, dann bitterem Geschmack und von 0,881 spezifischer Schwere. Es siedet bei 165 bis 185° C. und scheidet bei niedriger Temperatur Stearopton aus.

Alle Eucalyptusöle lösen Guttapercha rasch auf; sie können, gleich Petroleum, zu Leuchtzwecken, ferner zur Lackbereitung und als Heilmittel dienen. In neuerer Zeit werden sie viel zu Parfümerien gebraucht, für welchen Zweck wahrscheinlich das Öl von E. Staigeriana eine besondere Bedeutung gewinnen wird. Diese, noch nicht lange entdeckte Art, finde ich nicht in dem berühmten Werke des Barons von Müller beschrieben; sie ist in Queensland heimisch, wo sie der zitronenduftende Eisenrindenbaum genannt wird. Die Blätter besitzen einen Geruch ganz ähnlich wie das Verbenenöl des Handels, das aber nicht von der bekannten Verbenenblume, sondern von dem indischen Grase Andropopogon citratus stammt. Die getrockneten Blätter jenes Baumes liefern nach Staiger $2^3/_4\%$ flüchtiges Öl von 0,901 spezifischem Gewicht. Der Geruch ist verschieden von dem des Öls von E. citriodora, welches dem zum Parfümieren von Seife viel gebrauchten Limettenöl ähnelt. Da die Nachfrage für Verbenenöl bedeutend ist — werden doch allein von Ceylon jährlich zwischen 13000 und 14000 Unzen exportiert, Singapur und mehrere indische Gegenden beteiligen sich ebenfalls an der Produktion — so verdient E. Staigeriana Beachtung zum Anbau in geeigneten Ländern.

Aus den Blättern von E. amygdalina kann noch ein zweiter Handelsartikel: Perlasche, in der Höhe von etwa 10%, gewonnen werden.

n) Eucalyptus diversicolor.

Der Karri. Die zerstreut stehenden Blätter sind breit- oder länglichlanzettlich, leicht gekrümmt, auffällig heller unten wie oben, die Öldrüsen sind unregelmässig verteilt und liegen stark verborgen. Die achselständigen Schirmblüten stehen einzeln an langen, schwanken Stielen und tragen 3 bis 9 Blüten. Die Frucht ist abgestumpft oval, 3 bis 4 zellig, die Samen sind ungeflügelt, die fruchtbaren schwarz, nahezu oval, die unfruchtbaren viel zahlreicher, beträchtlich kleiner, hellbraun und von unregelmässiger Form.

Dieser westaustralische Baum kommt vor auf feuchtem, hügeligem oder gebirgigem Gelände in der Nachbarschaft der Flüsse Walpole, Frankland, Shannon, Warren und Dunolly, hauptsächlich gegen die Küste hin; bei dem Berge Manypeak kommt er ebenfalls, aber spärlich vor. Er gehört zu den grössten Bäumen der Erde, erreicht er doch unter günstigen Verhältnissen, d. h. in feuchten, bewaldeten Thälern, eine Höhe von 120 Meter, bei einem Stammdurchmesser von 6 Meter und einem astfreien Stamm von 90 Meter. In dichtem Waldbestand wächst dieser Baum mit verhältnismässig dünnem Stamme in die Höhe, zeigt doch unter solchen Umständen ein 50 Meter hoher Baum einen Stamm von kaum 0.30 Meter Durchmesser. Die Belaubung ist dann dürftig entwickelt. Die Rinde ist stets glatt und weiss.

Das Wachstum ist vergleichsweise rasch, selbst auf dürftigem Boden. Nahe Melbourne erreichte auf einem armen Sandboden ein Baum in 9 Jahren eine Höhe von 6,9 Meter. Die Blätter der

Sämlinge sind breiter und ovaler, wie es bei vielen anderen Eucalyptusarten der Fall ist. Bei den ganz jungen Sämlingen sind die Blätter bereits deutlich gestielt.

Das Holz ist hellfarbig, biegt sich leicht, wenn gedämpft, ist geradfaserig, zäh und wird hauptsächlich begehrt für grosse Planken, Speichen, Felgen, Riegel und für den Schiffbau.

Zur Unterstützung eines Vergleichs dieses Holzes mit anderen Eucalyptushölzern, nahm Baron von Müller Messungen vor, deren Resultate hier folgen. Es lässt sich aus diesen Tabellen eine Idee über die verhältnismässige Dichte des Gefüges der betreffenden Hölzer gewinnen.

Alle Messungen fanden auf dem Querschnitt statt.

1. Der gefundene grösste Durchmesser der Zellen in englischen Zoll.

E. marginata, hart	0,00082	E. salubris	0,00055
„ „ leicht, dicht	0,00082	„ cornuta	0,00082
„ „ weich	0,00082	„ rostrata	0,00082
„ diversicolor	0,00129	„ globulus	0,00082
„ longicornis	0,00070	„ Stuartiana	0,00082
„ calophylla	0,00101	„ Bayleyana	0,00105
„ loxophleba	0,00063	„ Doratoxylon, jung	0,00072

2. Dicke der Zellwände in englischen Zoll.

E. marginata, hart	0,00019	E. salubris	0,00023
„ „ leicht, dicht	0,00024	„ cornuta	0,00037
„ „ weich	0,00030	„ rostrata	0,00020
„ diversicolor	0,00038	„ globulus	0,00020
„ longicornis	0,00029	„ Stuartiana	0,00015
„ calophylla	0,00033	„ Bayleyana	0,00025
„ loxophleba	0,00023	„ Doratoxylon, jung	0,00022

3. Zahl der Markstrahlen auf einen Zoll.

E. marginata, hart	390	E. loxophleba	330
„ „ leicht, dicht	260	„ salubris	470
„ „ weich	330	„ cornuta	670
„ diversicolor	170	„ rostrata	390
„ longicornis	290	„ globulus	310
„ calophylla	180	„ Stuartiana	180
„ Bayleyana	315	„ Doratoxylon, jung	330

4. Zahl der Gefässröhren auf 1 Quadratzoll.

E. marginata, hart	3500	E. loxophleba	25000
„ „ leicht, dicht	2700	„ salubris	42000
„ „ weich	5100	„ cornuta	10000
„ diversicolor	4900	„ rostrata	5700
„ longicornis	9300	„ globulus	3600
„ calophylla	3300	„ Stuartiana	6300
Bayleyana	10000	„ Doratoxylon, jung	32000

Laslett fällt folgendes Urteil über das Holz von E. diversicolor: Es ist rot, hart, schwer, stark, zäh, mit leicht gewellten Fasern, allein es ist nicht so gemasert, dass es für die Tischlerei empfehlenswert erscheint. Von Freemantle wurden an die königlichen Werften in England 6 Blöcke dieses Holzes zum Versuche verschifft, die unglücklicherweise alle mit Sternrissen eintrafen, wodurch sie zu einem anderen Gebrauche, wie zu sehr grossen Balken, untauglich waren. Es wurde auch bemerkt, dass die Jahresringe dieses Holzes das eigentümliche, blasige Aussehen wie im Jarrahholz hatten, folglich kann es nicht zu Arbeiten brauchbar betrachtet werden, welche einen feinen Aufputz verlangen, doch ist es ohne Zweifel vorzüglich für Brücken, Pfeiler für Wasserbauten und dergleichen geeignet, wie im allgemeinen für schwere Bauten, wo grosse Balken und eine bedeutende Stärke verlangt werden.

Dazu ist zu bemerken, dass man in Australien inzwischen gelernt hat, das Holz besser zu trocknen, so dass weniger Kern- und Sternrisse vorkommen, doch sind dieselben schwerlich zu verhüten, wenn das Holz auf dem Transporte die tropische Zone kreuzen muss.

Schon oben wurde bemerkt, das Karriholz (E. diversicolor) sei neuerdings in den Ruf gekommen, widerstandsfähig gegen den Teredo navalis zu sein, was aber vorerst noch bezweifelt werden muss. Dagegen steht die Thatsache fest, dass es sich bei australischen Hafenbauten unter dem Wasserspiegel ganz ausserordentlich dauerhaft erwiesen hat. Viel geringer soll seine Dauerhaftigkeit sein, wenn es dem Wetter ausgesetzt ist.

o) Eucalyptus globulus.

Der blaue Gummibaum der Kolonisten, der Balluk der Urbewohner.

Die zerstreut stehenden Blätter sind lanzettlich-sichelförmig, dick, gleichfarbig und etwas glänzend auf beiden Seiten, die Öldrüsen liegen meistens verborgen. Die achselständigen Blüten sind gross, einzelstehend. Die etwas grosse Frucht nähert sich der Kugelrundung. Die Samen sind alle ohne Flügel, die unfruchtbaren viel schmäler wie die fruchtbaren.

Die Rinde ist glatt, graulich oder bläulichweiss. E. globulus kann sofort von seinen zahlreichen Verwandten unterschieden werden — E. alpina ausgenommen — durch die warzigen Blütenkelche, bedeckt durch einen kronenförmigen Deckel, ausserdem ist ihm die Form der nahezu oder ganz sitzenden Frucht ausschliesslich eigen. Die Sämlinge sind bläulichweiss, wie mit einem wachsigen Puder bestreut, haben scharf viereckige und sitzende, herzförmige oder breitovale Blätter. Die bläulichweisse, dann bläulichgrüne Belaubung dauert mehrere Jahre, sie hat Veranlassung zu dem Namen blauer Gummibaum gegeben Mit der Sichelform nehmen die Blätter auch eine tiefgrüne Farbe an, und während sie früher schräg sassen, hängen sie nun an Stielen senkrecht. Diese Art kommt vor in Thälern wie an Berghängen der feuchteren Regionen vom südöstlichen Viktoria, den südlichen Teilen von Neu-Süd-Wales und in manchen Gegenden Tasmaniens, gewöhnlich einzelstehend, zuweilen in Gruppen, nirgends zu alpinischen Erhebungen steigend. Ihre durchschnittliche Höhe kann mit 60 Meter, bei einem Stammdurchmesser von 2 Meter, angenommen werden, obgleich einige 90 Meter hohe Exemplare entdeckt worden sind.

Dreissig Gramm gesiebten Samen von E. globulus enthalten etwa 10000 fruchtbare Samen, welche ihre Keimkraft jedenfalls 4 Jahre, wahrscheinlich aber länger, bewahren. Die kleineren Samen von E. amygdalina keimen noch nach 6 Jahren, während die verhältnismässig grossen Samen von E. miniata, wie Versuche im botanischen Garten von Melbourne gezeigt haben, ihre Keimkraft volle 13 Jahre bewahren.

Diese Art ist es hauptsächlich, welche den Anstoss gab zu dem bereits erwähnten Eucalyptusfieber. Baron von Müller hat in bester, ehrenhaftester Absicht unablässig für ihre Verbreitung, nicht allein in Wort und Schrift, sondern auch durch Samenversendungen gewirkt, allein die Erfahrung hat gelehrt, dass er ihr ein etwas zu rosafarbiges Zeugnis mit auf die Wanderschaft gegeben hat. Und der Meister wurde überboten von seinen Jüngern:

sie sprachen nur noch von dem australischen Wunderbaum, der alle erdenklichen guten Eigenschaften besitzen sollte. Eine ganze Literatur in allen Kultursprachen hat er hervorgerufen, wie wurde namentlich seine vernichtende Wirkung auf die Malaria betont! Der Brennpunkt aller Lobpreisungen bildete die Anpflanzung der Trapistenmönche zu Tre Fontane bei Rom — nach wenigen Jahren war erreicht, was schon ein Julius Cäsar vergeblich erstrebt. Die Gelehrten werden eben, obgleich sie es nicht zugeben wollen, gerade so gut von den geistigen Seuchen erfasst, oft sogar tiefgreifender und nachhaltiger, wie die Laien. Als die klare, sachliche Beurteilung wieder die Oberhand gewann, erinnerte man sich zunächst des Nachweises, dass in der Heimat des blauen Gummibaumes die Malaria eine nie erlöschende Krankheit sei; den Behauptungen, dass gewisse Gegenden nicht, wie man anfänglich gewähnt, durch Anpflanzung dieses Baumes fieberfrei geworden seien, wurde endlich Glauben geschenkt und schliesslich wurde auch zugestanden, dass man in bezug auf Tre Fontane zu voreilig geurteilt babe — das Fieber herrscht dort nach wie vor. Man hat erkannt, dass der blaue Gummibaum der Entwickelung der Malaria, wenn überhaupt, nur durch Verdunstung der Bodenfeuchtigkeit entgegenwirken kann, ein Verdienst, das jeder schnell wachsenden Pflanze zuzusprechen ist.

Die gepriesene Schönheit dieses Baumes führte zu seiner zahlreichen Anpflanzung in Alleen, an Wegen und an öffcutlichen Plätzen. Jetzt gesteht man zu, dass man sich einer Geschmacksverirrung schuldig machte, denn die Tracht entbehrt jeder Ebenmässigkeit, die hängenden Blätter gewähren einen dürftigen Schatten und störend ist, dass sie ununterbrochen abfallen. Die wärmste Empfehlung begleitete ihn als Schutzbaum, allein er ist nicht widerstandsfähig gegen den Sturm, und 18 bis 24 Meter im Umkreise seines Stammes rauben seine seichtziehenden, gefrässigen Wurzeln anderen Pflanzen die Nahrung.

Was nun die Hauptfrage betrifft, möge zunächst Baron von Müller gehört werden, der sagt: Das Holz ist hell, hart, schwer, stark, dauerhaft. Das spezifische Gewicht schwankt zwischen 0.698 und 1.108. Die Bruchfestigkeit steht etwa derjenigen des „englischen Eichenholzes“ gleich. In der Dauerhaftigkeit nimmt es eine Mittelstellung unter seinen Verwandten ein; es ist dauerhafter wie das meiste sogenannte weisse Gummibaumholz und wie alles Faserrindenbaumholz, dagegen erreicht es in dieser Hinsicht nicht das Holz des roten Gummibaumes, der Eisenrindenbäume und Buchseucalypten, namentlich in der Berührung mit der Erde und dem Wasser. Der australische Lloyd stellt das Holz von E. globulus in die zweite Klasse der heimischen Hölzer, dasjenige von E. rostrata, E. leucoxylon und E. marginata bildet die erste Klasse. Wenn die verschiedenen Teile eines Schiffes aus einem der drei letztgenannten Hölzer gebaut sind, wird das Fahrzeug für 12 Jahre als A klassifiziert. Das Holz des blauen Gummibaumes wird ferner zu Wagen, Ackerbaugeräten, Telegraphenstangen, Bahnschwellen und Brückenplanken verwendet

Laslett fällt folgendes Urteil: Es ist charakteristisch für die grösseren blauen Gummibäume, dass, während sie gesund und kräftig erscheinen und in Höhe und Umfang zunehmen, der Stammkern nahe den Wurzeln verwest und, wenn gefällt, werden sie oft bis zu einer beträchtlichen Entfernung vom Stammende hohl gefunden. Der Umfang der brauchbaren Blöcke, welche dieser Baum liefert, hängt daher sehr von seiner Gesundheit ab. Unfraglich können aber sehr grosse Balken von ihm erhalten werden. Das Holz ist fahl strohgelb, hart, schwer, mässig stark, zäh und mit gedrehter Faserung. Im Trockenen bilden sich an der Oberfläche tiefe Risse und es schrumpft und wirft sich beträchtlich. Ich erinnere mich, auf königlichen Werften einige ausserordentlich breite und lange Planken von diesem Holze gesehen zu haben, welche augenscheinlich aus hohlen Bäumen, wie sie oben erwähnt wurden, geschnitten waren. Nachdem dieselben eine Zeitlang getrocknet hatten, waren sie zu einem solchen Grade geworfen und rissig geworden, dass es unmöglich war, sie irgendwie als Planken zu verwenden. In Folge dieser Fehler wurde es nötig befunden, die Planken in ganz kurze Stücke zu zerlegen, um sie überhaupt benutzen zu können, und so dienten sie ganz untergeordneten Zwecken. Von einem zugesendeten Probeblock wurde eine 6 Zoll dicke Planke geschnitten, welche sich schnell 2 Zoll warf und bei 3 $^1/_2$ Zoll stehen blieb. Bei der Prüfung ergab sich, dass sie voll tiefer, feiner Risse war, im Übrigen sich aber nicht viel verändert hatte während der achtjährigen Lagerung, kein Zeichen der Verwesung war bemerkbar, obgleich sie lange Zeit dem Wetter ausgesetzt war. Es scheint daher ein dauerhaftes Holz zu sein. Die spezifische Schwere schwankt zwischen 0,924 und 1,108.

Mit diesem Urteile des Holzinspektors der britischen Admiralität stehen die Erfahrungen in Californien in Übereinstimmung. Wohl in keinem Lande ausserhalb Australiens sind so viele blaue Gummibäume gepflanzt worden, wie in Californien, allein ihr Holz ist kein Handelsartikel geworden, obgleich es hier an Hartholz vollständig fehlt. Man beklagt, dass es sich stark wirft, sehr rissig wird, beträchtlich schrumpft und bei seiner bedeutenden Schwere nicht bruchfest genug ist; es bricht mit kurzen Splittern. Für manche Zwecke, wo diese Fehler wenig oder gar nicht störend sind, wird seine Schwere als Nachteil betrachtet; man verwendet lieber ein leichteres und weniger schwierig zu bearbeitendes Holz, wenn es denselben Dienst thut. So wird denn das Holz des blauen Gummibaumes nur zu Telegraphenstangen, Zäunen und als Brennstoff verwendet. Gelegentlich macht sich auch ein Farmer ein Gerät daraus.

Müssen also die früheren Lobpreisungen des blauen Gummibaumes beträchtlich herabgestimmt werden, so bleibt er doch am rechten Ort und zum rechten Zweck ein wertvoller Baum. Wir dürfen nicht vergessen, dass er von allen bekannten Waldbäumen am schnellsten wächst, nach Baron von Müller wird er darin von E. amygdalina var. regnans übertroffen, aber nur, wenn er in feuchten Waldthälern auf tiefem, reichem Boden wächst. Erstaunlich rasch wie das Wachstum des blauen Gummibaumes ist, wird es doch bald schleichend, wenn der Untergrund für die Wurzeln undurchdringbar ist. Ferner ist von diesem Baume zu rühmen, dass er sich, obgleich sein natürliches Vorkommen auf feuchte Gebirgsthäler und tiefer liegende Waldgründe beschränkt ist, sehr leicht vielen Bodenarten und Standorten anbequemt. Nur alkalinischen Boden scheut er und kommt auf Kalksteinboden nicht gut fort. Auch seine Lebenszähe ist hervorzuheben; er überdauert alle Verstümmelungen und wenn er abgehauen wird, treibt der Stumpf rasch kräftige Schösslinge aus. Will man ihn durch Ringeln töten, muss man rundum bis in den Splint hinein abschälen, da sonst der Bildungsring wieder zusammenwachsen würde.

Aus alledem ist zu folgern, dass sich der blaue Gummibaum sehr schützbar erweisen wird, wenn es gilt, in einer waldlosen Gegend schnell Holz für das Bedürfnis der Bevölkerung zu produzieren: er mag da der Vorläufer langsamer wachsender Bäume sein, die erwünschteres Holz liefern. Ferner ist dieser Baum am

Platze, wenn man in der Schaffung eines Waldgürtels zum Schutze gegen Sandwehen, Überschwemmungen oder Präriebrände rasch zum Ziele kommen oder wenn man die Dämme von Flüssen und Sammelbecken durch Anpflanzungen befestigen will.

p) Eucalyptus marginata.

Der Jarrah der Urbewohner, welcher Name mehr und mehr allgemein volkstümlich wird, der Mahagoni der Kolonisten.

Die zerstreut stehenden Blätter sind oval- bis schmallanzettlich, leicht gekrümmt, unten nicht glänzend und etwas heller wie oben, die in Fülle vorhandenen durchsichtigen Öldrüsen liegen mehr oder weniger verborgen. Die seitenständigen, einzelstehenden Schirmblüten bestehen aus 3 bis 12 Blüten. Die Frucht ist ovalrund, die Samen sind alle kantig und ohne Flügel, die unfruchtbaren meistens nicht schmäler aber kleiner wie die etwas grossen fruchtbaren; jene sind hellbraun, diese schwarz, etwas glänzend und weit weniger zahlreich.

Dieser westaustralische Baum kommt vor auf einer 550 Kilometer langen Küstenstrecke vom King Georgesund bis zum Kap Leeuwin und dem Moorefluss, stets in der Nähe des Oceans bleibend. Er bildet die hauptsächlichsten Wälder im südwestlichen Australien und erreicht gewöhnlich eine Höhe von 30 und nur ausnahmsweise eine solche von 45 Meter, bei einem Stammumfange von 10 Meter. In seiner feuchten Heimat scheint er gleichgültiger gegen Boden und Standort zu sein, wie die meisten anderen Eucalyptusbäume, allein er scheut heisse, trockene Gegenden. Nur soweit die Seebrise fühlbar ist, gedeiht er freudig, womit aber kein schnelles Wachstum gemeint, das ihm nicht eigen ist. Er steigt bis zu 900 Meter in's Gebirge, wird aber schliesslich strauchartig. Das vorzüglichste Holz wächst auf Granit- und Eisensteinboden.

In den letzten Jahren ist kein anderes australisches Holz so warm der Aufmerksamkeit des Auslandes, namentlich England's, empfohlen worden wie das Jarrahholz und da die Urteile nicht übereinstimmend lauten, finde ich es geboten, die beachtenswertesten an einander zu reihen.

Baron von Müller sagt: Es ist eines der am schwersten entzündbaren Hölzer, eine Eigenschaft von grosser Wichtigkeit für hölzerne Gebäude in heissen Klimaten. Jarrahholz ist unübertroffen dauerhaft, es ist leichter zu bearbeiten wie die meisten Eucalyptushölzer, steht aber in der Stärke nicht dem Holze mancher seiner Verwandten gleich. Das Holz des roten Gummibaumes ist nahezu so dauerhaft aber stärker, das sehr dauerhafte Holz von E. leucoxylon ist mehr wie zweimal so stark. Das lufttrockene Jarrahholz enthält 16 bis 17 % Kinorot oder ebenso viel wie das Holz von E. rostrata. Es ist eines der besten Hölzer für die Kohlenbrennerei. Jarrahholz ist unzerstörbar, es wird weder von Cheluras, Teredos noch Termiten angegriffen und ist deshalb sehr gesucht für Hafen- und andere Bauten, welche dem Seewasser ausgesetzt sind. Schiffe, aus diesem Holze erbaut, waren im Stande, ihre Verkupferung abzulegen. Es ist sehr dichtfaserig, schwach ölig und harzig, nimmt einen schönen Aufputz an und wird von Schiffbauern in Melbourne vorzüglicher erachtet, wie Eichen, Teak oder andere für diesen Zweck gebrauchten Hölzer. Das Comité des Lloyd beschloss, dieses Holz in die Linie 3 Tafel A der Satzungen der Gesellschaft einzutragen. Es steht somit für den Schiffbau in gleichem Range mit dem Sabicuholz von Cuba und dem Bleistiftcedernholz. Die Verwendungen für das Jarrahholz sind unzählbar; es ist brauchbar, wo Teak und Sal sowohl verwendbar wie nicht verwendbar sind.

Der Almanach von Westaustralien, dessen Unparteilichkeit allerdings nicht über allen Zweifel erhaben ist, lässt sich wie folgt vernehmen: Keine unserer Schwesterkolonien besitzt ähnliches Holz wie das Jarrahholz. Wenn es in der Jahreszeit der grössten Saftruhe gefällt wird, ist es das dauerhafteste aller Hölzer. Unter dieser Bedingung widersteht es der Verwesung, dem Zahn der Zeit, dem Wetter und Wasser, den Termiten und Seewürmern. Mehrere Stücke liegen schon nahezu 30 Jahre unter Wasser und sind noch gesund. Pfosten sind im Sand vergraben worden, wo die Termiten in wenigen Wochen alles andere Holz zerstören. Um dieser Eigentümlichkeit willen wird das Jarrahholz jetzt stark für Indien zu Telegraphenstangen und Bahnschwellen begehrt. Es ist ausgezeichnet geeignet zu Dockschleusen, Piers und ähnlichen Zwecken, ferner für Kielstücke und andere schwere Schiffteile. Schiffe von beträchtlicher Traglast sind ganz aus diesem Holze erbaut, dessen Eigenschaften die Verkupferung überflüssig machen, obgleich der Seewurm sehr zahlreich in diesem Ocean ist.

Der Beamte der öffentlichen Arbeiten in Freemantle, Westaustralien, drängt die Meinungen der Schiffbauer und anderer Sachverständigen in folgendem Bericht zusammen. Das gesunde Jarrahholz widersteht den Angriffen des Teredo navalis und der weissen Ameise (Termite). Eine Analyse von Professor Abel zeigte, dass es eine scharfe Säure enthält, welche lebenszerstörend wirkt. Dieser Stoff wurde aber nicht in den ungesunden Teilen gefunden. Grosse Sorgfalt ist daher im Zerlegen der Blöcke nötig, damit alle fehlerhaften Teile aus dem Kern ausgeschnitten und nur vollkommen gesundes Holz benutzt wird. Die beistehende Figur 59 deutet das richtige Verfahren der Zerlegung an, um das gesunde Holz in allen verlangten Grössen zu jedem praktischen Gebrauch zu gewinnen. A B C D E F sind Balken.

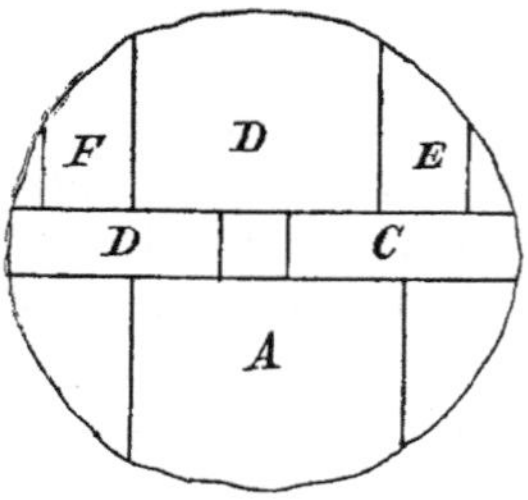

Figur 59.

Sehr viel ist darüber gesagt worden, dass das Jarrahholz reisse, wenn es in Blöcken nach England oder Indien exportiert würde. Es ist daran zu erinnern, dass es in Folge seiner Dichte sehr langsam trocknet und die inneren Teile der grossen Bäume im Zustande der Verwesung sind, selbst wenn die äusseren Teile in voller Kraft stehen. Wenn ein Stamm unter diesen Verhältnissen: die inneren Teile vergleichsweise trocken und die äusseren voll von Saft. sofort nach einem heissen Klima, wie dasjenige von Indien, oder nach einem so veränderlichen, wie dasjenige von England, verschifft wird, muss es ganz natürlicher Weise durch das ungleiche Schrumpfen rissig werden. Um diesen Nachteil zu vermeiden, möge man den Baum zur Zeit des schwächsten Saftflusses fällen und ihn nach der angegebenen Weise zerlegen.

Laslett, der Holzinspektor der britischen Admiralität, lässt sich wie folgt vernehmen: Der Jarrah ist von geradem Wuchs. und sehr grossem Umfange, unglücklicher Weise ist er zum frühen Verwesen im Kerne geneigt. Die gesunden Bäume liefern grosse und brauchbare Balken, 6 bis 12 Meter lang und 0,28 bis 0,60 Meter im Quadrat, während diejenigen mit faulem Kern nur kleine Balken von geringem Quadrat oder ungleichseitige Stücke, Speckseiten genannt, liefern.

Das Holz ist rot, hart, schwer, dicht, leicht gewellt in der Faser und gelegentlich genug gemasert, um ihm Wert als Luxusholz zu geben; es bearbeitet sich ganz glatt und nimmt eine gute Politur an. Die Tischler mögen es deshalb unbedenklich für Möbel gebrauchen, für Bauten und andere Arbeiten, wo grosse Stärke gefordert wird, sollte es mit Vorsicht verwendet werden, da Versuche gezeigt haben, dass es etwas spröde ist.

Vor einigen Jahren wurde ein Pöstchen dieses Holzes der Werft von Woolwich zur Untersuchung seiner Qualität zugesendet, allein die Proben befriedigten nicht, in Folge mangelhafter Sorgfalt bei ihrer Auswahl in der Colonie. Die Verschiffer schickten nur solche kleine viereckige Balken, welche von längsweise geschnittenen oder gevierteilten Blöcken erhalten sein mochten, wodurch in jedem Falle eine schwache Kante blieb, anstatt in voller Grösse den viereckigen, den ganzen Wuchs des Baumes darstellenden Block zu senden. Es ist übrigens möglich, dass das unvermeidlich war, denn aus der Art der Zerlegung konnte geschlossen werden, dass die betreffenden Bäume im Kerne zu verwesen begannen und hohl wurden, lange bevor sie ihre Reife erlangten. Da dieser bemerkenswerte Fehler charakteristisch ist für den Jarrahbaum, so folgt, dass kein solider viereckiger Block über Mittelgrösse aus dem vollerwachsenen Baum erhalten werden kann und die Zerlegung der fehlerhaften Stämme auf den Umfang von Speckseiten, mit Zurücklassung des Mittelkernes, beschränkt bleiben muss.

Die Eigentümlichkeit wurde in den erwähnten Proben bemerkt, dass einige Höhlungen oder Blasen hatten, von $2^1/_2$ bis mehr Zentimeter lang in der Längenrichtung der Fasern, und sich von $2^1/_2$ bis 8 Zentimeter conzentrisch ausbreitend, und zwar, gleich den Kreisrissen, in verschiedenen Entfernungen vom Markkern und in Abständen von mehreren Fuss längs des Blockes. Diese Höhlungen waren teilweise gefüllt mit einer harten, harzigen oder gummiartigen Ausschwitzung, welche bis zu einem gewissen Grade die Dichte wieder herstellte, allein die Stärke nicht ersetzte, welche durch den mangelnden Zusammenschluss der Jahresringe verloren geht. Dieser eigentümliche Fehler wird in verschiedenen Eucalyptushölzern und gelegentlich in Kiefern und Tannen gefunden.

Aus dem Vorstehenden ist leicht zu schliessen, dass die Behörde von Woolwich das Jarrahholz nicht mit günstigen Augen betrachtete und keinen Wunsch zeigte, es im Schiffbau zu verwenden. Die Proben dienten daher zu untergeordneten Werftzwecken und während sie verarbeitet wurden, benutzte ich sie zu den Untersuchungen, deren Resultate in der Tabelle niedergelegt sind. (Diese Tabelle ist im Abschnitt über die Holzkunde abgedruckt.) Später habe ich einen Briefwechsel gesehen zwischen dem Amte der inneren und demjenigen der kolonialen Angelegenheiten in Bezug auf Jarrahholz, sowie zwischen dem Gouverneur von Westaustralien und den hervorragenden Schiffbauern und Rhedern, einschliesslich Lloyd's Agent in Freemantle.

Die meisten Schiffbauer und Rheder berichteten über das Jarrahholz sehr günstig und nennnen es eine gute Holzsorte. Sie sagen, dass, wenn mit Eisen verklammert, kein Material das andere beschädige und auch, was ein wenig sonderbar ist, dass sich das Holz gut biege, ohne dass es gedämpft zu werden brauchte. Sprechen sie von seinen Vorzügen, dann geschieht es fast von allen mit einem gewissen Vorbehalt, wie: das Fällen müsse zu dieser oder jener Jahreszeit ausgeführt werden, das Holz müsse in einem bestimmten Distrikt gewachsen sein und so fort. Lloyd's Agent berichtet weniger günstig, er sagt unter anderem: Ich betrachte das Jarrahholz wertvoll zum Verplanken so hoch wie die Wales und ich halte es auch besonders vorzüglich für kleine Fahrzeuge, die nicht verkupfert werden sollen, denn es widersteht dem Seewurm besser wie fast alle anderen Hölzer und ist weniger zum Verwesen geneigt, allein ich betrachte es nicht geeignet für Teile des Schiffes, welche notwendigerweise den Wirkungen der Sonne sehr ausgesetzt sind. denn an solchen Stellen ist es mehr wie gewöhnlich dem Schrumpfen und Werfen unterworfen; und es ist etwas mangelhaft in der Zähigkeit der Fasern, so dass es da nicht vorteilhaft zu verwenden ist, wo starke oder plötzliche Biegungen vorkommen.

In einem Briefe aus Westaustralien sah ich erwähnen, dass eine Probe Jarrahholz von Professor Frankland chemisch untersucht wurde, um das Vorhandensein einer eigentümlichen Säure oder eines anderen Stoffes zu ermitteln, welchem die Widerstandsfähigkeit gegen die Angriffe des Teredo navalis zugeschrieben werden könnte. Es scheint aber, dass nichts gefunden wurde, dem diese Wirkung beizumessen war. Der Professor glaubt, das

Holz würde von Angriffen verschont in Folge seines Geruches oder Geschmackes, welcher den menschlichen Sinnen nicht bemerklich dem Teredo navalis aber wahrscheinlich in hohem Grade widerwärtig ist.

In den vorstehenden Beurteilungen erfährt das Jarrahholz sehr verschiedene Wertschätzungen, doch geht im allgemeinen die Neigung dahin, es für ein aussergewöhnlich nützliches Holz zu erklären und der Mann der Praxis wird unschwer erkennen, bei welchen Veranlassungen ihm die verschiedenen vorzüglichen Eigenschaften dieses Holzes vorteilhaft dienen können. Für die Richtigkeit dieser Auffassung zeugt der, wenn auch langsame, Aufschwung des Exports von Jarrahholz nach England und Indien; es steigt also offenbar in der Gunst der Sachkenner, wozu wahrscheinlich die verbesserte Methode des Trocknens nicht wenig beiträgt. Dieselbe besteht darin, dass die Blöcke möglichst bald nach dem Fällen in die nächste Seebucht geworfen werden, wo sie einige Wochen bleiben. Dann werden sie auf den Sand gezogen und 6 bis 10 Zentimeter dick mit Seetang bedeckt, wobei sorgfältig darauf geachtet wird, dass die Stirnenden den Sonnenstrahlen unzugänglich sind. Nachdem die Blöcke mehrere Monate gelegen, werden sie zu Balken und Brettern verschnitten, die so auf Haufen gesetzt werden, dass die Luft jedes einzelne Stück bestreichen kann; 5 bis 6 Monate später findet die Verschiffung statt.

Es scheint, dass nicht allein dem Jarrahholz, sondern allen Eucalyptushölzern eine günstigere Wertschätzung vorbehalten ist, denn die Gewinnung und Herrichtung für den Markt sind offenbar verbesserungsfähig. Noch ist man in Australien im Unklaren darüber, in welchem Lebensalter die Eucalyptusbäume gefällt werden müssen, um ihr Holz auf dem Höhepunkt der Güte zu ernten. Jedenfalls ist es verwerflich, das Fällen so lange hinauszuschieben, bis der Kern in Verwesung übergeht. Obgleich es erwiesen ist, dass die Bäume gegen Ende der kühlen Jahreszeit, weil im schwächsten Saftflusse, gefällt werden sollten, nimmt man es mit diesem Geschäft in Australien so wenig genau wie in Nordamerika. Und was das Trocknen betrifft, so behaupten hervorragende Sachkenner auf Grund von Versuchen, die Eucalyptushölzer sollten niemals in Blöcken getrocknet, sondern sofort nach dem Fällen in Balken, Planken und Bretter verschnitten werden, welche auf Haufen zu setzen und mit Sägemehl zu bestreuen sind, damit die Oberfläche nicht viel rascher trockne wie das Innere; gleichzeitig sind die Stirnenden mit Papier oder einem Anstrich zu bedecken. So sollten die Eucalyptushölzer behandelt werden, es geschieht aber in den weitaus meisten Fällen nicht.

12. Grünherz.

So wird das Holz genannt von Nectandra Rodiaei, Familie Lauraceae, einer der wertvollsten Bäume, wenn nicht der wertvollste Guiana's, denn ausser einem sehr geschätzten Holze liefert er eine Rinde, die Verwendung in der Heilkunst findet. Bibiru, Bibiri, Spiri und Sipeira sind die Namen, welche die Rinde in verschiedenen Gegenden führt, das Alkaloid, dem sie ihre Wirkung verdankt, wird von der Wissenschaft Bibirin genannt. Die Rinde ist hart, schwer und spröde, mit einem Bruch, der dem des Sandsteins gleicht, sie ist hellzimtbraun, bedeckt mit einer weissen Oberhaut. Ihr Geschmack ist sehr bitter, etwas zusammenziehend, ihre Wirkung ist fieberwidrig, ähnlich derjenigen des Chinins und wenn sie demselben auch an Kraft nicht gleichkommt, steht ihr doch der Vorzug zur Seite, dass ihr Genuss kein Kopfweh verursacht. Gewöhnlich wird den Kranken nicht die Rinde selbst, sondern schwefelsaures Bibirin verabreicht.

Der Grünherzbaum kommt vorzugsweise in Britisch Guiana vor und erreicht seine kräftigste Entwickelung auf den niedrigen Hügeln, welche sich den Flussthälern anschliessen. Hier erreicht er eine Höhe von 26 bis 28 Meter, bei einem Stammdurchmesser von 0,9 bis 1,2 Meter und mit einem astfreien Stamme von 12 bis 15 Meter. Der ganze Stamm wächst vollkommen gerade und schwach verjüngt nach der Spitze.

Wie der Name andeutet, ist das Holz grün-dunkelgrün, häufig in's Braune, selbst ins Schwarze übergehend. Je dunkler die Schattierung, desto härter und dauerhafter gilt das Holz. Die Jahresringe sind selten zu erkennen und der Splint zeigt eine kaum bemerklich hellere Schattierung wie das Kernholz. Dieser Umstand gibt nicht selten zu der Behauptung Veranlassung, das Grünherz besässe keinen Splint und der ganze Stamm sei von durchgehends gleicher Qualität.

Wenn nicht der Nässe ausgesetzt, ist der Splint recht dauerhaft und da er ausserdem fest und tragkräftig ist, liegt keine Veranlassung vor, ihn als Abfall zu betrachten. Es ist aber stets in Erinnerung zu halten, dass er das Kernholz nicht ersetzen kann, weder in der Tragkraft noch in der Dauerhaftigkeit, zumal in feuchten Lagen, noch in der Widerstandsfähigkeit gegen Termiten und Seewürmer. Nur das Kernholz ist gemeint, wenn von dem Grünholz gesagt wird, es sei eines der druck-, bruch- und zugfestesten aller bekannten Hölzer; Zahlenangaben darüber finden sich im Abschnitte über die Holzkunde. Es sei ferner eines der dauerhaftesten Hölzer, besonders im Wasser und würde, wie nur noch wenige Hölzer, von den Angriffen der Termiten und Seewürmer verschont. Die zuweilen gehörte Behauptung, es sei vollständig sicher vor den Angriffen dieser Schädlinge, ist zu weitgehend; es wird von denselben nur selten, wie es scheint widerwillig in Ermangelung eines anderen Holzes angebohrt, allein das ist schon ein sehr grosser Vorzug, der sich wahrscheinlich durch die ausserordentliche Härte erklären lässt. So hart ist das Kernholz, dass es den Holzfällern häufig die Äxte schartig macht. Es ist das wahrscheinlich die Ursache, warum man sich in Guiana nicht die Mühe gibt, die zur Verschiffung bestimmten Blöcke scharfkantig und rein zu behauen, wie es mit anderen Handelshölzern geschieht. Gewöhnlich werden nur an 4 Seiten Flappen abgehauen und häufig sägt man nicht einmal die Schlagstelle glatt und senkrecht ab. Die Blöcke sind 9 bis 15 Meter lang und durchschnittlich 0,6 Meter im Quadrat.

Das Grünherz sinkt im Wasser; seine spezifische Schwere schwankt zwischen 1,080 und 1,195; es ist zäh, knotenfrei und geradfaserig. Es trägt, wie erwähnt, eine sehr starke Belastung, wenn aber das Höchstmass überschritten wird, bricht es, ohne vorherige, drohende Anzeichen, plötzlich in kleinen Splittern auseinander. Fast immer wird dieses Holz gesund bis auf den Markkern gefällt, beim Trocknen treten aber gewöhnlich trotz aller Sorgfalt Risse an den Stirnenden auf, die indessen nicht tief eindringen. Dieser Nachteil wird durch die Vorteile weit aufgewogen, dass die übrigen Teile des Blocks fest geschlossen bleiben und das gut getrocknete, verarbeitete Holz sich niemals wirft, nicht schrumpft und rissig wird.

Das Grünherz wird mit wenigen Ausnahmen über Demerara nach England exportiert, wo es eines der geschätztesten Schiffbauhölzer ist. Es dient zu Balken, Riegeln, Maschinenträgern u. s. w. Zu Hausbauten hat es bis jetzt noch keine Verwendung gefunden, wohl aber zu Wasserbauten als Pfeiler, Schleusen, Piers u. s. w.

Was nicht für die vorstehenden Zwecke aufgearbeitet wird, nehmen die Drechsler als Ersatz für Pockholz, das dem Grünherz sehr ähnlich ist. Obgleich das Letztere eine recht schöne Politur annimmt, wird es doch in der Tischlerei, seiner bedeutenden Schwere wegen, nicht benutzt.

Über die Druck- und Zugfestigkeit u. s. w. sind Zahlenangaben im Abschnitte über die Holzkunde zu finden.

13. Halmalilleholz.

Dieser Name ist in Ceylon üblich, während in Madras dieses Holz als Trincomali gekannt ist. Die botanische Quelle ist Berrya amonilla, Familie Tiliaceae, ein der europäischen Linde nahe verwandter und ähnlicher, aber grösserer in Ceylon heimischer Baum. Das Holz ist auf dieser Insel sehr geschätzt zu Hausbauten, Fässern und Geräten verschiedener Art, ebenso zum Bootbau, weil es die Eisenverklammerungen rostfrei hält und, wie behauptet wird, von den Angriffen der Seewürmer verschont bleibt. Diese Behauptung ist übrigens stark in Zweifel zu ziehen, denn wäre sie begründet, würden die englischen Schiffbauer dieses Holz ganz gewiss ihren Rohmaterialien zugefügt haben. Bis jetzt ist es nach Madras und Bombay exportiert worden. Die Boote, welche an der südindischen Küste die gefährliche Brandung durchschneiden, sind aus diesem leichten und nicht schwierig zu bearbeitenden Holze.

14. Huonfichtenholz.

Von dem Werte der Waldbäume Tasmaniens wissen wir bis jetzt noch wenig, allein die Bewohner dieser Insel stellen bei jeder Gelegenheit die Huonfichte scharf in den Vordergrund und da auch Australier und Europäer, welche in der Lage waren, sich in Tasmanien ein Urteil zu bilden, beipflichten, so muss die Huonfichte einer der wertvollsten Bäume, wenn nicht der wertvollste, dieser Kolonie sein.

Es ist fast überflüssig zu erwähnen, dass dieser Baum keine Fichte ist — es liegt hier wieder ein Fall von der Unbeholfenheit der Engländer in der Benennung fremder Gegenstände vor.

Dacrydium Franklinii ist der wissenschaftliche Name dieses Baumes, der ein hartes, dichtes, eine schöne Politur annehmendes Holz liefert, dessen Dauerhaftigkeit, namentlich im Wasser, sehr gerühmt wird. Wie es sich mit den übrigen Eigenschaften verhält, muss noch von vollständig unparteiischen Sachkennern festgestellt werden.

Als der Huonfichte unter den Waldbäumen Tasmaniens zunächststehend, wird die immergrüne, stattliche Buche Fagus Cunninghamii bezeichnet, die, weil es den „praktischen“ Engländern nun einmal nicht gegeben ist, zutreffende Namen zu wählen, Mirte genannt wird. Für die Deutschen in den deutschen Kolonien möge in dieser Hinsicht das Vorbild der englischen Kolonisten abschreckend wirken.

15. Jacarandaholz.

Dieses schöne, sehr harte, schwere, braune Holz, mit einem schwachen angenehmen Rosengeruch, wird auch, namentlich in den Ländern englischer Zunge, brasilianisches Rosenholz genannt, da aber unter dem Namen Rosenholz noch andere Hölzer in den Handel kommen, so ist es zur Klarstellung sicher empfehlenswert, den Namen Jacarandaholz ausschliesslich anzuwenden, zumal er im Herkunftsland Brasilien allein üblich ist.

Zufolge einer amtlichen, brasilianischen Veröffentlichung, die zur Aufklärung in den Weltausstellungen dienen sollte, ist das Jacarandaholz schon seit 300 Jahren bekannt und in den östlichen Provinzen des Kaiserreichs, von Pernambuco bis Rio de Janeiro reichlich vorhanden. Merkwürdigerweise wissen wir aber bis jetzt noch nicht die botanische Quelle, was einen schweren Tadel für die brasilianische Regierung begründet. Auf allen Weltausstellungen lässt sie eifrig die Lärmtrommel rühren und laut die vielen wertvollen Hölzer ihrer Wälder rühmen, die sie, nebenbei bemerkt, mit recht beträchtlichen Exportzöllen belegt. Allein eine wissenschaftlich-wirtschaftliche Darstellung der Wälder von berufenen Fachleuten ausarbeiten zu lassen, nach dem Vorbilde der Regierungen der nordamerikanischen Union und der australischen Kolonien.

hält sie für überflüssig oder vermag den Wert nicht einzusehen. Das ist um so mehr zu bedauern, weil die brasilianischen Wälder unfraglich ausserordentlich reich an Hölzern von vielseitigen vorzüglichen Eigenschaften sind — ein Reichtum, der noch zum grossen Teile der Aufmerksamkeit der industriellen und Handelswelt entrückt ist.

Die Brasilianer sprechen von einem Jacarandabaum, allein die Wissenschaft hat verschiedene Arten der Gattung Jacaranda nachgewiesen, die zur Familie Bignoniaceae gehört: eine schwarze, purpurne, violette, weisse und dornige, ausserdem die Rosenjacaranda, die, wie es scheint, noch botanisch festzustellen ist. Im Kataloge des Kew-Museums, wo man gut unterrichtete Angaben anzutreffen pflegt, ist die Vermutung ausgesprochen, das Jacarandaholz stamme von einer Art oder mehreren der Gattung Dalbergia. Derselben gehören 3 ostindische Arten zu: D. latifolia, D. sisu und D. cultrata, welche schweres, dunkles Holz liefern, das dem brasilianischen Jacarandaholz wohl ähnlich ist, es aber an Schönheit nicht erreicht. Schon lange kennt man das Holz von D. latifolia als ostindisches Rosenholz.

Es ist übrigens fast mit Sicherheit anzunehmen, dass das Jacarandaholz einer Art der Gattung Jacaranda entstammt, sehr wahrscheinlich der J. mimosaefolia. Allein mit Bestimmtheit ist bis jetzt noch nicht die botanische Quelle dieses Holzes zu bezeichnen.

Der Export desselben hat sich in den letzten 50 Jahren verzehnfacht, sein jährlicher Wert beträgt jetzt 2 Millionen Mark. Die Verwendung des Jacarandaholzes in der Luxustischlerei und Pianofortefabrikation ist zu bekannt, um einer Erklärung zu bedürfen.

16. Kassou-Khayéholz.

Khaya senegalensis, Familie Cedrelaceae, ist einer der häufigsten Waldbäume im Flussgebiete des Senegal. Er erreicht eine Höhe von 24 bis 30 Meter und liefert ein im Handel zuweilen Cailcedra genanntes Holz, das sehr hart, dauerhaft, schön glatt gefasert und rötlich ist. Die Rinde enthält ein eigentümliches Alkaloid, dem fieberwiderige Wirkungen zugeschrieben werden.

17. Kaurifichtenholz.

Dammara australis, Familie Coniferae, ist der wissenschaftliche Name der Kaurifichte, deren Vorkommen auf Neu-Seeland beschränkt ist, und zwar auf die mittleren Teile der nördlichen Insel, wo sie ausgedehnte Wälder bildet und in der Nähe der See auf feuchtem, thonigem Boden zur höchsten Entwickelung gelangt.

Auf den Fidschis, den Hebriden und in Australien kommen andere Arten der Gattung Dammara vor, deren Holz zuweilen als Kaurifichtenholz in den Handel kommt, dem neuseeländischen an Qualität aber nachsteht.

Die Kaurifichte ist ein schöner geradwachsender Baum, der eine Höhe von 40 Meter, bei einem Stammumfang von 4,5 Meter erreicht, gelegentlich werden noch grössere Exemplare gefunden. Die in Wirteln stehenden Zweige sterben am untern Stamme ab, wie es bei der Rottanne der Fall ist. Der Stamm läuft nach oben ganz schwach verjüngt zu, die Zweige sind mit dunklen, ledrigen, sitzenden Blättern besetzt, die 2 bis $2^1/_2$ Zentimeter lang sind. Der Fruchtzapfen ist rund, misst etwa 8 Zentimeter im Durchmesser und umschliesst die geflügelten Samen. Die ganz glatte Rinde ist 2 bis $2^1/_2$ Zentimeter dick. Von dem Harze, welches dem Stamme entquillt, ist an anderer Stelle die Rede.

Der 8 bis 12 Zentimeter dicke Splint zeichnet sich scharf von dem Kernholz ab, das weisslich bis strohfarbig, mässig hart, dicht, fein- und geradfaserig, dauerhaft und elastisch ist. Wenn es bearbeitet wird, duftet es angenehm; es hobelt sich leicht mit Hinterlassung eines seidenartigen Glanzes und nimmt eine schöne Politur an. Es schrumpft wenig beim Trocknen und ist nicht zum Werfen geneigt. Die Stämme sind in der Regel gesund und frei von den Fehlern, welche vielen anderen Hölzern eigen sind. Nur selten treten Kernrisse in milder Form auf, Stern- und Kreisrisse sind selbst in alten Bäumen selten.

Aus alledem geht hervor, dass das Kaurifichtenholz eines der besten Hölzer ist, dessen sich der Zimmermann und Tischler bedienen kann, und begreiflich wird es sein, warum sich eine bedeutende Sägemühlenindustrie auf die Verschneidung von Kaurifichtenholz gründet.

Für Masten und Raastangen wird Kaurifichtenholz unübertroffen gehalten, da es nicht allein die erforderliche Grösse, Leichtigkeit, Stärke und Elastizität besitzt, sondern auch dauerhafter ist, wie andere für diesen Zweck gebrauchten Nadelhölzer. Auch zu Deckplanken wird es verwendet, namentlich wenn auf ein schönes Äussere des Schiffes gesehen wird, denn das Kaurifichtenholz ist regelmässig gefasert, knotenfrei und nutzt sich gleichmässig ab, so dass es nicht von Zeit zu Zeit abgehobelt zu werden braucht, wie es bei anderen Hölzern geschehen muss.

Über die Zug- und Bruchfestigkeit u. s. w. finden sich Zahlenangaben im Abschnitt über die Holzkunde.

18. Kokraholz.

Cocusholz ist ein anderer, seltener gebrauchter Name für das Holz des indischen Baumes Lepidostachys Roxburghii, der zu der sehr kleinen Familie Scepaceae gehört, die in bemerkenswerter Weise den Familien Euphorbiaceae und Amentaceae zugleich nahe steht. Das sehr harte, reich tiefbraune Kernholz dieses Baumes wird in Blöcken von 15 bis 20 Zentimeter Durchmesser nach England exportiert, wo es zu Flöten und anderen musikalischen Instrumenten verarbeitet wird.

Der Kokrabaum erreicht nur eine mässige Höhe, mit ententsprechendem Umfang und hat gegenständige lederige Blätter.

19. Lanzenholz.

Nectandra Willdenowiana, Familie Lauraceae, also ein Gattungsverwandter des Grünherzbaumes, ist die botanische Quelle dieses Holzes. Der Baum wächst ausserordentlich gerad, erreicht aber nur eine Höhe von 9 bis 15 Meter, bei einem Stammdurchmesser von 0,15 bis 0,20 Meter. Er kommt in Westindien, Mittelamerika, Mexiko und im äussersten Süden von Florida vor, exportiert wird sein Holz aber nur von Westindien, namentlich von Jamaica und nur, wenn ich recht berichtet bin, nach England und Nordamerika.

Der Splint ist hellgelb, das Kernholz reich dunkelbraun, schwer, hart, dicht, stark, elastisch, zum Werfen während des Trocknens geneigt. Auf dem Querschnitt zeigen sich viele regelmässig verteilte offene Gefässröhren und zahlreiche dünne Markstrahlen.

Die übrigen Eigenschaften sind im Abschnitt über die Holzkunde in Zahlen ausgedrückt.

Begehrt wird das Lanzenholz vorzugsweise von den Wagenfabriken, die es zu Deichseln, Zugscheiten und anderen Zwecken verwenden, wo Stärke, gepaart mit Elastizität, verlangt werden.

20. Mahagoniholz.

Swietenia mahagoni, Familie Meliaceae, nennt die Wissenschaft den Baum, der dieses berühmteste tropische Holz liefert. Der volkstümliche Name ist der Sprache der Arrowaukindianer entnommen, in der er verschieden geschrieben wird: Mahogoni, Mahagoni und Mahoni. Heimisch ist dieser Baum in Westindien, im östlichen Mittelamerika, in Mexiko und im südlichen Florida. Er erreicht eine Höhe von 30 Meter, bei einem Stammdurchmesser von 2 Meter und einem astfreien Stamme von 12 Meter. Die Blätter sind gefiedert, gleich denjenigen der Esche, glatt, glänzend und obgleich sie als sommergrün bezeichnet werden müssen, folgt doch die Erneuerung dem Abfallen so rasch, dass die Belaubung fast immergrün ist. Die in Rispen geordneten kleinen Blüten sind weiss, grünlichgelb, zuweilen rötlich und werden gefolgt von ovalen, holzigen Kapselfrüchten, so gross wie ein Truthuhnei und mit 5 Zellen, die sich bei der Reife öffnen, um die vielen, kleinen geflügelten Samen ausfallen zu lassen. Die dunkelfarbige Rinde wird von den Indianern als fieberwidrig betrachtet; der Same enthält ein wohlriechendes Öl, das jetzt nicht mehr ausgebeutet wird, bei den Azteken aber in hohem Ansehen stand.

Mit seltener Übereinstimmung wird der Mahagonibaum für einen der schönsten, tropischen Bäume erklärt, in seinem Verbreitungsgebiete fesselt er durch seine gewaltige, breite, ebenmässige, dichtbelaubte Krone auch das Auge des flüchtigen Beobachters und macht auf das Zeugnis Anspruch, der Monarch der Wälder zu sein. An Zahl stark zusammengeschmolzen, ist es doch zu verwundern, dass er noch nicht der Ausrottung nahe gebracht ist, denn sein Holz erregte schon vor 150 Jahren die Aufmerksamkeit der Europäer und seitdem steht kein anderes tropisches Holz in gleichem Begehr, keins ist allgemeiner in der Tischlerei verarbeitet worden, keins besitzt eine gleiche Vereinigung von Vorzügen zu diesem Zwecke: bedeutende Grösse, Fehlerfreiheit, gleichmässige Faserung, Dauerhaftigkeit, Schönheit der Farbe und reiche Maserung. So viele tropische Hölzer auch in der Neuzeit auf den Markt gebracht wurden, keins hat sich als gefährlicher

Wettbewerber des Mahagoniholzes erwiesen, wie daraus hervorgeht, dass dessen Begehr keine Minderung, sondern eine Steigerung erfahren hat. Einerseits dieser langandauernde Massenverbrauch, andererseits das ziemlich langsame Wachstum des Baumes — erlangt derselbe doch vor dem 100. Jahre nicht die Reife zur Fällung — darauf stützt sich das Erstaunen, dass dieser, der Raubwirtschaft überlassene Baum noch immer in einer Zahl vorhanden ist, welche den Bedarf deckt.

Die ersten Europäer, welche auf das Mahagoniholz aufmerksam wurden, waren englische Schiffzimmerleute, welche 1597 zu Trinidad einige Schiffe Sir Walter Raleigh's ausbesserten; sie bewunderten die schöne Maserung und die Härte des Holzes, allein in jener Zeit des Traumes von Eldorado wurde nach wertvolleren Dingen wie Holz gesucht. Der erste Versuch der Einführung des Mahagoniholzes in Europa wurde von dem englischen Kapitän Gibbons gemacht, der einige Planken seinem Bruder D. Gibbons in London schickte. Derselbe übergab sie den Zimmerleuten, welche im Begriffe waren, ein Haus für ihn zu bauen, die sie aber als zu hart zurückwiesen. Ein Tischler, der nun beauftragt wurde, einige Kerzenkästchen aus den Planken zu fertigen, beklagte sich zwar auch über die Härte des Holzes, stellte aber doch die Kästchen her, die sofort ein Gegenstand allgemeiner Bewunderung wurden. Damit war die Bahn für das Mahagoniholz gebrochen, der Begehr, zunächst in England, dann auch auf dem europäischen Festland, stieg von Jahr zu Jahr und zwar blieb Jamaica die Bezugsquelle bis zur vollen Erschöpfung des Vorrats. Der Höhepunkt des Exports dieser Insel soll 1753 mit 521 300 Fuss erreicht worden sein. Es wurden alsdann die anderen westindischen Inseln stark in Anspruch genommen und später Honduras, das jetzt, was Menge anbetrifft, den ersten Rang einnimmt.

In dem letzteren Gebiete, die Republik gleichen Namens und die britische Besitzung umfassend, findet die Fällung in zwei Jahreszeiten statt: gleich nach Neujahr, das ist das Ende der Regenzeit und anfangs August, wo die hauptsächlichste Ausbeute stattfindet, die bis zum Eintritte der Regenzeit fortgesetzt wird. Das vom Februar bis September gefällte Holz ist sehr geneigt, beim Trocknen zu reissen, was nur vermieden werden kann durch Aufbewahrung der Blöcke im Wasser bis zur Verschiffung. Indessen wird in diesen Monaten nur ganz ausnahmsweise Holz gefällt. Im August ist die Belaubung des Mahagonibaumes rötlichgelb, das ist ein untrügliches Zeichen für den suchenden Holzfäller, dessen Geschäft ein ausserordentlich beschwerliches ist. Das hat vorzugsweise zwei Gründe: die reifen Mahagonibäume stehen so vereinzelt in den Wäldern, dass es sich nicht lohnt, Wege. Eisenbahnen, Rutschbahnen oder Flumen anzulegen und dann: die sich ausschliesslich aus der eingeborenen Bevölkerung rekrutierenden Holzfäller arbeiten immer noch mit ihren althergebrachten, schwerfälligen Geräten. Welcher Verschwendung sie sich schuldig machen, erhellt daraus, dass sie eine Plattform in der Höhe von 3 bis 4 Meter errichten, wenn sie einen Mahagonibaum fällen wollen. Zwar begründen sie das damit, das untere Stammende sei bereits von der Verwesung ergriffen, allein Sachkenner bestreiten das, höchstens geben sie es für Bäume zu, welche in niedrigem, nassem Gelände wachsen. Verständigerweise sollte ein so kostbarer Baum wie dieser, hart über dem Boden, nach der in Nordamerika in Aufnahme gekommenen, an anderer Stelle geschilderten Methode, abgesägt werden. Zeigt das untere Stammteil solche Fehler, die es wertlos machen, so kann es schnell und leicht mit einer Sägemaschine abgeschnitten werden.

Der Stamm ist in Folge seiner Massigkeit am wertvollsten, allein für Furniere und Einlagearbeiten wird das Holz der grossen Äste vorgezogen, weil es schöner gemasert ist. Eine allgemeine Charakteristik muss sich auf folgende Bemerkungen beschränken: Das Mahagoniholz ist schwer, ausserordentlich hart. sehr stark, spröde, sehr dicht und nimmt eine schöne Politur an. Der verhältnismässig dünne Splint ist gelb, das Kernholz ist rotbraun in verschiedenen Schattierungen, manchmal gelbbraun, oft in denselben aber dunkleren Farben geadert oder gefleckt, mit zunehmendem Alter nimmt die Färbung an Tiefe zu. Die zahlreichen Markstrahlen sind dünn und kaum erkenntlich, die Jahresringe sind undeutlich; die Gefässröhren sind oft sehr sichtbar und bei dem in Westindien wachsenden Holze mit einem weissen Stoffe gefüllt, während diejenigen des Hondurasholzes leer sind. Es hat weder Geschmack noch Geruch, schrumpft beim Trocknen unbedeutend und ist weniger zum Werfen und Reissen geneigt wie die meisten anderen Nutzhölzer. Wird es trocken gehalten, dann ist es sehr dauerhaft und bleibt vom Holzwurm verschont. Dem Wetter ausgesetzt, hält es aber nicht lange. Die

Verwendung findet vorzugsweise in der Tischlerei und Drechslerei, in geringerem Masse in der Holzschnitzerei und im Schiffbau statt. In Lloyd's Liste der Schiffbauhölzer ist Mahagoniholz in der zweiten Klasse eingetragen.

Bezüglich der übrigen Eigenschaften sind Zahlenangaben im Abschnitte über die Holzkunde zu finden.

Da das Mahagoniholz in seinen Qualitäten, je nach seiner Herkunft, wechselt, ist die Beurteilung geboten, gemäss der im Handel üblichen Klassifikation.

In diese zwei Hauptgruppen findet die Einteilung statt: in das spanische Mahagoni und das Hondurasmahagoni. Das Erstere umschliesst die reichfarbigen, dichten, schweren Sorten, die einer sehr feinen Politur fähig sind und häufig eine schöne gewellte Maserung zeigen, in welchem Falle das Holz eine ausserordentliche Preissteigerung erfährt und nur zu Fournieren verschnitten wird. Dem Hondurasmahagoni werden die leichteren, weniger dichteren, einfarbigeren Sorten zugezählt, die den Leim besser halten wie jene und geschätzt sind für die endlosen Zwecke, wo gesundes gerades Holz, frei von aller Neigung zum Werfen. verlangt wird.

Figur 60.

Das spanische Mahagoni kommt gegenwärtig zum grössten Teile von Cuba, in Blöcken von 4 bis 10 Meter Länge und 0,25 bis 0,60 Meter im Quadrat. Dieselben sind scharfkantig gehauen, mit zwei oder drei Absätzen, wie die Figur 60 verdeutlicht, was geschieht, um Holz zu sparen. Diese Sorte ist sehr dicht, hart, schwer, nicht gerade häufig gemasert, reich rotbraun. Zuweilen treten Kernrisse auf, aber nur in sehr milder Form. Diese Sorte ist im Schiffbau am bevorzugtesten; sie dient als Ersatz des Eichenholzes für Balken, Planken u. s. w. Indessen wird sie ihres hohen Preises wegen, sowohl im Schiffbau wie zu anderen Bauzwecken, immer seltener gebraucht.

Ursprünglich kam das spanische Mahagoni nur von San Domingo, der Export dieser Insel ist aber sehr zurückgegangen, bei gleichzeitiger Verkleinerung der Blöcke. Dieselben sind selten über 3 Meter lang und über 0,30 Meter im Quadrat. Diese Sorte ist tief rotbraun, hart, fast hornig, schwer, stark und sehr fest im Mittelpunkt. Häufig ist es sehr schön gemasert und schrumpft und reisst weniger wie die übrigen Sorten. Der die Gefässröhren füllende weisse Stoff tritt oft so stark auf, dass das Holz aussieht, als sei es mit Kreide gerieben worden.

Madeiraholz oder auch Nassau-Mahagoni wird in England das von den Bahamainseln kommende Mahagoniholz genannt, dessen Export übrigens, wegen Erschöpfung der Vorräte, nahezu aufgehört hat. Die Blöcke sind noch kleiner wie diejenigen von San Domingo, gewöhnlich etwa 1 Meter lang und 0,15 bis 0,20 Meter im Quadrat. Dieses Holz ist tiefrot, hornig, sehr dicht, fest und zeichnet sich dadurch aus, dass es reicher gemasert ist, wie alle übrigen Sorten. Die Bäume wachsen auf dieser Inselgruppe nur auf trockenen, steinigen Hügelrücken und bleiben daher in ihrem Wuchse zwergig bei starker Verästelung. Damit ist die Erklärung für die hervorgehobenen Eigenschaften dieser Mahagonisorte gegeben.

Jamaica bringt nur noch wenig Mahagoniholz in den Handel, und dieses wenige ist hellfarbig, porös und geringwertiger wie alle anderen Sorten.

Das Hondurasmahagoni kommt in grösseren Blöcken wie das spanische Mahagoni in den Handel, gewöhnlich haben sie eine Länge von 6 bis 12 Meter und ein Quadrat von 0,30 bis 0,60 Meter. Das Holz ist rotbraun, elastisch in grünem, spröde in trockenem Zustand, selten gemasert, sondern gewöhnlich geradfaserig und gleichfarbig. Da die Gefässröhren leer sind, hat es ein poröses Aussehen, auf welches übrigens der Standort des Baumes grossen Einfluss hat. An der südlichen Küste von Honduras wächst der Baum gewöhnlich auf niedrigem, feuchtem Schwemmboden und das Holz, welches gewöhnlich als Baiholz in den Handel kommt, ist sehr porös, fast schwammig, also geringwertig. An der nördlichen Küste kommt der Baum auf trockenem Hügelgelände vor; hier ist das Holz dichter, fester, allein die Gefässröhren bleiben unausgefüllt.

Das Hondurasmahagoni reisst während des Trocknens an den Seiten tief auf, wenn dieser Vorgang schnell erfolgt. Ist es sorgfältig getrocknet, dann bearbeitet es sich glatt und schön, wirft sich nicht und schrumpft nicht.

Das mexikanische Mahagoni gehört zur Gruppe des Hondurasmahagoni; es wird in Blöcken von 5 bis 9 Meter Länge und von 0,35 bis 0,80 Meter im Quadrat verschifft, wenn die Verladung in einem guten Hafen erfolgt. Muss das Schiff auf einer Rhede ankern, dann werden die Blöcke in kurze Stücke geschnitten, um die Verladung zu erleichtern.

Der Mahagonibaum erreicht in Mexiko dieselbe Grösse wie in Honduras, weiter nördlich, in Florida, ist er sehr schwachwüchsig, in Westindien hält er die Mitte zwischen diesen beiden Gegensätzen.

Das mexikanische Mahagoni ist im allgemeinen weicher am Markkern wie das hondurasische und ist öfter mit langen Kern- und Sternrissen behaftet wie eine andere Sorte, ausgenommen dasjenige von Tabasco, welches für das beste gilt, das auf dem amerikanischen Festlande wächst. Dasselbe wird höher bezahlt wie jede andere Sorte der Gruppe Hondurasmahagoni; ist es doch auch häufiger gemasert.

Das mexikanische Mahagoni bringt nahezu dieselben Preise wie das hondurasische, als dessen brauchbarer Ersatz es gilt, und je mehr dessen Vorräte zusammenschmelzen, desto mehr findet jenes Beachtung.

Die hohen Preise des Mahagoniholzes gebieten, mit der grössten Vorsicht beim Ankauf zu verfahren. Wenn die Blöcke Kern- oder Sternrisse besitzen oder am Markkern schwammig sind, so entdeckt ein flüchtiger Blick diese Fehler. Nicht selten werden aber überreife Bäume gefällt, deren Kernholz von der Verwesung ergriffen ist, an Stellen, die äusserlich nicht sichtbar werden bis nach Zurichtung der Blöcke. Bleibt dieser Fehler unentdeckt, dann bringt er dem Käufer bedeutenden Schaden. Zur Vermeidung desselben werden die Blöcke häufig angebohrt. Ein anderes empfehlenswerteres Mittel ist: eine Person hält das Ohr dicht an das eine Stirnende des Blockes, während eine zweite Person das entgegengesetzte Stirnende mit einer Nadel leicht kratzt. Ist der Block durchaus gesund, dann pflanzt sich der durch die Nadel hervorgerufene Ton bis zum entgegengesetzten Stirnende fort, andernfalls erstickt er unterwegs.

Das afrikanische Mahagoni wird unter dem häufiger angewendeten Namen afrikanisches Teak an anderer Stelle besprochen. Von der ganz hervorragenden Wichtigkeit des Mahagonibaumes unter den tropischen Waldbäumen spricht, dass sich die indische Forstverwaltung mit der Einführung desselben grössere Mühe gegeben hat, wie mit einem anderen Baum. In einigen Gegenden sind die Versuche missglückt, in anderen gelungen, das will sagen, die angelegten Wälder wachsen kräftig in die Höhe, von welcher Qualität das Holz sein wird, ist eine Frage, deren Beantwortung der Zukunft vorbehalten bleibt. Was aber auch die Erfahrungen in Indien sein werden: wenn es sich in einem tropischen Lande um die Anpflanzung von Waldbäumen handelt, muss der Mahagonibaum, als der Fürst der tropischen Bäume, eines Anbauversuches unterzogen werden.

21. Miroholz.

Podocarpus ferruginea ist der wissenschaftliche Name des in Neu-Seeland heimischen Mirobaumes, welcher die mässige Höhe von 18 bis 20 Meter, bei einem Stammdurchmesser von 0,50 bis 0,60 Meter erreicht. Bis zu zwei Drittel seiner Höhe bleibt der stets gerade Stamm astfrei, von da ab breitet sich die Krone in nahezu wagerechter Richtung aus. Die dunkelgrünen, sehr dicken Blätter sind 2 bis 3 Zentimeter lang und etwa 4 Millimeter breit. Die Frucht ist eine rote Beere mit hartem Stein, ein Lieblingsfutter der wilden Tauben.

Das Holz ist hell- bis dunkelbraun, dicht, mässig, hart und schwer, bearbeitet sich gut und nimmt eine schöne Politur an. Zuweilen ist es schön gemasert. Die spezifische Schwere beträgt 0,660 bis 0,750. Wie sich aus dieser Vereinigung von Eigenschaften leicht schliessen lässt, ist das Miroholz brauchbar in der Tischlerei, Drechslerei und im Hausbau, in Wirklichkeit gilt es für eines der vorzüglichsten Hölzer Neu-Seelands, in dessen Sägemühlenindustrie es eine wichtige Rolle spielt.

Der Mirobaum erreicht seine kräftigste Entwickelung auf mässigen Bodenerhebungen, in feuchtem, aber nicht nassem Boden und in geschützten Lagen.

22. Molaveholz.

Diesen Namen führt eines der geschätztesten Hölzer der Philippinen, als seine botanische Quelle wird Vitex geniculata, nach anderen Botanikern Vitex altissima angegeben, ein mässig hoher Baum, der, wie Blanco in seiner Flora der Philippinen berichtet, sehr oft krumm wächst.

Das Holz ist strohgelb, schwerer wie Wasser, hart, stark, dicht, zeigt oft gewellte Masern, die an das Seidenholz erinnern und nimmt eine sehr schöne Politur an. Während des Trocknens schrumpft es wenig und reisst selten, es ist sehr dauerhaft, selbst wenn dem Wetter ausgesetzt.

Über weitere Eigenschaften finden sich Zahlenangaben im Abschnitte über die Holzkunde.

23. Moraholz.

Mora excelsa, Familie Leguminosae, Unterfamilie Caesalpineae, wurde von Schomburgk entdeckt, der ihn als einen der majestätischsten Bäume Guiana's schildert. Bis jetzt besteht die Gattung Mora nur aus dieser einen Art.

Nächst dem Grünherz ist das Moraholz das wichtigste und in Europa am bekanntesten gewordene Holz Guiana's, zum mindesten von Britisch Guiana, das über seinen Hafen Demerara diese beiden Hölzer lebhaft exportiert.

Das Moraholz kommt in Blöcken von 5 bis 10 Meter Länge und 0,30 bis 0,50 Meter im Quadrat in den Handel. Die Farbe erinnert an das Mahagoniholz, doch ist sie in der Regel dunkler, das will sagen kastanienbraun. Es ist hart, schwer, zäh, stark, gewöhnlich geradfaserig, zuweilen zeigt es aber eine sehr schöne Maserung, wodurch natürlich der Wert der betreffenden Blöcke bedeutend erhöht wird. Da es eine gute Politur annimmt, dient es in der Tischlerei und Drechslerei als Ersatz für Mahagoni und Rosenholz.

Im Schiffbau gilt es als ein vorzüglicher Ersatz für Eichenholz, vorausgesetzt, dass es frei von Sternrissen ist, die häufig auftreten. Blöcke die mit diesem Fehler behaftet sind, können nicht vorteilhaft zu Planken und Brettern verschnitten werden, dagegen steht ihrer Benutzung als grosse Balken kein Bedenken entgegen.

Für alle Zwecke, wo grosse Stärke und Dauerhaftigkeit verlangt werden, darf die Verwendung des Moraholzes in Betracht kommen.

Seine bedeutende Dauerhaftigkeit in allen Lagen mag es wohl einer kleberigen Flüssigkeit verdanken, welche sich in seinen Gefässröhren findet.

Über weitere Eigenschaften sind die Tabellen im Abschnitt über die Holzkunde nachzusehen.

24. Niessholz.

Waldarm wie das südliche Afrika ist, besitzt es doch einige recht wertvolle Bäume, unter welchen Ptaeroxylon utile, Familie Sapindaceae, einen hervorragenden Rang einnimmt. Dieser Baum tritt am zahlreichsten in den östlichen Distrikten der Kapkolonie auf. Das Holz kommt an Schönheit dem Mahagoni nahe; es nimmt eine feine Politur an, ist sehr fest, stark und dauerhaft. Den Namen Niessholz empfing es, weil das Sägemehl eine reizende Wirkung auf die Geruchsnerven ausübt, was bei der Verarbeitung belästigt.

Bei dem herrschenden Holzmangel in Südafrika kann selbstverständlich, trotz seiner Vorzüglichkeit, dieses Holz nicht exportiert werden; es ist daher nur in seinem Verbreitungsgebiet gekannt.

25. Pockholz.

Guajakholz, Franzosenholz und im Apothekerlatein Lignum vitae — eine Bezeichnung, die, nebenbei bemerkt, ausschliesslich von den Engländern gebraucht wird — sind andere Namen für ein Holz, dessen botanische Quelle Guaiacum officinale, Familie Zygophyllaceae, ist, ein in Westindien und an der Nordküste von Südamerika heimischer Baum, der durchschnittlich 9, höchstens 12 Meter hoch wird, bei einem Stammdurchmesser von 0,50 bis 0,60 Meter, häufig krumm wächst und zahlreiche, biegsame, knotige Äste besitzt. Die in 2 oder 3 Paaren stehenden, gefiederten, immergrünen Blätter, ohne Schlussblatt, sind länglichoval, ganz, glänzend und gegenständig, die achselständigen, in kleinen Büscheln geordneten fahlblauen Blüten haben einen fünfteiligen Kelch, 5 Blumenblätter, 10 Staubfäden und einen verjüngt zulaufenden Stempel. Die Frucht ist eine etwa 2 Zentimeter lange, lederige Kapsel mit 2 Zellen, jede derselben enthält einen Samen. Die Rinde ist gefurcht, hart und spröde.

Das Pockholz kommt in kurzen, gewöhnlich geschälten Blöcken zur Verschiffung, die einen geringen Durchmesser, bis zu

25 Zentimeter etwa und eine Länge von 1,8 bis 3,6 Meter haben, während die dickeren nur halb so lang sind. Der Verkauf findet nach Gewicht statt. Der 2 bis 3 Zentimeter dicke Splint ist hellgelb, frei von Harz und brauchbar, wenn er auch nicht die Härte des Kernholzes besitzt. Wird das letztere in Scheibenform verarbeitet und ihm eine dünne Schicht des Splints gelassen, so bleibt es vor Rissen bewahrt. Das Kernholz ist dunkelgrünlichbraun, sehr hart, stark und dicht, die spezifische Schwere schwankt zwischen 1,240 und 1,340. Die Jahresringe sind kaum zu erkennen, der Markkern ist nur in Spuren verhanden. Mit einem Vergrösserungsglas können die in gleichen Abständen laufenden, zahlreichen Markstrahlen beobachtet werden. Es enthält 26 % Guajakharz, das an anderer Stelle als Nebenprodukt des Waldes angeführt ist. Der Geschmack des Holzes ist beissend und aromatisch; wenn es gerieben oder erwärmt wird. gibt es einen schwachen, unangenehmen Geruch ab.

Eine bemerkenswerte Eigenschaft dieses Holzes ist, dass die Fasern sich schichtenweise, abwechselnd in schräger Richtung kreuzen, wodurch es sehr schwierig zu spalten ist, buchstäblich genommen kann es nicht gespalten, sondern nur zerbröckelt werden. Gerade diese Faseranordnung verleiht ihm für die Zwecke, welchen es dient, einen hohen Wert, der gesteigert wird durch eine beispiellose Dauerhaftigkeit, die fast bis zur Unverweslichkeit geht und wahrscheinlich nur dem bedeutenden Gehalt an dem eigentümlichen Harz zu verdanken ist, der auch Insekten und Würmer abwehrt. Eine aussergewöhnliche Härte und Dichte vervollständigen die Vorzüge des Pockholzes. Als Mängel sind die ziemlich häufig auftretenden Kreisrisse in den dicken Blöcken zu betrachten, welche die Verwendung zu grossen Gegenständen. an deren Festigkeit hohe Ansprüche gestellt werden, ausschliessen.

Die Benutzung des Pockholzes in der Drechslerei ist eine vielfache, beispielsweise zu Knöpfen, Kegelkugeln, Reibschalen, Stössern, Rollen, Hämmern, Messergriffen, Riemscheiben u. s. w. Im Schiffbau dient es zu Schiffblöcken. überhaupt zu Zwecken, wo eine grosse Widerstandsfähigkeit gegen Reibungen verlangt wird, wie von den äusseren Trägern der Schraubenachse der Dampfer. In dieser Verwendung erträgt das Pockkolz unter Wasser einen enormen Druck. ohne sich abzunutzen oder zu erwärmen; es bewährt sich hierfür besser wie irgend ein Metall.

Obgleich Guaiacum officinale als die botanische Quelle des Pockholzes gilt, so kommt nicht selten unter diesem Namen das sehr ähnliche Holz von Guaiacum sanctum in den Handel. Diese Art ist in Cuba, den Bahamas und Südflorida heimisch und unterscheidet sich von jener durch kürzere und schmälere Blätter. welche in 4 oder 5 Paaren stehen, durch einen kürzeren und glänzenden Kelch und eine fünfzellige Frucht. Dieser Baum wächst ebenfalls häufig krumm und mit knotigen Ästen, seine Höhe übersteigt selten 8 Meter, bei einem Stammdurchmesser von 0,30 Meter. Das Holz ist ausserordentlich schwer, sehr hart, stark, dicht, schwierig zu bearbeiten, bröckelt beim Spalten und enthält viele, gleichmässig verteilte Harzadern. Die zahlreichen Markstrahlen sind sehr undeutlich, ebenso die Jahresringe. Der Splint ist hellgelb, das Kernholz tief gelbbraun, in älteren Bäumen nahezu schwarz.

Die Benutzung ist diejenige des echten Pockholzes. Das Harz ist ein Handelsartikel und führt ebenfalls den Namen Guajakharz.

Eine dritte Art, Guaiacum arboreum, kommt im Thal des Magdalena vor, wo sie bis zu Erhebungen von 800 Meter steigt. Über ihre Nützlichkeit lauten die Berichte noch widersprechend. Im Gegensatz zu den beiden anderen Arten erreicht sie eine stattliche Grösse. Das Holz ist gelb, in's Grünliche schillernd und bricht fast pulverförmig. Die Blüten sind gross und gelb, die Früchte besitzen 4 Zellen. Die beste Qualität des echten Pockholzes kommt von San Domingo. Die anderen wichtigeren Bezugsquellen sind Jamaica und die Bahamas. Da der Begehr nach diesem Artikel stets lebhaft ist und die Nachfrage für grosse, fehlerfreie Blöcke oft nicht befriedigt werden kann, so muss G. officinale als aufnahmewürdig in den tropischen Kulturwald erscheinen.

26. Porkupnienholz.

Unter diesem sonderbaren Namen kommt seit neuerer Zeit das Holz der Cocospalme (Cocos nucifera) in den Handel, vorzugsweise zum Export nach England. Im 1. Bande der tropischen Agrikultur ist diese Palme und ihr Anbau eingehend geschildert, es ist dort auch gesagt, dass sie innenwüchsig, ihr Holz daher erst verwendbar sei, nach ihrem natürlichen Absterben, das herbeigeführt würde durch die sich mehr und mehr verdichtenden Saftgefässe in dem von Jugend auf fest begrenzten Stamm. Es tritt buchstäblich ein Erstickungstod ein.

Das Porkupnienholz ist dunkelbraun, hart, dicht und nimmt eine sehr schöne Politur an — eine Vereinigung von Eigenschaften, welche seine Einführung in die englische Tischlerei bewirkte. In Ceylon und einigen anderen tropischen Ländern, wo der Anbau der Cocospalme von Bedeutung ist, dient ihr Holz zum Hausbau und zur Fertigung von mancherlei Geräten.

Im 1. Bande der tropischen Agrikultur, Abteilung: Die nützlichen Palmen, ist ausgeführt, dass noch andere Palmen wertvolles Holz nach dem Abschlusse ihrer Lebensthätigkeit liefern, doch scheint bis jetzt keins zu einem Ausfuhrartikel geworden zu sein.

27. Puririholz.

Neuseeländisches Teak ist ein anderer aber nicht empfehlenswerter Name für dieses Holz, dessen botanische Quelle Vitex littoraiis ist, ein in fast allen Wäldern der Nordinsel Neu-Seelands vorkommender Baum, der unter günstigen Verhältnissen, das will sagen auf feuchten und geschützten Standorten, eine Höhe von 16 bis 18 Meter, bei einem Stammdurchmesser von 0,9 bis 1,5 Meter erreicht. Die Rinde ist dünn, glatt, grauweiss, die immergrünen Blätter sind ganz, hellgrün, 8 Zentimeter lang, 5 Zentimeter breit und stark gerippt. Den roten, glockenförmigen Blüten folgen kirschengrosse Beerenfrüchte, die ein Lieblingsfutter vieler Vögel bilden. In ungeschützten Lagen wächst der Stamm häufig krumm oder schief, eine vereinigte Wirkung des Windes und der schweren, breiten Krone.

Der 5 bis 8 Zentimeter dicke Splint ist gelb, das Kernholz ist dunkelbraun, ausserordentlich hart, dicht, annähernd 1,00 schwer, gewöhnlich fehlerfrei und ausnehmend dauerhaft. Im Schiffbau findet es an Stelle des Teakholzes Verwendung in Fällen, wo es sein geringerer Umfang zulässt. Besonders geschätzt sind die krummgewachsenen Stücke als Kniee.

In Neu-Seeland wird diesem Holz der erste Rang eingeräumt für Bahnschwellen, Pfosten und Tragpfeiler.

28. Purpurholz.

Purpurherz ist der in Britisch Guiana, Bois violet oder amaranthe, der in Französisch Guiana übliche Name für das sehr schöne Kernholz von Copaifera pubiflora und C. bracteata, 2 in ganz Guiana vorkommende Bäume, jedoch ziemlich selten an der Küste. desto häufiger aber auf den bewaldeten Hügeln im Inneren. Das Holz besitzt eine reiche Pflaumenfarbe, bedeutende Härte, Schwere, Dichte und Tragkraft. Bis jetzt hat es nur Interesse erregt, weil es sich sehr zu Schiesswaffen und Kanonenwagen eignet; es soll, besser wie ein anderes Holz, die beim Schiessen erzeugten Rückstösse ertragen. England importiert dieses, von den Urbewohnern des Britischen Guiana's Mariwayana genannte Holz, schon seit einer Reihe von Jahren in kleinen Pöstchen, um es fast vollständig zu Kolben und Schäften von Gewehren zu verarbeiten. Die Blöcke haben eine Länge von 6 bis 7 Meter und messen im Quadrat 0,25 bis 0.35 Meter. Das schöne, glatte Aussehen und die Fähigkeit, eine feine Politur anzunehmen, berechtigen dieses Holz auch zur Aufmerksamkeit in der Tischlerei und Drechslerei. Sobald ihm in diesen Gewerben die Bahn gebrochen ist. dürfte ihm eine ausgedehnte Verwendung sicher sein.

29. Pyengaduholz.

Diesen Namen führt eines der vorzüglichsten Schiffbauhölzer Birma's im Munde der Eingeborenen dieses Landes, die englischen Beamten haben versucht, ihm den Namen Eisenholz zu geben, um doch auch einen Beitrag zur Verwirrung in der Benennung tropischer Hölzer zu liefern, aber nicht mit durchschlagender Wirkung. Über die botanische Quelle sind die Berichte nicht übereinstimmend, sie wird mit Juga xylocropa und Mimosa Acle angegeben. Der Baum kommt vor von Birma bis zum westlichen China. nach Dr. Hooker wird er in Tenasserim und in der Halbinsel Malakka gefunden. wo er Pingado genannt wird. Jambea und Yerul sind die in der Präsidentschaft Bombay üblichen Namen. in Godavery kennt man ihn als Boja. Auf den Philippinen kommt er unter dem Namen Acle vor und zwar besonders häufig in den Wäldern von Ileila und Négros.

Wenn dieser Baum wirklich zur Gattung Mimosa gehört, so ist bemerkenswert, dass er ohne Dornen ist und 20 Zentimeter lange und 8 Zentimeter breite Blätter besitzt. Er erreicht eine Höhe von 30 Meter, mit einem geraden, astfreien Stamm von 21 bis 24 Meter.

Das Holz ist rotbraun, hart, schwer, stark, zäh und häufig gemasert. Wenn der gefällte Stamm behauen wird, tritt ein öliger, klebriger Stoff aus den Gefässröhren, dem wahrscheinlich das Holz seine ausserordentliche Dauerhaftigkeit verdankt. Er ist lästig, so lange das Holz nicht gründlich trocken ist, weil er vorher von der Oberfläche nicht beseitigt werden kann. Die Termiten greifen dieses Holz nicht an und das Gleiche wird von dem Teredo gesagt, doch ist diese Behauptung bis zur besseren Beweisführung mit Vorsicht entgegenzunehmen.

Nicht allein im Schiffbau wird dieses Holz verwendet, sondern zu allen Zwecken, wo Stärke und Dauerhaftigkeit verlangt werden, namentlich ist es für Hausbauten vorzüglich geeignet, selbst wenn es dem Wetter ausgesetzt bleibt. Zuweilen auftretende Kernrisse bilden wohl den einzigen Fehler.

In dem Abschnitte über die Holzkunde sind über andere Eigenschaften Zahlenangaben zu finden.

30. Rataholz.

In Neu-Seeland werden zwei nahe verwandte Arten als Ratabaum bezeichnet: Metrosideros robusta und M. lucida. Jene erreicht eine Höhe von 24 bis 30 Meter, bei einem Stammdurchmesser von 2 bis 3,5 Meter, diese eine Höhe von nur 15 bis 18 Meter, bei einem Stammdurchmesser von 0,5 bis 1,5 Meter. Da ausserdem M. robusta das wertvollere Holz liefert, so ist auf diesen Unterschied, namentlich bei Anbauversuchen, wohl zu achten.

M. robusta kommt in dichten Wäldern der beiden Inseln auf fruchtbarem, mässig feuchtem Boden zur kräftigsten Entwickelung, hier treibt sie einen 10 bis 12 Meter hohen, astfreien Stamm und eine breite, aus starken Ästen und Zweigen gebildete Krone.

Die hellgrünen Blätter sind etwa 4 Zentimeter lang und 1 bis $1^1/_2$ Zentimeter breit, die dunkelbraune Rinde ist je nach dem Alter mehr oder minder zerfetzt. Im Dezember und Januar ist dieser Baum schon aus weiter Ferne durch seinen schönen carmoisinroten Blütenschmuck kenntlich.

Das Holz ist dunkelrot, hart, schwer, dicht, stark, leicht spaltbar und nicht schwierig zu bearbeiten. Da es sehr dauerhaft ist, namentlich in Berührung mit der Erde, wird es in Neu-Seeland zu Bahnschwellen geschätzt. Ausserdem findet es im Schiffbau Verwendung und zu allen Wasser- und Landbauten, wo ein umfangreiches, gerades, dauerhaftes Holz gewünscht wird. In der Tischlerei geniesst es einen guten Ruf.

Seine spezifische Schwere beträgt 0,780 bis 0,800.

31. Rebhuhnholz.

Unter diesem Namen kommt ein sehr schönes, hartes Holz aus Brasilien in den Handel, dessen botanische Quelle noch nicht mit Bestimmtheit angegeben werden kann. Die Wahrscheinlichkeit spricht für Andira inermis, ein Baum, der von den Brasilianern Angelim genannt wird und von dem sie 4 Arten oder Spielarten, was ebenfalls noch unklar ist, unterscheiden: Angelim de pedra (Stein-Angelim), Angelim amargoso (bitterer Angelim), Angelim vermelho (roter Angelim), Angelim varzea (kultivierter Angelim).

Die botanische Quelle zuverlässig nachzuweisen, bleibt also der Zukunft vorbehalten. Das Holz ist rotbraun in verschiedenen Schattierungen, die hier und da in dunkelbraune Streifen übergehen. In manchen Stücken liegen diese Streifen so geringelt über einander, dass sie Rebhuhnfedern gleichen. Zeigen sie dabei einen ungewöhnlichen Farbenabstich, so werden die betreffenden Stücke als Fasanenholz bezeichnet.

Wenn ich recht berichtet wurde, wird das einfach gefärbte Holz in Brasilien zum Schiffbau verwendet und nur die schön markierten Stücke werden zum Export nach England ausgelesen, wo sie als Partridgewood und Pheasantwood in der Möbeltischlerei zur Verwendung kommen.

32. Rhodiumholz.

Im Apothekerlatein der Droguisten Lignum Rhodium genannt, ein Holz, mit einem angenehmen an Rosen erinnernden Geruch, das in dicken, ziemlich schweren, cylindrischen aber knotigen Stücken in den Handel kommt. Selten sind sie gespalten, gewöhnlich bedeckt sie eine rissige, graue Rinde. Der Splint ist gelblich, nach dem Markkerne zu wird das Holz zunehmend rötlich. Das Letztere hat einen aromatisch-bitteren Geschmack; wenn es gerieben wird, duftet es angenehm rosenartig.

Dieses Holz ist das Produkt von zwei aufrechtwachsenden Sträuchern mit kleinen Blättern: Convolvulus floridus und C. scoparius, heimisch auf den Canarischen Inseln. Es besteht aus den Wurzeln und dem Stamme. Das Letztere ist geringwertiger, weil ärmer an dem ätherischen Rhodiumöl. Dasselbe wird durch Destillation gewonnen und als Beigabe zu Salben und Einreibmitteln, häufig auch zur Verfälschung des Rosenöls benutzt. In Nordamerika dient es ausserdem als Lockmittel bei der Vergiftung schädlicher Nagetiere.

Ausser diesem Rhodiumholz gibt es eine amerikanische Sorte, die ebenfalls einen Handelsartikel bildet, das von Amyris balsamifera, heimisch in Jamaica, produziert wird und ein Öl liefert, welches dem vorhergehenden sehr ähnlich ist.

Im strengsten Sinne ist Rhodiumholz das Produkt von Liquidambar orientale, ein kleiner in Vorderasien vorkommender Baum. Dieser echte Artikel kommt jetzt kaum noch in den Handel, sein Name ist auf die genannten Sorten übertragen worden, als man sie brauchbar zum Ersatze erkannte.

33. Rimuholz.

Ein bis zu 30 Meter hochwachsender Baum, mit einem geraden bis 15 Meter astfreien Stamm, dessen Durchmesser 0,60 bis 0,80 Meter ist, heimisch in Neu-Seeland, von der Wissenschaft Dacrydium cupressinum genannt, produziert dieses Holz.

Der Baum zieht fruchtbaren Boden und niedrige, geschützte Standorte hohen trockenen Lagen vor. Die langen Äste haben eine sanft hängende Form, sie verlaufen in zahlreichen dünnen Zweigen, welche mit kurzen, hellgrünen, fadenähnlichen Nadeln besetzt sind. Auch Zweige und Nadeln hängen; es ist daher leicht verständlich, dass D. cupressinum nicht allein ein Nutzbaum, sondern auch ein sehr geschätzter Zierbaum ist.

Das Holz ist am Markkern kastanienbraun, nach dem Splinte zu wird es heller, ins Rötliche schimmernd, mit schönen abwechselnden Schattierungen und gelegentlichen Maserungen. Da es mässig hart ist, unter dem Hobel glatt wird, und eine schöne Politur annimmt, so ist genügend dargethan, dass es in der Möbeltischlerei Beachtung verdient. In Neu-Seeland wird es zum Haus-

und Brükenbau, zuweilen auch zum Bootbau verwendet. allein es ist jedenfalls empfehlenswerter für den vorstehend angegebenen Zweck.

Die spezifische Schwere beträgt 0,670 bis 0.700.

Der Rimu ist von der neuseeländischen Forstverwaltung unter die Kulturbäume aufgenommen worden.

34. Rosenholz.

Unter diesem Namen kommen Luxushölzer verschiedener Abstammung in den Handel. Die hervorragendste Wichtigkeit besitzt die Sorte, welche von den Engländern brasilianisches Rosenholz. von den Franzosen Pallisandreholz. von uns Deutschen bald mit jenem, bald mit diesem Namen genannt wird. Nächst dem Mahagoniholz ist es das berühmteste tropische Luxusholz und doch wissen wir bis heute noch nicht mit Bestimmtheit seine botanische Quelle — ein Seitenstück zur Unkenntnis über die Herkunft des Jacarandaholzes und eine für die brasilianische Regierung beschämende Thatsache. Brogel will zwar ermittelt haben, es stamme von 2 oder 3 Arten der Gattung Triptolomea, Familie Leguminosae, von anderer Seite wird indessen mit Bestimmtheit Dalbergia nigra genannt. ein zur gleichen Familie gehörender Baum, den die Brasilianer Cabiuna und Jacaranda nennen, allein der Name Jacaranda wird ferner unterschiedslos auf mehrere Arten der Gattung Jacaranda, nach anderen Botanikern Machaerium, angewendet. Es ist möglich, dass alle diese Arten Quellen von Rosenholz sind, das als verschiedene Qualitäten in den Handel kommt, und von diesem Gesichtspunkte aus würde das Jacarandaholz eine Qualität des Rosenholzes sein.

Die feinsten Qualitäten des brasilianischen Rosenholzes kommen aus den Provinzen Rio de Janeiro und Bahia. nächstdem aus Para. Von allen Qualitäten gilt diese Charakteristik: die Farbe ist dunkel rötlichbraun, reichlich schwärzlich gestreift und gemasert in derselben Schattierung. Das Holz ist hart, schwer und nimmt eine schöne Politur an, schmeckt schwach bitter und etwas balsamisch und duftet rosenähnlich, wenn es bearbeitet wird, was Veranlassung zu seiner Benennung gab. Infolge seines Harzgehaltes ist es etwas schwierig zu bearbeiten, doch verschwindet dieser Nachteil den Vorzügen gegenüber. Ein wirklich entwertender Fehler aber ist. dass das Holz am Markkerne zu verwesen beginnt, bevor der Baum die Reife erlangt hat, daher kommen niemals viereckige Blöcke oder breite Planken an den Markt. Selbst runde, gesunde Blöcke mittlerer Grösse sind selten. Gewöhnlich werden die Stämme in der Längenrichtung halbiert, in der Weise, dass Schwarten, 3 bis 3,5 Meter lang und 0,15 bis 0,30 Meter dick, entstehen. Zugleich wird das faule Holz ausgehauen, die Schwarten zeigen daher auf der inneren Seite keine ebene Fläche, sondern sind, entsprechend dem faulen Kern, mehr oder minder eingebaucht. Ihre unregelmässige Form nötigt zum Verkaufe nach Gewicht; die Preise schwanken zwischen weiten Grenzen, gemäss der Farbenschattierung und der Maserung, auch die Grösse des Stückes ist von Einfluss bei der Bewertung. Je schärfer die Schattierungen von dem Grunde abstechen, je unregelmässiger die Maserung läuft, desto höher steigen die Preise.

Oben wurde Amyris balsamifera als Quelle des amerikanischen Rhodiumholzes genannt. Wenn das Stammholz so dick und gerade ist, dass es in der Tischlerei verwendet werden kann, wird ihm der Name Rosenholz beigelegt, auf den es seines Geruchs wegen auch Anspruch erheben darf. Es ist übrigens heller wie das brasilianische Rosenholz und nicht so schön schattiert. Als westindisches oder Jamaicarosenholz kennt man es im Handel.

Um seiner Farbe willen wird in Brasilien das Holz von Physocalymma floribunda Pao de rosa - Rosenholz genannt. Die Portugiesen bezeichnen es mit demselben Namen, für die Franzosen ist es das Bois de rose, während sie das obige Holz Pallisandre nennen, wie bereits erwähnt. Was für die Engländer Rosenholz, ist für die Franzosen Pallisandreholz, und was für die Franzosen Rosenholz, ist für die Engländer Tulpenholz, für die Nordamerikaner aber ist Tulpenholz das Produkt von Liriodendron tulipifera. Es fehlt also an Veranlassungen zur Verwirrung nicht.

Das indische Rosenholz, von den Engländern zuweilen Blackwood genannt, ist das Produkt von Dalbergia latifolia, Familie Leguminosae, ein hauptsächlich in Malabar vorkommender Baum, der einen brauchbaren Stamm von etwa 15 Meter Länge und einem Durchmesser des gewöhnlich gesunden Kernholzes bis zu 1 Meter liefert. Das Holz ist dunkelbraun, fast schwarz schattiert und häufig schön gemasert. Es wird so hoch geschätzt und steht in so lebhaftem Begehr, dass sich die indische Forstverwaltung veranlasst sah, ausgedehnte Anpflanzungen dieses Baumes auszuführen. Dalbergia sissu liefert ein ähnliches Holz, das wahrscheinlich auch gelegentlich als Rosenholz in den Handel kommt. Dieser Baum ist ebenfalls unter Kultur genommen worden.

Das afrikanische Rosenholz stammt von Pterocarpus erinaceus. Die Insel Dominica bringt ein Rosenholz in den Handel, dessen botanische Quelle Cordia gerascanthus ist. Das Rosenholz von Neu-Süd-Wales wird von Synoum glandulosum produziert.

Die drei letzten Sorten haben wenig Bedeutung für den Handel und sind auf vielen Märkten gar nicht gekannt. Rosenholz, von welcher Herkunft es sei, wandert in die Möbel- und Pianofortefabriken; die am schönsten schattierten und gemaserten Stücke werden zu Fournieren verschnitten.

Die Franzosen haben sich in der Neuzeit bemüht, aus ihrer Kolonie Guiana ein Holz in Europa einzuführen, dem sie den Namen Bois de rose femelle, weibliches Rosenholz, gaben und wahrscheinlich das Produkt von Licaria odorata ist. Es besitzt einen an Bergamottöl erinnernden Geruch, der aber so flüchtig ist, dass das Holz zur Gewinnung des ätherischen Öels erst unmittelbar vor Füllung der Destillierblase geraspelt werden darf. Eine andere Verwendung kann das gelbe, grobfaserige, wenig dauerhafte Holz nicht finden.

Gleichzeitig führten sie ein Bois de rose male, männliches Rosenholz, ein, das ebenfalls gelb, mässig hart und grobfaserig ist. Es kann nur eine untergeordnete Verwendung finden, ein Luxusholz ist es ganz gewiss nicht.

35. Safranholz.

Gelbholz ist ein anderer Name für das Produkt von Elaedendron croceum, Familie Celastraceae, heimisch in Südafrika. Es ist, wie sein Name andeutet, safrangelb, feinfaserig, hart, zäh und nimmt eine schöne Politur an; verwendet wird es im Hausbau, mehr noch in der Möbeltischlerei. Wie ich schon an anderer Stelle erklärte, ist das waldarme Südafrika nicht in der Lage, Holz an das Ausland abgeben zu können, allein es besitzt einige Bäume, welche für die Forstkultur die ernsteste Beachtung verdienen und einer derselben ist E. croceum. Seit in der Capcolonie dem Schutze und der Erneuerung der Wälder einige Aufmerksamkeit gewidmet wird, ist dieser Baum der, welcher nach einer häufigen

Gepflogenheit der Engländer denselben Namen trägt wie sein Holz, nämlich Saffronwood, angepflanzt worden, sowohl von dem Forstaufseher wie von Privatgrundbesitzern.

36. Salholz.

Shorea robusta, nach einer älteren Benennung Vateria robusta, Familie Dipteraceae, gilt für einen der wertvollsten Waldbäume Indiens. Am südlichen Fusse des Himalaya, wo er ausgedehnte Wälder bildet, führt er den volkstümlichen Namen Sal, derselbe ist in die Amtssprache der englisch-indischen Verwaltungsbehörde übergegangen. Wie bereits in der Rundschau über die Wälder der Erde hervorgehoben wurde, ist der Sal einer der wenigen indischen Bäume, welcher von der Forstverwaltung dieses Colonialreiches zur Anpflanzung von Wäldern benutzt und da, wo er bereits Wälder bildet, nach den Regeln der Forstkultur behandelt wird. Da die sämtlichen Salwälder im Norden Indiens liegen, so verbieten die Transportkosten den Export des Holzes, dessen Eigenschaften man mithin im Auslande nicht in die Lage kommt, zu prüfen. Wir sind deshalb auf das Zeugnis der Britisch-Indier angewiesen, welches lautet: schwer, hart, sehr dauerhaft, brauchbar zu Bauzwecken, Bahnschwellen und Wagnerarbeiten.

37. St. Martinholz.

In Guiana, vorzugsweise in der französischen Besitzung, kommt Robinia panacoco, Familie Leguminosae, vor, ein mässig hoher Baum, dessen Holz als St. Martinholz gekannt ist. Dasselbe ist rötlich, hart, schwer, dicht, geradfaserig und nimmt eine schöne Politur an. Verwendet wird es im Schiff- und Hausbau, wie in der Möbeltischlerei.

Der Export geht fast nur nach Frankreich, in Blöcken von 6 bis 8 Meter lang und 0,40 bis 0,50 Meter im Quadrat.

38. Santalholz.

Der Handel mit diesem wohlriechenden Holz besass schon Wichtigkeit, als die geschichtliche Zeit zu dämmern begann, und wird sie selbst nicht verlieren, wenn die Götzendiener so vollständig ausgestorben sein werden, wie der Moa und Dodo. Die erste schriftliche Erwähnung findet das Santalholz in der Sanskritsprache als Chandana in der Nirukta, der ältesten existierenden

Auslegung der Veda, aus dem 5. Jahrhundert v. Chr. stammend. Es sei zu den religiösen Zeremonien benutzt worden, so steht da zu lesen; dieser Gebrauch hat der jüngere Buddhismus der älteren Hindureligion entlehnt. Dadurch musste die Bedeutung des Santalholzes ausserordentlich gewinnen, so kam es, dass heute die religiösen Gefühle mehrerer hundert Millionen Menschen eng mit diesem Holze verknüpft sind. Wenn sich sein Rauch himmelwärts kräuselt, ist sich der Hindu und Buddhist bewusst, eine religiöse Pflicht erfüllt zu haben und wähnt, dass der nach der Nase seines Götzen ziehende süsse Wohlgeruch eine schwere Sündenlast für immer verschleiert. Seit der Buddhismus in China eingeführt wurde. ist dieses, den Santalbaum entbehrende Reich zum hauptsächlichsten Markte jenes Holzes geworden. Stücke von 10 bis 15 Zentimeter Durchmesser werden als das angenehmste Opfer betrachtet, welches Jemand seinem Tempelgötzen machen kann, freilich ist das nur reichen Leuten möglich, die auch nur bei besonderen Veranlassungen diese teure Gabe darbringen.

Das Santalholz entstammt mehreren Arten der Gattungen Santalum und Fusanus, beide zur Familie Santalaceae gehörend. Die Gattung Santalum besitzt die weitaus grössere Wichtigkeit; sie besteht aus etwa 20 Arten, die über Asien, Australien und Polynesien verbreitet und in ihrer Tracht am besten mit der Myrthe zu vergleichen sind. Die östlichste Art ist S. insulare; sie kommt auf den Marquesasinseln und Tahiti vor, wo sie Eai genannt wird. Die südlichste Art, S. Cunninghamii, ist in Neu-Seeland heimisch und wird Mairi genannt. Die beiden nördlichsten Arten, S. pyrularium und S. Freycinetianum, kommen unter dem gemeinsamen Namen Lau ala auf den Sandwichinseln vor. Die westlichste Art ist S. album, heimisch in Vorderindien.

Dr. Seeman entdeckte auf den Fidschis einen wertvollen Santalbaum, den er S. yasi nannte, weil sein volkstümlicher Name Yasi ist; derselbe ist inzwischen nahezu ausgerottet worden. infolge des lebhaften Begehrs nach dem Holze. Neu-Caledonien besitzt 2 Bäume dieser Gattung, S. homei und S. austro-caledonicum, welche ebenfalls der Ausrottung nahe gebracht. in der Neuzeit aber von der französischen Colonialregierung forstmässig angepflanzt worden sind. Das Holz von Santalum latifolium, Fusanus spicatus und F. acuminatus wird aus Süd-West-Australien nach England exportiert, ebenso dasjenige von Eremophila Mitchelli,

Familie Myoporineae, von Queensland. unter dem Namen Santalholz; allein diese Sorten besitzen wenig Geruch und werden nur in der Möbeltischlerei verwendet. Ebenfalls geringwertig ist das Holz von S. myrtifolium, heimisch in Java und Koromandel.

Über Sansibar kommt ein Santalholz in kleinen Pöstchen in den Handel, das von Nossi-Bé kommen soll, die botanische Quelle ist so wenig bekannt, wie diejenige eines angeblichen Santalholzes, das von Venezuela nach Deutschland ausgeführt wurde.

Bis zur Mitte des 18. Jahrhunderts war Indien die einzige Bezugsquelle für Santalholz, die als dann erfolgende Entdeckung dieses Artikels auf den Inseln des stillen Ozeans führte zu einem beträchtlichen Handel von etwas seeräuberischer Natur. Alle Schwierigkeiten zwischen den europäischen Kauffahrern und den Eingeborenen wurden im Kampfe zum Austrag gebracht. Die Menschenverluste in diesem Geschäfte waren zu einer Zeit grösser wie im Walfischfang, mit dem es in einem Range als abenteuerlicher Beruf stand. Der Verkauf bereicherte nur die Häuptlinge; von Kamehamea, dem König von Hawaii (Sandwichinseln), wird behauptet, er habe um das Jahr 1810 etwa 1 Million Mark jährlich für Santalholz eingenommen. Gegenwärtig sind auf allen bekannteren Inseln des stillen Oceans die Vorräte an diesem Artikel nahezu erschöpft. Australien machte sich Hoffnung, als Bezugsquelle an die Stelle dieser Inselwelt treten zu können und 1884 stieg der Export sogar auf 2620 Tonnen, hauptsächlich von Fusanus acuminatus stammend; allein die Preise enttäuschten, sie hielten sich im Durchschnitt auf 160 Mark pro Tonne, während die besseren Qualitäten Santalholz in China 240 bis 800 Mark die Tonne bringen.

Nicht alles Santalholz wird vor den Götzen verbrannt, beträchtliche Mengen werden in den Gewerben verarbeitet und darauf gründet sich die oben ausgesprochene Behauptung, der Handel mit diesem Artikel würde wichtig bleiben, auch nach dem Aussterben der Götzendiener. In Europa und Nordamerika dient dieses Holz zu Luxuskästchen, Pultfächern und Rahmen für Insektensammlungen, in Indien wird es ebenfalls zu Luxuskästchen, ferner zu Fächern und eingelegten Arbeiten verwendet. Und das Santalöl findet eine ausgedehnte Benutzung als Parfüm; von seiner Beimischung bleiben nur wenige indische Parfümartikel frei. In Form von Pulver wird das Holz dem Farbstoff beigemengt, mit dem die Brahmanen ihr Kastenzeichen herstellen.

In der Neuzeit hat das Santalöl in Europa den Copaivabalsam vielfach als Heilmittel für verschiedene Krankheiten der Schleimhäute ersetzt. Drei Sorten Santalöl werden im Handel unterschieden: die von Ostindien, die von Makassar und die von Westindien. Die erste stammt von Santalum album, die zweite wahrscheinlich von einer anderen Art derselben Gattung, die dritte von dem erwähnten falschen Santalholze, das von Venezuela exportiert wird. Im Verschiffungshafen Puerto Cabello wird es Bucita capitala genannt; der Geruch des Holzes wie des Öls ist vollständig verschieden von demjenigen des echten Santalholzes.

Das ätherische Öl, welches schwerer ist wie Wasser, verleiht nur allein dem Santalholz seinen Geruch. Es hat seinen Sitz vorzugsweise im Kernholz und in den grösseren Wurzeln, der Splint der ältereren Bäume und das ganze Holz junger Bäume ist geruchlos. Das Öl wird gewöhnlich an dem Platze destilliert, wo die Bäume gefällt werden und zwar aus den Spänen und Wurzeln.

Die indische Forstverwaltung rechnet von 1 Pfund Holz 2 Drachmen Öl zu erhalten. Dasselbe hat einen ausserordentlich starken, durchdringenden Geruch und lässt sich leicht aus dem Holz destillieren. Bombay ist der weitaus wichtigste Verschiffungshafen für dieses Öl; die jährliche Ausfuhr von da beträgt durchschnittlich 5000 Kilogramm. In Spiritus aufgelöst und mit etwas Rosenöl versetzt, bildet das Santalöl das Taschentuchparfüm Extrait de bois de santal. Weil es sich willig mit Rosenöl vermischt, wird es oft zur Fälschung dieses kostbaren Artikels benutzt.

Wie in alten Zeiten, ist auch jetzt wieder Indien das weitaus wichtigste Produktionsgebiet des Santalholzes und damit ist die hervorragende Bedeutung des weissen Santalbaumes (S. album) gekennzeichnet. Wie alle Arten dieser Gattung, kommt auch der weisse Santalbaum nur auf trockenen Hügeln und Bergen vor; wird er auf feuchten Niederungen angepflanzt, verliert sein Holz fast jeden Wert.

Gewöhnlich erreicht er eine Höhe von 7 bis 8 Meter, bei einem Stammdurchmesser von 0,25 bis 0,30 Meter, lässt man ihn umfangreicher werden, dann verwest gewöhnlich der Markkern und seine nächste Umgebung. Hauptsächlich kommt er in Mysore,

Coimbatore, nördlich und nordwestlich von den Nilgiri, auch weiter östlich in den Distrikten Salem und Arcot vor, wo er von der Meeresgleiche bis zu Erhebungen von 900 Meter wächst. Im malayischen Archipel kommt der Baum nur vereinzelt vor.

In Mysore bildet das Santalholz ein Regierungsmonopol, in so fern nur bestimmte Beamte Santalbäume fällen und verkaufen dürfen. Diese Gerechtsame wurde 1770 von Hyder Ali durch einen Vertrag auf die englisch-ostindische Handelsgesellschaft übertragen und ist seitdem beibehalten worden. Das Santalholz dieses Distrikts wird über Mangalore in der jährlichen Höhe von 700 Tonnen, Wert 540000 Mark, verschifft. In der Präsidentschaft Madras besteht kein Monopol in diesem Artikel, allein die Forstverwaltung gewinnt bei sorgfältiger Schonung der Vorräte eine jährliche Ausbeute von 500 bis 600 Tonnen.

Die Fortpflanzung des Santalbaumes kann nur durch Saat auf die dauernden Standorte erfolgen, da die Sämlinge die Verpflanzung nicht vertragen, wahrscheinlich, weil sie ihre Nahrung mittels knotiger Anschwellungen von den Wurzeln anderer Pflanzen schmarotzen. Gefällt werden die Bäume wenn sie 20 bis 25 Jahre alt sind, denn um diese Zeit erreichen sie ihre Reife. In Indien findet das Fällen gegen Ende des Jahres statt. Die Rinde wird sofort abgeschält und der Stamm in Blöcke von etwa 60 Zentimeter Länge gehauen, die für mehrere Monate in die Erde gebettet werden. Die Termiten fressen inzwischen den Splint vollständig ab, lassen aber das wohlriechende Kernholz unberührt. Die Blöcke werden nun mit der Axt etwas zugestutzt und in geschlossenen Speichern der Forstverwaltung einige Wochen langsam getrocknet, es findet dabei eine Geruchsverfeinerung statt und der Neigung des Holzes zum Reissen wird vorgebeugt. Der Verkauf geschieht auf jährlichen Auktionen, zu der sich Kaufleute aus allen Teilen Indiens einfinden. Vorher findet eine Sortierung der Blöcke statt. Je tiefer die Farbe, desto stärker der Geruch, mithin um so wertvoller das Holz. Daher sortieren die Kaufleute oft rote, gelbe und weisse Qualitäten. Als Regel gilt: je näher den Wurzeln, desto tiefer die Farbe und stärker der Geruch. Daher wird beim Fällen die Erde vom Stamme entfernt, um ihn so tief wie möglich abzuhauen. Hellgelbe Stücke oder solche, welchen noch der weisse Splint anhängt, haben wenig Wert. Tiefgelb muss die Farbe sein, besser noch sie spielt in's

Rötliche oder es zeigen sich rötliche Adern. Das Holz soll vollständig gesund. hart und feinfaserig sein. Der Geschmack ist aromatischbitter, angenehm scharf.

Die grösseren Blöcke gehen hauptsächlich nach China, die kleineren nach Arabien, die mittleren bleiben in Indien. China importiert jährlich etwa 6000 Tonnen dieses Holzes, freilich nicht ausschliesslich von Indien. Bombay empfängt von der Malabarküste durchschnittlich 700 Tonnen dieses Holzes, von welchen es 450 wieder ausführt.

Dr. Hunter wies vor mehreren Jahren nach, dass das Santalholz sich zum Ersatz des Buchsholzes für die Holzschneidekunst eigne. Einige Blöcke lieferten über 20000 Abdrücke, ohne abgenutzt zu sein. Als das beste Holz für diesen Zweck bezeichnet er dunkelfarbiges, etwa 12 Zentimeter im Durchmesser. das auf felsigem Boden gewachsen ist.

Zum Schlusse sei noch bemerkt, dass im Deutschen meistens unrichtig Sandelholz, in Nachahmung der Engländer, geschrieben wird. Santal ist der arabische Name für dieses Holz, er ist, wie oben gezeigt wurde, in die Sprache der Wissenschaft übergegangen. An der Malabarküste lebt noch der alte Sanskritname fort: Chandana cotta. Die Chinesen haben die Bezeichnung Tan-heong, wohlriechendes Holz.

39. Seidenholz.

Unter diesem Namen kommen zwei schöne Luxushölzer in den Handel, ein westindisches und ein ostindisches. Das Erstere wird für wertvoller betrachtet, als seine botanische Quelle wird Ferolia guianensis und Maba guianensis angegeben, offenbar ist man über diesen Punkt noch nicht vollständig klar. Von dem ostindischen Seidenholz weiss man dagegen bestimmt, dass es von Chlorocylon zwietena, Familie Cedrelaceae, stammt, ein in Indien und Ceylon heimischer Baum, von dem Sir Tennents sagt, er sei in Bezug auf Grösse und Dauerhaftigkeit des Holzes der erste Baum Ceylons.

Das Holz ist schön hell. mit einem reichen, seidenartigen Glanze, manchmal dunkel befleckt oder betupft. Ende des 18. Jahrhunderts wurde es lebhaft für Möbel begehrt, gegenwärtig wird es nur zu Einlagearbeiten und kleinen Fournieren benutzt, ferner zum Bedecken von Bürstenrücken und zu kleinen Drechslerartikeln.

Sir Tennents sagt in seinem Werke über Ceylon: die reichgefärbten und markierten Blöcke werden zu Möbeln verarbeitet, während die gewöhnlichen Bauzwecken dienen. Die Balken und Flure aller Häuser in den östlichen Provinzen bestehen aus Seidenholz.

40. Tacamahacaholz.

Die Gattung Calophyllum. Familie Guttiferae, enthält mehrere Arten, welche einen in Südasien als Tacamahaca bekannten, harzigen Stoff liefern, der zum Räuchern dient. Das echte indische Tacamahaca stammt von C. inophyllum, ein sehr grosser, schöner Baum, der oft als Schattenbaum und um seiner weissen, wohlriechenden, traubenförmigen Blüten willen angepflanzt wird. Die Blätter sind länglich, stumpf zulaufend; die Frucht ist eine runde Steinfrucht von der Grösse einer Wallnuss und enthält ein fettes Öl. welches benutzt wird.

Diese Art nimmt unter den nützlichen Waldbäumen des malayischen Archipels und der Südseeinseln einen hohen Rang ein. Das sehr dauerhafte Holz gleicht in der Textur dem Mahagoni, ist aber heller.

C. angustifolium, von den Britisch-Indiern Pineybaum genannt, kommt auf Penang und den Inseln nahe der Ostküste der Bai von Bengalen vor. Er liefert sehr geschätzte, schöne, gerade Raastangen.

C. calaba, ist der Calababaum Westindien's, gleichfalls ein beliebter Schattenbaum. mit weissen, wohlriechenden Blüten. Das Holz wird zu Fässern verarbeitet.

41. Tanekahaholz.

Die Gattung Phillocladus besteht aus sogenannten sellerieblättrigen Fichten, die zu derselben Abteilung der Coniferen gehören, wie der bekannte europäische Eibenbaum, obgleich ihr Aussehen und ihre Wohnorte ganz verschieden sind. Bis jetzt kennt man nur 5 Arten dieser Gattung, 3 in Neu-Seeland, 1 in Tasmanien und 1 in den Gebirgen von Borneo.

Eine wirtschaftliche Wichtigkeit besitzt nur die neuseeländische Art Phillocladus trichomanoides, mit dem volkstümlichen Namen Tanekaha. Dieser Baum kommt nur auf der nördlichen Insel vor und nirgends massenhaft; er erreicht eine Höhe von 21 bis 24 Meter, bei einem Stammdurchmesser von 0,9 bis 1 Meter und einem astfreien Stamm von 15 bis 18 Meter. Die kleinen dünnen Äste sind sehr regelmässig geordnet und stehen in nahezu rechtem Winkel zum Stamm. Die Blätter, welchen im strengen Sinne dieser Name nicht zukommt, bestehen aus kleinen, platten, auseinandergespreizten, eng zusammenwachsenden Zweigen. Wirkliche Blätter können nur an dem Sämling beobachtet werden, sie sind gerade und scharf zugespitzt; bald fallen sie ab, um den kleinen Zweigen Platz zu machen, die sich wagerecht ausbreiten und verschiedenartig gelappte Formen bilden. Die Rinde ist dick, glatt, dunkelbraun.

Das dauerhafte Holz ist so stark und zäh, dass die Urbewohner sagen, der Tanekaha sei der „starke Mann" unter ihren Waldbäumen. Es ist von festem, dichtem Gefüge, geradfaserig rötlichweiss bis gelblichweiss, besitzt einen terpentinartigen Geruch und lässt sich ziemlich leicht bearbeiten. Mit dem Holze der geschilderten Huonfichte hat es grosse Ähnlichkeit. Das spezifische Gewicht von gründlich getrocknetem Holz ist etwa 0,600.

Verwendet wird das Holz zu Haus- und Brückenbauten, Bahnschwellen, Masten und Deckplanken für Küstenfahrzeuge, welchen letzteren Zwecken es ausgezeichnet entspricht.

Wenn unter den Bäumen Neu-Seelands eine Wahl getroffen werden soll, zur Einführung in fremde Länder, drängt sich der Tanekaha zunächst der Beachtung auf, denn nicht allein liefert er ein wertvolles Holz, sondern eine in der Gerberei und Färberei sehr geschätzte Rinde, über welche im 2. Bande der tropischen Agrikultur ein besonderer Abschnitt handelt, den ich nachzulesen bitte. Noch sind mit diesem Baume meines Wissens keine Kulturversuche unternommen worden, ich vermag deshalb keine andere Anhaltspunkte zu geben, als dass er auf trockenem Boden in mässigen Erhebungen zur höchsten Entwickelung gelangt. In seinem Verbreitungsgebiet fällt jährlich 115 Zentimeter Regen; Feuchtigkeitsgehalt der Luft: im Mittel 70 Grad; jährliche Durchschnittstemperatur $13\frac{1}{2}°$ C., Durchschnittstemperatur der Sommermonate $18\frac{1}{2}°$ C., der Wintermonate 10° C.

42. Teakholz.

Unter diesem Namen kommen zwei Hölzer in den Handel, das eine wird als indisches Teak, das andere als afrikanisches

Teak bezeichnet. Das Erstere ist das weitaus wichtigere, seine botanische Quelle ist Tectona grandis, Familie Verbenaceae, ein schöner stattlicher Baum von 24 bis 30 Meter, in seltenen Fällen bis 45 Meter Höhe, bei einem Stammdurchmesser von 0,80 bis 1,20 Meter. Die sommergrünen Blätter sind oval, im Durchschnitt 50 Zentimeter lang, mit rauhen Drüsen besetzt; den weissen, in grossen Rispen geordneten Blüten folgen 4 zellige Früchte von der Grösse einer Haselnuss.

Das Verbreitungsgebiet dehnt sich vom 8. Grad südlicher Breite in Java bis etwa zum 23. Grad nördlicher Breite in Indien und Birma, die westliche Grenze liegt ungefähr bei dem 72° östlicher Länge, unermittelt ist bis jetzt noch die östliche Grenze, wahrscheinlich liegt sie der Grenze China's nahe. Vorzugsweise kommt dieser Baum in Erhebungen von 600 bis 900 Meter vor, selten wird er tiefer wie 600 Meter angetroffen und wenn er in seinem nördlichsten Vordringen, im Bundelcund, 1200 Meter über den Meeresspiegel steigt, so kommt er über ein zwergiges Wachstum nicht hinaus. Gewöhnlich tritt er in Gruppen auf, was der Ausbeute sehr förderlich ist.

In Java hat die Colonialregierung eine vorzugsweise mit Teakbäumen bestandene Waldfläche von etwa 700 Hektar unter Kontrolle genommen und das Fällen und Vermessen der Bäume sorgfältig geregelt. Ausserdem hat sie für die Anpflanzung von Teakwäldern Sorge getragen. In Indien umfassen die reservierten Wälder wichtige Bestände dieses Baumes, die ausgedehnt zu vermehren, sich die Forstverwaltung seit ihrem Bestehen angelegen sein liess. Am Beyporifluss in Malabar hat sie einen Teakwald angelegt, der bereits über 2 Millionen Bäume umfasst und den sie jedes Jahr um etwa 40 Hektar vergrössern lässt.

In Siam ist in neuerer Zeit ein beträchtlicher Reichtum an Teakholz recht guter Qualität nachgewiesen worden, allein die wichtigste Bezugsquelle ist und bleibt jedenfalls auf lange Zeit Birma, zumal das Königreich dieses Namens nun unter die Herrschaft der indischen Colonialregierung gebracht ist, die mit allen Verkehrs- und Handelsbeschränkungen aufgeräumt hat.

Der Ausbeute der birmanischen Teakbestände ist das grossartige Flussnetz des Landes sehr förderlich, die wichtigsten Wasserwege für dieses Geschäft sind der Irrawaddy, Salwin und Thongyin.

Nach Colonel Beddome wächst der Teakbaum sehr rasch im Vergleiche mit der Eiche. Dieser Gewährsmann behauptet, in den ersten 20 Jahren betrüge die Holzzunahme im jährlichen Durchschnitt 1 bis 2 Kubikfuss, nach dem 30. Jahre steige die Zunahme auf 5 Kubikfuss im Jahr. Etwa im 80. Jahr erreicht der Baum seine Reife.

Das Teakholz kommt in Blöcken von 6,9 bis 8,1 Meter Länge und 0,30 bis 0,65 Meter im Quadrat in den Handel; längere Blöcke sind selten, obgleich sie unverhältnismässig teurer bezahlt werden. Der Grund ist nicht in einer geringen, astfreien Höhe der Bäume zu suchen, sondern in der Abneigung der birmanischen Holzfäller gegen lange Blöcke, denn aus den unwegsamen Schluchten und Thälern wird das Holz von Elephanten nach dem nächsten Wasserlauf geschleift. Es ist klar, dass dieser urwüchsige Transport der Blöcke um so schwieriger ist, je länger die Blöcke sind und dieses Verhältnis gestaltet sich nicht viel besser in der Flösserei auf den gewundenen, in natürlichem Zustand verbliebenen Wasserläufen.

In Birma, Cochin, Travancore und einigen anderen Gegenden werden die Teakbäume 3 Jahre vor dem Fällen bis auf das Kernholz geringelt, um sie zu töten, eine Absicht, die schon nach wenigen Tagen erreicht ist. Der Stamm trocknet also auf dem Stande, damit wird der Vorteil erreicht, dass sich die Blöcke leichter fortschleifen lassen und im Wasser schwimmen, denn frisch gefällt, hat das Holz eine spezifische Schwere von mindestens 1,000, während diese Zahl durch das Trocknen auf 0,585 bis 0,630 sinkt. Diese Gepflogenheit entbehrt demnach nicht guter Begründung, trotzdem wird sie von Fachkennern als verwerflich bezeichnet. Das Holz trockene zu schnell, daher die häufigen Kernrisse, ferner würde die Elastizität vermindert und mancher wertvolle Baum zersplittere beim Fallen. In den Wäldern von Malabar ist das früher geübte Ringeln aufgegeben worden, weil man erkannt zu haben glaubte, es sei die Ursache der Kernrisse, zum mindesten verschlimmere es dieses Übel. Die Forstverwaltung von Britisch Birma liess versuchsweise lebende Teakbäume fällen, doch zeigten sich an mehr wie dem vierten Teil der Blöcke weitverzweigte Kernrisse. Es sind offenbar noch Fortschritte in der Behandlung des Teakholzes zu machen.

Allgemein charakterisiert kann dieses berühmte Schiffbauholz folgendermassen werden: seine Farbe wechselt von strohgelb zu braungelb und hat eine gewisse Ähnlichkeit mit derjenigen des Eichenholzes; es ist mässig hart und stark, von gleichmässigem Gefüge, geradfaserig und leicht zu bearbeiten. Beim Trocknen schrumpft es sehr wenig und reisst nicht von aussen nach innen. Dagegen reisst es, wenn beim Einschlagen von Bolzen keine Vorsicht beobachtet wird und besitzt eine schwache Neigung zum Werfen. Ein harziges Öl durchdringt das ganze Zellgewebe und sickert oft in die Kernrisse, wo es sich so verhärtet, dass es kein Schneidwerkzeug berührt ohne stumpf zu werden. Auf dieses Öl ist die grosse Dauerhaftigkeit des Holzes im Wasser zurückzuführen, ebenso die Verhütung des Rostes von Eisen, welches in das Holz eingeschlagen wird — eine im Schiffbau sehr geschätzte Eigenschaft, welche das Eichenholz nicht besitzt. Aus diesem Grunde spielt das Teakholz eine so bedeutende Rolle im Bau von Panzerschiffen.

Hören wir, was ein deutscher Forstmann, Forstrat Nördlinger, über die technischen Eigenschaften des Teakholzes sagt: Das spezifische Trockengewicht dieses Holzes schwankt zwischen 0,561 und 0,805. Das Mittel hieraus, 0,680, stellt das Teakholz in die Klasse der ziemlich leichten Hölzer, neben Nussbaum und Vogelbeere, also namhaft tiefer wie das Eichenholz, mit welchem es in Bezug auf seine Verwendbarkeit wetteifert. Die an einer grösseren Zahl von quadratischen Säulchen (18 Millimeter im Geviert, 100 Millimeter lang) beobachtete Druckfestigkeit, wechselt von 4,47 bis 7,16 Kilogramm auf 1 Quadratmillimeter, beträgt also im Mittel 5,81 Kilogramm, welche Ziffer sich als Durchschnittszahl einer grösseren Versuchsreihe auf 5,87 Kilogramm ändert. Die Zugfestigkeit konnte nur an 2 Stäbchen beobachtet werden, von denen nur eins tadellos und zwar von gelber Farbe, mit glänzendem, fast kalkfreiem Poreninnern war. Dasselbe riss bei einer Anspannung von 13,16 Kilogramm pro Quadratmillimeter. Die ziemlich ausführlichen Druckproben weisen das Steigen der Festigkeit bei wachsendem, spezifischem Trockengewicht, sowie die Richtigkeit des neueren Satzes nach, dass die Breite der Holzringe allein durchaus keinen geeigneten Massstab für die Güte des Holzes bildet. Nach dem beobachteten Quellen des Holzes und unter der Voraussetzung, dass das Schrumpfen diesem gleich sei, reit Nördlinger das Teakholz in die wenig schrumpfenden Hölzer ein. Die Spaltbarkeit entspricht etwa derjenigen der Erle, ist also ziemlich gross, was einerseits einen Vorteil für die Verarbeitung bietet, andererseits eine Verminderung der Tragkraft zur Folge hat.

Im Abschnitte über die Holzkunde finden sich weitere Zahlenangaben über die Eigenschaften des Teakholzes. Bei dessen Beurteilung muss übrigens in Erinnerung gehalten werden, dass die Einflüsse von Boden und Klima Abweichungen in der Qualität hervorrufen, so beträchtlich, um den Glauben an das Vorhandensein verschiedener Arten des Teakbaumes wachzurufen. Allein bis jetzt haben die Botaniker nur eine Art nachweisen können.

Im wichtigsten Produktionsland, in Birma, wird das Holz der verschiedenen Flussgebiete im Handel unterschieden, man spricht von Thongyin-, Salwin-, Karani-, Attaran-, Laingbue- und Irrawaddyteak. Alle weichen etwas in Farbe, Gefüge und Schwere ab.

Das Thongyin- und Salwinholz ist gelblichbraun, von gleichmässigem Gefüge, mit einer langen, feinen Faser. Das Karaniholz ist abwechselnd braun und gelb schattiert, das Gefüge ist dicht, gelegentlich treten Linien auf, selten sind Fehler vorhanden. Das Attaranteak kommt in kürzeren, aber ebenso dicken Blöcken wie die übrigen Sorten vor; das Holz ist bräunlich, hart und gleicht sehr dem Malabarteak. Es ist schwerer wie die Sorten Thongyin und Karani, auch grobfasiger und knotiger. Das Laingbueteak verliert durch seinen eigentümlichen, gedrehten und gefurchten Wuchs sehr an Wert. In Folge dieser Bildung kann aus einem dicken Stamm nur ein dünner, gerader Block gehauen werden, der überdies geringwertig ist, weil es nötig war, die Fasern zu durchschlagen, um aus der unregelmässigen Form eine regelmässige zu machen. Dieses Holz ist dunkler, härter und schwerer wie die übrigen Sorten. Das Irrawaddy- oder Rangunteak ist hellgelb und in der Gleichmässigkeit des Gefüges dem Thongyinteak sehr ähnlich. Die Jahresringe um den Markkern sind poröser wie die nach auswärts folgenden. Diese Sorte ist häufiger mit Kernrissen behaftet wie die übrigen, ausserdem wird ihr Wert oft durch feine Sternrisse beeinträchtigt. Indessen sind diese Fehler nur dem Verschneiden in Planken und Bretter hinderlich, bei der Verwendung dicker Balken hält man sie ungefährlich. Irrawaddyteak wird in längere Blöcke geschnitten wie die übrigen

Sorten und kommt über Rangun zur Verschiffung, während die letzteren über Mulmein zur Ausfuhr kommen.

Das Malabarteak ist von sehr guter Qualität und gewöhnlich dunkler, dichter, schwerer, ölreicher und etwas stärker wie das Birmateak.

Eine Schattenseite der ersteren Sorte bilden die häufigen, langen Kernrisse, denen vielleicht durch ein besseres Trockenverfahren vorgebeugt werden kann. Diese Bezugsquelle kann übrigens so lange als erschöpft gelten, bis die jungen Wälder aufgewachsen sind, Javateak steht dem Malabarteak nahe; es ist ebenfalls schwerer wie Birmateak und wird hauptsächlich für Planken geeignet gehalten wie für die Schiffteile unter dem Wasserspiegel.

Es wird so viel vom Ruhme und so wenig von den Fehlern des Teakholzes gesprochen! Wenig bekannt ist und der scharf hervorgehobenen Dauerhaftigkeit gegenüber ungläubig aufgenommen wird, dass die Teakbäume häufig vor ihrer Reife am Markkern hohl zu werden beginnen; die Zahl der mit diesem Fehler behafteten Blöcke, welche die Flösser nach den Verschiffungshäfen bringen, ist erstaunlich, da sie aber selbstverständlich nicht exportiert, sondern im eigenen Lande verwendet werden, bleibt ihr Vorhandensein auf den europäischen Märkten unbekannt.

Wie schon erwähnt, treten Kernrisse im Teakholz aller Sorten ziemlich häufig auf, sie hindern allerdings nicht die Brauchbarkeit, veranlassen aber Abfall, wenn die Verschneidung zu Planken stattfindet oder sie schwächen die Tragkraft der Balken, welche aus den betreffenden Blöcken hervorgehen.

Manche Teakblöcke sind auf der Oberfläche wurmstichig nach allen Richtungen hin, ein Zustand, der sich auf den ersten Blick durch ein mattes, mürbes Aussehen offenbart. Das Holz ist in der Regel durchaus brüchig, es ist deshalb nur zu untergeordneten Zwecken verwendbar, nachdem die mürben Stellen ausgehauen wurden.

Trotz dieser Fehler gilt Teakholz als das beste Schiffbauholz in England, namentlich zu Kriegsschiffen, in anderen Ländern ist man zurückhaltender mit der Anerkennung oder doch mit der Verwendung. Für die Kauffahrteiflotte ist diese Frage nicht mehr brennend, seit Stahl als das Schiffbaumaterial der Zukunft erkannt ist, dagegen ist sie vorläufig noch von hohem Interesse für den

Bau von Panzerschiffen. Wenn von englischer Seite häufig behauptet wird, für den letzteren Zweck sei das Teak unersetzlich, so ist das jedenfalls eine Übertreibung. Bei allen Vorzügen, welche dieses Holz besitzt, darf es nicht für unersetzlich gelten. Es sind mit einigen südasiatischen Hölzern Versuche gemacht worden, welche sie als gleichwertig mit dem Teak erscheinen lassen und von dem an anderer Stelle geschilderten australischen Tuart wurde festgestellt, dass es bei einer Beschiessung weniger zersplittert wie Teak.

In Betracht, dass die weitaus wichtigsten Bezugsquellen englische Besitzungen sind und der Verbrauch vorwiegend in England stattfindet, kann es nicht Wunder nehmen, dass fast der ganze Teakexport nach London geht, von diesem Zentralpunkte erfolgt die Verteilung. Hier werden zunächst die Blöcke, nicht gemäss der Qualität, sondern gemäss der Grösse in 3 Klassen: A, B und C sortiert. Das Mindestmass der Länge ist für die 3 Klassen 23 Fuss englisch (6,9 Meter), bestimmend für die Einteilung ist nur das Geviertmass. Zur Klasse A werden die Blöcke gezählt, welche an der breitesten Seite 15 Zoll (38 Zentimeter) und mehr messen. Klasse B umfasst die Blöcke, welche auf der breitesten Seite zwischen 12 und 15 Zoll (30 und 38 Zentimeter) messen und Klasse C diejenigen, welche auf der breitesten Seite unter 12 Zoll (30 Zentimeter) messen.

Das afrikanische Teak kommt auch als afrikanisches Mahagoni in den Handel; die englische Unbeholfenheit bezeichnet es sogar als afrikanisches Eichenholz. Lange Zeit wurde angenommen, Swietenia senegalensis sei die botanische Quelle, allein gegenwärtig wird mit Bestimmtheit Oldfieldia africana, Familie Euphorbiaceae, angegeben, doch ist die Möglichkeit nicht ausgeschlossen, dass dieses Holz das Produkt mehrerer Baumarten ist.

Sierra Leona ist das vorzüglichste Produktionsgebiet dieses Holzes, von hier fanden die ersten Verschiffungen statt; nach und nach beteiligten sich auch südlichere Küstenstrecken Westafrika's. Die Blöcke legen Zeugnis ab von dem Kulturzustande der afrikanischen Küstenbewohner; offenbar lag die Absicht vor, ihnen eine viereckige Gestalt zu geben, allein es blieb beim guten Willen. An der einen Stelle sind die Kanten scharf aber krumm laufend, an der anderen rund aber gerad, hier ist der Block eingehaucht, dort ausgebaucht, nirgends laufen die Seiten regelmässig. Es ist klar, dass diese Blöcke sehr schwierig zu vermessen sind und bei ihrer Verarbeitung ein beträchtlicher Abfall stattfindet. Die Figur 61 veranschaulicht einen afrikanischen Teakblock.

Das Holz ist dunkelrot, sehr hart, stark, schwierig zu bearbeiten, namentlich zu spalten. Es ist fein- und dichtfaserig und bemerkenswert frei von Kernrissen, die höchstens in mildester Form auftreten. Der Markkern ist kaum erkenntlich, die ihn umschliessenden Jahresringe weichen in festem, dichtem Gefüge weniger von den äusseren Jahresringen ab, wie bei den meisten anderen Nutzbäumen. Beim Trocknen schrumpft dieses Holz sehr wenig, wirft sich selten und ist sehr dauerhaft, selbst dem Wetter ausgesetzt. Bis jetzt hat es nur im Schiffbau Verwendung gefunden, ob es auch für andere Zwecke vorteilhaft benutzt werden kann, bleibt eine offene Frage.

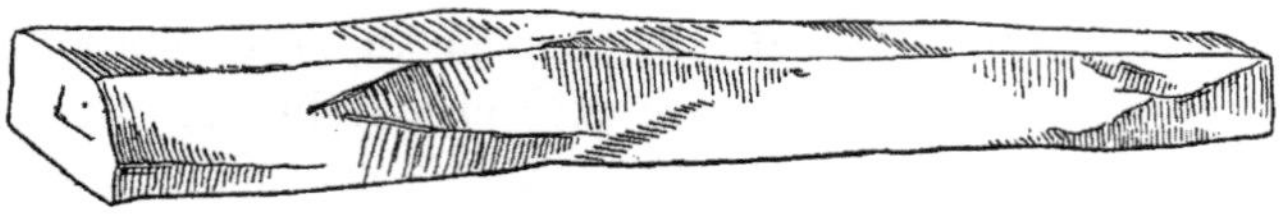

Figur 61.

Über andere Eigenschaften sind in den Tabellen im Abschnitt über die Holzkunde Zahlenangaben zu finden.

43. Toonholz.

Thitkado und rotes Cedernholz sind Gleichnamen dieses indischen Holzes, dessen botanische Quelle Cedrela toona ist. Es ist hellrötlich, geradfaserig, mässig hart und leicht zu bearbeiten. Für Modelle ist es nicht weich genug, allein für andere Zwecke kann es als Ersatz des westindischen Cedernholzes dienen. Die Blöcke sind 4 bis 12 Meter lang und messen 0,25 bis 0,60 Meter im Geviert; nicht selten sind sie mit Kernrissen behaftet und wenn sie nicht vorsichtig getrocknet wurden, ist ihre Oberfläche mit vielen kleinen Rissen bedeckt.

Das Toonholz ist mehrfach in kleinen Versuchssendungen in Europa eingeführt worden, scheint aber keinen rechten Anklang gefunden zu haben. Die indische Forstverwaltung hat übrigens den Toonbaum in die Kulturwälder aufgenommen, muss also von dem Werte seines Holzes eine gute Meinung haben.

44. Totaraholz.

In der nördlichen Insel Neu-Seelands kommt in mässiger Zahl auf feuchten, geschützten Standorten Podocarpus totara vor, ein geradewachsender Baum, der unter günstigen Umständen eine Höhe von 24 Meter, bei einem Stammdurchmesser von 0,50 Meter erreicht. Der Stamm bleibt 9 bis 12 Meter hoch astfrei, von da ab breiten sich die Äste nahezu wagerecht aus. Die dunkelgrünen Blätter sind dick, steif, spitz zulaufend, etwa 3 Zentimeter lang und $^1/_2$ Zentimeter breit. Die Rinde ist rot, faserig und löst sich in langen Streifen ab.

Der Splint ist rötlichweiss, 5 bis 8 Zentimeter dick, das Kernholz hat eine entschieden rote Farbe, es ist dicht, fein- und geradfaserig, dauerhaft, mässig hart und stark. Da es sich sehr gut bearbeitet und eine schöne Politur annimmt, eignet es sich für Tischlerarbeiten, doch ist es bis jetzt in Neu-Seeland hauptsächlich zu Hausbauten und Bahnschwellen verwendet worden. Die Urbewohner bevorzugen dieses Holz zum Bootbau, selbst dem Kauriholz gegenüber.

Das spezifische Trockengewicht ist ungefähr 0,600.

45. Wallabaholz.

Unter den in der Neuzeit von Guiana nach Europa versuchsweise ausgeführten Hölzern hat das Wallabaholz Aufmerksamkeit erregt und ist Zimmerleuten und Tischlern empfohlen worden. Die botanische Quelle ist Eperua falcata, Familie Leguminosae, Unterfamilie Caesalpineae, ein stattlicher Baum mit gefiederten Blättern ohne Endblättchen und rispenförmig geordneten Blüten. Das Holz ist tiefrot, oft weisslich gestreift, hart, schwer, glänzend, harzig und sehr dauerhaft.

46. Zebraholz.

Über dieses schöne gestreifte, in neuester Zeit von der englischen Luxustischlerei lebhaft begehrte Holz, habe ich leider auf meine Ermittelungen nicht mehr erfahren können, als dass die botanische Quelle ein grosser Baum Guiana's sei, mit dem wissenschaftlichen Namen Omphalobium Lamberti, Familie Connaraceae.

47. Zedrachholz.

Unter vielen volkstümlichen Namen ist in tropischen und halbtropischen Ländern ein Zier- und Nutzbaum verbreitet, den die Wissenschaft Melia azederach, Familie Meliaceae, nennt, er ist also ein Familiengenosse des Mahagonibaumes. Melia nannten die alten Griechen die Esche, Azederach ist ein arabischer Name, daraus lässt sich seine Heimat folgern: das südöstliche Asien. Manche wollen sie nach Florida verlegen, weil der Baum dort wild vorkommt, allein er ist jedenfalls nur verwildert. In Florida führt er den Namen Pride of India, im englischen Sprachgebiet Westindiens wird er Beadtree, Holytree, Chinaberry und False Sycamore, in einigen Gegenden des spanischen Amerika's Arbor sancta genannt.

Selten wird er höher wie 15 Meter, bei einem Stammdurchmesser von 0,50 Meter. Verhältnismässig sehr breit ist seine dichte, schön belaubte Krone, die ihn zu einem beliebten Schattenbaume macht. Die Blätter sind gross, dunkelgrün, doppeltgefiedert, bestehend aus glatten, spitzen, gezahnten Blättchen. Es wird begreiflich sein, dass sie ein anmutiges, elegantes Kronendach bilden. Wenn der Winter naht, wechseln sie die Farbe und fallen ab, sobld nur der leichteste Frost auftritt. Die blauen sehr wohlriechenden Blüten erinnern in ihrer Gestalt stark an die Zirenen; sie werden von runden, gelblichen, kirschengrossen Beerenfrüchten gefolgt. Das Mark ist süsslich und bildet ein Leckerbissen für viele Vögel, der Steinkern enthält einen Samen in jeder seiner 5 Zellen.

Die Wurzeln gelten als ein gutes Wurmmittel und der ganze Baum hat den Ruf den Insekten widerwärtig zu sein; er wird deshalb oft in die Nähe von Ställen gepflanzt, um die Fliegen abzuhalten und gleichzeitig damit die Pferde die abgefallenen Früchte fressen können, welche, gleich den Wurzeln, die Eingeweidewürmer vertreiben sollen. Fruchtbäume, abwechselnd mit Zedrachbäumen gepflanzt, bleiben von schädlichen Insekten verschont, wie behauptet wird. Ferner sollen die Insekten getrocknete Früchte nicht angreifen, wenn einige Zedrachblätter mit verpackt werden. Die Fruchtsteine werden im spanischen Amerika zu Rosenkränzen benutzt, daher der Name Arbor sancta, heiliger Baum. Die Samen enthalten ein Öl, das ausgepresst zur Beleuchtung und anderen Zwecken verwendet werden kann.

Das Holz hat eine schöne rötliche Farbe, gleicht im übrigen Aussehen dem Eschenholz und ist genügend stark, hart und dauerhaft, um in der Tischlerei und Drechslerei, selbst im Hausbau Verwendung finden zu können. Ferner ist es ein guter Brennstoff. Der Baum besitzt die bemerkenswerte Eigenschaft, dass er schon in früher Jugend den Splint in Kernholz verwandelt.

Die Fortpflanzung geschieht durch Saat in die Baumschule in der gewöhnlichen Weise. Die Verpflanzung kann auf mageren, sandigen Boden erfolgen, da der Baum in dieser Hinsicht bescheidene Ansprüche stellt, seine kräftigste Entwickelung erlangt er auf warmem Lehmboden, hier wächst er so rasch, dass er in 4 oder 5 Jahren eine Höhe von 4 bis 4,5 Meter erreicht.

48. Cedernhölzer.

Der Name Ceder hat eine missbräuchliche Anwendung gefunden, er gebührt nur den Mitgliedern der Gattung Cedrus, Familie Coniferae; wahrscheinlich entstammt er dem arabischen Kedr = Wert oder Kedrat = stark.

Die berühmteste, gegenwärtig aber keineswegs wirtschaftlich wichtigste Art, ist Cedrus Libani, die Ceder des Libanon, welche wegen ihrer Schönheit, Stattlichkeit und Stärke stets ein Liebling der Dichter und Maler war, und in der bilderreichen Sprache der Bibel oft als Sinnbild der Stärke und Langlebigkeit angeführt wird. In ihrer Heimat Vorderasien steigt sie bis 1800 Meter ins Gebirge, aber nirgends wird sie höher wie 25 Meter gefunden. Der Stamm des jungen Baumes ist gerade und 1 oder 2 Leitzweige ragen über das andere Gezweige hinaus. Im späteren Alter wachsen die oberen Äste durcheinander, wodurch die Krone klumpig wird.

Zahlreiche Äste breiten sich wagerecht vom Stamme aus, Reihe auf Reihe und beschatten einen Umkreis, dessen Durchmesser oft grösser ist wie die Höhe des Baumes Die Zweige halten dieselbe Richtung ein wie die Äste und die Belaubung steht sehr gedrängt; sie ist immergrün gleich derjenigen aller Nadelhölzer, die Lärche ausgenommen. Die Blätter werden in jedem Frühjahr erneuert, sie fallen aber so allmählich ab, dass die Belaubung keine Unterbrechung erleidet. Die Blätter sind gerade, cylinderisch, zugespitzt, etwa $2^1/_2$ Zentimeter lang, dunkelgrün und stehen wechselständig zu ungefähr 30 in Büscheln. Die Blüten sind einhäusig, die Fruchtzapfen sitzen an den oberen Seiten der Zweige, sie sind geflacht an den Enden, 10 bis 12 Zentimeter lang und 5 Zentimeter dick; sie reifen im zweiten Jahre und schwitzen inzwischen viel Harz aus. Die Schuppen sind rötlich und fest aufeinander gepresst, die Samen besitzen lange Flügel. Die Wurzel ist sehr stark und verzweigt sich im weiten Umkreise.

Im sandigen Lehmboden erreicht diese Ceder, wie die ganze Gattung, ihre höchste Entwickelung.

Die früheren bedeutenden Cedernwaldungen des Libanon sind bis auf Reste verschwunden, von welchen die bekannteste Gruppe unter staatlichen Schutz gestellt wurde. Dieselbe befindet sich in einer Einsattelung auf dem Jebel-el-Arz, etwa 25 Kilometer von der See und besteht aus 12 alten Bäumen, inmitten 400 jungen. Die 3 dicksten haben einen Umfang von 18,9; 14,7 und 12,6 Meter.

Das Holz ist wohlriechend, duftet aber nicht so stark wie das rote Cedernholz von Nordamerika. Es ist rötlichweiss, leicht, grobfaserig, von porösem Gefüge, zum Schrumpfen und Werfen geneigt. Als Brennstoff ist es sehr geringwertig, es verbrennt rasch mit wenig Wärmeentwickelung. Das Holz aus den Gebirgen ist etwas dichter und feiner wie dasjenige aus den Ebenen, allein eine vorteilhafte Verwendbarkeit ist ihm nicht nachzurühmen. Das ist die Ursache, warum diese Ceder nur als Zierbaum angepflanzt wird, und das geschieht wohl nur wegen ihrer aus dem Altertum herrührenden Berühmtheit.

Und diese Berühmtheit steht auf schwachen Füssen. Von Cedernholz ist zwar schon aus sehr früher Zeit in der Bibel die Rede, allein dieser Name galt so wenig dem Holze eines bestimmten Baumes wie heute. Beispielsweise bezeichnen die Araber mit Arz (Eres ist der in der Ursprache der Bibel gebrauchte Ausdruck) die Ceder des Libanon, die Fichte und den Wachholderbeerstrauch. Plinius berichtet, dass Cedern in Afrika, Kreta und Syrien wuchsen und ihr Holz unzerstörbar war, weshalb es zur Herstellung von Götzenbildern diente. Er erwähnt auch des Cedernöls, destilliert aus diesem Holze und gebraucht von den Alten, um ihre Bücher vor Motten und Schimmel zu bewahren. Papyrusrollen, mit diesem Öl eingerieben, wurden Cedrati libri genannt. Aus diesen Angaben geht hervor, dass nicht das Cedernholz des Libanon, sondern wahrscheinlich das Holz von Wachholderbäumen gemeint war.

Der Libanonceder zunächst steht die Atlasceder (Cedrus atlantica), die im Atlasgebirge bis zu Erhebungen von 2700 Meter vorkommt; ihre Blätter sind kürzer und stehen dichter wie diejenigen der Ersteren; ihr Holz soll härter sein. Auch diese Art hat die Weltwanderung als Zierbaum angetreten, in wirtschaftlicher Hinsicht besitzt sie nur eine beschränkte örtliche Bedeutung innerhalb ihres Verbreitungsgebietes. Für die tropische Forstkultur von Wichtigkeit ist nur die dritte Art: Cedrus Deodora, der Götterbaum des Himalaya. Es ist ein echter Gebirgsbaum, der seine kräftigste Entwickelung von Nepal bis Kaschmir in Erhebungen von 1600 bis 2400 Meter erreicht und selbst bis 3600 Meter steigt. Er erreicht eine Höhe von 30 Meter, bei einem astfreien Stamm von 18 bis 21 Meter. Die Blätter sind graulichgrün und dünn, die Zweige sind schlanker wie diejenigen der beiden anderen Arten.

Nicht allein als Zierbaum hat die Deodora eine lebhafte Beachtung gefunden, schon aus dem Grunde, weil sie klimahärter ist wie ihre beiden Schwesterarten, sondern auch als Waldbaum. Von der indischen Forstverwaltung wird sie als eine der wertvollsten Bäume Nordindiens betrachtet, und spielt in Folge dessen eine wichtige Rolle bei den Aufforstungen. Zu dem gleichen Zwecke ist er in Australien eingeführt worden, mit welchem Erfolge, bleibt abzuwarten. Das Holz ist rötlichweiss, dicht, langfaserig, mässig hart und schwer, wohlriechend, harzreich, sehr dauerhaft, namentlich im Wasser, und lässt sich ziemlich leicht bearbeiten. Es ist, ob mit Recht oder Unrecht, sei dahin gestellt, das Teakholz des Himalaya genannt worden. Verwendung findet es im Haus- und Brückenbau, zu Wagnerarbeiten und Bahnschwellen; seine Brennqualität wird gelobt. Auch in der Tischlerei wird es benutzt in Fällen, wo sein Harzreichtum kein Hindernis bietet. In Schubfächern aus diesem Holze werden Pelze und Wollenstoffe aufbewahrt, um sie vor Motten zu schützen, für naturhistorische Gegenstände eignen sich solche Behälter aber nicht, weil sich auf ihnen nach und nach eine Kruste aus dem in steter Verdunstung bleibenden harzigen Öle bilden würde.

Das Cedernharz ist dem Mastik ähnlich, es quillt aus Verletzungen der Rinde; das Cedernmanna ist eine süsse Ausschwitzung der Zweige.

Wie oben angedeutet, ist der Name Ceder auf Bäume übertragen worden, denen er nicht gebührt. In Nordamerika werden jede Thuya, jeder Wachholder, sowie drei Arten Chamaecyparis, eine Art Libocedrus und verschiedene Cypressen Ceder genannt. Die wirtschaftlich wichtigen dieser Bäume sind an anderer Stelle geschildert.

Die japanische Ceder (Cryptomeria japonica) steht den Cypressen sehr nahe; ihr Holz gilt für sehr dauerhaft. In Spanien werden Juniperus thurifera und J. oxycedrus, also zwei Wachholderarten, Ceder genannt. Aus dem Holze der Letzteren schnitzten die alten Griechen Götzenbilder, das aus ihm destillierte Öl (Cadeöl) gilt als ein Heilmittel für Hautkrankheiten und als ein Abwehrmittel für Insekten. Icica altissima, Familie Amyridaceae, ist die Ceder von Guiana, ihr Holz dient den Urbewohnern zum Bootbau. In Australien führt Cedrela toona, Familie Cedrelaceae, den Namen rote Ceder. Nectandra Pisi, Familie Laurineae, wird in Französisch Guiana schwarze Ceder genannt.

Die Bermudazeder ist ein Wachholder (Juniperus bermudiana), heimisch auf der Bermudagruppe. Das Holz dieses kleinen Baumes gleicht im Aussehen und Geruch demjenigen der roten Ceder (Juniperus virginiana), ist aber härter und schwerer. Sorgfältig getrocknet ist es sehr dauerhaft, wirft sich nicht und wird nicht rissig. Es dient denselben Zwecken wie das rote Cedernholz, nämlich für Bleistifte. Schubfächer, Kleiderschränke, Kirchenmöbel und zum Bau kleinerer Schiffe.

Das westindische Cedernholz, auch mexikanisches und Cubacedernholz, in Deutschland gewöhnlich Cigarrenkisten-Cedernholz genannt, ist das Produkt von Cedrela odorata, Familie Cedrelaceae, also von einem Baume, der mit den echten Cedern nicht einmal Familienverwandtschaft besitzt. Dieser Baum erreicht unter günstigen Verhältnissen eine Höhe von 24 Meter bei einem Stammdurchmesser von 0,75 Meter; nach den vielen kleinen Blöcken zu urteilen, welche in den Handel kommen, scheint er in vielen Gegenden eine solche Höhe nicht zu erreichen, oder man lässt ihn nicht zur Reife kommen.

Das Holz ist rotbraun, wohlriechend, geradfaserig, sehr porös, weich, leicht, ziemlich spröd, nicht stark, sowohl was Bruch- wie Zugfestigkeit betrifft. bearbeitet sich leicht, schrumpft nur wenig beim Trocknen, nach diesem Vorgange schrumpft und wirft es sich nicht. — Die Blöcke sind oft mit grossen Kernrissen behaftet. Das spezifische Trockengewicht ist etwa 0,440.

Am ausgedehntesten wird dieses Holz zu Cigarrenkistchen verarbeitet. es wird aber auch von den Tischlern sehr gesucht, weil es seines angenehmen Wohlgeruches wegen sich vorzüglich zur Ausfütterung von Komoden, Kleiderschränken, Pulten und Luxuskästchen eignet. Modelle, Spielsachen, Schnitzwerke und viele kleine Artikel werden massenhaft aus diesem Holze gefertigt. Ganz besonders empfehlenswert ist dasselbe für gelochte Werkzeugbehälter. In einen Klotz dieses Holzes werden Löcher gebohrt, gross genug, um die Schneideteile von Meisseln, Bohrer u. s. w. aufzunehmen. In den Löchern schwitzt unausgesetzt das feine Öl aus, welches dem Holze seinen Wohlgeruch verleiht, und bewahrt die Werkzeuge vor dem Verrosten.

Da dieses Holz ein jederzeit lebhaft begehrter Handelsartikel ist, sollte der schnellwachsende Baum Beachtung finden für die tropische Forstkultur.

Europäische Hölzer.

Mit diesem Abschnitt wird nur eine kurze Übersicht der wichtigeren europäischen Hölzer bezweckt, lediglich zur Abrundung eines Gesamtbildes der Hölzer der Erde, welche für Handel und Industrie Bedeutung haben.

1. Eichenhölzer.

Unter den europäischen Eichenarten spielen Quercus pedunculata (Sommereiche) und Qu. sessiliflora (Wintereiche) die weitaus wichtigsten Rollen. Manche Botaniker halten es noch mit Linné und wollen die beiden Bäume nur als Spielarten einer Art betrachtet wissen, die sie Quercus robur nennen, doch werden der Anhänger dieser Klassifikation immer weniger. Der Unterschied zwischen den beiden Arten besteht darin, dass die Sommereiche kurzgestielte Blätter und langgestielte Früchte besitzt, bei der Wintereiche ist das Verhältnis umgekehrt. Die Sommereiche wächst schneller wie die Wintereiche, welche dagegen eine längere Lebensdauer besitzt und obgleich sie mehr zum Verästeln geneigt ist, mag sie doch unter günstigen Verhältnissen die Grösse der Ersteren erreichen. Die Wintereiche treibt ihre Wurzeln nicht so tief wie die Sommereiche, sie bevorzugt als Wohnung das Gebirge, während die andere auf Vorbergen und in sonnigen Thälern am freudigsten gedeiht.

England besitzt eine Eiche, die manche Botaniker als eine Spielart der Wintereiche betrachten, andere erkennen in ihr eine besondere Art, mit dem Namen Qu. pubescens. Der Volksmund nennt sie Durmasteiche. Die untere Seite der Blätter ist etwas flaumig, das ist die einzige auffallende äusserliche Abweichung von der Wintereiche; das Holz aber wird für beträchtlich geringwertiger erachtet, aus diesem Grunde ist die Durmasteiche ein ziemlich seltener Baum.

Lange konnten sich die Forstleute nicht darüber einigen, ob die behauptete bessere Qualität des Holzes der Sommereiche begründet sei, doch ist der Widerspruch verstummt. Freilich ist der Unterschied so unbedeutend, dass ihn zuweilen die besten Holzkenner nicht feststellen können, wobei man sich zu erinnern hat, dass Boden und Klima Abstufungen der Qualität bewirken. Und dann kommt auch der Verwendungszweck in Frage. Das Holz der Wintereiche ist weniger zäh und elastisch und leichter spaltbar wie dasjenige der Sommereiche, deshalb wird es zu Küferarbeiten bevorzugt nnd da es schwerer ist, bildet es einen wertvolleren Brennstoff, das Verhältnis ist wie 12 zu 11. Das Holz der Sommereiche ist dagegen, weil von feinerem Gefüge, geschätzter in der Tischlerei und Wagnerei, als Baumaterial ist es jenem etwas, aber nicht viel überlegen.

Wie auch die Vergleiche im Einzelnen ausfallen mögen, im allgemeinen wird dem Holze der Sommereiche der Vorrang eingeräumt, damit ist diese Eichenart als die wertvollste Europa's und wohl der ganzen Erde anerkannt.

Die beiden Hölzer besitzen diese gemeinschaftlichen Eigenschaften: die Farbe des Kernholzes schwankt zwischen dunkelbraun und hellgelbbraun, das letztere ist hart, zäh, dicht, stark, mässig schwer — das spezifische Trockengewicht bewegt sich zwischen 0,730 und 0,900 — als Hartholz leicht zu bearbeiten und zersplittert schwierig. Beim Trocknen schrumpft und wirft es sich, aber nicht in beträchtlichem Masse, folglich kann es nicht in teilweise getrocknetem Zustande benutzt werden. ohne die Festigkeit des Werkes zu gefährden.

Gründlich getrocknet widersteht es dagegen einer Formveränderung wie nur noch wenige andere Hölzer, namentlich wenn es vor den Einwirkungen der Feuchtigkeit und Zugluft geschützt ist. Abwechselnd der Nässe und Trockenheit ausgesetzt, dauert es etwa 50 Jahre, ein Zeitraum, der unter gleichen Umständen nur noch wenig anderen Hölzern zugemessen werden darf. vollständig unter Wasser ist die Dauer unbegrenzt. Im Trockenen widersteht es 300 bis 500 Jahre der Verwesung und noch länger, in Wirklichkeit so lange, als die trockene Fäule durch den Zutritt der Luft verhindert wird.

Der Splint ist heller und von viel geringerer Dauer.

Die zugerichteten Blöcke zeigen nicht selten Kernrisse, und zwar häufiger, wenn sie der Wintereiche wie der Sommereiche entstammen. Eine andere Schattenseite des Eichenholzes ist, dass es eine Säure enthält. welche das mit ihm in innige Berührung gebrachte Eisen zum schnellen Verrosten bringt, während gleichzeitig die betreffende Holzstelle mürbe wird. — Die Verwendungen der beiden in Rede stehenden Eichenholzsorten sind so mannigfach, dass es schier unmöglich ist, sie aufzuzählen. Im Schiffbau werden sie wohl nach und nach durch Eisen und Stahl verdrängt, im Hausbau und den Gewerben aber behaupten sie ihren Platz. trotz der erhöhten Zahl und Menge der tropischen und nordamerikanischen Hölzer, welche in Europa eingeführt werden. Selbst als Luxusholz ist dem häufig vorkommenden gemaserten Eichenholz ein hoher Rang verblieben und muss ihm auch, vermöge der ihm beiwohnenden hohen Schönheit, verbleiben.

Über andere Eigenschaften geben die Tabellen im Abschnitte über die Holzkunde Auskunft.

Neben den beiden genannten Arten beansprucht noch Wichtigkeit: die türkische Eiche (Quercus Cerris). welche an der Küste des schwarzen Meeres, in der Türkei, in Griechenland, Ungarn, Italien und. Südfrankreich vorkommt. Dieser Baum ist nahezu immergrün. von kräftigem, aber doch nicht so hohem Wuchs wie die Sommereiche und selten so schön geradwachsend, was freilich für den Schiffbau als Vorteil betrachtet wird. Die Rinde ist dunkelbraun, ebenso gefärbt ist das harte, schwere. feinfaserige Kernholz. Zum Bau von griechischen und türkischen Schiffen wird es ausgedehnt verwendet, auf den englischen Werften fand es dagegen wenig Anklang, daher es bei den mehrmals wiederholten Einführungsversuchen blieb. Als Gründe werden angegeben: Die Blöcke zeigen nicht allein die bei allen Eichenhölzern vorkommenden Kernrisse, sondern auch Oberflächenrisse, die möglicherweise durch sorgfältigeres Trocknen vermieden werden können, was aber natürlich die Käufer in ihrem Urteile nicht beeinflusste. Ferner wurde geklagt, das Holz sei schwierig zu bearbeiten, weniger dauerhaft, wenn dem Wetter ausgesetzt und weniger elastisch wie das Sommer- und Wintereichenholz. Dagegen wurde willig zugestanden, es sei dem Letztern gleich zu achten in der Tischlerei. Die dunkle Farbe, die Fähigkeit, eine feine Politur anzunehmen, die hervortretenden Markstrahlen und die häufigen, schönen Masern lassen es zu Möbeln sehr geeignet erscheinen.

Die immergrüne Eiche Südeuropa's, auch Steineiche genannt (Quercus Ilex), erreicht eine Höhe von 24 bis 27 Meter und kommt gegenwärtig wohl am häufigsten in Spanien vor. Das Holz ist dunkelbraun, sehr schwer. porös und wird als geeignet für Tischlerarbeiten wie zur Kohlenbrennerei bezeichnet. In England, wohin es eine Zeitlang lebhaft exportiert wurde. findet es nur noch geringe Nachfrage. Man tadelt an ihm, dass es beim Trocknen ausserordentlich schrumpfe, weicher sei, wie die anderen in den Handel kommenden Eichenhölzer, häufig mit starken Kernrissen behaftet und überhaupt vergleichsweise geringwertig sei. Die Blöcke sind im allgemeinen klein, bestenfalls nur von mässigem Umfang, am dicken Ende krumm und ziemlich scharf verjüngt zulaufend — Eigenschaften, die ebenfalls nicht empfehlend sind.

Eine Wohnungsgenossin der immergrünen Eiche ist die Korkeiche (Quercus Suber), deren Rindenproduktion im 2. Bande der tropischen Agrikultur ausführlich geschildert ist. Das Holz ist rotbraun, schwer und zäh, da die Stämme kurz sind, kann es als Bauholz keine Verwendung finden und weil es sich leicht wirft, auch als Werkholz nicht. Im Schiffbau hat es sich als sehr dauerhaft erwiesen, vorausgesetzt, dass es beständig unter Wasser blieb und nicht mit Eisen, sondern mit Kupfer verklammert wurde. Es brennt gut, das Holz anderer Eichenarten wird aber für diesen Zweck höher geschätzt. Die beste Verwendung findet es wohl in der Kohlenbrennerei, denn es liefert ungefähr 18% Kohlen. die als vorzüglich gelten.

2. Wallnussholz.

Der edle Wallnussbaum (Juglans regia, Familie Juglandaceae) liefert bekanntlich ein in der Möbeltischlerei und der Pianofortefabrikation sehr geschätztes Holz. Dasselbe wird von Italien in grösster Menge und bester Qualität in den Handel gebracht. Das italienische Wallnussholz ist lichtbraun, dicht- und feinfaserig, oft schön gemasert und schwarz geadert. Es ist hart, schwer, fest und zeigt beim Trocknen kaum eine Neigung zum Reissen. Gewöhnlich wird es in Planken exportiert. 1,5 bis 3,5 Meter lang, 0,25 bis 0,50 Meter breit, und 0,10 bis 0,20 Meter dick.

Von der Küste des schwarzen Meeres wird Wallnussholz in Blöcken, 1,8 bis 3,0 Meter lang und 0,25 bis 0,40 Meter im Geviert, exportiert, das im Aussehen dem italienischen sehr ähnlich ist, aber von etwas geringerer Qualität erachtet wird.

Der Verkauf findet teilweise nach Gewicht, teilweise nach Mass statt.

Der unbrauchbare Splint das Wallnussholzes ist viel heller wie das Kernholz und selten über 2 Zentimeter dick.

3. Erlenholz.

Alnus glutinosa, der gemeine oder schwarze (rote) Erlenbaum, ein Bewohner von feuchtem und nassem Gelände, liefert ein rötlich weisses, weiches, leichtes, zartfaseriges Holz, das zwar geringwertig erachtet wird, trotzdem eine vielfache Verwendung finden kann. Es ist geeignet für Packkisten, mehr noch für Kistchen, Körbchen, Schachteln und Fässchen, welche zur Verpackung der verschiedenen Obstsorten und von Obstmus dienen. Ferner ist es sehr brauchbar zu Spulen und Holzschuhen, Federhaltern und Spielwaren. Zu Bauten im Trocknen ist es untauglich, dagegen recht gut verwendbar zu Grundpfählen. Die Kohlen gehören mit zu den besten, für die Fabrikation von Pulver.

Die Wurzeln und Astknoten sind oft schön gemasert und werden in diesem Falle von Tischlern und Drechslern gerne zur Fertigung kleiner Artikel benutzt.

Die weisse Erle (Alnus incana), so genannt wegen ihrer weissen Rinde, kommt seltener wie die schwarze Erle vor, das Holz der beiden Arten stimmt fast überein.

4. Eschenholz.

Der europäischen Esche (Fraxinus excelsior) ist schon an mehreren Stellen dieses Buches gedacht worden. Das Holz ist graulichweiss, mässig schwer und hart, sehr gleichmässig in der Faser, zäh, elastisch und leicht zu bearbeiten. Dem Zimmermann kann es höchstens zu untergeordneten Zwecken dienen, seiner bedeutenden Biegsamkeit wegen; für den Bau von Wagen und landwirtschaftlichen Geräten ist es dagegen unschätzbar, denn gedämpft kann es in jede Form gebogen werden, ohne Beschädigung der Fasern. Das junge Holz ist vorzüglich geeignet zu Fassreifen, groben Korbwaren, Lanzenschäften und manchen Drechslerartikeln.

Es ist dem Eschenholz eigentümlich, dass kein augenscheinlicher Unterschied zwischen Kernholz und Splint besteht, und obgleich der letztere in Wirklichkeit vorhanden ist, braucht er nicht als unbrauchbar vom Kernholz getrennt zu werden. Wird das Eschenholz zur Zeit der Saftruhe gefällt und gründlich getrocknet, ist es ausserordentlich dauerhaft, andernfalls gehört es zu den schnell verderblichen Hölzern.

Zur richtigen Behandlung des Eschenholzes gehört, dass es sofort nach dem Fällen in Bretter, Bohlen oder Balken verschnitten wird, denn wenn die Stämme nur eine kurze Zeit rund bleiben, bedecken sie sich mit Rissen, die einen bedeutenden Abfall bei der späteren Verarbeitung verursachen. Das erste Anzeichen der beginnenden Verwesung ist der Farbenwechsel von graulichweiss zu schwärzlichgrau. Es ist deshalb in Erinnerung zu halten, dass gesundes Eschenholz eine durchaus gleichmässige graulichweisse Farbe besitzt.

Über andere Eigenschaften geben die Tabellen im Abschnitte über die Holzkunde Auskunft.

5. Buchenholz.

Europa besitzt nur eine Buchenart, die Rotbuche (Fagus sylvatica), denn die Weissbuche oder Hainbuche ist im wissenschaftlichen Sinne keine Buche. Das Holz der Rotbuche ist lichtbraun, hart, mässig schwer, von dichtem, gleichmäsigem Gefüge und feiner Faser. Es lässt sich leicht spalten und zeichnet sich durch viele kleine Poren und deutlich laufende Markstrahlen aus.

Die technische Verwendung des Buchenholzes ist im Laufe der Zeit einigermassen zurückgegangen; sie ist gegenwärtig im Wesentlichen auf die Stuhl- und Holzschuhfabrikation und billige Drechslerartikel beschränkt. *) Zu Holzschuhen ist es deshalb beliebt, weil es schwierig Wasser annimmt. Der Zimmermann kann das Rotbuchenholz nur bei Wasserbauten zu Grundpfählen mit Erfolg verwenden. Vollständig unter Wasser ist es dauerhaft. der abwechselnden Trockenheit und Nässe ausgesetzt. verwest es dagegen schnell, welcher Vorgang durch das Auftreten von gelben Flecken eingeleitet wird. Einen hohen, unter den europäischen Hölzern höchsten Rang nimmt dieses Holz als Brennstoff und für die Kohlenbrennerei ein.

Das spezifische Trockengewicht beträgt etwa 0,705.

6. Birkenholz.

Die in der Neuzeit als Waldbaum mehr und mehr vernachlässigte, als Zierbaum dagegen mehr und mehr geschätzte weisse Birke (Betula alba) produziert ein lichtbraunes, mässig hartes, geradfaseriges, leicht zu bearbeitendes Holz. Da es weder stark noch dauerhaft ist, kann es zu Bauzwecken nicht verwendet werden, sondern nur zu billigen Tischler- und Drechslerarbeiten. Zuweilen finden sich sehr schön gemaserte Stücke, die zu eleganten Möbeln dienen können. zumal sie eine feine Politur annehmen. Die dünne, glatte Rinde wird in Russland und Schweden zum Gerben verwendet. Das spezifische Trockengewicht des Holzes ist etwa 0,700.

7. Kastanienholz.

Der edle Kastanienbaum (Castanea vesca) ist bereits an anderen Stellen besprochen worden, namentlich in Bezug auf den Schlagholzbetrieb. Das Holz ist braun, mässig hart und schwer, feinfaserig und ziemlich porös. Die Markstrahlen können nicht deutlich verfolgt werden, der Splint ist augenscheinlich nicht vom Kernholz zu unterscheiden. Es ist nur dauerhaft unter Wasser oder in der Erde. deshalb wird es zu Grundpfählen, Schleusen u. s. w. benutzt, gelegentlich findet es auch in der Tischlerei Verwendung. Vergleichsweise ist es ein untergeordnetes Holz, am häufigsten wird es wohl als Schlagholz zu Rebpfählen und Hopfenstangen benutzt.

---

*) An nicht aussichtslosen Bestrebungen zur erfolgreichen, stärkeren Benutzung des Buchenholzes in den holzverarbeitenden Gewerben fehlt es in der neuesten Gegenwart erfreulicherweise nicht. H. H.

8. Ulmenholz.

Europa besitzt drei Ulmenarten; die eine, die Bergulme (Ulmus montana), hat aber nur eine beschränkte Verbreitung, am häufigsten wird sie in England und Schottland unter dem Namen Wychelm gefunden. Die gewöhnliche Ulme oder Rüster (Ulmus campestris) liefert ein Holz: braun, mässig schwer, hart, zäh, porös und von gewundener Faserung, welche das Spalten fast unmöglich und die Bearbeitung schwierig macht. Die Markstrahlen sind mit nacktem Auge nicht zu erkennen. Wenn immerwährend unter Wasser oder vollständig trocken gehalten, wird das Ulmenholz an Dauerhaftigkeit kaum von einem anderen Holz übertroffen, dagegen verwest es ziemlich rasch, wenn abwechselnd der Trockenheit und Nässe ausgesetzt. Wenn die natürliche braune Farbe in Gelb überzugehen beginnt, setzt die Verwesung ein, was schon nach 10 bis 12 Monaten stattfinden mag, wenn die frisch gefällten Blöcke dem Wetter ausgesetzt bleiben. Mit Kernrissen sind die Blöcke fast nie behaftet, dagegen haben sie zuweilen Astlöcher, welche bei der Verarbeitung stören. Der Splint ist gewöhnlich 4 bis 8 Zentimeter dick und ebenso brauchbar wie das Kernholz, der Abfall bei der Zurichtung der Blöcke ist daher unbedeutend. Selten kommt dieses Holz in Form von Bohlen und Brettern zur Verwendung, wenn es aber geschieht, sollte die Verschneidung der Blöcke unmittelbar vor dem Verbrauche stattfinden, da Bretter und Bohlen sehr leicht zum Werfen geneigt sind. Wenn es notwendig ist, Ulmenholz vorrätig zu halten, bewahrt man es am besten im Wasser auf.

Da sich das Ulmenholz nicht spaltet, findet es die vorteilhafteste Verwendung zu Gegenständen, welche starke Stösse aushalten müssen, wie Radnaben, Ambosblöcke, Keile, Hämmer, Maschinenträger u. s. w. Es wird aber auch zu Pumpen, Röhren, Grundpfählen, Drechslerarbeiten und selbst in der Tischlerei benutzt.

Das Holz der Bergulme ist lichtbraun, etwas poröser und geradfaseriger wie das der gewöhnlichen Ulme, zäh und mässig hart. Da es sich gedämpft sehr leicht biegen lässt, ist es in lebhafter Nachfrage für den Bootbau. Ausserdem ist seine Verwendung so verschiedenartig wie die des gewöhnlichen Ulmenholzes.

Im Abschnitte über die Holzkunde sind Zahlenangaben über hier nicht erwähnte Eigenschaften des Ulmenholzes zu finden.

9. Hainbuchenholz.

Carpinus Betulus ist der wissenschaftliche Name der Hainbuche oder Weissbuche, deren Holz zu den härtesten Europa's gehört.

Es ist weiss, sehr dicht, zäh, elastisch, stark, mässig schwer; die Markstrahlen sind deutlich, der Splint unterscheidet sich nicht vom Kernholz und ist gleich diesem brauchbar. Durch Druck in der Richtung der Fasern kann dieses Holz nicht vollständig zerstört werden, denn die Fasern zerbrechen nicht, sondern zwirnen sich wie Garn, ein entscheidender Beweis ihrer Elastizität.

Dieses selbst im Wetter dauerhafte Holz wird vorzugsweise zu Ackerbaugeräten und Werkzeugstielen verarbeitet, ferner zu Drechslerarbeiten und Maschinenteilen. Der geringe Umfang der selten ganz geraden Stämme hindert eine ausgedehntere Verwendung. Im Abschnitte über die Holzkunde finden sich einige Zahlenangaben, welche die vorstehende Charakteristik vervollständigen.

10. Aspenholz.

Populus tremula, die Espe, Aspe oder Zitterpappel ist ein in Europa und Sibirien häufiger Baum, der fast auf jedem Boden fortkommt und einen geraden bis zu 30 Meter hohen Stamm treibt. Das Holz ist weiss, weich, leicht, glattfaserig, als Brennholz wenig wert, kann aber zu manchen Holzwaaren wie Mulden, Backtrögen, Spulen und anderen Drechslerarbeiten verwendet werden. Seit neuerer Zeit findet es in Böhmen und Sachsen eine ziemlich beträchtliche Benutzung in der Spanflechterei, zu Hüten, Körben u. s. w. Die Kohlen können zur Bereitung des Schiesspulvers dienen. Schält man den Stamm auf dem Stande und fällt ihn erst, nachdem er trocken geworden, wird das Holz härter und kann dann zum inneren Ausbau der Häuser verwendet werden. In dieser Hinsicht ist der Baum für manche Gegenden wichtig. Die Rinde enthält reichlich das bittere Alkaloid Salicin.

11. Ahornholz.

Europa besitzt 6 Ahornarten, von welchen 3 so zwergig bleiben, dass sie von den Waldbäumen auszuschliessen sind. Die 3 baumförmigen Arten sind: 1. der Feldahorn, Massholder (Acer campestre), mit mässig starkem Stamm und abgerundeter Krone, seine durchschnittliche Höhe beträgt etwa 10 Meter; 2. der gemeine, weisse Bergahorn (Acer Pseudo-Platanus), einer der schönsten Bäume Europa's, der 20 bis 25 Meter hoch wird und 6 bis 10 Meter astfrei bleibt; 3. der Spitzahorn (Acer platanoides), der ebenfalls eine Höhe von 20 bis 25 Meter erreicht.

Das Holz der drei Arten ist sich sehr ähnlich, es kann im Allgemeinen dahin charakterisiert werden, dass es weiss, geradfaserig, zäh, mässig hart nnd der Witterung ausgesetzt, von geringer Dauerhaftigkeit ist; sorgfältig getrocknet, besitzt es die schätzenswerte Eigenschaft, sich nicht zu werfen noch rissig zu werden. Zu Bauten ist es untauglich, dagegen ist es ein guter, dem Buchenholz an Wert nahe stehender Brennstoff. In den Gewerben wird es hauptsächlich zu Drechslerartikeln, Mulden, Rechen, Schaufeln, Vogelkäfigen, gelegentlich auch zu Fensterrahmen und Thüren verarbeitet.

12. Kiefernholz.

In Deutschland werden die beiden heimischen Arten der Gattung Pinus: P. sylvestris und P. montana als Kiefern oder Föhren bezeichnet. In einigen Gegenden führt erstere auch den Namen Fichte. Die ausländischen Arten werden richtig stets Fichten genannt. So die zahlreichen nordamerikanischen Arten, die Strandkiefer (P. Pinaster), die Schwarzkiefer (P. Laricio), die Zürbelkiefer (P. Cembra) u. s. w. Der in Deutschland allgemein und richtig Fichte genannte Baum ist Picea excelsa. Lk. Die charakteristischen Merkmale der Gattung Pinus (Kiefer) sind: pfriemliche Nadelblätter, männliche Blütenkätzchen mit gedrängten Schuppen, jede mit 2 Staubbeutelfächern auf der inneren Seite, weibliche Blütenkätzchen kurz, bestehend aus dichten Schuppen, jede mit 2 Samenknospen, deren Mund abwärts gerichtet ist. Frucht ein kegelförmiger oder rundlicher Zapfen, bestehend aus mehr oder weniger verholzten dachziegelartig sich deckenden Schuppen, jede mit 2 geflügelten Samen. Diese grosse Gattung bildet die Hauptabteilung der Nadelhölzer auf der nördlichen Halbkugel, auf den tropischen Gebirgen ist sie selten, auf der südlichen Halbkugel fehlt sie gänzlich; daraus erhellt wie wenig Berechtigung die Namen Kaurifichte, Huonfichte u. s. w. haben.

Die Zwergkiefer oder Legföhre (P. montana, Pumilio) kann hier ausser Betracht bleiben. Die gewöhnliche Kiefer (P. sylvestris) gehört zu den wichtigsten Waldbäumen Deutschlands, in Norddeutschland herrscht sie sogar entschieden vor; unbedenklich darf sie als die wertvollste europäische Art der Gattung Pinus bezeichnet werden. Das Holz ist weisslich, mit einem schwachen, rötlichen Hauch, gerad- und grobfaserig, zäh. elastisch, mässig schwer und hart, leicht zu bearbeiten, sehr harzig und dauerhaft. Im mittleren und nördlichen Europa ist es das am häufigsten gebrauchte Bauholz; es dient zu Bauten im Trocknen wie Nassen, auch unter Wasser, da es überall von beträchtlicher Dauer ist. Im Schiffbau spielt es eine bedeutende Rolle und ansehnliche Mengen dienen zu Bahnschwellen und Telegraphenstangen. Zu Bohlen, Brettern und Latten verschnitten, wird es zu Zwecken verbraucht, so verschiedenartig, dass sie sich der Aufzählung entziehen. Als Brennstoff nimmt es unter den weichen Hölzern einen hohen Rang ein, für die Teerbereitung ist ihm kein anderes europäisches Holz ebenbürtig. Als Nachteil ist die beträchtliche Dicke des Splintes zu bezeichnen, derselbe ist etwas heller wie das Kernholz und so schwach, dass er vollständig von den Blöcken entfernt werden muss, wenn diese zu Bauzwecken dienen sollen. Bei der Verschneidung zu Brettern und Bohlen wird es dagegen mit der Entfernung des Splints nicht genau genommen. Knoten und Kernrisse sind Fehler dieses Holzes, welche seltener oder häufiger auftreten, je nach der Sorgfalt, mit welcher der Baum kultiviert und die Blöcke getrocknet wurden.

Als eine vorzügliche Spielart der gewöhnlichen Kiefer wird die Rigakiefer (P. sylvestris var. rigensis) in forstmännischen Kreisen bezeichnet, weil sie vollkommen gerad wüchse, ihre dünneren Äste höher ansetze wie die Grundform und eher wie diese zur Reife gelange. In den Teilen der russischen Ostseeprovinzen, für welche Riga Verschiffungshafen ist, bildet sie ausgedehnte Wälder. Das mag so sein. Indessen ist an die Thatsache zu erinnern, dass auf dem massgebenden londoner Markte das ab Danzig verschiffte Kiefernholz etwas höher geschätzt wird, wie das ab Riga verschiffte. Die Erklärung wird wohl weniger in der Spielart als in den Einflüssen von Boden und Klima zu suchen sein.

Über weitere Eigenschaften des Kiefernholzes sind die Tabellen im Abschnitte über die Holzkunde nachzulesen.

13. Tannenholz.

Es lässt sich darüber streiten, was als Tannenholz gelten soll, da es neben der Weiss- oder Edelfichte eine Rot- oder Schwarzfichte gibt. Die letztere wird indessen häufiger und richtig Fichte genannt und da sie von neueren Botanikern einer anderen Gattung wie jene zugeteilt wurde, so sei sie hier nicht als Tanne betrachtet.

Die Weisstanne (Abies pectinata DC oder A. alba Mill.) wurde von den älteren Botanikern der Gattung Pinus unter dem Namen P. Picea oder P. Abies zugeteilt. Es ist ein schöner bis 18 Meter hoher Baum mit schnurgeradem Stamm, pyramidenförmiger Krone, weisslicher glatter Rinde und wagerecht wirteligen Zweigen. Die Blätter stehen zweizeilig — das ist besonders charakteristisch für die Gattung Abies. Die Kultur dieses Baumes ist in der Neuzeit zurückgegangen, zu Gunsten von Bäumen, die wertvolleres Holz liefern. Das Tannenholz ist weiss, mit einem rötlichen Hauch, mässig hart und schwer, porös, grob- und geradefaserig und leicht zu bearbeiten. Im Trocknen ist es zu allen Arten Bauholz verwendbar, im Wechsel von Nässe und Trockenheit ist es von geringer Dauer. Die Blöcke zeigen häufig Kernrisse.

14. Fichtenholz.

Die Fichte, häufig, wenn auch falsch, Rot- oder Schwarztanne bezeichnet, wird jetzt in Deutschland Picea excelsa Lk. genannt. Nach anderen Botanikern hiess sie Picea vulgaris, nach noch anderen Abies excelsa. In den ältesten Klassifikationen führt sie die Namen Pinus Abies und P. Picea. Jedem Deutschen muss diese Nadelholzart bekannt sein, denn sie liefert das Weihnachtsbäumchen. Charakteristisch für die Gattung Picea ist, dass die kurzen Nadelblätter nicht zu zwei und mehr büschelförmig stehen wie bei der Gattung Pinus, auch nicht zweizeilig wie bei der Gattung Abies, sondern einzeln zerstreut um die Zweige.

Das Holz ist weiss, geradfaserig, zäh, leicht, elastisch, harzig und schwieriger zu bearbeiten wie das der Kiefer, infolge der

Härte der häufig auftretenden kleinen Astknoten. Beim Trocknen schrumpft es beträchtlich und die Bretter und Bohlen haben während dieses Vorgangs eine starke Neigung zum Werfen. Der Splint ist dünner wie bei der Kiefer, aber gerade so wenig brauchbar.

Zu Bauten ist dieses Holz mit Erfolg verwendbar, entweder vollständig im Trocknen oder unter Wasser, abwechselnd der Nässe und Trockenheit ausgesetzt, beginnt es bald zu verwesen. Im Schiffbau findet es eine untergeordnete Verwendung und in der Tischlerei dient es nur zu ordinären, billigen Arbeiten.

15. Lärchenholz.

Larix europea ist die einzige Lärchenart, welche Europa besitzt, sie ist ursprünglich in den Alpen heimisch, hat sich aber nach und nach so weit nördlich wie Schottland verbreitet. Charakteristisch für diesen Baum ist, dass seine in Büscheln geordneten, weichen, kurzen Nadelblätter im Herbst abfallen, er ist also kein immergrüner Nadelholzbaum. Das Holz ist gelblichweiss, zäh, stark, elastisch, gerad- und grobfaserig. Es ist ziemlich leicht zu bearbeiten und sehr dauerhaft; als Nachteile sind zu nennen, dass es stark schrumpft während des Trocknens und Neigung zum Werfen zeigt. Die Blöcke zeigen selten Kernrisse.

Da das Lärchenholz ausserordentlich dauerhaft ist, den Wechsel von Nässe und Trockenheit verträgt und eine bedeutende Tragkraft besitzt, eignet es sich vorzüglich zu Land-, Wasser- und Schiffbauten. Ausserdem wird es zu Zäunen, gelegentlich auch für landwirtschaftliche Geräte benutzt.

Dem Lärchenbaum entstammt das venetianische Terpentin; seine Rinde ist ein schätzbarer Gerbstoff.

Weitere Eigenschaften des Lärchenholzes sind im Abschnitte über die Holzkunde in Zahlen dargestellt.

Sachregister.

Semler, Heinrich
Tropische und nordamerikanische Waldwirtschaft und Holzkunde

Lightning Source UK Ltd.
Milton Keynes UK
UKHW010703281118
333115UK00008B/240/P

9 781332 358915